HISTOIRE DE L'ÉGLISE

18

*

HISTOIRE DE L'ÉGLISE

DEPUIS LES ORIGINES JUSQU'A NOS JOURS

Fondée par Augustin FLICHE & Victor MARTIN
Dirigée par J.-B. DUROSELLE & Eugène JARRY

18

Après le concile de Trente

La
Restauration
catholique

1563-1648

*

par

Léopold WILLAERT, s.j.

Professeur émérite aux Facultés universitaires de Namur

BLOUD & GAY

SIGLES UTILISÉS DANS CET OUVRAGE

N. B. — Si le titre d'un ouvrage représenté par *op. cit.*, ne se trouve pas à proximité immédiate, voir à la *Bibliographie* qui précède.

A.H.E.B.   *Analectes pour servir à l'histoire ecclésiastique de la Belgique*, Louvain, 1864-1914.

A.H.S.J.   *Archivum historicum S. J.*, Rome, 1931 s.

B.A.R.   Bruxelles. Archives du Royaume.

B.B.R.   Bruxelles. Bibliothèque royale.

B.J.B.   L. WILLAERT, *Bibliotheca janseniana belgica*, Paris-Namur, 1949-1951, 3 vol.

B.N.   *Biographie nationale*, Bruxelles, 1866-1938.

Bull. A.R.B.   *Bulletin de la classe des Lettres et des Sciences morales et politiques de l'Académie royale de Belgique*, Bruxelles, 1834 s.

B.T.   *Bullarium. Taurinensis editio*, 1857-1885.

C.E.   *Catholic Encyclopedia*, New York, 1913-1914.

C. y F.   *Ciencia y Fe*, S. Miguel, Argentine, 1945 s.

D.A.   *Dictionnaire apologétique*, Paris, 1911-1912.

D.B.   DENZIGER-BANNWART, *Enchiridion symbolorum*, Fribourg, 1908; éd. J. RAHNER, 1957.

D.H.G.E.   *Dictionnaire d'Histoire et de Géographie ecclésiastique*, Paris, 1912 s.

D.N.B.   *Dictionary of national biography*, Londres, 1908-1937.

D.S.   *Dictionnaire de Spiritualité*, Paris, 1937 s.

D.T.C.   *Dictionnaire de Théologie catholique*, Paris, 1923-1947.

E.B.   *Encyclopedia britannica*, Londres, s.a.

E.C.   *Enciclopedia cattolica*, Rome, s.a.

E.I.   *Enciclopedia italiana*, Rome, 1929-1949.

Est. Ecl.   *Estudios eclesiasticos*, Madrid, 1922 s.

E.T.L.   *Ephemerides theologicae Lovanienses*, Louvain, 1924 s.

E.U.I.E.A.   *Enciclopedia universal ilustrada europeo-americana*, Bilbao, 1930, 1955 s.

G.-F.   M. GRABMANN, trad. par J. DI FABIO, *Storia della theologia cattolica*, Milan, 1939.

H.C.	C. J. HEFELE, J. HERGENRÖTHER, H. LECLERCQ, P. RICHARD, A. MICHEL, *Histoire des conciles*, Paris, 1907 s.
HEIMB.	HEIMBUCHER, *Die Orden und Kongregationem*, Paderborn, 1907-1908, 3 vol.
H.-D.	HERGENRÖTHER-BELET, *Histoire de l'Église*, t. VI, Paris, Lyon, s.a.
H.-D.	(dans le dernier chapitre) L. HANKE, trad. par F. DURIF, *Colonisation et conscience chrétienne au XVIᵉ siècle*, Paris, 1957.
K.E.	*Katholieke Encyclopaedie*, Amsterdam, 1933-1939.
K.L.	WETZER und WELTE, *Kirchenlexikon*, Fribourg-en-Br., 1882-1901.
L.T.K.	*Lexikon für Theologie und Kirche*, Fribourg-en-Br., 1930-1938.
N.N.B.W.	*Nieuw nederlandsch biographisch Woordenboek*, Leyde, 1911-1937.
N.R.T.	*Nouvelle Revue théologique*, Louvain-Paris-Leipzig-Tournai, 1869 s.
P.G.	L. PASTOR, *Geschichte der Päpste*, Fribourg-en-Br., 1909-1929, t. V à XIV.
P.H.	L. PASTOR, trad. par F. RAYNAUD et A. POIZAT, *Histoire des Papes*, Paris, 1907-1938, 3ᵉ éd.
R.A.M.	*Revue d'Ascétique et de Mystique*, Paris, 1920 s.
R.B.	*Revue bénédictine*, Maredsous, 1884 s.
R.F.	*Razon y Fe*, Madrid, 1920 s.
R.B.P.H.	*Revue belge de Philologie et d'Histoire*, Bruxelles, 1922 s.
R.C.R.	*Revue des communautés religieuses*, Paris, 1929 s.
R.E.P.T.K.	*Real Encyclopaedie für protestantische Theologie und Kirche*, Leipzig, 3ᵉ éd., 1896-1913.
R.H.E.	*Revue d'Histoire ecclésiastique*, Louvain, 1900 s.
R.H.É.F.	*Revue d'Histoire de l'Église de France*, Paris, 1911 s.
R.M.M.	*Revue de Métaphysique et de Morale*, Paris, 1893 s.
R.S.R.	*Recherches de Science religieuse*, Paris, 1903 s.
R.S.P.T.	*Revue des Sciences philosophiques et théologiques*, Kain-Paris, 1907 s.
S.-D.	SCHWANE-DEGERT, *Histoire des Dogmes*, t. VI, Paris, 1904.
SOMM.	CH. SOMMERVOGEL, *Bibliothèque de la Compagnie de Jésus*, Bruxelles-Paris, 1890-1932.

PRÉLIMINAIRES

PRÉLIMINAIRES

CHAPITRE I

ORIENTATION GÉNÉRALE

« Que l'historien de l'Église nous rende avant tout comme visible la vie religieuse de l'Église. »   *Cité par* H. Bremond.

La manière de décrire les vicissitudes de l'Église dépend du biais d'où on la voit.

HISTOIRE EXTERNE OU INTERNE   Il ne manque pas d'histoires de « l'Église-événement », qui considèrent surtout son comportement visible, ses relations, en particulier celles de sa hiérarchie, avec le monde profane. C'est son histoire externe, épisodique, la plus spectaculaire, la plus facile à étudier aussi, parce que les documents abondent, tant du côté religieux que du côté politique.

Il y a aussi l'histoire de la structure de l'Église, de ses organes administratifs, et des lois qui régissent leur fonctionnement *ad intra* et *ad extra*, du droit canonique; l'histoire des institutions.

Il y a enfin l'histoire de la vie intime de l'Église, de ce que Harnack appelait « sa chair et son sang », qu'on appellerait mieux encore son âme, ce qui lui donne et lui conserve la vie.

Puisque le but ultime de l'histoire est d'expliquer, la tâche de l'historien de l'Église est d'étudier surtout cette âme, cette vie intime, la manière dont le Message et la Vie du Christ ont été réalisés et vécus par ses membres aux différentes époques; car l'âme est conditionnée par les dispositions successives et variables « du corps qu'elle anime ». Cette vie est Lumière et Amour, enseignement et charité[1]. Il faudra donc scruter la pensée de l'Église, l'évolution de ses dogmes, le travail de ses théologiens et de ses mystiques. Il faudra, car c'est l'essentiel, essayer de discerner dans quelle mesure a été réalisé l'idéal chrétien d'amour de Dieu et du prochain. Tâche particulièrement ardue! On y réussit souvent en ce qui concerne l'élite, car les documents révèlent son action comme la bouée révèle l'existence de l'ancre. Mais la recherche est particulièrement difficile quand il s'agit de la foule anonyme, dont aucune bouée n'indique les attaches. L'histoire a noté en traits de feu

---

[1] « L'anima della Chiesa consiste in cio che essa ha d'interno e spirituale, cioè la fede, la speranza, la carità, i doni della grazia e dello Spirito Santo e tutti i celesti tesori che le sono derivati per meriti di Cristo Redentore e dei Santi. » *Compendio della dottrina cristiana,* prescritto da SS. Pio X, Rome, 1905, p. 119, cité par Ch. Journet, *L'Église du Verbe incarné,* Paris, 1951, t. I, p. 38 n. 1.

la charité des héros de l'apostolat et de la bienfaisance; mais quel chroniqueur a décrit les dévouements obscurs et souvent héroïques de l'innombrable petit peuple des saints inconnus?

D'ailleurs, plus que jamais, nous nous intéressons actuellement à l'histoire des idées et des valeurs; nous voulons « saisir et rendre des façons individuelles ou collectives de comprendre une doctrine » [1]. Mais ce n'est pas le seul motif de réserver dans ce volume-ci une place plus considérable aux idées et aux sentiments qu'aux événements.

OPTION POUR L'HISTOIRE INTÉRIEURE　Il traite de l'Église catholique posttridentine. Or cette époque vibre d'une activité fiévreuse sur le terrain de la science religieuse et de la vie chrétienne [2]. Le problème de la Réformation, qui la domine, apparaît de plus en plus, en son essence, comme une question de doctrine plutôt que de morale.

Une histoire complète de l'Église entre 1563 et 1648 demanderait un exposé tant de ses institutions et de ses relations extérieures que de son activité intime. Car les idées déclenchent des faits et les faits conditionnent des idées. Mais les faits et gestes de cette époque ont déjà été racontés dans les divers modes de l'exposé historique, depuis les ouvrages d'érudition jusqu'à la haute vulgarisation. Il a donc semblé préférable de les résumer ici succinctement et de consacrer un effort particulier à essayer d'exposer de manière synthétique *l'évolution de la pensée* (1re partie) et *du comportement religieux* (IIe partie).

LIMITES DU TRAVAIL　Cette tentative, pour être réalisable, a dû *se borner à l'Église romaine*, sauf à relever les relations qui l'ont influencée de quelque façon, celles, par exemple, qu'elle eut avec les confessions protestantes. Il ne sera pas inutile d'ailleurs de remarquer que la périodologie de cette *Histoire de l'Église* et la division en *Restauration catholique 1563-1648* ne conviennent qu'à l'Église romaine. Au reste, le plan général de cet ouvrage prévoit deux volumes (XXIV et XXV) consacrés aux Églises orientales et protestantes.

Est-il nécessaire de signaler, pour le déplorer, que, dans une œuvre comme celle-ci, l'inévitable division chronologique en volumes oblige à cesser brusquement l'exposé de questions importantes? Quand il s'est agi *d'expliquer leurs origines*, on n'a pas cru devoir respecter la barrière. Car l'évolution des idées, moins encore que toute autre, ne s'explique que par leur connexion avec les modes de pensée qui les ont précédées.

---

[1] L. GÉNICOT, *La Revue nouvelle*, t. XXVII, 1958, p. 958; « Hoy [...] se siente mas urgente la necessitad de hacer calas o cortes transversales mas profundos y sistematicos en los estratos menos explorados de esa historia. » (Q. ALDEA, *Miscell. Comillas*, t. XXIX, 1958, p. 293).

[2] L. FEBVRE, *Une question mal posée. Les origines de la Réforme française et le problème général des causes de la Réforme*, dans *R. H.*, t. CLXI, 1929, p. 20-25, fait observer que la Réforme est moins dans la correction des abus que dans les questions d'idées. Et, p. 67, 69 n. 1 : « L'étude de ces aspects si intéressants de la révolution du XVIe siècle [le mouvement théologique] n'est qu'amorcée. »

UN INSTRUMENT DE TRAVAIL

Il en va de même pour la *bibliographie* et les *annotations*. Aucun historien ne peut prétendre exposer de manière définitive la réalité totale et complexe : il doit savoir qu'il n'atteint jamais tous les documents observables et qu'il ne devine pas tous les biais d'où on peut les interpréter. Mais il essaie de présenter *une* vue du passé telle qu'elle se présente à lui à cette étape de nos connaissances. De plus, en signalant à ses successeurs les lacunes de notre information et des « pistes de travail », il leur fournit un *instrument de recherche* en vue d'études plus pénétrantes. C'est ce qui excusera, sans doute, l'abondance des bibliographies et des annotations de cette œuvre, qui, d'ailleurs vise moins à charmer qu'à aider les chercheurs.

On a même cité des livres actuellement dépassés, parce qu'ils contiennent des bibliographies de documents qui n'ont pas été repris dans la suite; tels, *l'Histoire de l'Église* de Hergenröther ou *l'Histoire de la théologie positive* de Turmel.

Par contre, on a, en général, omis des ouvrages qui s'indiquent d'eux-mêmes et qui sont fort répandus, comme Hurter ou Denzinger par exemple, qui sont d'ailleurs cités dans les travaux énumérés ici.

Quiconque sait la prodigieuse abondance de publications très variées sur l'époque posttridentine admettra que le présent essai n'ait guère pénétré jusqu'aux sources originales; qu'il ait dû se contenter souvent des travaux d'autrui, dont bon nombre sont de grande valeur — comme, par exemple, des monographies des encyclopédies spéciales, souvent œuvres de maîtres —; qu'il ait même souvent jugé ne pas devoir essayer de dire autrement ce qui avait été dit excellemment [1].

Remerciments. — L'auteur tient à reconnaître, avec une vive gratitude, ses obligations envers M. le chanoine E. JARRY, qui a très soigneusement corrigé son travail, puis envers ses confrères, le R. P. ORTEGAT, qui a bien voulu reviser son manuscrit, et le R. P. R. MOLS, qui, en outre, l'a enrichi de sa vaste et très sûre érudition; envers Melle L. CHAUVEAUX, à qui il doit une aide très précieuse, particulièrement en ce qui concerne la recherche bibliographique et la table alphabétique.

---

[1] « On comprend pourquoi je cite au long Bossuet : il est de telles expressions qui résument si pleinement qu'elles ne sauraient se suppléer; dites une fois, il faut en passer par elles. » C. A. SAINTE-BEUVE, *Port-Royal*, éd. R. L. DOYON et C. MARCHESNÉ, Paris, 1926-1932, t. II, p. 284 n. 1.

CHAPITRE II

ORIENTATION HISTORIQUE

SECTION I. — LE RÉVEIL

RESTAURATION — EXPANSION Au seuil de ce volume, il faut en expliquer le titre [1]. D'abord parce qu'il pourrait faire croire qu'on ne considère dans l'époque indiquée que le renouveau de

[1] BIBLIOGRAPHIE. — I. *Instruments.* — Il sera inutile de citer ici les histoires de l'Église et les ouvrages généraux anciens. Voir, par exemple, une liste dans *K.L.*, t. VII, col. 553-577. Voir aussi, *infra*, p. 16 n. 1; *Bibliographie de la Réforme*, Leyde, 1958, fasc. I, p. 77, *Gegenreformation*, pour les biographies, p. 80-83 (concerne les Réformes catholique et protestante); *The Oxford dictionary of the christian Church*, éd. par F. L. Cross, Londres, New-York, Toronto, 1958 (avec bibliographie soignée); L. André, dans le t. VI de A. Molinier, etc. *Les sources de l'histoire de France*, Paris, 1932, chap. XI, p. 107-354, bibliographie critique des sources pour l'histoire du catholicisme; K. Schottenloher, *Bibliographie zur deutschen Geschichte im Zeitalter der Glaubenspaltung (1517-1585)*, Leipzig, 1933; *Acta Reformationis Catholicae*, Ratisbonne, t. I, 1959.
II. *Périodiques.* — Voir *infra*, p. 117, une liste de périodiques théologiques. Une riche liste de *périodiques* catholiques, répartis par pays se trouve dans *The Catholic Encyclopedia*, New-York, t. XI, col. 669-696.
III. *Travaux.* — *H.E.*, t. XVII, livre II. *La Réforme de l'Église catholique*, p. 245-475. Abondante bibliographie p. 423 s. — Sur le terme « contre-réforme », p. 224 s.; P. Beuzart, *Les hérésies pendant le moyen âge et la Réforme*, Paris, 1912; A. Cistellini, *Figure della Reforma pretridentina*, Brescia, 1948; Y. M. Congar, *Vraie et fausse réforme dans l'Église*, Paris, 1950; Daniel-Rops, *Histoire de l'Église du Christ*, t. IV, *L'Église de la Renaissance et de la Réforme. 1. Une révolution religieuse : La Réforme protestante. 2. Une ère de renouveau : la Réforme catholique*, t. V, *L'Église du Grand Siècle et des Révolutions. Le Grand Siècle des âmes*. Paris [1955-1958]. Il suffira de citer ici, une fois pour toutes, cette admirable synthèse; A. Dufourcq, *Histoire moderne de l'Église. Le christianisme et la désorganisation individuelle, 1294-1527*, Paris, 1925; Ch. Eder, *Die Kirche im Zeitalter des Konfessionellen Absolutismus*, Fribourg-en-Br., 1949; J. Ellul, *Histoire des institutions*, Paris, 1955-1956, t. I; Guiraud, *Histoire partiale. Histoire vraie*, Paris, 1912, p. 288-319; L Febvre, *Au cœur religieux du XVIᵉ siècle*, Bibl. gén. de l'Éc. des H. Ét., Paris, 1957; *H.-B.*, t. VI, p. 177-226 (bibliographie); H. Hauser et A. Renaudet, *Les débuts de l'âge moderne*, Paris, 1929, p. 152-161, 255-267, 479-488, 497 s.; H. Hauser, *La prépondérance espagnole (1559-1660)*, Paris, 1933, p. 17-39, 76 s., 460-476; P. Hazard, *La crise de la conscience européenne (1680-1715)*, Paris, 1935, p. 98; P. Imbart de la Tour, *Le mouvement réformiste dans le catholicisme avant Luther*, dans *Correspondant*, t. CCXXXII, 1908, p. 13-40; Id., *Les origines de la Réforme*, Paris, 1944, t. II, *L'Église catholique*. On devra consulter la *très précieuse et indispensable bibliographie* des ouvrages parus depuis 1903, par Y. Lanhers, p. 585-626, qui les classe méthodiquement : 1. La papauté à la fin du moyen âge. 2. Le gallicanisme, le concile de Pise, le concordat de 1516. 3. Les abus et les réformes. 4. La Renaissance et l'Humanisme; P. Janelle, *The Catholic Reformation*, Milwaukee, 1949; J. Janssen, *Geschichte des Deutschen Volkes*, Fribourg-en-Br., 1892, t. I, p. 34-64; G. Kurth, *L'Église aux tournants de l'histoire*, Bruxelles, 1913, 3ᵉ éd.; B. de Lacombe, *La Renaissance catholique à la veille du protestantisme*, dans *Correspondant*, t. CCXXXIV, 1909, p. 981-996 (analyse d'Imbart de la Tour, *Les origines*); J. Lortz, *Geschichte der Kirche*, Münster, 1948, p. 216-258. *Die Katholische Reform*, p. 285-330; Id., *Die Reformation in Deutschland*, Fribourg-en-Br., 1941, t. I, p. 1-144, sur la situation à la veille de la Réforme, surtout en Allemagne; G. Monod, *La réforme catholique*, *R.H.*, t. XXI, 1910, p. 280-315; F. Mourret, *Histoire générale de l'Église*, t. V, p. 170, d'après Pastor; Id., trad. N. Thompson, *A History of the Catholic Church*, t. VI, *Period of Ancient Régime, 1600-1774*, St. Louis, 1945; R. Mousnier, *Histoire générale des civilisations*, t. IV, *Les XVIᵉ et XVIIᵉ siècles*, Paris, 1954;

l'ancienne Église. Mais on n'oubliera pas que sa restauration fut accompagnée par un événement capital : son expansion dans le Nouveau Monde. Elle constitue dans l'histoire de l'Église le début d'une vie à la dimension de la terre.

RESTAURATION — CONTRE-RÉFORME Une autre précision s'impose. C'est le sens même du terme de *Restauration*. Car le mot dont on qualifie une époque reflète l'idée qu'on s'en fait. Cette époque on l'a appelée « siècle du baroque » [1], « siècle de l'absolutisme confessionnel » [2], « siècle de la Contre-Réforme » [3], « Contre-Révolution religieuse [4] ». Il est devenu banal, mais il reste utile cependant, de préciser le sens de l'étiquette « Contre-Réforme » ou « Contre-Révolution ».

A la fin du XIXe siècle, elle représentait aux yeux de beaucoup de gens hors de l'Église, une situation que L. Cristiani a résumée en ce « tryptique » : au début du XVIe siècle, l'Église était remplie d'abus. — Se séparant d'elle, le protestantisme a déclenché la Réforme. — Réveillée par le danger, l'Église, imitant cet exemple, s'est réformée à son tour : une « *contre* » - Réforme [5]. Conception simpliste et partisane, qui prétend clicher en un rigide cadre chronologique des événements et des idées complexes à l'extrême.

Une étude plus objective, plus consciencieuse et plus loyale, aboutit à présent à un tableau différent [6].

P. PASCHINI, *Eresia e reforma cattolica al confine orientale d'Italia*, Rome, 1951 (État du clergé, pénétration luthérienne et anabaptiste); M. PHILIPSON, *La Contre-révolution religieuse au XVIe siècle*, Paris, 1884; A. RENAUDET, *Préréforme et humanisme à Paris*, Paris, 1916; F. ROCQUAIN, *La cour de Rome et l'esprit de réforme avant Luther*, Paris, 1893, 2 vol.; J. SORANZO, *La rifforma cattolica*, dans *Il IV[a] Centenario del concilio di Trento*, Milan, Vita e Pensiero, 1946, p. 26-42, cité dans *R.S.P.T.*, t. XXXI, 1947, p. 270, n. 2; P. TACCHI-VENTURI, *Storia della Compagnia di Gesù in Italia*, Rome-Milan, 1910. (*La vita religiosa in Italia durante la prima età della Compagnia di Gesù*); J. F. VON SCHULTE, *Geschichte der Quellen und Literatur des Kanonischen Rechts von Gratian bis auf die Gegenwart*, Stuttgart, 1875-80, 3 vol.

[1] L. A. VEIT et L. LENHART, *Kirche und Volksfrömmigkeit im Zeitalter des Barocks*, Fribourg-en-Br., 1956; G. SCHNUERER, *Katholische Kirche und Kultur in der Barockzeit*, Paderborn, 1937; B. CROCE, *Storia dell'età barocca*, Bari, 1929.

[2] CH. EDER, *Die Kirche*, *op. cit.*

[3] Les noms « Contre-Réforme, Counter-Reformation, Gegenreformation » apparaissent dans une multitude d'ouvrages. A. ELKAN (*Entstehung und Entwicklung des Begriffs « Gegenreformation »*, dans *Hist. Zeitschr.*, t. CXII, 1914, p. 480*)* pense que Ranke fut le premier à parler d'une « Epoche der Gegenreformation » (1843).

[4] M. PHILIPSON, *op. cit.*

[5] *H.E.*, t. XVII, p. 224 s.; *D.T.C.*, t. XIII, II, col. 2020-2039 (abondamment documenté). « Le catholicisme s'est réformé au contact de la Réforme. » FR. BONIFAS, *Histoire des dogmes de l'Église chrétienne*, Paris, 1886, t. II, p. 439.

[6] H. JEDIN note l'objectivité de la récente historiographie allemande, « in veritate et caritate ». (*Die Erforschung der Kirchliche Reformationsgeschichte seit 1876*, Münster, 1931, p. 37 s.). Du côté français il suffira de citer G. MONOD, L. FEBVRE, E. G. LÉONARD : voir *infra*. Il n'est pas sans intérêt de rechercher *l'évolution des opinions à ce sujet*. Le travail principal est A. ELKAN, *Entstehung*, *op. cit.*; mais il s'intéresse surtout à la périodologie.
Le terme de « Réforme catholique » apparaît en 1762 chez J. S. PUTTER, qui emploie en 1776 « celui de « Contre-Réforme » (ELKAN, *op. cit.*, p. 475). Mais, à cette époque, le « contre » désigne la lutte née de l'application du « *Cuius regio...* » (p. 476).
Alors que les premiers historiens du XVIe siècle ne relevaient dans l'histoire de la Réforme que les faits et surtout les faits politiques, chez Mme DE STAËL on voit poindre l'histoire des

Sans doute, personne ne nie les « abus » de l'Église à la fin du moyen âge et leur influence sur la Réforme. Ils ont été exploités jusqu'à la nausée. Michelet, déjà, en avait assez : « Trois cents ans de plaisanterie sur le pape, les sœurs, les moines, la gouvernante du curé, c'est de quoi lasser, à la fin [1] ». Nous n'en sommes plus au « mythe de la Renaissance » après la « nuit du moyen âge ». [2].

Quoi qu'il en soit, voilà posé le difficile problème : comment concevoir les deux réformes du XVIe siècle, la catholique et la protestante, leurs origines et leurs relations ? Ce qui provoque la question plus générale : comment expliquer qu'à certaines époques l'Église — pourquoi ne pas dire l'humanité ? — se ressaisit, manifeste, comme aux débuts des temps modernes, un besoin passionné de ranimer sa vie supérieure de pensée et d'action ?

Mystère des grands mouvements spirituels ! Car il ne suffit pas de découvrir quels fourriers les ont préparés et d'où leur venait leur inspiration. Il faut encore deviner quelles dispositions bigarrées de la foule la préparait à recevoir ce message. Autant vaudrait presque demander pourquoi, dans l'océan, à tel endroit et à tel moment une vague naît de la masse et la pousse à son tour. Dans l'ancien droit public français, les « ordonnances de *réformation*

idées plutôt que celles des « abus » ; elle qualifie la Réforme de « révolution opérée par les idées » ; elle écrit que « le protestantisme et le catholicisme existent dans le cœur humain ; ce sont des puissances morales qui se développent dans les nations parce qu'elles existent dans chaque homme ». (L. FEBVRE, *Les origines, op. cit.*, p. 14 s.)

En Allemagne, c'est surtout à *Schelling* et à *Humbolt* que l'histoire des idées doit son élan. (ELKAN, *op. cit.*, p. 480.) L. RANKE, *Deutsche Geschichte im Zeitalter der Reformation (1839-1847)*, peu curieux des problèmes d'origine, « hésite à quitter le terrain politique, (FEBVRE, *op. cit.*, p. 11.) Il désigne la réformation catholique des noms de « Rekonstruction, Restauration, Reformation, Wiederherstellung, Regeneration ». (ELKAN, *op. cit.*, p. 484.) « Contre-Réforme » n'a pénétré que lentement dans la terminologie ; il est adopté par le monde savant vers 1860-1870. (*Ibid.*, p. 488.) M. RITTER fut le premier, en 1876, à donner un cours universitaire sur l'« Europe de la Contre-Réforme ». (*Ibid.*, p. 492.) G. MAURENBRECHER (*Geschichte der Katholischen Reformation*, Nordlingen, 1880) évite le terme de « Contre-Réforme » comme impliquant la priorité de la réforme luthérienne. G. MONOD, en 1908, a bien distingué les deux branches de la *rénovation* chrétienne. Le pasteur P. BEUZART, en 1912, les a aussi très clairement définies. (*Op. cit.*, p. 203 s.) E. FUETER, dans sa *Geschichte der neuere Historiographie*, 3e édit. par GERHARD et SATTLER, 1936 ; trad. franç. par E. JEANMAIRE, Paris, 1954, croyait (en 1913) que le terme avait pris en Allemagne sa signification moderne sous l'influence du mot très usité de « contre-révolution ». (ELKAN, *op. cit.*, p. 474.) Depuis lors, l'opinion semble presque unanime : Cf. S. D'IRSAY, *Histoire des universités*, Paris, 1933, t. I, p. 331 ; A. HYMA, *The Christian Renaissance*, Grand Rapids, 1924 ; voir ci-dessus les travaux de L. CRISTIANI (1936 et 1948) ; J. LORTZ emploie le terme de « innere Katholische Reform ». (*Op. cit.*, p. 285.) ; G. VILLOSLADA, *La contrareforma*, Roma, 1959.

H. JEDIN publia en 1946 une remarquable étude : « *Katholische Reformation und Gegen-Reformation*, Lucerne. Il y expose en 66 pages l'origine, l'extension et la définition des deux concepts ; puis il les critique et examine leurs relations avec l'histoire du concile de Trente. (Intéressant compte-rendu de A. DUVAL, qui approuve la théorie de l'auteur, dans *R.S.P.T.*, t. XXXI, 1947, p. 269.) CH. EDER, *Die Kirche, op. cit.*, p. 10 et 30, distingue « Katholische Selbstreform » et « Politische Gegenreformation » ; H. SÉE et A. RÉBILLON, *Le XVIe siècle (Clio)*, p. 146 et 164, maintiennent « Contre-Réforme » sans distinction, estimant que la réforme de l'Église « est tout en réaction contre le protestantisme » et n'a pas touché le dogme ni les méthodes.

[1] FEBVRE, *Les origines, op. cit.*, p. 20.

[2] Sur le mythe de la Renaissance et contre « la nuit du moyen âge », L. FEBVRE, *Le problème de l'incroyance au XVIe siècle. La religion de Rabelais*, dans *Évol. de l'Humanité*, 3e sect., n° 53, Paris, 1942.

visaient à remettre au point et à adapter aux circonstances les institutions par un retour aux principes primitifs, restaurés et renforcés » [1]. Le mot convient bien ici.

Mais, encore une fois, comment expliquer l'origine de cette Réformation du XVIᵉ siècle ?

RÉFORMATION ET RÉFORMES Les historiens à qui ce problème s'impose se divisent, comme ils se sont divisés au sujet de problèmes analogues. Quand a commencé le protestantisme ? Qu'ont voulu au juste les Réformateurs ? Le protestantisme français dérive-t-il de l'allemand, ou vice-versa ? Questions intéressantes. Mais elles ne doivent pas éclipser la question plus large et primordiale, parce que fondamentale : n'y a-t-il pas eu un « premier mobile », sans lequel le réveil n'aurait jamais eu lieu ?

L'histoire de la Réforme présente ainsi un aspect sur lequel E. J. Léonard, après Vinet, attirait naguère l'attention [2]. Dans ses débuts, ceux qui allaient devenir protestants, *participaient à un réveil*. Mais, à ce point de vue, ils n'avaient rien de « protestant ». Leur effort procédait du même élan que la Réformation catholique. Car l'histoire objective observe dans l'Église une relance perpétuelle et séculaire.

Lorsque, à certaines époques, la Lumière (*Luc*, XI, 33 ; XII, 49) et le Levain (*Mt.*, XIII, 23) triomphent avec plus d'éclat, lorsque l'immortelle minorité qui incarne l'Église invisible, l'Église des « professants », réveille et entraîne l'Église institutionnelle et l'Église de la foule, l'histoire inscrit *une réforme*. Elle dirait mieux : un *sommet* de la réforme, une résurgence du courant qui avait disparu temporairement sous terre, comme font certaines rivières. Cette force idéale, Lumière et Levain, peut bien céder parfois sous la pesanteur d'une humanité lourde et d'ailleurs libre, mais elle s'affirme périodiquement, vérifiant le mot de Gamaliel : « Si cette idée ou cette œuvre vient des hommes, elle se détruira d'elle-même. » (*Act.*, V, 35.) [3]

DÉBUTS DE LA RÉFORMATION Si l'on conçoit ainsi l'idée générale de réforme, il reste la question historique proprement dite des orignes immédiates de la Réforme au XVIᵉ siècle. Pourquoi un « sommet de réforme » à cette époque ? Il n'est pas issu d'une « Pentecôte » spectaculaire. Il ne résulte pas simplement du rythme qui oppose une génération à la précédente.

Dès le XIIIᵉ siècle, on avait vu le levain s'efforcer de soulever la pâte. Les historiens actuels lui rendent justice de plus en plus et s'efforcent d'en rechercher les causes les plus diverses [4]. Faut-il appeler ce mouvement

---

[1] Fr. OLIVIER-MARTIN, *Précis d'histoire du droit français*, Paris, 1934, p. 216.

[2] E. J. LÉONARD, *Relazioni* du Congrès international des Sciences historiques tenu à Rome, Florence, 1955, p. 78. C'est le cas, par exemple, de J. R. ACQUOY, *Het klooster van Windesheim en zijn invloed*, Utrecht, 1875, 3 vol., qui rattache la Réforme à la *Devotio moderna*.

[3] CONGAR, *Vraie et fausse réforme, op. cit.,* p. 10 à 22.

[4] Sur les causes économiques : « Le relèvement économique qui suivit la guerre de Cent ans et modifia la situation matérielle des desservants suscita des constructions d'églises, entraîna

« pré-réforme »? Ne vaut-il pas mieux adopter le nom que lui donne A. Cistellini, « réforme prétridentine »? Elle se manifeste presque partout, comme on a pu voir aux volumes XIV et XVII de cette *Histoire de l'Église* [1].

Dès avant le XVIe siècle, la réformation catholique était en marche.

RETARDS DANS LA RÉFORMATION — Par malheur, le *risorgimento* tant exigé tarda trop. Bien des obstacles entravaient l'action des papes, qui auraient dû en prendre la tête. Leur autorité, sapée par les théories conciliaires et plus encore par le Grand Schisme, subissait un accroc à chaque élection, de par les « capitulations » ou promesses que le conclave imposait au futur élu, comme faisaient les sept électeurs au futur empereur [2]. Les « *politicae occupationes* » que flétrissait autrefois saint Bernard, s'imposaient aux *souverains de l'État pontifical*. Le sort de la papauté les obligeait à défendre leur territoire, dont le gouvernement les entraînait à prendre part aux coalitions internationales. Obligés par la permanence du péril turc de tenter d'unir la Chrétienté pour sa défense, ils s'absorbaient en essais infructueux de croisade. Le souci du mouvement intellectuel et artistique les séduisait. Une atmosphère de luxe et souvent de mondanité choquante envahit la cour pontificale. Et là précisément où devait se produire la reformatio « *in capite* », les efforts de papes zélés se heurtaient souvent à la résistance, passive ou même violente, de membres de la Curie, esclaves du « Mammon d'iniquité » ou de l'ambition [3].

Il y avait bien eu les conciles et notamment celui de Latran (1512-1517), mais son action s'enlisa trop tôt dans l'indifférence et dans l'opposition des pouvoirs laïcs, toujours en garde contre les « empiètements » de l'Église.

LA RELIGION AU DÉBUT DU XVIe SIÈCLE — De tous ces retards résulta, pendant la première partie du XVIe siècle, une situation tellement confuse que nous ne la connaissons que par l'extérieur. Nous n'avons pas un tableau de la vie intime de l'Église, de la « dévotion chrétienne » à l'avant-veille de la Réforme [4]. Lacune grave à combler,

---

un renouveau spirituel. » (Y. Lanhers, dans sa bibliographie critique de Imbart de la Tour, *op. cit.*, t. II, 1944, p. 600); B. Llorca, *Antecedentes de la reforma tridentina. Conatos de reforma de la Iglesia anteriores a Trento*, dans *Est. Ecl.*, t. XX, p. 9-32 (conciles, prédicateurs, papes). — « While the impetus towards the elimination of abuse within the old Church was accentuated by the Protestant revolt and by the obvious alternance of reform or death, it is not in accordance with the facts *to speak of the new life in the old church as simply a protection against protestantism.* » (K. S. Latourette, *History of the expansion of Christianity*, Londres, 1947, t. III, p. 15 s.)

[1] Cf. aussi Imbart de la Tour, *op. cit.*, t. II, p. 597 (bibliographie); N. Valois, *La crise religieuse du XVe siècle : Le Pape et le concile*, Paris, 1909, t. I, p. 100.

[2] Voir un exemple sous Sixte V. (*P.G.*, t. II, p. 630-633.)

[3] Imbart de la Tour, *Le mouvement...*, p. 31-39; Cf. Congar, *op. cit.*, p. 198-200.

[4] E. J. Léonard, *Relazioni* du Congrès hist. de Rome 1955, t. IV, p. 79. Les plaintes de ce genre abondent. — L. Febvre notait qu'une vue d'ensemble ne sera possible qu'à la « condition d'embrasser dans la recherche toutes les manifestations diverses d'un siècle dont l'activité politique, le développement économique, l'état social subissent les mêmes transformations rapides et fondamentales que la foi religieuse et la culture intellectuelle ou artistique ». *Les origines, op. cit.*, p. 72); Congar, *op. cit.*, 187-190.

On trouvera des éléments dans des ouvrages cités p. 83, n. 1, comme J. Janssen, P. Tacchi-Venturi, P. Imbart de la Tour.

car elle nous empêche de discerner les causes profondes de la révolution spirituelle. On ne peut que tenter une esquisse.

Une première constatation s'impose. L'Église institutionnelle d'alors ne possède pas assez de prestige intellectuel et moral pour prendre la tête du renouveau qui sourd dans l'Église spirituelle [1]. D'ailleurs un anticléricalisme plus ou moins aigu dans les divers États résultait de causes variées : le subjectivisme individualiste de la Renaissance, le laïcisme dans l'administration, dans la magistrature et dans les assemblées représentatives, la résurgence du naturalisme encouragée par une partie des humanistes et même par des prélats très haut placés, le nationalisme enfin et les tendances démocratiques. De plus, ces tendances allaient ruiner l'unité culturelle de l'Europe médiévale, fille de l'Église [2].

Le renouveau, dans son cours intellectuel, a reçu de la Renaissance et de 'humanisme une impulsion profonde, qui se manifesta tant par le retour aux sources de la Révélation que par le caractère plus « humain » de la théologie (voir *infra* p. 223 s.).

LE BESOIN RELIGIEUX De son côté, le peuple chrétien était soulevé par de puissantes et universelles aspirations. Une des principales était le besoin d'un contact direct avec Dieu et avec son Christ, grâce au contact direct avec l'Écriture Sainte. La prophétie se réalise : « Voici, dit Jahvé, que j'enverrai une faim sur la terre, non une faim de pain et une soif d'eau, mais d'entendre la parole de Jahvé. » (*Amos*, VIII, 11-13).

Dans les toutes premières années du XVIᵉ siècle, avant Luther, on relève des éditions de la Bible en langue vulgaire en nombre tellement saisissant qu'on s'étonne des reproches que les novateurs lançaient à l'Église sur sa négligence de l'Écriture (voir *infra*, p. 232).

Un second souci travaille les âmes : perpétuel problème du salut, soulevé par les calamités du siècle écoulé. Il prend corps dans les manifestations artistiques, telle la danse macabre; dans le développement de l'astrologie; dans la sorcellerie, « un des caractères les plus originaux de l'histoire sociale et religieuse du début de l'époque moderne; la hantise générale de Satan, le besoin presque maladif de gagner des indulgences et de courir les pèlerinages, la *libido currendi* » [3].

En un mot, fût-ce dans ses déviations, l'esprit religieux de l'Église invisible est vivace dans la première moitié du XVIᵉ siècle. Mais cet esprit, inquiet, mécontent, cherche; il attend du nouveau [4]. Le monde se donnera aux réformateurs parce qu'il reconnaîtra en eux les interprètes avisés de ses propres aspirations.

[1] É. DE MOREAU, *H.E.*, t. XVI, p. 80.
[2] J. LORTZ, *Geschichte der Kirche*, Münster, 1948, p. 216-221; *D.T.C.*, t. XIII, 2, col. 2028.
[3] É. DE MOREAU, *loc. cit.*, d'après J. LORTZ, *Die Reformation in Deutschland*, t. I, p. 96-138, 205-210.
[4] L. FEBVRE, *Les origines...*, *op. cit.*, p. 29-47.

DEUX SOLUTIONS Au début du XVIe siècle, on revit la parabole du figuier (*Luc*, XIII, 7-9). Devant l'arbre malade de l'Église, deux attitudes, deux écoles, qui toutes deux veulent passionnément le salut : les uns, pessimistes impatients, désespérant du plant qu'ils jugent empoisonné, ordonnent, comme le propriétaire du figuier : « Coupe-le donc! ». Ou, au moins, pour recommencer aux racines saines, ils veulent scier l'arbre à ras du sol. Ou encore, pour continuer la parabole, ils prétendent guérir l'arbre en y greffant un scion étranger. Les autres, confiants dans l'avenir et dans la sève, répondent comme le vigneron. « Laissez-le encore. Je l'amenderai... Peut-être portera-t-il du fruit l'an prochain. »

Pour parler sans image, l'Église, à cette époque, subit la loi de toute société en mal d'amélioration [1]. Ses membres d'élite, tous assoiffés d'une vie épurée, d'un « réveil », bifurquent : les uns, comptant sur la promesse du Fondateur et fidèles aux normes évangéliques d'obéissance et d'unité, font confiance aux chefs traditionnels et travaillent à une « réformation » [2]; les autres, excédés des délais et des régressions, perdent patience, se révoltent et exigent une réforme de structure et de doctrine. Ils font appel au principe nouveau de libre-interprétation de l'Écriture, au risque de produire des proliférations hétérogènes.

Deux enfants d'une même Mère-Église, qui bientôt deviennent frères ennemis. Reprenons la formule de Gabriel Monod dès 1908 :

> Le parti réformateur dans l'Église s'est, à la fin du premier quart du XVIe siècle, scindé en deux fractions, dont l'une, n'espérant plus rien du Saint-Siège, entre dans une voie révolutionnaire [...], dont l'autre, au contraire se rattache d'autant plus étroitement au Saint-Siège qu'elle voit l'autorité de celui-ci plus menacée et, devenant plus conservatrice à proportion que les autres deviennent plus révolutionnaires, s'efforce d'accroître la rigueur du dogme et la puissance de la hiérarchie [3].

Jugement auquel il suffit d'ajouter que l'Église tenta surtout de ranimer sa vie proprement religieuse, sa vie intime.

Nous avons déjà remarqué (*supra*, p. 18) l'effort parallèle de rénovation de la Réforme. Avec une loyale perspicacité, E. J. Léonard note que « le souci contraignant des premiers réformateurs ne fut nullement la réforme »

---

[1] Au XIXe siècle, la réforme sociale bifurque, les uns cherchent le remède dans le cadre traditionnel, les autres dans la lutte des classes; ce serait une erreur d'appeler la première tendance « contre-socialisme ».

[2] Se rappeler le sens juridique du terme (cf. p. 17). — Au concile de Trente, le P. Lainez assignait à la réformation un double but : « *Reformatio est reductio Ecclesiae ad primam formam, et est duplex, videlicet : interioris hominis, qui consistit in Spiritu adoptionis, et reformatio exterioris hominis, quae est secundum temporalia et ea quae sunt exteriora.* » *Concilium Trid.* (éd. S. EHSES), cité par D'IRSAY, *Histoire des universités...*, Paris, 1933, t. I, p 342, n. 4.

[3] G. MONOD, cours professé en 1908-1909, publié par H. HAUSER, dans *R.H.*, t. CXXI, 1916, p. 281. — « Les principaux *leaders* de la réformation — tant protestants que catholiques romains — apparaissent... comme les portions visibles d'immenses icebergs émergeant à la surface de l'histoire. Nous avons considéré ces hommes comme les marins dans les eaux polaires voient les icebergs, sans penser aux vastes blocs de glace immergée, qui furent eux-mêmes détachés d'une masse unique. Plus les icebergs dérivent, plus ils se séparent. Et, pourtant, ils viennent d'une origine commune. » Cf. A. HYMA, *The christian Renaissance*, Grand Rapids, 1924, p. 349, cité par L. WILLAERT, *Les origines du jansénisme*, Gembloux, 1948, p. 170.

(naturellement de l'Église); il adopte la formule d'Alexandre Vinet :
« La Réformation fut essentiellement ce qu'aujourd'hui nous appelons un
réveil ». Pour lui, « ce qu'a été essentiellement à son origine le mouvement
protestant : un épisode de l'histoire de la piété chrétienne, une manifestation
de la spiritualité catholique, dans des circonstances historiques et ecclésiastiques particulières » [1].

Il y a donc, au début, un groupe considérable, catholiques et futurs protestants, où personne n'est « contre ». Une fois la rupture consommée, des
deux côtés de la barricade, le réveil, la réformation en tant que telle, sera
poursuivie par bon nombre d'âmes sincères et pacifiques, soucieuses de
réaliser le message du Seigneur Jésus. Elles laisseront aux « controversistes »
le soin des hostilités contre les autres confessions. Car l'Église catholique,
menacée par la propagande protestante, tout en continuant la montée
commencée, doit faire front.

RÉFORMATION ET De là, pour elle, pendant la période posttridentine,
CONTRE-RÉFORME une double tâche de Restauration : l'une de renouveau,
que nous appellerons « Réformation », l'autre de
résistance, ou plutôt d'effort pour ramener les « révolutionnaires » au loyalisme
constitutionnel et restaurer l'unité. Ce second objectif-là, mais lui seul,
peut être appelé « Contre-Réforme ».

Par malheur, à cause des circonstances politiques, de son alliance avec
l'État et de la lutte entre États, le catholicisme joindra presque nécessairement
à la défensive doctrinale celle de la coercition et même de la force armée.

Lequel de ces deux buts : Réformation ou Contre-Réforme, importait
le plus ? Il est certain que le premier était l'essentiel. Car s'il n'avait pas été
nécessaire ou s'il avait parfaitement réussi, la Réforme protestante aurait
été vidée de sa raison d'être. En tout cas, cet aspect est le moins étudié
jusqu'à présent et celui, par conséquent, auquel nous nous attacherons
surtout.

Nous devons cependant remarquer ici les incidences des attaques protestantes, directement sur la Contre-Réforme et indirectement sur la Réformation
catholique.

La réaction catholique était nécessaire; mais elle subissait les inconvénients de toute opposition. Non seulement parce que, entraînés par leur
ardeur combattive, les controversistes des deux camps ont souvent fait
passer les nécessités polémiques avant le précepte de la charité. Mais les
assertions dogmatiques elles-mêmes ont souffert de la lutte. Certains aspects
de vérités de foi étant niés par les adversaires, il arrivait à des écrivains
catholiques et aussi à la masse des fidèles, incapable de « finesse », de mettre
trop de feu et d'insistance à les établir. De ce fait, ils laissaient dans l'ombre

---

[1] Noter le titre suggestif de E. HULME, *The Renaissance, the protestant Revolution and
the catholic Reformation in the continental Europe*, Londres, 1917. — *Relazioni* du Congrès
de Rome, *op. cit.*, t. IV, p. 78.

d'autres aspects très réels, auxquels, par contre, les protestants s'attachaient. Comme exemple de ces gauchissements on peut citer l'insistance catholique à affirmer soit le caractère sacrificatoire de la messe au détriment du *recolitur memoria passionis Eius*, soit l'importance de la Tradition « au-dessus de la Bible » (voir *infra*, p. 297), soit la valeur des œuvres ou des rites sensibles.

On voit comment, à force de se combattre, les confessions risquaient de perdre de leurs richesses spirituelles et accumulaient entre elles des obstacles à la réconciliation.

LA TACTIQUE PROTESTANTE Quant à la Réformation, quel devait être son programme ? On scrutera probablement sans fin et sans résultat ce qu'ont voulu au fond les Réformateurs : *rénovation* ou *novation* (L. Febvre). — Dieu seul le sait. Ce qui incombe à l'observation historique est de noter par quels cris de guerre ils ont soulevé, enthousiasmé et conduit les masses. Était-ce : « Corrigeons les abus ! » ou : « Corrigeons la doctrine ! ». Il faut distinguer. Car ils mobilisèrent la foule par ce qu'elle était à même de comprendre : les « abus » du clergé, la résistance à l'autorité papale et cléricale et, par suite, le recours à la Bible seule. Mais à l'élite, l'intellectuelle et la religieuse, il fallait un aiguillon plus affilé : l'affirmation que l'Église était atteinte dans son essence spirituelle, qu'elle avait faussé le Message par la déviation de son enseignement dogmatique et moral, oublieux de l'Écriture. Question d'idées et de vie intime plutôt que de faits.

LA TÂCHE DE L'ÉGLISE Ces deux offensives conjuguées allaient détacher temporairement de l'*Una Sancta* des milliers d'âmes. Mais elles eurent par contre pour elle un immense avantage. Dans le séculaire encensoir catholique, la braise de la ferveur rougeoyait déjà d'une intensité retrouvée : sous le souffle de la Renaissance et de la Réforme, elle a lancé une flamme vive, qui a pu baisser parfois, mais qui ne s'est plus éteinte.

Pour se renouveler dans sa vie intime et pour répondre à ses adversaires, l'Église devait, quant à sa doctrine, et la justifier et en préciser la formulation. Ce fut l'œuvre du concile de Trente et des théologiens. Et ce fut encore l'œuvre du concile de réorganiser le gouvernement de l'Église, d'orchestrer et d'intensifier la grande campagne commencée pour le redressement de la vie religieuse du peuple et de ses pasteurs.

Voilà pour l'ancien monde. Mais, récemment, l'horizon spirituel s'était brusquement élargi, découvrant des champs du Père de famille où se doraient des moissons inconnues. L'existence d'innombrables populations non-baptisées n'allait pas seulement enflammer la charité apostolique et réchauffer le cœur de l'Église. Elle ne soulevait pas seulement des questions pratiques d'évangélisation. Elle posait à la théologie des problèmes, les uns insoupçonnés, les autres transformés : salut des infidèles ; notion de « nature » ; universalité de la Rédemption ; théocratie pontificale universelle ; droit des colonisés ; droit d'annexion et de conquête, etc. Tâches qui prolongeaient l'œuvre de la Restauration.

SECTION II. — L'ÉPOQUE POSTTRIDENTINE.

A vrai dire, c'est ici seulement que commence la matière de ce volume. Mais ce n'est qu'après avoir étudié les origines d'une époque qu'on a chance de la comprendre.

§ I. — Le rôle du concile de Trente.

Plus nos contemporains étudient l'histoire du concile de Trente, plus ils notent son extraordinaire importance dans la vie intime de l'Église [1]. Il fut le vaste creuset où se confirma et se perfectionna la purification. Son déroulement et ses conclusions ont été exposés, puis résumés, dans le volume XVII de cette *Histoire de l'Église* par L. Cristiani (p. 218-221).

Il n'y a donc pas lieu d'y revenir ici, sauf d'abord pour insister sur son rôle de catalyseur. « Ce qui fait sa grandeur et ce qui a assuré son efficacité, c'est qu'il a été le point de rencontre de toutes les forces catholiques de réforme. » « Il est exact de souligner l'enrichissement considérable qu'il apporte à la législation de l'Église [...]; mais que seraient devenus tous ces textes, s'il n'y avait pas eu, existant avant eux, de puissants mouvements réformateurs pour leur permettre de passer effectivement, selon l'expression de Harnack, dans la chair et le sang de l'Église » [2].

RÉSULTATS DU CONCILE Il faut ensuite constater les résultats de ce « miracle ». A vrai dire, toute l'histoire posttridentine en est sortie. Elle n'est pas seulement *post hoc* mais *propter hoc*. Le rôle de Trente dans la marche de l'Église a été celui d'un Foch en 1918. En groupant les efforts disséminés des nombreuses armées du *risorgimento* catholique, il les a organisés d'après un plan nouveau pour une même ascension. Il leur a donné une même doctrine, une même discipline; il leur a assuré une commune et puissante vitalité.

Mais cette gigantesque entreprise ne devait atteindre son but ni aussitôt ni pleinement.

TÂCHES À ACHEVER D'abord parce que les Pères n'avaient pas réussi à s'entendre sur tous les problèmes. Il en restait, notamment sur le terrain doctrinal : ceux de la grâce, celui de l'Immaculée Conception, certains qui concernent les sacrements, en particulier la contrition, celui de la suprématie et de l'infaillibilité pontificales, réciproquement celui du droit divin de l'épiscopat, pour ne citer que quelques exemples. Il restait des problèmes sur le terrain des matières disciplinaires; qu'il suffise de citer la juridiction ecclésiastique, les relations avec l'État, d'autres encore que le concile avait confiés à la sagesse du Saint-Siège. En sorte que « la netteté des contours dogmatiques » et la réforme des abus ne se réaliseraient que lentement.

[1] Voir la bibliographie du concile *infra*, p. 44.
[2] A. DUVAL, *R.S.P.T.*, t. XXXI, 1947, p. 270 s.

Oppositions internes. — Mais le grand obstacle à l'efficacité des décrets conciliaires fut les oppositions que devait naturellement rencontrer la réforme des mœurs. On ne s'étonnera pas qu'elles vinssent de ceux dont elle dérangeait les intérêts matériels, l'ambition ou des passions encore moins nobles. Imposer au haut clergé la résidence, empêcher la mondanité et le cumul des bénéfices épiscopaux ou abbatiaux, particulièrement en Allemagne [1], n'était pas plus aisé qu'obtenir de certains desservants la science indispensable, l'observation du célibat et la distinction de la tenue morale.

OPPOSITIONS AU CONCILE

Alors que la création des séminaires — car c'est de création qu'il s'agit — était le moyen indispensable à la réformation d'un clergé instruit et digne, le décret tridentin qui l'imposait se heurta à des difficultés financières et autres, souvent insolubles alors et toujours tenaces.

D'autres obstacles provenaient de l'état de la catholicité. La crise douloureuse qui avait brisé l'Europe en deux et les luttes entre confessions entretenaient un profond malaise spirituel : la foi avait été ébranlée non moins que la confiance en ses ministres et la disposition à croire. Le rationalisme, sous la forme du socinianisme, s'insinuait dans les esprits. D'autre part, l'indiscipline des mœurs, entretenue par les désordres sociaux et politiques, s'alimentait encore du révoltant scandale qui résultait de l'arrogante richesse des uns et de la misère des autres.

Oppositions politiques. — Une complication capitale surgit de l'intime union de l'Église avec l'État. Pour obtenir une plus grande autorité dans l'application des décrets et souvent parce que cette application l'exigeait, l'assentiment de l'État devint une condition nécessaire du succès.

De là tous les efforts obstinés — et souvent stériles — de l'Église en vue de la « réception » du concile dans les pays catholiques. Il s'agissait d'amener l'État à donner force exécutoire dans le pays à des lois émanées d'une législature étrangère, alors que l'État, de plus en plus fort, affirmait toujours plus jalousement ses prérogatives [2]. Faute de cette collaboration, nécessaire dans les cas d'opposition irréductible, la Réformation souffrit tant que dura l'Ancien Régime.

A qui entendrait dans un sens clérical le titre de protecteurs de l'Église que s'arrogeaient les souverains d'États catholiques d'Ancien Régime, l'attitude des « Rois catholiques » et des « Rois très chrétiens » à l'égard du concile de Trente causerait une pénible surprise. On lira ci-après (p. 374) l'irréductible opposition de la France et de l'Espagne officielles. Une grande partie de la restauration catholique s'opéra malgré les gouvernements [3].

---

[1] J. LORTZ, *Geschichte, op. cit.*, p. 289. La curie romaine elle-même ne se montre pas assez docile.

[2] Voir la bibliographie à ce sujet ci-dessous, p. 44. Il en sera question formellement ci-après, p. 374, à propos de l'anti-romanisme.

[3] Voir p. 367-423, la bibliographie à ce sujet.

§ 2. — Caractères de l'époque posttridentine.

RECHERCHE ET RÉFORME   On constate donc parmi les caractères de l'époque posttridentine la permanence tant de la recherche théologique que du besoin de réforme. Il est assez courant chez les auteurs étrangers à l'histoire de l'Église d'imaginer que le concile a fixé le dogme *ne varietur*, alors que les définitions ne sont que des jalons dans le travail séculaire d'approfondissement de la Révélation. On reviendra sur ce sujet à propos du développement du dogme (p. 309).

Quant au besoin de réforme des mœurs, tant du clergé que des laïcs, il appartient à ces nécessités récurrentes que ne supprimera totalement aucune rénovation. Malgré les grands progrès réalisés à la suite du concile, les témoignages ne manquent pas, dans la période posttridentine, de contemporains qui appellent une Réformation plus profonde [1]. L'élite permanente, héritière des aspirations d'avant le concile, continue à tendre vers plus de perfection évangélique [2]. Les grands spirituels du XVIIe siècle nous renseigneront à ce sujet. Et nous observerons que la vague de fond du jansénisme est due en partie à cette inquiétude.

PRESSION SALUTAIRE DU PROTESTANTISME   Au reste, l'opposition protestante continuait à tenir les catholiques en haleine. On connaît la recommandation très suggestive du nonce J. F. Bonomi, parlant au synode liégeois de 1585 : « Le meilleur moyen de combattre les hérétiques, c'est de ne pas mériter leurs reproches. » [3] Le synode diocésain d'Anvers en 1610 décréta (titre XVII, chap. I) : *Cum clerus in hac nostra diocesi in medio quotidie versetur haereticorum [...] ita studeant vivere ut obmutescere faciant adversarios* [4]. On a remarqué cependant que l'Italie se montrait moins consciente du danger protestant [5].

Ce serait, en effet, jeter sur l'histoire un regard naïf et simpliste que d'imaginer un mouvement de rénovation capable de transformer une population totalement et définitivement. Comme tout autre affluent du fleuve social, la Restauration catholique se mêlait à des eaux qui devaient la conditionner : la conjoncture politique, sociale et même économique du XVIe siècle en son milieu.

---

[1] On en trouvera dans L. WILLAERT, *Les origines, op. cit.*, p. 35 s. et notes.

[2] J. LORTZ, *Geschichte, op. cit.*, p. 286; il signale que la réformation du clergé s'avéra plus difficile en Allemagne que dans le Midi.

[3] Jean-François BONHOMINI *(Buonhomo, Bonhomius, Bonhomi, Bonomi, Bonhomio)* (1536 à Crémone — 1587) étudia à Pavie, où il se lia avec saint Charles Borromée; évêque de Verceil (Vercelli) (1572); nonce en Suisse (1579), puis à Vienne (1581) et à Cologne (1584). Dans ces diverses charges, émule de saint Charles, il déploya un zèle ardent pour la Réformation. Cf. *D.H.G.E.*, t. IX, col. 872-876; *L.T.K.*, t. II, col. 451 s.; *K.L.*, t. I, col. 1856; *B. N.*, t. VI, p. 637; DE BECDELIÈVRE, *Biographie liégeoise*, t. I, Liège, 1836, p. 273.

[4] Ce passage du synode diocésain d'Anvers est cité dans J. HARTZHEIM, *Concilia Germaniae*, Cologne, 1769-1775, t. VIII, p. 1.002.

[5] Pour l'Italie, cf. J. LORTZ, *op. cit.*, p. 287.

FORCES DÉCENTRALISATRICES Malgré le danger de répétition fastidieuse, il s'impose de noter ici encore l'influence de la Renaissance. Son subjectivisme individualiste avait engendré le désir d'une vie religieuse personnelle indépendante, une tendance d'opposition à l'autorité, en particulier l'anticléricalisme et une conception profane de la culture. A son tour, la somme des indépendances individuelles renforça les nationalismes, qui venaient de naître. Puis ces nationalismes, ombrageux, impatients d'une autorité internationale, n'eurent plus, pour trancher leurs conflits, que le recours à la force.

Quand, érigés en États et empoisonnés de machiavélisme, ils prirent chacun sa couleur confessionnelle, ils s'entredéchirèrent en des guerres politico-religieuses, doublement cruelles par le fanatisme des patries rivales et par celui des religions. La guerre de Trente ans marque une retentissante défaite de l'esprit évangélique.

FORCES CENTRALISATRICES *Dans l'État.* — En réaction de défense contre les tendances libertaires, les besoins mêmes de la lutte devaient renforcer les absolutismes étatiques. Machiavel leur avait fourni un évangile et son universelle influence, païenne de nature, préparait, dans le droit interne comme dans le droit international, la moderne laïcisation de l'État et de la Société des Nations. En attendant, les monarchies étendaient leur puissance par leurs conquêtes d'outre-mer, tandis qu'elles s'efforçaient, en dictant à leurs sujets leur religion, d'écarter le dernier obstacle à leur despotisme. Et ainsi se pose avec plus d'acuité l'éternel et difficile problème des relations entre l'Église et l'État.

Dans l'Église. — Car l'Église, pour le même motif que la société civile, va tenter de réaliser pleinement l'autorité suprême de la papauté, qu'elle considère comme l'héritière légitime du Prince des Apôtres, détenteur des Clefs. C'est un des caractères de l'époque posttridentine que l'identification progressive de l'Église à son chef sur terre. Le Saint-Siège étendra son influence grâce aux théologiens papalistes, au réseau de ses nonciatures, à l'aide des ordres religieux « exempts », aux facilités nouvelles des communications assurées par des postes régulières.

Deux totalitarismes vont donc s'affronter. Et la lutte intéresse la vie intime de l'Église. Car cette vie va, de plus en plus, recevoir ses directives et parfois son élan de la cour pontificale, puissance supra-nationale, supérieure aux formes particulières que prennent les diverses spiritualités, les associations, les liturgies, les mœurs et les disciplines locales.

OPPOSITIONS ANTI-ECCLÉSIALES Elle rencontrera donc des oppositions nationales. Il ne s'agit pas seulement des pays protestants, ni davantage des conflits parfois armés résultant du pouvoir temporel du pape. Car les nationalismes, même dans les pays catholiques, se doubleront naturellement de revendications politiques. Le principe territorial imposé à la religion, le « cuius regio, illius religio », ne fut pas appliqué en

Allemagne exclusivement. Les grandes monarchies occidentales, soucieuses d'unité et de centralisation, tentèrent de réaliser à leur profit la religion d'État.

De plus, dans l'Europe occidentale et centrale, le développement du capitalisme et l'expansion coloniale avaient comme conséquence l'enrichissement et, par suite, l'ascension de la bourgeoisie. Et l'on voit les roturiers envahir graduellement les degrés de la machine administrative, dont la monarchie absolutiste peut de moins en moins se passer et qui, progressivement, la remplace par la domination des fonctionnaires.

L'Église se trouve donc en présence de deux absolutismes. Pour tâcher d'utiliser à ses fins spirituelles l'absolutisme du souverain, elle aura l'influence personnelle, celle de l'entourage, celle du confesseur, celle de l'éducation des princes-héritiers, importante surtout en Allemagne.

Elle rencontrera un obstacle plus hérissé dans l'absolutisme de l'administration, puissance permanente; car, si le roi meurt, l'administration est immortelle, puisqu'elle ne perd jamais tous ses membres à la fois et qu'elle conserve, avec son esprit de corps, une redoutable constance dans l'orientation de sa politique. Or l'Église pourra bien tenter de s'assurer la classe moyenne par l'éducation des « nouveaux dauphins » dans ses écoles, elle aura beau travailler à caser ses fidèles dans les postes de commande, ils seront souvent gagnés par l'atmosphère régalienne du milieu. En général, ce n'est pas du roi, mais de l'administration que viendra l'opposition aux mesures qu'exige la vie intime de l'Église : directives pontificales en matière de dogme et de discipline, réunion de conciles provinciaux, sanctions disciplinaires contre les délinquants obstinés, etc.

La garde des fonctionnaires contrôle tout cela, grâce au *placet* et aux « appels comme d'abus » *(recuerzo de forza)*, qui arrêtent à la frontière ou annulent judiciairement l'activité ecclésiale.

CARACTÈRE GÉNÉRAL De ces divers éléments se constitue le caractère général de la période que nous appellerons ici « posttridentine », qui s'étend de la fin du concile de Trente (1563) aux traités de Westphalie (1648).

On la qualifie généralement d'âge d'or, de « sommet. » H. Jedin, qui emploie ce terme, a groupé en un raccourci synchronique de peu d'années quelques faits significatifs.

Lorsque Bellarmin écrivait ses *Controverses*, Thérèse d'Avila (1852) et Charles Borromée (1584) achevaient l'œuvre de leur vie; sous son général Aquaviva (depuis 1581), la Compagnie de Jésus atteignait le point culminant de son activité pédagogique et apostolique; et tandis que Bellarmin publiait son travail (1586-1589), Sixte-Quint reconquérait son indépendance á l'égard de la puissance mondiale de l'Espagne et achevait le symbole de la papauté restaurée, la coupole de Saint-Pierre[1].

Ce n'est pas là, bien entendu, toute l'époque posttridentine.

---

[1] *Relazioni* du congrès de Rome (1955), Florence, 1955, t. IV, p. 72.

Cette période fut-elle vraiment un succès [1]? La réponse dépend en partie d'un élément subjectif, des critères qui l'inspirent; il y en a au moins deux.

On peut juger un ensemble historique en le confrontant avec un idéal qu'on lui assigne à atteindre, en fonction de ce qui, logiquement d'après cette vue, aurait dû se produire à sa suite. S'il s'agit d'une réformation, a-t-elle opéré un redressement total, capable de se maintenir et même de se perfectionner encore dans les générations suivantes? Il faut avouer que, dans cette acception, il n'y a jamais eu de rénovation réussie, pas plus dans l'Église que dans l'État? Aucun effort humain n'atteint l'inaccessible perfection. L'histoire profane connaît plusieurs « siècles » depuis celui de Périclès, mais ce ne sont que des siècles.

Il n'y a eu de réformation totale et indéfiniment féconde ni après le concile de Nicée, ni après saint Boniface ou saint Grégoire VII, ni après le IVe concile du Latran. L'histoire de l'Église, comme celle des nations, présente une loi d'alternance des efforts et des rémissions humaines, où le croyant voit la lutte séculaire entre la grâce de Dieu et la nature déchue, entre le ferment évangélique du don de soi et la lourde langueur de notre pâte égoïste [2].

LES OMBRES   Faut-il s'étonner que des ombres obscurcissent la gloire du « siècle » posttridentin? Qu'il n'ait duré qu'un siècle? On le comprendra mieux si on réfléchit aux obstacles que la réformation dut affronter. Multiples sont les causes de son échec relatif : avant tout le manque de climat spirituel qui aurait facilité son admission; puis les empêchements que dressèrent les États à l'exécution des décrets conciliaires (*infra*, p. 374), les conséquences désastreuses de l'intervention des souverains dans la nomination aux hautes charges ecclésiales; le maintien du système bénéficial, source principale des abus; la rivalité entre les deux clergés, séculier et régulier; les controverses théologiques passionnées ou stériles, d'autres encore.

RÉSULTATS POSITIFS   A côté de cette manière de juger une époque, il y en a une autre. C'est, tout en admettant qu'aucune œuvre humaine n'est un succès sans revers, de relever les postes à l'actif de son bilan et, si l'on veut, de les comparer avec ceux d'autres temps.

Le présent volume apportera peut-être ici quelques données topiques, que sa conclusion résumera. En attendant, il est déjà utile, pour caractériser le siècle en question, de le replacer non seulement au regard de la génération qui suivit, mais « dans la perspective globale de l'humanité »; de se demander ce qui en est resté d'acquis et de permanent dans l'Église et dans la civilisation.

[1] La question a été posée par P. BROUTIN qui, dans une étude remarquable, a loyalement relevé les échecs de cette période et leurs causes : *La réforme pastorale en France au XVIIe siècle*, Paris-Tournai, 1952, 2 vol. C.-r. très suggestif de R. MOLS, dans *N.R.T.*, t. LXXIX, 1957, p. 849-853.

[2] Il serait banal d'insister sur ce rythme, que Polybe signalait dans son « anacyclèse » et Tacite dans ses *Annales* (III, IV) : *Nisi forte rebus cunctis inest velut quidam orbis, ut, quemadmodum temporum vices, ita morum vertantur.*

Que serait devenue l'Église, et avec elle la civilisation chrétienne occidentale, en face du rationalisme résurgent, si ne s'était pas produit le redressement certain d'après le concile? Si ce siècle n'avait pas été ce qu'il fut, le regroupement de l'Église restée fidèle autour du Siège restauré de Pierre, qui n'eut plus à souffrir, ni d'une captivité à Avignon ni d'un Grand Schisme ni de la mondanité d'une Renaissance.

Au point de vue religieux, on ne peut oublier l'ascension et le salut des âmes de ce temps-là, assuré par le renouveau spirituel [1]. Et que dire du magnifique élan missionnaire, qui est allé répandre la foi et la civilisation dans les deux Amériques, en Afrique comme en Asie, et y jeter les fondements permanents de la foi?

ACQUÊTS DU PATRIMOINE — Peut-on imaginer sans horreur le tragique appauvrissement de l'Église et de l'humanité, de leur patrimoine spirituel et moral, si le siècle posttridentin n'avait pas eu lieu? Quelle diminution de notre potentiel spirituel et moral, si l'Église n'avait pas inspiré les chefs-d'œuvre religieux, littéraires et artistiques de l'Europe entière! Ni l'âge d'or des lettres espagnoles, ni Thérèse d'Avila, ni Calderon, ni, en France, François de Sales, ni Bérulle, ni les grands classiques qu'elle préparait. Pas de Skarga ni de Possevino en Pologne, ni de Pázmány en Hongrie. Rayés, Velasquez, Michel-Ange, la Sixtine et Saint-Pierre de Rome, Rubens, Van Dijck et tant d'autres!

Sur le terrain philosophique et théologique, nous n'aurions ni l'école dominicaine de Salamanque, ni Bellarmin, ni Suarez, pour ne citer que les plus illustres. Nous manquerions des trésors spirituels que nous ont laissés les écoles mystiques de ce temps. Le culte et la liturgie n'auraient pas connu la réforme de Pie V. De grandes et touchantes initiatives charitables n'auraient pas été au secours de toutes les souffrances humaines. Pas de Vincent de Paul. Et, pour tout dire, que serait devenue la civilisation occidentale chrétienne sans la victoire de Lépante?

Et devine-t-on ce que serait une Église diminuée de l'apport des ordres religieux réformés ou fondés après Trente? Dieu seul sait le mérite de ces initiateurs et initiatrices, dont le génie organisateur et la sainteté ont communiqué à d'innombrables disciples un idéal enthousiasmant de contemplation, d'apostolat et de bienfaisance, qui se perpétue à travers les siècles.

CONCLUSION — Somme toute, la question primordiale est de savoir si, à cette époque, l'Église a mieux réalisé sa mission de communiquer la vie divine. Or, il serait déjà légitime de conclure de l'immense effort de la théologie, de la bienfaisance, de la pastorale, des missions intérieures et extérieures qu'il eut quelque effet sur les âmes. Mais il y a des indices plus probants d'une amélioration. Le renouveau de la masse est difficile à observer;

---

[1] « Ce grand mouvement des âmes naît d'un mouvement d'âme. » Belles pages qui montrent le caractère totalement « humain », et non cérébral, de la Réformation catholique en France, dans J. DE LA VARENDE, *Anne d'Autriche*, Paris, 1938, p. 144.

car la pratique extérieure elle-même — qui certainement marque alors un progrès — ne nous renseigne qu'imparfaitement sur la vie intérieure de foi et de charité. Mais de la masse émergent alors un nombre émouvant de figures rayonnantes, qui font de ce siècle un « siècle de saints ».

On n'aurait pas achevé de caractériser cette époque si on ne disait pas de quelle manière elle a, ainsi que toute autre, connu l'opposition des contraires. Le champ de l'humanité pensante a toujours réchauffé et nourri deux espèces de semences : la propension à croire et le scepticisme. En dépit de la tendance générale à un réveil de la foi, on observe dès le xve siècle, dès la Renaissance, encore en herbe il est vrai, mais grandissant déjà, le regain d'une essence maligne. Ainsi aussi, dans le champ du comportement humain, les semences du bien et celles du mal. Au milieu de l'incontestable effort de redressement moral, on voit à l'époque posttridentine se maintenir ou surgir des végétations néfastes.

Dans la plupart des pays d'Europe occidentale, se manifestent alors des menaces d'incroyance et d'indiscipline morale [1]. Elles annonçaient un bouleversement dès le milieu du xviie siècle.

En attendant, malgré tout, dans sa marche à travers les siècles, l'Église a connu, après Trente, une « heure étoilée ».

Il doit être permis au chercheur croyant, sa tâche scientifique honnêtement poursuivie, de déclarer ici, une fois pour toutes, sa foi dans une action manifeste de l'Esprit.

---

[1] L. FEBVRE, *Le problème de l'incroyance au XVIe siècle, op. cit.* Il sera question plus loin de ce problème.

PREMIÈRE PARTIE

LA VIE
DANS L'ÉGLISE
INSTITUTIONNELLE

LIVRE PREMIER

LA PAPAUTÉ ET LA CURIE ROMAINE

LES PAPES ET LA RESTAURATION [1]

§ 1. — Les Souverains pontifes.

LA RÉFORMATION,
ŒUVRE COLLECTIVE
La restauration catholique posttridentine fut le produit d'un climat. Il y a, dans l'histoire de l'Église comme dans l'histoire tout court, de ces grandes émotions collectives, de ces lames de fond qui soulèvent toute une génération.

[1] BIBLIOGRAPHIE DE LA PAPAUTÉ POSTTRIDENTINE. — Voir p. 15 la bibliographie de la Restauration catholique.

Encyclopédies : D.T.C., t. XI; élection, col. 1877; col. 1278 s.; *K.L.*, t. IX, col. 1385-1452, t. XII, col. 320-323 (les papes et les universités); *Cath. Enc.*, voir *Index*; *Enc. Catt.* Élection : *L.T.K.*, t. VII, col. 929-940; cf. au nom de chaque pape (voir ci-après note annexe : « biographies des papes) ».

Bullaires : J. ROMAN, *La bulle, son origine et son usage en France, Mémoires Soc. Antiquaires de France*, t. LXXI, 1911, p. 165-181; *K.L.*, t. II, col. 1479; *D.T.C.*, t. III, col. 1244; t. II, col. 1243 s.; *Bullarium diplomatum et privilegiorum sanctorum Romanorum pontificum (B.T.) Taurinensis editio...*, Turin, 1857-1872; Appendice, Turin, 1867, continué par *Bullarium... Napolitana editio. Taurinensis continuatio ac supplementum, seu magni bullarii series altera cum appendice,* 1865; *Bullarium magnum* (MAINARDI), Luxembourg et Rome, 1733-1768; *Bullarium privilegiorum ac diplomaticum Rom. Pontificum,* Rome, 1753 (t. XII-XVII); *Monumenta Vaticana Hungarica,* Budapest, 1886.

Brefs : D.T.C., t. II, col. 1127; *Textes.* A. DE ROSKOVÁNY, *Monumenta catholica pro independentia potestatis ecclesiasticae ab imperio civili,* Nitria, 1867-1879, 16 vol.; I. TELLECHEA, *Los « Elogia Pontificum et Cardinalium » de Teodoro de Ameyden. Notas acerca de los Papas y Cardenales del Seiscientos (1600-1655) en sus relaciones con España. (Cuard. de Trab. de la Esc. Esp. de Hist. y Arqu. en Roma),* t. VII, 1955, p. 182-217.

Travaux. : AUDISIO, *Histoire religieuse et civile des papes,* Paris, 1896; J. BERNHART, trad. par E. BESTAUX, *Le Vatican trône du monde,* Paris, 1930 (pas documenté); A. BOWER, *The history of the popes from the foundation of the See of Rome to the present time,* Londres, 1748-1766, 7 vol.; Ch. BURGAUD, *Histoire des Papes,* Le Raincy, 1949; H. BURN-MURDOCH, *The development of Papacy,* Londres, 1954; G. CASTELLA, *Histoire des Papes,* t. II, Zurich, 1944; C. F. CHEVE, *Dictionnaire des Papes,* MIGNE, 3e encyclopédie, théol., t. XXXII; A. CIACONIUS (CHACON), *Vitae et res gestae Summorum Pontificum Romanorum et S.R.E. cardinalium ab initio nascentis Ecclesiae ad Clementem VIII,* Rome, 1601-1602, 4 vol.; éd. par F. UGHELLI et L. WADDING, Rome, 1630, 2 vol.; Dom DENIS, *Notes sur la cour de Rome aux XVIIe et XVIIIe siècles,* Paris, 1913; J. VON DOELLINGER, trad. par A. GIRAUD-TEULOU, *La papauté : son origine au moyen âge jusqu'en 1870,* Paris, 1904; C. C. ECKARDT, *The Papacy and world affairs as reflected in secularisation of politics,* Chicago, 1937; Ch. EDER, *Die Kirche im Zeitalter des Konfessionellen Absolutismus (1555-1648),* dans J. P. KIRSCH, *Kirchengeschichte,* t. III, II, Fribourg-en-Br., 1949, p. 183-194; G. EGGS, *Pontificum doctum seu... vitae Pontificum romanorum... ad Clementem XI...,* p. 839, Cologne, 1718; J. V. FARROW, *The Pageant of the Popes,* New-York, 1942; H. E. FEINE, *Kirchliche Rechtsgeschichte,* Livre I. *Die Katholische Kirche,* Weimar, 1954; G. GOYAU, *Le Vatican : les papes et la civilisation; le gouvernement central de l'Église,* Bruxelles, 1895; O. HALECKI, *Rome and the Eastern Europe after the Council of Trente (Antemurale),* Rome, 1955; G. HOORNAERT, *Revues belges sur la papauté,* 1908; C. LATREILLE, *Joseph de Maistre et la papauté,* Paris, 1906; J. LORTZ, *Geschichte der Kirche,* Munster, 1948; trad. fr., Paris, 1956; H. MARC-BONNET, *Les Papes de la Renaissance (Que sais-je?),* Paris, 1953; MOURRET, *Histoire de l'Église,* t. V, p. 459 s.; ID., *Histoire de la papauté,* 1929; L. A. MURATORI, *Annali d'Italia,* t. X, I, p. 1 s., XI, Rome, 1788; Ch. PICHON, *Histoire de la papauté,* 1948; RANKE, *Histoire de la papauté,* 1844; J. RUPET, *De programmate Jacobo Lainii [...], reformationem*

On serait bien téméraire de prétendre déterminer la part de chacun des stimulants qui ont infusé cette vie nouvelle à l'Église. L'Église entière a fait effort de guérison. Mais on peut affirmer que la Réformation catholique est le concile de Trente en action. Et que cette action, pour pénétrer jusqu'au plus intime, fut puissamment aidée et dirigée par la hiérarchie restaurée, par un renouveau de la structure.

LES PAPES ET LE CONCILE Avant Trente, les papes craignaient les conciles et leurs prétentions à la suprématie; après, et pour un siècle au moins, aucun d'entre eux qui ne se fasse de quelque manière l'exécuteur de ses décrets. Et ce fut précisément parce que la papauté d'alors sut orchestrer la Réformation qu'elle conquit un prestige et une autorité inconnus jusque-là [1]. A leur tour, ce prestige et cette autorité imposèrent aux pontifes, à l'égard de l'Église, des devoirs plus impérieux et, dans plus d'un cas, une amélioration effective. Une institution vaut ce que valent les hommes qui l'incarnent. Le bonheur de l'Église fut d'abord que la plupart de ses chefs suprêmes se montrèrent capables de porter les lourdes responsabilités de l'heure, ensuite qu'ils trouvèrent chez beaucoup de leurs ouailles une réponse enthousiaste et généreuse. Élan vital et autorité, par leur union, assurèrent le succès.

Le premier aspect de cette merveilleuse réussite est le contraste frappant entre la papauté d'avant Trente et celle d'après. Encore ne faut-il pas, en vue d'un « effet » littéraire, céder à la tentation d'exagérer, comme si « la tête » jusqu'à Trente n'avait rien fait pour la réforme, et comme si, après, elle eût été irréprochable. La réforme avait commencé avec Nicolas V (1447-1455), Adrien VI (1522-1523), Paul III (1534-1549) et Paul IV (1555-1559).

Papatui per Concilium Generale imponere tentantis, Nimègue, 1953; *Jésuites.* (Écrits S. J. sur la papauté) : SOMM.-BLIARD, t. X, col. 1449-1455; A. SABA et C. CASTIGLIONI, *Storia dei Papi,* 2⁰ éd., Turin, 1957; Fr.-X. SEPPELT, revu par G. SCHWAIGER, *Geschichte der Päpste,* t. IV de Boniface VIII à Clément VII, Munich, 1957 (histoire externe surtout); ID., *Das Papsttum in der neueren Zeit. Geschichte der Päpste vom Regierungsantritt Pauls III. bis zur französischen Revolution,* Leipzig, 1936; J. SCHMIDLIN, *Papstgeschichte der neueren Zeit,* Munich, 1933-1935; *Tableau historique de la politique de la cour de Rome depuis ses origines jusqu'à nos jours,* Paris, 1810. — L'ouvrage capital reste L. VON PASTOR, *Geschichte der Päpste,* Fribourg-en-Br., t. VI-XIV. Il serait fastidieux et inutile de la citer à toute occasion; voir les tables (Sigle *P.G.*); ID., trad. A. POIZAT et W. BERTEVAL, *Histoire des papes,* Paris, t. XIV-XX (Sigle *P.H.*). ID., trad. E. GRAF, *The History of the Popes,* t. XXX, Innocent X, Saint Louis, 1940; P. TACCHI-VENTURI, *Storia della Compagnia di Gesù,* Rome, 1910, t. I, voir à la table le nom des papes.

[1] « Le mouvement de renaissance religieuse de la première moitié du [XVIᵉ] siècle avait développé la dévotion catholique envers le Saint-Siège et servi plus qu'on ne le remarque communément la tendance à l'expansion de l'autorité romaine. » (LATREILLE, *Les nonces...,* *R.H.E.F.,* t. XLI, 1955, p. 213.) Sur le nouveau prestige que le concile de Trente vaut à la papauté, cf. *H.E.,* t. XVII, p. 220 s.; H. JEDIN, (*Nouvelles données sur l'histoire des conciles généraux, Cahiers d'histoire mondiale,* t. I, Paris, 1953, p. 177), attribue l'ascension de la puissance papale au fait que les papes « prirent en main l'exécution des décrets conciliaires et s'emparèrent ainsi de la direction de la Réforme catholique ». — Quant à l'exécution effective des Décrets romains, J. CREUSEN (*Les Instituts religieux à vœux simples, Rev. d. Commun. relig.,* t. XVI, 1940, p. 58), notant que la constitution *Circa pastoralis* de Pie V (29 mai 1566) ne fut guère observée, remarque : « on n'avait pas exactement les mêmes idées qu'aujourd'hui sur l'observation des constitutions pontificales et les échanges de correspondances avec Rome prenaient beaucoup de temps ». Un exemple connu d'inobservance d'ordres de Rome est la bulle de Pie V *De salute gregis* (15 nov. 1567) prohibant les « courses » de taureaux!

Pie IV. — C'est à Pie IV que revient le mérite d'avoir repris l'œuvre conciliaire de Paul III poursuivie par Jules III (1550-1555) [1]. Avec l'aide de son neveu saint Charles Borromée, il intervint assidûment et efficacement dans la direction du concile; il parvint, par diplomatie, par patience et par sagesse, à le mener à terme (4 décembre 1563). Succès inimaginable un demi-siècle plus tôt : c'est à la demande des Pères que, par une bulle du 30 décembre 1563 et par celle du 26 janvier 1564 qu'il confirma leurs décisions et accepta de compléter leur œuvre [2].

Ainsi l'Église avait confié au Pontife romain une mission qui faisait de lui le chef de la Réformation, croisade pacifique mais formidable par son ampleur : légiférer sur les terrains que les Pères avaient laissés en friche et veiller à l'exécution de leurs décrets. Tâche qui apparaît immense si l'on songe à l'étendue du champ d'activité sur lequel ces décrets projetaient une lumière inexorable : réformer la papauté elle-même, la cour romaine, le haut et le bas clergé, tant régulier que « séculier », lui préparer des recrues instruites et dignes; faire admettre les lois ecclésiastiques à des souverains ombrageux; restaurer la vie chrétienne dans le peuple par un meilleur usage des sacrements et de la liturgie. Sans oublier les moissons d'âmes qui jaunissaient au-delà des mers, ni les enfants prodigues errants dans l'Europe du nord et de l'est. Ajoutez que ces tâches surhumaines se compliquaient de la funeste nécessité de gouverner un État temporel, indispensable alors à l'indépendance de l'Église.

LES PAPES POSTTRIDENTINS A l'histoire de dire comment ce lourd fardeau fut porté par les hommes de chair à qui la Providence l'a confié pendant le siècle que nous étudions. Ils furent treize.

Le premier, Pie IV (1559-1565), non content d'avoir achevé le concile, commença efficacement la Réformation décrétée. Son œuvre sert d'introduction à une merveilleuse trilogie, les règnes d'un saint, Pie V (1556-1572), d'un savant, Grégoire XIII (1572-1585) et d'un organisateur, Sixte-Quint (1585-1590). Période unique, où fut donné le grand coup de barre. La barque de Pierre a retrouvé l'étoile et rectifie sa course.

Vient ensuite une époque creuse : trois papes qui ensemble ne règnent pas deux ans : Urbain VII (1590), Grégoire XIV (1590-1591), Innocent IX (1591).

Par contre, Clément VIII gouverne de 1592 à 1605 et poursuit la Restauration sur le terrain du dogme, de la liturgie et des missions. De nouveau un pape meurt après un mois, Léon XI. Mais Paul V (1605-1621) continue la Réformation. Grégoire XV règne à peine deux ans (1621-1623) et la période se clôture par deux papes dont le pontificat fut troublé par des difficultés d'ordre temporel, Urbain VIII (1623-1644) et Innocent X (1644-1655).

Avant d'étudier quel fut l'apport de la papauté dans la restauration de la vie intime de l'Église, on aimera se rappeler sommairement les événements

[1] *H.C.*, t. IX, I, p. 500-510.
[2] Voir, *infra*, p. 47; *H.E.*, t. XVII, p. 173-221; *H.C.*, t. IX, II, p. 539-995.

principaux de chaque règne, bien connus d'ailleurs. On les trouvera en annexe
à ce chapitre, p. 47-51.

§ 2. — La Réformation papale.

**L'EXEMPLE
D'EN HAUT**
Un ambassadeur vénitien observait en 1576 : « Rien n'a fait
autant de bien à l'Église que cette succession de plusieurs
papes dont la vie a été irréprochable »[1]. On avait le droit,
en effet, de réclamer des papes de la Réformation, outre les qualités d'un
chef, d'un « conducteur de peuples », celles d'un pasteur du troupeau du
Christ. Plus que les souverains profanes, ils devaient à leurs sujets l'argument
de l'exemple. Chez aucun des papes posttridentins on ne retrouve les désordres
ni même la mondanité de plusieurs de leurs prédécesseurs. Au contraire,
l'histoire note la piété, les mœurs pures, parfois l'austérité de la plupart d'entre
eux, tels, par exemple, Pie IV, qui, en 1564, diminua de quatre cents personnes
le train de sa maison, Grégoire XIV, Innocent IX, Urbain VIII, Clément VIII,
Paul V. La voix de l'Église, comme celle de l'opinion, a proclamé la sainteté
de Pie V, dont l'influence a rayonné sur ses successeurs, sur la curie romaine,
sur la ville de Rome et au-delà[2].

**LA CONTAGION
DU TEMPOREL**
Or il faut remarquer l'une des difficultés graves de leur tâche.
Souverains temporels, ils avaient, sous peine de devenir
« les sacristains » de l'une des dynasties dominant l'Europe,
Valois, Bourbons ou Habsbourgs, à maintenir l'indépendance de leur puissance
politique. Mais, pas de politique sans finances. Et quelles tentations pour
le chef absolu d'un État! Celle de s'absorber avec excès dans ses *occupationes
politicas maledictas;* celle de compromettre son action religieuse par son
attitude politique[3]; celle aussi de développer et d'utiliser ses ressources
pécuniaires au détriment de la pureté évangélique; celle d'ouvrir sa bourse,
qui était celle de l'État, aux courtisans habiles à lui extorquer des pensions
ou des largesses, surtout aux membres de sa famille, souvent âpres au gain,
ambitieux, prétendant à un train de vie convenable aux parents du pape.

Par malheur, le népotisme, qui avait déshonoré tant de règnes précédents,
resta un danger, sinon un fléau. Si plusieurs papes, Pie IV par exemple
et Innocent X, châtièrent sévèrement les neveux coupables de leur prédécesseur; si on a pu appeler « bourgeois » et non plus politique le népotisme
de certains pontifes; si d'autres ont impitoyablement tenu à l'écart leurs
parents, il reste que Paul V enrichit sa famille et qu'Urbain VIII ressuscita
l'abus au point de provoquer des conflits politiques.

---

[1] *Seconda relazione dell'ambasciadore di Roma clar. M. Paolo Tiepolo, ambasciatore
Veneto K.S., 3 maggio 1576.* (P. TIEPOLO, cité dans *D.T.C.*, t. VI, 2, col. 1809.)

[2] « Le Pape, écrivait Tiepolo, le 19 octobre 1566, ne s'occupe de rien que de réformes. »
Lundi, mande à la même date Strozzi, il y a délibération de la Congrégation du Concile; mardi,
délibération sur la réorganisation des études; mercredi, sur la Réforme du bréviaire; jeudi
avant déjeûner, sur l'Inquisition et l'après-midi sur la Réforme du clergé. Et voilà tout ce
à quoi s'occupe le Pape (cité par *P.H.*, t. XVII, p. 133; *P.G.*, t. VIII, p. 124).

[3] Clément VII, par exemple, compromit par sa politique la position du catholicisme en
Allemagne.

L'INTRUSION DES NATIONALISMES Plus funeste fut ingérence des États dans le gouvernement de l'Église en faveur de leur nationalisme. Dès avant la mort d'un pape, ils s'efforçaient de préparer l'élection de son successeur en obtenant pour leurs sujets des chapeaux de cardinal. Réunis en conclave, ces électeurs travaillaient à faire triompher le candidat de leur prince [1].

Un autre obstacle opposé par les souverains à l'action de la papauté fut le *veto* qu'ils opposèrent à la « réception » légale des décrets conciliaires de réforme. En France et en Espagne, les efforts persévérants de Pie IV, de Pie V et de Grégoire XIII échouèrent devant la résistance gallicane et ibérique. Pie IV fut plus heureux en Allemagne, dans l'Italie non-espagnole, dans les cantons suisses catholiques [2].

RÉSISTANCE AUX POUVOIRS CIVILS En dépit de toutes ces encombres, la plupart des papes d'alors entreprirent avec vigueur la correction des abus, le réveil de l'esprit et la défense de l'orthodoxie.

La réformation supposait une liberté assurée à l'égard de la puissance séculière et l'on vit Pie IV en Espagne et en France, Pie V en Espagne, Clément VIII en France s'efforcer de résister — vainement parfois — aux ambitions de domination des souverains absolus sur les affaires ecclésiastiques.

Les interventions politiques au sein des conclaves enchaînaient les cardinaux. Grégoire XV fixa jusque dans le détail les règles des élections pontificales. En fait cependant, les influences nationales continuèrent à jouer. Pie V, il est vrai, fut élu grâce à saint Charles Borromée et au cardinal Caraffa, Grégoire XIII dut son élection au cardinal de Granvelle; mais c'est l'Espagne qui obtint la nomination d'Urbain VII, d'Innocent IX et d'Innocent X, tandis que la France fit élire Léon XI. Il est remarquable cependant que le règne de ces papes, sauf celui d'Innocent X, fut de courte durée, tandis que les papes réformateurs eurent le temps de peupler le Sacré Collège de cardinaux à leur image.

LES PAPES ET LA CURIE Après s'être réformée elle-même, la papauté avait comme tâche urgente la réforme du Sacré Collège; œuvre de capitale importance vu le rôle de plus en plus considérable de la curie dans le gouvernement plus centralisé de l'Église. Œuvre tellement étendue qu'il y aura lieu de l'étudier à part ci-après. On verra ainsi comment les papes organisèrent les cardinaux de curie — semblables aux ministres des souverains — en Congrégations de compétences particulières, à une époque où, dans beaucoup de pays, en France par exemple, les Secrétaires d'État se partageaient encore le territoire géographiquement.

On devine les immenses services que rendirent à la papauté, et par elle à la vie intime de l'Église, ces collaborateurs souvent zélés et capables. Leur

[1] *Relation des négociations qui se sont faites à la Cour de Rome pour la promotion au cardinalat des sujets proposés par la France, 1644-1654*, Paris, 1676.

[2] Il en sera longuement question ci-après t. II.

préparation spécialisée et leur organisation les habilitaient aux tâches variées et très particulières qui leur incombaient.

LES PAPES ET LE CLERGÉ — Une fois entourée de ses ministères, la papauté, soit par elle-même, soit par ses Congrégations romaines, aborda sa tâche « immense en travaillant à la réforme du clergé. A vrai dire, cette réforme fut l'œuvre de multiples volontés coordonnées. Quand nous l'exposerons tout à l'heure, nous aurons l'occasion de noter la part considérable qu'y prirent les papes et la curie.

LES PAPES ET LES ORDRES RELIGIEUX — Quant aux ordres religieux, étant donnés leur cohésion et leur rattachement au Saint-Siège, ils méritaient de sa part une sollicitude particulière. Aussi voit-on chacun des papes réformateurs intervenir dans le réveil des ordres anciens et dans la fondation des nouveaux. Déjà Clément VII (1523-1537) avait légiféré au sujet des religieux mendiants [1]. On lui doit la naissance de deux branches nouvelles et plus strictes de l'ordre franciscain : les récollets et les capucins, ceux-ci, grâce à l'approbation qu'il accorda à Mathieu de Bassi. C'est lui encore qui approuva la fondation originale des clercs réguliers, des théatins et des barnabites. Paul IV, de son côté, avait légiféré contre les moines gyrovagues [2].

Pie IV. — Après le concile de Trente, les papes tiennent la main, souvent avec vigueur, à l'exécution de ses décrets. Pie IV encourage les efforts de sainte Thérèse à réformer le carmel, de l'abbé de Cîteaux Louis de Baissey à la visite des couvents et à la lutte contre les commendataires; il aide les dominicains et les franciscains, impose la clôture féminine.

Pie V. — Comme il fallait s'y attendre de la part d'un ancien inquisiteur, d'un religieux et d'un saint, Pie V mérita, plus que tout autre, d'être reconnu comme le restaurateur par excellence de la vie religieuse. Persuadé que la commende était une des causes les plus funestes de décadence, il la combattit énergiquement.[3] Et c'est avec la même rigueur qu'il retranche de l'arbre les branches incurables : couvents qui résistaient à la Réformation, groupes « non-observants » de certains ordres, moines gyrovagues. Par une série d'ordonnances, principalement en 1567 et 1568, il renforce la clôture féminine, impose à tous les groupements religieux une règle monastique et les vœux solennels, groupe les maisons religieuses, sous des supérieurs mieux choisis, en congrégations ou en provinces nationales [4].

---

[1] J. M. DE GARGANTA, *El papa Clemente VII y sus criterios juridicos en la Reforma de los ordines mendicantes*, Madrid, 1953. « Recherche les principes généraux qui ont pu diriger [...] certains réformateurs », car « réformer ne pouvait consister simplement à convertir des individus à une vie plus observante, mais surtout à *faire évoluer — sans rien casser — une situation juridique déterminée* ». (Y. M. J. CONGAR, *R.S.P.T.*, t. XXXVIII, 1954, p. 704).

[2] *H.E.*, t. XVII, p. 166.

[3] Sur la commende, *D.D.C.*, t. III, col. 1029-1086.

[4] *P.G.*, t. VIII, p. 175-208.

Grégoire XIII. — L'exemple porta ses fruits. La restauration une fois lancée, Grégoire XIII contribua puissamment à l'encourager, au besoin par ses finances et sans ménagements, par exemple pour faciliter la clôture ou l'enseignement. Et cela tant à l'égard des anciens ordres que des nouveaux. Chez les premiers, il renforça l'obéissance et la clôture, confirma l'œuvre de sainte Thérèse, favorisa le Mont-Cassin : activa la réforme des cisterciens, des servites et d'autres. Mais c'est surtout aux formes nouvelles de la vie religieuse qu'il accorda son appui : barnabites, frères de la Miséricsrde, ursulines, oblats de Saint-Ambroise, clercs réguliers de la Mère de Dieu et, par-dessus tout, l'Oratoire de saint Philippe de Néri et la Compagnie de Jésus. On verra plus loin comment il favorisa leurs collèges et leurs universités.

Sixte V. — Sixte V, franciscain lui-même, s'intéressa à son ordre spécialement, mais sans exclusive. Il approuva la fondation de plusieurs autres : les feuillants, les hospitaliers, les clercs réguliers minimes, les frères de la Bonne Mort ; il favorisa les dominicains et, s'il voulut changer le nom de la Compagnie de Jésus, il refusa de modifier ses constitutions. Parmi les franciscains, il manifesta de diverses manières sa prédilection pour les conventuels et parmi eux, pour les réformés. Il canonisa plusieurs membres de l'ordre et proclama docteur de l'Église saint Bonaventure (14 mars 1587), dont il recommanda la doctrine.

C'est à Clément VIII qu'est due la célèbre « Série des décrets généraux pour la réforme des réguliers tant moines que mendiants de tout ordre et de tout institut » (25 juillet 1599). Elle s'ajoute à plusieurs autres décrets publiés par le même pontife et leur ensemble règle dans le moindre détail la vie religieuse : chœur, études, clôture, étendue des vœux, visite, élection des supérieurs, réception et formation des novices. Non content de cette mesure générale, Clément VIII intervint dans la réforme de la plupart des instituts. Il décréta l'autonomie de la réforme thérésienne des carmes, approuva la nouvelle congrégation bénédictine de Lorraine, ramena à l'observance primitive les frères de Saint Jean de Dieu, les mineurs de l'observance, créa des congrégations de trinitaires et d'augustins réformés.

Paul V. — Paul V continue l'œuvre de Clément VIII. Il renforce l'application des décrets de Trente et approuve de nouvelles formations : les capucins obtiennent leur autonomie ; les cisterciens espagnols sont réunis en une congrégation. Des instituts de forme nouvelle sont approuvés : l'oratoire du P. de Bérulle, les piaristes, les doctrinaires, les filles de Notre-Dame et les religieuses de Notre-Dame.

Grégoire XV et Urbain VIII poursuivirent la contribution de la papauté en faveur du relèvement de la vie religieuse.

Quand il s'agira plus loin des missions d'outre-mer, on verra quelle impulsion elles reçurent du Saint-Siège. Déjà, tout à l'heure, il sera question de la Congrégation de la Propagande, œuvre des Souverains Pontifes.

ACTION DANS
L'ORDRE INTELLECTUEL
A ces fécondes initiatives se joignit une remarquable impulsion donnée à la vie intellectuelle de l'Église, organe nécessaire de sa foi.

Quand nous nous occuperons de l'épanouissement de l'enseignement théologique (p. 192), nous constaterons ce qu'il dut à la générosité et au zèle de papes tels que Grégoire XIII, le fondateur de l'*Angelicum* et de la *Grégorienne*, du *Germanique* et de nombreux collèges universitaires nationaux, tels que Grégoire XV et Urbain VIII, fondateurs du collège de la Propagande.

Nous constaterons de même comment les papes ont orienté le travail théologique : tandis que Pie V favorise le thomisme en faisant publier la *Somme* et en l'imposant aux universités, Sixte V remet en honneur saint Bonaventure et recommande sa doctrine; lui-même, Clément VIII, Paul V, Urbain VIII et Innocent X prennent une part active, sinon décisive, dans les discussions sur la grâce; les deux derniers engagent leur autorité par la condamnation de Jansénius; Grégoire XIII avait censuré Baïus.

L'ACTION DANS
LES AUTRES SECTEURS
Parcourez ainsi les divers secteurs de la restauration catholique, vous y noterez partout l'action de la papauté, celle de Pie V, de Grégoire XIII et Paul V pour la rénovation de la liturgie par la refonte du missel, du bréviaire et du pontifical; sur le terrain de la piété, l'impulsion donnée tant à la dévotion mariale et à la foi en l'Immaculée Conception qu'au culte des saints par de nombreuses canonisations; l'intervention de Grégoire XIII, de Sixte V et de Clément VIII dans les études bibliques, de Grégoire XIII dans la codification du droit canonique; de Pie IV, Pie V et Paul V en faveur de l'enseignement populaire par le catéchisme; la reconquête des pays passés au protestantisme par la fondation de collèges pour ces nationalités fut surtout l'œuvre de Grégoire XIII et de Sixte V, de Paul V, de Grégoire XV et d'Urbain VIII; des efforts furent tentés en faveur de l'unité chrétienne par Pie V, par Grégoire XIII et par Clément VIII, qui conclut l'Union de Brest (1595) avec les Ruthènes.

Nous aurons l'occasion de mentionner ces réalisations quand il s'agira de ces différentes questions.

NOTES ANNEXES

I. BIBLIOGRAPHIE DU CONCILE DE TRENTE [1]

BIBLIOGRAPHIES. — On consultera avec grand profit les remarquables « Bulletins » du R. P. A. DUVAL dans *R.S.P.T.*, par exemple, t. XXXI, 1947, p. 241-271 (à l'occasion du centenaire, publications depuis 1939); *Arch. Teol. Granat.*, t. IX, 1946, p. 242-257; les encyclopédies, par exemple, *D.T.C.*, B. LOTH et A. MICHEL, *Tables*, col. 319-325; *H.C.*, t. IX, table; la revue *Estudios ecclesiasticos* (Madrid), t. XX, 1946, a consacré plusieurs articles à l'histoire du concile (Tradition, justification, Sainte Écriture); V. G. ALBERIGO, *Cataloghi dei partecipanti al Concilio di Trento*, dans *Riv. di St. Ch. in It.*, t. X, 1956, p. 345-373,

[1] Sans prétendre épuiser la bibliographie publiée depuis celle du t. XVII de cette *Histoire de l'Eglise*, voici quelques indications :

t. XI, 1957, p. 49-94; F. J. Montalban, *Bibliografía extranjera*, p. 521-532; F. Cereceda, *Bibliografía española*, p. 533-540; C. Gutierez, *Contribución a la bibliografía tridentina. Libros tridentinos en la biblioteca de la Universidad Pontificia de Comillas*, dans *Miscell. Comillas*, t. V; R. Varesco, *Scrittori trentini che si occuparano del S. Concilio*, dans *Il Concilio di Trento*, t. II, 1943 (cités dans *R.S.T.P.*, t. XXXI, 1947, p. 246, n. 1).

Textes. — A. Michel, *Les décrets du concile de Trente*, Paris, 1958, avec excellentes tables des citations scripturaires, des noms propres, analytique, alphabétique et systématique (voir, *supra*, Hefele); St. Kuttner, *Decreta septem priorum sessionum concilii Tridentini sub Paulo III*, Washington, 1946; *Sacrosancta concilia ad regiam editionem exacta*, t. XX, 1545-1565, Venise, 1728; H. J. Schroeder, *Canons and Decrees of the Council of Trent : Original Text*, Saint-Louis, 1941.

Travaux. — J. N. Bakhuizen van den Brink, *Traditio in de Reformatie en het Katholicisme in de zestiende eeuw*, Amsterdam, 1952; M. Caldentey, *Reminiscentias Iulianas en la obra reformatoria de Trento*, dans *Miscell. commemorat. del IV centenario di Trento*, dans *Rivista commemorativa del IV Centenario* (sous dir. de Mgr Paschini), Rome, 1942 s.; F. C. Eckhoff, trad. de H. Jedin, *Papal Legate at the Council of Trent. Cardinal Seripando*, Saint-Louis, 1947; Ch. Eder, *Die Kirche...*, op. cit., p. 383 (bibliogr. récente); G. Gabka, *Cardinal Hosius and the Council of Trent*, dans *Theol. Stud.*, t. VII, 1946, p. 568-576; A. Harnack, *Lehrbuch der Dogmengeschichte*, Fribourg-en-Br., 1897, t. II, p. 617-646; rééd. Tubingue, 1932, t. III, p. 692-723; H. Hauser, *La prépondérance espagnole (1559-1660)*, *(Peuples et Civilisations)*, p. 17; H. Jedin, articles dans *L.T.K.*, t. X, col. 182-284, avec abondante bibliographie récente; Id., *Cio che la storia del concilio si attente della storia ecclesiastica italiana*, dans *Il Concilio di Trento*, 1943, t. II, p. 163-175; Id., *Nouvelles données sur l'histoire des conciles généraux*, dans *Cahiers d'Histoire mondiale*, t. I, 1953, p. 164-178 (bibliogr., p. 177); Id., *Das Conzil von Trient*, Rome, 1948 (C.-R., dans *R.S.P.T.*, t. XXXIV, 1950, p. 399 s.); trad. E. Graff, *A History of the Council of Trent*, Edimbourg, 1957; trad. C. Valent, *Storia del Concilio di Trento*, t. I, Brescia, 1949; Id., *Geschichte des Konzils von Trient*, Fribourg-en-Br., t. I, 2e édit., 1951; t. II, 1957; Id., dans G. Schreiber (v. *infra*), t. I, p. 11-31, indication de travaux récents; Id., *Das Konzil von Trient. Ein Ueberblik über die Erforschung seiner Geschichte*, Rome, *Storie e Litteratura;* Id., *Contarini und Camaldolo*, dans *Archiv. ital. per la storia della pieta*, t. II, p. 53-118; Id., *Der Quellenapparat der Konzilsgeschichte Pallavicinos*, dans *Miscell. Hist. Pontificiae*, t. IV, 1940; Id., *Tridentinum und Protestantismus*, dans *Catholica*, t. III, 1934, p. 137 s.; Id., *Rede und Stimmfreiheit auf dem Konzil von Trient*, dans *Hist. Jahrb.*, t. LXXV, 1956, p. 75-93; Id., *Il significato del concilio di Trento nella Storia della Chiesa*, dans *Gregorianum*, t. XXVI, 1945, p. 117-136 (devint la dernière partie de son *Katholische Reformation...*); J. Lortz, *Geschichte der Kirche*, Münster, 1948, p. 299; Pirot, v. Ch. Urbain; L. Russo, *Contributi alla storia del concilio di Trento e della controriforma*, Florence, 1948; Id., *Il IV Centenario del Concilio di Trento*, Milan, *Vita e pensiero*, 1946; G. Schreiber., *Das Weltkonzil von Trient. Sein Werden und Werken*, Fribourg-en-Br., 1951, 2 vol., (Contient 76 p. d'introduction par G. Schreiber et 39 études par divers auteurs; C.-r. dans *R.b.Ph.H.*, t. XXXVI, 1952, p. 541-544); Ch. Urbain, *Dissertation de l'abbé Pirot sur le concile de Trente*, dans *R.H.E.F.*, t. III, 1912, p. 78, 178, 317, 432 (prétend montrer, contre Leibnitz, que le concile est œcuménique). C. Eskeijns, *Het Concilie van Trente... en de Boekencensuur*, dans *E.T.L.*, t. XXXIV, 1958, p. 495-521.

1. Influences au concile.

Consulter la table des noms propres dans Hefele-Leclercq-Michel.

Théologiens. H. Lennerz, *De congregationibus theologorum in concilio tridentino*, dans *Gregorianum*, t. XXIV, 1945, p. 7-21; Id., *Das Konzil von Trient und die theologische Schulmeinungen*, dans *Scholastik*, t. IV, 1929, p. 38-53; E. Stakemeier, *Die theologischen Schulen auf dem Trienter Konzil*, dans *Theol. Quartalschr.*, t. II, 1936, p. 322-350; I. Rogger, *Le nazioni al concilio di Trento durante la sua epoca imperiale (1545-1552)*, Rome, 1952 (C.-r. dans *R.S.P.T.*, t. XXXVII, 1953, p. 542.)

Absence de l'Amérique. P. de Leturia, *Perche la nasciente Chiesa hispano-americana non fu representata a Trento*, dans *Il Concilio di Trento*, p. 35-43, 475-502.

Augustins. A. Stakemeier, *Der Kampf um Augustin, Augustinus und die Augustiner auf dem Tridentinum*, Paderborn, 1937; A. Zum Keller, dans Schreiber, *Das W..., op. cit.*, t. II, p. 523-540.

Belges. É. de Moreau, *Histoire...*, t. V, *Belges au concile*, p. 31-33; F. de Ram, *Mémoire sur la part que le clergé de Belgique et spécialement les docteurs de l'université de Louvain ont prise au concile de Trente*, dans *Nouveaux Mém. Acad. roy. de Belg.*, t. XIV, 1841.

Bénédictins. P. Volk, dans Schreiber, *Das W…, op. cit.*, t. II, p. 451-460.

Capucins. A. Jacobs, dans Schreiber, *Das W…, op. cit.*, t. II, p. 541-552.

Carmes. Lucinio del S.S. Sacramento, *Los Carmelitas en Trento*, dans *Verdad y Vida*, t. III, 1945, p. 174-192 ; A. Staring, *Der Karmelitengeneral Nikolaus Audet und die katholische Reform des XVI. Jahrh.*, Rome, 1959, p. 330-404.

Cisterciens. Th. Kurent, dans Schreiber, *Das W…, op. cit.*, t. II, p. 461-472.

Dominicains. V. Beltrán de Heredia, *Domingo de Soto en el Concilio de Trento*, dans *Ciencia tomista*, t. LXIII, 1942, p. 113-147, t. LXIV, 1943, p. 59-82 ; V. D. D. Carro, *Los dominicanos y el Concilio, ibid.*, t. LXXVI, 1949, p. 5-52, 177-357, 367-455 ; A. Walz, *Elenco dei Padri e Teologi domenicani nel Concilio di Trento*, dans *Angelicum*, t. XXII, 1945, p. 31-39 ; Id., *I domenicani nel terzo periodo tridentino, ibid.*, t. XXX, 1953, p. 380-407 (à suivre) ; Id., dans Schreiber, *Das W…, op. cit.*, t. II, p. 489-506. (Cf. *Bull. thom.*, t. VIII, 1947-1953, p. 1323 ; *ibid.*, pour V. D. D. Carro, *op. cit., supra.*)

Empire. G. Eder, *Die Reformvorschläge, Kaiser Ferdinands I. auf dem Konzil von Trient*, Munster, 1911 ; H. Jedin, *Die deutschen Teilnehmer am Trienter Konzil*, dans *Theol. Quartalschr.*, t. CXXII, 1941, p. 238-261 ; t. CXXIII, 1942, p. 21-37 (C.-r. dans *R.S.P.T.*, t. XXXI, 1947, p. 362 : participation peu considérable ; celle de l'empereur fut plus efficace que celle des évêques ; de là, accusation de « romanisation » et peu de succès des mesures de réforme) ; G. Schreiber, *Das W…, op. cit.*, t. II, p. 1-450 (diocèses allemands).

Espagne. R. Burgos, *España en Trento*, Madrid, 1941 ; F. Cereceda, *El nacionalismo religioso español in Trento*, dans *Hispania*, t. V, 1945, p. 236-285 ; H. Jedin, *Ein Spanischer Epilog zur zweiten Tagungsperiode des Konzils von Trient*, dans *Gregorianum*, t. XXXI, 1956, p. 100-113 ; V. Beltrán de Heredia, *Domingo de Soto, op. cit.* ; P. B. Gams, *Die Kirchengeschichte von Spanien*, Graz, 1879 (réimpression, 1956) ; J. Goñi Gaztambide, *Los Navarros en el Concilio de Trento y la Reforma tridentina en la diocesis de Pamplona*, Pampelune, 1947 ; C. Gutierrez, *Españoles en Trento*, dans *Corpus Tridentinum Hispanicum*, Valladolid, 1951 (C-r. dans *A.H.S.J.*, t. XXII, 1953 ; p. 556-559 ; *Bull. thom.*, t. VIII, 1947-1953, p. 1322 ; et *R.S.P.T.*, t. XXXVI, 1952, p. 539 s.) ; S. Gonzalez Rivas, *Teologos salmantinos en Trento*, dans *Las Cienc.*, t. II, 1946 ; p. 115-138 ; J. Ruiz Serra, *Dudas del Concilio tarraconense de 1565 resueltas por la Congregación del Concilio*, dans *Rev. Esp. de Der. Can.*, t. VIII, 1955, p. 601-603 ; B. Oromi, *Los franciscanos españoles en el Concilio de Trento*, dans *Verdad y Vida*, t. III, 1945 ; p. 97-117, 275-344, 544-595, 682-728 ; t. IV, 1946, p. 87-108, 301-318, 437-509.

France. Instructions et lettres des rois très chrétiens et de leurs ambassadeurs et d'autres actes concernant le concile de Trente, Paris, 1654.

Frères mineurs. Art. Delfini ou Delfino (O. F. M. conventuel) dans *D.H.G.E.*, t. XIV, col. 178 ; B. Oromi, *Los franciscanos españoles en el Concilio de Trento*, cf. *supra;* L. Spaetling, dans Schreiber, *Das W…, op. cit.*, t. II, p. 507-521 ; R. Varesco, *I Fratri minori en el Concilio di Trento*, dans *Arch. franc. hist.*, t. XLI, 1948, p. 88-160, t. XLII, 1949, p. 95-158.

Jésuites. F. Cereceda, *Diego Laynez en la Europa religiosa de su tiempo, 1512-1565*, Madrid, 1945-1946, 2 vol.

Prémontrés. A. K. Huber, dans Schreiber, *Das W…, op. cit.*, t. II, p. 473-488.

Suisse. Th. Schwegler, dans Schreiber, *Das W…, op. cit.*, t. I, p. 463-472.

2. Influence du concile.

En général. D.T.C., t. IV, 2, col. 1610 ; J. A. Moeller-Lachat, *La symbolique, op. cit.*, t. I, p. 50-53.

Sur la réforme. M. Caldentey, *op. cit.* ; F. M. Capello, *Caractere e importanza della riforma tridentina*, dans *Gregorianum*, t. XXXVI, 1945, p. 85-99 ; de La Fuente, *op. cit.*, t. V, p. 288 s. ; J. Imbert, *Les prescriptions hospitalières du concile de Trente et leur diffusion en France*, dans *R.H.E.F.*, t. XLII, 1956, p. 5-28 ; H. Jedin, *Concilio e riforma nel pensiero del Cardinale B. Guidiccioni*, dans *Riv. di Storia della Chiesa in Italia;* Id., *Tommaso Campeggio (1483-1564). Tridentinische Reform und kuriale Tradition*, Munster, 1957 ; M. F. Mellano, *La controriforma nelle diocesi di Mondovi (1560-1602)*, Turin, 1955 ; S. Merkle, *Die weltgeschichtliche Bedeutung des Konzils von Trient*, dans *Görres Gesellschaft, Drei Vorträge*, Cologne, 1936 ; O'Donohoe, *Tridentine seminary legislation. Its source and its formation*, Louvain, 1957.

Sur la théologie. J. Cahill, *The development of theological censures after the Council of Trent*, Fribourg, 1955 ; P. F. Fransen, *Réflexions sur l'anathème au concile de Trente*, dans *E.Th.L.*, t. XXIX, 1953, p. 657-673 ; G. Garcia Martinez, *Una novissima interpretación de los Canones tridentinos*, dans *Rev. Esp. de Teol.*, t. XV, 1955, p. 637-653 (l'interprétation de R. Favre et de P. Francen, qui met en cause le degré de crédibilité des définitions : ne s'agit-il pas de « foi ecclésiastique » ?) ; J. Salaverri, *La tradición valorada como fuente* de la Revelación en el Concilio de Trento, dans Est. eccl., t. XX; H.E., t. XVII, p. 281; dans SCHREIBER, Das W...., op. cit., t. I, p. 33-53 (M. GRABMAN), p. 145-167 (F. J. SCHIERSE).

Sur la littérature et les arts. Ch. DEJOB, De l'influence du concile de Trente sur la littérature et les beaux-arts chez les peuples catholiques, Paris, 1884; E. MÂLE, L'art religieux de la fin du XVIe siècle, du XVIIe et du XVIIIe siècles. Étude sur l'iconographie après le Concile de Trente, Paris, 1932, 2e éd., 1952.

3. PUBLICATION ET EXÉCUTION DES DÉCRETS DU CONCILE

Généralités. D.T.C., t. XV, 1, col. 1489 s.; L.T.K., t. X, col. 282; R.S.P.T., t. XXXI, 1947, p. 268; H. E. FEINE, Kirchliche Rechtsgeschichte, Weimar, 1954, t. I, p. 457; P.H., t. XV, p. 324 s.; t. XVI, p. 42, 47, 70, 82, 147; t. XVII, p. 160; t. XVIII, p. 154, 180.

En Allemagne. R.S.P.T., t. XXI, 1931, p. 503.

Espagne et Franche-Comté. R.S.P.T., t. XXXIV, 1951, p. 353; L. FEBVRE, L'application du concile de Trente en Franche-Comté, dans R.H., t. CIII, 1909, p. 225 s., t. CIV, P. 1 s.; V. DE LA FUENTE, Historia ecclesiastica de España, Madrid, 1873-1875, t. V, p. 195, 265-288; P. B. GAMS, Kirchengeschichte..., op. cit., t. III, II, p. 186 s.

En France. La réception du concile de Trente sera longuement étudiée ci-après, p. 374-406. — Voir : P. FÉRET, La Faculté..., op. cit., t. I, p. 358 s.; V. MARTIN, Le gallicanisme et la Réforme catholique. Essai sur l'introduction en France des décrets de Trente (1563-1615), Paris, 1919 (avec abondante bibliographie, p. XVIII-XXVII); ID., Les négociations du nonce Silingardi... pour la publication du concile de Trente en France (1599-1601), Paris, 1919; Ch. POULET, Hist..., op. cit., t. II, p. 257; Ch. URBAIN, Dissertation de l'abbé Pirot..., op. cit.; D.A., t. II, col. 254.

En Italie. A. MONTICONE, L'applicazione a Roma del concilio di Trento. Le visite del 1564-1566, dans Riv. de storia della Chiesa in Italia, t. VII, 1953, p. 225 s.; t. VIII, 1954, p. 23-48; H. PASINI, Applicazione del concilio di Trento in diocesi di Parma nella visita, apostolica di Msr. G. B. Castelli-Parme, Parme, s. d.

Aux Pays-Bas et à Liège. A. CAUCHIE et R. MAERE, Recueil des instructions aux nonces de Flandre, Bruxelles, 1904; A. DESSART, Notes sur l'application des décrets du concile de Trente au diocèse de Liège, dans R.H.E., t. XLI, 1946, p. 76-89; R. BRAGARD, Législation sur... les couvents... à Liège spécialement, dans Bull. de l'Inst. archéol. liégeois, t. LXX, p. 355; E. DONCKEL, Luxemburger Gutachen zu den Trienter Reformdecreten, dans Rheinische Vierteljahrsblätter, Bonn, t. XIX, 1954, p. 119-134; B.A.R., Cart. et ms., n° 391, 2; B.B.R., ms. 21. 476, p. 18 s.; L. JUST, Die Reichskirche, t. I, Erzbistum Trier, Leipzig, 1931, p. 28-30; É. DE MOREAU, Hist..., op. cit., t. V, p. 35-55; Ch. POULET, Hist. du Christ., op. cit., t. III, p. 831; E. POULLET, Les constitutions nationales belges de l'Ancien régime, Bruxelles, 1875, p. 104; E. VOSSEN, Exécution du concile de Trente dans le diocèse de Namur, dans Rev. dioc. de Namur, t. IX, 1954, p. 321-349; Ch. WERNER, Geschichte..., op. cit., t. IV, p. 373-578; L. WILLAERT, Le placet royal, op. cit., p. 477-484; surtout F. WILLOCX, L'introduction des décrets du concile de Trente dans les Pays-Bas et dans la principauté de Liège, Louvain, 1929.

II. BIOGRAPHIE DES PAPES DE L'ÉPOQUE POSTTRIDENTINE.

PIE IV, Jean-Ange MEDICI (1499 à Milan — 1565).

On a pu lire au tome XVII de cette Histoire de l'Église, p. 175-222, comment il réunit à nouveau le concile de Trente et le termina heureusement. Il avait été archevêque de Raguse (1545); il fut élu pape le 25 décembre 1559. D'un caractère opposé à celui de son prédécesseur Paul IV, il continua son œuvre de restauration, mais avec plus de modération; il appliqua avec zèle les décrets du concile, qu'il s'efforça de faire admettre par les États catholiques. Il publia un nouvel Index et fit préparer la publication du Catéchisme romain. Il fut puissamment aidé par son neveu saint Charles Borromée; mais, par le châtiment des neveux de Paul IV, il a porté un coup mortel au népotisme (H. E., t. XVII, p. 170 s.).

Il eut à intervenir en France, en Allemagne, en Pologne et en Angleterre, mais surtout en Espagne, afin de défendre les prérogatives de l'Église contre l'absolutisme des États; en même temps, il avait à tenter de grouper l'Europe contre le péril turc; il trouva encore le temps et les ressources pour embellir et fortifier la ville de Rome; mais sa mauvaise administration financière provoqua des troubles.

L.T.K., t. VIII, col. 308; *H.E.*, t. XVII, p. 175-222; *P.G.*, t. VII; *P.H.*, t. XV et XVI; *H.C.*, t. IX, II, p. 529, 1017-1020; *D.T.C.*, t. XII, col. 1633; *K.L.*, t. X, col. 52 s.; Ch. POULET, *Histoire du Christianisme*, Paris, 1937, t. III, p. 705 s.; MOURRET, *op cit.*, t. V, p. 468-470, 680 (table); G. MONOD, *La réf. cath., op. cit.*, p. 308-312.

PIE V, Michel GHISLIERI (1504 à Bosco, près d'Alexandrie—1572), dominicain, évêque de Nepi et Sutri (1556), cardinal (1567). De grande sainteté personnelle, d'un zèle ardent pour la réformation catholique par les décrets conciliaires, il publia le *Catéchisme romain* (1556), renouvela le Bréviaire (1568) et le Missel romain (1570) et généralisa son usage, réorganisa la Pénitencerie (1569) et réforma la cour romaine.

Mais son inexpérience de la politique provoqua de désastreuses conséquences, par le renouvellement de la bulle *In Coena Domini* (1568), par l'excommunication d'Élisabeth d'Angleterre (1570) et dans la lutte contre le césaro-papisme en Espagne. Par contre, en Allemagne, au Reichstag d'Augsbourg, auquel prit part le nonce Commendone, les catholiques acceptèrent les décrets de Trente. Dans la lutte contre les Turcs, son zèle à organiser la défense de l'Europe prépara la grande victoire de Lépante (1571). Le pape par excellence de la Réformation catholique, gardien de l'orthodoxie contre l'hérésie et de la pureté des mœurs, il fut béatifié en 1672 et canonisé en 1712. Sa fête est le 5 mai.

L.T.K. t. VIII, col. 304 s. (bibliogr.); *D.T.C.*, t. XII, col. 1648-1653; *K.L.*, t. X, col. 54 s.; *E.C.*, t. IX, col. 1498; L. BROWNE-OLL, *The sword of St. Michael. St. Pius V, 1504-1572*, Milwaukee, 1943; J. CREUSEN, *La clôture*, dans *Rev. des congrégat. relig.*, t. XV, 1939, p. 39 (Constitutio *Regularium* du 24 oct. 1566); G. GRENTE, *Pie V*, 1914; O. HALECKI, *From Florence to Brest*, Rome, 1958, p. 158-185 (Union. Diète de Lublin); Ch. HIRSCHAUER, *La politique de Pie V en France*, Paris, 1922; V. MARTIN, *Le gallicanisme et la Réforme catholique*, Paris, 1919, p. 88-126; MOURRET, *op. cit.*, t. V, p. 2, 388, 433, 449, 469 s., 496, 511, 515, 524 s., 537, 547, 555; *P.G.*, t. XIII; *P.H.*, t. XII, XIII; POULET, *op. cit.*, t. III, p. 917.

GRÉGOIRE XIII, Hugues BUONCOMPAGNI (1502 à Bologne — 1585) juriste; fut élu pape en 1572; il poursuivit avec zèle tant la Réformation catholique que la Contre-Réforme, dont il élargit considérablement le champ d'action; il s'efforça, mais vainement, de faire recevoir les décrets de Trente en France; travailla activement à récupérer pour l'Église l'Allemagne et la Suisse et tenta la réunion avec les orthodoxes. Il réforma le Calendrier (1582); fit publier le *Corpus iuris canonici* (1582); organisa les nonciatures et encouragea puissamment les missions d'Orient, qu'il confia aux jésuites. Une de ses principales préoccupations fut l'enseignement moyen et supérieur. Il fonda ou soutint 23 séminaires, ouvrit à Rome plusieurs collèges pour étudiants de pays non-catholiques, notamment le germanique; il peut être considéré comme le second fondateur du Collège romain, qui devint l'université « grégorienne ». Toutes ces dépenses et celles qu'il consacra à des embellissements de la ville ruinèrent ses finances; des désordres en résultèrent, qui troublèrent la fin du pontificat.

L.T.K., t. IV, col. 669; *K.L.*, t. V, col. 1142; *D.T.C.*, t. VI, col. 1809-1815; V. Martin, *Gallicanisme, op. cit.*, p. 206 et n. 1 (conduite privée); Mourret, *op. cit.*, t. V, p. 437, 463 s., 511, 528, 539; *P.G.*, t. IX, sur l'aide aux ordres religieux, p. 79-142; *P.H.*, t. XIX, p. 89-106, 125; Poulet, *op. cit.*, t. III, p. 941.

SIXTE-QUINT, Félix Pereti ou Montalto (1521 à Grottamare près Montalto — 1590), frère mineur; supérieur de son ordre, professeur à l'université de Rome, évêque de Sainte-Agathe, confesseur de Pie V, cardinal dit « Montalto » (1570) et évêque de Ferno (1571-1577), élu pape le 24 mars 1585. D'une activité infatigable et d'une volonté inflexible et même dure, il extirpa énergiquement le banditisme dans les États de l'Église, rétablit les finances et surtout poussa vigoureusement la Réformation.

Il organisa la visite des couvents et des églises et celle des évêques *ad limina*. Il fixa le nombre des cardinaux (70) et constitua quinze Congrégations cardinalices à pouvoirs nettement délimités, six pour l'administration judiciaire dans les États pontificaux, les autres pour l'Église universelle. Ayant réorganisé l'imprimerie vaticane, il y fit publier l'édition des *Septante* (1587). Sa tentative de corriger lui-même la Vulgate ne fut pas heureuse.

Sur le plan temporel, il embellit la ville de Rome, y assura la distribution d'eau potable, reconstruisit le palais du Latran, la bibliothèque et le palais du Vatican. Il parvint à achever la coupole de Saint-Pierre. Il s'efforça de réaliser l'équilibre des forces parmi les États catholiques.

C'est de lui que date l'organisation de la centralisation romaine et du contrôle de l'administration épiscopale.

L.T.K., t. IX, col. 612 s.; *D.T.C.*, t. XIV, col. 2218-2338 (bibliogr. abondante); *K.L.*, t. XI, col. 381; *E.C.*, t. XI, col. 782; M. de Boüard, *Sixte V, Henri IV et la Ligue. La légation du cardinal Caetani en France, 1589-1590*, Bordeaux, 1932; P. Graziani, *Sixte-Quint*, Paris, 1907; G. Grente, *Le pape des grands combats*, Paris, 1956; E. Lavisse, *Histoire de France*, t. V, i, p. 250 s., 325 (politique française; la bulle « privatoire »); V. Martin, *Gallicanisme, op. cit.*, p. 211-247 (politique française, manque de compréhension, p. 248, nonce Morosini); Mourret, *op. cit.*, t. V, p. 440, 476 s., 511, 527-548; Poulet, *op cit.*, t. III, p. 925, 1133 (la tutelle espagnole); A. von Hubner, *Der eiserne Papst*, Berlin, 1932; *P.G.*, t. X, p. 104-134 (ordres religieux); p. 193, 261, 208-236, 276, 313, 320-325, 413-422 (sciences et arts); Id., *Sixte V, il creatore della nuova Roma*, 1922.

URBAIN VII, Jean-Baptiste Castagna (1521 à Gênes — 1590), fut archevêque de Rossano; il prit part au concile de Trente et remplit plusieurs missions diplomatiques; créé cardinal en 1583, il fut élu pape le 27 septembre 1590 et mourut de malaria douze jours plus tard.

L.T.K., t. X, col. 436; *D.T.C.*, t. XV, col. 2305; *P.G.*, t. X, p. 503 s.

GRÉGOIRE XIV, Nicolas Sfondrato (1535 à Milan — 1591). Il fut évêque de Crémone, cardinal en 1583, élu pape le 5 décembre 1590. Pieux et de mœurs pures, mais maladif et sans expérience politique, il laissa ses neveux gouverner; inféodé à l'Espagne, il soutint la Ligue par ses finances et par son armée et excommunia Henri de Navarre (« monitoires »). Mais il travailla de diverses manières à la Réformation, notamment en favorisant les ordres religieux.

L.T.K., t. IV, col. 1610; *D.T.C.*, t. VI, col. 1815; *K.L.*, t. V. col. 1145; L. Castana, *Gregorio XIV*, Turin, 1957; *P.G.*, t. X, p. 531, 565.

INNOCENT IX, Jean-Antoine Facchinetto (1519 à Bologne — 1591) fut évêque de Nicastro, participa au concile de Trente; nonce à Venise depuis 1561; patriarche de Jérusalem (1576); créé cardinal en 1583, il occupa les fonctions les plus importantes; il fut élu pape le 29 octobre 1591. Il soutint la Ligue contre Henri IV. De mœurs austères, actif, érudit, il a laissé en manuscrit des œuvres philosophiques et théologiques.

L.T.K., t. V, col. 415; *D.T.C.*, t. VII.

CLÉMENT VIII, Hippolyte Aldobrandini (1536 à Fano — 1605); grâce à une longue expérience au tribunal de la Rote et à la Signature, il devint un excellent juriste; créé cardinal en 1588, il fut nonce en Pologne. Très pieux, mais de santé débile, il fut souvent incapable de gérer les affaires. Sa prodigalité mit les finances en désordre. Il s'efforça avec zèle, mais sans succès, de terminer les controverses au sujet de la grâce *(de Auxiliis);* il obtint plus de résultat dans l'expansion missionnaire et dans le ralliement des Ruthènes (Union de Brest, 1595). Il témoigna de son intérêt pour la science en élevant au cardinalat Baronius et saint Bellarmin. On lui doit une nouvelle édition de l'*Index* (1596), la réédition de la *Vulgate* et des livres liturgiques. Au point de vue politique, en absolvant Henri IV, il libéra la papauté de l'emprise espagnole, et put négocier la paix de Vervins (1598).

L.T.K., t. VI, col. 29 s.; *D.H.G.E.*, t. XII, col. 1249-1297; *D.T.C.*, t. III, col. 76; *K.L.*, t. III, col. 484; *Decreta generalia fel. rec. Clementis Papae VIII*, s. l., 1624; O. Halecki, *From Florence*, op. cit., p. 287-366 (Union de Brest); J. Lajeunie, *Le pape et l'escalade*, Genève, 1953; Id., *Nouveaux documents sur l'escalade de Genève*, 1952; V. Martin, *Le Gallicanisme*, op. cit., p. 253, 275; Mourret, op. cit., t. V, p. 144, 440 s., 479, 539; *P.G.*, t. XI, p. 253-376 (relations avec divers pays), p. 484 (missions étrangères), p. 503 (Propagande), p. 627 (sciences et arts); I. Sicard, *La reforma de los religiosos intendada por Clemente VIII*, *Ecclesiastica xaveriana*, t. III, 1953, p. 143-232.

LÉON XI, Alexandre-Octave de' Medici (1535 à Florence — 1605), il fut évêque de Pistoie (1573), archevêque de Florence (1574), cardinal (1583), légat en France (1596-1598), où il travailla avec succès à la Réformation catholique. Il fut élu le 1er avril 1605.

L.T.K., t. VI, col. 498; *D.T.C.*, t. IX, col. 331; *K.L.*, t. VII, col. 1801; *P.G.*, t. XII, p. 4.

PAUL V, Camille Borghèse (1552 à Rome — 1621), juriste, fut légat en Espagne (1596), cardinal (1597), évêque à Jesi (1600), vicaire-général à Rome et inquisiteur (1603); élu pape le 16 mai 1605. Pieux et de mœurs pures, il travailla à la Réformation (résidence des évêques et des clercs; instruction du clergé et du peuple). Il encouragea les missions étrangères et approuva bon nombre d'ordres religieux nouveaux ou réformés.

Il tenta de rétablir la primauté médiévale du Saint-Siège, ce qui provoqua un violent conflit avec la république de Venise, qu'il mit en interdit; la France et l'Espagne ménagèrent un compromis. Paul V intervint par ses subsides dans la guerre de Trente ans en faveur de l'empereur. Il interdit aux catholiques anglais de prêter le serment exigé par Jacques Ier. Il termina sans une définition la querelle *de Auxiliis* (1607). Il favorisa à l'excès sa famille, mais rendit service à la ville de Rome en lui assurant l'eau potable, en complétant la construction de Saint-Pierre et du Vatican.

L.T.K., t. VIII, col. 15 s.; *D.T.C.*, t. XII, col. 24-37; *K.L.*, t. IX, col. 1643; MOURRET, *op. cit.*, t. V, p. 548, 563, t. VI, p. 23 s., 45, 72, 77, 107, 115, 123; POULET, *op. cit.*, t. III, p. 1137; *P.G.*, t. XII, p. 24 s., 155.

GRÉGOIRE XV, Alexandre LUDOVISI (1554 à Bologne — 1623). Il fut archevêque de Bologne (1612), cardinal en 1616. Quoique âgé et malade, il déploya, grâce à son neveu le cardinal Louis Ludovisi, « une immense activité mondiale » (Ranke). Il fonda en 1622 la Congrégation de la Propagande, fait d'une importance primordiale dans l'histoire des missions. Par l'action du nonce Charles Caraffa, il travailla à reconquérir l'Allemagne à l'Église. Il fixa les règles de l'élection du pape (*Aeterni Patris*, 1621, *Decet Romanum Pontificum*, 1622). Il chargea saint Pierre Fourier de la Réforme des chanoines réguliers en France. Il reconnut les capucins.

L.T.K., t. IV, col. 670 s.; *D.T.C.*, t. VI, II, col. 1815; MOURRET, *op. cit.*, t. VI, p. 36 s., 105; D. ALBRECHT, *Die Deutsche Politik Papst Greg. XV (1621-1623)*, Munich, 1956; *P.G.*, t. XIII, p. 27 s.

URBAIN VIII, Martin BARBERINI (1568 à Florence — 1644). Il fut d'abord nonce en France, du titre d'archevêque de Nazareth (1602), cardinal (1606), évêque de Spolète (1608). Élu pape le 6 août 1623, il fonda le Collège de la Propagande (1627) et son imprimerie; il réglementa la procédure de canonisation (1634) et entreprit une révision du bréviaire et du pontifical. En 1642, il condamna l'*Augustinus* de C. Jansénius. Lettré et très cultivé, il composa plusieurs des hymnes du bréviaire et favorisa les arts et les sciences. (Notez pourtant que le second procès de Galilée eut lieu sous son règne). Malheureusement, il ressuscita le népotisme, ce qui obéra les finances et provoqua la guerre avec les Farnèse. Son intervention dans la guerre de Trente ans nuisit à la cause catholique.

L.T.K., t. X, col. 436 s.; *D.T.C.*, t. XV, col. 2305; *K.L.*, t. XII, col. 451; — Sur son action politique internationale, la bibliographie de A. LEMAN, *Urbain VIII et la rivalité de la France et de l'Autriche, de 1631 à 1635* Paris, 1920; *P.G.*, t. XIII, p. 227 s.

INNOCENT X, Jean-Baptiste PAMFILI (1574 à Rome — 1655), juriste, nonce à Naples (1621), patriarche d'Antioche, nonce à Madrid (1626), cardinal (1627-1629); membre actif de plusieurs Congrégations. Il condamna les Cinq propositions jansénistes. Favorable à l'influence espagnole, il brisa à Rome la puissance des neveux de son prédécesseur, soutenus par Mazarin; il aida Venise dans sa lutte contre les Turcs; il protesta vainement contre les clauses du traité de Wesphalie défavorables à l'Église (1648).

L.T.K., t. V, col. 416; *D.T.C.*, t. VII, col. 2005; *K.L.*, t. VI, col. 751 s.; MOURRET, *op. cit.*, t. VI, p. 59 s.; 76, 244, 385; *P.G.*, t. XIV.

CHAPITRE II

LA CURIE ROMAINE ET LA RÉFORMATION

La « curie » romaine se composait et d'un certain nombre d'organismes et de personnages dont s'entourait le Souverain Pontife.

On pouvait se demander comment elle allait se réformer à la suite du concile; quelle réponse elle ferait à l'appel des papes réformateurs.

§ 1. — Le Sacré-Collège

LES PROBLÈMES Le collège des cardinaux n'était pas un cabinet de secrétaires d'État choisis par le souverain à son avènement. Depuis le XIIᵉ siècle, il formait un *capitulum*, une *universitas*, une corporation disposant, entre autres privilèges, de son autonomie financière. Investi depuis le XIᵉ siècle du pouvoir d'élire le Souverain Pontife, il avait, dès 1352, puis à plusieurs reprises, imposé au candidat des « capitulations » ou promesses diverses préalables à l'élection [1]. Il se considérait comme de droit divin successeur des apôtres; au moyen âge, il avait parfois manifesté une tendance à établir un régime oligarchique où il partagerait l'*imperium* avec le pape. Le Grand Schisme lui avait fourni l'occasion de se hausser au rôle d'arbitre de l'Église.

Dans ces conditions, pouvait-on, à l'issue du concile de Trente et devant le renouveau de la papauté, espérer pouvoir dire : « Tel pape, telle curie »? Pendant les âges sombres, papes et cardinaux avaient ensemble descendu la pente. Les cardinaux, souvent nommés par népotisme ou par faveur et avant même leur majorité, avaient manifesté des ambitions voraces, étalé un luxe tapageur, défrayé la chronique scandaleuse.

LE RÉVEIL DU SACRÉ-COLLÈGE La tentative de réforme d'Adrien VI (1522-1523) s'était heurtée à une solide opposition. Pendant le concile de Trente et jusqu'au moment de sa confirmation, la majorité du Sacré-Collège avait brimé une réforme qui mettait en péril

---

[1] Des capitulations furent imposées pendant les conclaves de 1352, 1431, 1458, 1464, 1484. Elles furent interdites par Pie IV en 1559, par Grégoire XV en 1621 et par Innocent XII en 1695. (*Enc. catt.*, t. III, p. 312 s.)

ses avantages temporels [1]. On peut appeler remarquable la transformation qui suivit [2].

Car, dès le concile confirmé, les cardinaux commencèrent à se soumettre au décret *de reformatione* : règlement de vie, bonne tenue, proscription du luxe. La résidence fut imposée. Par d'heureuses nominations, Pie V introduisit un nouvel esprit dans le Sacré-Collège [3]. Telle fut l'amélioration « qu'on attribue à l'influence de la curie l'orientation de Grégoire XIII dans les vues de son prédécesseur » [4].

Ce mouvement, il fallait lui donner ses règles. Le titre de cardinal avait eu autrefois divers sens. Pie V (1567) le réserva à ceux qui le recevraient du Souverain Pontife pour l'assister dans le gouvernement de l'Église; depuis longtemps, ils formaient avec lui le « consistoire » sur le type du « consistorium principis » des empereurs [5]. C'est au point que les prélats étrangers qui seraient créés cardinaux auraient besoin d'une dispense pour ne pas être tenus de résider à Rome.

L'organisation de la curie fut principalement l'œuvre de Sixte-Quint. Par la célèbre bulle du 3 décembre 1586, il donna au Sacré-Collège sa forme définitive. C'est lui qui fixa le nombre total des cardinaux à soixante-dix et régla tout le détail des Congrégations consistoriales.

[1] *H.C.*, t. IX, I, p. 21 s.; H. JEDIN, *Eine bisher unbekannte Denkschrift. Tommasio Campeggios liber über der Reform der römischen Kurie*, dans *Festgabe J. Lortz*, Baden-Baden, 1958; ID., *Tommaso Campeggio (1483-1564) Tridentinische Reform und Kuriale Tradition, Katholisches Leben u. Kämpfen im Zeitalter der Glaubensspaltung*, 15, 1958. Sur CAMPEGGIO, *D.D.C.*, t. II, col. 1279 s.; J. SUSTA, *Die römische Kurie und das Konzil von Trient unter Pius IV*, Vienne, 1904-1910, 4 vol. (Correspondance entre la curie et le concile).

[2] BIBLIOGRAPHIE. — Voir la n. précédente. — *Cath. Enc.*, t. III, p. 333-343 (bibliogr.), 340; *D.T.C.*, t. II, col. 1717-1724, t. III, col. 1941-1983 (Attitude ou rôle des cardinaux, XVIe siècle); ID., Tables générales, fasc. 3, col. 524; *Enc. catt.*, t. IV, col. 308; *H.-B.*, t. VI, p. 178, énumération de cardinaux remarquables; *H.C.*, t. IX, p. 1048 (Sacré-Collège, Table); *H.E.*, t. XVII, p. 163; *K.L.*, t. III, col. 932 s.; 1245; *L.T.K.*, t. V, col. 820 s., t. VI, 310, 315. *Dictionnaire des cardinaux*, dans MIGNE, *Troisième Encyclopédie*, t. XXXI, 1857; Écrits S. J. sur les cardinaux : SOMM-BLIARD, t. X, col. 1455-1457; R. ANCEL, *L'activité réformatrice de Paul IV. L'élection des cardinaux*, Rev. Quest. hist., t. LXXXVI, 1909, p. 67; C. M. BERUTTI, *De Curia romana. Notulae historico-exegetico practicae*, Rome, 1952; M. D. BOUIX, *Tractatus de Curia Romana*, Paris, 1859; A. CIACONIUS, voir ci-dessus : bibliographie des papes; N. DEL RE, *La Curia Romana*, Rome, 1952; Ch. EDER, *op. cit.*, p. 194-197; H. E. FEINE, *op. cit.*, p. 463; *H.E.*, t. XVII, p. 162 s.; A. C. JEMOLO, *Stato e Chiesa*, *op. cit.*, p. 147 s., 151; V. MARTIN, *Les cardinaux et la curie (Bibl. cath. des sc. rel., 36)*, 1936; A. MEISTER, *Die Geheimschrift im Dienste der päpstlichen Kurie von ihren Anfangen bis zum Ende des 16. Jahrts*, Paderborn, 1906; A. MONIN, *De Curia Romana. Eius historia ac hodierna disciplina iuxta Reformationem a Pie X inductam*, Louvain, 1912; A. V. MÜLLER, *Papst und Kurie*, 1921; PARIDE DE GRASSO, *Diarium curiae romanae*, cf. VON HOFFMAN, *Christi Nov. Scriptorum*, éd. 1731; A. SANDERUS, *Elogia cardinalium*, Louvain, 1626; K. SHÄTTI, *Erasmus von Rotterdam und die Römische Kurie*, Bâle, 1954; M. VAES, *Les curialistes belges à Rome aux XVIe et XVIIe siècles*, Louvain, 1914; P. TACCHI-VENTURI, *Storia*, *op. cit.*, t. I, p. 3 s.; W. VON HOFFMAN, *Forschung zur Geschichte der Kurialen Behörden vom Schisma bis Reformation*, Rome, 1914; *P.G.*, t. VIII, p. 113-131, t. IX, p. 156-169, t. X, p. 167 s., t. XII, p. 225; t. XIII, p. 700, et voir la table aux noms des cardinaux; *P.H.*, t. XVII, p. 133.

[3] V. MARTIN, *Les cardinaux*, *op. cit.*, p. 20-23. — On appelait « cardinaux de couronne » ceux qui avaient été nommés à la demande de souverains.

[4] *D.T.C.*, t. VI, col. 1809 s. Cependant les papes eurent encore à lutter contre l'ingérence des souverains en faveur de candidats-cardinaux à leur dévotion. Cf., par exemple, *P.G.* t. XIII, II, p. 705 s.

[5] Sur le *consistoire* : *D.T.C.*, t. II, col. 1722 s.; *L.T.K.*, t. VI, col. 158 s.; *K.L.*, t. III, col. 962, s.

LA RÉFORME DU CONCLAVE [1] Dans l'ordre chronologique, la première fonction du Sacré-Collège est l'élection du futur pape. Fonction capitale! On a pu dire : tel pape, telle curie; mais la réciproque est encore plus vraie. A quoi faut-il attribuer dans le passé la nomination de papes indignes? Une cause lointaine : la nomination des cardinaux, futurs électeurs; une cause immédiate : l'intrusion d'influences politiques et nationales dans les conclaves, ouverts à tout venant.

La réforme de la curie devait préparer de meilleures électeurs. Quant aux influences politiques, bien avant le concile de Trente, des papes s'étaient efforcés de les exclure : Clément VI, Jules II (1505), Paul III et Pie IV. Cependant Charles-Quint, en donnant à « ses » cardinaux des ordres au sujet des élections, posa les fondements du « droit » d'exclusive, auquel prétendirent ses successeurs des deux branches habsbourgeoises. Dans les dernières années du XVIe siècle, l'Espagne prétendit même à l' «inclusive», c'est-à-dire la prérogative de désigner privativement les candidats admissibles.

Les règles établies par Grégoire X pour la tenue des conclaves (1274) n'avaient pas empêché le mal. Lors de l'élection de Jules III, les cardinaux eux-mêmes les renforcèrent (1550). Mais c'est à Grégoire XV qu'on doit la législation qui, jusqu'à nos jours, régit la tenue de ces réunions (1621, 1622). Elle fut d'ailleurs confirmée par Urbain VIII en 1625.

§ 2. — Les Congrégations romaines.

SPÉCIALISATION DES CARDINAUX De la collaboration des papes et des cardinaux naquit la Rome moderne. Une vie religieuse plus intense, sous peine de s'égarer en s'égaillant, postule une direction plus efficace tout en demeurant souple. On voit, au sortir du concile, la papauté s'entoure d'un ensemble d'institutions auxiliaires qui, sans guère varier, règlent depuis lors l'activité catholique dans toutes ses manifestations. Trait capital dans l'histoire de l'Église.

Il ne suffisait pas d'extirper du Sacré-Collège les abus séculaires. Les nécessités du gouvernement de l'Église développée et centralisée lui assignèrent en même temps un travail considérable, cause et aussi effet d'une

[1] BIBLIOGRAPHIE. — *D.D.C.*, t. III, col. 1319-1328; *D.T.C.*, t. III, col. 707 s.; *H.C.*, t. IX, I, p. 444 s., 507, 510; II, p. 653, 923; *K.L.*, t. IX, col. 1448; *L.T.K.*, t. VII, col. 939 s.; J. DE BONNEFON, *Élection du pape*, Paris, 1903; *Essai historique sur les cérémonies du conclave pour l'élection du pape et sur l'origine des cardinaux*, Paris, 1823; M. FRANÇOIS, *Denis Lambin et le conclave de 1559 (Mélanges Lefranc)*, Paris, 1936, p. 301-306; G. DE GRANDMAISON, *L'élection pontificale. Le conclave (Quinzaine*, t. LIII, 1903, p. 429-450); P. HERRE, *Papsttum und Papstwahl im Zeitalter Philipps II*, 1907; *P.G.*, t. VII, p. 334-337, t. VIII, p. 8-33, t. XII, p. 159-161, t. XIII, I, p. 85-93 (Grégoire XV); F. PETRUCELLI DELLA GATTINA, *Histoire diplomatique des conclaves*, Bruxelles, 1865, 4 vol.; V. PIRIE, *The triple crown: an account of the papal Conclaves from the XVth century to day*, Londres, 1935; [VANEL], *Histoire des conclaves depuis Clément V*, Lyon, 1691; L. WAHRMOND, *Das Ausschlies-sungsrecht der Kath. Staaten Österreich, Frankreich und Spanien bei den Papstwahlen*, Vienne, 1888; H. WURM, *Die Papstwahl. Ihre Geschichte und Gebrauch*, Cologne, 1902.

vitalité accrue. Ces « groupes stables de cardinaux [composés d'au moins trois membres], agissant [souverainement] au nom et par l'autorité du chef de l'Église » se divisent en « congrégations », « dicastères » et « offices »[1].

L'INQUISITION OU SAINT-OFFICE[2]   Il va sans dire que la première préoccupation de l'autorité spirituelle devait être la pureté de la foi. Déjà Paul III, dès 1542, en présence du péril protestant, avait créé la congrégation *de l'Inquisition ou du Saint-Office*, qui est restée la plus élevée en dignité. Elle reçut comme mission de « traiter, sous forme soit de déclarations ou d'instructions, soit de sentences judiciaires, soit de dispenses, toutes les questions » de doctrine.

L'INDEX[3]   Dans le même but, le concile de Trente avait décidé (session XVIIIe et XXVe) et Pie IV avait publié un premier *Index (tridentinus)* de livres prohibés (1564). Saint Pie V institua, avec mission de rechercher et d'interdire les écrits pernicieux, une Congrégation spéciale, dite *de l'Index*, qui fut complétée et entièrement séparée du Saint-Office par Sixte-Quint en 1587. Benoit XV transféra ses pouvoirs au Saint-Office.

---

[1] BIBLIOGRAPHIE. — *D.D.C.*, t. IV, col. 206-225 ; 988-1001 ; 1034-1039.

[2] BIBLIOGRAPHIE. — *D.A.*, t. IV, col. 1094 ; *D.T.C.*, t. III, col. 1111 ; *K.L.*, t. VI, col. 765-783 ; *L.T.K.*, t. IV, col. 43, t. V, col. 419, t. VI, col. 313 ; *H.C.*, t. IX, I, p. 507, et table, t. IX, II, p. 1048, Saint-Office (table).

[3] BIBLIOGRAPHIE. — *B.T.*, t. VIII, p. 990 ; t. X, p. 53 ; *D.A.*, t. I, col. 702, 888, t. IV, col. 1108, 1127 ; *D.T.C.*, t. VII, col. 1572 ; *Enc. Catt.*, t. IV, p. 344, t. VI, p. 1825 ; *Enc. Ital.*, t. XI, p. 262, (A. C. JEMELO) ; *H.C.*, t. IX, II, p. 615-1045 (table) ; *K.L.*, t. VI, col. 643-663 ; *L.T.K.*, t. II, col. 605, t. V, col. 380 s. ; A. BAILLET, *Jugemens des savans*, Amsterdam, 1715, t. II, p. 15-18 (Histoire de l'Index) ; J. CAHILL, *The development of the theological censures after the Council of Trent (1563-1709)*, Fribourg, 1955 ; Fr. DE DAINVILLE, *Pour l'histoire de l'Index. L'ordonnance du P. Mercurian S. J. sur l'usage des livres prohibés (1575) et son interprétation lyonnaise*, *R.S.R.*, t. XLII, 1954, p. 186-198 ; H. DE JONGH, *L'ancienne Faculté de théologie de Louvain*, Louvain, 1911 (mesures prises contre les livres hérétiques, Index) ; M. DE LA PINTA LLORENTE, *Aportaciones para la historia externa de los indices expurgatorios españoles*, *Hispania*, t. XII, 1952, p. 252-300 (Index espagnol : rapports avec celui de Louvain) ; d'IRSAY, *Histoire, op. cit.*, t. I, p. 350 n. 6 (le premier index fut dressé par l'Université de Louvain) ; FÉRET, *La Faculté... de Paris, op. cit.*, t. I, p. 170, 202 s. (index de la Faculté de théologie de Paris) ; P. FREDERICQ, *Geschiedenis der Index in de Nederlanden*, La Haye, 1892-1898 ; J. HILGERS, *Die Bücherverbote in Papstbriefen* ; *Kanonistiche-bibliographische Studie*, Fribourg-en-Br., 1907 ; ID., *Der Index der verboten Bücher*, Fribourg-en-Br., 1904. Cf. TACCHI-VENTURI, *Civ. catt.*, 1905, t. II, p. 34-35 ; H. J. JOHNSON, *The Roman Index of Prohibited Books*, *Downside Rev.*, t. LXXIII, 1955, p. 160-173 ; V. NAUTA, *D. Samuel Maresius*, Paris, Amsterdam, 1935, p. 328 et n. 173 (Livres condamnés par les États-généraux des Pays-Bas du Nord) ; L. PETIT, *L'Index, son histoire, ses lois, sa force obligatoire*, Paris, 1888 ; POULET, *op. cit.*, p. 726 ; F. REMY, *La censure des livres. Aperçu historico-bibliographique*, *Arch. Bibl. et musées de Belgique*, t. XX, 1949, p. 19-50 ; t. XXI, 1950, p. 59-73 ; F. REUSCH, *Der Index der verboten Bücher*, Bonn, 1883, 1885 ; M. SCADUTO, *Lainez e l'Indice del 1559*, *A.H.S.J.*, t. XXIV, 1955, p. 3-32 (efforts de jésuites pour mitiger l'Index, par exemple à l'égard d'Érasme, Lulle, Savonarole, etc.) ; J. TARRÉ, *El Indice de libros prohibidos*, *Apostolado Sacerd.*, t. II, 1945, p. 394-502 ; L. THORNDIKE, *Censorship by the Sorbonne of science and superstition in the first half of the XVIIth century*, *Journal of Histor... Ideas*, t. XVI, 1955, p. 119-251 ; *P.H.*, t. XI, p. 468-470, t. XV, p. 324, t. XVI, p. 217, t. XVII, p. 160, 229, 292, 335, t. XIX, p. 262 et table ; WILLAERT, *Les origines, op. cit.*, p. 132 (collaboration de l'État en Belgique).

N. B. Un Index avait été publié par Paul IV (1559), mais, trop rigoureux, il ne fut pas appliqué.

LA PROPAGANDE [1] La mission de l'Église ne se bornait pas à garder intact le Message. Elle devait le porter à toutes les nations. Or, un monde nouveau venait de s'ouvrir à elle. Dans le but de préparer et d'orchestrer le vaste mouvement d'évangélisation des terres nouvelles, fut créée la Congrégation *De propaganda fide*. Elle dut à Grégoire XV, en 1622, son organisation définitive avec des attributions étendues en matière administrative, judiciaire et coercitive; en pays de missions, elle cumule toutes les attributions des autres Congrégations. A l'époque posttridentine, elle avait juridiction sur « tout ce qui regardait les intérêts de la foi en pays hérétiques ou infidèles ». On a vu plus haut qu'afin de donner aux missionnaires une formation intellectuelle adaptée, Grégoire XV et Urbain VIII fondèrent le collège de la Propagande, doté d'une imprimerie pour les langues étrangères. Cette Congrégation sera traitée plus longuement ci-après, quand il s'agira du mouvement missionnaire.

LA CONGRÉGATION DU CONCILE [2] Tandis que ces trois Congrégations veillaient à l'intégrité doctrinale, sur le terrain de la réforme et de la discipline, à la Congrégation *des cardinaux interprètes du concile de Trente* — seule autorisée en la matière — fut délégué le rôle primordial que les Pères avaient confié au Saint-Siège. Instituée par Pie IV dès 1564, elle reçut de Pie V (1566), mais surtout de Sixte-Quint (1587) des pouvoirs plus étendus en vue de l'interprétation des décrets conciliaires. Seule compétente en cette matière juridique, elle fut investie en outre du pouvoir de dispenser dans les cas particuliers.

INSTITUTIONS COMPLÉMENTAIRES [3] L'organisation de l'administration romaine se compléta peu à peu par la création de diverses autres Congrégations, par celle des « dicastères pontificaux » et des « offices ».

Il serait trop long d'indiquer ici les cardinaux qui alors se distinguèrent au service de l'Église; leurs activités apparaîtront dans le cours de cet ouvrage.

[1] BIBLIOGRAPHIE. — *D.T.C.*, t. III, col. 113; *K.L.*, t. III, col. 616; *L.T.K.*, t. VI, col. 314. *Bullarium Pontificium Sacrae Congregationis de Propaganda fide*, Rome, 1839-1841, 5 vol.; A. CAUCHIE et R. MAERE, *Recueil des instructions générales aux nonces de Flandre (1596-1635)*, Bruxelles, 1904, p. 273 (table); S. DE MUNTER, *De S. Congregatione de Propaganda Fidae Procurae Cantonensis*, Rome, 1957; HEIMBUCHER, t. III, p. 457; MOURRET, *op. cit.*, t. VI, p. 41; *P.G.*, t. XIII, I, p. 100-111, t. XIII, II, p. 740-758; A. G. WELYKYJ, *Acta S. C. de Propaganda Fide Ecclesiam Catholicam Ucrainae et Bielorusjae spectantia, Anal. ord. S. Basilii*, sect. III, *Documenta ex arch. Rom. S. Congreg.*, Rome, 1953; *D.D.C.*, III, 1302.

[2] BIBLIOGRAPHIE. — *D.D.C.*, t. II, col. 1302-1305, tables générales, col. 655; *D.T.C.*, t. XI, col. 1895; *K.L.*, t. III, col. 934; *L.T.K.*, t. VI, col. 314; *H.C.*, t. IX, II, p. 1043 (table); PARAYRE, *La Congrégation du Concile, son histoire, sa procédure, son autorité* (Thèse), Paris, 1897; S. TROMP, *De manuscriptis acta et declarationes antiquas S. Congr. Conc. Trid. continentibus* (II), *Gregorianum*, 1958, p. 93-129.

[3] BIBLIOGRAPHIE. — *D.T.C.*, t. II, col. 1115-1119; pour l'œuvre de Pie IV, *D.T.C.*, t. XII, II, col. 1639-1642.

I. Les principales autres *Congrégations* sont :

La Congrégation des Rites, créée par Sixte-Quint, chargée tant des causes de béatification et de canonisation que de tout ce qui touche au culte et aux cérémonies de l'Église. Cf. *D.T.C.*,

Voilà donc la papauté puissamment organisée à Rome pour animer et diriger la vie de l'Église. Mais sa position dans un monde élargi exigeait davantage. Les communications plus faciles et plus rapides permettaient et donc exigeaient des relations suivies avec tout le monde catholique.

t. XIII, col. 2738 s.; *K.L.*, t. III, col. 936; *L.T.K.*, t. VI, p. 315; F. Mac Mahon, *The Congregation of Sacred Rites*, Washington, 1954; F. Antonelli, *L'Archivio della S. Congregazione dei Riti, Riassunti delle com.*, t. VII (Congrès de Rome), 1955, p. 99-100.

La Congrégation des Indulgences et des Reliques doit veiller à prévenir les abus en ces matières; elle doit son origine à Clément VIII, qui en eut l'idée, et à Clément IX qui l'organisa en 1669.

La Congrégation pour les affaires des Évêques et des Réguliers existe depuis 1601; elle fut formée de la *Congrégation des Évêques* (Grégoire XIII, 1576, 1582) et de celle *pour les consultations des Réguliers*, créée par Sixte-Quint.

La Congrégation dite *consistoriale* instituée par le même pape, doit préparer la matière des consistoires : nomination de cardinaux, démission d'évêques, etc.

Sixte-Quint avait encore formé la Congrégation *pour l'université des études romaines*, qui devait s'occuper des intérêts des grandes universités de Paris, Bologne, Oxford et Salamanque. Cf. J. J. Markham, *The sacred Congregation of Seminaries and universities of studies*, Washington, 1957.

II. Trois *dicastères* sont parfois classés improprement parmi les Congrégations romaines :

1º La *Pénitencerie*, tribunal pour le seul for interne. Pie IV, par bulle de 1562, Pie V, par bulle de 1569 réglèrent la compétence des « pénitenciers », qui dès le VIIᵉ siècle absolvaient les pécheurs s'adressant au Souverain Pontife. Cf. *D.T.C.*, t. XII, col. 1138-1160; *H.C.*, t. IX, p. 1048 (table); *P.H.*, t. XVII, p. 139.

2º La *Rota romana* était depuis le XIIᵉ siècle tribunal civil d'appel pour toute la Chrétienté. Elle avait perdu bon nombre de ses attributions, absorbées par de nouvelles Congrégations. Elle a été restaurée par Pie X en 1908. Cf. *D.T.C.*, t. III, col. 1908; *K.L.*, t. X, col. 1317; *L.T.K.*, t. VIII, col. 1007; Bernino, *Il tribunal della S. Rota romana descrito*, Rome, 1717; Ch. Lefebvre, *La procédure du tribunal de la Rote romaine au XVIIᵉ siècle*, d'après un inédit, *L'Année canonique*, t. V, 1957, p. 143-155; V. Martin, *Les cardinaux, op. cit.*, p. 73-88.

3º La *Signature apostolique* était composée de « référendaires », qui donnaient leur avis sur les actions gracieuses ou contentieuses que le pape se réservait : *signatura gratiae* et *signatura justitiae*. Elle fut réorganisée par Pie IV en 1562 et par Sixte-Quint en 1586, en vue de supprimer les abus. Cf. *D.T.C.*, t. III, col. 1969; *H.C.*, t. IX, table; *K.L.*, t. III, col. 1251; *L.T.K.*, t. IX, col. 551; V. Martin, *op. cit.*, p. 89-99.

III. Parmi les *offices* de la curie, les principaux étaient :

1º La *Chancellerie apostolique*. Jadis office primordial, elle perdit aussi à cette époque beaucoup de son importance par la création des organismes nouveaux. Elle a été restaurée par Pie X en 1908. Cf. *K.L.*, t. III, col. 1255; *D.T.C.*, t. I, col. 125, t. III, col. 1969; *L.T.K.*, t. V, p. 793. E. de Chockier, *Commentarius in regulas cancellariae apostolicae*, Cologne, 1621; V. Martin, *op. cit.*, p. 104-111; C. Josselin, *Schattingen van de apostolische Cancellerie*, Leyde, 1744.

2º La *Daterie*, issue de la Chancellerie par « essaimage ». La date apposée à un document accordant une faveur a eu de tout temps une importance capitale. De là le rôle de premier plan du *datator* et de la *Dataria*, ses bureaux. Au début du XVIᵉ siècle, « la Daterie devint le *tribunal gratiae concessae*, le bureau où s'obtiennent les faveurs, (concession de bénéfices ecclésiastiques, dispense d'empêchements de mariage, etc.) et la Chancellerie, *tribunal gratiae expediendae* » n'eut plus qu'à expédier les documents. A l'époque où le Saint-Siège disposait d'un grand nombre de bénéfices, le dataire, à qui la multiplicité des affaires obligea le Pontife de confier ses décisions, devint un personnage de premier rang; souvent il accéda au cardinalat; vers le milieu du XVIIᵉ siècle il appartient au Sacré-Collège (pro-dataire). A mesure que la collation des bénéfices échappait au pape, la Daterie perdit de son importance. On remarquera la grande place de ce rouage, dont dépendait la *nomination aux cures*. Cf. *K.L.*, t. IV, col. 177; *D.T.C.*, t. IV, col. 2461-2464; t. III, col. 1940 (pro-dataire); V. Martin, *op. cit.*, p. 110, 121-126; *L.T.K.*, t. V, col. 1793 s.; J. Brunet, *Le parfait notaire apostolique*, Lyon, 1775; *Nouveau statut général des notaires apostoliques*, Paris, 1654.

3º La *Secrétairerie d'État*. Elle ne nous occupera guère ici, étant donné, comme son nom l'indique, qu'elle a pour objet les affaires temporelles. Ce fut le cas surtout depuis Paul III (1534-1549), à mesure que les Congrégations furent chargées des intérêts spirituels. Elle avait

§ 3. — Les nonciatures permanentes.

CRÉATION ET RÔLE[1] De tout temps, les Souverains Pontifes ont chargé de missions religieuses ou politiques des envoyés temporaires. C'est encore à l'époque posttridentine que furent créées les nonciatures permanentes, qui intéressent au plus haut point la vie de l'Église.

eu comme origine la *camera secreta*, qui se développa surtout depuis le Grand Schisme et « le règne organisé des cardinaux-neveux », par exemple celui de saint Charles Borromée, à qui son oncle Pie IV confiait une part considérable des affaires. Cf. *D.T.C.*, t. III, col. 1942; *Enc. catt.*, t. XI, p. 249; *H.C.*, t. IX, ii, p. 1049 (table); *K.L.*, t. III, col. 1257; *L.T.K.*, t. V, col. 822, t. IX, col. 435; Ancel, *La secrétairerie pontificale sous Paul IV*, Rev. Quest. Hist., t. LVII, 1905, p. 708 s.; A. Kraus, *Das päpstliche Staatssekretariat im Jahre 1623. Eine Denkschrift der ausscheidenden Sostituto an den neuernanten Staatssekr.* B.Q.C.A.K., t. LII, 1957, 93-122; V. Martin, *op. cit.*, p. 146-163; P. Richard, *Origines et développement de la Secrétairerie d'État apostolique*, R.H.E., t. XI, 1910, p. 505-529, 728-754.

[1] Bibliographie. — 1° *Documents.* Les Instituts ou centres de recherches de plusieurs nations établis à Rome travaillent à mettre à la disposition des historiens les immenses richesses des archives vaticanes. Il est impossible d'indiquer ici ces trop nombreuses publications autrichiennes, prussiennes, françaises, belges, espagnoles, italiennes, polonaises. On en trouvera de bonnes énumérations assez récentes, surtout dans J. Batelli, *Le ricerche storiche nell' archivio vaticano*, Relazioni du Congrès de Rome 1955, Florence, 1955, t. I, p. 451-477; puis dans *Enc. ital.*, t. XXV, p. 48, et dans *L.T.K.*, t. VII, col. 645, énumération chronologique des nonciatures; col. 646, bibliographie; *E.U.I.E.A.*, t. XXXIV, p. 119-122, avec liste chronol. des nonces en Espagne, 1500-1903; *D.T.C.*, t. XI, col. 1919; *H.-B.*, t. VI, p. 178, énumère des nonces remarquables; *B.T.*, t. X, p. 681; H. Biaudet, *Documents concernant les relations entre le Saint-Siège et la Suède dans la seconde moitié du XVIe siècle*, Genève, 1912; A. Bichi, *Mandement enjoignant obéissance à la bulle In Eminenti, 8 mars 1646*, dans L. Ceyssens, J. Recht..., *Jansenistica minora*, Malines, s. a., t. II, n° 12; Bentivoglio, card. *Opere : Relationi di Fiandra e di Francia; L'Historia della guerra di Fiandra; Lettere scritte nel tempo delle sue Nuntiature*, Paris, 1645; A. Cauchie et R. Maere, *Recueil, op. cit.*; *Documenta Pontificum Romanorum historiam Ucrainae illustrantia*, Analecta O. S. Basilii M., 1953, t. I, 1075-1700; Hinojosa, *Los despachos de la diplomacia pontificia en España*, 1896; J. Lefèvre, *Documents relatifs à la juridiction des nonces et internonces des Pays-Bas pendant le régime espagnol (1596-1700)*, Anal. Vaticano-belgica, Rome, 1939; J. et P. Lefèvre, *Documents relatifs à l'admission aux Pays-Bas des nonces et internonces des XVIIe et XVIIIe siècles*, Bruxelles, 1939; *Anal. vatic.-belg.*, 2 sér., Nonc. de Flandre, VII; A. Legrand et L. Ceyssens, *La Correspondance du nonce de Madrid relative au jansénisme (1645-1654)*, Anthologia Annua, t. IV, 1956, p. 549-640; A. Leman, *Recueil des instructions générales aux nonces ordinaires de France de 1624 à 1634*, Paris, 1920. Univ. cath. de Lille. Mém. et trav., t. XV; V. Martin, *Les négociations du nonce Silingardi relatives à la publication du concile de Trente en France. Documents*, Paris, 1919; R. Ritter, *Lettres du Cardinal de Florence sur Henri IV et sur la France (1596-1598)*, Paris, 1955; Santa-Croce, *Relation manuscrite de la nonciature de France*, Miscell. di storia ital., t. V; L. van Meerbeeck, *Les publications concernant les nonciatures*, Bull. Inst. hist. belge de Rome, fasc. XII, p. 207-216, fasc. XIV, Bruxelles, Rome, 1932, 1934.

2° *Travaux.* H.E., t. XVII, p. 355; *D.T.C.*, t. XI, col. 1916-1920; *Enc. catt.* t. VIII, col. 2023 s.; t. XI, col. 160-162; bibliogr.; *L.T.K.*, t. VII, col. 643 s.; G. Audisio, *Idée historique et rationnelle de la diplomatie ecclésiastique*, Louvain, 1865; R. Belvederi, *La diplomazia pontificia nella politica internazionale del secolo XVII*, Humanitas, t. X, 1955, p. 237-252; H. Biaudet, *Les nonciatures apostoliques permanentes jusqu'en 1648*, Helsinki, 1910. (*Indispensable* pour l'identification des nonces mentionnés dans les correspondances diplomatiques, où le même personnage apparaît sous des noms différents. Étude de 92 p. sur l'histoire et le fonctionnement de l'institution; notices biographiques; tableaux chronologiques par pays); V. Cian, *Un Illustre Nunzio Pontificio del Rinascimento, Baldassar Castiglione*, Rome, 1951; L. Cnockaert, *Giovanni Francesco di Bagno, nuntius te Brussel (1621-1627)*, Bibl. de l'Inst. Hist. belge de Rome, VII, Bruxelles, 1956; *H.-B.*, t. VI, p. 207; H. E. Feine, *Kirchliche Rechtsgeschichte*, t. I. *Die Katholische Kirche*, p. 493-496, 704 (table); L. Just, *Die Erforschung der päpstlichen Nuntiaturen. Stand und Aufgaben besonders in Deutschland*, Quellen u. Forsch. aus ital. Archiv. u. Biblioth., t. XXIV, 1933, p. 244-277; Id., *Probleme der Nuntiaturerforschung*, Riassunti d. Comunic., Congrès de Rome, 1955, t. VII, p. 101;

Elles différaient, en effet, à bien des égards, des autres légations. D'abord parce que le nonce représentait un souverain au prestige inégalé de par sa qualité de chef spirituel de la Chrétienté, disposant de vastes possessions dans les pays catholiques, souvent reconnu comme arbitre des questions internationales. De plus, seul dans le corps diplomatique, celui qui en deviendra le doyen est le délégué d'une puissance supra-nationale.

Puissance spéciale, il est vrai, car ce délégué du souverain des États pontificaux, l'est surtout du chef de l'Église, investi par conséquent d'une charge et de facultés spirituelles ou mixtes. Sa charge est double : d'une part, informer le Saint-Père de l'état de la religion, d'autre part assurer la conservation et l'extension du catholicisme, le maintien de l'autorité du Saint-Siège, de la juridiction et de la discipline ecclésiastique par son intervention dans les nominations épiscopales, par la visite des diocèses et des couvents, comme légat a latere, par un droit de regard sur les ordres exempts et sur l'épiscopat lui-même. Il dispose de la collation des bénéfices à la nomination pontificale. Toutes questions singulièrement importantes au moment de la Réformation catholique [1].

ORGANISATION   Pie IV avait déjà commencé l'organisation des nonciatures permanentes. Mais c'est Grégoire XIII qui leur donna leur forme définitive. Étant données les susceptibilités ecclésiastiques et nationales, on devine que ces agents de la primauté centralisée rencontrèrent fréquemment des oppositions sur des questions de juridiction ecclésiastique, soit de la part des évêques, et des communautés canoniales ou conventuelles, soit de l'autorité civile [2].

Depuis la promulgation du concile jusqu'aux traités de Westphalie, bon nombre de ces diplomates-missionnaires ont bien mérité de la foi catholique. Ils ont contribué tant à la Réformation qu'à la Contre-réforme [3].

V. Lefevre, Documents, op. cit., p. 13-15; Réflexions sur les 73 articles du Pro memoria présenté à la Diète de l'Empire de la part de l'archevêque-électeur de Cologne contre les nonciatures permanentes et leur juridiction; leur histoire..., Ratisbonne, 1788; Stloukal, La politique papale et la cour impériale aux confins du XVI° et XVII° siècles, Prague, 1925; L. van der Essen, La diplomatie. Ses origines et son organisation jusqu'à la fin de l'Ancien Régime, Bruxelles, 1953; L. van Meerbeeck, voir Documents; P.G., t. IX, p. 43-46 (Grégoire XIII); t. X, p. 103 (Ordonnances de Sixte-Quint), 327; voir aux tables au nom de chaque nonce; P.H., t. XVI, p. 255; t. XIX, p. 46, 49, 300, 439, 443, 459, 467, 491; t. XX, p. 5, 20, 59, 83, 89 (Suisse), 110, 168, 179, 216, 252-301. — Comme exemple d'activité religieuse d'un nonce, voir A. Louant, Correspondance d'O. M. Frangipani, premier nonce de Flandre, 1596-1606, t. III, Bruxelles, Rome, 1942, p. xcix-cxviii.

[1] Cauchie et Maere, Recueil, op. cit., p. xviii-xx; Feine, op. cit., p. 493-496.

[2] Pour un exemple de la restriction progressive par l'État des pouvoirs des nonces, J. et L. Lefevre, Documents, op. cit.; J. Lefevre, Documents, op. cit.

[3] C'est principalement sous Grégoire XIII que la diplomatie pontificale fut active au point de vue religieux (P.G., t. X, p. 1 s.). — Parmi les nonces les plus importants on peut signaler : en Allemagne et dans l'Empire, Caraffa, Chigi, Commendone, Delfino, Malaspina, Ninguarda, Hosius, Portia, Sega. La nonciature de Cologne fut un centre de la Réformation au nord-ouest comme celle de Bavière au sud; en Belgique et en Rhénanie, Bentivoglio, Frangipani; en Espagne, Castagna; en France, Barberini, Beltramini, Silingardi, del Portico, Morosini, Santa-Croce; en Pologne, Bongiovanni (H.E., t. XVII, p. 355), Commendone, Ruggieri; en Suisse, Bonomi. — Voir dans les encyclopédies et dans les tables de P.G. le nom de chacun.

MISSIONS
TEMPORAIRES

Outre les nonces permanents, le Saint-Siège utilisait encore, dans ses relations avec le corps de l'Église, des *légats* et des envoyés temporaires. Quelques-uns ont obtenu des résultats considérables [1].

[1] B. Schneidner, *Die Jesuiten als Gehilfen der päpstlichen Nuntien und Legaten in Deutschland zur Zeit der Gegenreformation,* dans *Saggi storici intorno al Papato,* Rome, 1959, p. 269-303. Un exemple célèbre est celui des jésuites Antoine Possevino, italien (1533 à Mantoue — 1611) et Pierre Skarga, polonais (1536 à Grojec au sud de Varsovie — 1612). Le premier, chargé par Grégoire XIII de missions religieuses importantes, mais souvent stériles, en Suède, puis en Pologne, en Moscovie et finalement en France (1594). Ensemble, ils travaillèrent à préparer la célèbre *Union de Brest* avec les Ruthènes (1596). Il sera question de Skarga, ci-après, p. 217 et de Possevino, p. 244.

Sur ces missions : O. Halecki, *From Florence to Brest,* Rome, 1958, p. 199-366 et la table des noms; H. Wolter, *Antonio Possevino, Theologie und Politik im Spannungsfeld zwischen Rom und Moskau, Scholastik,* 1956, p. 321-350; S. Polcin, *Une tentative d'union au XVIᵉ siècle. La mission religieuse du P. A. Possevin, S. J. en Moscovie,* 1581-1582, Rome, 1959.

D'autres missions célèbres furent celles du cardinal d'Este en France (1561, *P.G.,* t. VII, p. 402-413), du nonce extraordinaire Rinuccini en Irlande (1645-1649); J. Kavanagh, *Commentarius Rinuccinianus...,* Dublin, 1932-1944, 5 vol.), du général des dominicains B. Giustiniani en Espagne (*P.G.,* t. VIII, p. 323-325), etc.

LIVRE II

LA HIÉRARCHIE ÉPISCOPALE
ET LA RESTAURATION

§ 1. — Les difficultés de la rénovation.

DIFFICULTÉS DE LA TÂCHE — La *renovatio in capite* avait commencé. En exécution du concile de Trente, elle avait abouti à concentrer davantage le gouvernement de l'Église entre les mains du Pontife romain et de la curie, l'un et l'autre heureusement rénovés. Or, l'œuvre de restauration s'adressait chez eux à un nombre assez limité de personnalités. Elle devait être plus malaisée quand il s'agirait — *in membris* — des membres de tout l'épiscopat, plus encore des légions du clergé inférieur. L'efficacité d'une force sur des groupes sociaux est en raison inverse de leur masse.

Cette loi s'applique malheureusement aussi à la connaissance que nous avons de cette triple transformation. Nous sommes bien renseignés sur les papes posttridentins et même sur beaucoup de cardinaux. Moins sur l'action des nonces. Car les nombreuses publications savantes de leurs correspondances attendent une synthèse. Papes, cardinaux et nonces sont personnalités individuelles. L'enquête est autrement ardue au sujet de collectivités nombreuses, comme celle de tous les évêques catholiques et à plus forte raison de la foule innombrable des membres du clergé inférieur, cela dans toute l'Europe fidèle et pendant un siècle.

DIFFICULTÉ DE L'EXPOSÉ — Il va sans dire qu'il est impossible, en ces quelques pages, de donner une idée exacte et justifiée de l'épiscopat et du clergé catholique posttridentins. Elle supposerait des études scientifiques sur l'ensemble des diocèses et des paroisses de l'Église catholique entière. Songez aux différences profondes entre les paisibles diocèses d'Espagne ou d'Italie et ceux de l'Église du silence, où luttait le clergé héroïque de Grande-Bretagne et d'Irlande, de certains pays d'Empire et des Provinces-Unies. Or ce gigantesque travail de recherche est à peine ébauché en de rares études pour quelques pays seulement. Encore faudrait-il se rappeler — ce qui apparaît de plus en plus d'après les recherches déjà réalisées — la différence totale entre des zones et des localités très voisines. Phénomène qui rend plus difficile la synthèse et s'est perpétué dans la démographie religieuse contemporaine. Ce tableau général fût-il terminé, la quintessence qu'on pourrait en donner ici serait un résumé squelettique et peu utile.

Résumé provisoire d'ailleurs; car il n'est pas rare que des chercheurs perspicaces découvrent de nouveaux biais d'où l'on peut considérer la documentation disponible. C'est ainsi qu'une excellente étude a révélé récemment comment, en France, des évêques ont travaillé à réaliser la réforme tridentine

---

[1] Voir la note annexe à la fin du chapitre, p. 71.

« sous son aspect strictement pastoral ». Ce qui tient bien essentiellement à la fonction épiscopale [1].

OBSTACLES À LA RÉFORMATION Quant à la Réformation des divers degrés du clergé, le problème était complexe; sa marche, lourde et coupée d'arrêts, se heurtait à de solides obstacles.

Les désordres ne provenaient pas seulement de faiblesses individuelles. Les institutions elles-mêmes étaient empoisonnées par des contacts étrangers à la vie spirituelle. De tout temps, la fonction sacerdotale du clergé hiérarchique fut, et est, entravée par d'inévitables besognes administratives. Mais la féodalité avait laissé en outre dans l'organisme, le venin du système bénéficiaire; pire encore, du système politique. Il faut se rappeler les nombreux princes-évêques de l'Empire, gouvernant souverainement un territoire ou même en cumulant plusieurs. Ailleurs, de nombreux prélats occupaient dans l'État des charges absorbantes. Dans l'administration pontificale elle-même, un nombre excessif d'évêques vivaient loin de leurs ouailles [2].

Autre malheur : de lamentables querelles entre clergé hiérarchique et ordres religieux. Faiblesses humaines, que le moyen âge avait connues, mais que ravivaient les circonstances. Réformés plus tôt et mieux que le clergé diocésain, les religieux avaient pris en charge des secteurs du champ religieux laissés en friche : la prédication, les sacrements, parfois même le pastorat. Quand le laboureur institutionnel reprit la charrue, il était à prévoir que ses remplaçants rechigneraient à quitter la place. De là des contestations, parfois scandaleuses, qui entravèrent leur commun effort pour la réformation [3].

A ces premiers obstacles s'en ajoutaient du côté du gouvernement civil. Nous avons déjà eu et nous aurons encore l'occasion d'observer l'opposition tenace et victorieuse des rois « catholiques » et « très chrétiens » à la « réception » officielle des décrets du concile. Pour comble : au début du XVIᵉ siècle, des papes, oublieux de la réforme de Grégoire VII, avaient par concordat livré à des souverains la désignation du haut-clergé. Et, si plusieurs de ces chefs d'État usèrent sagement de leur prérogative, trop nombreuses furent les nominations de prélats incapables ou peu dignes [4].

---

[1] P. BROUTIN, *La Réforme pastorale en France au XVIIᵉ siècle...*, Paris, Tournai, 1956, 2 vol. C.-r. suggestif de R. MOLS, *N.R.T.*, t. LXXIX, 1957, p. 849-853.

[2] « En février 1556, il ne s'était pas trouvé, dans la ville des papes, moins de cent treize évêques. » (*H.E.*, t. XVII, p. 171).

[3] Sur les querelles anciennes, *D.A.*, t. II, col. 220; G. DE LAGARDE, *La naissance de l'esprit laïque au déclin du moyen âge*, Paris, 1942, t. IV, p. 145; IMBART DE LA TOUR, *op. cit.*, t. III, p. 523 s. — A l'époque envisagée : CAUCHIE et MAERE, *Instructions aux nonces*, *op. cit.*, p. 217, n. 1; Ch. CHESNEAU, *Le Père Yves de Paris et son temps (1590-1678)*. I. *La querelle des évêques et des réguliers*, Paris, 1946; DE MEYER, *Les premières controverses*, *op. cit.*, p. 68 s.; FÉRET, *La faculté de théologie de Paris*, *op. cit.*, t. I, p. 41 s., t. III, p. 153-174, 450 s.; FOUQUERAY, *Histoire, op. cit.*, t. IV, p. 105-140, t. V, p. 38-81; A. C. JEMOLO, *Stato e chiesa*, Milan, Turin, Rome, 1914, p. 186 s.; LAVISSE, *H. de France*, *op. cit.*, t. VI, II, p. 381. — Nous aurons à revenir sur ces conflits en Angleterre et aux Provinces-Unies.

[4] Au sujet d'abus du concordat sous Grégoire XIII, *P.G.*, t. IX, p. 404. Cf. aussi pour la France, ORCIBAL, *Les origines, op. cit.*, t. II, p. 3 et n. 7, 5 et n. 1-4 : « Le général des galères

Enfin, il arrive que le pape hésite à sévir en Allemagne contre des évêques indignes, par crainte de pire [1].

Tout cela assombrit le tableau de l'épiscopat posttridentin en bien des parties : mais nous connaissons ces ombres, prolongées de l'âge antérieur : absentéisme, commende, cumul de bénéfices, humanisme mondain, indiscipline des mœurs. Il ne sera donc ni intéressant ni instructif, après ce rappel, de s'y arrêter longuement. D'autant qu'il est impossible à présent d'établir en quelle proportion définie, pour l'ensemble de l'Église, les nuages s'opposaient aux rayons lumineux qui perçaient le ciel.

§ 2. — Les efforts de rénovation.

LES « MIROIRS DE L'ÉVÊQUE » L'aurore avait blanchi depuis le XVe siècle [2]. Le besoin général de réformation supportait mal la vie de tous ces évêques peu instruits et peu dignes. D'autant que la Renaissance avait ramené l'attention sur les documents de l'Église primitive. On relisait dans le texte de saint Paul, de saint Jean Chrysostome et de saint Grégoire le Grand leur conception de l'épiscopat, si sévère pour leurs successeurs décadents.

Il en résulta une campagne réformatrice de plus en plus active. Toute campagne suppose un plan. Celui de la réforme épiscopale se dessine sous les formes les plus diverses. Ces « miroirs » de l'évêque sont parfois des exhortations, individuelles ou publiques, adressées à des évêques nommés [3], plus souvent de véritables traités *de cura animarum*. « Le plus fort et le plus efficace » est le célèbre « *Stimulus pastorum* » de l'archevêque de Braga

---

de Gondi [...] tenait tellement à garder dans sa maison l'archevêché de Paris qu'il engageait malgré lui son fils dans les ordres, le futur cardinal de Retz »; *P.G.*, t. XII, II, p. 544. Les *Mémoires du clergé* mentionnent les remontrances adressées au roi au sujet des nominations et les réclamations en faveur du retour au régime des élections. (P. AT, *Histoire du droit canonique français*, Paris, s. a., p. 83 s.). — En 1596, « une quarantaine de sièges appartiennent encore à des laïcs », malgré les efforts du légat Alexandre de Médicis, cardinal de Florence. (V. MARTIN, *Le gallicanisme et la Réforme catholique*, Paris, 1919, p. 291); un protestant notoire postule l'archevêché d'Embrun, (*ibid.*, p. 293); L. MARION, *Histoire de l'Église*, Paris, 1928, p. 509 cite avec références une série d'évêchés conférés au début du XVIIe siècle à des enfants de moins de dix ans. Cf. E. LAVISSE, *H. de France*, t. VI, II, p. 92; p. 376 s.; J. MATHOREZ, *Le clergé italien en France au XVIe siècle*, *R.H.E.F.*, t. VIII, 1922, p. 417-429. La création du *Conseil de conscience* rendit le choix des évêques plus judicieux (V. MARTIN, *Le gallicanisme...*, *op. cit.*, p. 399). En 1599, sur 114 évêchés français une trentaine manquaient encore de titulaires (*Ibid.*, p. 313). Pour la permanence de l'abus dans les périodes suivantes, cf. DANIEL-ROPS, *L'ère des grands craquements*, p. 326 s.

[1] Clément VIII, en dépit de sa sévérité, n'osa pas déposer l'archevêque de Salzburg, W. D. von Raitenau, qui vivait en concubinage et menaçait de séculariser l'archevêché. Cf. *P.G.*, t. XI, p. 247, qui cite d'autres exemples.

[2] *H.E.*, t. XVII, p. 268. — Ce qui suit est tiré de la remarquable étude de H. JEDIN, adaptée en français par P. BROUTIN, *L'évêque dans la tradition pastorale du XVIe siècle*, Édit. Univ., 1953. Elle sera citée ainsi : *J.-B.*

[3] Exhortations de Gerson (1408) (J.-B., p. 15); de Gaspard Contarini (encore laïc) à son ami Pierre Lippomani, nommé évêque de Bergame (p. 39); de François Zini (p. 45) et, après le concile de Trente, du jésuite allemand Jean Rhetius à Ernest de Bavière (p. 76) et du grand « maître d'ascétisme », Louis de Grenade (p. 93).

(Portugal) Barthélemy des Martyrs [1]. Plus entraînantes encore, les « Vies » de pasteurs modèles eurent certainement une influence [2]. Enfin, l'enseignement théologique prépara une pléiade de prélats animés du zèle apostolique [3].

LES DÉCRETS DE TRENTE   Tous ces efforts dans l'ordre idéal convergèrent à Trente. Les Pères avaient agi, au sujet de l'épiscopat, comme devraient faire tous les constituants : d'une part, ils avaient fixé — très laborieusement et en partie seulement — les principes doctrinaux sur la matière. D'autre part, ils avaient pris les mesures destinées à corriger les abus du temps. [4]

LES EXEMPLES   Prêcher la réforme était primordial, mais seul l'exemple entraîne. La merveille posttridentine fut que le mouvement lancé naguère par les Ximenès, les Giberti, les Laurent Justinien, les Barthélemy des Martyrs, les Seysel s'étendit brusquement à tous les pays. Aucun où quelque pionnier n'ouvre la voie à une restauration. Avec plus ou moins de succès, d'ailleurs. Car, naturellement, cette lumière nouvelle prend des teintes différentes d'après le milieu. C'est en Allemagne que les résultats brillent le moins. En France aussi les désordres sociaux retardent l'épanouissement. L'Espagne et l'Italie prennent la tête.

De cette pléiade internationale certains noms émergent, qu'il faut bien se contenter ici d'énumérer. Au point de vue de la Restauration, ce sont d'abord les prélats fondateurs ou réformateurs de congrégations ou d'ordres religieux. Quand il s'agira du clergé régulier, nous rencontrerons des noms bien connus (*infra*, p. 102 s.) : saint Charles Borromée, saint François de Sales, les cardinaux de la Rochefoucauld et Richelieu, l'archevêque de Chieti, J. P. Caraffa, celui de Valence, J. de Ribera, l'évêque de Toul, Mgr de Maillane, celui de Verdun, Éric de Vaudémont, celui de Senlis, N. Sangain, celui de Cahors, A. de Solminihac, celui d'Arras, François Richardot.

D'autres aussi ont aidé la rénovation par leur science, par leurs vertus et par leur influence; parmi eux, pour citer quelques exemples, en Italie Jérôme Seripando, cardinal, évêque de Salerne (*infra*, p. 99) et saint Robert, cardinal Bellarmin (*infra*, p. 139); en Pologne, Stanislas Hosius, cardinal, évêque d'Ermland (*infra*, p. 72,75) et saint Josaphat Kuncevicz,

---

[1] Ces auteurs abondent : Denys le Chartreux (*J.-B.*, p. 20); saint Laurent Justinien (p. 23); saint Antonin (p. 23); les célèbres dominicains Cajétan, de Carranza, Torres, Dominique de Soto, qui militent surtout en faveur de la résidence (p. 58-62); Jean de Maldonado, (p. 63); Jean Bernal, Diaz de Lugo (p. 66); en Allemagne, Georges Witzel (p. 69); Nausea (p. 71); Claude Le Jay (p. 73); Rhetius (p. 76); en France, Claude d'Espence (p. 84-88); au Portugal, Barthélemy des Martyrs (p. 85); en Pologne, Stanislas Sokolowski (p. 108).

[2] Plusieurs de ces vies sont dues au « doux, très fin Louis Beccadelli de Bologne » (*J.-B.*, p. 52), celles de Côme Gherio, de Contarini et de Pole. La vie de l'archevêque de Grenade, Ferdinand de Talavera, fut écrite par Alonso Fernandez.

[3] Ce fut le cas notamment à Salamanque, où l'enseignement sévère de François de Vitoria prépara un épiscopat hors ligne. (*J.-B.*, p. 65.)

[4] Voir un résumé de ces décisions, dans *H.E.*, t. XVII, p. 75-126; le concile imposait aux évêques comme *praecipuum episcoporum munus* la prédication, *praedica verbum*. (Sess. XXIV, cap. IV).

archevêque de Polock [1]; en Hongrie, Pierre, cardinal Pázmány, archevêque-primat de Gran (*infra*, p. 216); en Allemagne, Frédéric Nausea, évêque de Vienne et l'évêque de Passau, Wolfgang von Salm [2]. En Belgique, les évêques, souvent mal choisis au début, sont, au XVIIe siècle, zélés et savants [3].

SAINT CHARLES BORROMÉE   Voici enfin « le géant de la Réforme épiscopale », le « pionnier de la pastorale moderne ». La vie et l'œuvre de saint Charles Borromée (1538-1584) sont bien connues : neveu de Pie IV et son cardinal-secrétaire d'État, il « fut le bras droit du pape durant la dernière période du concile de Trente et mêlé à toutes les questions concernant l'administration de l'Église ». Mais c'est en tant qu'archevêque de Milan (1564-1584) qu'il s'est révélé comme législateur, organisateur et réalisateur, docteur et modèle de la pastorale sous ses diverses formes [4]. Sa prodigieuse influence se manifesta par le rayonnement de sa législation et par « la lignée épiscopale dont les membres ont apporté en diverses contrées [...] le magnifique héritage de sa pensée, de ses méthodes et de ses vertus ». On a pu dire que, de concert avec Pie V, il a « refait l'épiscopat d'Europe » [5].

---

[1] *D.T.C.*, t. V, II, col. 1702 s., 1717-1721; BROUTIN, *op. cit.*, p. 89-94. *P.G.*, t. XII, p. 494.

[2] Sur F. NAUSEA, *Grawe*, *Groe* (1480-1552); H. JEDIN, *Das Konziliare Reformprogramm Friedrich Nauseas*, *Hist. Jahrbuch*, t. LXX, 1958, p. 229-253 (importance capitale); *K.L.*, t. IX, col. 50-57; autres év. allemands, *H.-B.*, t. VI, p. 179.

[3] WILLAERT, *Origines*, *op. cit.*, p. 178 s.; F. WILLOCX, *L'introduction*, *op. cit.*, p. 152 s.

[4] Sur sa carrière, *H.E.*, t. XVII, p. 177-180; *D.T.C.*, t. II, col. 2267; t. XII, II, col. 486, 1635; *P.G.*, t. IX, p. 60-69. — *Catholic.*, t. II, col. 994; *K.L.*, t. VII, col. 146-160; *L.T.K.*, t. II, col. 478; *Enc. ital.*, t. IX, p. 34; *D.H.G.E.*, t. XII, col. 486-534; JEDIN-BROUTIN, *L'évêque*, *op. cit.*, p. 97-107; P. BROUTIN, *Les deux grands évêques de la Réforme catholique*, dans *N.R.T.*, t. LXXV, 1953, p. 282-300; A. DEGERT, *Saint Charles Borromée et le clergé français*, dans *Bull. de litt. eccl. de Toulouse*, sér. IV, t. IV, 1912, p. 145-159, 193-213; J. ORCIBAL, *Le premier Port-Royal*, dans *Nouvelle Clio*, n°s 5-6, 1950, p. 269 : Arnauld dit de lui : « le modèle des bons prélats »; ORSENIGO, trad. R. KRAUS, *St. Charles Borromeo*, Saint-Louis, 1943; E. WYMAN, *Kardinal Karl Borromeo in seinen Beziehungen zur alten Eidgenossenschaft*, 1910; M. YEO, *Saint Charles Borromée*, 1938; *P.G.*, sous Pie IV, t. VII, p. 692 (table), sous Pie V, t. VIII, p. 664 (table), sous Grégoire XIII, t. IX, p. 915 (table), sous Sixte V, t. X, p. 654 (table); *P.H.*, t. XIII, p. 320-325 (lutte avec le chapitre), t. XV, p. 94-109; t. XVI, p. 17, 21, 41, 288, 291, 293; *N.R.T.*, t. LXXIX, 1957, p. 600.
On trouvera une très solide étude, critique et fouillée, de l'œuvre du grand évêque dans R. MOLS, *Saint Charles Borromée, pionnier de la pastorale moderne*, dans *N.R.T.*, t. LXXIX, 1957, p. 600-747. Il note les lumières et les ombres du caractère et de l'activité de ce héros. Sa bibliographie nourrie nous dispensera d'en énumérer une. Ajouter un nom devenu auguste depuis : A. J. RONCALLI, et P. FORNO, *Gli atti della visita apostolica di S. Carlo Borromeo a Bergamo (1575)*, *Fontes Ambrosiani*, Florence, 1936-1957, vol. I en 2 part. : *La Città*; vol. II en 3 part. : *La Diocesi*; vol. III, 1957. Sur ce travail, A. LAZARONI, *Jean XXIII*, Mulhouse, 1959.
Sur son influence en France : *P.G.*, t. XIII, II, p. 652 s. — *Saint Robert Bellarmin* reviendra fréquemment dans la suite de cette étude. De son diocèse de Genève, qu'il reconquit par sa science et sa sainteté, *saint François de Sales (1567-1622)* diffusa dans toute l'Église, et surtout en France et aux Pays-Bas (WILLAERT, *Origines*, *op. cit.*, p. 278 s.), sa nouvelle et radieuse conception chrétienne, à laquelle nous reviendrons à propos du réveil de la spiritualité. Cf. J. H. GONTHIER, *La mission de saint François de Sales en Chablais; Saint François de Sales, évêque, 1602-1622*, dans J. MASSON, *Œuvres historiques*, t. I, 1901; M. HAMON, *Vie de saint François de Sales*, Paris, 1920, 2 vol.; MOURRET, *op. cit.*, t. VI, p. 96; *P.G.*, t. XI, p. 302-315; *Saint François de Sales et la formation du clergé français*, dans *Revue du clergé franç.*, t. XXV, 1900-1901, p. 516 s., 1902, p. 516 s.; F. STROWSKI, *Saint François de Sales*, Paris, 1898.

[5] J. BROUTIN, *op. cit.*, cité par MOLS, *op. cit.*, p. 744; J. BROUTIN, *La lignée épiscopale de saint Charles Borromée*, dans *N.R.T.*, t. LXIX, 1947, p. 1036-1064.

§ 3. — Le bilan de la Réformation épiscopale.

ABUS PERSISTANTS Est-ce à dire que le changement fût général? La Réforme devait naturellement commencer par la «designatio personae», l'accession à la charge [1]. En cette matière, l'épiscopat prétridentin avait connu deux ennemis. En haut, les influences politiques et mondaines, en bas, la manque de préparation des candidats qui montaient du clergé diocésain ou régulier. Le premier abus subsista tant que dura l'union de l'Église avec l'État. Cependant le Saint-Siège s'efforça d'imposer les décrets de Trente qui interdisaient de conférer un bénéfice à un candidat de moins de quatorze ans et prescrivaient un examen à tous les ordinands (Sess. XXIII). Parfois sa diplomatie obtint quelque succès, car les nonces procédaient à une enquête au sujet des candidats [2]. Ainsi même, en 1559 aux Pays-Bas, la création de diocèses moins étendus [3].

Quant à la qualité des candidats venus du clergé inférieur, la fondation des séminaires, dont il sera question plus loin, allait peu à peu préparer un épiscopat plus instruit et plus digne. Contre le funeste absentéisme de nombreux prélats, le concile avait insisté vivement, menaçant les délinquants de peines nouvelles (Sess. VI et XXIII). Le fait que les papes furent obligés de rappeler fréquemment le devoir de résidence montre la difficulté d'obtenir le respect des canons [4]. Et pourtant de nombreux cardinaux avaient donné l'exemple, quittant Rome pour aller sur place prendre en charge leur diocèse. Dès sa désignation, saint Charles Borromée résigna aussitôt la Secrétairerie [d'État] pour aller administrer son archidiocèse de Milan, resté pendant quatre-vingts ans sans voir d'archevêque (1565). Mais le mal s'aggravait de cet autre abus, le cumul des bénéfices, qui rendait l'absentéisme inévitable [5]. D'autres prescriptions de Trente étaient la visite périodique *ad limina* et les rapports à envoyer à Rome. Là aussi, le Saint-Siège eut à rappeler à certains évêques leurs obligations [6].

---

[1] Sur les divers modes de désignation, *K.L.*, t. II, col. 883; *D.T.C.*, t. IV, col. 2272-2276; t. XII, col. 1897-1909. — La couronne d'Espagne revendiquait le droit absolu de nomination aux prélatures des pays de son domaine, notamment aux Pays-Bas. Cf. WILLAERT, *Origines, op. cit.*, p. 94, 151 s. et notes. Celle de France héritait des avantages du concordat de 1516.

[2] WILLAERT, *op. cit.*, p. 151, n. 3.

[3] M. DIERICKX, *De oprichting der nieuwe bisdommen in de Nederlanden onder Filips II, 1559-1570*, Anvers, 1951. — Sur la permanence des abus, cf. *supra*, p. 66, n. 4.

[4] *D.T.C.*, t. V, I, col. 1717-1719; *P.G.*, insistance de Pie V, t. VIII, p. 158 s., de Grégoire XIII, t. IX, p. 49-51, de Sixte V, t. X, p. 100-103, de Clément VIII, t. XI, p. 449-455, de Paul V, t. XII, p. 156 s.; F. GARCIA GUERRERO, *El decreto sobre la residencia de los obispos en la tercera asembla del Concilio de Trento. Especial intervencion de los prelatos españoles*, Cadix, 1942. Cf. *Arch. teol. Gran.*, t. VIII, 1945, p. 246.

[5] L'évêque de Liège, Ernest de Bavière (1581-1612), était en même temps archevêque-électeur de Cologne, évêque de Freisingen, de Hildesheim et de Münster; ses successeurs conservent presque toutes ces fonctions. L'archiduc Léopold-Guillaume, gouverneur des Pays-Bas (1647-1656), était grand-maître de l'Ordre teutonique, évêque de Strasbourg, de Halberstadt et d'Olmütz.

[6] Sur la visite *ad limina*, cf. *P.G.*, t. IX, p. 48-79. Sixte-Quint en rappelle l'obligation par la bulle *Romanus Pontifex* de 1585. Avec le rapport quinquennal, elle permet au Saint-Siège de gouverner effectivement l'Église entière, *ibid.*, t. XI, p. 1910, 1915. — Sur la négligence des rapports avec Rome, *P.G.*, t. XIII, II, p. 544; WILLAERT, *Origines, op. cit.*, p. 176 et n.

SYNODES
PROVINCIAUX
Un des meilleurs moyens de maintenir l'élan était la réunion des synodes, « colloques » périodiques qui permettaient aux prélats d'une même province ecclésiastique de concerter leur action. Par malheur, là aussi, les souverains catholiques, ou plutôt leurs ministres, intervinrent. Ces réunions étaient une force en face du pouvoir absolu. Elles furent entravées d'abord, puis interdites [1].

Sur ces différents terrains, l'action énergique de Grégoire XIII obtint de remarquables résultats.

Ces exemples illustres ont infusé à l'Église des forces nouvelles, car, tel évêque, tel diocèse.

Si l'on voulait, malgré les lacunes de notre information, se faire une idée d'ensemble de la hiérarchie posttridentine, on remarquerait un saisissant contraste avec celle du xxe siècle. On peut dire que, de nos jours, les évêques dignes successeurs des apôtres forment la majorité. Au siècle que nous étudions, ce n'est pas le cas. Mais ceux qui alors incarnèrent la restauration, qui, par leur zèle et par leur exemple, rendirent à la vie de l'Église une vigueur nouvelle doivent être notés dans la séculaire lignée des hérauts authentiques du Message. Leur voix entretint le Réveil dans les siècles à venir.

Cependant, leur effort individuel ne suffisait pas; il y fallait en outre celui de leurs collaborateurs dans la hiérarchie.

NOTE ANNEXE

A. Remarques et références d'ensemble.

— Voir la bibliographie du clergé séculier, *infra*, p. 83.

— Voir la bibliographie du concile de Trente, *supra*, p. 44.

Il suffira ici de mentionner pour rappel les nomenclatures bien connues de la *Gallia christiana*, *España Sacrada*, etc.; P. GAMS, *Series;* MAS-LATRIE, *Trésor;* A. MIREAUS; R. RITZLET et P. SEFRIN, *Hierarchia catholica*.

— Les *Instructions aux nonces* et leurs *Rapports* fournissent d'abondants renseignements.

— Voir *infra*, p. 72, la bibliogr. des *Églises nationales*.

— Il est impossible d'insérer ici la bibliographie sur les *diocèses particuliers*.

— Voir dans les encyclopédies aux noms des évêques.

[1] Il ne peut être question de donner ici la liste des conciles particuliers. *D.T.C.* (Tables générales, col. 689-750, t. XV, col. 1479) en donne la liste par ordre alphabétique des villes. Au sujet des synodes ou conciles provinciaux, *P.G.*, t. VII, p. 360; t. IX, p. 407 s. Pie V était persuadé qu'ils étaient le meilleur moyen de réforme. La liste des synodes réunis sous son règne est dans *P.G.*, t. VIII, p. 157; *P.H.*, t. XVII, p. 169. — Sur leur suppression, voir p. 410. A. ARTONNE, *Les statuts synodaux français*, dans *Bull. Acad. des Inscr. et Belles Lettres*, 1955 et sous le titre *Les anciens statuts synodaux français du XIIIe siècle à 1789*. dans *L'année canonique*, t. IV, 1956, p. 31-49; P. DE RAM, *Synodicon Belgicum...*, Malines, 1828. Voir *B.J.B.*, n. 944; B. GAVANTIUS, *Enchiridion seu manuale episcoporum pro decretis visitationis et synodo de quocumque re condendis*, Anvers, 1651; M. RIZZI, *De synodis diocoesanis et constitutionibus synodalibus, Apolinaris*, t. XXVIII, 1956, p. 292-315; J. TEJADA Y RAMIRO, *Colección de Canones y de todos los Concilios de la Iglesia de España y de America*, Madrid, 1859 s.

H.E., t. XIX, p. 270; *Catholicisme*, t. XV, p. 829; *Enc. ital.*, t. XI, p. 263; *Enc. catt.*, t. IV, p. 341 s.; *D.A.*, t. II, col. 253 s.; C. M. ABAD, *Dos ineditos del siglo XVI sobre provision de beneficios eclesiasticos y oficios de justicia* (Fr. de Vittoria. Lettre à L. Gomez sur les problèmes des bénéfices et de résidence, 21-XI-1545). *Miscell. Comill.*, t. XV, 1951, p. 270-372; M. BAEKELANDT, *Christianus Lupus. Zijn leer over de Hierarchie van de Kerke*, Louvain, 1951-1952; G. BARDY, G. LE BRAS, M. VICAIRE, *Prêtres d'autrefois et d'aujourd'hui*, Paris, 1954; P. BROUTIN, *La pastorale épiscopale après le concile de Trente*, *R.A.M.*, t. XXV, 1949, p. 45-68; ID., *La Réforme pastorale en France au XVII*e *siècle. Recherche sur la tradition pastorale après le concile de Trente*, Paris, 1956, 2 vol.; *L'évêque dans la tradition pastorale du XVI*e *siècle* (adaptation française de H. JEDIN, *Das Bischofsideal*) Paris-Bruxelles, 1953; A DE MEYER, *Les premières controverses, op. cit.*, p. 63; É. DE MOREAU, *Histoire. op. cit.*, t. V, p. 30, 284, 288, 291 s.; *Documenta metropolitarum et episcoporum*, Rome, 1956; G. E. DOLAN, *The Distinction between the Episcopate and the Presbyteriate according to the Thomistic Opinion*, Washington, 1950; E. DURINI, cf. JEDIN; A. DUVAL, *Quelques idées du bx. Jean d'Avila sur le ministère pastoral et la formation du clergé*, Suppl. à la *Vie spirituelle*, t. II, 1948, p. 123-153; FEINE, *op. cit.*, p. 474-480; *H.-B.*, t. VI, p. 178; F. X. JANSEN, *Baïus et le Baïanisme*, Louvain-Paris, 1927, p. 120 (droit divin); H. JEDIN, *Das Bischofsideal der katholischen Reformation*, dans *Sacramentum ordinis*, Breslau, 1942, cf. BROUTIN; ID., trad. par E. DURINI, *Il tipo di vescovo secondo la riforma cattolica*, Brescia, 1950; J. ORCIBAL, *Les origines du jansénisme*, Paris, Louvain, 1947, t. II, p. 1-87 (état du clergé); *P.H.*, t. XIX, p. 55, 455, 479, 487, t. XX, p. 7, 211; BLIARD, *op. cit.*, t. X, col. 1457-1463 : écrits S. J. sur les évêques; TACCHI-VENTURI, *Storia, op. cit.*, t. I, p. 27 s. (clergé séculier); p. 159-176 (évêques); J. I. TELLECHEA, *La figure ideal del obispo en las obras da Erasmo*, *Script. Victoriense*, t. II, 1955, p. 201-230; ID., *Francisco de Vitoria y la Reforma catolica. La figura ideal del obispo. Riv. Esp. de Derecho Canon.*, t. XII, 1957, p. 65-110; H. M. VICAIRE, voir G. BARDY, *Le clergé catholique du XV*e *au XIX*e *siècle.*

B. La hiérarchie par pays.

1. *L'EMPIRE.*—*En Bohême* : ERNEST-ADALBERT, cardinal comte d'Harrach; archev. de Prague (1623-1667), chargé par l'empereur de recatholiciser la Bohême, *K.L.*, t. X, col. 295. — *En Allemagne* : DUHR, *op. cit.*, t. I, p. 309 s.; H. GOLLER, *Friedrich Nausea. Probleme der Gegenreformation*, Vienne, 1952; *D.T.C.*, t. XI, col. 45; *K.L.*, t. IX, col. 50; HOSIUS, voir en Pologne; J. SCHMIDLIN, *Die kirchlichen Zustände in Deutschland vor dem dreissig-jährigen Kriege nach den bischöflichen Diözesan-berichten an den heiligen Stuhl. I*re *partie. Österreich*, Fribourg en Br., 1908; G. SCHREIBER, *Tridentinische Reformde kritik in deutschen Bistümern, Zeitsch. der Savigny Stifftung für Rechtsgesch.*, t. XXXVIII, 1952, p. 395-452.

2. *L'ESPAGNE.* — *Colección de canones de todos los concilios de la Iglesia Española*, Madrid, 1855; DE LA FUENTE, *op. cit.*, t. V, 353, 362, p. 482-486; D. MANSILLA, *Bibliografia historica sobre obispados (1950-1955)*, Hispan. Sacra, 1956, p. 215-226; ID., *La reorganisacion eclesiastica española del siglo XVI, Anthologia Annua*, t. IV, 1956, p. 97-228, t. V, 1957, p. 9-259; R. RITZLER, *Procesos informativos de los obispos de España y sus dominios en el Archivo Vaticano, Anthologia Annua*, t. IV, 1956, p. 465-498;

J. I. Tellechea, *El formulario de visita pastoral de Bartolomé de Carranza, arzobispo de Toledo : Forma visitandi diocesim Toletanam, Anthologia Annua*, t. IV, 1956, p. 385-437. Id., *B. Carranza*, St-Sébastien, 1958.

3. *LA FRANCE*. — *Études d'ensemble :* Nous avons une synthèse exceptionnelle, une étude critique sur l'activité de dix-huit évêques, semblables par leur zèle de réformateurs, trop originaux pour ne pas différer par tout le reste ou à peu près. P. Broutin, *La réforme pastorale, op. cit.*, (on a pu reprocher à l'auteur un choix parfois discutable et des omissions regrettables); L. André, *Sources, op. cit.*, t. VI, p. 188-256. (Bibliogr. critique sur les diocèses particuliers); P. At, *Hist. du droit canon gallican*, Paris, s. a.; p. 83, remontrances du clergé français contre les nominations royales et contre la commende, p. 84; Dom Beaunier, *Recueil historique, chronologique et topographique des archevêchés, évêchés, abbayes et prieurés de France... à la nomination et collation royale*, Paris, 1726-1743; P. Blet, *Le chancelier Séguier, protecteur des jésuites et l'assemblée du clergé de 1645, A.H.S.J.*, t. XXVI, 1957, p. 177-198 (conflits entre les deux clergés); G. Cantiniau, *Les nominations épiscopales en France des premiers siècles à nos jours*, Rouen, 1905; F. de Coussemaker, *Des résistances qui se sont produites depuis la mort de Francois Ier au mode de nomination des évêques établi par le concordat de 1516* Paris, 1898; J. de Font-Réaulx, *Atlas des anciens diocèses de France*, Valence, 1955; J. Desnoyers, *Topographie ecclésiastique de la France... Annuaire de la Société d'histoire de France*, 1853 et s.; G. Guitton, *Le Père de La Chaize et la « Feuille des bénéfices »*, dans *R.H.É.F.*, t. XLII, 1956, p. 29-54; Imbart de la Tour, *op. cit.*, t. II, p. 182-346; V. Martin, *Le gallicanisme;* Orcibal, *Les origines, op. cit.*, t. II, p. 1-87 (état du clergé, 11-13, 353, 372, 622); *P.G.*, t. XIII, i, p. 545-550; Poulet, *op. cit.*, t. III, p. 805 s. — Aliénation des biens ecclés. en France au XVIe siècle : L. Serbat, *Les Assemblées du clergé de France : origines, organisation, développement (1561-1615)*, Paris, 1906; A. Sicard, *L'ancien clergé de France. I. Les évêques avant la Révolution*, Paris, 1912.

Monographies d'évêques : Sur J.-P. Camus : *D.H.G.E.*, t. XI, col. 672; *D.T.C.*, t. II, ii, col. 1451; sur Fr. de la Rochefoucauld : *D.T.C.*, t. VIII, ii, col. 2618; sur Alain de Solminihac : *D.H.G.E.*, t. I, col. 1313-1317, t. XII, col. 352. *L.T.K.*, t. IX, col. 657; E. Sol, *Le vénérable Alain de Solminihac*, Cahors, 1928; sur Richelieu réformateur : *D.T.C.*, t. XIII, ii, col. 2696; *P.G.*, t. XIII, ii, p. 544; *L.T.K.*, t. XIII, col. 879; sur Zamet : Orcibal, *Les origines, op. cit.*, t. II et III, à la table; Poulet, *op. cit.*, t. III, p. 1205; L. Prunel, *Sébastien Zamet*, Paris, 1912.

Les Assemblées du clergé. Elles ont pour origine l'accord de Poissy (1561), qui entraîne la réunion régulière des Assemblées du clergé. — *D.A.*, t. II, col. 254; *D.T.C.*, tables générales, col. 280 s.; *L.T.K.*, t. I, col. 728; *D.D.C.*, t. I, col. 1107-1142; P. At, *Histoire, op. cit.*, p. 5-42, 142; P. Blet, *Le chanoine Séguier, op. cit.*, p. 177-198; Id., *Lettres et Mémoires du nonce Ranuccio Scotti (1539-1641)*, thèse compl., Paris, 1958.

J. Bourlon, *Les Assemblées du clergé sous l'ancien régime*, Paris, 1907; A. Cauchie, *Les Assemblées du clergé de France sous l'ancien régime*, dans *R.S.P.T.*, t. II, Le Saulchoir, 1908, p. 74-95; J. Coudy, *Les moyens d'action de l'Ordre du Clergé au Conseil du Roi (1561-1715)*, Paris, 1954; A. Duranton, *Collection des procès-verbaux des Assemblées du clergé de France depuis 1560 jusqu'à présent*, Paris, 1767-68, 9 vol.; J. Ellul,

Hist. des Institutions, op. cit., t. II, p. 506 s.; FOUQUERAY, *op. cit.*, t. I, p. 251-258, t. IV, p. 117-139, t. V, p. 63-70, 415-420; G. LEPOINTE, *Hist. des institutions et des faits sociaux*, Paris, 1956, p. 428-433; L. SERBAT, *Les Assemblées du clergé de France : Origines, organisation, développement (1561-1615)* dans *Bibliothèque de l'École des Hautes Études*, n° 154, 1906.

4. *GRANDE-BRETAGNE ET IRLANDE.* — P. J. CORISH, *An Irish Counter-Reformation Bishop : John Roche, Irish Theol. Quart.*, t. XXV, 1958, p. 14-32; H. ELIAS, *Nonciature de G. Bentivoglio*, dans *Bull. Inst. hist. belge de Rome*, 7e fasc., 1927, p. 278 s.; E. REYNOLDS, *St. John Fisher*, New York, 1955; E. REYNOLDS, *St. Thomas More*, New York, 1954; W. SHENCK, *Reginald Pole*, dans *Cardinal of England*, New York, 1950; I. WATKIN, *Roman Catholicism in England from the Reformation to 1950*, Londres, 1957.

5. *HONGRIE.* — Sur P. PÁZMÁNY : Cf. *infra*, p. 216; *D.T.C.*, t. XII, col. 97-106; *L.T.K.*, t. VIII, col. 56; *K.L.*, t. IX, col. 1737-43; *Petri Cardinalis Pázmány ecclesiae Strigoniensis archi-episcopi et regni Hungariae primatis epistolae collectae*, Budapest, 1910, 2 vol.

6. *ITALIE.* — Liste d'évêques réformateurs : *H.E.*, t. XVII, p. 279; *P.G.*, t. IX, p. 59; *Gli archivi diocesani e gli archivi parrochiali nell' ordinamento della Chiesa*, Univers. S.C., Milan, 1958; Saint Alexandre Sauli (1534-1591), l'apôtre de la Corse, archev. de Pavie, *H.E.*, t. XVII, p. 265.

7. *PAYS-BAS.* — Les évêques belges, à partir du XVIIe siècle, sont en général des hommes de valeur, zélés et savants, la plupart docteurs de Louvain. Activité réformatrice : *P.G.*, t. XI, p. 293; WILLAERT, *Les origines, op. cit.*, p. 177-186; CAUCHIE et MAERE, *Recueil, op. cit.*, p. 88 s. (vie apost.); J. CORNELISSEN, *Romeinsche Bronnen voor de kerkelijk toestand der Nederlanden onder de Apostolische Vicarissen 1502-1727*, t. I, 1592-1651 (*Rijks gesch. public.* Grande sér., t. LXXVII), La Haye, 1932; DE JONGH, *op. cit.*, p. 102 s.; É. DE MOREAU, *Histoire de l'Église, op. cit.*, t. V, *passim*; F. DE VRIES, *Vredespogingen tusschen de oud-bisschopelijke Cleresie van Utrecht en Rome*, Assen, 1930; M. DIERICKX, *De oprichting, op. cit.*; GILLIODTS VAN SEVEREN, *Les officialités. Essai sur les juridictions ecclésiastiques en Flandre. La Flandre*, t. XIII, 1882, p. 41, 137; P. GORRISEN, *De dossiers van prelaats-benoemingen in Nederlanden archieveconomisch gezien*, *Archives, biblioth. et musées de Belgique*, t. XXVI, 1955, p. 146-180; ID, *De invoering van het vorstelijk benoemingsrecht in de Nederlandse abdijen onder Karel V, Bijdr. voor de gesh. der Nederl.*, t. X, p. 25-57, 190-237; L. JADIN, *Les actes de la Congrégation consistoriale concernant les Pays-Bas, la principauté de Liège et la Franche-Comté, 1593-1797*, dans *Bull. Inst. hist. belge de Rome*, t. XVI, 1935; ID., *Procès d'information pour la nomination des évêques et abbés des Pays-Bas, de Liège, et de Fr.-c. d'après les archives de la Congrég. Consistoriale*, dans *Bull. Inst. hist. belge de Rome*, t. VIII, 1928, p. 5-263, t. IX, 1929, p. 5-321, t. XI, 1931, 1-493; ID., *Relations des Pays-Bas, de Liège et de Franche-Comté avec le Saint-Siège d'après les « Lettere di Vescovi »*, Bruxelles, Rome, 1952; A. LOUANT, *Correspondance d'O. M. Frangipani*, t. II. Introduction, p. CIV, t. III, p. 924 s. (important); J. PAQUAY, *Les rapports diocésains de la province ecclésiastique de Malines et du diocèse de Liège au Saint-Siège d'après les Archives de la Congrégation*, Tongres, 1930; P. POLMAN, *Romeinse bronnen voor de kerkelijke toestand der Nederlanden onder de apost. vic.*,

1592-1727..., La Haye, 1955; L. J. ROGIER, *Geschiedenis van het Katholicism in Noord-Nederland in de XVIe en de XVIIe eeuw*, Amsterdam, 1948, 3 vol.; WILLAERT, *Origines, op. cit.*, p. 172; F. WILLOCX, *L'introduction des décrets du concile de Trente dans les Pays-Bas et dans la principauté de Liège*, Louvain, 1929, p. 60 s.

8. *POLOGNE. — H. E.*, t. XVII, p. 133, 353; L. BERNACKI, *La doctrine de l'Église chez le cardinal Hosius*, Paris, 1936. Voir aussi A. JOBERT, *La Pologne dans la crise de la Chrétienté aux XVIe et XVII^v siècles* (en préparation); O. HALECKI, *From Florence to Brest*, Rome, 1958; *R.S.P.T.*, t. XXI, 1931, p. 501; M. E. WERMTER, *Kardinal Stanislaus Hosius, Bischof von Ermland und Herzog Albrecht von Preussen. Ihr Briefwechsel über das Konzil von Trient, 1560-1562. Reformationsgeschichtliche Studien u. Texte*, t. LXXXII, 1957.

En RUSSIE, voir les *Anal. ord. S. Basili Magni*, Rome, 1956.

C. Évêques membres d'ordres religieux :

Évêques *dominicains* de Germanie inférieure, voir A. DE MEYER, *Glanures...* (manuscrit) 1951, Bruxelles, avenue de la Renaissance.

Évêque *barnabite* : Saint Alexandre Sauli, cf. *supra*, p. 74, n. 6.

Évêques *norbertins* : *Analecta praem.*, t. V, 1929, p. 46, 239.

Évêque *jésuite* : Saint Robert Bellarmin.

Religieux évêques en Belgique, WILLAERT, *op. cit.*, p. 179.

P. R. OLIGER, *Les évêques réguliers*, Paris-Louvain, 1958.

LIVRE III.

LE CLERGÉ DIT SÉCULIER

[1] Ce terme est entériné par le droit canonique. Mais déjà Érasme protestait contre son usage : « Les gens d'Église qu'on dit séculiers, comme s'ils étaient du monde et non du Christ... » Cf. *H.E.*, t. XV, p. 263.

CHAPITRE PREMIER.

LE HAUT CLERGÉ DIOCÉSAIN

§ 1. — Les hauts dignitaires.

L'ARCHIDIACRE Comme il est intéressant d'observer de vastes mouvements qui à la même époque affectent de même manière l'Église et l'État! Au moyen âge, l'archidiacre avait conquis peu à peu une autorité à laquelle il ne manquait au XIIIe siècle que le sacre pour égaler celle de l'évêque. Elle s'était ensuite scindée en « archidiaconés », juridictions territoriales. Puis se produit un phénomène parallèle à l'absorption de la puissance laïque féodale par la monarchie. Les rois, aidés par les légistes, docteurs en droit romain, ont, sans bruit, remplacé l'autorité des seigneurs par celle de leurs propres baillis. A partir du XIVe siècle, les évêques ont, paisiblement, récupéré les conquêtes des archidiacres grâce à des magistrats nouveaux : l'official, compétent en droit romain, et le vicaire-général.

Le concile de Trente a consacré la victoire de l'évêque en lui confiant les fonctions assumées autrefois par les archidiacres, qui, sauf en certains pays, ne gardèrent que des attributions honorifiques.

L'ARCHIPRÊTRE Tandis que l'archidiacre représentait l'évêque au temporel et au contentieux, l'archiprêtre était autrefois son vicaire en ce qui concernait le spirituel; de ce chef, il avait charge d'âmes. Comme l'archidiacre, en vertu des décisions de Trente, il perdit bon nombre de ses prérogatives. En sorte que, dans l'Église moderne, ce titre attaché à un groupe de cures, à une cure ou à un rectorat d'église, souvent d'une église célèbre, ne correspond plus toujours à une charge particulière [1].

LE VICAIRE-GÉNÉRAL ET L'OFFICIAL Héritiers des fonctions précédentes, ces ministres de l'évêque partagèrent pleinement sa responsabilité dans l'œuvre de restauration. Le vicaire-général, on l'a vu, est devenu peu à peu le représentant du prélat en tout ce qui concerne la juridiction; ensemble, ils ne forment qu'une personne morale, au point qu'il n'y a pas d'appel de l'un à l'autre. Son accession au pouvoir est consacrée par les décisions de Trente (Sess. XXIV, c. XII). Mais aucune

---

[1] *D.D.C.*, t. I, col. 951-994; *C.E.*, t. XV, p. 402 s. Comme exemple de la conquête épiscopale, cf. J. IMBERT, *L'application des prescriptions disciplinaires du concile de Trente à l'hôpital d'Aire-sur-la-Lys*, dans *Rev. du Nord*, t. XL, 1958, p. 281-288.

législation uniforme ne détermine le champ de son autorité dans les divers diocèses. Pas d'uniformité non plus dans les attributions de l'official, chef du contentieux, dont il cumule souvent la compétence [1]. Sauf exception rare, ces « grands commis » de l'épiscopat restèrent ses fidèles collaborateurs.

On ne peut pas en dire autant d'autres dignitaires.

§ 2. — Le clergé canonial.

LES « CHANOINES » Ce terme réclame une explication; car, à l'époque posttridentine, il désignait plusieurs catégories de prêtres [2]. Celle des chanoines au sens primitif du mot « canonicus », clercs vivant en communauté sous une règle, était représentée par les ordres de chanoines réguliers; prononçant les trois vœux de religion, ils joignaient à la vie cléricale la conventuelle. Il en sera question plus loin, à propos du clergé régulier. Au cours du moyen âge, s'étaient formés des collèges qui, tout en gardant la fonction essentielle d'assurer le culte par l'office du chœur, ne pratiquaient plus la *vita communis* [3]. Parmi ces chapitres, les uns étaient fixés dans une église dite collégiale ou chapitrale. Les autres, formant

---

[1] *D.D.C.*, t. I, col. 1017, III, 530; *K.L.*, t. V, col. 265-280; E. Fournier, *Les origines du vicaire-général*, Paris, 1922; Id., *Les origines... et des autres membres de la curie diocésaine*, Paris, 1940 : « Procureur remplaçant l'évêque, le *vicarius generalis* n'est nommé ainsi qu'à partir de Grégoire VII »; L. Gilliodts-van Severen, *Les officialités*, *op. cit.* — L'origine de l'official et du vicaire-général est discutée; au début du xiiie siècle, ces deux termes sont synonymes. Le vicaire-général n'a pas été institué pour « tomber » l'archidiacre. Cf. *D.D.C.*, t. IV, col. 964.

[2] Bibliographie. — *Travaux.* — *C.E.*, t. III, p. 252-255, 582-584; *Catholicisme*, t. II, col. 900-909, 940; *D.D.C.*, t. I, col. 979, 983, 990-994; t. III, col. 471-488, 530-566 (ne dépasse pas le Moyen Âge); *D.H.G.E.*, t. XII, col. 353-405, s'arrête au xiiie siècle, signalant l'absence d'ouvrages de synthèse, renvoie à Thomassin, Amort, Lelarge; le *Dict. Spirit.* ne considère que les chanoines réguliers; *D.T.C.* n'a pas d'article spécial, quelques allusions dans t. II, col. 2125, t. III, col. 616, t. IV, col. 1350, 2276, t. XI, col. 1898, t. XIII, col. 680, 2444, t. XV, col. 1475 s., 2391, 3085; *E.U.I.E.A.*, t. X, col. 135-138, t. XI, col. 187; *L.T.K.*, t. II, col. 986, t. V, col. 802; *K.L.*, t. II, col. 401, 820, 1827, 1835-1842.

André, *Les sources*, *op. cit.*, n° 4758; A. Artonne, *op. cit.*; P. Claessens, *Les chapitres séculiers en Belgique*, Bruxelles, 1884; de Moreau, *op. cit.*, t. V, p. 308; E. Fournier, *Nouvelles recherches sur les curies, chapitres et universités de l'ancienne Église de France*, Arras, 1942; Ph. Hofmeister, *Bischof und Domkapitel*, 1931; Imbart de la Tour, *op. cit.*, t. II, p. 592-597 (bibliographie); Id., *R.H.E.*, t. LIV, 1959, (résistance à la réforme); Lavisse, *Hist. de France*, *op. cit.*, t. VI, ii, p. 91 s.; E. Mathieu, *Rôle des chapitres ecclésiastiques dans l'organisation de l'enseignement en Belgique*, Namur, 1899; A. Michel, *Hist. des conciles*, *op. cit.*, t. X, p. 614 s. (décret de Trente *de Reformatione*), c. VI (comment l'évêque doit se comporter à l'égard des chapitres); R. Mols, *Les registres paroissiaux sous l'Ancien Régime. Leur histoire*, dans *N.R.T.*, t. LXXVIII, 1956, p. 487-514; (Pour les inventaires provinciaux des registres nord-néerlandais, cf. *R.B.Ph.H.*, t. XXXIII, 1955, p. 246 s.); Mourret, *op. cit.*, t. V, p. 515; A. Pasture, *Les chapitres séculiers pendant le règne des Archiducs (1596-1633)*, dans *Bull. Inst. Hist. belge de Rome*, fasc. VI, 1926, p. 5-69 (à lire avant le suivant); Id., *La réforme des chapitres séculiers (1595-1633)*, dans *Bull. Inst. Hist. belge de Rome*, fasc. V, 1925, p. 5-50; E. Poncelet, *La cessation de la vie commune dans les églises canoniales de Liège*, dans l'*Annuaire d'Hist. liégeoise*, t. IV, 1948, p. 613-648 (au moyen âge); P. Schneider, *Die bischöfflichen Domkapitel, ihre Entwicklung und rechtliche Stellung im Organismus der Kirche*, Mayence, 1892; F. Willocx, *L'introduction*, *op. cit.*, cf. *infra*. — Pour les *chanoinesses*. Cf. *D.D.C.*, t. III, col. 488. — Voir aussi la bibliographie des ordres religieux, p. 94; celle de la hiérarchie, p. 72.

[3] Pasture, *La Réforme*, *op. cit.*, p. 5 et n. 1; E. Poncelet, cf. *supra*, n. 2.

« le sénat et le conseil de l'évêque » (code canon. n° 391 § 1), sont destinés à l'assister dans le gouvernement du diocèse; ils sont attachés à l'église cathédrale.

Un tableau d'ensemble de l'état des chapitres est encore impossible à présent. Faute de quoi, il semble justifié de se contenter ici d'un exemple.

Les Pays-Bas offraient à l'institution une terre d'élection : au milieu du XVIe siècle, un millier de chanoines y desservaient 73 églises collégiales; cinq cents chanoines et chapelains « se groupaient dans les douze chapitres cathédraux » [1].

LA DÉCADENCE DES CHAPITRES Par malheur, chez ces prébendiers, de déplorables abus s'étaient répandus, qui tenaient à des causes multiples et à des privilèges déjà anciens.

Privilège et cause de désordres, l'exemption de l'autorité et de la visite épiscopales assurait l'impunité aux éléments défectueux de beaucoup de chapitres. Le mode de nomination, laissée souvent à des « patrons » peu soucieux de la vie religieuse, peuplait les stalles de personnages peu dignes, alors que déjà le nombre excessif de prébendes offrait à des bénéficiaires peu zélés une vie trop facile. Par contre, dans beaucoup de cas, une rémunération insuffisante obligeait les titulaires à cumuler diverses occupations, cause nouvelle d'un absentéisme trop fréquent.

De tout cela résultait, non seulement le manque de décence du culte sacré, mais la porte ouverte à des écarts souvent scandaleux.

LES RÉFORMES CONCILIAIRES A ces maux le concile de Trente avait prescrit des remèdes efficaces. A certains égards, le chapitre cathédral était à l'évêque ce que le Sacré Collège était au pape. L'élection du prélat par le chapitre n'avait pas complètement disparu. Il existe d'ailleurs encore de nos jours exceptionnellement [2]. Or, ici aussi, la Réformation aboutit à un renforcement du régime monarchique. Le concile restitua aux évêques les droits que certains chapitres s'étaient arrogés, tels la nomination aux cures et surtout le droit capital de visite et de correction des chanoines [3].

DIFFICULTÉS D'EXÉCUTION Mais c'est ici que la *reformatio in membris*, en descendant les degrés de la hiérarchie, commença d'être plus ardue et plus lente. Il ne manqua aux décrets de Trente que d'être toujours pratiquement applicables. Dans bien des cas, la résidence imposée aux chanoines ne pouvait être observée faute de revenus suffisants; puis on invoquait en faveur de l'exemption des concessions papales très anciennes;

---

[1] PASTURE, *op. cit.*, p. 5.

[2] *D.T.C.*, t. II, col. 2276.

[3] Le concile imposa la résidence, la nomination d'un chanoine *théologal* pour l'instruction des clercs et des enfants pauvres et celle d'un chanoine *pénitencier* dans les chapitres cathédraux (*D.D.C*, t. III, col. 550 s.); WILLOCX, *op. cit.*, p. 48 s.; PASTURE, *La réforme, op. cit.*, p. 8. — Dans certains cas, l'évêque se fit nommer chanoine afin d'agir plus efficacement sur ses collègues. (*D.D.C.*, col. 546.)

parfois les chanoines tentaient de justifier leur résistance par le caractère indigne d'un évêque nommé par influence mondaine malgré son bas âge ou ses mœurs douteuses.

Il en résulta des conflits d'une âpreté tenace, particulièrement à Tournai; il fallut souvent recourir à l'autorité du Saint-Siège et aux menaces d'ordre temporel[1]. Encore les abus ne disparurent-ils que très lentement. Jusqu'à la fin de l'ancien régime, l'institution canoniale souffrit des funestes effets des nominations laïques.

LE RENOUVEAU   Mais, en regard de ces défauts persistants, il serait injuste de ne pas opposer une réelle Réformation. Quant à la fonction essentielle des chapitres, « l'usage du cérémonial et du bréviaire romain [...] paraît s'être généralisé au début du XVIIe siècle ». D'autre part, la vie exemplaire de beaucoup de chanoines, doctes et vertueux, exerçait une bienfaisante influence sur le clergé et sur les fidèles. De plus, bon nombre d'entre eux remplissaient avec zèle des fonctions paroissiales; les chapitres cathédraux fournissaient aux évêques des auxiliaires précieux pour la restauration religieuse et même certains de leurs coadjuteurs[2]. Au reste, l'effort de redressement est attesté par des ouvrages du temps destinés à le promouvoir[3].

En France, où l'ordre canonial rendit les mêmes services, des intérêts semblables provoquèrent de sa part de semblables oppositions; les chanoines profitèrent des réunions des États pour entraver la réception des décrets du concile et, par le fait même, la Réformation. Ils allaient même parfois jusqu'à recourir à l'appel comme d'abus contre les sanctions qui les frappaient[4]. Dans les autres pays aussi, l'esprit de corps de ces organismes constitués de longue date fortifiait souvent leur résistance au renouveau.

Ce n'est pas de ce côté que vint principalement la difficulté de réformer le clergé paroissial, dépourvu, en général, d'organisation.

---

[1] DE MOREAU, *op. cit.*, p. 437; WILLOCX, p. 70, 164, 174, 197, 210, 217, 286, 294; L. JADIN, *Relations, op. cit.*, p. 21. — Benoît XIII (1727-1738) constate que les décrets de Trente ne sont pas observés (*D.D.C.*, t. III, col. 550). — Les chanoines de Milan, refusant les réformes de saint Charles Borromée, invoquaient le patronat du roi (*P.H.*, t. XVII, p. 324-326).
  Voir un intéressant exemple de conflit à propos d'exemption : L. CEIJSSENS, *Triest et les rigueurs romaines*, dans *Bull. de l'Inst. belge de Rome*, fasc. XXXI, 1958, p. 256. Sur les difficultés du chapitre d'Angleterre, *Relazione... da Gregorio Panzani* (copie aux Archives de l'État à Bruges, couvents, mélanges, n° 559); J. SERGEANT, *Account of the English Chapter*, Londres, 1853. — Un exemple tragique est celui du chapitre d'Utrecht, dont l'opposition entraîna le schisme néerlandais de la « Oud-Katholieke Kerk »; elle compte actuellement trois évêques validement mais illicitement ordonnés, avec environ 10.000 fidèles.

[2] PASTURE, *op. cit.*, p. 43-50. Pour la *France*, V. MARTIN, *Le gallicanisme et la réforme catholique*, Paris, 1919, p. 131, 158.

[3] Tels, par exemple, le *De Collegiis canonicorum* (Cologne, 1615) d'A. MIRAEUS et le *De canonicis* de Jean MOLANUS (Cologne, 1587, Louvain, 1635, 1670), qui décrivent l'organisation de l'institution à cette époque.
  Voir aussi A. BARBOSSE, *De canonicis et dignitatibus*, Lyon, 1640; E. AMORT, *Vetus disciplina canonicorum saecularium et regularium*, Venise, 1747; M. DE LOUVREX, *Dissertationes canonicae de origine decanorum Ecclesiarum cathedralium et collegiatarum*, Liège, 1729.

[4] MARTIN, *op. cit.*, p. 130, 138, 143 s., 146, 158, 202, 239-241, 260, 306, 337.

CHAPITRE II

LE CLERGÉ INFÉRIEUR [1]

DIFFICULTÉS ET VOLONTÉ   La hiérarchie ecclésiale, à tous ses degrés, n'a
DE RESTAURATION   d'autre raison d'être que la réalisation vitale
du Message. En sorte que le clergé inférieur,
qui occupe la base de la pyramide des fonctions, étant le plus proche du but

[1] BIBLIOGRAPHIE. — I. *Recueils.* — Voir la bibliographie citée par R. MOLS, *Saint Charles Borromée,* dans *N.R.T.,* t. LXXIX, 1957, p. 605, n. 20; *H.E.,* t. XVII, p. 339, 357-362; *Catholicisme,* t. III, col. 378; *C.E.,* t. XI, p. 499-502; *D.D.C.,* t. II, col. 407-747 (bénéfices et bénéficiaires dans divers pays); *D.T.C.,* t. II, col. 1635 (célibat), t. III, col. 378-384 (curé), 2403-2449, t. XIV, col. 2146, 2160 (simonie); *E.I.,* t. XXVI, p. 404 s.; *E.U.I.E.A.,* t. XLII, p. 300-328; *L.T.K.,* t. VIII, col. 188-193 (abond. bibliogr.), t. X, col. 1089 (célibat).

II. *Sources.* — MOLS, *op. cit.;* ID., Extrait de l'ouvrage du même auteur : *Introduction à la démographie historique des villes d'Europe du XIVᵉ au XVIIIᵉ siècle,* Gembloux-Louvain, 1954-1956, 3 vol.

III. *Plans de travail.* — V. CARRIÈRE, *Essai sur l'historiographie ecclésiastique locale,* dans *R.H.É.F.,* t. XXV, 1939, p. 424-472 (Travaux de l'abbé Lebeuf, 1687-1760, initiateur de l'histoire paroissiale en France); ID. (en collaboration), *Introduction aux Études d'Histoire ecclésiastique locale,* Paris, t. I, 1940, t. II, 1934, t. III, 1936; L. FEBVRE, *Une sociologie de la pratique religieuse,* dans *Annales, Économie, Sociétés, Civilisation,* t. I, 1946, p. 350 s.; J. GUILLAUME, *Comment concevoir une monographie paroissiale?,* dans *R.H.É.F.,* t. IX, p. 369-388, 493-523 (abond. bibliogr.); L. E. HALKIN, *Introduction à l'histoire paroissiale de l'ancien diocèse de Liège,* Bruxelles, 1935. — Supplément dans *Bull. de l'Institut archéol. liégeois,* t. LXI, 1937, p. 261-271; G. LE BRAS, *Un programme : La géographie religieuse,* dans *Annales d'hist. sociale,* t. VII, 1945. *Hommages à Marc Bloch,* pp. 87-112; ID., *Introduction à l'histoire de la pratique religieuse en France,* dans *Biblioth. de l'Éc. des H. Études,* t. LVII, Paris, 1942, 1945, 2 fasc. (indispensable; à ce sujet, cf. L. FEBVRE, *supra*); ID., dans *R.H.É.F.,* t. XVII, 1931, p. 424-449, t. XIX, 1933, p. 490, t. XXIII, 1937, p. 486-502; E. PIN, *Introduction à l'étude sociologique des paroisses catholiques,* dans *Action populaire,* Vanves, s. a. (stencilé), (critères d'appréciation : activité, pratique religieuse).

IV. *Travaux.* — J. AGEORGES, *Le clergé rural sous l'Ancien Régime,* Paris, 1908; M. BERTHIER, *Les curés d'ancien régime,* dans *Bull. Munic. officiel,* Versailles, 1956; L. BROCHARD, *Saint-Gervais. Histoire de la paroisse,* Paris, 1950; P. BROUTIN, *Le concile de Bordeaux de 1624. Recherches sur la tradition pastorale en France après le concile de Trente,* dans *N.R.T.,* t. LXXII 1950, p. 390-409; P. DE VAISSIÈRE, *Curés de campagne de l'ancienne France,* dans *R.H.É.F.,* t. VII, 1921, p. 353, t. VIII, 1922, p. 21-37, 181-192 (histoire du temporel); Ch. EDER, *Die Kirche im Zeitalter der Konfessionellen Absolutismus* (1555-1648), p. 19-21; H. E. FEINE, *Kirchliche Rechtsgeschichte,* Weimar, 1954, t. I, p. 345-378 (abondante bibliogr. pour l'Allemagne); P. IMBART DE LA TOUR, *L'organisation ecclésiastique de l'ancienne France,* Paris, 1907; B. JACQUELINE, *Aspects de la vie paroissiale dans l'ancien diocèse de Coutances,* dans *Notices... de la soc. arch. de la Manche,* t. LXVI, 1958, p. 99-116 (bibliogr.); L. JADIN, voir *supra,* p. 74, n. 7; J. JANSSEN, *Geschichte des deutschen Volkes seit dem Ausgang des Mittelalters,* Fribourg-en-Br., 1892, t. I, p. 6-64 (enseignement religieux); E. O. KUUJO, *Die rechtliche und wirtschaftliche Stellung der Pfarrkirchen in Alt-Livland,* dans *Annales Academ. scientiarum Fennicae, Sarjo,* Ser. B Nide-Tom 79, II, Helsinki, 1953; LAVISSE-MARIÉJOL, *Hist. de France, op. cit.,* t. V, II, p. 86 s.; t. VII, I, p. 387-390, 397; MARTIN, *Gallicanisme, op. cit.,* p. 153-360; Z. NANNI, *L'evoluzione storica della parrocchia, La scuola cattolica,* t. LXXXI, 1953, p. 475-544; POULET, *op. cit.,* p. 807-812; H. ROURE, *Le clergé du sud-est de la France au XVIIᵉ siècle. Ses déficiences et leurs causes,* dans *R.H.É.F.,* t. XXXVII, 1951, 153-187; C. SIMONIN, *Le bas-clergé en France au XVIIᵉ siècle d'après la correspondance de saint Vincent de Paul,* Paris, 1952; A. SCHON, *Zeittafel zur Geschichte der Luxemburger Pfarreien von 1500-1800,* Esch, 1954-1955; J. SCHEUBER, *Kirche, op. cit.,* p. 244-290. — *N. B.* On retiendra le mot de G. LE BRAS, *Introduction, op. cit.,* t. II, p. 23, n. 3 : « L'histoire du ministère paroissial est tout entière à écrire. »

à atteindre, est à la pointe de l'action. Humainement parlant, c'est lui qui conditionne le plus directement la vie religieuse des fidèles. Que valait-il dans l'ensemble de l'Église au milieu du XVIe siècle?

La décadence. — Nous ne sommes pas encore outillés pour répondre avec précision et sans exagérer en bien ou en mal [1]. Mais nous le sommes assez pour constater une indiscutable décadence et pour en discerner certaines causes.

La plupart des prêtres d'alors étaient mal préparés à leur ministère [2] et, de ce chef, souvent peu considérés à raison de leur ignorance ou de leur conduite douteuse [3]. Or la majorité d'entre eux [4] étaient investis de la « cure des âmes » d'une paroisse, comme « plébains », « plébans » ou « recteurs ». Ils auraient dû former l'élite des pasteurs du Christ. Malheureusement, le zèle manquait dans l'ensemble. On voyait trop souvent les jeunes prêtres rechercher des postes moins onéreux et les gradués d'Universités briguer les prébendes canoniales [4].

[1] Nous avons, il est vrai, de nombreuses appréciations découlant de sources contemporaines dignes de foi; les unes sont très sombres, celle, par exemple, de J. ORCIBAL, *Les origines du jansénisme*, t. II, Louvain-Paris, 1947, p. 5-9; d'autres plus optimistes (BREMOND, *Hist. littéraire, op. cit.*, t. I, p. 220, t. II, p. 4 s.). Les unes et les autres apportent une part de vérité, mais souvent elles généralisent indûment. Dans l'état de nos connaissances, il est impossible d'analyser quantitativement des éléments sociaux. — Des documents suggestifs sont les mémoires présentés à Paul III le 9 mars 1537 par la commission de neuf cardinaux convoquée par lui en vue de la Réformation, et celui des dix Pères du concile de Trente chargés de préparer le décret final. Cf. DEGERT, *Histoire, infra.*, t. I, p. 2 s., 6 s., citant *P.G.*, t. V, p. 111 s.; TACCHI-VENTURI, *Storia, op. cit.*, t. I, p. 18 s. et le *Concilium Tridentinum*, t. IV, p. 26, 11 s. — Les études futures sur l'ancien clergé seront puissamment aidées par les « pistes de travail » tracées de main de maître et par les appels vibrants de V. CARRIÈRE et G. LE BRAS, secondés par L. FEBVRE (cf. *supra*, la bibliographie du clergé inférieur; ajouter E. PIN, *ibid.*).

[2] On a pu dire que « le plus grand mal de l'Église d'avant 1559 fut sa négligence dans le recrutement des prêtres » (L. J. ROGIER, *Geschiedenis van het catholicisme in Noord-Nederland*), Amsterdam, 1946, t. II, p. 355.) Il n'y avait pas de séminaires.

Le candidat au sacerdoce, s'il ne suivait pas les cours d'une Université, partageant la liberté des autres étudiants, recevait, chez un prêtre quelconque, une initiation sommaire à la liturgie, presque pas de formation dogmatique et morale (A. DEGERT, *Histoire des séminaires français*, Paris, 1912, t. I, p. 147). On peut cependant signaler de rares exceptions; tels le collège Saint-Raphaël fondé au XVe siècle à Bordeaux, qui devint le séminaire à la fin du XVIe siècle (DEGERT, *op. cit.*, t. I, p. 62), le collège du Saint-Esprit, fondé à Louvain en 1445 (WILLAERT, *Les origines, op. cit.*, p. 188), etc.

[3] Pour la *France*, IMBART DE LA TOUR, *op. cit.*, t. II, p. 591-594, 597; MARTIN, *Gallicanisme, op. cit.*, p. 294 s.; ORCIBAL, cf. *supra*, n. 1; POULET, *op. cit.*, t. III, p. 815. — Pour l'*Espagne*, DE LA FUENTE, *Hist. eclesiast. de España, op. cit.*, t. V, p. 388, 430. — Pour les *Pays-Bas et Liège*, DE MOREAU, *op. cit.*, t. V, p. 314-329; L. E. HALKIN, *La compétence criminelle des tribunaux ecclésiastiques liégeois au début du XVIIe siècle*, dans *Ann. d'hist. liégeoise*, t. V, 1956, p. 761-802; L. JUST, *Die Reichskirche*, Leipzig, 1931, t. I, p. 89 s.; C. TIHON, *La principauté de Liège sous Robert de Berghes*, Liège, 1922; WILLAERT, *Les origines, op. cit.*, p. 192 s., 199 s.; WILLOCX, *op. cit.*, p. 18 s.

[4] On signale dans certains diocèses un grand nombre de prêtres (LE BRAS, *Introduction, op. cit.*, t. II, p. 21), mais combien étaient occupés dans une paroisse? D'autre part, certaines cures étaient desservies par un chanoine ou par un religieux. — Sur l'adage : « Mieux vaut moins de prêtres, mais qu'ils soient bons », cf. le mot d'Innocent XI et l'opinion de Saint-Cyran, dans ORCIBAL, *Relazioni* du congrès de Rome 1955, Florence, 1955, t. V, p. 121, n. 2. Le concile de Trente avait déclaré : « Sacra synodus censet super effrenato sacerdotum numero quos hodie turba comtemptibiles reddit. » (Cité par DEGERT, *op. cit.*, p. 14, n. 4.)

Mal préparés, les curés étaient souvent mal choisis, car les sources des nominations étaient multiples et souvent troubles. On en devine aisément les conséquences désastreuses, surtout si l'on songe que la cure d'une paroisse servait parfois de marchepied à un siège épiscopal [1].

Une fois nommés, bon nombre de curés se débarrassaient de la charge en affermant non seulement leur « beneficium » mais même leur « officium » [2].

Volonté de restauration. — Ces divers défauts, qu'il a fallu rappeler ici, retardaient trop la *renovatio in membris* pour ne pas attirer l'attention des « figures de proue » du renouveau. Et, dès le début, leurs préoccupations allèrent au recrutement et à la formation du jeune clergé. Paul III donna le branle par la formation de la commission cardinalice (1537) chargée de préparer la Restauration et dont les suggestions fournirent la base des décisions tridentines, le *Consilium aureum.*

§ 1. — Les séminaires [3].

PREMIÈRES INITIATIVES
Notre organisation de la préparation cléricale actuelle date — sauf quelques retouches récentes — du concile de Trente. Mais les Pères n'ont eu qu'à s'inspirer des plans déjà réalisés çà et là. Car les initiateurs de la Réformation comprirent que le candidat

[1] Le Saint-Siège se « réservait » de nombreuses cures; mais les complexes engrenages administratifs laissaient fréquemment passer des candidats introduits par l'intrigue ou même par la simonie. Il en allait plus mal encore quand l'État usait de son droit de nomination, par exemple en France depuis le concordat de 1516. Cf. Féret, *La faculté, op. cit.,* t. I, p. 293-297; Martin, *Les cardinaux, op. cit.,* p. 123 s. (690 registres in-fol. aux archives vaticanes); H. O. Evenett, *Pie IV et les bénéfices de J. du Bellay. Étude sur les bénéfices français vacants en curie après le concordat de 1516* (*R.H.É.F.,* t. XXII, 1936, p. 425-461); A. Clergeac, *La curie et les bénéfices consistoriaux..., 1300-1600,* Paris, 1911. — Le droit de nomination attaché aux « patronats » des paroisses (laïcs, communautés, etc.) entraînait de multiples nominations malheureuses.

[2] Parmi les cures, les « bénéficiaires » étaient nanties d'un bien assurant des revenus; il était admissible que le titulaire confiât l'administration de ce « bénéfice » (terres, vignes, etc.) à un « fermier » plus compétent. Mais un abus fréquent consistait à étendre cette « admodiation » à l'office sacré lui-même (administration des sacrements), laissé au soin d'un « fermier »-prêtre moyennant une rétribution. Comparer l'évêque louant son évêché à un « *Custodi nos* » (Martin, *Gallicanisme, op. cit.,* p. 291, n. 1). H. Meylan, *L'affermage des églises au diocèse de Lausanne à la fin du moyen âge,* Atti du congrès de Rome, 1955, Rome, 1955, p. 793-795 (d'après les actes des notaires du diocèse de Lausanne et le *Liber admodiationum;* de Vaissière, *op. cit.,* p. 182; Imbart de la Tour, t. II, p. 595).

[3] Bibliographie. — I. *Recueils.* — *H.E.,* t. XVII, p. 205 s., 210, 330, t. XIX, p. 273; *D.H.G.E.,* t. XII, col. 501 (saint Charles Borromée); *D.T.C.,* t. V, ii, col. 1466 (saint Jean Eudes), t. XI, col. 963-982 (M. Olier), t. XIV, col. 801-832 (Saint-Sulpice); *E.U.I.E.A.,* t. LV, p. 135-144; Congrégation des sémin. et Univ., *ibid.,* p. 144; *K.L.,* t. III, col. 610 s.; *L.T.K.,* t. VI, col. 76, t. IX, col. 458-460, 457 (petits et grands), t. VII, col. 507 (M. Olier).
II. *Travaux.* — Brassell, *Praeformatio Reformationis Tridentinae de Seminariis Clericorum,* Roehampton, 1938; F. Bussby, *An ecclesiastical Seminarie and College General of Learning and Religion...,* dans *Journ. of Eccl. Hist.,* t. IV, 1953, p. 154-161 (première réalisation anglicane); A. Degert, *Histoire des séminaires français jusqu'à la Révolution,* Paris, 1912, 2 vol.; A. de la Fuente Gonzalez, *El B. Maestro Avila y los Seminarios tridentinos,* dans *Maestro Avila,* t. I, 1947, p. 153-171; P. Delattre, *Les jésuites et les séminaires,* dans *R.A.M.,* t. XX, 1953, p. 20-43, 161-176; [id.], *Établissements, op. cit.,* fasc. 16, col. 1051-1076; de Moreau, *op. cit.,* t. V, p. 71-80; d'Irsay, *op. cit.,* t. I, p. 344 et n. 1 (décret de Trente et bibliographie); J. Gou, *Boletin bibliografico sobre Universidades,*

au sacerdoce, futur *sacer*, c'est-à-dire « mis à part », devait être initié dans un milieu « à part »; non dans les Universités ou les collèges existants, mais en internats, groupé avec des condisciples animés du même idéal. C'était, en somme, retourner à l'ancienne formule des écoles épiscopales [1].

Naturellement, les premières initiatives s'intéressèrent au clergé des pays envahis par l'hérésie. Dès 1548, la *Formula reformationis* de Charles V prévoyait la restauration des écoles qu'il baptisait « séminaires » [2]. Le cardinal Pole, par le xie décret de sa *Reformatio Angliae* (1556), ordonnait que chaque église cathédrale eût son école pour jeunes clercs, pauvres de préférence [3]. Il pouvait citer comme modèle le *Collège germanique*, fondé en 1552 pour les séminaristes allemands [4].

Son influence et d'autres [5] inspirèrent le célèbre décret de la xxiiie session de Trente, qui reprenait celui de Pole.

Colegios y Seminarios, dans *Hispania*, t. IX, ii, 1956, p. 429-448; C. Letourneau, *La mission de J. Olier et la fondation des grands séminaires en France*, 1906; J. J. Markham, *The Sacred Congregation of seminaries and universities of studies* (Diss.), Washington, Cath. Univ. of America Press, 1957; Mourret, *op. cit.*, t. V, p. 519-523, t. VI, p. 130; J. A. O'Donohoe, *Tridentine Seminary Legislation. Its Sources and its Formation*, Louvain, 1957 (C.-r. suggestif de H. O. Evennet, dans *English Histor. Rev.*, t. LXXIII, 1958, p. 348 s.); *P.G.*, t. VII, p. 347-357; *P.H.*, t. XVI, p. 29-32, 36, 71, t. XVII, p. 166, t. XIX, p. 73, 203, 311-317, 486, 495, t. XX, p. 17, 25, 63, 120, 309; Poulet, *op. cit.*, t. III, p. 22, 43, 742, 919, 943, 1003, 1007-1012, 1016; *Realencyclopaedia* (J. J. Herzog et A. Hauck,) 1898, t. IV, col. 228-233 (Collegia); C. Sanchez Aliseda, *La doctrina de la Iglesia sobre los Seminarios desde Trento hasta nuestros dias*, Grenade, 1942; Id., *Los seminarios tridentinos*, dans *R.F.*, t. CXXXI, 1945, p. 189-201; H. Watrigant, *Les Exercices spirituels à la naissance des séminaires. Recherches historiques sur leur part d'influence*, Enghien, 1912; V. Vandendriessche, *Rechtsgeschiedenis ter belichting van het juridisch statuut der Groot Seminaries in Belgie*, Diss. pro Laurea..., Fac. Jur. Can. Lovan., 1952-1953; Willaert, *Les origines*, *op. cit.*, p. 186-191; L. Wuillaume, *Le « Cursus pastoralis » au XVIe siècle* (Thèse stencilée), Univ. de Louvain, 1960.

— Faute de place, on n'a pu insérer ici les bibliographies des séminaires particuliers.

— Voir également les notes suivantes au sujet des séminaires des divers pays.

[1] *Supra*, p. 85; Poulet, *op. cit.*, t. III, p. 807. — L'histoire des séminaires est fort nuageuse du fait qu'à cette époque, d'une part on ne distingue pas toujours comme aujourd'hui *petit* et *grand* séminaire; d'autre part, que ne se réalise presque nulle part le régime que nous connaissons, celui d'une institution autonome se suffisant à elle-même, tant pour ce qui est de l'enseignement des hautes sciences que pour l'internat. Fréquemment les élèves vont suivre les cours d'une Faculté, d'un collège ou d'un ordre religieux. Enfin de nombreux séminaires sont interdiocésains; d'autres, ouverts seulement à des élèves payants, ne répondent pas à la définition tridentine.

[2] Cité par Degert, *op. cit.*, p. 9 : « scholae *seminaria* sunt non praelatorum tantum et ministrorum Ecclesiae... De earum restauratione magna cura habenda est »; cf. aussi p. 12; *P.G.*, t. V, p. 656 s.

[3] Degert, *op. cit.*, p. 10.

[4] L'organisation du « germanique », due « à l'initiative du cardinal Morone et à l'aide effective de saint Ignace de Loyola » comportait un ensemble de règles qui furent utilisées par la législation tridentine et par beaucoup de séminaires. Cf. *H.E.*, t. XVII, p. 140-143; Duhr, *op. cit.*, t. I, p. 300, 302, 309 s.; P. Tacchi-Venturi, *Storia della Compagnia di Gesù*, Rome, 1951, t. II, IIe partie, p. 385-393; Delattre, *op. cit.*, p. 21 et n. 6.

[5] Le concile s'inspira aussi du plan de l'évêque de Tournai Jean de Vendeville, que lui avait présenté l'évêque d'Ypres Martin Rythovius. *B.N.*, t. XX, col. 733 s., t. XXVI, col. 576 s.; A. Possoz, *Monseigneur Vendeville...*, dans *Bull. de la soc. hist. de Tournai*, t. VI et Lille, 1862, p. 24-29. Dès 1542-1545 et au début du concile, le jésuite Claude Le Jay préconisait la création de séminaires épiscopaux. Le cardinal de Lorraine prit une part active à la rédaction du décret du 15 juillet 1563. (Degert, *op. cit.*, t. I, p. 41 s.)

LE DÉCRET DE TRENTE Il prescrivait à chaque église cathédrale, et à celles d'un degré supérieur, dans la mesure de leurs moyens et de l'étendue de leur diocèse, de nourrir, d'élever dans la piété et de former à la vie ecclésiastique un certain nombre d'enfants âgés d'au moins douze ans, légitimes et de préférence de parents pauvres, en un collège, dont le concile réglait l'organisation administrative et financière [1]. Dans la pratique, l'institution se divisa en petits et en grands séminaires.

LES RÉALISATIONS C'est un des aspects saisissants de l'élan réformateur de l'époque que la concentration des efforts pour l'érection des séminaires. Parmi les papes, Pie IV, Pie V, Grégoire XIII et Clément VIII principalement se distinguèrent par leur zèle. De nombreux évêques suivirent leur exemple, en France notamment [2]. Charles-Quint lui-même et Ferdinand se permirent d'intervenir dans la question [3].

De leur côté, les ordres religieux nouveaux fondés principalement en vue de la sanctification du sacerdoce, se devaient d'aider à la formation des candidats. Eudistes, jésuites, lazaristes, oratoriens et sulpiciens prirent une part active à la fondation et à la direction de séminaires [4].

Et pourtant, l'exécution d'une réforme si neuve et si générale rencontra de graves difficultés : refus de certains États de « recevoir » le concile, opposition de certains chapitres cathédraux lésés dans leurs intérêts, opposition d'Universités et de collèges, jaloux de leurs privilèges, mais principalement carence de professeurs et de ressources financières [5].

Il s'ensuivit que le décret de Trente, universellement observé à présent, ne le fut d'abord que progressivement, au gré des circonstances et parfois malgré elles. Étant donnée l'ambiguïté du terme de « séminaire », il serait vain d'essayer un classement rigoureusement chronologique des établissements de formation cléricale.

[1] Session XXIII, décret *de Reformatione* (15 juillet 1563), cap. 18, *Cum adolescentium aetas.* Cf. *H.C.*, t. X, p. 501-505; *H.E.*, t. XVII, p. 210-212; *C.E.*, t. XIII, col. 695-697; O' Donohoe, *supra :* Dès 1537, la commission de réforme de Paul III s'était occupée de la formation du clergé. L'auteur souligne l'influence : 1) de la création du collège germanique, *infra*, p. 194; 2) du projet de législation rédigé par le cardinal Pole pour le clergé anglais; 3) du P. Le Jay. Cf. J. O' Donohoe, *Tridentine, op. cit.;* A. Degert, *La question des séminaires au concile de Trente*, dans *Études*, t. CXXVII, 1911, p. 619.

[2] Cf. *supra*, p. 44. A plusieurs reprises Pie V déclara que le décret tridentin sur les séminaires était le plus important et rappela strictement à leur devoir les évêques qui le négligeaient. *P.G.*, t. VIII, p. 154-156; Clément VIII, en 1592, stimulait le zèle de tous ceux à qui incombait le soin des séminaires. Cf. Degert, *op. cit.*, t. I, p. 177.

[3] Cf. *supra*, p. 86.

[4] Cf. *infra*, p. 88. Degert, *op. cit.*, t. I, p. 84, 96, 133, 156, 166, 173, les séminaires oratoriens; p. 167, les eudistes; p. 156, 160-164, 181, les lazaristes; p. 189, les sulpiciens; p. 69, les jésuites. A ce sujet : Delattre, *op. cit.* en entier. Plusieurs séminaires nationaux furent fondés et dirigés par des bénédictins, des franciscains ou des jésuites.

[5] Degert, *op. cit.*, t. I, p. 101-116. Dans plusieurs pays, les dévastations des guerres et la crise monétaire avaient gravement appauvri les menses épiscopales et les communautés religieuses; bien des diocèses ne purent entretenir qu'un petit nombre de séminaristes, ou même pas un seul parfois. (F. Conde, *España y los seminarios tridentinos*, Madrid, 1948); Urbain VIII fixe par une bulle du 26 août 1629 la liste des maisons religieuses qui doivent contribuer à l'entretien du séminaire de Rome. (*B.T.*, t. XIV, p. 79.) — Bon nombre d'évêques furent obligés de demander des professeurs aux ordres religieux, dominicains ou jésuites notamment. — Sur ce recrutement à Trente, Degert, *op. cit.*, t. I, p. 25.

LES PREMIERS SÉMINAIRES Parmi les premiers, organisés en exil, apparaissent ceux des pays passés au protestantisme. Au collège Germanique, cité *supra* (p. 86) s'ajoutèrent les collèges nationaux de Rome (*infra*, p. 194 s.). L'héroïque Église de Grande-Bretagne et d'Irlande organisa très tôt son recrutement. Grâce surtout à l'hospitalité et aux subsides de Philippe II et des Archiducs à Bruxelles, des séminaires anglais furent fondés à Douai (1568, 1593), à Saint-Omer (1593), à Paris (collège d'Arras, 1611), Louvain S. J. (1612), Liège S. J. (1626), Douai O. S. B. (1611). Les Irlandais eurent leurs séminaires à Paris, à Louvain, à Salamanque. Les Écossais à Pont-à-Mousson puis à Douai. Là se préparaient à la « mission anglaise » ses controversistes et ses martyrs. Toutes ces maisons étaient interdiocésaines [1].

Parmi les pays de lutte entre confessions, l'Allemagne s'enrichit de séminaires « pontificaux » — c'est-à-dire œuvres du Saint-Siège — à la fondation desquels saint Pierre Canisius prit une part prépondérante : Vienne (1574), Dillingen (1576), Ingolstadt (1600), Gratz (1578), Fulda (1584), Olmütz et Braunsberg (1578), qui deviendront Académies ou Universités, préparèrent la reconquête catholique [2]. Des séminaires s'ouvrirent à Eichstadt dès 1564, plus tard à Munster (1610) et à Prague (1631). Le clergé des Provinces-Unies ouvrit à Louvain pour ses candidats plusieurs collèges [3].

La France et la Belgique aussi devaient préparer des défenseurs de leur foi. Mais les premières tentatives furent entravées ou ruinées par les désordres et les guerres; le mouvement, très prompt d'ailleurs, passa d'abord par une période d'essais peu fructueux, en France jusqu'à 1620 environ, en Belgique jusque vers 1585 [4]. Puis, la paix revenue et le réveil catholique aidant, une floraison abondante [5] réalisa peu à peu le plan du concile. De petits et de grands séminaires s'ouvrirent, d'abord presque toujours avec l'aide d'ordres

---

[1] Guillaume Allen, futur cardinal, conseillé et aidé par Jean de Vendeville, prit une part active à la fondation des séminaires anglais. Cf. T. F. KNOX, *Records of English Catholics* Londres, 1878-1882, t. I, p. XXIV; *D.N.B.*, t. I, p. 316-321; *K.L.*, t. III, col. 610 s.; L. DAN, COISNE, *Histoire des établissements religieux britanniques fondés à Douai avant la révolution française*, Douai, 1880; C. J. DESTOMBES, *Mémoires sur les séminaires et collèges anglais fondés à la fin du XVIᵉ siècle dans le nord de la France*, Cambrai, 1854; A. BELLESHEIM, *Wilhelm Cardinal Allen (1532-1594) und die Englische Seminäre auf dem Festlande*, Mayence, 1865.

[2] LÁSZLÓ LUCÁCS, *Die Nordlichen päpstlichen Seminarien und Possevino (1577-1587)* (*A.H.S.J.*, t. XXIV, 1955, p. 33-94); B. DUHR, *Geschichte der Jesuiten in den Ländern deutscher Zunge*, Fribourg-en-Br., 1907, t. I, p. 295-315.

[3] WILLAERT, *Origines, op. cit.*, p. 70 s., de Bois-le-Duc ou Saint-Willibrord, de Hollande ou de Sainte-Pulchérie, plus tard de la Haute-Colline.

[4] Sur l'attitude pleine de zèle des évêques français et des rois, DEGERT, *op. cit.*, t. I, p. 46 s., 118-128. — Sur les tentatives à Reims (1567), à Pont-à-Mousson pour les diocèses de Toul et de Metz (1579), à Bordeaux, à Sarlat (1584), à Bazas etc., DEGERT, *ibid.*, p. 42, 60, 64. — Pour la *Belgique*, DE MOREAU, *op. cit.*, t. V, p. 296 (Bruges, 1571; Gand, 1613; Ypres, 1585; Bois-le-Duc, 1619; Anvers, 1607), 301. Voir *infra*, p. 89, les fondations définitives.

[5] Parmi les causes qui favorisèrent cette éclosion, on peut signaler l'action des ordres religieux, particulièrement de l'Oratoire, celle de saint Vincent de Paul et de ses « retraites d'ordinands. » C'est alors que furent fondés à Paris Saint-Magloire, Saint-Nicolas-du-Chardonnet et Saint-Sulpice. Cf. DEGERT, *op. cit.*, t. I, p. 117-255; DELATTRE, *op. cit., passim.*

religieux, puis, dans le cours du XVIIe siècle, sous la direction du clergé diocésain [1].

Enfin, dans les pays de tranquille possession, le décret de Trente porta rapidement ses fruits. C'est à Rome, aussitôt le concile terminé, le *séminaire romain* (1565), décidé par Pie IV dès 1564 [2]; puis vient l'œuvre du génial organisateur de la pastorale que fut saint Charles Borromée : son séminaire de Milan, ouvert dès 1564, fut suivi de plusieurs de ses autres instituts pour la formation du clergé [3]. Dans le reste de l'Italie, on peut noter Rieti dès 1564, Imola et Ravenne (1567), Rimini et Bologne (1568), Velletri (1612) etc. [4].

Quoique Philippe II n'ait pas « reçu » sans réserves dans ses possessions les décrets de Trente, il ordonna de les appliquer, notamment celui qui prescrivait les séminaires [5]. Mais déjà saint Thomas de Villeneuve avait organisé à Valence en 1550 un séminaire, qui servit de modèle à saint Ignace. Aussitôt après le concile, les séminaires furent ouverts en nombre trop considérable pour être énumérés ici [6]. Au Portugal, saint Barthélemy des Martyrs établit son séminaire de Braga presque aussitôt après le concile.

EFFECTIFS Si l'on s'enquiert du nombre d'élèves dans ces établissements, on constate la plus grande variété, certains n'en comptant qu'une douzaine, surtout dans les débuts. Par contre, au scolasticat des jésuites à Anvers, en 1613, outre les élèves de l'ordre, il y a une cinquantaine de clercs de divers séminaires épiscopaux et ce nombre se maintient pendant tout le XVIIe siècle [7].

ORGANISATION DES SÉMINAIRES Il ne faudrait pas s'imaginer que ces étudiants se livraient tous à l'étude approfondie de la théologie. On devait aller au plus pressé, donner au futur clergé paroissial la formation pastorale essentielle. Aussi, dès les premières tentatives, à côté

---

[1] Dans la *France* d'alors : Reims (1567), Toulouse (1590), Metz (1608), Rouen (Joyeuse, 1612), Mâcon (1617), Lyon (1618), Langres (1619). Il faut ajouter, hors de France, le séminaire de Toul à Pont-à-Mousson (1579) et celui d'Avignon (1586). — Voir Degert et Delattre, *op. cit.*; L. André, *Sources, op. cit.*, t. VI, p. 155, (sémin. de France); G. Bonnenfant, *Les séminaires normands du XVIe au XVIIIe siècles*, Paris, 1915. — Dans la *Belgique* d'alors : Ypres (1565), Arras (1571, 1646), Bruges (1571, 1591), Louvain, *collegium regium* (1579), Douai (1586, 1606), Malines (1595), Anvers (1602, 1613), Gand (1612), Saint-Omer (1638), Namur (1640), Tournai (1666). — A *Liège* (1592). Cf. de Moreau, *loc. cit.; Coup d'œil sur les séminaires de Belgique depuis l'érection des évêchés...*, dans *Journ. hist. et littér. de Liège*, t. VI, 1839, p. 127-240; 321, 373, 410, 477, 548, t. VII, 1840, p. 11, 543, t. VIII, p. 445, 496; J. C. Van Der Loos, *De opleiding der geestelijkheid in de Noord-Nederlandsche Missie sinds het concilie van Trente*, dans *Haarlemsche Bijdr.*, t. LX, 1941, p. 1-112.

[2] *K.L.*, t. III, col. 615; *C.E.*, t. XIII, col. 695 s.

[3] Mols, *Saint Ch. Borr., op. cit.*, p. 605 s.; le sémin. de Milan était doté d'une imprimerie, p. 612 n. 66; Degert, *op. cit.*, t. I, p. 35-37; *D.H.G.E.*, t. XII, col. 501 s.

[4] Degert, *op. cit.*, p. 33.

[5] Décret du 12 juillet 1564. Le Conseil royal fut chargé de veiller à son exécution. Willocx, *op. cit.*, p. 71 s. fournit d'intéressants détails.

[6] On trouvera, dans *E.U.I.E.A.*, t. LV, col. 142 s., une liste alphabétique; elle mentionne comme séminaires les plus anciens : Grenade (1492), Tortosa (1544), puis Burgos (1564) et la suite des séminaires « conciliaires ». Cf. J. M. Diaz-Mozas, *Historia y geografia de los seminarios de España* (*Eccl.*, t. XVI, 1956, p. 717-719).

[7] L. Wuillaume, *op. cit.* p. 207-211. Cf. *infra*,

des facultés savantes, s'organisa un enseignement résumé en deux années. Il s'appela, d'après le point de vue considéré : cours de pastorale, cas de conscience, petit dogme. On y enseignait la Sainte Écriture, la morale, la prédication, la controverse et la liturgie [1].

Parallèlement à l'instruction, la formation morale s'inspirait principalement des *Exercices spirituels* et des congrégations mariales.

Grâce à cette fervente réponse au mot d'ordre de Trente, une relève allait se préparer, qui, graduellement, lentement et malgré bien des régressions, fournirait aux paroisses des pasteurs mieux instruits et plus dignes. Restait à tenter au plus tôt la Réformation du clergé en place.

§ 2. — Le clergé dans les paroisses.

LA RÉNOVATION EN MARCHE Nous avons déjà remarqué le caractère pratique des décrets du concile. Il ne sera pas nécessaire de les répéter ici [2]. La Réformation se réalisa dans la mesure où ils furent appliqués. C'eût été miracle que, dès le XVIe siècle, le bon grain primât l'ivraie. Les abus persistèrent certainement [3]; ce qu'il importe de noter c'est le côté positif, le renouveau qui, déjà lancé auparavant, prend davantage de force.

Il résulte incontestablement de l'impact qui descend les degrés de la hiérarchie; en tout premier lieu, de l'influence des évêques réformateurs, qui s'acquittent de leur devoir de visite [4]; les synodes provinciaux reprennent

---

[1] Déjà le grand évêque de Vérone Matthieu Giberti avait organisé un cours de théologie pratique. (BROUTIN, *L'évêque*, op. cit., p. 46.) La *canonica* de saint Charles Borromée visait le même but (DEGERT, op. cit., p. 36 s.). Les jésuites multiplièrent ces cours de pastorale à Anvers, à Liège, à Saint-Omer (WUILLAUME, op. cit.; voir aussi DEGERT, op. cit., t. I, p. 95; G. RABEAU, *Introduction à l'étude de la théologie*, Paris, 1926, p. 349.

[2] *H.E.*, t. XVII : les plus importants portent sur *l'admission aux ordres*, les conditions intellectuelles (*H.E.*, p. 206) et matérielles (revenu vital) (p. 193), âge (p. 207). — Sur la *nomination aux cures* (*H.E.*, p. 81 s.; 128, 199; la limitation du droit de *patronage* (p. 130); voir aussi *H.C.*, t. X, p. 617), l'interdiction du *cumul* (*H.E.*, p. 81), la *résidence* obligatoire (p. 201-206; à ce sujet : *D.T.C.*, t. XII, col. 26 et MOURRET, op. cit., t. VI, p. 24). — Sur *l'organisation paroissiale* : obligation de tenir des *registres* de naissance et de mariage (sess. XXIV, 11 nov. 1563) : *H.E., loc. cit.*, p. 358; MOLS, *Les registres*, op. cit., p. 499. Paul V y ajouta la date de décès (*ibid.*, p. 500). Interdiction de *l'affermage* : *H.C.*, t. X, p. 620. — Sur *la conduite* : le port du costume clérical (*H.E.*, p. 129 s.), la *dignité* de mœurs (p. 194, 217), *l'idéal* sacerdotal (p. 209). — Sur *la gestion financière* : l'attribution des bénéfices (*H.E., loc. cit.*, p. 193); cf. P. DE VAISSIÈRE, *Curés de campagne de l'ancienne France. Les curés bénéficiaires et la gestion de leurs bénéfices*, dans *R.H.É.F.*, t. VII, 1921, p. 353-371, t. VIII, 1922, p. 21-37, 182-192; — Sur la *paroisse*, Cf. *D.D.C.*, fasc. XXXV.

[3] Les « relations » épiscopales de la première moitié du XVIIe siècle les révèlent en grand nombre. Voir, par exemple, L. JADIN, *Les relations des Pays-Bas, de Liège et de Franche-Comté avec le Saint-Siège, d'après les « Lettere di vescovi » conservées aux Archives vaticanes (1566-1779)*, Rome, Bruxelles, 1952. — Sur la persistance de la commende et du cumul, LAVISSE, *H. de France*, op. cit., t. VI, II, p. 89 s.; on trouve encore un exemple d'affermage de cure en 1685. — Sur la *paroisse*, cf. *D.D.C.*, fasc. XXV.

[4] *L.T.K.*, t. X, col. 650; comme spécimen : R. AVEZOU, *La vie religieuse et sociale en Chartreuse d'après les procès-verbaux des visites pastorales aux XVIIe et XVIIIe siècles*, dans *Bull. philol. et hist. du Comité des travaux histor. et scient.*, 1951-1952, p. 207-224.

sur le plan local l'œuvre de Trente ; les conférences ecclésiastiques contribuent à la collaboration des bonnes volontés [1]. Du dehors, plusieurs ordres religieux aideront le clergé diocésain à se transformer. Mais, en retour, des membres du clergé diocésain moderniseront la vie conventuelle.

LES CLERCS RÉGULIERS C'est un phénomène remarquable. Les réguliers étant décriés [2], de divers côtés, de simples prêtres prirent une initiative qui devait aider un beau renouvellement de ferveur. Il allait, en même temps grouper, pour une vie commune, des clercs qui, sans entrer dans un ordre religieux, aspiraient à plus de perfection. Nous aurons plus loin à étudier la création de ces « clercs réguliers » (p. 127 s.). Or, on constate qu'à l'origine, le mouvement avait pour but principal la sanctification du clergé. Déjà Jean d'Avila avait fondé une compagnie de prêtres [3]. Dès la première moitié du XVIe siècle, l'Italie avait vu se former plusieurs associations sacerdotales [4]. Ignace de Loyola et ses compagnons s'appelèrent au début *presbyteri reformati* et la sainteté sacerdotale resta le souci constant du fondateur de la Compagnie [5]. On sait avec quel enthousiasme cet élan fut repris par Bérulle, par Olier et leurs disciples.

Force nous est de répéter que nous ne sommes pas en état de décrire de manière précise et complète les résultats concrets de cette incontestable transformation. Il faudrait rechercher dans quelle mesure les évêques du monde catholique imitèrent l'exemple de l'évêque de Rome, saint Pie V, qui entreprit lui-même, et avec succès, la Réformation de son diocèse [6].

L'AIDE DES RÉGULIERS A l'action du clergé paroissial il faudrait ajouter
AU CLERGÉ PAROISSIAL l'aide qu'il reçut des réguliers : missions, administration des sacrements. Malheureusement, leurs relations ne restèrent pas toujours pacifiques. Dans certains cas, la réforme des religieux se développant antérieurement à celle du clergé local, ils avaient pris en mains certaines charges pastorales. Quand les prêtres diocésains reprirent avec zèle leurs fonctions, des heurts se produisirent. De plus, les églises des réguliers attiraient parfois de nombreux fidèles au détriment de la vie paroissiale. Comme il était arrivé au Moyen Âge, des conflits éclatèrent çà et là, tenaces et souvent âpres, à propos de l'obligation de s'acquitter des devoirs religieux dans sa propre paroisse. Il y en eut au cours de tout le XVIIe siècle.

[1] *D.T.C.*, t. III, I, col. 818-823.

[2] « La première bulle qu'[Ignace de Loyola] avait obtenue à Rome pour sa Société ne fut pas signée, car on y retrouvait les arguments protestants contre les réguliers ! » Cf. J. ORCIBAL, *Le premier Port-Royal*, dans *Nouvelle Clio*, nos 5-6, mai-juin 1950 ; *D.D.C.*, t. III, col. 272.

[3] Références dans J. ORCIBAL, *Le premier Port-Royal*, *ibid.*, voir aussi p. 246.

[4] TACCHI-VENTURI, *op. cit.*, t. I, p. 41, 186.

[5] C'est sous le même nom que sont mentionnés les jésuites au concile de Trente. Cf. *H.C.*, t. IX, I, p. 305 ; *H.E.*, t. XVII, p. 72 et n. 2 ; J. SCHAACK, *Saint Ignace, prêtre* (*N.R.T.*, t. LXXVIII, 1956, p. 396) ; J. ROUANET, *Le Bx. Lucien Maunoir* [*S. J.*] *et les équipes sacerdotales* (*N.R.T.*, t. LXXIV, 1951, p. 603-614).

[6] *P.G.*, t. VIII, p. 131-140 ; *D.T.C.*, t. XII, II, col. 1644. Sur Sixte V, *ibid.*, t. II, col. 2229.

En sorte que, le zèle paroissial s'échauffant, des curés en vinrent à exagérer leur rôle; de là, une sorte de presbytérianisme, le parochisme, que l'Église dut condamner [1].

Une collaboration plus soumise était celle que les curés recevaient fréquemment des religieuses, enseignantes ou hospitalières, qui, dès le début du XVIIe siècle, abondaient. Enfin, des laïcs aussi contribuaient à l'action paroissiale et, hors d'Europe, dans les missions étrangères; nous les rencontrerons plus loin groupés en associations ou élevés au diaconat [2].

SIGNES DE RELÈVEMENT A défaut de données concrètes, des signes certains de relèvement apparaissent dès la première moitié du XVIIe siècle : l'activité des évêques réformateurs; celle des assemblées du clergé, diocésaines et provinciales; la diminution progressive des scandales; le souci de culture personnelle chez de nombreux prêtres et le nombre croissant des gradués dans le clergé rural; le mouvement en faveur de la sanctification du clergé et l'influence de prêtres supérieurs tels que Bérulle, Olier, saint Vincent de Paul; le jansénisme même, qui, dans ses débuts, visait un complément de réforme; le succès de moyens de sanctification tels que les *Exercices spirituels;* les nombreux traités de spiritualité et de perfection chrétienne, œuvres de prêtres diocésains; et même le succès de librairie de ces ouvrages attesté par leurs nombreuses éditions; par dessus tout, le témoignage irrécusable de vie chrétienne authentique qu'est la sainteté de nombreux membres du clergé paroissial, sur laquelle nous aurons à revenir; enfin, le rayonnement de cette sainteté sur la vie conventuelle; il en a été question plus haut; rappelons, par manière d'exemple, que le futur saint Jean Berchmans dut sa vocation religieuse, après Dieu, à la vie édifiante du bon prêtre qui l'avait élevé.

De tout cela, il semble légitime de conclure qu'au milieu du XVIIe siècle, si les tares subsistent, l'Église a commencé de reconquérir l'Institution. La victoire apparaîtra plus clairement dans la rénovation de la vie conventuelle.

---

[1] A. FEHRINGER, *Die Klosterpfarrei. Der Pfarrdienst der Ordengeistlichen nach geltendem Recht, mit e. geschichtl. Ueberblick,* Paderborn, 1958; D. O'CONNOR, *Parochial relations and co-operation of the religious and the secular clergy. A historical synopsis and a commentary. The Catholic Univ. of America canon law studies,* fasc. 401, Washington, 1958. Des curés prétendirent que leur institution était « de droit divin », qu'ils étaient les héritiers des 72 disciples du Seigneur. (*R.S.P.T.,* t. XIX, 1930, p. 611.) Théorie que favorisèrent les gallicans et les jansénistes. Le parochisme fut condamné par Pie VI dans la célèbre bulle *Auctorem fidei* (28 juillet 1794, prop. 9 et 10). Dans la suite, à propos de l'inamovibilité des desservants, une polémique surgit, où l'archiprêtre F. Nardi (1808-1877), dans ses *Antiquités ecclésiastiques,* montra que le pouvoir des curés n'est qu'une *délégation* de celle des évêques. Cf. A. SIONNET, *Des curés et de leurs droits dans l'Église, Traduction abrégée de Nardi,* Paris, 1945.

[2] *R.S.P.T.,* t. XXXVII, 1953, p. 759, C. r. de W. CHAMONI, *Familienväter als geweihter Diakone,* Paderborn, 1953.

LIVRE IV

ORDRES ET GROUPEMENTS RELIGIEUX

BIBLIOGRAPHIE GÉNÉRALE. — 1. *Recueils bibliographiques.* — [P. HÉLYOT] *Histoire des ordres monastiques, religieux et militaires...*, Paris, 1714-1719, 8 vol. in-4°, illustrés du costume des ordres. Cet ouvrage a été reproduit par BADICHE dans l'*Encyclopédie théologique* de MIGNE, 1re série, t. XX-XXII, Paris, 1847-1859; il sera désigné ici par « HÉLYOT-MIGNE ». Il énumère les essais entrepris avant lui dès le XVIe siècle, tant par les protestants que par des catholiques, notamment ceux de DODWOLD et DUGDALE pour l'Angleterre, celui du graveur hollandais SCHOONEBECK, celui de HERMANT et surtout le *Catalogo* illustré du jésuite Philippe BONNANI, *Ordinum religiosorum [...] catalogus, Catalogo degli ordini religiosi,* Rome, 1706-1711, 4 vol. in-4°, texte en deux colonnes, latine et italienne, illustré. Cette préface est suivie d'un « *Catalogue des livres [...] que l'auteur a consultés* », qui fournit une précieuse bibliographie (dans HÉLYOT, 1714, p. XXXV, HÉLYOT-MIGNE, col. 58-103). Sur les tentatives de réforme du XVe siècle, voir *H.E.*, t. XV, p. 275 s., 297; t. XVII, p. 245 s.; t. XIX, p. 461-504.

Parmi les *Dictionnaires et Encyclopédies : De religiosis... periodica,* Bruges, Paris, Ratisbonne, Rome, 1911 et s.; J. BRICOUT, *Dict. prat. des sc. rel.,* Paris, 1925-1929, t. V, col. 1062-1112 (nomenclature des Instituts religieux, définitions, organisation); *E.U.I.E.A,* t. XL, p. 171-184 (intéressant tableau synoptique), t. L, p. 55 (liste avec date); C. M. FOURCHEUX, Dictionnaire des abbayes et des monastères (MIGNE, *Encycl.,* t. III, 16, Paris 1856); *K.L.,* t. IX, col. 972-984 et table (Orden); *L.T.K.,* t. VII, col. 748-761, avec liste des ordres et sigles de leurs noms, col. 754.

N. B. 1. Voir les Encyclopédies nationales des divers pays.

2. Il sera utile de consulter les tables d'un bon nombre de revues; outre celles que publie chaque ordre religieux (celles-ci seront énumérées *infra,* à leur lieu) : la *N.R.T.,* la *R.H.E.,* etc.

2. *Sources.* — Essentiellement les *Bullaires : B.T.,* t. VII (1569-1572), 1862; t. XV (1639-1654), 1868; bibliographie des autres *Bullaires,* dans *D.T.C.,* t. II, col. 1243 s.

N. B. Consulter les *Correspondances* des nonces, *supra,* p. 59 s.

3. *Travaux bibliographiques ou historiques : Abbayes et prieurés de l'ancienne France, Les Archives de la France monastique (Rev. Mabillon),* 13 vol. parus, Paris; L. ANDRÉ, *Les sources de l'Histoire de France, XVIIe siècle,* Paris, 1932, t. VI, p. 257 s.; J. BEYER, *Les instituts séculiers,* 1954; H.-M. BONNET, *Histoire des ordres religieux,* Paris, 1950; ID., éd. italienne, Milan, 1954; E. BOURGEOIS, *Les sources de l'histoire de France,* Paris, t. II, p. 35; t. IV; G. BOURGIN, *Les sources manuscrites de l'histoire religieuse de la France moderne,* dans *Bibliothèque de la Soc. d'Hist. eccl. de la France;* E. BROUETTE, *La population monastique namuroise d'après les enquêtes ecclésiastiques (1553-1635),* Gembloux, 1952; A. CAUCHIE et R. MAERE, *Recueil des instructions..., op. cit.,* p. 274 (sous le nom des ordres aux Pays-Bas); L. CIBRARIO, *Descrizione storica degli ordini religiosi,* Turin, 1845; L. H. COTTINEAU, *Répertoire topo-bibliographique des abbayes et prieurés,* Mâcon, 1936-1939, 2 t., in-4°; L. CRISTIANI, *H.E.,* t. XVII, p. 245-268, 280-351, 475-489; É. DE MOREAU, *Histoire de l'Église en Belgique,* Bruxelles, 1952, t. V; A. DUVAL, intéressant c.-r. d'ouvrages, dans *R.S.P.T.,* t. XXXIV, 1954, p. 704-711; K. EDER, *Die Kirche, op. cit.,* p. 372-383, précieuse bibliographie récente; M. ESCOBAR, *Ordini e Congregazioni Religiose,* Rome-Turin, 1951-1953, 2 vol. (Recueil d'études; chaque ordre ou congrégation est traité par un auteur particulier. Bien documenté); A. FROSSARD, *Le sel de la terre. Les grands ordres religieux,* Paris, 1954; Collection *Les ordres religieux,* Paris, 1923 s.; *Les grands ordres monastiques et instituts religieux,* Paris, depuis 1925; J. HARTMANN, *Die katholischen Orden und Kongregationen der Schweiz,* Immensee, s. a.; M. HEIMBUCHER, *Die Orden und kongregationen der Katholische Kirche,* Paderborn, 1907, 3 vol.; 2e éd. 1954; HERGENROETHER, trad. P. BELET, *Histoire de l'Église,* Paris, s. a., t. VI, p. 1-39; H. W. HOMAN, *The story of the great orders of men,* Londres, 1957; A. KING, *Liturgies of the religious orders,* Londres, 1955; L. N. MACLES, *Les sources du travail bibliographique,* Genève-Lille, 1950-1952, 3 vol. (ordres et congrégations); E. LAVISSE, *H. de France,* t. VI, II, p. 90, 93, 206, 371 s. (réforme); *Monasticon belge,* t, II. *Province de Liège,* Liège, 1955; F. MOURRET, *Histoire générale de l'Église,* t. VI. *L'ancien régime,* Paris, 1912; sur les réformes, t. V, p. 523-551; *P.G.,* 1927, t. XII-XIII; *P.H.,* t. XIII-XX; POULET, *op. cit.,* p. 975; E. POUMON, *Abbayes de Belgique,* Bruxelles, 1954; F. C. SAINZ DE ROBLES, *Monasterios de España,* Madrid, 1953; M. SALBER, *Les grands ordres monastiques des origines à 1949,* Auch, 1949; t. I, *Les abbayes de France;* t. II, *Les abbayes de Belgique, Pays-Bas et Luxembourg* (courtes notices sur les maisons actuelles), 1950; C. SANCHEZ ALISEDA, *Las ordines religiosas,* Barcelone, 1952; M. SCHOENGEN, P. C. BOEREN, *Monasticon Batavum,* Amsterdam, 1941-1942, 3 vol. Supplément par D. DEKOK, *Franciskaans Leven,* t. XXXII, 1949, p. 185 s.; t. XXXIII, 1950, p. 56, 122, 151; A. SINNINGEN, *Geschichtliche Darstellung der in der Superioren-Vereinigung zusammengeschlossenen Orden und*

VUE GÉNÉRALE

CARACTÈRES DE LA NOUVELLE RESTAURATION

Dans la nombreuse armée cléricale, les ordres religieux forment des corps spéciaux. Grâce à l'action du cadre, ou plutôt de la « cordée d'ascension », à la tradition vivante, au coude à coude, à la discipline d'une méthode et d'une autorité communes, qui décuple l'expérience et les efforts individuels, la Rénovation y opéra plus puissamment et plus rapidement qu'ailleurs [1].

On a remarqué que si, en Allemagne surtout, les défections et le passage au protestantisme avaient commencé dans les couvents, ce fut en grande partie dans les couvents que prit son élan la Restauration.

Elle avait débuté dès le XIVᵉ siècle, par vagues successives [2]; mais elle déferla en masse à partir de la fin du XVIᵉ siècle. Le concile de Trente

Kongregationen, Dusseldorf, 1931; A. STEIGER, *De propagatione et diffusione vitae religiosae synopsis historica*, dans *Periodica de re morali...*, t. XIII, 1924; J. DE TRÉVILLERS, *Sequana Monastica, Dictionnaire des abbayes... de Franche-Comté*, Vesoul, 1955, 2 vol.; P. TACCHI-VENTURI, *op. cit.*, t. I, p. 43; A. TUMLER, *Der Deutsche Orden... Mit ein Abriss der Geschichte des Ordens von 1400 bis zur neuesten Zeit*, Vienne, 1955; F. VERNET, *Les ordres mendiants*, Paris, 1933; L. WILLAERT, *Les origines du jansénisme dans les Pays-Bas catholiques*, Gembloux, 1948, p. 210, 218 (documenté); J. YOVINGS, *Devon monastic lands. Calendar of particulars for grants, 1536-1568*. Devon and Cornwall Record Soc., N. S., t. I, 1955; W. NIGG, *Warriors of God*, Londres, 1959,

    4. *Droit des religieux.* — Voir les traités généraux de droit canonique : *Dictionnaire du droit canonique*, Paris, 1924; J. CREUSEN, *De iuridica status religiosi evolutione synopsis historica*, 2ᵉ éd., Rome, 1948, avec bibliographie, qui ne sera pas recopiée ici. Pour ce qui concerne les XVIᵉ et XVIIᵉ siècles, voir p. 30 et 35; G. ESCUDERO, *Los institutos seculares. Su naturaleza y su derecho*, Madrid, 1954; H. E. FEINE, *Kirchliche Rechtsgeschichte*, t. I. *Die Katholische Kirche*, Weimar, 1954, bibliographie; P. HOFMEISTER, *Das Beichtrecht der männerlichen und weiblichen Ordensleute*, Munich, 1954; J. JASSMEIER, *Das Mitbestimmungsrecht der Untergebenen in den älteren Männerordensverbänden*, Munich, 1954; R. LEMOINE, *Le droit des religieux du concile de Trente aux instituts séculiers*, Paris, 1956; J. MEYENDORFF, *Partisans et ennemis des biens ecclésiastiques au sein du monachisme russe aux XVᵉ et XVIᵉ siècles*, dans *Irenikon*, t. XXIX, 1956, p. 28-46 (à suivre); M. L. MOULIN, *Il governo degli Ordini religiosi, Studi politici*, t. II, 1953, p. 427-446; ID., *Les origines religieuses des techniques électorales et délibératives modernes*, dans *Rev. internat. d'Histoire polit. et constitut.*, 1953, p. 104-148; *Ordensregel*, dans *K.L.*, t. IX, col. 995-1022; A. VERMEERSCH, *Praelectiones canonicae... De religiosis institutis et personis*. Tomus alter. Supplem. et monum.; 4ᵉ éd., Bruges, 1909; F. X. WERNZ, *Jus decretalium...*, Rome, 1901, t. III, p. 627-649; I. A. ZEIGER, *Historia iuris...*, t. I, p. 97, donne une bibliographie des *règles d'ordres religieux* publiées.

    [1] On ne trouvera ici que la tranche de l'histoire de chaque ordre qui s'étend sur les années de 1563 à 1650 environ. Pour la période antérieure, qui comprend le début de la Réformation des anciens ordres et la fondation des nouveaux, on voudra bien se référer au volume précédent de cette *Histoire de l'Église*, t. XV, p. 280-338. Par ailleurs, ce chapitre ne traitera que de la seule histoire « événementielle ». La contribution apportée par les ordres religieux à la vitalité interne de l'Église (spiritualité, enseignement, etc.) et aux missions étrangères sera étudiée dans les chapitres qui se rapportent à ces sujets.

    [2] Sur le sens de la « décadence » monacale au bas Moyen Âge, Th. SCHMITZ, *Histoire de l'Ordre de saint Benoît*, Maredsous, 1948, t. I II, p. 3 s. Sur les réformes du XVᵉ siècle, *ibid.*, p. 126; IMBART DE LA TOUR, *op. cit.*, t. I, p. 32.

et les conciles provinciaux formulèrent un programme que l'on peut résumer comme suit : « observation de la règle, décence des offices sous la direction habituelle du supérieur; lecture à table; rétablissement, là où ils n'existent plus, des jeûnes conventuels; participation aussi régulière que possible du chef de la maison aux repas de la communauté; frugalité; abolition du pécule dans les maisons où il s'est introduit; soin des supérieurs à fournir aux besoins matériels de leurs subordonnés; emploi des biens du monastère ou du couvent en faveur des moines et non pas d'étrangers ou d'amis; sérieuse formation des novices; établissement dans les monastères de cours de théologie, qui commenceront par l'explication du petit catéchisme ou du catéchisme de Canisius; instruction donnée à tous les religieux les dimanches et jours de fêtes; visite régulière des établissements; clôture dans les maisons de religieuses, mesures contre les moines gyrovagues » [1].

Le mouvement dut son succès aux efforts combinés de la papauté et de la hiérarchie, à un nombre étonnant d'hommes aussi remarquables par leur sainteté que par leurs talents d'entraîneurs et d'organisateurs, enfin et surtout à l'Esprit, dont l'appel trouva dans la masse des fidèles des deux sexes une réponse pleine d'élan. Si on compare cette restauration avec d'autres mouvements de ferveur conventuelle dans l'histoire de l'Église, on constate qu'elle ne s'est pas égarée dans l'illuminisme et le désordre comme l'avaient fait certains « spirituels ». Elle se distingue, et elle a réussi, par une heureuse collaboration de la spontanéité et d'une discipline sagement organisée. Dans plus d'un cas, les puissances séculières elles-mêmes favorisèrent la réforme d'anciens ordres et la création d'ordres nouveaux.

Cette nouveauté est un autre trait marquant de l'époque. Si les anciens ordres n'eurent qu'à restaurer la fidélité à leurs constitutions, des groupements surgirent, qui s'organisèrent d'après une conception toute moderne de la vie religieuse. Ils la firent triompher malgré le légalisme de bon nombre d'autorités ecclésiastiques et malgré les divergences qui les opposaient à leurs prédécesseurs, tant sur le plan canonique que sur l'économique.

DÉFINITION DE QUELQUES TERMES — Pour l'intelligence de cette histoire, il sera bon de préciser le sens technique de certains termes.

On appelle « *religion* » ou « *institut religieux* » toute société approuvée par l'autorité ecclésiastique légitime (à vœux « publics »), destinée à tendre à la perfection évangélique par *la pratique des trois vœux* essentiels de pauvreté, de chasteté et d'obéissance.

Ses membres sont des « *religieux* » et habitent une « *maison religieuse* ». S'ils sont prêtres, ils forment un « *institut de clercs* » ou une « *congrégation cléricale* ».

---

[1] É. DE MOREAU, *op. cit.*, t. V, p. 65; *H.E.*, t. XVII, p. 130-166 : mesures de Paul IV contre les gyrovagues; HEIMB, *op. cit.*, t. I, p. 298 s.; SCHMITZ, *op. cit.*, t. IV, p. 3 : le concile de Trente et le monachisme bénédictin; la commende des abbayes chefs d'ordre fut interdite par le concile de Trente (sess. XXIV, c. 21). Sur l'action de la papauté, *supra*, p. 42 s.; P. AT, *Hist. du droit canon. gallican*, Paris, s. a., p. 106.

On appelle vœux *solennels* ceux qui impliquent, outre la reconnaissance comme tels par l'Église et la réception de chaque consécration individuelle par l'autorité légitime, un *caractère absolu*, qui se manifeste par l'invalidité juridique de tout acte contraire (mariage, propriété, indépendance) et par une *indissolubilité* pratique. Aux vœux *simples* manque une des conditions ci-dessus.

Les membres d'un institut à vœux solennels sont des « *réguliers* » et forment un « *ordre* »; les autres constituent une « *congrégation* » religieuse, qu'il ne faut pas confondre avec une *congrégation monastique* ou groupement d'abbayes ou de maisons religieuses sous un même supérieur. Les religieux *exempts* ne sont pas soumis à la juridiction de l'Ordinaire du lieu, sauf pour leur action *ad extra*.

ACTION DES PAPES ET DES NONCES — Avec une vigueur tenace, les papes veillèrent l'un après l'autre à l'exécution des décrets de Trente. On a pu lire ci-dessus (p. 42) leurs efforts en vue de la réforme des ordres religieux, l'un de leurs principaux objectifs. [1]. Leur action s'exerça fréquemment par l'intermédiaire des nonces, dont plusieurs obtinrent de remarquables résultats. Il faut signaler Ninguarda en Allemagne, Caligari en Pologne, Malaspina en Bohême, Bonhomini en divers pays, Ormaneto en Espagne, où ses procédés malheureux soulevèrent une vive opposition des franciscains, mais où il réussit fort bien chez les prémontrés et surtout dans la réforme des carmes sous l'impulsion de sainte Thérèse [2].

Malgré tout, pendant la fin du XVIᵉ siècle, la Restauration, entravée par les désordres politiques, par les guerres, les spoliations et les ruines, progressa péniblement; par contre, durant la première moitié du XVIIᵉ siècle, elle prit, dans plusieurs pays, une extension et une profondeur qui en font un âge d'or de la vie monastique et conventuelle.

---

[1] Le Saint-Siège exerçait une action directe sur les abbayes « consistoriales », celles dont le revenu excédait 200 florins « de camera » et dont le titulaire était promu en consistoire. Cf. A. Cauchie et R. Maere, *Recueil..., op. cit.*, p. 125.
Voici quelques-unes des constitutions pontificales concernant les ordres en général.
Le 17 novembre 1568, par la constitution *Lubricum vitae genus*, Pie V « ordonnait à tous les moines isolés de se soumettre à une règle approuvée, de faire les trois vœux solennels et de porter un habit distinct de celui des prêtres séculiers ». Cf. *D.H.G.E.*, t. VII, p. 1216.
Par une bulle du 23 février 1596, Clément VIII fulmine des sanctions contre les religieux qui violent les décrets du concile de Trente, *B.T.*, t. X, p. 249. — Décrets généraux de réforme *tam monachorum quam mendicantium cuiuscumque ordinis et instituti.* Clément VIII, 22 août 1604, *B.T.*, t. X, p. 663. Rappel des décrets de Clément VIII par Urbain VIII, 21 septembre 1624, *B.T.*, t. XIII, p. 202. — Réforme des monastères d'Espagne par bref de Pie V du 2 décembre 1566, *B.T.*, t. VII, p. 496. — Monastères espagnols conventuels (mineurs, chanoines réguliers, cisterciens, prêcheurs, ermites de saint Augustin, prémontrés, ermites de saint Jérôme, carmes, trinitaires, mercédaires) réduits à l'observance à la demande de Philippe II par bref de Pie V du 16 avril 1567, dans *B.T.*, t. VII, p. 566.
Quand un ordre se montre incapable de se corriger, la papauté le supprime; tels les « humiliés » (bulle de Pie V, 7 février 1571, *B.T.*, t. VII, p. 855) et la congrégation Font-Avellane, dont les membres furent unis aux camaldules (bulle 10 décembre 1569, *B.T.*, t. VII, p. 788).

[2] Voir ci-dessus, p. 42 s. A titre d'exemple, voir l'action du nonce Frangipani en Belgique. A. Louant, *Correspondance d'O. M. Frangipani (1599-1606)*, Wetteren, 1942, t. III, p. 924.

CHAPITRE I

LES ORDRES ANCIENS [1]

§ 1. — Le renouveau augustinien [2].

Tout le xvie siècle, catholique ou protestant, était retourné avec ferveur à saint Augustin. Son influence, qui avait conquis les Universités, transformait

[1] BIBLIOGRAPHIE PARTICULIÈRE DES ORDRES ET GROUPEMENTS RELIGIEUX. — Nous considérerions comme une erreur de transcrire ici les bibliographies, souvent excellentes, indiquées dans les dictionnaires et encyclopédies. On trouvera *en tête de la bibliographie de chaque ordre* les références à ces répertoires. Tous mentionnent régulièrement HÉLYOT et HEIMBUCHER; sauf exception, *on ne répétera donc pas ici leurs renvois à ces auteurs*, dont la consultation reste *indispensable*. On n'a pas cru superflu de signaler des études récentes sur des abbayes ou autres maisons religieuses particulières, sans cependant prétendre les citer toutes.

Nos bibliographies énumèrent d'abord les *publications de textes* et les *répertoires d'écrivains* ainsi que les *périodiques publiés par chaque ordre*, puis les *ouvrages* proprement dits. Le tout sera complété par les indications fournies dans la suite par l'exposé des activités des ordres dans les diverses parties de l'ouvrage. — Il va sans dire que la consultation des *périodiques historiques de chaque ordre* est nécessaire.

[2] BIBLIOGRAPHIE. — *C.E.*, t. II, p. 80, t. VII, p. 281; *Cathol.*, t. I, col. 1047-1048; *D.H.G.E.*, t. V, col. 499-595; *D.T.C.*, t. I, col. 2472-2483; *E.C.*, t. I, col. 501; t. V, col. 485; *P.H.*, t. I, col. 1212; *K.E.*, t. III, col. 334; *K.L.*, t. I, col. 1658; *L.T.K.*, t. I, col. 816-823, avec liste des maisons et carte pour l'Allemagne; M.-Th. DIDIER, dans *D.H.G.E.*, t. V, col. 499 s.; J. FERNANDEZ DE S. CORDE JESU, *Bullar. ord. Recollect. S. August. et Diplomatica officialis, 1570-1623*, t. I, 1954; J. HEMMERIE, *Die Augustiner Eremiten in Bayern*, dans *Cassisiacum*, t. V, p. 385-489; D. GUTIERREZ, *De antiq. ord. eremit. sancti Augustini bibliothecis*, dans *Analecta Augustiniana*, 1954, t. XXXII, p. 164-172; P. ELSSIUS, *Enconomasticon Augustinianum*, Bruxelles, 1654, 688 p. in fol. (biographies d'augustins par ordre des prénoms); B. VAN LUYK, *Sources italiennes pour l'hist. génér. de l'ordre des augustins*, dans *Augustiniana*, t. III, p. 128-139, 314-327, t. IV, p. 185-195; L. EMPOLI, *Bullarium O.E.S.A.*, Rome, 1628; Fr. PANCERI, *Litterae apostolicae [...] pro congreg. P. P. excalceat. O.E.S.A.*, Rome, 1676; P. BLANCO SOTO, *Bibliografia Agostiniana*, dans *Archivo Agustiniano*, t. XXI, 1934, p. 45-46; É. DE MOREAU, *op. cit.*, t. V, p. 415; N. DE TOMBEUR, *Provincia belgica ordinis F. F. Eremitarum*; D. A. PERINI, *Bibliographia augustiniana... Scriptores italici*, Florence, 1929; G. DE SANTIAGO VELA, *Ensayo de una biblioteca ibero-americana de la orden de San Agustin*, t. V, Madrid, 1930; *H.E.*, t. XV, p. 289, 309, t. XVII, p. 282; P. JANSEN, *Onuitgegeven werken van Augustiner Eremiten*, dans *Ons Geest. Erf.*, t. III, 1929, p. 409-425; H. JEDIN, *Girolamo Seripando*, dans *Cassisiacum*, t. III, Wurzbourg, 1937 (sur la réforme de l'ordre par Seripando); C.-r., dans *R.S.P.T.*, t. XXVIII, 1937, p. 316 s.; DE ROMANIS, *L'ordine Agostiniano*, Florence, 1935; E. BRAEM et N. TEEUWEN, *Augustiniana Belgica illustrata septimo exacto saeculo a Magna Ord. Eremit. S. Augustini Unione, MCCVI-MCMLVI*, Louvain, 1956; F. X. MARTIN, *The Augustinian Friars in pre-Reformation Ireland*, dans *Cassisiacum*, t. V, dans *Augustiniana*, t. VI, 1956, p. 346-384; F. RENNHOFER, *Augustinerkloster in Oesterreich*, dans *Cassisiacum*, t. V, p. 490-536; N. TEEUWEN, *Nicolaus de Tombeur, O.E.S.A. (1657-1736) en zijn « Provincia belgica »*, dans *Augustiniana*, t. VI, 1956, p. 657-692; A. ZUMMOLLER, *Das Histor. Archiv der Deutschen Augustinerprovinz*, dans *Cassisiacum*, t. V, p. 537-601; A. VAN DEN BORRE, *St. Augustinus en de Augustijnen*, Gand, 1945; GÉNÉBRIER, *L'ordre des augustins*, Marchienne, 1946; U. MARIANI, *Gli Agostiniani*, dans ESCOBAR, *op. cit.*, t. I, p. 521; N. TEUUWEN, *Het college der Augustijnen te Leuven*, dans *Augustiniana*, t. I, 1951, p. 48-74; C. VANDERSTRAETEN, *De Augustijnen en hun klooster te Hasselt*, dans *Verzam. opstellen... studiekring te Hasselt*, t. IX, 1933, p. 259-265; A. VAN ETTE, *Les chanoines réguliers de Saint-Augustin*, Cholet, 1953; F. VERNET, *op. cit.*, p. 113; E. YPMA, *De Augustijnen in de Hollandse Missie*, dans *Augustiniana*, t. II, 1952, p. 61-70; t. III, 1953, p. 117-127; J. ZUNGO, *Historia... canon. regular. S. Augustini*, Ratisbonne, 1742.

la théologie; son esprit se manifestait chez la plupart des auteurs spirituels. Les familles religieuses qui se réclamaient de lui allaient connaître une nouvelle jeunesse.

ERMITES DE SAINT-AUGUSTIN La principale fut celle des ermites de Saint-Augustin. Ce nom ne doit pas induire en erreur. Si ces religieux ont conservé en Italie, dans les cinquante-sept couvents de leurs quatre provinces, la vie contemplative [1] —, en y ajoutant, il est vrai, le ministère des paroisses, — ailleurs, ils se sont distingués dans des tâches plus apostoliques.

Ainsi en Belgique, où leur occupation principale était l'enseignement des humanités. Leur province était considérée comme la plus florissante de l'ordre. En 1625, elle comptait six cents religieux; elle ouvrit jusqu'à treize collèges et dut en refuser un grand nombre; ses théologiens s'illustraient parmi les professeurs de l'Université de Louvain. Plusieurs de ses membres jouèrent un rôle important, tel François Richardot, évêque d'Arras; d'autres portèrent la Réformation catholique dans les pays protestants, notamment en Hollande. En 1615, des ermites flamands, dits de « saint-Antoine », avec l'approbation de Rome, se rangèrent sous l'autorité du provincial belge. C'est l'origine de la « *Congregatio montis Vulturis* ».

Si les Belges s'adonnaient à l'éducation de la jeunesse, c'était à l'instar de leurs confrères français, qui, formant sept provinces, avaient ouvert de divers côtés de florissants collèges, tout en s'occupant aussi des missions rurales. Plus nombreux, les couvents des dix provinces d'Allemagne furent en 1577 groupés sous un même vicaire-général. Animés de l'esprit des *conquistadores*, les augustins espagnols et portugais participèrent à l'évangélisation des pays d'outre-mer. Au Moyen et en Extrême-Orient ainsi qu'en Afrique, ils multiplièrent les missions prospères, souvent au prix de leur sang.

En Europe même, leur mouvement de réforme fit germer une nouvelle branche sur le vieil arbre augustinien : ce furent « les ermites récollets ». Fondés par les PP. Thomas de Jésus (1520-1578), Luis de Leon et Jean de Castro, ils comptaient soixante maisons en 1620, rien qu'en Espagne [2]. Amenés par leur fondateur, André Draz (1592) à renchérir encore en fait d'austérité sur les récollets, « les augustins déchaux » se séparèrent d'eux tout en restant soumis à leur prieur-général (1620). Ils se répandirent en Italie et en Allemagne (1623) [3]. Des membres de leurs huit provinces allèrent prêcher l'Évangile en Chine, au Tonkin et en Amérique. En France aussi, se forma une branche d'augustins déchaux, les « petits pères », qui doivent leur origine à François Amet († 1624).

---

[1] Un bref d'Urbain VIII du 29 août 1626 divise en quatre provinces la congrégation d'Italie, *B.T.*, t. XIII, p. 479.

[2] Les ermites augustins récollets d'Espagne formaient quatre provinces. Bref de Grégoire XV, 31 août 1622, *B.T.*, t. XII, p. 731. Confirmation par Paul V, 5 mai 1620, *B.T.*, t. XII, p. 470.

[3] B. J. THIEL, *La vie érémitique au duché de Luxembourg aux XVIIe et XVIIIe siècles*, dans *Zeitschrift fur Luxemb. Geschichte*, Luxembourg, t. VII, 1954, p. 1-228.

ERMITES DE SAINT-JÉRÔME [1] Quant aux ermites de Saint-Jérôme, leurs sept couvents espagnols furent réunis en une congrégation sur les instances de Philippe II (1595); leurs dix-sept couvents italiens conservèrent leur autonomie sous un général. Grégoire XIII avait déposé d'un seul coup tous les supérieurs de l'ordre. Clément VIII, par décret du 14 avril 1593, régla l'élection de la congrégation de l'observance.

LES CHANOINES RÉGULIERS [2] Un bon nombre d'autres familles religieuses se réclament de la règle de Saint-Augustin, notamment des chanoines et des ordres militaires.

Premiers dans la hiérarchie protocolaire des ordres, les chanoines réguliers de Saint-Augustin furent aussi parmi les premiers à commencer leur propre réforme. Dans la seconde moitié du XVIe siècle, la nécessité s'en faisait sentir dans la plupart de leurs très nombreux monastères; mais presque partout le réveil fut remarquable. Pour s'en faire une idée détaillée, il faudrait retracer l'histoire de chaque maison en particulier. Car bon nombre d'entre elles, surtout en Belgique, en Allemagne, en Pologne et au Portugal, se réformèrent tout en restant autonomes. Par contre, en France et aux Pays-Bas, la réforme s'accomplit dans le cadre de « congrégations » déjà existantes ou de congrégations nouvelles.

Windesheim [3]. — La congrégation « de Windesheim » avait connu au XVe siècle une époque de splendeur, tant dans le domaine de la mystique que dans celui de l'érudition [4]. Mais les centres belges, Groenendaal (Vauvert), Rooklooster (Rouge-Cloître) et d'autres avaient été pillés pendant la révolution au temps de Philippe II. Il fallut donc commencer par relever les ruines, ce qui put se faire partiellement durant les années de paix du règne des Archiducs Albert et Isabelle.

[1] BIBLIOGRAPHIE. — *C.E.*, t. VII, p. 345; *D.T.C.*, t. I, col. 1137; *E.C.*, t. VI, col. 651; *K.L.*, t. V, col. 2015; *L.T.K.*, t. V, col. 12; J.B. GOBAT, *Bullarium ordinis S. Hieronymi congreg. B. Petri de Pisa*, Padoue, 1775, 2 vol. in-fol. — *Ermites de Saint-Paul*, « Les Pères de la mort » (en France au début du XVIIe siècle) : P. P. DOYERE, dans *Revue Mabillon*, t. XLII, 1952, p. 79-95.

[2] BIBLIOGRAPHIE. — *C.E.*, t. III, p. 288; *Cathol.*, t. II, col. 911; *D.H.G.E.*, t. XII, col. 404; *E.C.*, t. III, col. 553; *K.E.*, t. XIV, col. 826; *K.L.*, t. II, col. 1829; *L.T.K.*, t. II, col. 896; *H.E.*, t. XV, p. 290-297; *Revue augustinienne*, Louvain-Paris, 1902 s.; C. EGGER, *I canonici regoleri di Sant'Agostino*, dans ESCOBAR, *op. cit.*, t. I, p. 1-25; G. PENNOTUS, *Generalis totius sacri ordinis clericorum canonicorum historia tripartita*, Rome, 1623, Cologne, 1630; A. VAN ETTE, *op. cit.*, passim; J. A. ZUNGO, *Historia generalis et specialis de ordine canonicorum regularium S. Augustini prodromus*, Ratisbonne, 1742-1745, 2 vol.

[3] BIBLIOGRAPHIE. — E. BARNIKOL, *Studie der Geschichte der Brüder von Gemeinsamen Leben*, 1917; É. DE MOREAU, *op. cit.*, t. V, p. 405; E. DE SCHAEPDRIJVER, *De congregatie van Windesheim gedurende de XVIe eeuw*, extr. de *Bijdragen tot de geschiedenis*, Anvers, 1925; ID., *Het bullarium Windesheimense van prior Bormans en de geschiedenis van het Windesheimsch Kapittel*, extr. de *Taxandria*, 1922; *H.E.*, t. XV, p. 290-297; J. PAQUAY, *Kerkelijke privilegien verleend aan het Kapittel van Windesheim*, Lummen, 1934; S. VAN DER WOUDE, *Acta capituli Windeshemensis... Kerkhistorische studien behorende bij het Nederl. Arch. v. Kerkgesch.*, t. IV, t. VI, 1953; ID., *Het Calendarium van Windesheim*, extr. de *Huldeboek Pater Dr. Bonaventura Kruitwagen*, La Haye, 1949; J. G. R. ACQUOY, *Het Klooster te Windesheim en zijn invloed*, Utrecht, 1875-80, 3 vol.

[4] *H.E.*, t. XV, p. 297.

Le gouvernement de la congrégation ayant été réorganisé en 1573 par Grégoire XIII [1], les réunions capitulaires purent reprendre dès 1611 « les efforts énergiques en vue du rétablissement complet de la vie régulière » [2]. Parmi les prieurs remarquables de cette époque, mentionnons Latomus (1523-1578), Werner von Titz (1615) et Guillaume Herckenroy (1560-1632). Les chanoines furent amenés par les circonstances à joindre à la vie contemplative le ministère des collèges et celui des paroisses. Ils furent divisés en deux provinces, de Haute et de Basse-Germanie, celle-ci comprenant les prieurés des Pays-Bas. Le nombre de monastères passa de vingt-sept à la fin du XVIe siècle à quarante-cinq en 1650. Mais, désireux de participer aux nombreux privilèges spirituels de l'antique congrégation de Latran, les chanoines de Windesheim conclurent avec elle une union d'agrégation, lui reconnaissant le premier rang, tout en gardant leur autonomie et leurs statuts particuliers.

Chanoines de Latran [3]. — En dépit de leur glorieux passé, les chanoines de Latran, qui possédaient de nombreuses maisons dans la seule Italie, avaient provoqué des plaintes justifiées, notamment à cause de l'ambition de bon nombre d'entre eux. Dans une bulle du 17 avril 1635, Urbain VIII parle encore de leur « état misérable ». Cependant, de 1585 à 1625, dix des leurs furent élevés à l'épiscopat.

La Rochefoucauld et les génovéfains. — On constate un élan remarquable chez les chanoines augustins de France. Désireux d'y promouvoir une rénovation spirituelle efficace, des initiateurs donnèrent le branle à de nouvelles et ferventes réunions de monastères. La part principale en revient au cardinal de La Rochefoucauld, évêque de Senlis, abbé commendataire de Sainte-Geneviève de Paris (1558-1645). Chargé par Grégoire XV, le 8 avril 1622, de réformer les ordres religieux en France, il commença par les chanoines de son abbaye et par ceux de la congrégation déjà ancienne de « Saint-Victor » [4]. Il fut secondé par le chanoine Charles Faure (1594-1644), qui avait déjà rénové l'abbaye Saint-Vincent de Senlis. Ensuite le mouvement s'étendit et, le 23 décembre 1624, une ordonnance royale érigea la « Province de France », qui allait grouper quarante monastères. Dans l'idée de La Rochefoucauld, deux autres provinces devaient suivre; mais Faure parvint à l'amener à une conception centralisatrice. Ce fut l'origine de la congrégation « de France », ou « génovéfaine » (1er mars 1635) [5]. Cependant, en 1650, alors

---

[1] HEIMB., *op. cit.*, t. II, p. 43.

[2] *H.E.*, t. XV, p. 290; É. DE MOREAU, dans *H.E.*, t. V, p. 405.

[3] BIBLIOGRAPHIE. — *Les ordres religieux*, Paris, 1926; *Bullarium Lateranense...*, Rome, 1727, in fol.; C. DE ROSINIS, *Lyceum Lateranense. Illustrium scriptorum ord.* [...] *Lateranensis elogia*, Cassenae, 1649, 2 vol. in-4°; M. D. STENSON, *Austin Canonesses of the Lateran*, dans *Cathol. truth Soc.*, Dublin, 1918; LUPI, *Bullarium canonicorum regularium S. Salvatoris*, Romae, 1730, 1763, 2 vol.

[4] FOURIER BONNARD, *Histoire de l'abbaye et de l'ordre de Saint-Victor*, Paris, 1904-1908, 2 vol.; G. DE LA ROCHEFOUCAULD, *Le cardinal François de La Rochefoucauld*, Paris, 1926.

[5] HEIMB, *op. cit.*, t. II, p. 48; P. FÉRET, *L'abbaye de Sainte-Geneviève de la congrégation de France*, Paris, 2 vol.

qu'elle comptait cinquante-trois maisons, elle fut scindée en trois provinces : France, Bourgogne et Bretagne. Elle se trouvait alors fortement entamée par le jansénisme.

Le rayonnement de la congrégation française s'étendit aux Pays-Bas, en Pologne et en Irlande où, à son exemple, se forma la congrégation « de Saint-Patrice » (1646).

Un autre groupement de chanoines augustins, celui « du Val des Écoliers », fondé au XIIᵉ siècle, comptait vingt et un monastères en France et en Belgique ; la discipline y laissait à désirer. Fort d'une délégation du Saint-Siège, La Rochefoucauld obtint l'union du Val et de la Congrégation de France ; mais, comme il n'avait pas de juridiction sur les maisons belges, celles-ci restèrent autocéphales et ne se décidèrent qu'en 1662 à se joindre aux Français.

Pierre Fourier et l'Union lorraine. — Vers le même temps, naquit en Lorraine la congrégation « de Notre-Sauveur ». A l'initiative de l'évêque de Toul, Mgr Maillane, saint Pierre Fourier († 1640), chanoine de Chaumouzey, commença le 10 février 1623 à Lunéville le noviciat de cette « Union lorraine », pour laquelle il écrivit le « Sommaire » des constitutions. Elle fut approuvée en 1628. Pierre Fourier lui assignait un triple but : les missions des campagnes, la formation des clercs et l'enseignement gratuit des pauvres. Après les terribles épreuves de la guerre et de la peste, elle reprit sa féconde activité dans l'enseignement et la prédication.

Alain de Solminihac et Chancelade. — En Guyenne, ce fut un gentil-homme, Alain de Solminihac (1593-1659) qui, devenu prêtre et abbé de l'abbaye ancienne de Chancelade, y introduisit une réforme plus sévère que celle de Sainte-Geneviève. Cette réforme s'étendit bientôt à trois autres monastères. Malgré les efforts de La Rochefoucauld, qui prétendait l'annexer aux génovéfains, la congrégation de « la Réforme de Chancelade » parvint, après la mort d'Alain, à se faire reconnaître comme autonome (1666).

Prémontrés ou norbertins [1]. — Suivant, eux aussi, la règle de Saint-Augustin, les prémontrés ou norbertins subirent une crise dramatique.

[1] BIBLIOGRAPHIE. — C.E., t. XII, p. 387-392 ; D.T.C., t. XIII, col. 2-31 ; E.C., t. IX, col. 1948 ; G.H., t. IX, col. 1178 ; K.E., t. XVIII, col. 677-680 ; K.L., t. X, col. 267 ; L.T.K., t. VIII, col. 427-433 ; R. VAN WAEFELGHEM, *Répertoire des sources imprimées et manuscrites relatives à l'histoire et à la liturgie des monastères de l'ordre de Prémontré*, Bruxelles, 1930 ; L. GOOVAERTS, *Écrivains et savants de l'ordre de Prémontré*, Bruxelles, 1899 ; LOUIS DE GONZAGUE, *Les écrivains de l'ordre de Prémontré (1120-1884)*, Paris ; *Analectes de l'ordre de Prémontré*, Louvain, 1905 ; *Analecta praemonstratensia*, Tongerloo, 1925 ; *Statuta renovata*, Tongerloo, 1927 ; N. BACKMUND, *Monasticon praemonstratense*, Straubing, 1949, 1952, 2 vol. in-8° ; P. CLAESSENS, *Abbayes et prieurés de l'ordre de Prémontré en Belgique*, dans *Précis historiques*, t. XXXIV, 1885, p. 449-464, 516-536 ; É. DE MOREAU, dans *H.E.*, t. V, p. 209, 212, 405 ; A. ERENS, dans *D.T.C.*, t. XIII, I, p. 9 ; M. GASPAR, *Les prémontrés belges et les missions étrangères*, Louvain, 1905 ; Fr. A. GASQUET, *Collectanea anglo-praemonstratensia*, Camden Society, London, 1904-1906, 2 vol. ; contient en préface : *The English Praemonstratensians*, paru précédemment in *Trans. of the Hist. Soc.*, N. S., t. XVII ; B. GRASSI, *Der Praemonstratenserorden, seine Geschichte...*, Tongerloo, 1934, annexe à *Analect. praem.*, t. X ; H. T. HEYMAN, *Untersuchungen über die praemonstratenser Gewohnheiten*, Tongerloo, 1928, suppl. de *Anal. praem.*, extr. de *Ephemerides liturgicae*, Rome, t. LXII, 1948, p. 195-229 ;

Vers 1500, l'ordre avait connu un incontestable renouveau; mais, par suite des attaques du protestantisme et des ruines causées par les guerres de religion, l'élan s'était arrêté. Au milieu du siècle, l'abbé général Jean Despruets († 1596), avec des talents et une énergie remarquables, entreprit une nouvelle réforme. Pour lui, le retour de l'ancienne discipline se liait intimement à l'ancien « rite » liturgique prémontré. Mais, précisément à cette époque, bon nombre de ses subordonnés penchaient vers l'adoption de la liturgie romaine, récemment réorganisée et étendue à toute l'Église. Quand Despruets fut remplacé par François de Longpré, s'ouvrit un temps de contestations et de tâtonnements, qui se termina, au fatidique chapitre général de 1618, par la victoire des romanisants. On y publia une codification statutaire, préparée par des enquêtes dans tout l'ordre, première étape de l'observance nouvelle arrêtée en 1630 et qui avait été approuvée par Grégoire XV en 1621. En même temps, le chapitre donnait le branle aux transformations liturgiques qui aboutirent en 1628 à la publication du nouvel ordinaire. Ces événements constituaient « la fin d'une époque qu'on pourrait nommer le régime médiéval de la congrégation »[1].

En Espagne en 1573, les chanoines de la « petite et stricte observance », qui introduisirent l'abstinence primitive et l'abbatiat triennal, formèrent la « congrégation des prémontrés réformés », dont les statuts furent approuvés par Grégoire XIII en 1582.

En France, grâce aux chanoines Daniel Picart et Servais de Lairuels († 1631), un retour à la primitive ferveur gagna peu à peu l'Alsace et la Lorraine, la Champagne et la Picardie, formant la « congrégation d'ancienne rigueur » ou « Réforme de Lorraine ».

Les couvents d'Allemagne furent réformés, vers le milieu du xvie siècle par Jean Busch; ceux d'Angleterre l'avaient été par Jean Morton, primat de Canterbury († 1500)[2].

Quant au sort des circaries (provinces) des Pays-Bas, elles eurent d'abord à traverser la dure épreuve causée par l'érection des nouveaux évêchés

---

J. E. Jansen, *La Belgique norbertine*, Averbode, 1920; E. Matin, *Servais de Lairuels et la Réforme des prémontrés en Lorraine et en France au XVIIᵉ siècle*, Nancy, 1893, extr. de la *Semaine religieuse;* C. Nys, *I premonstratensi*, dans Escobar, *op. cit.*, t. I, p. 109; Fr. Petit, *L'ordre de Prémontré*, coll. *Les ordres religieuses*, nᵒ 43, Paris, 1927; Fr. Timmermans, *Analecta ordinis praemonstratensis*, Bruxelles, 1876; P. E. Valvekens, *Acta et documenta Joannis de Pruentis Abbatis praemonstratensis*, dans *Anal. praem.*, t. XXX, 1954, p. 236-278; t. XXXIII, 1957, p. 82; Id., *Documents prémontrés du XVIᵉ siècle*, dans *Anal. praem.*, t. XXIX, 1953, p. 161-237; t. XXX, 1954, p. 20-25; t. XXXI, 1955, p. 136; t. XXXII, 1956, p. 102-144, 293-336; Id., *Un tournant dans l'histoire de la liturgie prémontrée*, dans *Anal. praem.*, t. III, 1926, p. 214; Id., *De zuid-nederlandse Norbertijnen abdijen en de opstand tegen Spanje (1576-1585)*, Louvain, 1929, recueil des trav. publ. par la conférence d'hist., 2ᵉ série, n. 18; V. van Genechten, *Capitula provincialia Sueviae (1578-1688)*, Tongerloo, 1925, suppl. aux *Anal. praem.;* J. van Spilbeek, *Hagiologium norbertinum*, Namur, 1887; Id., *Iconographie norbertine*, Gand, 1893-1902; *Monasticum praemonstratense id est historia circariarum atque canonicorum candidi et canonici ordinis Praemonstratensis;* N. Backmund, *Monasticon praemonstratense*, t. II, Windberg, 1952-1955; A. K. Huber, *Spanien und die Prämonstratenser-Kultur des Barock*, dans *Hist. Jahrb.*, 1953, t. 72; P. L. Lefevre, *Études sur la liturgie de Prémontré*, dans *Ephem. liturgicae*, t. LXII, 1948, p. 195-229.

[1] Lefevre, *Études, op. cit.*, p. 1.
[2] A. Erens, dans *D.T.C.*, t. XIII, I, 9.

en 1559; l'incorporation de plusieurs abbayes entraîna non seulement une déchéance financière mais un relâchement de la discipline. En outre, les circaries belges comptent parmi celles qui ont été le plus ravagées par les désordres calvinistes [1].

CROISIERS [2] Parmi les croisiers (de Portugal, d'Italie, de Bohême, de Pologne), ceux des Pays-Bas se distinguèrent par leur vitalité; adoptant une vie religieuse « mixte », ils s'adonnèrent à l'éducation dans leur nombreuses écoles latines. Le maître général Naerius (1619-1648) fit en sorte que tous les prieurs fussent des hommes de science. Mais, afin de ne pas abandonner les anciennes coutumes, telles que l'office de minuit et la messe chantée, dont il fallut dispenser en partie, on décida en 1634 l'érection d'un noviciat commun; en 1631 l'ordre avait adopté le missel romain [3].

Le même esprit de rénovation travaillait les autres instituts de chanoines réguliers, notamment ceux des hospitaliers de Saint-Antoine et autres [4].

§ 2. — Les basiliens [5].

Sans constituer un ordre dans l'acception moderne du mot, les moines basiliens perpétuaient la forme primitive du monachisme, la forme orientale. Elle était représentée en Occident par deux groupes principaux : l'italo-grec et l'espagnol, qui, après plusieurs réformes médiévales, avaient connu une nouvelle décadence. Dès 1573, Grégoire XIII s'était préoccupé de relever la branche italienne; vers le même temps, celle d'Espagne retournait à la ferveur autour du monastère du Tardon, au diocèse de Cordoue, et tendait à restaurer la vie conventuelle des origines. Le pape « réduisit » ensemble les deux branches le 1er novembre 1579 par la bulle *Benedictus Deus*. Après diverses vicissitudes, les basiliens d'Espagne se répartissaient en trois observances : celle des « non-réformés », celle des « réformés » du Tardon, celle des « non-réformés » d'Oviedo [6]. La branche italienne, réformée, se divisa

[1] É. DE MOREAU, *H.E.*, t. V., p. 209.

[2] BIBLIOGRAPHIE. — *D.H.G.E.*, t. LXXVII, col. 1042-1062; *Cathol.*, t. IX, col. 321; *E.C.*, t. IX, col. 237; *K.E.*, t. XV, col. 726; *K.L.*, t. VII, col. 1102; *L.T.K.*, t. VI, col. 258; *Clair-Lieu, Tijdschrift gewijd aan de geschiedenis der Kruisheren...*, Diest, 1943; H. F. CHETTLE, *The friars of the Holy Cross in England*, dans *History, N.S.*, t. XXXIV, 1949, Londres, p. 204-220; J. FRANCINO, *Geschiedenis van de orde der Kruisheren*, dans *Batavia sacra*, Utrecht-Bruxelles, 1948; R. HAAS, *Die Kreuzherren in den Rheinlanden*, dans *Rheinisches Archiv.*, n. 23, Bonn, 1932; Ph. HOFMEISTER, *Die Verfassung des hollandischen Kreuzherrenordens. Festschrift Ulrich Stutz. Kirchenrechtliche Abhandlungen*, t. XVII, 1938, p. 189-223; M. VIAKEN, *I Crocigeri*, dans ESCOBAR, *op. cit.*, t. I, p. 345, 357 s.

[3] Leur bulle de réforme date du 23 avril 1568, *B.T.*, t. VII, p. 666.

[4] On trouvera dans HEIMBUCHER, *op. cit.*, t. II, p. 21, des notices sur 22 de ces congrégations.

[5] BIBLIOGRAPHIE. — *C.E.*, t. II, p. 322-324; *Cathol.*, t. I, col. 1289-1290; *D.H.G.E.*, t. VI, col. 1183; *D.T.C.*, t. II, I, col. 455-459; *E.C.*, t. II, col. 951, avec carte; *K.L.*, t. II, col. 1-8; *L.T.K.*, t. II, col. 18; *B.T.*, t. VIII, 1863, p. 307-313; *Analecta ordinis Sancti Basilii magni*, 1924 s.; N. BORGIA, *I monaci basiliani d'Italia in Albania*, 1935; T. MINISCI, *I Basiliani*, dans ESCOBAR, *op. cit.*, t. I, p. 793.

[6] Un bref de Paul V (17 septembre 1608) leur permit d'ériger cinq monastères en Espagne. Cf. *B.T*, t. XI, p. 549.

en trois provinces : romano-napolitaine, calabro-lucanienne et sicilienne. Tout en maintenant, dans la mesure du possible, la règle de saint Basile, les moines subirent assez profondément l'influence bénédictine.

§ 3. — Les bénédictins [1].

TENDANCE AU REGROUPEMENT E. Lavisse a égalé l'œuvre de saint Benoît de Nurcie à celle d'un fondateur d'empire. L'ordre bénédictin, le plus ancien et le plus important des ordres occidentaux, se devait de prendre une place de premier rang dans le réveil du monachisme.

[1] Sur le monachisme bénédictin et notamment la formation des nouvelles congrégations, V. Schmitz, *op. cit.*, t. IV, p. 3-67; sur la notion même de congrégation, *ibid.*, p. 258-272.
    BIBLIOGRAPHIE. — *H.E.*, t. XV, p. 280, 307 (Réforme de Valladolid); t. XVII, p. 294; t. XIX, p. 464-471; *C.E.*, t. II, col. 443-453; *Cathol.*, t. I, col. 1400-1405; *D.H.G.E.*, t. VII, col. 1115-1206; t. LXXIII (Cluny), col. 35-174; *D.T.C.*, t. II, col. 613-628; t. X, col. 405-443 (mauristes), 1060-1237; *E.C.*, t. II, III, VIII, col. 1232, 1883 avec carte, 506, 1350; *K.E.*, t. IV, col. 550-559; *K.L.*, t. II, col. 332-360; *L.T.K.*, t. II, col. 152-159; *Bullarium monach. nigrorum S. Benedicti congreg. Angliae*, Fort-August, 1912; Dom Corn. MARGARINI, *Bullarium Casinense*, Venise, 1650-1670, 2 vol. in-fol; *Analecta ordinis Sancti Benedicti*, 1892 s.; *Downside Review*; *Revue liturgique et bénédictine* (ancien *Messager de Saint-Benoît*, 1899 s.), Maredsous (Belgique), 1911, s.; *Revue Mabillon; Spicilegium benedictinum; Studien und Mitteilungen zur Geschichte des Benediktinerordens und seiner Zweige*, 1879; A. M. ALBARADA, *Bibliografia de la regla benedictina*, Montserrat, 1933; R. BAUEREISS, *Bibliographie der Benediktinerregel. Stud. u. Mitt. zur Gesch. O.S.B.*, t. LVIII, 1940, p. 3-20; J. FRANÇOIS, *Bibliographie générale de l'ordre de Saint-Benoît*, Bouillon, 1777-1778; J. GODEFROY, *Bibliothèque des bénédictins de la congrégation de Saint-Vanne et de Saint-Hidulphe*, dans *Archives de la France monastique*, n° 29, Ligugé, 1925; J. MAC CANN et H. CONNOLLY, *Memorials of Father Augustine Baker and other documents relating to the English benedictines*, dans *Cath. record Soc.*, n° 33, Londres, 1933; Th. RÉJALOT, *Inventaire des lettres publiées des bénédictins de la congrégation de Saint-Maur*, suppl. à la *Revue Mabillon*, t. XXIII, 1933, t. XXXIII, 1943; H. WILHELM, *Nouveau supplément à l'histoire littéraire de la congrégation de Saint-Maur*. Notes publiées par U. BERLIÈRE et D. A. DUESBERG, Maredsous, 1931; A. ZIMMERMAN, *Kalendarium benedictinum. Die Heiligen und Seligen des Benediktinerordens und seiner Zweige*, Metten, 1933; *Benedicti monachorum occidentalium opera omnia*, Paris, 1866; Ch. DE SMEDT, *Introductio generalis ad ecclesiasticam historiam critice tractandam*, Gand, 1876 (bibliog. bénédictine); LE CERF DE LA VIEVILLE, pseud. de LA PIPARDIÈRE, *Bibliotèque (sic) historique et critique des auteurs de la congrégation de Saint-Maur*, La Haye, 1726; *Bibliographie bénédictine*, dans *Clio, XVIIᵉ siècle* (index); TASSIN, *Histoire littéraire de la congrégation de Saint-Maur*, Bruxelles, 1770; ZIEGELBAUER, *Historia rei litterariae O.S.B.*, Augsbourg, 1754; *Benediktinisches Klosterleben in Deutschland. Geschichte und Gegenwart*, herausg. von der Abtei Maria-Laach, Berlin, 1929; *Benediktinisches monatschrift*, Beuron, 1924; U. BERLIÈRE, *Mélanges d'histoire bénédictine*, Maredsous, 1897-1902, 4 vol.; ID., *L'ordre bénédictin en Belgique*, Réformes des xvᵉ et xviᵉ siècles, dans *Rev. bénéd.*, t. XI, 1894, p. 1-17; M. BESSE, *Le moine bénédictin*, Ligugé, 1898; ID., Paris, 1925; *Bibliographie des bénédictins de la congrégation de France*, Paris, 1906; G. BEULMONT, *Nos anciens domaines bénédictins* (vers la fin du xviiiᵉ siècle), Bruxelles, 1914; H. BREMOND, *Histoire littéraire, op. cit.*, t. I, p. 227 s. (Réforme O.S.B. en France); A. CAUCHIE et R. MAERE, *Recueil des instructions..., op. cit.*, p. 46, 66, 92, 187 s.
    TRAVAUX. — G. CHARVIN, *L'abbaye et l'ordre de Cluny de la fin du XVᵉ au début du XVIIᵉ siècle*, dans *Revue Mabillon*, 3ᵉ série, t. CLXXIII, 1953, p. 85-118; t. XLIV, 1954, p. 6-29, 105-132; B. DESTRÉE, *Les bénédictins*, Louvain, 1910, p. 137; G. HEER, *Johannes Mabillon und die Schweizer Benediktiner. Ein Beitrag zur Gesch. der histor. Quellenforschung im 17. und 18· Jahrhundert*, Saint-Gall, 1938; J. HEMMERLÉ, *Die Benediktinerklöster in Bayern*, dans *Bayerische Heimatforschung*, n° 4, Munich, 1931; M. LECOMTE, *Les bénédictins et l'histoire des provinces aux XVIIᵉ et XVIIIᵉ siècles...*, coll. *Moines et monastères*, nᵒ 6, éd. de la *Revue Mabillon*, Ligugé, 1928; Th. LECCISOTTI, *I benedettini*, dans ESCOBAR, *op. cit.*, t. I, p. 23; H. LECLERCQ, *L'ordre bénédictin*, dans *Bibliothèque générale illustrée*,

Déjà au xvᵉ siècle, ce renouveau avait profité de l'exemple de Cluny et réalisé les précieux avantages que procure l'association. Plusieurs « congrégations » nouvelles avaient surgi ou s'étaient renouvelées, notamment en Allemagne et aux Pays-Bas celle de Bursfeld, en France, Cluny et Fontevrault, en Espagne, Valladolid, en Italie, Sainte-Justine de Padoue devenue depuis 1504 la congrégation « du Mont-Cassin » [1].

Mais ce mouvement s'accentua lorsque le concile de Trente légiféra sur la réforme des religieux. En sa 25ᵉ session, par décret du 3 décembre 1563, il stipula, entre autres nombreuses mesures, que les exempts « dans l'année qui suivra la clôture du concile et ensuite tous les trois ans, seront tenus de se réunir en congrégation » [2]. De soi, le décret ne prescrivait qu'une réunion triennale; en fait cependant, il aboutit à grouper les abbayes en « corporations permanentes et organisées ». A leur tour, les papes, « de cent façons » aidèrent à la création de congrégations qui se formèrent ou se réformèrent dans de nombreux pays et facilitèrent beaucoup le contact entre les diverses abbayes et le Saint-Siège [3].

En Europe centrale. — Ce mouvement de centralisation rencontra l'opposition de certains évêques qui limitèrent la congrégation à leur diocèse.

nº 14, Paris, 1930; P. Lugano, *L'Italia benedettina*, Rome, 1929; E. Martène-G. Charvin, *Histoire de la congrégation de Saint-Maur*, dans *Archives de la France monastique*, nº 31, Ligugé, 1928-1943, 9 vol.; F. Pollen, *The rise of the Anglo-benedictine Congregation*, dans *The Month*, 1897; E. L. Taunton, *The English Black monks of St. Benedict*, Londres, 1897, 1898, 2 vol.; H. Tausch, *Benediktinisches Mönchtum in Oesterreich*, Vienne, 1949; E. Rousseau, *Dom Grégoire Tarisse*, Paris, 1924; Ph. Schmitz, *Histoire de l'ordre de Saint-Benoît*, Maredsous, 1942-1956, t. IV-VII; *Congrégations*, t. VII, p. 258-264; T. B. Snow, *Necrology of the English Congregation of the order of St. Benedict*, Londres, 1883; Chanoine Souplet, *Le vénérable dom Didier de La Cour de la Vallée (1550-1623), fondateur de la congrégation de Saint-Vanne*, Verdun, 1950; N. Schoengen, *Monasticon batavum*, Verhandel. der nederl. Akademie, N. R., Amsterdam, s. a.; P. Volk, *Die Generalkapitel der Bürsfelder benedikt. Congregation*. Beitr. z. Gesch. des alter Monchtums, nº 14, Munster, 1928; R. (ou B.) Weldon, *Chronological notes, containing the rise, growth and present state of the English Congregation of the order of St. Benedict*, Londres, 1881, 1882; Beaunier, *Recueil historique... des archevêchés, évêchés, abbayes et prieurés de France*, Paris, 1726; Id., *Archives de la France monastique*, 13 vol. parus, Paris, 1906-1941; G. De Valous, *Cluny*, dans *D.H.G.E.*, fasc. LXXIII, col. 35-174. Histoire des abbés jusqu'à 1790; J. P. de Urbel, *Historia de la Orden Benedictina*, Madrid, 1941; Dugdale, *Monasticum anglicanum*, Londres, 1846; A. Gwynn, *Some notes on the History of the Irish and Scottish Benedictine monasteries in Germany*, dans *The Innes Review*, t. V, 1954, p. 5-27; T. Leccisotti, *Per la historia delle Congregazione Cassiniensi. Tentative di unione nel secoli XV-XVI*, dans *Benedictina*, t. X, 1956, p. 61-74; H. Leclercq, *L'ordre bénédictin*, Paris, 1930; P. Hoffmeister, *Benediktinisches Leben in Böhmen, Mähren und Schlesien*, Warnsdorf, 1929; E. Martène, *La vie du juste*, Ligugé, 1924; G. Meier, *Die schweizerische Benediktiner Kongregation in den 3 ersten Jahrhunderten ihres Bestehens*, 1956; *The Monastic Order in England*, Cambridge, 1940; Id., *The Religious Orders in England*, Cambridge, 1948; B. Albers, *Zur Geschichte des Benediktine ordens in Polen*, dans *Stud. und Mitt. aus dem Benedikt. ord.*, t. XV, 1894; C. Butler, *Le monachisme bénédictin*, Paris, 1924; St. Hilpisch, *Geschichte des benediktinischen Mönchtums*, Fribourg-en-Br., 1929; P. Volk, *Das Archiv der Bürsfelder Kongregation*, Seckau, 1936.

[1] *H.E.*, t. XV, p. 280 s.; t. XVII, p. 294.

[2] *Conc. Trid.*, éd. E. Ehses, t. IX, 1924, p. 1081; *H.C.*, t. X, p. 604; Heimb, *op. cit.*, t. I, p. 298.

[3] Schmitz, *op. cit.*, t. IV, p. 273-287.

D'autre part, des abbayes nobles, telles Fulda, Kempten et Murbach, sous la coupe des seigneurs, échappèrent au mouvement. Ailleurs encore, malgré les efforts des papes et des visiteurs qu'ils envoyaient, la plupart des monastères semblaient « préférer l'isolement à la réforme ». Tels Saint-Gall et Einsiedeln, qui revinrent d'eux-mêmes à l'observance [1].

Cependant, alertés par le danger que couraient les abbayes allemandes par suite des suppressions et des « incorporations » par les jésuites, les bénédictins de Suisse, réunis à Einsiedeln se constituèrent en 1602 en une congrégation de l'Immaculée-Conception, qui fut approuvée par Grégoire XV le 20 mai 1622. Dès 1603, Clément VIII avait approuvé la congrégation « de Souabe », fondée en 1564 sous le patronage de Saint-Joseph et qui attira bon nombre d'abbayes. Puis ce furent les congrégations « de Salzbourg » (1601-1624), « d'Autriche » (1617-1630) et « de Strasbourg » (1641) [2].

Celle « de Bursfeld », profondément éprouvée par le protestantisme, s'était relevée, annexant de nouveaux monastères, car elle jouissait du privilège d'en incorporer, même contre le gré des évêques [3]. Devant le danger qui menaçait leur ordre, les bénédictins allemands réunis à Ratisbonne en 1631 tentèrent de se constituer en une Union générale sous la direction de Bursfeld; mais le projet échoua, principalement par suite de l'opposition des évêques. Par contre, les bénédictins allemands restèrent à l'abri des dissensions causées par le jansénisme.

En France : de Marmoutier à Saint-Vanne et à Saint-Maur. — Il n'en fut pas de même en France, où avaient fleuri des congrégations qui étaient devenues célèbres, mais qui s'étaient relâchées par la suite. Or, la rénovation y rencontrait de sérieux obstacles : les religieux âgés la voyaient d'un mauvais œil et cherchaient à lui échapper en se sécularisant; beaucoup de couvents dépendaient de commendataires peu soucieux du spirituel, eux et leur famille [4].

Après les désastreuses guerres de religion, l'abbaye de Marmoutier fut à l'origine d'un courant puissant, qui donna naissance à la congrégation des Exempts, dite « gallicane » (1580). Elle se répandit surtout dans le Midi et compta jusqu'à cinquante-cinq monastères. Puis, successivement, se détachèrent d'elle diverses branches; en sorte que la congrégation primitive se désagrégea peu à peu, épuisée par ces provignements, par la commende, par la diversité d'esprit des moines et aussi par l'intervention des évêques dans la discipline intérieure.

---

[1] SCHMITZ, *op. cit.*, t. III, p. 175; t. IV, p. 117.

[2] En 1617, les abbayes bénédictines de Bavière et de Souabe, appuyées surtout par l'abbé d'Ottobeuren Gregor Rubi, décidèrent d'ouvrir une université à Salzbourg. Les cours y furent inaugurés en 1623. Elle fut la seule université catholique où l'enseignement de l'histoire fut donné *ex professo* dès le XVIIe siècle. Sur l'Université de Salzbourg, *infra*, p. 205. Cf. Cl. SCHERER, *Geschichte und Kirchengeschichte an den deutschen Universitäten*, 1927, p. 279-285.

[3] Vers 1629, on comptait 142 maisons bursfeldiennes, mais 41 seulement appartenaient vraiment à l'Union, notamment Saint-Trond (1603), Fulda (1630), Stavelot-Malmédy (1654).

[4] SCHMITZ, *op. cit.*, t. IV, p. 8.

Parmi les filles de Marmoutier, la congrégation « de Bretagne », formée autour du prieuré de Saint-Magloire de Léhon, avait établi une vie très austère (1604); mais, après vingt-quatre ans d'indépendance, cédant aux directives de Rome, le groupe s'unit à celui de Saint-Maur, dont il sera question plus loin. Tel fut aussi le sort des filiales qui s'étaient réunies autour de la célèbre abbaye de Saint-Denis (1614), dont les mauristes prirent possession en 1633.

En deux cas, la réforme monastique fut entreprise par des évêques. Vers 1624, grâce à saint François de Sales, l'abbaye de Talloires, reprenant l'ancienne discipline, forma la congrégation « des Allobroges », qui, en 1674, s'unit à la cassinienne. De son côté, l'évêque de Verdun, Éric de Vaudémont, s'occupa des religieux de Lorraine et nommément de ceux de Saint-Vanne à Verdun et de Saint-Hydulphe à Moyenmoûtier. Grâce au saint prieur Didier de La Cour, auteur de nombreux ouvrages spirituels, la ferveur refleurit et, en peu de temps, la congrégation « lorraine des Saints-Vanne-et-Hydulphe » compta douze maisons [1]. Pénétrant en France, elle annexa plusieurs couvents de l'ordre, exerça sur Cluny une heureuse influence et prépara ainsi la naissance de l'illustre congrégation de Saint-Maur, à qui elle communiqua son amour pour les études.

Le désir de grouper tous les bénédictins de France fut à l'origine de la congrégation qu'on appela d'abord « gallicane-parisienne » et qui devint célèbre dans le monde entier sous le nom « de Saint-Maur ». L'idée de cette union naquit de la collaboration de dom Didier de La Cour et de dom Bénard du collège de Cluny. Elle engloba d'abord quatorze monastères réformés de France et fut reconnue par un acte de Grégoire XV du 17 mai 1621 [2]. En 1636, elle s'adjoignit la congrégation « de Chezal-Benoît », qui s'était constituée au début du XVIe siècle. Elle dut à son premier général, dom Grégoire Tarisse (1630-1643), « son organisation solide, son esprit et son orientation définitive », notamment sa vocation au travail historique. Pendant quelques années, Saint-Maur courut un sérieux danger. Sous l'inspiration de Richelieu, il fut question de fondre ensemble Saint-Maur et Cluny; mais, à cause de l'opposition de Rome et des différences sensibles entre les deux observances, le projet fit long feu et disparut à la mort du cardinal.

En dépit de son glorieux passé, la congrégation de Cluny, tombée en léthargie, ne pouvait se réveiller sous des abbés commendataires. Lorsque dom de Veny d'Arbouze, élu abbé après avoir été grand-prieur, entreprit le retour à la discipline, il fut entravé par les maladroites tentatives de réunion avec Saint-Maur. Grâce à lui cependant, bon nombre de moines se constituèrent en un groupe distinct, l'« étroite observance » (1621), séparé de l'« ancienne observance ».

---

[1] La congrégation des Saints-Viton-et-Hydulphe fut érigée à l'instar de la cassinienne et avec les mêmes privilèges par un bref de Clément VIII du 7 avril 1604, *B.T.*, t. IV, p. 65.

[2] *B.T.*, t. XII, p. 33. Par bulle du 21 janvier 1628, Urbain VIII publia les statuts de réforme de la congrégation, *B.T.*, t. XIII, p. 624.

Les abbayes belges. — Moins puissantes que leurs sœurs de France, les abbayes belges avaient subi les mêmes épreuves; mais aux ruines et aux désordres des guerres politico-religieuses s'était ajoutée la spoliation légale [1]. Afin d'alimenter les menses des nouveaux évêchés (1559), le pape et le souverain leur avaient attribué Afflighem, Saint-Gérard, Saint-Bavon, etc. La plupart de ces monastères belges se rattachaient à Bursfeld; mais l'autorité civile, dans un but politique, s'efforça de les en séparer. D'autre part, la réforme de Lorraine pénétra dans le pays au point d'influencer profondément la congrégation « de la Présentation-Notre-Dame », qui fut fondée en 1628 et comprenait Afflighem, Saint-Denis en Broqueroie, et Saint-Adrien de Grammont. Elle avait été précédée dès 1569 par celle des « Exempts », dite « de Flandre », dont les efforts furent aidés par le duc d'Albe et par le nonce Bonomi; elle avait réuni d'abord Saint-Vaast d'Arras, Saint-Pierre de Gand, Saint-Bertin de Saint-Omer.

Bénédictins anglais. — C'est dans la même région, à Douai, que vinrent se fixer, comme étant plus proches de leur pays, les bénédictins anglais de la congrégation « de Valladolid » [2]. Le 3 novembre 1607, dans une prison d'Angleterre, se déroula une scène pathétique. Dom Sebert Buckley, un nonagénaire, prisonnier pour la foi depuis quarante ans, dernier survivant des bénédictins de son pays, remit l'habit à deux compatriotes, novices cassiniens de son ordre, unissant ainsi à la famille de Saint-Augustin de Cantorbéry la nouvelle congrégation « anglaise », que Paul V confirma le 24 décembre 1612 [3]. Elle s'ajoutait aux autres, la cassinienne et l'espagnole. Celle-ci, de loin la plus nombreuse, avait fondé une autre mission en Angleterre et des monastères à Dieulouard (1606), à Paris (1615), à Saint-Malo (1611), à Lampspring (1643). La bulle *Plantata in agro* du 12 juillet 1633, conféra l'indépendance à la congrégation d'Angleterre, que le bref *Ex incumbenti* du 23 août 1619 avait unie à l'espagnole et à la cassinienne. Missionnaires et martyrs bénédictins contribuèrent puissamment à conserver le catholicisme dans l'île.

Bohême, Hongrie, Pologne. — Les bénédictins de Bohême, de Hongrie et de Pologne, dont les abbayes avaient été ravagées par les guerres, eurent beaucoup de peine à se relever et jouèrent un rôle moins important que leurs confrères de l'Ouest.

Italie et Espagne. — Contrairement aux moines du continent, ceux des deux péninsules méridionales vécurent une existence plus paisible, mais non moins glorieuse.

En Italie, leur histoire se résume dans celle de la congrégation cassinienne [4], qui groupait les soixante-huit monastères du pays. La Restauration ne se

---

[1] SCHMITZ, *op. cit.*, t. IV, p. 85, 93, 97; É. DE MOREAU, dans *H.E.*, t. V, p. 84, 207, 409, 424, 434; M. DIERICKX, *De oprichting der nieuwe bisdommen in de Nederlanden onder Filips II (1559-1570)*, Anvers, Utrecht, 1950, p. 71-108, 127-132, 160-168, 177-201, 243-255.

[2] SCHMITZ, *op. cit.*, t. IV, p. 107.

[3] Par un bref du 30 août 1626, Grégoire XV confirma les statuts des congrégations anglaise et espagnole, *B.T.*, t. XIII, p. 482.

[4] SCHMITZ, *op. cit.*, t. IV, p. 148.

fit pas sans difficultés : les supérieurs demeuraient en charge trop longtemps ; les embarras financiers entravaient la discipline, le recrutement restait souvent confiné parmi les membres de la noblesse. Cependant, la vie monastique refleurit et, si ce fut sans grand éclat, elle produisit pourtant des hommes éminents, dont il faudra dire le rôle dans la résurgence catholique [1]. Si l'on passe en Espagne [2], on trouve établies, dès avant le concile de Trente, deux congrégations se partageant les soixante-cinq monastères d'hommes, celle « de Valladolid » et celle « des claustraux ». Ceux-ci furent réorganisés par une bulle très importante, *Sacer et religiosus*, de 1592, dont l'efficacité fut aidée par Philippe IV. Les moines de l'autre groupe s'appliquèrent avec un tel succès à l'enseignement supérieur et à la prédication que leur influence rayonna jusqu'en Allemagne.

Les bénédictins de Portugal se relevèrent d'une profonde décadence sous l'impulsion de Pie V et de Grégoire XIII. Ils se réunirent en 1566 en une congrégation nationale, qui comprit vingt et un monastères et qui introduisit au Brésil en 1581 la règle de saint Benoît [3].

SUR L'ORBITE BÉNÉDICTIN   Sans appartenir à l'ordre bénédictin, un certain nombre d'autres familles religieuses peuvent lui être rattachées, parce qu'elles ont embrassé la règle de saint Benoît.

Camaldules. — Tels sont, par exemple, les camaldules *(camaldoli)* [4]. Voués les uns à la vie érémitique, les autres à la vie cénobitique, leurs deux mille moines formaient les cinq congrégations de Camaldoli, de Monte-Corona, de Murano, de Turin et de France. Entre autres mérites, elles se distinguèrent par leurs écrivains [5].

Vallombrosains. — Fondés au XIᵉ siècle par saint Jean Gualbert (1073), les vallombrosains [6] avaient déjà été réformés au XVᵉ siècle. Un nouvel effort

---

[1] La réforme de la congrégation cassinienne fut approuvée par des bulles de Grégoire XIII, en date du 13 avril 1579 (*B.T.*, t. VIII, p. 259) et de Clément VIII, en date du 6 mars 1593 (*B.T.*, t. X, p. 29). Ses statuts organiques furent fixés par un bref de Paul V, en date du 6 avril 1607 (*B.T.*, t. XI, p. 300).

[2] SCHMITZ, *op. cit.*, t. IV, p. 163.

[3] L'érection de la congrégation de Portugal fut approuvée par une bulle de Pie V du 29 avril 1566, confirmée par celle de Grégoire XIII du 25 mai 1572, *B.T.*, t. VIII, p. 7 et 9. Les statuts furent renouvelés par Pie V, 1ᵉʳ décembre 1587 (*B.T.*, t. IX, p. 303).

[4] BIBLIOGRAPHIE. — *C.E.*, t. III, p. 204 ; *Cathol.*, t. II, col. 425 ; *D.H.G.E.*, t. XI, col. 512-536 ; *D.T.C.*, t. II, 2, col. 1423-1431 ; *E.C.*, t. II, V. benedictini ; *K.E.*, t. VI, col. 699 ; *K.L.*, t. II, col. 1745-1750 ; *L.T.K.*, t. V, col. 761-762 ; *Rivista camaldolese*, Ravenne, 1926-1928 ; *Sommario cronologico dei documenti pontifici riguardante la congregazione eremitica Calmadolese di Monte Corona (1515-1908)*, Sacro eremo Tusculano, 1908 ; — *Testi e studi Camaldolesi* ; L. SCHIAPARELLI, L. BALDASSERONI, *Regesto di Camaldoli, Regesta chartarum Italiae*, nᵒˢ 1, 5, 13, 14, 1907-1928 ; H. DE BOISSIEU, *Figures de camaldules en Belgique au XVIIᵉ siècle*, Bruxelles, 1928 ; *Menologio camaldolese*, Rome, 1950 ; A. PAGNANI, *Storia dei benedettini camaldolesi*, Sassoferrato, 1949 ; Cl. ROGGI, *Vita e costumanze dei... e di Camaldoli*, dans *Benedictina*, t. IV, Rome, 1950, p. 69-86 ; J. LECLERCQ, *Un humaniste ermite : le bienheureux Paul Giustiniani (1476-1528)*, Rome, 1951.

[5] *H.E.*, t. XVII, p. 280 ; HEIMB., *op. cit.*, t. I, p. 401 ; HÉLYOT-MIGNE, p. 578.

[6] BIBLIOGRAPHIE. — *C.E.*, t. XV, p. 262 ; *E.C.*, t. XII, col. 998 ; *K.E.*, t. XXIII, col. 293 ; *K.L.*, t. XII, col. 570-575 ; *L.T.K.*, t. X, col. 488 ; *Bullarium Vallisumbrosianum*, Florence,

fut réalisé au début du XVIIe; plusieurs de leurs membres produisirent des œuvres remarquables, particulièrement au point de vue ascétique [1].

Grandmontains. — Assez semblables aux vallombrosains, les moines français grandmontains [2], que le peuple appelait les « bons hommes », dataient de 1177 [3]; dans les premières années du XVIIe siècle, le retour à la rigueur primitive détermina la formation d'une branche « de la stricte observance ».

CISTERCIENS [4] L'illustre ordre cistercien avait, dès le XVe siècle opéré çà et là un redressement. Un moine de Piedra en 1425, avait érigé la congrégation de « l'observance de Saint-Bernard » ou « du Mont-Sion »,

---

1729, in-12; *Il Faggio Vallombrosiano;* I. SALA, F. F. TARANI, *Dizionario biografico di Scittori, litterati ed artisti dell' ordine di Vallombrosa,* extr. de *Il Faggio Vallombrosiano,* Florence, 1929; F. TARANI, *L'Ordine Vallombrosiano,* Florence, 1921.

[1] HEIMB., *op. cit.,* t. I, p. 411.

[2] BIBLIOGRAPHIE. — *C.E.,* t. VI, col. 725; *D.T.C.,* t. II, II, col. 2532; *K.L.,* t. V, col. 990-992; *L.T.K.,* t. IV, col. 646; H. F. CHETTE, *Lesser benedictine groups in the British Isles,* Voir *Grandmont,* dans *The Downside Review,* t. LXVI, 1948, p. 440-451; L. GUIBERT, *Une page de l'histoire du clergé français du XVIIe siècle. Destruction de l'ordre et de l'abbaye de Grandmont,* dans *Bull. de la Soc. arch. et hist. du Limousin,* t. XXIII, XXIV, Limoges, 1875-1877; H. LECLER, *Histoire de l'abbaye de Grandmont,* dans *Bull. de la Soc. arch. et hist. du Limousin,* t. LVII, LX, 1907-1910.

[3] HEIMB., *op. cit.,* t. I, p. 415.

[4] BIBLIOGRAPHIE. — *C.E.,* t. III, p. 780-790; *Cathol.,* t. II, col. 1143-1151; *D.H.G.E.,* t. XII, col. 852-997; *D.T.C.,* t. II, II, col. 2532-2550; *E.C.,* t. III, col. 1737 (carte); *E.U.,* t. XIII, col. 492-496; *K.E.,* t. VII, col. 551-560; *K.L.,* t. III, col. 374-387; *L.T.K.,* t. X, col. 1078-1083; bulle de Pie V édictant la réforme, 26 février 1563 (*B.T.,* t. VII, p. 260); supprime toutes exemptions contraires aux statuts de l'ordre, ordonne visites par supérieurs; réforme de Trente; *Cîteaux in de Nederlanden,* Westmalle, 1950 s.; C. BOCK, *Les codifications du droit cistercien,* Westmalle, 1955 s.; J. M. CANIVEZ, *Statuta capitulorum generalium ordinis cisterciensis ab anno 1116 ad annum 1787,* Louvain, 1933-1941; ID., *Statuta ordinis cisterciensis,* t. VII *(1546-1786),* Louvain, 1939; ID., *L'ordre de Cîteaux en Belgique des origines au XXe siècle,* Scourmont, Forges, 1926; ID., *Auctarium, Cister. chronik,* t. XXXVIII, 1926, p. 256; *Compendium of the History of the Cistercian order,* by a father of the abbey of Gethsemany, Gethsemany, Kentucky, 1944; G. DE BEAUFORT, *La charte de charité cistercienne et son évolution,* dans *R.H.E.,* t. XLIX, 1954, p. 391-437; DE VISCH, *Bibliotheca scriptorum sancti ordinis cisterciensis,* 1656; Ch. GROLLEAU et G. CHASTEL, *L'ordre de Cîteaux,* Paris, 1932; V. HERMANS, *I Cistercensi,* dans ESCOBAR, *op. cit.,* t. I, p. 89; E. KRANSEN, *Die Klöster der Zistersienordens in Bayern,* Munich, 1953; L. J. LEKAI, *The White Monks. A history of the cistercian order,* Okauchee, Wisconsin, 1953; trad. franç., Paris, 1957; A. J. LUDDY, *The order of cistercians,* Dublin, 1932; E. MAIRE, *Les cisterciens en France,* Paris, 1921; *Menologium cisterciense a monachis O. Cist. strict. observ. compositum...,* Westmalle, 1953; C. BECK, *Les codifications du droit cistercien,* dans *Collectanea O. Cist. Reform.,* t. IX, 1947, p. 249-264, 1955; t. XVII, 1956, p. 159-185; t. XVIII, p. 28-41; L. H. COTTINEAU, *Répertoire biobibliographique des abbayes et prieurés,* Paris, 1935; R. DE GANCK, *Het « Placet » voor buitenlandse cistercienzer visitators in de XVIe eeuw,* Cîteaux, t. VII, 1956, p. 102-123; J. DE TRÉVILLERS, *Sequana monastica,* Vesoul, s. a. (1951); 1er supplément (1955); E. KRANSEN, *Archiv und Literaturberichte zur Geschichte des Zisterziensordens insonderheit der bayerischen ordenhäuser,* Cîteaux, t. VII, 1956, p. 51-61; L. JANAUSCHEK, *Der Cistercienser Orden,* Bade, 1884; ID., *Xenia bernardina, Bibliographia bernardina,* 1891; E. MARTIN, *Los Bernardinos Españoles, Historia de la Congregación de Castilla de la Orden de Cister,* Palencia, 1953; G. MULLER ed., *Cistercienser Orden,* dans *Cistercienser Chronik,* Bregenz, 1927; A. POSTINA, *Beiträge zur Geschichte der Cisterciensklöster des 16. Jahrhundert in Deutschland,* dans *Cistercienser Chronik,* t. VIII, 1901, p. 264-265; A. SCHNEIDER, *Skriptorium und Bibliothek der Cistercienserabtei Kimmerod in Rheinland,* dans *Bull, of the John Ryland Library,* t. XXXV, 1952, p. 159; J. VAN STATEN, *Theodorus Pybes, monnik van Ter Duinen (1583-1632),* Cîteaux, t. V, 1954, p. 246-264; E. ORTVED, *Cistercienordenen og dens Kloster Norden,* Copenhague, 1927-1933, 2 vol.; H. TALBOT, *The bull « Exposcet » and a famous privilege,* dans *The Downside Review,* t. XLII, 1944, p. 84-94;

tandis que les autres ne se formèrent que plus tard : Haute-Allemagne, en 1595, Calabre, en 1605, Italie centrale, en 1613, Aragon, en 1616, Irlande, en 1626, Allemagne du Nord et Pologne [1].

La commune observance. — Celle qu'on appellera « de la commune observance » date de la seconde moitié du siècle. Quand on revit les statuts de l'ordre, le noviciat fut réorganisé, les mesures imposées par le concile de Trentes introduites, des « visiteurs » institués [2].

En France, en 1634, le cardinal de La Rochefoucauld, mandaté par Grégoire XV, intervint vigoureusement. Mais la réalisation la plus célèbre de l'ordre fut la formation de trois branches nouvelles : les feuillants, la stricte observance, qui restera unie à Cîteaux, les trappistes.

Les feuillants. — C'est à l'abbaye de Feuillant (*Fulium*, en Haute-Garonne [3]), que vers 1580 naquit une nouvelle congrégation, « la plus austère de l'époque »; elle fut confirmée par le bref de Sixte V du 5 mai 1586 [4] et déclarée indépendante de Cîteaux par Clément VIII (4 septembre 1592). Urbain VIII la divisa en deux branches (22 mai 1630) : celle de France, qui prit le nom de « Notre-Dame des feuillants » (trente et un monastères) et celle d'Italie, appelée des « réformés de Saint-Bernard » (quarante-trois monastères).

Les moines de l'étroite observance, comme les feuillants, avaient précédé les tentatives de La Rochefoucauld. Dom Denys l'Argentier, en 1615, groupa en congrégation quelques monastères qui acceptèrent de retourner à la discipline primitive; approuvés par le chapitre général de 1618, ils restèrent sous l'autorité de Cîteaux [5]. Après bien des vicissitudes, la constitution *In suprema* d'Alexandre VII (19 avril 1666) fixa la législation.

Quant aux trappistes, réformés par Jean Le Boutheillier de Rancé, ils ne furent organisés et approuvés qu'à la fin du siècle.

CHARTREUX [6] Tandis que les bénédictins combinaient dans une certaine mesure la vie active avec la contemplation, les chartreux avaient réussi l'alliance de la vie cénobitique et de la vie érémitique. Ils avaient

---

P. ULRICH, *La réforme des monastères cisterciens français au XVIIe siècle. Mém. de la Soc. d'Agric.... du départ. de la Marne,* t. LXXI, 1956, p. 172-183; S. WEESELS, *De Cistercienser orde en het Concilie van Trente,* dans *Cîteaux in de Nederlanden,* t. V, 1954, p. 104-117; E. WILLEMS, *Esquisse histor. de l'ordre de Cîteaux,* Bruxelles, 1957-1958, 2 vol.

[1] Cependant l'existence d'une congrégation de Pologne est douteuse.
Un bref de Paul V du 19 avril 1616 règle l'extension de l'ordre en Espagne, *B.T.,* t. XII p. 347; *D.T.C.,* t. II, col. 254; HEIMB., t. I, p. 420, 433.

[2] É. DE MOREAU, *op. cit.,* t. V, p. 404.

[3] BIBLIOGRAPHIE. — *D.T.C.,* t. V, col. 2265.

[4] *B. T.,* t. VIII, p. 700.

[5] *D.T.C.,* t. II, II, col. 2536.

[6] BIBLIOGRAPHIE. — *C.E.,* t. III, col. 388-392; *Cathol.,* t. II, col. 1008-1014; *D.T.C.,* t. II, II, col. 2274-2317; *K.E.,* t. XV, col. 78-82; *K.L.,* t. VII, col. 198-203; *L.T.K.,* t. V, col. 850-853; *Cartusiensis ordinis instituta antiqua et nova cum bullis,* 1570; J. GREVEN, *Die Kölner Kartäuse und die Anfänge der Katholischen Reform in Deutschland,* Munster, 1935; LE COUTEULX, *Annales ordinis cartusiani,* Montréal, 1887-1891, 8 vol.; LE MASSON, *Disciplina ordinis cartusiani,* Montréal, 1894; HUBERT-ÉLIE, *Les éditions des statuts de l'ordre des chartreux,* Lausanne, 1943; E. BAUMANN, *Les chartreux,* coll. *Les grands ordres monastiques,* Paris, 1939; PETREIUS, *Bibliotheca carthusiana; La Grande chartreuse,* Paris-Grenoble, 1950; D. J. LONG, *Notitia carthusianorum anglorum,* 1750 (ms. en possession des

souffert relativement plus que d'autres de la persécution protestante. Comme les autres, ils adaptèrent leurs constitutions aux décrets du concile de Trente, dans un nouveau code cartusien, la *Nova collectio statutorum*, adopté par un chapitre général (1571) et publié en 1582. Ainsi renouvelées, les chartreuses atteignaient en 1633 le nombre de deux cent-cinquante-sept, partagées en seize provinces.

§ 4. — Les mendiants [2].

ERMITES DE SAINT-AUGUSTIN DÉFINITIONS ET PRIVILÈGES — Primitivement attribuée aux seuls « frères » mineurs et prêcheurs, la qualité « d'ordre mendiant » a été étendue d'abord aux carmes et aux ermites de Saint-Augustin. Plus tard, Martin V leur avait adjoint les servites (1424). Pie V modifia considérablement le statut du groupe. Par un bref exposé du 3 octobre 1567, il déclara ces ordres « vrais mendiants » quoique possédant des biens en commun [3]. Il leur adjoignit les jésuites par son bref du 7 juillet 1571. [4] Par une bulle du 16 mai 1567 [5], il avait considérablement augmenté les privilèges accordés à cet état. Il étendit les privilèges spéciaux des frères et des sœurs de Saint-Dominique par un bref du 23 septembre 1567 [6].

Une seconde série de constitutions du même pontife communiqua les privilèges des ordres mendiants à un grand nombre d'autres. Notamment, en la seule année 1567, à ceux qui suivent : chanoines de Latran, de Saint-Sauveur et de « S. Crucis Olimbriensis », moines du Mont-Cassin, olivétains, vallombrosains, cisterciens, chartreux, hiéronymites espagnols, camaldules, frères de la milice de Jésus au Portugal (bulle collective du 16 août) [7], jésuates et frères de Saint-Jérôme (bref du 1er octobre) [8].

Dames anglaises de Bruges); N. Molin, *Historia cartusiana ab origine... usque ad... 1638*, Tournai, 1903-1906, 3 vol.; H. Nimal, *Les Chartreux en Belgique*, nouv. éd., Roulers, Bruxelles, 1902; M. Sahler, Y. Gourdel, *Les chartreux*, coll. *Les grands ordres monastiques des origines à 1949*, t. V; H. J. Schottens, *De literaire nalatenschap van de Kartuizers*, in *de Nederlanden*, dans *O.G.E.*, t. XXV, 1951, p. 9-43; E. M. Thompson, *The carthusian order in England*, dans *Church Histor. Soc.*, Londres, 1930.

[1] *D.T.C.*, t. II, ii, col. 2285, 2291; Heimb., *op. cit.*, t. I, p. 477. Voir p. 113, Bibliogr.

[2] Bibliographie. — Concile de Trente, Sess. XXV, c. 3; *C.E.*, t. X, p. 183; *K.E.*, t. IV, col. 212; *K.L.*, t. II, col. 561-563; *L.T.K.*, t. II, col. 266-267; *P.H.*, t. XVII, p. 213; J. L. de Garganta, *El Papa Clemente VII y sus criterios juridicos en la reforma de las ordenes mendicantes*, dans *Annuario Hist. del Derecho Español*, Madrid, t. XXIII, 1953, p. 289; *Storia dello stabilimento dei Monaci Mendicanti*, Venise, 1768; F. Vernet, *Les ordres mendiants*, dans *Biblioth. cathol. des sciences relig.*, Paris, 1933 (bibliographie); R. Bragard, *Les provinces religieuses des ordres mendiants dans la principauté de Liège*, dans *Bull. de la Comm. d'Hist. de Belg.*, t. CXVII, 1952, p. 231-394. — Sont mendiants de nom et de fait (interdiction de la propriété *en commun*) : les frères mineurs de l'observance, les capucins, les maisons professes de la Compagnie de Jésus. Cf. J. Creusen, *Religieux...*, *op. cit.*, n° 319.

[3] *B.T.*, t. IX, p. 614. Pie V déclara que les minimes avaient droit au titre d'ordre mendiant (1567).

[4] *B.T.*, t. VII, p. 923. [5] *Ibid.*, t. IX, p. 573.

[6] *Ibid.*, t. IX, p. 586. [7] *Ibid.*, t. IX, p. 584.

[8] *Ibid.*, t. III, p. 636.

Ces communications furent poursuivies par Grégoire XIV en faveur des croisiers (12 août 1591) [1], par Paul V pour les somasques (9 novembre 1607) [2], par Grégoire XV pour les piaristes (15 octobre 1622) [3], par Urbain VIII pour les frères de Saint-Jean de Dieu. Il a été question ci-dessus des ermites de Saint-Augustin (p. 100).

En même temps, des modifications étaient apportées aux règles de ces ordres. Car « un certain nombre des abus dénoncés [...] correspondaient en fait à un comportement parfaitement légitime au regard des lois en cours. Réformer ne pouvait consister simplement à convertir des individus à une vie plus observante, mais surtout à faire évoluer sans rien casser une situation juridique déterminée » [4].

LES CARMES [5]   De toutes les rénovations d'instituts religieux, la plus originale et la plus remarquable est sans contredit celle qui doit ses débuts à sainte Thérèse

---

[1] *B.T.*, t. IX, p. 445.

[2] *Ibid.*, t. XI, p. 449.

[3] *Ibid.*, t. XII, p. 749.

[4] A. Duval et Y. Congar, dans *R.S.P.T.*, t. XXXIII, 1954, p. 704, à propos de J. M. de Garganta.

[5] Bibliographie. — *C.E.*, t. III, p. 354-370; *Cathol.*, t. II, col. 562-584; *D.H.G.E.*, t. XI, col. 1070-1104; *D.T.C.*, t. II, ii, col. 1776-1792; *E.C.*, t. III, col. 894; *K.E.*, t. VII, col. 32-35; *K.L.*, t. II, col. 1968-1975; *L.T.K.*, t. V, col. 839-846; E. Monsignano, *Bullarium carmelitarum*, Rome, 1715-1718, 2 vol. in-fol., continué par J. A. Ximenez, Rome, 1768, 4 vol. in-fol.; *Analecta ordinis carmelitarum*, 1909 s.; *Analecta ordinis carmelitarum excalceatorum*, 1926 ss.; *Carmelus*, Rome, 1954 s.; *Ephemerides carmeliticae*, Florence, 1947 s.; Ambrosius a S. Teresia, *Monasticon carmelitanum seu lexicon geographicumhistoricum omnium fundationum universi ordinis carmelitarum*, dans *Anal. ord. carm. disc.*, t. XXII, 1950, p. 45; *Bio-bibliographia carmelitana*, *Ibid.*, t. XIV, 1939, p. 175-213; Id., *Bio-bibliographia missionaria ord. carm. disc. (1584-1940)*, *Ibid.*, t. XIV, 1939, p. 253-348 (à suivre); Bruno a S. Josepho, *Bibliographia carmelitana recentior (1946-1947)*, dans *Ephem. carm.*, 1947-1949, 159 p.; C. Wessels, *Acta capitulorum generalium... de Monte Carmelo (1518-1902)*, Rome, 1914, 1934, 2 vol.; Antoine-Marie de la Présentation, *Le Carmel en France*, Toulouse, 1936-1937, 3 vol.; Benoît-Marie de la Croix, *La réforme de l'ordre de N. D. du Mont-Carmel*, dans *Études carmélitaines*, t. XIX, ii, 1934, p. 155-195; S. Bouchereaux, *La réforme des carmes en France et Jean de Saint-Samson*, Paris, 1950; P. Claessens, *L'ordre du Carmel en Belgique*, dans *Précis histor.*, t. XXXI, 1882, p. 617-631; É. de Moreau, *op. cit.*, t. V, p. 395, 413; Édouard de Sainte-Thérèse, *Tertius Ordo Carmelitarum Discalceatorum*. Notae historicae, dans *Commentar. pro Relig. et Mission.*, t. XXXII, 1953, p. 221-223; A. de Wilt, *Aanvullingen en verbeteringen op Rosie O. Carm. Biographisch en Bibliographisch Overzicht van de Vromheid in de Nederlandse Carmel van 1235 tot 1750*, dans *O.G.E.*, t. XXV, 1952, p. 50-61; Francois de Sainte-Marie, *Histoire générale des carmes*, 1655, t. II, 1924-1930; *H.E.*, t. XV, p. 290; Fiorenze del Bambino Gesú, *La orden de S. Teresa, la fundación de la Propaganda Fide y las misiones carmelitanas*, Madrid, 1923; *Ibid.*, en italien, Milan, 1926; Gabriel de la Annunciación, *Las bibliografías carmelitanas*, dans *Anal. ord. carm. disc.*, t. XIV, 1939, p. 115-213; Père Jean-André, *Notice sur l'ancienne communauté des carmes déchaussés à Tournai*, dans *Ann. de la Soc. d'Arch. de Tournai*, N. S., t. II, p. 432; R. I. Mac Caffray, *The white friars... with special reference to the English speaking provinces*, Dublin, 1926; C. Martini, *Der deutsche Carmel*, Bamberg, 1922-1926, 2 vol.; J. Milendunck, *Sequitur chronicon universale de ortu et progressu ordinis Fratrum B. V. Mariae de Monte Carmelo in Germania inferiori (1200-fin* XVIIe *siècle)*, dans *Études carmélitaines*; M. di S. Maria, *I Carmelitani*, dans Escobar, *op. cit.*, t. I, p. 457; F. Mourret, *op. cit.*, t. V, p. 186-195, 529; t. VI, p. 715; *P.H.*, t. XIX, p. 106; *Reforma de los discalzos de N. S. del Carmel de la primitiva observancia*, Madrid, 1644-1739, 7 vol.; L. C. Sheppard, *The English Carmelites*, Londres, 1943; Thérèse de Jésus, *Libra de las Fundaciones de las hermanas descalças carmelitas*, Anvers, 1630;

d'Avila [1]. L'antique ordre du Carmel avait été profondément atteint par les causes générales de décadence. Mais, dès le xve siècle, l'esprit de réforme avait opéré un premier redressement. Le bienheureux Jean Sereth, général en 1451, avait restauré la discipline et provoqué la formation de trois nouvelles congrégations; mais une autre de ses initiatives préparait des voies nouvelles. En 1442, il obtint de Nicolas V l'autorisation d'admettre des religieuses. Et, quoique cette nouveauté ne se maintînt pas longtemps dans la ferveur, elle devait devenir le berceau d'une vie radieuse; car le salut du Carmel lui vint d'une femme. Entrée au couvent « mitigé » d'Avila en 1533, Thérèse de Ahumada entendit, elle aussi, des « voix » qui lui confiaient une mission libératrice. En dépit de tous les obstacles de l'intérieur et du dehors, joignant à la plus haute mystique un remarquable esprit pratique, elle fonda successivement Saint-Joseph d'Avila, le 24 août 1562, puis seize autres monastères de carmélites. Une pauvreté absolue, des communautés limitées à vingt et une religieuses, la liberté d'inspiration et de direction laissée aux âmes en tout ce qui n'est pas de règle, tels étaient les principaux caractères de sa réforme. Bientôt son zèle s'étendit aux religieux eux-mêmes. Grâce au concours de saint Jean de la Croix (1542-1591), qui, à travers mille souffrances, mena cette croisade, le premier couvent de « déchaussés » fut fondé à Durvelo en 1568. Le 22 juin 1580, Grégoire XIII avait approuvé la congrégation des « déchaussés » des deux sexes en Espagne [2]. A la mort de la sainte, quinze maisons d'hommes et dix-sept de femmes avaient repris l'élan vers l'idéal primitif. Le renouveau se répandit en Italie, bientôt en France, au Portugal, au Mexique et ailleurs.

Les « déchaussés » furent organisés en vicariat autonome en 1587 et en ordre indépendant le 20 décembre 1593. L'ordre se scinda le 23 novembre 1600 en deux congrégations : l'une italienne, l'autre espagnole.

ÉVOLUTION DES ANCIENS ORDRES MENDIANTS — Pas plus que les chanoines et les moines, la décadence n'avait épargné les ordres qui, au XIIIe siècle, avaient inauguré dans l'Église une manière de vivre singulièrement adaptée à la société de leur temps, joignant au travail de la perfection évangélique toutes les formes de l'apostolat, les *ordines clericorum.*

L. VAN DEN BOSSCHE, *Les Carmes,* dans coll. *Les grands ordres monastiques,* t. IX, Paris, 1930; M.-M. VAUSSARD, *Le Carmel,* coll. *Les grands ordres monastiques,* t. VII, Paris, 1929; B. ZIMMERMANN, *Carmel in England. A history of the English Mission of the Discalced Carmelites, 1615-1849,* Londres, 1899; FIDÈLE DE ROS, *Un inspirateur de sainte Thérèse : le frère Bernardin de Laredo,* Paris, 1948; L. CEIJSSENS, *De Carmelitarum belgicorum actione antijansenistica...,* dans *Analecta ord. carmelit.,* t. XVII, 1952, p. 3-121; HIGINIO DE STA.-TERESA, *Apuntes para la historia de la venerable orden tercera del Carmel en España-Portugal,* Victoria, 1954; ISMAËL DE SANTA, *Autores Carmelitas de los siglos XVI y XVII,* dans *Est. marianos,* Valencia, 1955; JANSSENS, *Historische schets van de orde van de Broeders van O. L. V. van de berg Carmel,* Carmelkluis in Carmenveld, 1955. A. STARING, *Der Karmelitengenersl Nikolaus Audet und die Katholischi Reform des XVI. Jahrhunderts,* Rome, 1959.
    [1] *H.E.,* t. XV, p. 290; *D.T.C.,* t. II, ii, col. 1776, 1789; É. MOURRET, *op. cit.,* t. V, p. 529; t. VI, p. 71; HEIMB., *op. cit.,* t. II, p. 535; É. DE MOREAU, *op. cit.,* t. V, p. 395, 413, 428, 434; *P.H.,* t. XIX, p. 106.
    [2] *B.T.,* t. VIII, p. 350. Confirmation par bref de Sixte V, du 30 septembre 1586 (*Ibid.,* p. 745).

Mais, comme les autres religieux, les « mendiants » n'avaient pas attendu le xviᵉ siècle pour donner libre cours aux aspirations plus hautes d'une élite toujours vivace dans leurs couvents. Aux xviᵉ et xviiᵉ siècles, ils prendront dans la réorganisation nouvelle une place de premier plan et des postes de commandement.

Deux des grands papes réformateurs Pie V et Sixte-Quint étaient, le premier, dominicain, le second, franciscain. Saint Pie V rendit aux mendiants un bon nombre des privilèges que Pie IV leur avait enlevés et élargit en leur faveur les décisions du concile de Trente.

LES DOMINICAINS Les Pays-Bas du Nord, qui avaient fourni la réforme de Windesheim, inspirèrent celle de la première congrégation dominicaine nouvelle, dite « de Hollande » (1464) [1], qui s'étendit à plusieurs couvents français. Mais dès 1514 se forma la congrégation de France, à laquelle se joignirent bientôt plusieurs autres congrégations : celle de Toulouse, ou « d'Occitanie », celle de Bretagne, œuvre de saint Vincent Ferrier, celle « des Anges » en Provence, celle des Philippines (1592), celle d'Arménie (1583), celle de Russie (1596) et celle de Lithuanie (1647) [2].

[1] *H.E.*, t. XV, p. 288, 309. — Vers 1623, la province de Germanie inférieure est divisée en trois « nations », brabançonne, wallonne et « des Flandres »; cf. A. DE MEYER, *Les provinciaux de la province de Germanie inférieure* (manuscrit).

[2] *B.T.*, t. X, p. 92.

BIBLIOGRAPHIE. — *Cathol.*, t. IV, col. 1618-1625; *C.E.*, t. XII, p. 354-370; *D.T.C.*, t. VI, col. 863-924, théologie des frères prêcheurs; t. XIV, II, col. 2432 s.; *E.C.*, t. V, col. 1743 (carte); *K.E.*, t. IX, col. 210-216; *K.L.*, t. III, col. 1936-1942; *L.T.K.*, t. III, col. 382-390; Th. RIPOLI, continué par A. BRÉMOND, *Bullarium ord. praedic.*, Rome, 1729-1740, 8 vol.; *Bullarium confraternitatum ord. praedic.*, Rome, 1668; V. LIGLIEZ, P. MOTHON, *Epitome bullarii O. P.*, Rome, 1898; B. REICHERT, *Monumenta O. P. historica*, Rome, 1896-1904.

PÉRIODIQUES. — *Analecta sacri ordinis fratrum praedicatorum*, 1907 s.; *Angelicum*, Rome, 1923; *Année dominicaine*, Paris, 1883-1906; *Archives d'histoire dominicaine*, Étiolles, 1946; *Archiv der deutschen Dominikaner, Quellen und Forschungen zur Geschichte des Dominikanerordens in Deutschland*; *Archivum historicum fratrum praedicatorum*, Paris, 1931; *La Ciencia tomista*, Salamanque, 1908; *Monumenta fratrum praedicatorum historica*, 1896 s.; *Revue thomiste*, Paris, 1893 s.; *Bulletin thomiste*, Le Saulchoir, 1924; *La vie spirituelle, ascétique et mystique*, Paris, 1919 s.; *Les documents de la Vie spirituelle*, Liège, 1929.

TRAVAUX. — P. AUER, *Ein neuaufgefundener Katalog der Dominikaner Schriftsteller*, Paris, 1933, in-8ᵒ; F. BANFI, *Regesta litterarum magistrorum gener. provinciam Dalmatiae spectantia (1392-1600); Archivio storico per la Dalmatia*, t. XXIV, 1937, p. 242; E. BARKER, *The Dominican order and convocation*, Oxford, 1913; M. V. BERNARDOT, R. MARTIN, H. PETITOT, *La spiritualité dominicaine*, Juvisy, extr. de la *Vie spirituelle*; H. S. DENIFLE, *Zur Quellenkunde der dominicaner Geschichte*, dans *Archiv*, t. I, p. 148; V. BERNARDOT, *L'ordre des frères prêcheurs*, Saint-Maximin, 1918; *Chez les dominicaines du grand ordre*, Lille, 1923; Th. BONNET, *Scriptores ord. praed.*, Lyon, 1885; BURKE, voir THOMAS DE BURGO; P. CLAESSENS, *L'ordre des frères prêcheurs en Belgique*, dans *Précis historiques*, t. XXXII, 1883, p. 249-263; H. CLÉRISSAC, trad. par R. SALOMÉ, *Pro domo et Domino*. Conférence spirituelle, Saint-Maximin, 1924, in-8ᵒ; *Les Congrégations dominicaines du deuxième ordre régulier*, coll. *Les ordres religieux*, 2ᵉ éd., Paris, 1924; A. D'AMATO, *I Domenicani*, dans ESCOBAR, *op. cit.*, t. I, p. 375; M.-M. DAVY, *Les dominicains*, coll. *Les grands ordres monastiques*, Paris, 1934; B. DE JONGHE, *Belgium dominicanum*, 1719; A. DE MEYER, *La congrégation de Hollande. Réforme dominicaine en territoire bourguignon (1465-1515)*. Documents inédits, Liège, s. a.; ID., *Documents pour servir à l'histoire de l'ancienne province de Germanie inférieure*, supplément à la bibliographie publ. par les *Analecta S. ord. fratrum praed.*, t. IV, 1900, p. 417, 465, dans *Archiv. fratrum praedic.*, t. I, 1930, p. 428-436; ID., *Les provinciaux de la province de Germanie inférieure, 1515-1795*, manuscrit; ID., *Glanures recueillies en les manuscrits de l'histoire dominicaine de la province de*

En Italie, Bernard de Lucques réforma de nombreux couvents, qui se groupèrent en congrégation « des Abruzzes » (1546-1601), future congrégation « de Sainte-Catherine de Sienne » (1601-1797), tandis que se formaient celle « de Sainte-Sabine » à Rome et d'autres à Florence, Venise et Naples (1583-1797). En Espagne, patrie de saint Dominique, la réforme triompha sous l'impulsion du P. Hurtado et grâce à une pléiade de religieux saints et savants, tel Pierre de Soto. Riche déjà de ses couvents nationaux, l'ordre manifesta une extraordinaire force d'expansion, au point de créer des congrégations nouvelles au Mexique (1532), en Amérique Centrale (1531), au Pérou et au Chili (1586). Ailleurs, l'ordre paya un lourd tribut de martyrs lors des luttes religieuses.

Parmi les hommes qui illustrèrent cette époque, le maître H. M. Beccaria (1589-1600) exerça une influence profonde, qui s'étendit aux maisons de Hollande comme à celles d'Allemagne, de Pologne et de Russie. C'est entre le milieu du XVIᵉ siècle et celui du XVIIᵉ que le nombre des frères atteignit son maximum. Sous Serafino Cavalli (1576-1578), ils étaient 14.000 en six cent trois couvents.

Germanie inférieure, 1515-1795, manuscrit, 1951; Id., *Les dominicains du second ordre,* Liège, 1909, in-8º; R. Devas, *Dominican martyrs of Great-Britain,* Londres, 1912; *Les frères prêcheurs,* coll. *Les ordres religieux,* nº 25, 2ᵉ éd., Paris, 1924; M. Gorce, *Figures dominicaines,* Juvisy, 1935; *H.E.,* t. XV, p. 288-309; 310 (ultra-réforme); B. Jarrett, *The English Dominicans from 1555 to 1950,* Londres, 1921, dans *D.S.,* t. V, 1952, revu et abrégé par W. Gumbly, Londres (1937), p. 154 s.; R. Loenertz, *Un catalogue d'écrivains et deux catalogues de martyrs dominicains,* dans *Archivum fratrum praedic.,* t. XII, Rome, 1942, p. 279-303; t. XIX, 1949, p. 275-279; G. Meerssman, *Étude sur les anciennes confréries dominicaines,* dans *Archivum fratrum praed.,* t. XX, 1950, p. 5-13; Fr. Miguel, *Manuscritos de la Orden de predicatores conservados en la Biblioteca de la Universidad de Barcelona,* dans *Analecta sacra Tarraconensia,* t. XV, 1943, p. 325-359; O'Heine, *The Irish dominicans of the 17th century,* c.-r. dans *Tablet,* 28 mars 1903, p. 489; C. F. R. Palmer, *Notices of Friars Preachers of the English province,* Londres, 1884; *R.T.C., La vie dominicaine,* coll. *Les grands ordres monastiques,* t. II, Paris, 1927, 6ᵉ éd.; B. M. Reichert, *Acta capitulorum generalium O. F. P. historica,* Rome, t. VI, 1601, à IX, 1844, 1902 s.; Id., *Quellen u. Forschung. zur Geschichte der Dominikanen in Deutschland,* Leipzig; Thomas de Burgo (évêque Burke), *Hiberna dominicana,* Cologne, 1762; F. Vernet, *Les ordres mendiants,* p. 35; A. Walz, *Compendium historiae ordinis praedicatorum,* 2ᵉ éd., donne une bibliographie p. xvi-xxiv. Historique, étude constitutionnelle, statistiques, activités religieuse, scientifique, apostolique. Période 1507-1804, II, p. 316, dominicaines, p. 639-679; tiers-ordre, p. 679-698, Fribourg-en-Br., 1950; H. Wilma, *Geschichte der deutschen Dominikanerinnen (1206-1916),* Dülmen, 1920; *The conventual Third order of St. Dominic and its development in England,* Londres, 1923; *Acta capitulorum generalium,* Rome (jusqu'en 1904); *Annales de la Soc. des soi-disant jésuites, op. cit.,* t. IV, p. 299 s.; (controverse avec Hallier); *Année dominicaine ou Vie de Saints,* Lyon, 1883, Grenoble, 1912; Axters, *Bijdragen tot een bibliografie van de Nederlansche Dominik. vroomheid; B.B.R.,* mss. nᵒˢ 5205, 10.441, fol. 348, 21.219 s.; Chapotin, *Études historiques sur la province dominicaine,* Paris, 1890; *English Dominican province, 1221-1921,* 1921; P. Jacquin, *Le frère prêcheur autrefois et aujourd'hui,* Kain, 1911; W. Gumbley, *Obituary Notices of the English Dominicans, 1555-1952,* Londres, 1956; Lemonnyer, *Les frères prêcheurs,* Paris, 1924; P. Mamachi, *Annales O.P.,* Rome, 1756; P. Masetti, *Monumenta et antiquitates veteris disciplinae praesertim in Romana provincia,* Rome, 1864; *Miscellanea Dominicana in memoriam VII s. ab obitu S. Dominici,* Rome, 1923; C. P. Mould, *The Irish Dominicans,* Dublin, 1957; P. Mortier, *Histoire abrégée de l'ordre de Saint-Dominique en France;* Id., *Histoire des maîtres généraux de l'ordre des frères prêcheurs,* Paris, 1903-1920 t. V s.; Quétif-Echart, *Scriptores ordinis praedicatorum,* Paris, 1719-1721 (réédit. avec additions par Coulon, Paris, 1910); Sebastiani de Olmeda, *Chronica Ordinis Praedicatorum,* dans *Annal. S. ord. fratrum praed. (XVIᵉ siècle),* t. XXI, 1933-1934, p. 281-311, 364-389; J. M. Vesely, *Il secondo ordine di S. Domenico,* Bologne, 1943; A. M. d'Amato, *Il Cammino di una grande idea : l'Ordine dei Frati Predicatori,* Bologne, 1955.

Consacré dès l'origine à l'étude et à l'enseignement de la théologie, l'ordre renforça la formation de ses membres, qui prirent une part de tout premier plan à la controverse avec les protestants. Les écoles conventuelles firent place à des couvents spécialisés pour l'étude; vingt-sept furent fondés dans des villes universitaires. En même temps que les théologiens espagnols s'illustraient dans l'École, le zèle apostolique de l'ordre, débordant l'Europe, déployait une activité remarquable dans les missions transmarines. Cf. *infra* p. 430-444.

Au point de vue institutionnel, on constate alors une tendance à la centralisation « aristocratique ». Au reste, à la différence des réformes carmélitaines et franciscaines, celles des frères prêcheurs se réalisèrent non sous des généraux distincts, mais de l'intérieur de l'ordre.

LES FRANCISCAINS [1] Semblables aux dominicains par leur origine, différents par leur orientation et leur esprit, les franciscains se distinguent parmi ceux qui ont apporté à la Réformation catholique le plus

[1] BIBLIOGRAPHIE. — GÉNÉRALITÉS. — *C.E.*, t. VI, p. 281-302; *Cathol.*, t. IV, col. 1603-1618; *D.T.C.*, t. VI, col. 281-302; t. XIV, col. 1017; *E.C.*, t. V, col. 1722 (cartes); *E.I.*, t. XVI, p. 34-39; *K.E.*, t. XVII, col. 678-686; *K.L.*, t. IV, col. 1650-1683; t. XII, col. 1143; *L.T.K.*, t. IV, col. 124-133. Voir la bibliographie indiquée dans *H.E.*, t. XV, p. 285 s.
DOCUMENTS. — MICHEL DE NAPLES, *Bullarium franciscanum, ... ad annum 1633; Bullarium Fr. O. Min. strict. observ. discalceat*, Madrid, 1744-1749, 5 vol.; J. M. SBARALEA, continué par F. A. DE LATORA et C. EUBEL, *Bullarium franciscanum...*, Rome, 1758-1780, Rome, 1897, 1902, 1904, 4 vol., t. V, VI, VII; Nova Series, I-III, 1948; C. PIANA, *Supplementum ad bullarium francisc. ex quodam opere inedito* M. SBARALEA *restituendo*, dans *Franciscan Studies*, t. XV, 1955, p. 123-145; F. BORDONI, *Archivum bullarum... O.S.F.*, Rome, 1658; FRANCISCUS MATRITENSIS, *Bullarium fratr. minor. strictioris observantiae discal.*, Madrid, 1744-1749, 5 vol.
PÉRIODIQUES. — *Archivum franciscanum historicum*, 1908 s.; *Antonianum*, Rome, 1926; *Analecta franciscana*, Necrologia, 1917; *Collectanea franciscana*, Assise, 1931; *Collectanea franciscana neerlandica, 1927-1937;* W. LAMPSEN, *Franciskaanse handschriften in Nederland*, dans *Bijdr. Gesch. Prov. Minderbr. in de Nederl.*, t. XX, 1955, p. 68-87, 209-225; *Publicaties van de Minderbroeders der Vlaamse provincie. Public. over Neerlandica franciscana. Franciscana, passim*, par exemple, t. VIII, 1952, p. 43-87, 135-148; *Revista de estudios franciscanos*, Barcelone, 1917 s., devenue *Estudios franciscanos*, Barcelone; *La France franciscaine*, Lille, 1912 s.; *Franciscan studies*, St. Bonaventure, N.-Y., 1919 s.; *Franciscanische Studien* Munster i.W. 1914.
BIBLIOGRAPHIES. — BASILIO DE RUBI *Bibliografía hispano-franciscana (1944-1946)* dans *Estud. francisc.* t. LIII p. 263-280; *Bibliografía franciscana. Collectanea franciscana*, t. I-XII (1931-1942), à suivre; *Collectanea francescana slavica*, Sibenik, 1937; M. COURTECUISSE, *Tables capitulaires des frères mineurs... de Bretagne (1476-1788)*, dans *Coll. de mémoires... relatifs à l'histoire franciscaine*, t. I, Paris, 1930; H. S. DENIFLE, *Zur Quellenkunde der Franciscaner Geschichte*, dans *Archiv.*, t. I, p. 145-148, 630-640; F. DE SESSEVAL, *Histoire générale de l'ordre de Saint-François*, Paris, 1935, 2 vol.; ILARINO DA MILANO, *La bibliografia francescana*, dans *Collectanea franciscana*, t. XIX, 1949, p. 224-246; A. HEYSSE, *Tabulae capitulares almae provinciae S. Joseph in comitatu Flandriae ordinis fratrum minorum recollectorum*, Bruges, 1910; H. LEMAY, *Histoire et évolution de la bibliographie minorite dans l'ordre de Saint-François jusqu'à nos jours*, dans *La France franciscaine*, t. XVII, 1934, p. 279-308; le même en italien, dans *Studi francescani*, t. XXXI, 1934, p. 257-287; PANDZIC, *Les archives générales des frères mineurs*, dans *Archivum*, t. IV, 1954, p. 153-164; *Il libro e le biblioteche. Atti del primo congresso bibliologico-francescano-internat.; Bibliotheca Pontificii Athenaei Antoniani*, Rome, 1950, 2 vol., t. V, VI; B. LINZ, *Scriptores provinciae Bavariae fratrum minorum, 1625-1803*, Nozzi, 1954; A. G. LITTLE, trad. A. M. ROUSSET, *Guide pour les études franciscaines*, Paris, 1930; M. SCHOENGEN, *Monasticon Batavum, I, De francisc. ordens* (éd. P. C. BOEREN, suppl. par D. DE KOK), Verhandel. der nederl. Akad. v. Wetensch. Letterk. N. S., t. XLV, Amsterdam. 1941; C. SLOOTS, *Bibliographica* (Francisc. schrijv.), dans *Bijdragen voor de Geschied, v. d. Provincie der Minderbroeders in de Nederlanden*, t. XII, 1953, p. 445-447; D. SPARACIO, *Frammenti bio-bibliografici di scrittori... conventuali dal... 600 a noi*, dans *Miscell.*

d'élan et d'efficacité. En réalité, pendant les siècles précédents, la ferveur primitive s'était périodiquement manifestée chez eux, même aux époques les plus troublées, pour corriger les déviations de la faiblesse humaine. Or ces rectifications apparaissaient d'autant plus nécessaires que l'ordre, par le nombre de ses membres et par leur influence, occupait un secteur plus important du front religieux : chaires d'universités, pèlerinages illustres, églises innombrables assidûment fréquentées. Malheureusement, entre les

franciscana, t. XXVII-XXXI; table alphab., t. XXXI, 1931, p. 198; *Collectanea franciscana Neerlandica*, Bois-le-Duc, 1927-1937; *Monumenta Germaniae franciscana; Studi franciscani*, t. VII, Florence, 1921; P. D. BERTINATO, *De religiosa juventutis institutione in ordine fratrum minorum. Studium historicum-juridicum*, Rome, 1954; B. BARALLEA, *Supplementum et castigatio ad scriptores ord. minorum*, Rome, 1800; BRENDAN JENNINGS, éd., *Wadding Papers, 1614-1638*, Dublin, 1953; FRÉDÉGAND (CALLAEY), *Historiae franciscanae studiosis notiones utiles*, 1931; CAPISTRANUS, *Novissima pro cismontana minorum familia generalium constitutionum collectio*, Rome, 1827; C. CATHALDUS, *Liber Lovaniensis. A collection of Irish Franciscan Documents, 1629-1717*, Dublin, 1956; P. V. CHECCHI, *Historia chronologica provinciae etrusco-minoriticae ab 1541 ad 1680*, 1935; *De historia fontium et institutorum ordinis fratrum minorum*, dans *Antonianum*, t. XXXI, 1956, p. 83-91; D. DE KOK, *Stationes fratrum minorum Neerlandiae tempore dominationis Calvinistarum*, dans *Collectanea franciscana*, t. XXV, 1955, p. 413-425; S. DIRK, *Histoire littéraire et bibliographie des frères mineurs de l'observance en Belgique*, Anvers, 1886.

TRAVAUX. — *H.E.*, t. XV, p. 285, 307; t. XVII, p. 284; R. BRAGARD, *La réforme des récollets dans la principauté de Liège*, dans *Franciscana*, t. VIII, p. 41; D. CRESI, *San Francesco e i suoi ordine*, Florence, 1955; DAVENPORT, voir *Franciscus a Santa Clara*; A. DE SÉRENT, *Les frères mineurs en face du jansénisme*, dans *Études franciscaines*, 1951; *Franciscan history of North America*, dans *The franciscan educational conference*, t. XVIII, 1936; L. LEMMENS, *Geschichte der Franziskaner*, 1929; A. G. LITTLE, M. R. JAMES, H. M. BANNISTER, dans *Collectanea franciscana*, British Soc. of Franciscan Studies, t. V, Aberdon, 1914; A. LOPEZ, *La provincia de España de los frates menores*, Santiago, 1915; LORENZO DI FONZO, *I Francescani*, dans *Escobar, op. cit.*, t. I, p. 157; K. KANTAK, *Franciskanie Polscy*, Krakow, 1937, 2 vol.; T. FERRÉ, *Histoire de l'ordre de Saint-François*, Rennes, 1921; A. GEMELLI, *Il franciscanesimo*, Milan, 1932, trad. par C. INGEN, *Het franciskanisme*, Turnhout, 1938; trad. par H. L. HUGHES, *The franciscan message to the world*, Londres, 1934; T. FOURÉ, *Histoire de l'ordre de Saint-François*, Rennes, 1921; FRANCISCUS A SANTA CLARA (= Chr. DAVENPORT), voir ses ouvrages dans *D.H.G.E.*, t. XIV, col. 110; A. S. FREER, *The early Franciscans and Jesuits*, Londres, 1922; *H. E.*, t. XV, p. 307 (réforme en Espagne); *Histoire générale et bibliographique des frères mineurs en France, en Belgique et dans les Pays-Bas*, Anvers, 1885; H. HOLZAPFEL, *Handbuch der Geschichte des Franciskanerordens*, Fribourg, 1909; *Irish franciscan libraries of the past*, dans *The Irish eccles. record*, t. IX, 1942, p. 215-228; *The Irish relations with France (1224-1850)*, Killiney, 1951; JULIUS DE VENETIIS, *Chronologia historico-legalis seraphini Ordinis*, Venise, 1718; A. LÉON, *Histoire de l'ordre des frères mineurs*, Paris, 1928; B. LINZ, *Geschichte der bayerischen Franziscanerprovinz zum Hl. Antonius von Padua von ihrer Gründung bis zur Säkularisation (1620-1802)*, 1926; LAZARO DE ASPURZ, *Manual de historia franciscana*, Madrid, 1954; ID., *El cardenal Vives y las instituciones franciscanas*, dans *Estudios franciscanos*, t. LVI, p. 321-346; B. LLORCA, *La Orden de San Francisco*, dans *Estudios eccles.*, t. XXIX, 1955, p. 350-373; F. MONAY, *De provincia hungarica Ordinis Fratrum minorum conventualium memoriae historicae in anniversario 250° suae restaurationis*, Rome, 1953; H. OOMS et A. HOUBAERT, *Lijst van de provincialen oversten der Minderbroeders in Belgie, 1217-1953*, dans *Franciscana*, t. X, 1955, p. 266-283; L. PRODOSCIMI, *Observantia. Ricerche sull'aspetto consuetidinario del diritto dei commentatori alla scuola storica. I commentari e i pratici italiani*, Milan, 1954; F. THYRION, *Histoire de l'ordre franciscain de l'Immaculée Conception en Belgique*, Namur, 1909; E. WAGNER, *Historia constitutionum generalium ordinis fratrum minorum*, Rome, 1954; A. MASSERON, *Les franciscains*, coll. Les grands ordres monastiques, t. XX; P. POLMAN, *De Minderbroeders in de Hollandsche zending in het concordaat van 1625 met de regulieren*, dans *Collectanea franciscana Neerland.*, Bois-le-Duc, 1927, p. 299-325; P. SEVESI, *La congregazione francescana dei Capriolanti*, dans *L'Italia francescana*, t. XV, 1940, p. 9-19; D. STOECKERL, *Die bayerische Franziskaner provinz*, Munster, 1925; F. VERNET, *op. cit.*, p. 73; A. ZAWART, *The History of franciscan preaching and... Preachers (1209-1927). A bio-bibliographical study*, dans *Franciscan studies*, New-York, 1928.

groupes les plus austères et l'ordre traditionnel ne régnait pas toujours la paix évangélique. Au début de l'époque moderne, « observants » à la bure brune et « conventuels » en robe noire restaient séparés, malgré les efforts de la papauté [1]. « De son côté, le concile de Trente permit à tous les ordres mendiants la possession en commun, sauf aux observants et aux capucins. » [2] D'autres « réformés », çà et là au sein de l'observance, se séparèrent du tronc primitif [3]. Il est vrai que, grâce aux « maisons de récollection ou de retraite », des frères « conventuels » trouvaient l'occasion d'aller se retremper dans la solitude et la prière. Malgré tout, la division entre observants et conventuels, résistant aux tentatives de Léon X en 1518, scinda définitivement l'ordre en deux allégeances, qui bientôt, sous deux « ministres-généraux », n'eurent plus de commun que leur origine et l'esprit de saint François. Mais le vent de réformation soufflait sur les deux tronçons quoique avec une efficacité différente.

Les franciscains observants [4]. — Parmi les observants, ce fut une émulation de rigueur; en sorte que de nouveaux provignements se produisirent. En France, les religieux plus fervents, groupés dans les « maisons de récollection », se formèrent en une custodie particulière, suivie de plusieurs autres; comme ils combattaient vigoureusement les « réformés » calvinistes, pour se distinguer d'eux, ils prirent, de leurs maisons de récollection, le nom de « récollets ». Ils se répandirent largement à l'étranger. En 1650 aux Pays-Bas et au Pays de Liège, ils occupaient plus de cinquante couvents. En Italie, leurs confrères, de nouveau grâce aux « maisons de récollection », se constituèrent en provinces sous le nom de *reformati*. C'est en Espagne que ces maisons, deux par province au vœu du chapitre-général, produisirent le plus de fruit.

D'autre part, un homme se trouva dont l'influence rayonna au loin, grâce à ses disciples, non seulement sur toute la péninsule ibérique, mais dans le royaume de Naples, l'Amérique du Sud, les Philippines et le Japon. Saint Pierre d'Alcantara (1499-1562), lui-même « un prodige de la pénitence », fonda en 1540 les « minorites de la très stricte observance », qui vivaient, en effet, dans une extrême austérité; leur réforme, autorisée par Pie IV en 1562, comprenait à son apogée vingt provinces, illustrées par un grand nombre d'ascètes, de missionnaires et de saints, tel saint Pascal Baylon. [5]

---

[1] *H.E.*, t. XV, p. 285, 307; t. XVII, p. 284.

[2] *D.T.C.*, t. VI, I, p. 82 s.

[3] Les décrets de réforme des conventuels furent approuvés par un bref du 17 septembre 1565, *B.T.*, t. VII, p. 399. Nouvelles constitutions pontificales les 8 juin et 23 juillet 1568, *B.T.*, t. VII, p. 676-691; t. VIII, p. 934; du 15 mai 1628, *B.T.*, t. XIII, p. 663. Bref d'Urbain VIII du 18 août 1625 pour la réforme des conventuels polonais, *B.T.*, t. XIII, p. 354. Pour celle de Hongrie (congrégation de Saint-Sauveur) le 13 septembre 1629, *B.T.*, t. XIII, p. 100. — Érection de la province de Portugal des mineurs déchaux par Urbain VIII le 1er décembre 1639, *B.T.*, t. XV, p. 37; É. DE MOREAU, *op. cit.*, t. V, p. 414.

[4] Des constitutions apostoliques réglèrent la réforme des observants le 26 octobre 1594, le 12 octobre 1596, en 1602, le 7 mars 1624, *B.T.*, t. XIII, p. 121. — Le 7 septembre 1602, Clément VIII déclare que les observants sont bien sous la règle de saint François, *B.T.*, t. X, p. 862. Paul V déclare le 4 février 1607 que le ministre général a autorité sur tous les frères mineurs, y compris la stricte observance, *B.T.*, t. XI, p. 376. — Les « clercs mineurs réguliers » sont divisés en deux provinces par Urbain VIII par bref du 6 février 1627, *B.T.*, t. XIII, p. 522.

[5] HEIMB., *op. cit.*, p. 383; *H.E.*, t. XVII, p. 286 s.

Les franciscains capucins[1]. — Sans conteste, la famille franciscaine qui contribua le plus à la restauration catholique fut celle qui compléta la trilogie de l'ordre : après les conventuels et les observants, les capucins. Ils s'étaient appelés d'abord « minorites de la vie érémitique », car leur fondateur, Matteo da Bascio ou Bassi, leur avait assigné comme idéal celui de saint François

[1] BIBLIOGRAPHIE. — *C.E.*, t. III, p. 320-327; *Cathol.*, t. IV, col. 1612-1615; *D.T.C.*, t. VI, col. 827; *E.C.*, t. V, col. 1738; *E.I.*, t. XVI, p. 373, bibliogr.; *K.E.*, t. VI, col. 801-809; *K.L.*, t. VII, col. 124-139; *L.T.K.*, t. V, col. 815; *Lexicon cappucinum promptuarium historico-bibliophicum O. F. M. Cap. 1525-1950*, Rome, 1951; MICHAEL TUGIO et PIER DAMIANO, *Bullarium ordinis F. F. minorum... capuccinorum*, Munster, Innsbruck, 1883-84; M. MICHEL, *Bullarium O. S. F.... capuccinorum*, Rome, 1740-1752, 7 vol., continué par P. D. DE MUNSTER, Innsbruck, 1883, 3 vol.

PÉRIODIQUES. — *Revista de estudios franciscanos*, Barcelone, 1907 s., devenue *Estudios franciscanos*, Barcelone; *Monumenta historica ordinis minorum capuccinorum, 1937 s.*

TRAVAUX. — BERNARDUS A COLPETRAZZO, *Historia ordinis fratrum minorum capuccinorum (1525-1593)*, Rome, 1939-1941; CELESTINO DE ANORBE, *La antigua provincia capuchina de Navarra y Cantabria, 1578-1900*, Pampelune, 1932; DAVIDE DA PORTOGRUARO, *Storia dei Cappuccini Veneti*, t. II. Primi sviluppi, 1560-1580, Venise, 1957; L. DEDOUVRES, *Le P. Joseph de Paris, capucin*, Paris, 1932; É. DE MOREAU, *op. cit.*, t. V, p. 392-399; ID., *Les capucins en Belgique*, dans *N.R.Th.*, 1948 (d'après HILDEBRAND, voir plus loin); MELCHIOR DE POBLADURA, *Historia generalis fr. minorum capuccinorum*, Rome, 3 vol.; ID., *De Cooperatoribus in Compositione Annalium ordinis fratrum minorum capuccinorum*, dans *Collectanea franciscana*, t. XXVI, p. 9-47; ID., *PAULUS A FOLIGNO, O. F. M. Cap. Origo et progressus fratrum minorum capuccinorum*, Rome, 1955; Ch. CHESNEAU, *Le Père Yves de Paris et son temps (1590-1678)*, dans *Bibl. de la Soc. d'H. eccl. de la France*, Paris, 1946, 2 vol.; P. CUTHBERT, *The Capuchins. A contribution to the history of Counter-Reformation*, Londres, 1928, 2 vol.; trad. en ital., 1930, et par J. WIDLÖCHER, *Die Kapuziner...* Munich (1931); FIDEL DE PAMPLONA, *Fervor conceptionista en la orden capuchina...*, dans *Archivo Ibero-Americano*, t. XVI, 1956, p. 87-118; GODEFROID DE PARIS, *Les frères mineurs capucins en France. Histoire de la province de Paris*, Paris, 1950; *H.E.*, t. XVII, p. 286; FRÉDÉGAND D'ANVERS (FR. CALLAEY), *Étude sur le P. Charles d'Arenberg... (1593-1669)*, Rome, 1919; ID., *Quatre siècles d'apostolat dans l'ordre des frères mineurs (1528-1928)*, Rome, 1928; P. HILDEBRAND, *Capucins diplomates au service de l'archiduchesse Isabelle, gouvernante des Pays-Bas. Philippe et Séraphin de Bruxelles*, dans *R.H.E.*, t. XXXV, 1939, p. 479-508; ID., *Les capucins en Belgique et au nord de la France*, Anvers, 1957; ID., *De Kapucijnen in de Nederlanden en het prinsbisdom Luik*, Anvers, 1945-1956, 10 t. en 11 vol.; ID., *Le ministère de la prédication chez les anciens capucins flamands (1630)*, dans *Franciscana*, t. VII, 1924, p. 274-314; ID., *Capucins belges et comtois...*, dans *Études franciscaines*, t. XLIX, 1937, p. 333-341; ID., *Uitgaven betreffende Nederlandsche capucijnen*, dans *O.G.E.*, t. VII, 1933, p. 442; t. VIII, 1934, p. 369; *H.-B.*, t. VI, p. 7 s.; HILAIRE DE BARENTON, *Les capucins français*, Couvin (Belgique), 1903; A. JACOBS, *Die rheinischen Kapuziner, 1611-1725*. Ein Beitrag zur Geschichte der katholischen Reform, Munstèr, 1933; M. KÜNZLE, *Die Schweizerische Kapuzinerprovinz*, dans HARTMANN, *op. cit.*, p. 175-203; MATHIAS A SALO, *Historia capuccina*, Rome, 1946-1950; OPTAT, *De Capucijnen, de hervorming van Port-Royal*, dans *Franciscans Leven*, 1951, p. 3-16; PAULUS A FOLIGNO, *Origo et progressus O. F. M. Cap.*, Rome, 1955; C. VON OBERLENTASCH, *Die Kapuziner in Oesterreich*, dans *Collectanea franciscana*, t. XX, 1950, p. 219-334; ID., *Id. (1600-1950)*, Rome, 1950; BERNARDINUS A COPELTRAZZO, *Historia Ordinis fratrum minorum capuccinorum (1525-1593)*, 1939; BLASIUS A SAVIGNO, *De antiqua processu pœnali in ordine fratrum minorum capuccinorum (« Modus procedendi », 1596-1901)*, dans *Jus Seraphicum*, t. I, 1955, p. 34-54. *Cenni biografici di padri illustri del ordine capuccino (1581-1804)*, Rome, 1850; CONSTANTINUS AB ALDEASECA, *Natura juridica paupertatis ordinis fratrum minorum capuccinorum ab anno 1528 usque ad annum 1638*, Rome, 1943; B. DE CARROCERA, *La Provincia de Frailes Minores Capuchinos de Castilla (1575-1701)*, Madrid, 1949; H. DE WERKE, *Institutum historicum ordinis fratrum minorum capuccinorum vigesimo quinto expleto anno ab ejus fondatione (1930-1955)*, Rome, 1955; DONATO DA S. GIOVANNI IN PERSICATO, *Biblioteca dei Frati minori cappuccini della provincia di Bologna (1535-1546)*, Budria, 1949; HILARION FELDER, *Les études dans l'ordre des capucins au premier siècle de leur histoire*, dans *Estudios franciscanos*, janvier 1930, p. 49-68; R. FISCHER, *Die Entstehung der Schweizerischen Kapuziner provinz (1581-1589). Ein Beitrag zur Geschichte der Katholischen Reform*, Fribourg, 1955; J. FLOREZ, *The Capuchins in Castille, Round*

lui-même et sa règle dans toute sa pureté. On a pu lire, dans un volume précédent [1], comment, après de cruelles épreuves, des défections et des contradictions — notamment de la part des conventuels —, provoquées par des causes plus graves que leur barbe et leur capuce, ils s'étaient rapidement et largement propagés en Italie, où les confinaient leur première règle et un décret de Paul III (1542) [2].

A l'origine, ces « ermites » étaient strictement contemplatifs; des décrets, renforcés en 1578 et en 1609, leur interdisaient même d'entendre les confessions des laïcs. Mais bientôt la sève bouillonnante fit crever les bourgeons et l'activité apostolique fleurit sous les formes les plus variées. La prédication d'abord; une parole ardente, simple, purement évangélique.

C'est parmi le peuple, dans ces « missions » si nécessaires alors, qu'elle opéra un prodigieux retour à la foi et à la vie chrétienne. Il apparut très vite cependant qu'elle devait se nourrir de doctrine solide; les études, d'abord négligées, s'organisèrent dans des centres nombreux. Au XVIIe siècle surtout, celle de la théologie prit un remarquable essor, sans cependant présenter une physionomie propre; empruntant aux diverses écoles, anciennes et récentes, elle fut éclectique, mais produisit des auteurs de valeur.

Devant l'ignorance qu'ils rencontraient partout, les capucins comprirent la nécessité de l'instruction et se firent instituteurs et catéchistes. Leur ardeur les entraînait aux tâches rudes et dangereuses, tel le service des hôpitaux. Quand la « peste » éclatait, on les voyait au chevet des malades et des mourants, donnant généreusement leurs soins et souvent leur vie. On les trouve au service des armées de terre et de mer. Plusieurs devinrent aumôniers généraux d'armées ou de flottes, pontificales ou autres, en campagne contre les Turcs.

C'est une autre guerre, parfois sanglante pour eux, à laquelle bon nombre se consacrèrent contre le protestantisme, particulièrement en Suisse, en Savoie, en Allemagne du Sud, en Angleterre et en Irlande.

Car bientôt l'Italie n'avait plus suffi à leur zèle. Le pape Grégoire XIII leur témoigna généreusement sa faveur; c'est lui qui, le 6 juin 1574, leur permit de s'étendre hors d'Italie. En 1619, ils avaient été érigés par Paul V

Table of Franciscan Research, 1954; *Historia generalis ordinis minorum fr. capuccinorum, (1619-1761)*; *Liber memorialis ordinis fratrum minorum S. Franc. capuccinorum (1528-1928)*, 1928; LOUIS DE GONZAGUE, *Le Père Ange de Joyeuse, frère mineur capucin, maréchal de France*; MARIUS A MERCATO SARACENO, *Relationes de origine ordinis minorum capuccinorum*, 1937; F. X. MARTIN, *Sources for the history of Irish Capuchins*, dans *Coll. franciscana*, t. XXVI, 1956, p. 67-79; TRICOT-ROYER, *Les capucins et la peste en Belgique*, IXe Congrès de l'histoire de la médecine, Bucarest, 1932; *I minori cappuccini in Calabria* (dalle origini ai nostri giorni), dans *Miscell. francescana*, t. LVI, 1956, p. 179-261; RAOUL DE SCEAUX, *Collection des incunables et des livres du XVIe siècle de la Bibliothèque provinciale des capucins de Paris*, dans *Collect. franciscana*, t. XVI, 1956, p. 187-201; F. RUSSO, *I minori cappuccini in Calabria*.

[1] *H.E.*, t. XVII, p. 286.
[2] Il fallut qu'Urbain VIII déclarât que les capucins sont de la lignée authentique de saint François (bref du 28 juin 1627), *B.T.*, t. XIII, p. 561.

en ordre indépendant sous un ministre-général particulier et qui comptait dès lors quarante provinces avec 14.846 membres.

Pour raconter l'épopée de leurs missionnaires, il faudrait faire le tour du monde, partant de l'Albanie et de Terre-Sainte, mentionner l'Asie, l'Australie, les Amériques et l'Afrique. La Congrégation romaine de la Propagande leur doit en partie son origine.

Partout leur humble patience dans les contrariétés, leur fervente pitié, leur zèle, leur charité à soigner les pestiférés, leur prédilection pour les plus pauvres leur avaient valu, avec la protection des souverains, une sympathie tellement universelle que des membres de l'aristocratie s'étaient joints à eux; tel Henri de Joyeuse en France et, en Belgique, le prince Charles d'Arenberg de Croy. Il en résulta que leur action s'étendit souvent à la vie politique. Le rôle du Père Joseph aux côtés de Richelieu est bien connu; plusieurs de ses confrères agirent heureusement comme diplomates-pacificateurs, le célèbre Marc d'Aviano, par exemple. Fréquemment, les souverains pontifes ou les empereurs leur confièrent des missions délicates.

La direction et le contrôle d'une activité aussi multiple, exigeaient une organisation vigilante. En 1638, par ordre du cardinal-protecteur Antoine Barberini, les constitutions avaient été modifiées; mais, en 1643, les anciennes, renouvelées il est vrai, furent rétablies. Centralisée à Rome, sous l'autorité du ministre-général, à tous les degrés, l'autorité est tempérée par celle des « définiteurs ». A mesure que l'ordre s'étendit, de nouvelles provinces furent créées, souvent par scission d'anciennes. C'est ainsi que, dans les Pays-Bas, le groupement primitif fut scindé en provinces flamande et wallonne. La première fonda la mission de Hollande, dont le provincial flamand était « préfet »; mais, par suite de difficultés diverses, entre autres l'interdiction par l'État de porter le costume conventuel imposé par Rome, elle fut abandonnée en 1632. Les deux provinces belges subirent profondément les effets de la querelle janséniste; la belle activité littéraire du début du XVIIe siècle se ralentit par crainte des censures.

Les minimes [1]. — Le message de saint François d'Assise, pris dans sa plus haute acception d'humilité et de pénitence, avait, au XVe siècle, inspiré saint François de Paule, fondateur des minimes, appelés d'abord « ermites de Saint-François » [2]; on les nommait aussi « bonshommes » en France, « pères de la Victoire » en Espagne, « pauliniens » en Allemagne. Malgré, ou plutôt grâce à l'extrême austérité de leur genre de vie, leur ordre continua à s'étendre dès le début du XVIIe siècle, en Belgique notamment, où sept nouvelles maisons surgirent de 1614 à 1624. On comptait au total quatre cent cinquante couvents.

---

[1] BIBLIOGRAPHIE. — *C.E.*, t. X, p. 325; *D.T.C.*, t. X, col. 1773-1776; *E.C.*, t. VIII, col. 1036 (carte); *K.L.*, t. IV, col. 1824-1826; *L.T.K.*, t. VII, col. 199; G. MORETTI, *I Minimi*, dans ESCOBAR, *op. cit.*, t. I, p. 545; G. ROBERTI, *Disegno del ordine dei Minimi*, Rome, 1902-1922, 3 vol.; *H.E.*, t. XV, p. 287.

[2] *H.E.*, t. XV, p. 287; HEIMB., *op. cit.*, t. II, p. 527; É. DE MOREAU, *op. cit.*, t. V, p. 416.

AU SERVICE DES CAPTIFS Dans beaucoup d'ordres religieux, la pratique de l'amour de Dieu et du prochain prend quelque forme particulière. Voici la catégorie de ceux qui se dévouèrent à secourir les misères corporelles de leurs frères.

Trinitaires. — Fondés pour la délivrance des captifs, les trinitaires [1], répandus dans la plus grande partie de l'Europe, opérèrent, dans le dernier quart du xvie siècle, une vigoureuse réforme, qui aboutit à la fondation, en Espagne, des « trinitaires déchaussés », grâce à Jean-Baptiste de la Conception (1594) et, en France, de la congrégation « occitaine » (1596), appelés tous deux à essaimer au loin. L'ordre recueillit des sommes énormes pour le rachat des esclaves et bon nombre de ses membres allèrent héroïquement jusqu'à remplacer dans les chaînes ceux qu'ils ne pouvaient délivrer [2].

Servites. — La résurgence de l'ordre des servites [3] fut d'autant plus remarquable qu'en divers pays il était, comme disent ses annales, « *ager exsiccatus* ». Diverses réformes lui rendirent une belle vitalité : notamment celle qui doit sa naissance à J. A. Porrus († 1506) et qui devint « l'observance de Cordova ». En Espagne aussi l'ordre se reconstitua (1577) et fonda la province catalane (1603). Par contre, en France du Nord, le dernier couvent, celui de Paris, fut cédé aux carmes; il est vrai que la province narbonnaise se maintint. A la fin du xviie siècle, la province grecque disparut à la suite des invasions turques.

La réunion des diverses branches de l'ordre, commencée par le général Ange de Azovelli, fut réalisée par Pie V (bulle du 5 mai 1570) [4] et Grégoire XIII (1576); ainsi, en 1570, la congrégation réformée des « observants », créée en 1411, se rattacha au tronc primitif. Par sa constitution du 22 août 1604, Clément VIII publia les « décrets pour la réforme des frères servites de la B. M. » [5].

D'autre part, l'illustre Bernardin de Ricciolini, en 1594, fonda au Monte Senario, qui s'appela « l'ermitage », la branche des « servites ermites déchaux », appelée à un avenir fécond; car, invitée à ouvrir un couvent à Innsbrück (1614), elle se développa graduellement en observance allemande avec

---

[1] BIBLIOGRAPHIE. — *C.E.*, t. XV, p. 45-717; *E.C.*, t. IX, col. 239; *K.E.*, t. XXII, col. 775; *K.L.*, col. 84-91; *L.T.K.*, t. X, col. 292-293; P. DESLANDRES, *L'ordre des trinitaires pour le rachat des captifs*, Paris, 1903; JOSEPH A JESU MARIA, *Bullarium ordinis sanctissimae Trinitatis Redemptionis captivorum*; A. ROMANO, *I Trinitari*, dans ESCOBAR, *op. cit.*, t. I, p. 131; E. MELIN, *Geschichte des Orden S. S. Trinitatis...*, Karlsruhe, 1890.

[2] Le bref de Clément VIII du 20 août 1599 instituait la congrégation des « Fratres reformati et discalceati O. S. Trinitatis redempt. captiv. », *B.T.*, t. X, p. 529. — Par bref du 12 septembre 1629, Urbain VIII l'érigeait en congrégation de France, *B.T.*, t. XIII, p. 95; F. MOURRET, *op. cit.*, t. V, p. 527; t. VI, p. 71; HEIMB., *op. cit.*, t. II, p. 72; F. VERNET, *op cit*, p. 180.

[3] BIBLIOGRAPHIE. — *C.E.*, t. XIII, p. 736; *E.C.*, t. XI, col. 410; *K.E.*, t. XXI, col. 482; *K.L.*, t. XI, col. 204-211; *L.T.K.*, t. IX, col. 499; L. ALRIN, *Histoire de sept saints et de leurs milliers de fils*, Bruxelles-Bruges, 1950; A. M. LEPICIER, *Les Servites de Marie*, Paris, 1920; G. GIANIUS, *Annalium fratrum servorum B. Mariae V. centuriae quatuor.*, Lucques, 1719-1725; I. M. N. VICENTINI, *I Servi de Maria*, Vérone, 1952-1953.

[4] *B.T.*, t. VII, p. 817.

[5] *Ibid.*, t. X, p. 667.

constitutions et vicaire-général propres, peuplant une trentaine de maisons groupées en trois provinces. La famille des servites-ermites se distinguait par une grande austérité; ses constitutions avaient été notablement influencées par celles des camaldules.

Mercédaires ou nolasques [1].— C'est une vocation et une histoire semblables que celles de l'ancien ordre militaire de Notre-Dame de la Merci (de Mercede) fondé par saint Pierre Nolasque († 1256). Comme les trinitaires, ils eurent, au début du XVIIᵉ siècle, leurs « déchaussés », à l'initiative du célèbre P. Jean du Saint-Sacrement; ils se répandirent à l'étranger, par exemple en France grâce à Marie de Médicis. Quand la délivrance des esclaves n'eut plus d'objet, ils se consacrèrent avec succès aux missions étrangères.

AU SERVICE DES MALADES Au Moyen-Age, une foule de groupements religieux, composés pour la plupart de frères lais, s'étaient consacrés au soin des malades.

Alexiens ou cellites [2].— En Belgique, à Malines puis à Anvers, les alexiens ou cellites (*cellebroeders* ou *lollards*) avaient entrepris ce ministère dès 1305 à l'égard des pestiférés; répandus en pays rhénan et en Allemagne, ils ne semblent pas s'être distingués par leur ferveur dans le mouvement général de rénovation.

[1] Statuts organiques approuvés par bref de Clément VIII, du 10 mars 1600, *B.T.*, t. X, p. 581. Confirmés par bref d'Urbain VIII, du 2 juin 1629, *B.T.*, t. XIII, p. 66. Voir aussi t. VIII, p. 619 s.; F. VERNET, *op. cit.*, p. 199.
BIBLIOGRAPHIE. — *C.E.*, t. X, p. 197; *D.T.C.*, t. XIII, II, col. 2005, col. 2017 (bibliographie); *E.C.*, t. VIII, col. 711; *K.E.*, t. XVII, col. 503; *K.L.*, t. IX, col. 1930-1933; *L.T.K.*, t. VII, col. 99-100; *La Merced*, Madrid, mensuel depuis 1918; J. LINAS, *Bullarium coelestis ac regalis ordinis Bae. Mae. de Mercede*, Barcelone, 1696; V. IGNELZI, *I Mercedari*, dans ESCOBAR, *op. cit.*, t. I, p. 439; *Summa Mariana mercedaria*, dans *Alma Socia Christi*, Rome, 1951, t. VII; A. SANCHO BLANCO, *Ordo de Mercede redemptionis captivorum pro Maria*, dans *Alma Socia Christi*, t. VII, p. 359-455; G. VASQUEZ NUÑEZ, *Manual de historia de la orden de N. S. de la Mercede*, Tolède, 1931; F. VERNET, *op. cit.*, p. 99.

[2] BIBLIOGRAPHIE. — *C.E.*, t. I, p. 306; *Cathol.*, t. I, col. 315; *D.H.G.E.*, t. XII, col. 118; *E.C.*, t. V, col. 1706; *K.E.*, t. I, col. 763; *K.L.*, t. I, col. 532-534; *L.T.K.*, t. I, col. 258-259; É. DE MOREAU, *op. cit.*, t. V, p. 402.

CHAPITRE II

LES NOUVEAUX ORDRES MASCULINS
LES CONGRÉGATIONS
LES COMPAGNIES DE PRÊTRES

EXIGENCES NOUVELLES DE L'APOSTOLAT   L'évolution de la vie conventuelle dans l'Église est marquée par des étapes célèbres, qui correspondent aux transformations fondamentales de la société. Sans parler du haut Moyen-Age, quand, au XIIIe siècle, la civilisation agricole fit place au commerce et à l'industrie, les « frères mendiants », dominicains et franciscains, adoptèrent un genre de vie qui leur permit de pénétrer profondément, par la prédication surtout, le monde des communes artisanales et marchandes.

De même, à l'aurore des temps modernes, la Renaissance et la résurgence de la mentalité naturaliste, les découvertes maritimes, l'éclosion de la bourgeoisie, l'ascension de la monarchie absolue exigèrent de l'évangélisation et de la reconquête chrétiennes de la société un nouvel effort d'adaptation qui marque dans l'histoire de l'Église un « moment » capital.

SECTION I. — NOUVEAUX ORDRES.

LE PROBLÈME DE L'EFFICACITÉ   On a pu voir plus haut comment les anciens ordres sortirent alors plus hardiment de leur solitude, étendant même leur champ d'action au delà des mers. Ce ne sont donc pas des formes d'activité que les ordres nouveaux eurent à inventer; mais les circonstances leur imposèrent des transformations constitutionnelles, des réformes de structure et de tactique de la vie conventuelle [1].

On songe tout naturellement à l'évolution qui, par une singulière coïncidence, bouleversait à la même époque l'art militaire. Sur les champs de bataille du XVIIe siècle, les anciens carrés, puissants mais peu mobiles, cédaient la place à l'ordre mince et aux mouvements de cavalerie; ainsi aussi à côté des ordres monastiques anciens, à qui la règle et l'office du chœur imposaient

---

[1] *H.E.*, t. XVII, p. 245-252, bibliographie.

BIBLIOGRAPHIE. — J. CREUSEN, *De iuridica status religiosi evolutione*, Rome, 1948, p. 31 s.; G. LESAGE, *L'accession des congrégations à l'état religieux canonique*, Ottawa, 1952; P. PISANI, *Les compagnies de prêtres du XVIe au XVIIIe siècle*, dans *Biblioth. cath. des sc. relig.*, Paris, 1927, avec bibliographie; J. BEYER, *Les instituts séculiers*, Bruges, 1954; R. LEMOINE, *Le droit des religieux. Du concile de Trente aux instituts séculiers*, Paris, 1956; H. LIPPENS, *Le droit nouveau des mendiants en conflit avec le droit coutumier du clergé séculier du concile de Vienne à celui de Trente*, dans *Archiv. francisc. hist.*, 1954, p. 241-292.

une certaine stabilité, des formations nouvelles surgirent qui se soumirent aux exigences d'un monde rénové, plus dynamique. On les voit s'affranchir du travail manuel, des abstinences et des jeûnes de règle, de la liturgie canoniale en commun, qui occupait toute la journée en la découpant, et s'assurer par là une activité extérieure plus multiple et moins entravée. En compensation, il fallut chercher un autre moyen d'entretenir la flamme intérieure de l'union à Dieu. En sorte que naquit une spiritualité nécessairement plus individualiste, où l'oraison dite méthodique prit une place primordiale.

C'est au clergé surtout que la restauration était nécessaire, car la vitalité du troupeau dépendait de celle des pasteurs : ce seraient donc des groupements de « clercs réguliers » qui incarneraient la croisade moderne. Le souci de susciter et de grouper une relève de prêtres instruits et pieux fut à l'origine des initiatives du bienheureux Jean d'Avila, de saint Ignace de Loyola, du cardinal de Bérulle, de saint Jean Eudes, de saint Vincent de Paul[1].

En même temps, l'œuvre apostolique se diversifiait sur des terrains de plus en plus spécialisés par suite de la division du travail, qui multipliait les ordres et les congrégations. Chacun d'eux se vouant à une besogne particulière, l'ensemble parvint à une efficacité plus profonde dans les divers secteurs : enseignement à tous les degrés, travail social, soulagement des misères physiques et morales, par-dessus tout, diffusion de l'Évangile, qui suit pas à pas les découvreurs et les fondateurs de colonies. Cependant, dans un cas au moins, le même ordre, grâce à une formation fort complète de ses nombreux membres, parvint à opérer sur un grand nombre de terrains à la fois.

CONSTITUTIONS NOUVELLES — Pour canaliser tout ce flot de vie conventuelle transformée, les vénérables règles des anciens fondateurs ne suffisaient plus. Il fallut donc élaborer des constitutions adaptées aux buts et aux occupations du monde moderne. Or, celles qui parurent alors furent naturellement influencées par la mentalité de leur époque de centralisation religieuse et politique; et l'on vit se former des groupements fortement reliés au Saint-Siège, dont ils allaient en retour propager l'influence. De plus, parce que les membres de certains d'entre eux se livraient à des occupations multiples, la nécessité d'assurer l'unité d'action leur imposa une discipline plus stricte comme à une armée en marche.

Mais leur discipline propre n'était pas seule en jeu. Il s'agissait de l'intégrer dans celle de l'Église universelle, dans le code officiel de la vie conventuelle catholique élaboré progressivement au cours des siècles[2].

Or, précisément à cette époque, ce code semblait se refuser à toute adoption de formes nouvelles. Dans le but de corriger les abus, l'ancienne législation avait été renforcée par la constitution *Lubricum vitae genus* de Pie V, 17 novembre 1568.

---

[1] A. Duval, *Quelques idées du Bx. Jean d'Avila sur le ministère pastoral et la formation du clergé*, dans *La Vie Spirituelle*, supplément, 1948, p. 121-153.
[2] Il sera bon de se rappeler ici les notions canoniques exposées ci-dessus, p. 96.

L'histoire qui va suivre montrera comment l'élan vital élargit peu à peu les limites de la règle.

Car, au point de vue du droit canonique, la plupart de ces nouveaux instituts commencent par être des associations à vœux simples; puis ils sont approuvés comme ordres. Presque toujours, dès les débuts, ils obtiennent le caractère d' « exempts » et de nombreux privilèges, soit directement, soit par assimilation aux ordres mendiants. On a vu plus haut (p. 114 s.) que plusieurs sont mis formellement au nombre des mendiants.

Les premiers de ces ordres de type moderne avaient été créés en Italie dans la première moitié du XVIe siècle : ce sont les jésuates, les théatins, les somasques, les barnabites. Leur œuvre se poursuit dans la seconde moitié du siècle et au XVIIe, en même temps que des ordres ou des congrégations plus récents se propagent, dont certains font un peu rentrer dans l'ombre les premières créations : ce sont les jésuites, les oratoriens, les oblats de saint Ambroise, les piaristes, les doctrinaires, les lazaristes, les eudistes, les sulpiciens, les camilliens, pour ne nommer que les principaux.

§ 1. — Les premières fondations.

THÉATINS [1] Les théatins [2], devenus rapidement les modèles des prêtres réformés, se répandirent dans toute l'Italie, puis en Allemagne, en Espagne, en Pologne, ainsi que dans les missions étrangères. Par leur méthode originale de prédication, par l'enseignement et par leurs écrits, ils exercèrent un apostolat qui peut les faire considérer comme l'avant-garde des clercs réguliers réformateurs. Leur organisation interne fut centralisée lorsque Sixte V, en 1588, leur ordonna d'élire un supérieur général qui disposerait pour six ans de toute l'autorité et nommerait pour trois ans les supérieurs de couvent.

JÉSUATES [3] Frères lais à l'origine, les jésuates, fondés par Jean Colombini en 1365, obtinrent de Paul V en 1606 l'autorisation d'accéder au sacerdoce. Dès lors, voués à l'apostolat de la parole, ils entrent dans les rangs des clercs apostoliques, reçoivent en 1641 des constitutions selon la règle de saint Augustin et sont approuvés par Urbain VIII en 1640. Mais

---

[1] BIBLIOGRAPHIE. — *C.E.*, t. XIV, p. 557; *E.C.*, t. XI, col. 1814; *K.E.*, t. XXII, col. 559; *K.L.*, t. XI, col. 1475-1479; *L.T.K.*, t. X, col. 24; *Regnum Dei, Analecta ord. cler. reg.* (Theatinorum), 1945 s.; F. ANDREU, *I teatini*, dans ESCOBAR, *op. cit.*, t. I, p. 565; R. DARRICAU, *Les clercs réguliers théatins à Paris (1644-1793)*, dans *Regnum Dei*, t. X, 1954, p. 165-204; LORTZ, *Geschichte*, p. 290.

[2] *H.E.*, t. XVII, p. 254, 258, 265. Ils avaient été fondés par saint Gaëtan de Thienne († 1547) et par le futur Paul IV, Jean-Pierre Caraffa, archevêque de Chieti (= *Teanum*, d'où *episcopus teatinus* et le nom de « Société des théatins »). Pour leur confirmation et leurs privilèges, voir *B.T.*, t. VI, p. 73, t. IX, p. 937. On surnommait « teatini » les fidèles qui communiaient souvent. TACCHI-VENTURI, *op. cit.*, p. 240 s.

[3] BIBLIOGRAPHIE. — *C.E.*, t. VII, p. 458; *K.E.*, t. XIV, col. 536; *K.L.*, t. VI, col. 1371-1374; *L.T.K.*, t. V, col. 327; F. VERNET, *op. cit.*, p. 164-169.

l'ère de vigueur qui s'était ouverte ainsi dura peu. L'ordre fut supprimé en 1668 [1].

SOMASQUES [2] Aux théatins furent unis pendant un certain temps les somasques. Mais, en 1568, ils s'organisèrent en un ordre indépendant, qui ajouta à ses œuvres précédentes la direction des séminaires et des collèges : par ses écoles pour la noblesse, il s'acquit une réputation flatteuse. Le nombre de ses couvents atteignit 119 [3].

BARNABITES [4] Venus en troisième lieu, les barnabites, fondés par saint Antoine Zaccaria († 1539), reçurent dans la deuxième moitié du XVIe siècle leur organisation constitutionnelle, approuvée par Rome en 1579 [5]. Puis ils prirent une expansion rapide dans l'Italie entière, en France, notamment en Béarn à l'invitation d'Henri IV, en Espagne et en Autriche. En 1604, ils abordèrent l'enseignement, où ils n'excellèrent pas moins que dans la prédication, dans les missions populaires et transmarines, autant que comme conseillers des princes, comme écrivains et comme prélats.

§ 2. — La Compagnie de Jésus [6].

Parmi les instituts de « clercs réguliers », la Compagnie de Jésus n'est donc pas la première dans le temps. Elle l'est par le type organique perfec-

---

[1] Coïncidences curieuses : les jésuates et les jésuites célèbrent à la même date du 31 juillet la fête de leurs fondateurs, morts l'un et l'autre ce jour-là ; jésuates et jésuites ont été supprimés par le Saint-Siège, les premiers définitivement.

[2] BIBLIOGRAPHIE. — C.E., t. XIV, p. 140; E.C., t. XI, col. 952; K.L., t. XI, col. 486-487; L.T.K., t. IX, col. 661; M. TENTORIO, I Somaschi, dans ESCOBAR, op. cit., t. I, p. 609.

[3] Constitutio congreg. cleric. regul. S. Maioli, alias de Somascha, sub regula S. Augustini. Bref de Pie V du 6 décembre 1568, B.T., t. VII, p. 729, t. X, p. 42; H.E., t. XVII, p. 265.

[4] BIBLIOGRAPHIE. — C.E., t. II, p. 302; Cathol., t. I, col. 1257; D.H.G.E., t. VI, col. 854; D.T.C., t. II, col. 422; E.C., t. IV, col. 298; K.E., t. III, col. 815; K.L., t. I, col. 2030-2033; L.T.K., t. I, col. 979; Bibliotheca barnabitica illustrata, 1933-1935; G. BOFITTO, Scrittori barnabiti... (1533-1953), Florence, 1933, 2 vol.; BARELLI DA NIZZA, Memorie dell'origine, fondazione et uomini illustri barnabiti, Pologne, 1700; V. M. COLCIAGO, I barnabiti, dans ESCOBAR, op. cit., t. I, p. 631; G. CHASTEL, Le fondateur des barnabites, saint Antoine-Marie Zaccaria, Paris, s. d., 1930; La congregazione dei chierici regolari de S. Paolo detti barnabiti, del IV centenario della fundazione (1533-1933), Gênes, 1933; A. DUBOIS, Les barnabites, coll. Les ordres religieux, n° 18, Paris, 1924; H.E., t. VII, p. 258; G. GERMANA, I barnabiti, 1909; L. LEVATI, Menologio dei barnabiti, Gênes, 1932-1937, 12 vol.; O. M. PREMOLI, Storia dei barnabiti nel seicento, Rome, 1922; Quatrième centenaire de l'ordre des barnabites (1537-1933), numéro spécial du Messager de Saint Paul, Kain, 1933; A. M. UNGARELLI, Bibliotheca scriptorum e congregatione cler. reg. S. Pauli, Rome, 1836.

[5] H.E., t. XVII, p. 258; H.-B., t. VI, p. 11; HEIMB., op. cit., t. III, p. 270.

[6] BIBLIOGRAPHIE. — C.E., t. VIII, p. 54; t. XIV, p. 81; t. XV, p. 131; D.T.C., t. VIII, col. 1012-1108 (théologie des jésuites); E.C., t. IV, col. 1601; K.E., t. XIV, col. 562; K.L., t. VI, col. 1374-1424; L.T.K., t. V, col. 328; t. X, col. 781; P. JESUS JUANBELZ, Bibliografia sobre la vida, obras y escritos de San Ignacio de Loyola, (1900-1950), Madrid, 1956 (indispensable répertoire de toutes les publications ou mentions qui concernent la vie et les œuvres de saint Ignace); Ch. SOMMERVOGEL, Dictionnaire des ouvrages anonymes et pseudonymes publiés par les religieux de la C. de J., Paris, Bruxelles, Genève, 1884; ID., Bibliothèque de la Compagnie de Jésus, Bruxelles, 1890-1900, 9 vol.; continué par P. BLIARD, t. X et XI (tables), Paris, 1909 et 1915; E. M. RIVIÈRE et F. CAVALLERA, Corrections et additions à la Bibl. de la C. de J., Toulouse, 1911; R. DE SCORAILLE, Em. RIVIÈRE, Moniteur bibliographique, Paris, 1888-1914; SOMMERVOGEL, Index bibliographique, Rome,

tionné qu'elle a inauguré, qui caractérise le mieux cette forme de vie religieuse et qui a servi de modèle à beaucoup d'associations d'hommes et de

1938; J. ALLARY, *Repertorium van alle nederlandse boeken en artikels handelend over de Societeit van Jezus, januari 1930-maart 1956*. PÉRIODIQUES : *Analecta gregoriana*, Rome; *Archivum Historicum S. J.*, Rome, 1932 s.; TESCHITEL, *Archivum romanum S. J.*, dans *A.H.S.J.*, t. IV, 1954, p. 145-152; *Bijdragen van de philos. en theol. facult. der Nederl. jezuieten*, Maastricht, 1938 s.; *De religiosis... periodica*, Bruges-Rome-Ratisbonne-Paris, 1911 s.; *Monumenta historica S. J.*, 1894 s.; *Gregorianum*, Rome, 1920 s.; *Études de théologie, de philosophie et d'histoire*, Paris, 1857, depuis 1862 : *Études religieuses, historiques et littéraires*, depuis 1872 : *Études relig. philos., histor. et littéraires*, depuis 1897 : *Études*, Paris, 1857 s.; *Estudios eclesiasticos*, notamment t. XXX, 1956, n° 118 : Centenaire de saint Ignace; *Ons geestelijk erf*, Anvers, 1927; *Recherches de science religieuse*, Paris, 1910; *Revue d'ascétique et de mystique*, Toulouse-Paris, 1920 s.; *Stimmen aus Maria-Laach*, Fribourg-en-Br., 1871, depuis 1914 : *Stimmen der Zeit; Zeitschrift für Katholische Theologie*, Innsbrück, 1877 s.

BIBLIOGRAPHIES. — *Bibliographia de Historia S. J.*, périodiquement dans *Archivum hist. S. J.*; J. JUAMBELZ, *Index bibliographique S. J.*, *1940-1950*, Rome, 1953; K. EDER, *Die Kirche, op. cit.*, p. 372-376, abondante bibliographie; E. LAMALLE, *Bibliografia de historia S. J.*, dans *A.H.S.J.*, 1933 s.; I. POLGAR, *Bibliographia de historia S. J.*, dans *A.H.S.J.*, t. XXII, 1953, p. 675-773; R. NASH, *Jesuits Bibliographicals essays*, Dublin, 1956; *Fontes narrativi de S. Ignatio de Loyola et de Societatis Jesus initiis*, vol. II; *Index bibliographiques S. J.*, t. I, 1937; t. II, 1938; t. III, 1939; t. IV, 1940-1950; *Narrationes scriptae annis 1557-1574*, éd. C. de Dalmases, Rome; ALETOPHILUS, *Artes jesuiticae in sustinendis pertinaciter novitatibus, laxitatibusque sociorum*, Strasbourg, 1717. J. F. GILMONT et P. DAMAN, *Bibliographie ignatienne (1894-1957)*, Paris, Louvain, [1958].

TRAVAUX. — A. ASTRAIN, *Historia de la Compañia de Jesús en la assistencia d'España*, Madrid, t. I-V, 1902-1916; BARTOLI, *Dell'istoria della Compagnia di Gesù in Inghilterra*, Turin, 1825; M. BATLLORI, *Selectiones nuntii de historiogr. S. J.*, dans *A.H.S.J.*, t. XXV, 1956, p. 738-795; H. BECHER, *Die Jesuiten. Geschichte und Gestalt des Ordens*, Munich, 1951; V. BELTRÁN DE HEREDIA, *Crisis de la Compania de Jesús*, Barcelone, 1900; H. BERNARD-MAÎTRE, *François Le Picart, docteur de la faculté de théologie de Paris et les débuts de la Compagnie de Jésus (1534-1536)*, dans *Bull. de Littér. ecclés.*, t. LV, 1954, p. 90-117; H. BÖHMER, *Studien zur Geschichte der Gesellschaft Jesu*, Bonn, 1914; ID., *Die Jesuiten*, éd. par J. LEUBE puis par K. D. SCHMIDT, Stuttgart, 1957; J. BRODRICK, *The origin of the Jesuits*, Londres, 1945, 3e tirage; ID. *The progress of the Jesuits*, Londres, 1946; ID., *A procession of Saints*, Londres, 1949; ID., trad. par J. BOULANGÉ, *Origine et expansion des jésuites*, Paris, [1950], 2 vol.; ID., *Saint Ignatius of Loyola — The Pilgrim's Years*, Londres, 1956; A. BROU, *Les jésuites de la légende*, Paris, 1906, trad. de DUHR, *infra*; P. BRUCKER, *Les griefs contre les jésuites, anciens et modernes*, dans *Études*, t. LXXXVIII, 1901, p. 764-784; ID., *La Compagnie de Jésus*, Paris, 1929, 1949; *La Compagnia di Gesù e le scienze sacre*, dans *An. Gregor. ser. theol.*, t. XXIV, A, n° 3; J. CRAHAM, *St. Ignatius and cardinal Pole*, dans *A.H.S.J.*, t. XXV, p. 72-98; M. J. CRÉTINEAU-JOLY, *Histoire de la Compagnie de Jésus*, Bruxelles, 1845, 6 vol.; L. CRISTIANI, dans *H.E.*, t. XVII, p. 296-326, 338-357, 475-489; J. DAMIANO, *Synopsis Primi Saeculi S. J.*, Louvain, 1641; P. DE CHASTONAY, *Die Satzungen des Jesuitenordens : Werden, Inhalt, Geistesart*, Einsiedeln-Cologne, 1938; ID., *Constitutions de l'ordre des jésuites*, trad. franç., Paris, 1941; F. DE DAINVILLE, *L'enseignement de l'histoire et de la géographie et la « Ratio studiorum »*, Rome, 1953; L. D. DE JONGHE, *De Orde der Jezuiten*, Leyde, 1929; [P. DELATTRE], *Les établissements des jésuites en France depuis quatre siècles*, Enghien, 1941-1951; ID., *Les jésuites et les séminaires*, dans *R.A.M.*, t. CIX, 1953, p. 20-43, 161-176; É. DE MOREAU, dans *H.E.*, t. V, p. 353; ID., *L'Église en Belgique*, Bruxelles-Paris, 1945, p. 184; P. DOMINIQUE, *La politique des jésuites*, Paris, 1955; B. DUHR, *Geschichte der Jesuiten in den Ländern deutscher Zunge*, Fribourg-en-Br., Ratisbonne, 1907-1928, 4 vol. en VI t.; ID., *Hundert Jesuitenfabeln*, Fribourg-en-Br., 1902; ID., *Die Stellung der Jezuiten in den deutschen Hexenprozessen*, Cologne, 1900; *Amis et ennemis*, t. I, p. 821-869; ID., *Die studienordnung der Gesellschaft Jesu*, Fribourg-en-Br., 1896; etc. Voir B.J.B., t. III, p. 1043; K. EDER, *Die Kirche...*, p. 40-81; P. FERET, *La faculté, op. cit.*, t. III, p. 57; *Extraits des assertions dangereuses et pernicieuses... que les... jésuites ont... soutenues*, Paris, 1762; H. FOLEY, *Records of the English province of the Society of Jesus*, Londres, 1877; H. FOUQUERAY, *Histoire de la Compagnie de Jésus en France des origines à la suppression*, Paris, 1925, t. IV, V, p. 475 (liste et histoire des collèges, table); R. FÜLOP-MILLER, *Macht und Geheimnis der Jezuiten*, Leipzig, 1929, voir GUIDAU, 1954; J. B. GOETSTOUWERS, *Synopsis historiae Societatis Jesu*,

femmes [1]. Elle a vécu l'âge d'or de sa première existence, qui se termine en 1773, précisément pendant la période que décrit le présent volume. Et, de ce fait, elle compte parmi les instruments les plus puissants de la restauration catholique.

LES STRUCTURES Il ne sera pas nécessaire de rappeler ici son fondateur, ses origines et ses premiers développements [2]. Démocratique par le droit de suffrage de tous ses profès à la désignation des membres des assemblées suprêmes, elle est monarchique par son général, élu à vie et investi d'une puissance qui donne à l'ensemble une remarquable unité d'action; monarchique encore par chacun de ses supérieurs subalternes, agents du général qui les a nommés, elle est aristocratique par la « consulte » que la règle impose aux chefs comme conseil à chaque degré de la hiérarchie, même au général, qui a des « assistants ». Par là, elle s'harmonisait à l'esprit de son temps. Mais ce ne fut qu'une des causes de son succès : ni cette inci-

Louvain, 1950 (Refonte de l'ouvrage de F. X. Wernz, L. Schmitt, A. Kleiser (excellents tableaux synoptiques); Griksinger, *The Jesuits*, Londres, 1865; J. G. Guidau, *Les jésuites et le secret de leur puissance* (trad. de Fülop-Miller), 1933; *H.E.*, t. XVII, p. 296; *H.B.*, t. VI, p. 281, bibliographie; A. Hamy, *Documents pour servir à l'histoire des domiciles de la Compagnie de Jésus dans le monde entier, de 1540 à 1773*, Paris, s. a.; Th. Hugues, *Hist. of the Soc. of Jesus in North America*, Londres, 1907-1917, 2 vol.; *Imago primi saeculi S. J.*, Anvers, 1640; *Id.*, en flamand; J. Janssen, *L'Allemagne et la Réforme*, Paris, 1887-1911, 8 vol., t. IV, p. 475-479; A. Kroess, *Geschichte der Boehmischen Provinz der Gesellschaft Jesu*, Vienne, 1910; J. Lortz, *Geschichte*, p. 294-299; A. Martini, *I Gesuiti*, dans Escobar, *op. cit.*, t. I, p. 687; I. Ortiz de Urbino, *La Comp. di Gesù e l'apostol. scient. fra gli Orientali* dans *Analecta gregoriana*, ser. theol., t. XXIX, Rome, 1942, p. 151; F. Piaget, *Histoire de l'établissement des jésuites en France (1540-1640)*, Leyde, 1893; A. Poncelet, *Histoire de la Compagnie de Jésus dans les anciens Pays-Bas... jusqu'à la fin du règne d'Albert et d'Isabelle*, Bruxelles, 1927, 2 vol.; Id., *Nécrologe des jésuites de la province flandro-belge*, Wetteren, 1931; Id., *Nécrologe des jésuites de la province gallo-belge*, Louvain, 1908; Abbé Mesnier, *Problème historique. Qui des jésuites ou de Luther ont le plus nui à l'Église chrétienne?*, Avignon [Paris], 1757-1763; *Quarto Centenario della Compagnia di Gesù*, Rome, 1941; M. Quera, *S. Ignacio legislador de la Compañía de Jesús*, dans *Est. ecles.*, t. XXX, 1956, p. 363-390; F. Rodriquez, *Historia da Companhia de Jesus na assistencia de Portugal*, Porto, 1950, 7 vol.; M. Smits van Maesberghe, *De geest van S. Ignatius in zijn orde*, Utrecht, 1940; P. Tacchi-Venturi, *Storia della Compagnia di Gesù in Italia*, Rome, t. I, II, en 2 parties, 1951; E. L. Taunton, *The history of the Jesuits in England (1680-1773)*, Londres, 1901; F. van Hoeck, *Schets van de geschiedenis der Jesuiten in Nederland*, Nimègue, 1940; L. Velics, *Geschichte der Jesuiten in Ungarn*, Budapest, 1912-1914, 2 vol.; St. Zaleski, *Historia S. J. in Polonia*; Id., *Geschichte der Jesuiten in Polen*, Lemberg, 1900-1906, 5 vol.; I. Ipaguirre, *Obras de San Ignacio de Loyola*, Madrid, 1952; H. Lahrkamp, *Die Annalen der Jesuiten. Ein Beitrag zur Geschichtsforschung der Barokzeit*, dans *Westfälische Zeitschr.*, t. CV, 1955, p. 105-148; H. Leube, *Der Jesuitenorden und die Anfänge nationaler Kultur in Frankreich*, Tubingue, 1935; A. Martin, *La Compagnia di Gesù e la sua storia*, Chieri, 1953; H. Rosa, *Os jesuitas de sua origen aos nossos dias*, Rio de Janeiro, 1954, en italien, Rome, 1957; I. Sicard, *La reforma de Clemente VIII y la Compagnia de Jesús*, dans *Rev. Españ. de Der. Canon.*, t. IX, 1954, p. 681-723; L. Steinberger, *Die Jesuiten und die Friedensfrage (1635-1650)*, Fribourg, 1905; J. Stierli, *Die Jesuiten*, Fribourg, 1955; H. Stoeckius, *Die Reisordnung der Gesellschaft Jesu im XVI J.*, dans *Sitz. Ber. d. Heidelb. Akad.*, t. V, 1912; *Storia religiosa politica e letteraria della Compagnia di Gesù*, Parme, 1845-1847; L. C. Suttorp, *De orde der Jezuiten*, Wageningen, 1956; G. Toffanin, *Umanesimo e « Ratio studiorum »*; P. Van Gestel, *Loyola en Jesuitenorden*, Utrecht, 1956; L. Van Hertling, *Sant'Ignazio di Loyola di fronte alla « riforma » protestante e alla « restaurazione » cattolica*, dans *Civ. cattolica*, 15 décembre 1956, p. 585-586;

[1] M. Zalba, *Las Constituciones de la Compañia de Jesus en la historia del derecho de los religiosos*, dans *Razon y Fe*, t. CLIII, 1956, p. 102-123.

[2] *H.E.*, t. XVII, p. 324 s.

dence, ni l'appui des monarques qui appréciaient ses services et qui retrouvaient dans son général leur propre image, ni la perfection d'une organisation toujours plus savante, ni les capacités des hommes remarquables qui entouraient son fondateur, ni le talent d'adaptation de ses membres, leur esprit d'équipe et leur habileté, ne livreraient « le secret de sa puissance », si ces avantages n'avaient été corroborés par ce qui est son âme, une « raison héroïque de vivre », révélée par la méditation des *Exercices spirituels*, le service du Christ-Rédempteur passionnément aimé, choisi comme modèle du don de soi. Toujours, malgré les faiblesses de toute armée nombreuse, elle a compté parmi ses membres une élite animée de cette flamme ; mais, au cours de son premier siècle, cette élite est vraiment la « première légion ».

LES OPPOSITIONS D'autre part, organisme nouveau, par l'impétuosité même et la nouveauté de son élan, elle devait soulever de multiples oppositions et des hostilités tenaces. Partout les mêmes causes provoquaient contre elle les mêmes animosités. On l'accusait de la *libido dominandi*, d'ambition ; le luxe de ses églises, ses « incorporations » de maisons peu peuplées appartenant à d'anciens ordres [1], la « fondation » de ses collèges et résidences, qui occasionnait parfois de nouveaux impôts, lui attiraient le reproche de cupidité, tandis que sa combativité souvent excessive lui suscitait des ennemis et que la force de sa cohésion lui aliénait les esprits individualistes ou timorés. Outre ces griefs généraux, certaines causes particulières ont valu à la Compagnie des adversaires puissants parmi certains corps constitués, les mêmes dans divers pays. C'est d'abord la classe des juristes et de l'administration. A ses yeux, les jésuites avaient le tort, non seulement d'ajouter au nombre des religieux, déjà trop considérable, mais aussi d'introduire des règles nouvelles ; puis, en grande faveur chez les souverains catholiques, ils aimaient recourir directement à eux par dessus la tête des conseillers et au mépris des formes légales.

Considérés comme des intrus par le monde politique, ils devaient l'être aussi dans celui du savoir. Armés d'une bulle de Pie V, ils prétendaient enseigner les hautes sciences et même en conférer les grades ; on vit naturellement partout l'Université défendre son monopole.

A ces contradictions s'ajoutaient celles des doctrines. Et, comme les doctrines ignorent les frontières nationales, les leurs soulevèrent un peu partout des résistances semblables sur le terrain philosophique et théologique. On sait les interminables controverses où les tenants du molinisme s'opposaient, sur la question de la grâce, aux thomistes et aux augustiniens [2]. Il faudra revenir plus loin sur la querelle du baïanisme et du jansénisme, qui étendirent le débat aux questions de morale.

Et la théologie ne fut pas seule cause de l'opposition de certains membres de l'un et de l'autre clergé. Plusieurs reprochaient en outre aux jésuites

---

[1] Il sera question de ces incorporations plus loin, p. 218.

[2] Il ne s'agit pas, bien entendu, d'opposition entre les ordres comme tels. Cf. DUHR, *Geschichte...*, t. II, p. 162.

leur influence envahissante dans la vie paroissiale. La forme aussi de leur institut, en particulier la prétention au caractère de « religieux » fondé sur les vœux simples prononcés au sortir du noviciat, fut violemment prise à partie par le célèbre dominicain Melchior Cano et par plusieurs autres. Et que dire des rancœurs causées par les « incorporations » de biens aux dépens d'autres ordres ?

LES CRISES Aucun de ces adversaires cependant ne fit courir au nouvel organisme de danger aussi menaçant que les crises de croissance qu'il eut à traverser et celles que provoqua l'intervention des papes dans son organisation interne.

Il était naturel que, créé en Espagne par un Espagnol, les Espagnols aient voulu le dominer. Un Père, Antonio Araoz, personnage influent et difficile, plus tard le fameux P. Jean de Mariana et d'autres, tentèrent de modifier les constitutions, déclenchant des dissenssions de famille que les généraux Mercurian et Aquaviva durent dissiper avec vigueur. Finalement, en 1608, la sixième congrégation générale mit « pour toujours un terme à l'agitation intérieure contre l'Institut » [1].

Mais ces oppositions avaient trouvé un appui chez plusieurs papes, religieux anciens, mécontents de certains éléments de la règle. Dès les débuts, Pie V réclama le rétablissement de l'office récité en chœur sous certaines conditions et interdit d'élever les religieux au sacerdoce avant les vœux solennels. Mais son successeur Grégoire XIII rendit à la Compagnie ses privilèges [2]. A son tour, Sixte-Quint désapprouvait le mode de nomination des supérieurs et le nom même de Compagnie de Jésus ; mais la mort l'empêcha de réaliser des transformations. Enfin, Innocent X, qui se montra d'ailleurs aussi favorable à l'ordre que ses prédécesseurs, exigea de la huitième congrégation générale trois modifications, qui furent abrogées par Alexandre VIII et Benoît XIV.

LES RÉALISATIONS A travers ces tempêtes, depuis le concile de Trente, qui l'avait approuvée, la Compagnie progressait constamment, sous des chefs dont plusieurs se distinguèrent par leur sainteté de vie, tel saint François de Borgia (1569-1572), ou par leurs talents d'administrateurs. Claude Aquaviva, organisateur énergique, « général » pendant trente-deux ans (1582-1615), et son successeur plus « politique », Mutius Vitelleschi, dont le gouvernement ne fut guère moins long (1615-1645), lui donnèrent sa forme actuelle.

C'est le moment où, comme toute œuvre nouvelle, la Compagnie dut s'organiser pour durer. Habituellement, le premier élan, communiqué par un fondateur à quelques hommes de choix, se diffuse ; il se détend et donc se refroidit parmi des disciples toujours plus nombreux mais moins doués ou moins ardents. Il arrive alors que les supérieurs cherchent dans une

---

[1] Sur ces crises intérieures, ASTRAIN, *op. cit.*, t. I, p. 585 s. ; t. II, p. 218 s. ; t. III, p. 99 s., 347 s., 368 s., 402 s. ; FOUQUERAY, *op. cit.*, t. II, p. 319.
[2] Approbatio tertia S. J. par la bulle du 25 mai 1584, *B.T.*, t. VIII, p. 457 ; sur les menaces de la part de Sixte V, ASTRAIN, *op. cit.*, t. III, p. 453-476.

réglementation plus évoluée le moyen de maintenir la ferveur primitive [1]. Ainsi s'élaborèrent dans la Compagnie la codification des règles, la rédaction du *Ratio studiorum*, le *Directorium* des *Exercices spirituels*. En même temps se multipliaient les collèges, se fondaient les séminaires pontificaux, notamment le Collège romain et les collèges nationaux, tandis que les théologiens, les controversistes, les prédicateurs prenaient une part très active à la Restauration catholique, que les missionnaires portaient l'Évangile au delà des mers, souvent au prix de leur sang, que les aumôniers militaires de terre et de mer exerçaient leur ministère au péril de leur vie [2]. L'expansion de l'ordre dans presque toute l'Europe et dans de nombreux pays de missions porta le nombre de ses membres à 5.000 en 1581; en 1615, il était monté à plus de 13.000 pour atteindre 15.544 en 1625. En 1580, il y avait 12 noviciats et 144 collèges, en 1640, respectivement 49 et 518; en 1580, 10 maisons professes, en 1640, 27 et 294 résidences.

Cet accroissement rapide n'allait pas sans inconvénients. Il fut une des causes d'un certain déclin qui, malgré la réglementation et surtout à partir de 1640 déjà, suivit la période d'ascension. A force de s'étendre trop vite à des ministères et à des collèges toujours plus nombreux, la Compagnie finit par jeter dans l'action des sujets moins préparés. D'autre part, l'hostilité de ses ennemis, en particulier celle des jansénistes, puis des difficultés financières, suites des guerres et de l'appauvrissement général, la décadence des collèges entraînée par la concurrence de rivaux fort capables autant que par le commencement d'une régression des études classiques, contribuèrent à diminuer les succès de l'institut. Ajoutez qu'une bonne partie de ce succès provenait de la carence du clergé paroissial; elle devait s'éclipser dès lors que ce clergé, en se réformant, reprenait des activités qui lui incombaient, telles les catéchismes, la prédication, les associations pieuses.

Au point de vue de l'histoire ecclésiastique générale, la Compagnie de Jésus a influencé notablement l'évolution du statut canonique de la vie conventuelle. C'est ainsi que Grégoire XIII, non seulement abolit les modifications constitutionnelles de Pie V (28 février 1573), mais permit de conférer les ordres sacrés aux jeunes jésuites avant la profession. Bien plus, par la bulle du 25 mai 1584, il déclara — innovation remarquable — que les scolastiques et les coadjuteurs (les non-profès) étaient de véritables « religieux », *vere et proprie religiosi*, quoique n'ayant prononcé que des vœux simples. Décision qui, en élargissant les conceptions traditionnelles, ouvrait la voie à la reconnaissance par l'Église d'instituts à vœux simples [3].

---

[1] Au sujet des transformations introduites sous les généralats de saint François de Borgia et du P. Aquaviva, voir la prégnante analyse que P. PEETERS a donnée de O. KARRER, *Franz von Borja... (1510-1572)*, Fribourg-en-Br., 1921, dans *Anal. Bollandiana*, t. XLI, 1923, p. 224 s. — Sur les *caractères particuliers* de l'organisation de la Compagnie, voir ASTRAIN, *op. cit.*, t. I, p. 181-199.

[2] H. HOLZHAPFEL, *Unter nordischen Fahnen.*, Paderborn, 1955; FOUQUERAY, *op. cit.*, t. I, p. 623-628, 661, t. III, p. 466-468, 481, t. IV, p. 370-373, t. V, p. 165 s.; PONCELET, *op. cit.*, t. II, p. 405-423; DUHR, *op. cit.*, t. I, p. 875 (Soldaten), t. II, II, p. 783 (Soldaten).

[3] J. CREUSEN, *Instituts...*, p. 60. Cf. J. BEYER, *Les instituts séculiers*, Paris, 1954, p. 35-92; ID., *Der Einfluss der Konstitutionen der G. J. auf das moderne Ordensleben*, dans *Geist und Leben*, t. XXIX, 1956, p 440-454, t. XXX, 1957, p. 47-59.

SECTION II. — LES CONGRÉGATIONS.
LES COMPAGNIES DE PRÊTRES.

ORATOIRE DE JÉSUS[1] Entre la Compagnie de Jésus et l'Oratoire de Jésus apparaissent bon nombre de traits de ressemblance. L'une et l'autre ont eu, à peu près à la même époque, leur période d'ascension, où un chef de valeur exceptionnelle s'entourait de compagnons d'élite; pour l'une et l'autre, cette splendeur s'assombrit dans les luttes jansénistes; tous deux ont brillé par leurs collèges, qui ne faisaient point partie du plan primitif de leur fondateur; tous deux sont nés de conceptions qui innovaient de façon marquante[2].

A d'autres points de vue, l'Oratoire diffère nettement de la Compagnie. Ses créateurs n'ont pas voulu en faire un ordre de « religieux », ni les soumettre directement au Saint-Siège mais à la juridiction des évêques; pour eux, l'action extérieure n'est pas un but essentiel. Ce qu'ils ont voulu — et réalisé — c'est la restauration de la sainteté du sacerdoce. Au regard de l'idée qu'on se faisait jusque là d'un institut religieux, leur trouvaille est plus inouïe et même plus hardie que celle de saint Ignace. C'est une association de simples prêtres, sans vœux, presque sans vie commune.

L'initiative vint d'Italie, de cet homme supérieur que fut le saint et aimable Philippe de Néri, l'initiateur de l'*Oratorio*. Dès la première moitié du siècle, son enthousiasme communicatif avait gagné en nombre croissant des adhérents à un genre de vie sacerdotale où la prière et la méditation tenaient

[1] BIBLIOGRAPHIE. — *C.E.*, t. XI, p. 272; *E.C.*, t. V, col. 1327; t. VII, col. 358; t. IX, col. 206; *K.E.*, t. XIX, col. 227; *K.L.*, t. II, col. 485; t. III, col. 2018; t. IX, col. 213; *L.T.K.*, t. VII, col. 744-746; L. BATTEREL, *Mémoires domestiques pour servir à l'histoire de la congrégation de l'Oratoire*, Paris, 1902-1905, 4 vol.; J. CALVET, *La littérature religieuse de François de Sales à Fénelon*, Paris, 1924, p. 89-111; A. CHAUVIN, *Les Oratoriens instituteurs*, Paris, 1889; [DE SWEERT], *Chronicon congregationis Oratorii Domini Jesu per provinciam archiepiscopatus Mechliniensis*, Lille, 1740; ID., Bibliothèque de la *R.H.E.*, n. 17-19; Ch.-E. CLOYSEAULT, *Recueil de vies de quelques Pères de l'Oratoire*, Paris, 1882-1883; J. DAGENS, *Bérulle et les origines de la restauration catholique (1575-1611)*, Paris, [1952]; ID., *Le cardinal de Bérulle et les débuts de l'Oratoire*; L. DESTRAIT, *Les oratoriens de Soignies*, dans *Ann. du cerc. arch. de Soignies*, t. VII, 1936, p. 42-59; C. GASBARRI, *I Filippini*, dans ESCOBAR, *op. cit.*, t. II, p. 901; ID., *Il spirito dell'Oratorio di Filippo Neri*, Brescia, 1949; A. GEORGE, *L'Oratoire*, coll. *Les Grands ordres monast.*, Paris, 1928, 2e éd.; 1954; Th. GOOVAERTS, *De adventu Patrum Oratorii... e Gallia in Belgio...*, dans *B.B.R.*, ms. 18.107, n. 3; INGOLD, *Généralats du cardinal de Bérulle et du P. de Condren*, Paris, 1882, 3 vol.; ID., *L'Oratoire et le jansénisme*, Paris, 1887; M. LE HERPEUR, *L'Oratoire de France*, Paris, 1926; J. LORTZ, *Geschichte*, p. 290; [PAQUOT], *Mémoires...*, t. I, p. 257; A. MONTICONE, *L'applicazione del Concilio di Trento a Roma. I « reformatori » e l'Oratorio 1566-1572*, dans *Riv. Stor. d. Chiesa*, t. VIII, 1954, p. 23-48; R. NOTOMIER, *L'Oratorio di Francia*, dans ESCOBAR, *op. cit.*, t. II, p. 939; A. PERRAUD, *L'Oratoire en France aux XVIIe et XIXe siècles*, Paris, 1885; *S. Filippo Nerio e il contributo oratoriano a la cultura ital. nei sec. XVI-XVIII*, dans *Bibliot. Vallicell.*, Rome, 1950; RAUGEI, *L'Oratorio*, Lausanne, 1948; *Statuta Congregat. Oratorii... in viginti novem primis congregation. general... per provinciam Mechliniensem*, dans *B.B.R.*, ms. II, n. 1230; P. TACCHI-VENTURI, *op. cit.*, t. I, p. 423-438, publie les statuts de l' « Oratorio (Confraternità) del divino amore »; Ch. VAN MERRIS, *Histoire de l'Oratoire en Belgique sous l'épiscopat de Jacques Boonen*, dans *Annuaire de l'Université de Louvain*, t. LXVI, 1912, p. 411-413.

[2] É. DE MOREAU, dans *H.E.*, t. V, p. 417, 295, 399, 525; J. MOELLER, *Histoire de l'Église,* Paris, 1869, t. III, p. 218.

la première place. Le 15 juillet 1575, Grégoire XIII donnait au nouveau corps sa consécration [1], puis le texte des constitutions fut confirmé par un bref de Paul V, le 24 février 1612.

Les « philippins », comme on les appela en Italie, vivraient une vie pieuse avant tout, mais sans rudes mortifications, en fait « modérée » [2]. Après les épreuves du début, ils étendirent rapidement leur influence à la Curie, à la ville, puis à Naples [3], à l'étranger, en Autriche, en Espagne et en Portugal, même dans l'Amérique du Sud [4].

La semence jetée en Provence allait donner naissance à un provignement merveilleux, l'Oratoire de France, né de l'initiative de Pierre de Bérulle et de ses contacts avec les philippins de la maison d'Aix. Mieux la grande figure de Bérulle est connue, grâce à des travaux récents de premier ordre, plus elle apparaît parmi les plus marquantes dans la Réformation catholique. Né le 4 février 1575 au château de Sérilly en Yonne, le futur fondateur, élevé dans un milieu austère, conçut très jeune cette abnégation devant Dieu qui devait caractériser sa spiritualité et son école.

A la suite d'une retraite, il réalisa que le meilleur but à poursuivre était de convaincre les hérétiques, non par la controverse mais par la sanctification de l'Église et surtout par celle du sacerdoce. Mis au courant des usages de l'Oratorio, il réunit à son tour, le 10 novembre 1611, six prêtres choisis, noyau de l'Oratoire de France; le fameux jésuite Coton, ami fidèle de Bérulle, salua son œuvre comme une « création qui manquait à l'Église ». Le 10 mai 1613, Paul V instituait canoniquement « l'Oratoire de Jésus », auquel il assignait la tâche surérogatoire de l'éducation de la jeunesse [5]. Le but de la nouvelle association serait de tendre à la perfection sacerdotale dans l'esprit de l'Église, dans la soumission à ses canons et à sa hiérarchie. Après une existence d'une extraordinaire fécondité, traversée d'ailleurs par des luttes amères dues à la multiplicité de ses activités et à leur caractère parfois profane, Bérulle, devenu cardinal, s'éteignit le 2 octobre 1629. Il laissait son institut en pleine prospérité. Sous ses successeurs immédiats, l'illustre P. de Condren et le P. Bourgoing, les constitutions de la congrégation furent élaborées par des assemblées générales, tandis que son action se développait par des chemins divers.

Sur deux de ces chemins, l'enseignement à la jeunesse et celui de la théologie, l'Oratoire de Jésus devait rencontrer la Compagnie de Jésus, première occupante. Et l'histoire complète doit dire que, d'un côté comme

---

[1] *B.T.*, t. VIII, p. 541; *H.E.*, t. XVII, p. 329; MOURRET, *op. cit.*, t. V, p. 538, t VI, p. 77, 114.

[2] A. PERRAUD, *op. cit.*, p. 21.

[3] Urbain VIII, par le bref du 31 octobre 1637, accorde à l'Oratoire de Naples tous les privilèges de celui de Rome, *B.T.*, t. XIV, p. 612.

[4] *H.E.*, t. XVII, p. 329.

[5] *L'institutio congregationis* est l'objet d'une bulle de Pie V du 8 mai 1613, *B.T.*, t. XII, p. 205. Urbain VIII, par un bref du 14 janvier 1625, accorda à l'Oratoire de France les privilèges de celui d'Italie (*B.T.*, t. XIII, p. 273) et, par celui du 30 mai 1626, il lui unit la *Congreg. orat. Aquensis, ibid.*, p. 461.

de l'autre, l'idéal n'a pas protégé tous les membres contre leurs faiblesses humaines. Ce n'est pas le moment de parler de la querelle janséniste. Quant à celle qui sévit ça et là au sujet des collèges, il en est un exemple typique dans l'introduction de l'Oratoire aux Pays-Bas. Sur le désir de l'archevêque de Malines, Joseph Boonen, qui n'aimait pas les jésuites, Corneille Jansénius s'employa activement à obtenir pour la Belgique des Pères de l'Oratoire, précisément dans le but de faire la concurrence aux collèges de la Compagnie. Dieu seul sait toutes les entraves que les défauts de ses serviteurs ont mises à la Restauration de son Royaume!

OBLATS DE SAINT-AMBROISE[1]   Sur un terrain plus restreint, des prêtres du diocèse de Milan, s'offrant à saint Charles Borromée, formèrent en 1578 une association, dont les membres se consacreraient par vœu à obéir pour tout ministère religieux à l'archevêque de Milan, successeur de saint Ambroise. De là, leur nom d' « oblats de Saint-Ambroise ». Ils se consacrèrent avec succès au ministère sacerdotal, à l'enseignement et à la direction des séminaires. Les uns vivaient en communauté, les autres, disséminés dans le diocèse, devaient se réunir périodiquement. Leur exemple fut suivi à l'étranger.

BARTHÉLÉMITES[2]   Ce n'est pas dans le Midi seulement que le souci de la réforme du clergé donna naissance à des groupements de clercs. A Salzbourg en 1640, un curé, le bienheureux Bartholomé Holzhauser († 1658), réunit en communauté un certain nombre de prêtres, noyau d'un institut qui obtint en 1680 l'approbation d'Innocent XI et exerça dans la suite, particulièrement par la direction des séminaires, une puissante influence.

Outre les jésuites et les oratoriens, d'autres clercs réguliers s'appliquèrent spécialement à la formation de la jeunesse, surtout des enfants déshérités.

CLERCS DE LA MÈRE DE DIEU[3]   Frappé de l'ignorance religieuse du peuple, le bienheureux Jean Leonardi fonda en 1583 à Lucques une congrégation de prêtres, qui fut approuvée par Clément VIII en 1593. Elle se donnait pour but, outre la sanctification de ses

---

[1] BIBLIOGRAPHIE. — *C.E.*, t. I, p. 403, t. III, p. 623; t. XI, p. 189; *E.C.*, t. IX, col. 26; *K.E.*, t. II, col. 126; *K.L.*, t. I, col. 690-693; *L.T.K.*, t. I, col. 344-345; A. BERNO-REGGI, *Le origini della Congregazione degli Oblati di S. Ambrozio*, dans *Humilitas*, n° 2, 1931; HÉLYOT-MIGNE, t. III, col. 21; R. MOLS, *Saint Charles Borromée, pionnier de la pastorale moderne*, dans *N.R.T.*, t. LXXIX, 1957, p. 600-622 s.; C. SYLVAIN, *Histoire de saint Charles Borromée*, t. III, Lille, 1884, p. 79-106.

[2] BIBLIOGRAPHIE. — *C.E.*, t. II, p. 137; *Cathol.*, t. I, col. 1269; *D.H.G.E.*, t. VI, col. 1039; *K.E.*, t. IV, col. 40; *K.L.*, t. I, col. 2058-2059; *L.T.K.*, t. I, col. 992.

[3] BIBLIOGRAPHIE. — *C.E.*, t. IV, col. 52; t. VII, p. 25; t. XII, p. 758; *Cathol.*, t. II, col. 1215; *E.C.*, t. III, col. 1436; t. VI, col. 630; *K.L.*, t. III, col. 531; *L.T.K.*, t. VIII, col. 727; t. V, col. 512; F. FERRAIRONI, *I Chierici regolari della Madre di Dei*, dans ESCOBAR, *op. cit.*, t. I, p. 78; *H.-B.*, t. VI, p. 12; *Clercs réguliers mineurs*. Approbation par Pie V, 1er juillet 1588. Cf. *B.T.*, t. IX, p. 53; *C.E.*, t. IV, p. 51; *Cathol.*, t. II, col. 1213-1215; *E.C.*, t. III, col. 1437;

membres, l'instruction des enfants pauvres. Rapidement, elle se répandit dans toute l'Italie.

PIARISTES [1]   C'est un dessein analogue qui inspira les « clercs réguliers des Écoles pies » ou piaristes, appelés aussi « pauvres de la Mère de Dieu, des écoles pies, pauliniens, scolopes, *escolapios* » en espagnol. Ils ont commencé à Rome en 1597 grâce à saint Joseph de Calasancta († 1648), furent approuvés par Paul V — d'où leur nom de pauliniens [2] — puis reconnus comme ordre religieux le 18 novembre 1621 par Grégoire XV [3]. La « congregatio Paulina clericorum regularium pauperum Matris Dei scolarum piarum » ouvrit les premières écoles gratuites ; elle s'occupa d'abord des classes élémentaires, auxquelles elle ajouta dans la suite l'enseignement moyen, même aux enfants riches. Elle se répandit dans l'Italie, l'Espagne, la Moravie, la Bohême, la Pologne, l'Autriche et la Hongrie ; elle devint la plus importante congrégation d'enseignement de la jeunesse masculine après celle des frères des Écoles chrétiennes.

DOCTRINAIRES [4] Tel était le besoin d'instruction religieuse, que de nombreux groupements surgirent pour la diffusion de la doctrine chrétienne. Comme le nom d'oratoriens, celui de « doctrinaires » s'applique à deux associations, l'une italienne, l'autre française. Celle d'Italie dut sa fondation, en 1560, à un noble Milanais, Marc de Sadis Cusani. Il réunit à Rome des prêtres et des laïcs, qui enseigneraient la religion aux enfants et aux ignorants. Avec une partie d'entre eux il forma les « clercs réguliers ou Padri de la doctrine chrétienne » ou « doctrinaires » ; on les appela aussi « agathistes », parce qu'ils desservaient l'église de Sainte-Agathe au Transtévère. L'autre groupe des disciples de Cusani forma une congrégation de frères. Les doctrinaires, pour qui le cardinal Bellarmin écrivit un catéchisme, fondèrent des écoles populaires du degré primaire.

K.E., t. VII, col. 606 ; *K.L.*, t. III, col. 530 ; t. IV, col. 1821 ; *L.T.K.*, t. VIII, col. 727. — *N.B.* On trouvera dans Heimb., *op. cit.*, t. III, p. 285, 519, l'indication d'*autres instituts de clercs moins importants.*

 [1] Bibliographie. — *C.E.*, t. XIII, col. 588 ; *Cathol.*, t. II, col. 1214 ; *E.C.*, t. III, col. 1438 ; t. VI, col. 819 ; *K.E.*, t. VI, col. 656 ; *K.L.*, t. IX, col. 2096-2101 ; *L.T.K.*, t. VIII, col. 261 ; I. Biro, V. Tomak, *A magyar piarista rendtartomany törtenete*, Budapest, 1943 ; *B.T.*, t. XVII, p. 271-272 ; *H.-B.*, t. VI, p. 30 ; L. Pigagniol, *La biblioteca scolopica di S. Pantaleo di Roma*, dans *Rassegna di storia e bibliografia scolopica*, t. XIX-XX, Rome, 1952 ; Id., *Epistolario di S. Giuseppe Calanzazio*, dans *Storia e Letteratura*, t. XLVIII, 1952, Rome ; Id., *Gli Scopoli*, dans Escobar, *op. cit.*, t. I, p. 853 ; Seipert, *Ordensregeln der Piaristen*, Halle, 1683 ; K. Wottke, *Beiträge zur Geschichte des Piaristenordens*, 1914.

 [2] Par un bref du 14 janvier 1614, *B.T.*, t. XII, p. 205. La congrégation fut érigée par un bref du 6 mars 1617. *Ibid.*, p. 382.

 [3] *B.T.*, t. XII, p. 627. Les constitutions furent confirmées par une bulle du 31 janvier 1621. *Ibid.*, p. 650.

 [4] Bibliographie. — *C.E.*, t. III, p. 86 ; *Cathol.*, t. XI, col. 943 ; *E.C.*, t. IV, col. 1908 ; *K.E.*, t. IX, col. 170 ; *K.L.*, t. III, col. 1872-1877 ; *L.T.K.*, t. III, col. 371 ; P. du Mas, *La vie du Père César de Bus*, Paris, 1705 ; M. A. Goubier, *Charles de Bus. Essais d'art et de philosophie*, Paris, 1951 ; Hélyot-Migne, t. II, col. 49 ; F. Mourret, *op. cit.*, t. VI, p. 539 ; C. Rista, *I Dottrinari*, dans Escobar, *op. cit.*, t. II, p. 919.

A la même époque, un prêtre français d'une vie intérieure intense, le bienheureux César de Bus, pour combattre le calvinisme, s'adjoignit des confrères zélés comme lui et, ensemble, ils parcoururent la France, prêchant et vulgarisant le catéchisme romain. Parmi ces confrères, J.-B. Romillon, un converti, accueillit le groupe dans sa maison d'Avignon, où on vécut en communauté sous la conduite de César de Bus. Mais des conceptions différentes au sujet de cette collaboration amenèrent un partage. De Bus et son successeur, le P. Vigier, désirèrent introduire des vœux, tandis que Romillon tenait pour la seule règle de charité. En sorte qu'une partie des doctrinaires s'unit en 1616 aux somasques (voir p. 130), tandis que Romillon et ses partisans se joignirent aux oratoriens français [1]. Mais, en 1647, Innocent X annula l'union avec les somasques et rétablit les doctrinaires dans leur premier état. Plus tard, les deux branches de la congrégation, italienne et française, furent réunies par Benoît XIV (1747).

LAZARISTES [2] On a vu plus haut divers groupements se vouer à l'enseignement religieux dans les écoles. Déjà les doctrinaires s'appliquaient à répandre ces connaissances dans les diverses régions.

Voici maintenant des congrégations qui se donnèrent pour but le relèvement de la foi et des mœurs par les « missions », tant à l'intérieur des nations chrétiennes qu'au dehors chez les infidèles. Une des plus connues et des plus méritantes est celle que saint Vincent de Paul fonda à Paris le 17 avril 1625 sous le nom de « prêtres de la Mission » ou lazaristes, du nom du prieuré de Saint-Lazare à Paris, où les prêtres se fixèrent en 1632. Grâce à l'influence que « Monsieur Vincent » avait acquise dans la haute société par sa sainteté et son zèle ardent, il trouva le moyen de réaliser, à côté de ses œuvres de charité corporelle, les grandes idées de sa vie : l'évangélisation des pauvres et l'épuration du clergé par une meilleure formation.

En fondant la congrégation de la Mission, qu'Urbain VIII approuva le 12 janvier 1632, il lui assigna comme but de relever par le moyen de missions les populations des campagnes, lamentablement abandonnées. Des prêtres zélés entreprenaient pendant quinze jours la conversion d'une paroisse par des prédications, des catéchismes, des visites à domicile, particulièrement chez les malades. Modestes au début, le nombre des collaborateurs et leurs succès crurent rapidement dans toute la France et même en Italie. Dans la suite, ils se répandirent largement à l'étranger.

---

[1] La bulle d'union de Paul V est du 11 avril, *B.T.*, t. XII, p. 353.

[2] BIBLIOGRAPHIE. — *C.E.*, t. X, p. 337; *E.C.*, t. IV, col. 287; *K.E.*, t. XVI, col. 87; *K.L.*, t. VII, col. 1562-1577; *L.T.K.*, t. VI, col. 430-431; A. POTH, *Collectio bullarum... congr. missionum*, Vilna, 1815; P. COSTE, *La congrégation de la Mission dite de Saint-Lazare*, Paris, 1924; ID., *Le grand saint du grand siècle, Monsieur Vincent*, Paris, 1932; C. DELVILLE, *Petit abrégé de l'histoire de la congrégation de la Mission*, Douai, 1656; A. BUGUINI, *I Missionari di S. Vincenzo di Paolo*, dans ESCOBAR, *op. cit.*, t. II, p. 955; *Congrégation de la Mission*, dans *Répertoire historique*, Paris, 1900; G. GOYAU, *La congrégation de la Mission des lazaristes*, dans coll. *Les grands ordres religieux*, Paris, 1938; *H.-B.*, t. VI, p. 21; C. LACOUR, *Histoire de la congrégation de la Mission*, dans *Annales de la congrég. de la Mission 1897-1899*; MOELHER, *op. cit.*, t. III, p. 219; F. MOURRET, *op. cit.*, t. VI, p. 131; STELLA, *La congregazione della missione in Italia*, Paris, 1884-1899.

Plus importante encore fut l'action de saint Vincent pour la préparation sacerdotale. Déjà en accueillant des ordinands, il les avait préparés à recevoir pieusement le sacrement. Mais ensuite, à la demande des évêques, il entreprit la fondation de plusieurs séminaires, pris en charge par ses prêtres.

Tandis que les disciples de Monsieur Vincent s'appliquaient à adoucir les maux de la guerre, ils se consacraient aussi à porter les consolations spirituelles aux galériens et aux chrétiens en esclavage sur les côtes d'Afrique. Bientôt leur zèle missionnaire alla s'exercer plus au loin, à Madagascar en 1648, en Chine en 1697, plus tard en de nombreux autres pays. Quand saint Vincent de Paul mourut, en 1660, la congrégation comptait 622 prêtres.

EUDISTES[1] Parmi la pléiade de saints prêtres français qui restaurèrent le catholicisme dans leur pays et à l'étranger par leurs créations, saint Jean Eudes occupe une place de premier rang à côté du cardinal de Bérulle et de saint Vincent de Paul. Comme ses émules, il fut un des promoteurs des missions intérieures et de la rénovation du clergé. Entré dans l'Oratoire en 1623, il se consacra dès 1631 aux missions populaires; il en prêcha au moins 112, qui duraient de six à huit semaines. Mais ce contact avec la population lui révéla l'urgent besoin d'une Réformation des prêtres; et, comme les séminaires créés sur l'ordre du concile de Trente étaient encore trop rares, il en érigea dans six diocèses à la demande de leur évêque. Devant la nécessité de former le personnel enseignant, il quitta l'Oratoire en 1643 et fonda à Caen la « congrégation de Jésus et Marie », qui ne fut approuvée à Rome qu'en 1851. Ses membres, « prêtres missionnaires » ou « eudistes », vivent en communauté, promettant obéissance à leur supérieur, en signant simplement un acte d'incorporation; ils ne sont donc pas « religieux » et, membres d'une société de clercs sous l'autorité des évêques, ils ont gardé pour but les missions populaires et la formation du clergé.

Leur fondateur est aussi l'auteur de nombreux traités ascétiques et il recommanda vivement la dévotion aux Cœurs de Jésus et de Marie.

SULPICIENS[2] Ni Bérulle, ni Vincent de Paul, ni Jean Eudes n'avaient épuisé l'étonnante fécondité française de cette époque. C'est encore et surtout à la formation des futurs prêtres que se consacra Jean-Jacques

[1] BIBLIOGRAPHIE. — *C.E.*, t. V, p. 596; *Cathol.*, t. XIV, col. 666; *D.T.C.*, t. V, II, col. 1466; *E.C.*, t. IV, col. 296; *K.E.*, t. X, col. 596; *K.L.*, t. IV, col. 954-957; *L.T.K.*, t. III, col. 837; P. E. GEORGES, *Saint Jean Eudes, missionnaire apostolique*, Paris, 1936; ID., *La Congrég, de Jésus et Marie dite des eudistes*, Paris, 1933; ID., *Saint Jean Eudes, apôtre et docteur du culte liturgique des Sacrés-Cœurs*, Paris, 1925; J. HAMON, *Gli Eudisti*, dans ESCOBAR, *op. cit.*, t. II, p. 975; F. MOURRET, *op. cit.*, t. VI, p. 119; D. BOULAY, *Vie du vénérable Jean Eudes*, Paris, 1920; L. GARRIGUET, *Le Sacré-Cœur de Jésus*, Paris, 1920; H. JOLY, *Saint Jean Eudes*, Paris, 1926; LEBRUN, *La dévotion au Cœur de Marie*, Paris, 1918; ID., *Le bienheureux Jean Eudes et le culte public du Sacré-Cœur*, Paris, 1918; A. PIOGET, *Un orateur de l'école française : saint Jean Eudes*, Paris, 1940; ID., *Saint Jean Eudes... d'après ses traités et sa correspondance. Essai de psychol. relig.*, Paris, 1940; Ch. DU CHESNAY, *Les eudistes*, Paris, 1956.

[2] BIBLIOGRAPHIE. — *C.E.*, t. XI, p. 240; *F.C.*, t. IX, col. 94, t. XI, col. 1501; *K.E.*, t. XXII, col. 324; *K.L.*, t. XI, col. 1951-1959, t. IX, col. 806-807; *L.T.K.*, t. VIII, col. 890-891; P. BOI-

Olier (1608-1657). Après une jeunesse mondaine, converti et soumis à la direction du P. de Condren de l'Oratoire, il entreprit, lui aussi, la fondation de séminaires. Le trait original de son initiative fut que, à la suite des jeunes gens qui se joignirent à lui, les séminaristes vivraient en commun la même existence que leurs maîtres.

Le premier de ces établissements s'ouvrit à Vaugirard en 1641; mais, l'année suivante, M. Olier accepta la cure de Saint-Sulpice, qu'on lui offrait, et y transporta son premier séminaire, appelé « de Saint-Sulpice », noyau de la compagnie du même nom (« prêtres du clergé »). A la différence des associations diocésaines, elle dépendait de l'abbé de Saint-Germain-des-Prés et, par lui, directement du pape. Elle se répandit lentement en France, puis au Canada, à Montréal. Après la mort de M. Olier, elle compléta son organisation et fut approuvée en 1664. Le troisième supérieur général, Louis Tronson (1676-1700), en fut le législateur, il compléta les statuts et rédigea le règlement pour les supérieurs ainsi que le directoire des maisons de province.

PII OPERARII[1] Enfin, le vénérable Charles Caraffa fonda à Naples en 1601 un groupement de prêtres dans le but de répandre l'enseignement de la religion et d'organiser des missions populaires. Son œuvre reçut l'approbation de Grégoire XV en 1621; mais elle ne se répandit guère au-delà de Naples et de Rome.

LES HOSPITALIERS[2] Puisque « Dieu est charité » et que le commandement « semblable au premier » est l'amour du prochain[3], le renouveau du christianisme devait se manifester dans les « œuvres de miséricorde » tant corporelle que spirituelle.

Frères de la Miséricorde ou de Saint-Jean de Dieu, ou frères de la charité, ou Frate Benefratelli. — Le plus important des ordres consacrés au soin des malades doit son origine à saint Jean de Dieu († 1550); en 1540, il ouvrit

SARD, *La Compagnie de Saint-Sulpice. Trois siècles d'histoire*, Paris, 1959, 2 vol. multigraphiés. L. BERTRAND, *Bibliothèque sulpicienne ou Histoire littéraire de la Compagnie de Saint-Sulpice*, Paris, 1900; *Constitutions de la Compagnie des prêtres de Saint-Sulpice*, 1931; E.-M. FAILLON, *Vie de M. Olier*, Paris, 1873, 3 vol.; Ch. HAMEL, *Histoire de l'église de Saint-Sulpice*, Paris, 1909; HÉLYOT-MIGNE, *op. cit.*, t. III, col. 577; M. R. JEUNÉ, *I Sulpiziani*, dans ESCOBAR, *op. cit.*, t. II, p. 999; H. JOLY, *La Compagnie de Saint-Sulpice*, Paris, 1914; E. LEVESQUE, *Lettres de M. Olier*, Paris, 1935, 2 vol.; G. LETOURNEAU, *La mission de J.-J. Olier et la fondation des grands séminaires en France*, Paris, 1906; F. MONIER, *Vie de J.-J. Olier*, Paris, 1914; J. MONVAL, *Les sulpiciens*, Paris, 1934; F. MOURRET, *op. cit.*, t. VI, p. 134; P. POURRAT, *J.-J. Olier*, Paris, 1932.

[1] BIBLIOGRAPHIE. — *C.E.*, t. XVI, Index, p. 735; *Cathol.*, t. II, col. 1214; *E.C.*, t. IX, col. 1469; *K.L.*, t. I, col. 1231; *B.T.*, t. XVII, p. 271; t. II, p. 252; R. TELLERIA, *I Pii operari Catechisti Rurali*, dans ESCOBAR, *op. cit.*, t. II, p. 931; CALASANZ BAU, *Biografia critica de San José de Calasanz, fundador de las Escuelas Pias y patrono oficial de todas las escuelas populares cristianas*, Madrid, 1940.

[2] BIBLIOGRAPHIE. — *C.E.*, t. II, p. 802; *K.L.*, t. VI, col. 1687; *L.T.K.*, t. V, col. 153-155; H. LÉGIER-DESGRANGES, *Hospitaliers d'autrefois, Hôpital général de Paris (1656-1790)*, Paris, 1955.

[3] *I Ep. Saint-Jean*, IV, 8.

à Grenade un hôpital où il se mit lui-même avec un dévouement héroïque
au service des pauvres souffrants [1]. Bientôt, ses compagnons et imitateurs,
toujours plus nombreux, se groupèrent sous des constitutions inspirées
de la règle de saint Augustin. Approuvés par une bulle de Pie V, du
1er janvier 1572 [2], ils furent reconnus par un bref de Paul V du 7 juillet 1617 [3]
comme « vrais religieux » et obtinrent l' « exemption » ainsi que les privilèges
des vrais mendiants (1624).

Leur expansion fut rapide. Sous Urbain VIII, leurs hôpitaux d'Espagne
atteignaient le nombre de 79 pour monter à 138 avec 4140 lits dans le courant
du siècle, tandis que la congrégation fondée en Italie en desservait 155 avec
7210 lits. Marie de Médicis les introduisit en France, où ils eurent 27 maisons,
notamment, à Paris, la Charité. Ils s'établirent aussi en Allemagne, en
Bohême et dans les missions étrangères des Indes occidentales, du Mexique,
d'Afrique et d'ailleurs.

Clercs réguliers mineurs ou Marianites. — La congrégation des marianites
(clerici regulares minores) doit son origine à trois Italiens, saint François
Caracciolo († 1608), d'où le nom de « caracciolins », Fabricius et Jean Augustin
Adorno. Ils fondèrent à Naples un institut destiné au soin des
malades, au ministère sacerdotal et à l'enseignement. Il fut approuvé
par Sixte V en 1588 et confirmé de nouveau par Paul V en 1605.
Il se répandit dans la péninsule ibérique et se consacra même aux
missions étrangères [4].

Camilliens [5]. — Fondés par saint Camille de Lellis (1560-1614), approuvés
en 1591 par Grégoire XIV, les camilliens avaient « pour but l'assistance
corporelle et spirituelle des malades », mais aussi, en ces temps de guerre,
des blessés sur les champs de bataille. De là leur nom de « clercs réguliers
pour le service des malades » *« ministri degli infermi »*; de là aussi leur
diffusion rapide. A une époque où les épidémies de toute sorte ravageaient

---

[1] BIBLIOGRAPHIE. — *C.E.*, t. II, p. 802; *E.C.*, t. VI, col. 564; t. IX, col. 416; *K.E.*, t. VI,
col. 6, 275; M. A. SCODANIGLIO, *Bullarium religionis B. Joannis de Deo*, 1683; N. GUYGI,
Bullarium totius ordinis... S. Joannis de Deo, Rome, 1724; A. CHAGNY, *L'ordre hospitalier
de Saint-Jean de Dieu en France. Les frères de la Charité (1602-1792)*, Lyon, 1951; R. MEYER,
Vie de saint Jean de Dieu, Abbeville, 1897; J. MONVAL, *Les frères hospitaliers de Saint-Jean
de Dieu*, coll. *Les grands ordres monast.*, t. XXII, Paris, 1936; G. RUSSOTTO, *I frate benefratelli
in Sardegna (1616-1866)*, Rome, 1866; ID., *I frate benefratelli*, dans ESCOBAR, *op. cit.*, t. I,
p. 665.

[2] *B.T.*, t. VII, p. 958.

[3] *B.T.*, t. XII, p. 3. Confirmation pour les hôpitaux d'Allemagne, de France et de Pologne
par un bref du 13 février 1617 (*Ibid.*, p. 379); celui du 16 mars 1619 fixe leur sujétion aux
Ordinaires (*Ibid.*, p. 439).

[4] G. ROSSI, *I Caracciolini*, dans ESCOBAR, *op. cit.*, t. I, p. 845.

[5] BIBLIOGRAPHIE. — *C.E.*, t. III, p. 218; *Cathol.*, t. II, col. 441; *D.H.G.E.*, t. XI, col. 606;
E.C., t. VIII, col. 1040; *E.I.*, t. VIII, col. 541 s.; *K.E.*, t. VI, col. 710; *K.L.*, t. II, col. 1765-1770;
Bibliografia camillana, Vérone, 1910; *Les camilliens*, Lyon, 1948; G. LATARCHE, *Saint Camille
de Lellis*, Paris, 1907; C. GONTIER, *Les ordres religieux. L'ordre de Saint-Camille de Lellis*,
Paris, 1928; M. VANTI, *I Camilliani*, dans ESCOBAR, *op. cit.*, t. I, p. 823; ID., *Storia dell' ordine
degli chierici regolari ministri degli infermi (1586-1607)*, Rome, 1943-1945, dans *Domesticum*,
1937-1945; J. B. ROSSI, *Vita Ven. Camilli de Lellis fundatoris sacri ordinis Clericorum
Regularium Infirmis Ministrantium Collecta*, Rome, 1651.

l'Europe, ils se dévouaient par un quatrième vœu au service des
« pestiférés » [1].

On trouvera dans Heimbucher, *Die orden und kongregationen*, l'indication
d'autres instituts de clercs moins importants ou dont l'histoire commence
après 1648 [2].

---

[1] Ils avaient reçu l'approbation et des privilèges par un bref de Sixte-Quint (26 juin 1586,
B.T., t. VIII, p. 669) et par un décret de Grégoire XIV du 21 septembre 1591, *B.T.*, t. IX,
p. 479. Clément VIII réforma leur règle par une bulle du 20 décembre 1600, *B.T.*, t. X, p. 635,
Urbain VIII organisa l'élection de leurs supérieurs par le bref du 29 avril 1628. *Ibid.*, t. XIII.
p. 659.

[2] HEIMB., *op. cit.*, t. III, p. 285, 519.

CHAPITRE III

ORDRES ET GROUPEMENTS FÉMININS [1]

Quelque nouvelle que fût la conception d'instituts de prêtres non astreints aux trois vœux traditionnels, un phénomène plus remarquable se produisit à la fin du XVIᵉ siècle en ce qui concerne les femmes consacrées à Dieu.

LES DÉCRETS Sans doute, les mesures décrétées par le concile de Trente
DE TRENTE opérèrent parmi les anciens ordres féminins une rénovation radicale. Mais elle consistait simplement en un retour à la pureté primitive des constitutions. Le spectacle cependant en est impressionnant et il est naturel de commencer par là.

Dans les couvents d'avant la Réforme catholique s'étaient glissés des abus parfois criants, causés par l'entrée forcée en religion, par la violation de la clôture, par l'âge trop juvénile des supérieures et par le cumul des autorités. Dans le but d'y remédier, le concile de Trente avait pris les célèbres décrets qui concernaient les ordres religieux [2] et qui, au point de vue des femmes, visaient les principales sources de désordre. La clôture sera observée strictement [3]. Les couvents situés en dehors de l'enceinte des villes seront transférés à l'intérieur « si la campagne ne présente pas toute sécurité pour la vertu, la tranquillité ou les biens des religieuses » [4]. Aucune religieuse ne sera nommée abbesse ou prieure qui n'aura pas 40 années d'âge et au moins 8 ans de profession; le cumul de supériorités est interdit; les religieuses se confesseront au moins tous les mois, mais elles auront deux ou trois fois par an — ou plus — l'occasion de s'adresser à un confesseur « extraordinaire », nommé par l'évêque; nul ne peut forcer personne à entrer au couvent ni

---

[1] BIBLIOGRAPHIE. — Voir aussi plus loin : Congrégations nouvelles.

En ce qui concerne les *ordres anciens* et les *mendiants* ayant deux branches, féminine et masculine, on consultera la bibliographie mentionnée à la suite du premier ordre (ci-dessus). F. J. CALLAGHAN, *The centralisation of government in pontifical institutes of women with simple vows*, Rome, 1948; M. CHALENDARD, *La promotion de la femme à l'apostolat*, Paris, 1950; F. HERVÉ-BAZIN, *Les grands ordres et congrégations de femmes*, Paris, 1889; *D.H.G.E.*, t. VII, p. 655; *P.G.*, t. IX, p. 92; J. CREUSEN, *Les instituts religieux à vœux simples*, dans *R.C.R.*, t. XVI, 1940, p. 52; ID., art. *Clôture*, dans *R.C.R.*, t. XV, 1939, p. 16, p. 38 s.; F. DE DAINVILLE, *L'accès des religieuses à la vie active*, dans *Vie spirituelle*, t. LXXXI, 1949, p. 36-61; *Esquisse de quelques ordres et congrégations de femmes*, Paris, 1865; P. TACCHI-VENTURI, *op. cit.*, p. 143-158.

[2] Voir ci-dessus, p. 95.

[3] Par la bulle du 26 mai 1566, Pie V imposait la clôture à toutes les religieuses à vœux solennels.

[4] SCHMITZ, dans *D.T.C.*, t. VII, col. 1224; t. IV, p. 3-7; t. VII, p. 176 s.

l'en empêcher; une jeune fille ne peut prendre le voile qu'après examen de sa résolution par l'évêque ou par son délégué [1].

On ne s'étonnera pas des oppositions, parfois très vives, que rencontrèrent ces mesures. Le rétablissement de la clôture, comme il était naturel, provoqua des difficultés particulières, qui ne venaient pas toutes du désir de liberté [2]. Dans maints pays, les religieuses recevaient des élèves pensionnaires payantes, ce qui constituait un soulagement à leur misère, causée par les guerres [3]. Ailleurs, les bâtiments de fortune édifiés sur les ruines des constructions primitives ne se prêtaient pas à l'établissement d'une clôture. « Dans un bon nombre de maisons existait la coutume immémoriale, qui ne choquait personne, d'avoir des visites et même d'organiser des réceptions ». De leur côté, les chanoinesses des chapitres nobles prétendaient, n'étant pas « religieuses » au sens strict, échapper aux décrets de Trente. Contre la défense de sortir du couvent, les hospitalières, qui allaient soigner les malades à domicile, objectaient les grands services que cette latitude leur permettait de rendre.

Un peu partout donc, un *modus vivendi* fut le produit de ces résistances et de la tenace persévérance de la hiérarchie, aiguillonnée à l'occasion par la cour romaine. Des papes, comme Grégoire XIII, tout en imposant une observance très sévère pour les couvents des deux sexes, aidaient par des aumônes les communautés nécessiteuses, afin de leur faciliter la règle.

Il est incontestable que les décrets du concile de Trente ont provoqué une très remarquable renaissance parmi les religieuses des anciens ordres et congrégations. Comme chez les hommes, on remarque presque partout [4] un retour à la ferveur, soit sous la discipline et les constitutions originelles, soit dans des branches nouvelles, rattachées au tronc primitif par l'essentiel de la règle ou par la juridiction des supérieurs. Il serait impossible, dans un ouvrage comme celui-ci, de tracer un tableau complet de ce renouveau. On devra se contenter des traits principaux.

§ 1. — Les ordres anciens.

LES AUGUSTINES [5]   Parmi les innombrables instituts qui suivaient la règle « de saint Augustin », voici d'abord les moniales de l'ordre canonique.

---

[1] H. VAN DEN ZIJFE, abbé de Saint-André-lez-Bruges, *Tractaet van de besluijtingen der vrouwen Kloosters*, Bruges, 1625. Commentaire des décrets de Trente, particulièrement à l'usage des bénédictines.

[2] Paul V, par un bref du 10 juillet 1612, retira le permis d'entrer dans la clôture des moniales (*B.T.*, t. XII, p. 184. Urbain VIII étend la même mesure aux couvents des Indes par un bref du 1er février 1627.) *Ibid.*, t. XIV, p. 521; É. DE MOREAU, *H.E.*, t. V, p. 403; SCHMITZ (*op. cit.*, t. VII, p. 239-241, constate que la clôture ne s'imposa que partiellement.

[3] D'autres ressources nécessaires provenaient des familles; elles allaient cependant, non à la communauté, mais aux religieuses, au détriment de l'esprit de pauvreté conventuelle.

[4] Exemple d'une exception : É. DE MOREAU, dans *H.E.*, t. V, p. 402.

[5] BIBLIOGRAPHIE. — *C.E.*, t. III, p. 255; *Cathol.*, t. II, col. 828; *D.H.G.E.*, t. V, col. 614; *K.E.*, t. XIV, col. 828; *K.L.*, t. II, col. 1844; *L.T.K.*, t. V, col. 785; M. D. STENSON, *Austin*

Chanoinesses [1]. — Leurs diverses branches se rattachaient plus ou moins à l'autorité des chanoines correspondants. Telles sont, en manière d'exemple, les chanoinesses du Saint-Sépulcre ou sépulcrines; à l'initiative de la comtesse de Chaligny en 1622, l'ordre venu des Pays-Bas se répandit en France puis en Allemagne; ses constitutions furent approuvées par Urbain VIII en 1631. Les chanoinesses hospitalières de Saint-Jean de Jérusalem furent réformées en France au xviie siècle par la Mère de Sainte-Anne. Quant aux chanoinesses régulières de Notre-Dame, il en sera question plus loin. En Belgique, 50 à 60 couvents de chanoinesses de Windesheim se répartissaient en deux groupes : l'un sous l'autorité des chanoines de l'ordre, l'autre sous la juridiction épiscopale.

Religieuses [2]. — C'est à des tâches très diverses que se sont consacrées les religieuses augustines. Il y avait des ordres ou congrégations contemplatives [3], notamment les religieuses de l'ordre du Sauveur, dites brigittines, qui s'établirent surtout dans le nord de l'Europe [4], ainsi que les augustines de la Récollection, qui, approuvées en 1616, fondèrent bon nombre de monastères en Espagne. Il y en eut aussi qui se vouèrent à l'enseignement; mais elles se rattachent plutôt au groupe des congrégations post-tridentines. Plusieurs, au service des malades, continuaient à répondre à une vocation suivie depuis longtemps. Telles étaient les augustines attachées aux hôpitaux, à Abbeville, à Amboise, Arras, Boulogne, Caen, Cambrai, Meaux, Paris (Hôtel-Dieu) et ailleurs; telles aussi les cellites ou sœurs noires. Celles dites « de la Miséricorde de Jésus » furent réformées en 1630.

A cette miséricorde corporelle répond celle qui se penche sur la détresse morale. Plusieurs congrégations s'attachèrent au relèvement des victimes du désordre. Les dames ou pénitentes « de la Pénitence de la Madeleine », fondées à Marseille au xiiie siècle, repenties elles-mêmes, vinrent en 1572 occuper à Paris une maison appartenant aux bénédictines de Saint-Magloire, dont elles prirent le nom. D'autres religieuses de Sainte-Madeleine florissaient en Allemagne.

Trinitaires déchaussées [5]. — A la règle de saint Augustin appartient encore la réforme des religieuses trinitaires du second ordre, qui se séparèrent de leurs consœurs en 1612 à Madrid et, après de nombreuses difficultés, furent approuvées en 1634 comme trinitaires déchaussées, observant la vie contemplative sous une sévère clôture.

canonesses of the Latran, Catholic Truth Soc. of Ireland, Dublin, 1918; A. Van Ette, *op. cit.* voir religieuses augustines.

[1] Heimb., *op. cit.*, t. II, p. 81; Hélyot-Migne, t. II, col. 872; t. III, col. 522.

[2] Bibliographie. — *C.E.*, t. V, Index, p. 141, *Rule of S. Augustine; D.H.G.E.*, t. V, col. 614; *D.T.C.*, t. I, col. 2481; *K.E.*, t. III, col. 322; *K.L.*, t. I, col. 1665-1667; *L.T.K.*, t. I, col. 824; L. Detrez, *Les augustines de Cambrai*, Paris, 1924; G. Duhamelet, *De la Maison-Dieu médiévale à la clinique chirurgicale moderne*, Paris, 1955; A. Van Ette, *op. cit.*, Cholet, 1953, p. 18, 78, 100, 117, 131.

[3] *D.H.G.E.*, t. V, col. 614; Heimb,, *op. cit.*, t. II, p. 266.

[4] Heimb., *op. cit.*, t. II, p. 268; *D.T.C.*, t. I, ii, col. 2481.

[5] Bibliographie. — *L.T.K.*, t. X, p. 293; *D.H.G.E.*, t. V, p. 614; Heimb., *op. cit.*, t. II, p. 77.

BÉNÉDICTINES[1] Parmi les moniales bénédictines, « deux grands courants réformateurs se dessinent. Le premier est dirigé par les bénédictins, dont plusieurs devinrent célèbres. [...] Le second, au contraire, est encouragé principalement par des religieux d'autres ordres, des capucins, des oratoriens, des jésuites. Car, à cette époque, les bénédictins, qui eux-mêmes se trouvaient encore au début de leur propre réforme, ne disposaient pas du nombre de directeurs réclamés par les moniales [...]. Les deux mouvements ont abouti à des résultats merveilleux, particulièrement en France »[2]. Laissant pour plus tard les groupements nés après le concile, on constate dans les anciens une remarquable pléiade d'abbesses. Telles Marie de Beauvillier à Montmartre, Antoinette d'Orléans à Fontevrault; Madeleine d'Escoubleau de Sourdis à Notre-Dame de Saint-Paul-lez-Beauvais; Marguerite d'Arbouze, qui rédigea les nouvelles constitutions du Val-de Grâce à Paris, adoptées par plusieurs autres maisons de bénédictines, et qui exerça même une influence notable sur le renouveau chez les moines de Saint-Maur et de Cluny; enfin Marguerite de Quibly, qui joua un rôle analogue au monastère de la Déserte à Lyon. Ces monastères ne constituaient pas des congrégations proprement dites, mais des groupes suivant une même observance sous la direction des évêques[3].

En Allemagne, les religieuses s'étaient, en grand nombre, montrées plus fidèles que les moines pendant les guerres de religion; elles introduisirent l'adoration perpétuelle du Saint-Sacrement. En Belgique, à Bruxelles (1623), à Gand (1624), Cambrai (1623) et ailleurs plus tard, se formèrent des monastères de bénédictines anglaises, ayant fui la persécution protestante.

CISTERCIENNES Dans la branche cistercienne du grand ordre, une même *BERNARDINES*[4] ferveur ramena la discipline en divers rameaux. Ce fut d'abord la congrégation de la Récollection, dite des récollettes, groupée autour du monastère de las Huelgas en Espagne. Dès 1588,

---

[1] BIBLIOGRAPHIE. — Voir bénédictins. *D.H.G.E.*, t. VII, col. 1224; *Benediktinischen Geistesleben*, n. 3, S. Ottilien, 1951; L. DELAUNAY, *Un Port-Royal saumurois. Les religieuses bénédictines de la Fidélité de Saumur*, Angers, 1917; NOLLE, *Historische Kommunitäten der Benediktinerinnen in England und ihre Verfahren im XVII. und XVIII. Jahrh.*, dans *Stud. und Mitt. Benedikt. Ordens*, 1935; *Priez sans cesse. Trois cents ans de prières*, Paris, 1953; H. BREMOND, *Histoire du sentiment religieux*, t. II, chap. VI, les grandes abbesses, 1925; H. N. DELSART, *Marguerite d'Arbouze, abbesse du Val-de-Grâce (1580-1626)*, Maredsous-Paris, 1923; G. FINK, *Standesverhältnisse in Frauenklostern u. Stiftern der Diozese Munster*, 1907; *La fondatrice de la congrégation des bénédictines de N.-D. du Calvaire, Madame Ant. d'Orléans*, Poitiers, 1932; HÉLYOT-MIGNE, t. II, col. 312, 454; t. XX, I, col. 1156; HILPISH, *Geschichte der Benediktinerinnen*, S. Ottilien, 1951; P. HOFMEISTER, *Die Verfassung der Kongregation der Benediktinerinnen van Kalvarienberg.*, dans *Stud. Mitt. Gesch. Benedikt.*, t. I, 1932, p. 249-277; SCHMITZ, *op. cit.*, t. VII, p. 152-285, 308-337; ID., *Moniales bénédictines*, Maredsous, 1957. — [2] SCHMITZ, *op. cit.*, p. 158 s.

[3] Par un bref du 4 février 1605, Clément VIII décida que les moniales de Prusse, de Pologne et de Lithuanie seraient soumises aux Ordinaires, mais que les causes plus importantes seraient jugées à Rome, *B.T.*, t. XI, p. 172.

[4] BIBLIOGRAPHIE. — Voir cisterciens. *C.E.*, t. II, p. 507; t. III, p. 790; *D.H.G.E.*, t. VIII, p. 806; t. XII, col. 951; *D.T.C.*, t. II, col. 2535; *L.T.K.*, t. VIII, col. 386; t. X, col. 697; HEIMB., *op. cit.*, t. I, p. 455, bibliogr.; F. CANIVEZ, *L'ordre de Cîteaux en Belgique*, Forges, 1926. Port-Royal sera traité dans la suite, au tome II; L. COGNET, *La réforme de Port-Royal (1591-*

les feuillantes ou feuillantines avaient été établies à Montesquiou, puis à Toulouse, à Poitiers et à Paris ainsi qu'à Sainte-Suzanne à Rome. Elles suivaient la règle des feuillants.

Diverses autres réformes furent réalisées, en Savoie par la Mère de Ballon, aidée par saint François de Sales (bernardines réformées de la Divine Providence, à Rumilly en 1622); en France, par la Mère de Ponçonas, qui se sépara de la Mère de Ballon (bernardines de Saint-Bernard, 1636); celle des bernardines du Précieux-Sang se produisit à Paris vers 1650.

Une célébrité plus bruyante fut le sort de l'abbaye de Port-Royal. La réforme avait été introduite à Port-Royal-des-Champs par l'abbesse Angélique Arnauld, âgée de 17 ans (1609); en 1625, les religieuses émigrèrent à Port-Royal de Paris, fondé en 1624. Vingt-deux ans plus tard, la Mère Angélique, qui dans l'intervalle avait été réformer l'abbaye de Montbuisson, ramena aux Champs un groupe de dix de ses sœurs. Dès 1635, grâce à l'ascendant de Jean Duvergier de Hauranne, abbé de Saint-Cyran, le jansénisme, avec son austérité, sa doctrine et ses procédés, avait pénétré l'abbaye, qui devint le centre du mouvement. De là, il influença profondément, comme on sait, la vie religieuse et politique française, grâce surtout aux « solitaires » (depuis 1638). Et parallèlement à leurs écoles les religieuses enseignaient des jeunes filles. De Port-Royal, grâce à ses membres disséminés dans divers couvents, la réforme s'était répandue au loin. Mais l'histoire ultérieure de l'abbaye déborde notre période.

CARMÉLITES[1]   Une des rénovations les plus remarquables fut celle qui doit son origine à sainte Thérèse d'Avila. On a pu lire plus haut comment la sainte réalisa la réforme des carmes.

1618), Paris, 1950; ID., édit. *Relation écrite par la Mère Angélique Arnauld sur Port-Royal* Paris, 1949; J. B. CHAUTARD, *Les cisterciennes trappistines*, Sept-Fons, 1934; *Règle de saint Benoît avec les constitutions sur icelle pour les religieuses de Sainte-Catherine d'Avignon*, Avignon, 1633; É. DE MOREAU, *op. cit.*, t. V, p. 208, 402; H.-B., t. VI, p. 23; HÉLYOT-MIGNE, t. I, col. 470; t. II, col. 38, 277; t. III, col. 248, 451, 605; B. HUEMER, *Verzeichnis der deutschen Cisterzienserinnen Klöster*, dans *Stud. u. Mitteil. O. S. B.*, t. XXXVII, 1916, p. 1-47; E. MAIRE, *Les cisterciens en France*, Paris, 1921; MYRIAM DE G., *Louise de Ballon, parente de saint Bernard de Menthon et de saint François de Sales « dérobée et retrouvée »*, *Réformatrice des Bernardines*, Paris, 1935; *P.G.*, t. IX, p. 139; Th. PLOEGAERTS, *Les moniales cisterciennes dans l'ancien roman pays de Brabant*, Bruxelles, 1924-1926, 4 vol.; ID., *Les moniales jusqu'à la Révolution fr.*, Westmalle, 1937.

[1] BIBLIOGRAPHIE. — Voir Carmes. *H.E.*, t. XVII, p. 429, 452; *D.H.G.E.*, t. VII, col. 470; t. VIII, col. 806; *Cathol.*, t. I, col. 1514; t. II, col. 562; *D.T.C.*, t. II, 2, col. 1782, 2535; *L.T.K.*, t. V, col. 842; t. VIII, col. 386; t. X, col. 697; *E.C.*, t. III, col. 892. Il n'y a plus lieu de revenir ici sur la vie et l'influence de sainte Thérèse, *H.E.*, t. XVII, p. 456 s.; *Chronique des carmélites depuis leur introduction en France*, Troyes, 1865; P. CLAESSENS, *L'ordre du Carmel en Belgique*, dans *Précis historiques*, t. XXXII, p. 617-631, 1882; J. DAGENS, *Bérulle et les origines de la restauration catholique (1575-1616)*, Paris-Bruges, 1952, p. 191-228; DE BOISSIEU, *Figures de carmélites en Belgique au XVIIe siècle*, Gembloux, 1928; HEIMB., *op. cit.*, t. II, p. 535, 546; FRANÇOIS DE MARIE, *Histoire générale des carmes déchaussés et des carmélites déchaussées*, Paris, 1655, t. II, 1924-1930 (Publication spéciale des *Études carmélitaines*); M. HOUSSAYE, *M. de Bérulle et les carmélites de France (1575-1611)*, Paris, 1872; C. JANSSEN, *Carmelkluis en Carmelwereld*, Bussum, 1955; MOELLER, *op. cit.*, t. III, p. 221; A. MOLLIEN, *Le cardinal de Bérulle*, Paris, 1947, t. I, p. 52; *P.G.*, t. XI, p. 141; t. XII, p. 357; t. XIII, I, p. 559; *P.H.*, t. XIX, p. 121; M.-M. VAUSSARD, *Le Carmel*, coll. *Les grands ordres monastiques*, 1929; F. VERNET, *op. cit.*, p. 142.

A l'exemple du couvent de San José d'Avila, fondé par la sainte, une quinzaine de maisons de carmélites déchaussées furent établies en Espagne en quelques années (1567 à 1582). Cette expansion de la stricte observance gagna rapidement la France et la Belgique. En France, ce fut l'œuvre de la princesse de Longueville, mais surtout de la bienheureuse Marie de l'Incarnation, « Madame Acarie ». Celle-ci obtint en 1602 d'Henri IV et en 1603 du pape l'autorisation d'introduire la réforme thérésienne dans le royaume. Après d'épineuses négociations, les premières carmélites espagnoles arrivèrent à Paris le 15 octobre 1604. En 1611, le Carmel français était solidement établi et toutes les religieuses espagnoles, sauf une, parties pour la Belgique. En 1644, il y avait déjà 55 monastères français.

Mais, de par ce succès même, l'ordre traversa une pénible crise. Les carmélites, qui, en Espagne, étaient gouvernées et visitées par des religieux du même ordre, le seraient-elles aussi à l'étranger et notamment en France? C'était grâce au zèle intrépide du futur cardinal de Bérulle qu'elles y étaient entrées. C'est à lui et à deux autres prêtres français comme « supérieurs » que fut confiée par le Saint-Siège, en 1603, l'autorité sur les couvents de carmélites thérésiennes; lui-même et ses successeurs, les supérieurs de l'Oratoire, étaient désignés comme visiteurs. Il donna à ses subordonnées les constitutions établies par sainte Thérèse en 1581.

Quand les carmes thérésiens furent reçus en France, en 1610, d'aigres conflits de juridiction éclatèrent. Les carmes revendiquèrent le gouvernement des religieuses de leur ordre; parmi celles-ci, les unes prétendaient se soumettre à leur obédience, les autres tenaient pour celle des « supérieurs » français, pour Bérulle notamment [1].

Par contre, en Belgique, soumise aux Archiducs, les choses allèrent sans encombre. Appelées par l'infante Isabelle elle-même, amenées par la mystique Mère espagnole Anne de Jésus, les carmélites se fixèrent à Bruxelles le 22 janvier 1607. La bienheureuse Anne de Saint-Barthélemy, qui avait puissamment travaillé à la diffusion de l'ordre et à la Réforme catholique en France, les établit dans plusieurs villes belges; elles y exercèrent une puissante influence. De Belgique, la réforme passa en Allemagne, à Cologne en 1636.

BÉGUINES [2] En Belgique encore, l'ancienne et très spéciale institution des béguines groupait bon nombre de maisons. Grâce à des directeurs zélés et énergiques, la discipline et la vie religieuse furent restaurées, la clôture renforcée, les coutumes locales unifiées en une règle commune. Cette forme religieuse connut aux XVIIe et XVIIIe siècles « sa plus grande splendeur » [3].

[1] Grégoire XV, par des brefs du 20 mars 1621 et du 20 décembre 1623, confirma les décisions de Clément VIII et de Paul V concernant la direction et la visite des carmélites françaises, cf. *B.T.*, t. XIII, p. 503. Sur le même sujet, il donna commission aux cardinaux La Rochefoucauld et La Valette par un bref du 31 juillet 1625, *Ibid.*, p. 362.

[2] BIBLIOGRAPHIE. — *C.E.*, t. II, p. 389; *Cathol.*, t. I, col. 1377; *D.H.G.E.*, t. VII, col. 170; *E.C.*, t. II, col. 1149; *K.L.*, t. II, col. 204-209; *L.T.K.*, t. II, col. 90.

[3] É. DE MOREAU, dans *D.H.G.E.*, t. VII, col. 470.

DOMINICAINES [1] Tandis que sainte Thérèse réformait parallèlement les maisons d'hommes et celles de femmes, c'est un dominicain, le P. Michaelis (1543-1618) qui stimula le renouveau dans la branche féminine de l'ordre de saint Dominique.

En France, des religieuses venues du couvent de Sainte-Catherine de Toulouse furent à l'origine de sept autres maisons, parmi lesquelles celle de Paris, en particulier le célèbre monastère de Sainte-Croix (14 janvier 1641). Ailleurs aussi, le nombre des établissements augmenta considérablement. Sous le généralat de Serafino Cavalli (1571-1578), une statistique incomplète accuse le chiffre de 168 couvents dominicains. Depuis le concile de Trente, tous, quoique sous la direction d'aumôniers dominicains, relèvent de la juridiction épiscopale.

FRANCISCAINES [2] *Clarisses.* — Le « second ordre » de saint François, ordre des clarisses ou des pauvres dames, comme celui de saint Dominique, donna, face aux persécutions protestantes, un magnifique exemple de constante fidélité à la foi et à la règle, malgré les sévices et les expulsions. L'épreuve même a ranimé encore la ferveur de l'esprit franciscain de pauvreté et de renoncement. Déjà le XVe siècle avait connu sainte Colette et les colettines, dont l'observance ne se démentit pas.

Au XVIe siècle, la vénérable Marie Laurence Longo (1463-1543) fonda en 1538, à Naples, les clarisses capucines, appelées aussi « filles ou sœurs de la Passion », qui suivirent la règle de sainte Claire avec les constitutions de sainte Colette ou celles du P. Jérôme de Castelferrati, capucin. Elles se répandirent en Italie (à Rome en 1575), en France (1606), en Bavière (1624), puis ailleurs.

En Italie aussi éclorent deux réformes très sévères; la première est celles des « clarisses de l'étroite (ou stricte) observance » fondée à l'initiative

[1] BIBLIOGRAPHIE. — Voir dominicains. *C.E.*, t. XII, p. 369; *Cathol.*, t. II, col. 984; *E.C.*, t. V, col. 178; *K.L.*, t. II, col. 204-209; *L.T.K.*, t. III, col. 391, 591; *Les dominicaines du second ordre*, Liège, 1909; G. MEYER, *Dominicaansche Studien*, 1920; H. MONNIER, *Aux origines des dominicaines enseignantes*, Paris, 1951; F. VERNET, *op. cit.*, p. 50; A. WALZ, *Compendium Historiae ord. Praed.*, Paris, 1930; H. WILMS, *Geschichte der deutschen Dominikanerinnen (1206-1906)*, Dülmen a W., 1920; *Chez les dominicaines du grand ordre*, Lille, 1923; M. C. DE GANAY, *Les bienheureuses dominicaines d'après des documents inédits*, Paris, 1913; M. H. LELONG, *Les dominicaines des prisons*, Paris.

[2] BIBLIOGRAPHIE. — Voir franciscains. *Cathol.*, t. X, col. 439; *C.E.*, t. XII, col. 253; t. III, col. 320; *E.C.*, t. III, col. 1771; *K.E.*, t. II, col. 45; *K.L.*, t. III, col. 403-408; *L.T.K.*, t. IV, col. 133; t. V, 79, 818, bibliogr.; *Histoire des capucines de Flandre écrite au XVIIIe siècle par une religieuse de cet ordre*, édit. par Frère APOLLINAIRE DE VALENCE, Paris, 1878; *Tiercelines ou dix siècles de vie franciscaine et nationale (1397-1943)*, Albi, 1943; J. ANCELET-HUSTACHE, *Les clarisses*, coll. *Les grands ordres religieux*, Paris, 1929; DE SÉRENT, *L'ordre de Sainte-Claire en France pendant sept siècles*, dans *Études franciscaines*, nouv. série, t. IV, 1953, p. 133-165; N. CORNET, *Notices sur l'ancienne congrégation des pénitentes récollectines de Limbourg*, Paris, 1869; ID., *Les anciennes communautés franciscaines de femmes dans la Belgique wallonne soumises aux récollets*, dans *A.H.E.B.*, t. VIII, 1871; GERLACH, *Penitenten-Recollectinen*, dans *Franciscaans Leven*, t. XXIII, 1940; HEIMB., t. II, p. 486; *Histoire abrégée de l'ordre de Sainte-Claire d'Assise*, Lyon-Paris, 1906, 2 vol.; GEMELLI-INGEN, *op. cit.*, p. 155; P. MEURISSE, *Les religieuses pénitentes recollectines dites de Limbourg*, Fayt-lez-Manage (Belgique), 1923; NORBERT, *Les religieuses franciscaines*, s. d.; RENÉ DE NANTES, *Histoire des spirituels dans l'ordre de saint François*, Paris, 1909; G. DUVAL, *Les Clarisses*, Paris, 2e éd., 1924.

de la Sœur Françoise de Jésus-Marie (Farnèse) en 1631 à Albano. La seconde est celle des sœurs qui ont reçu les constitutions de saint Pierre d'Alcantara; elles s'appellent « franciscaines de saint Pierre d'Alcantara » ou « déchaussées de sainte Claire selon la réforme de saint Pierre d'Alcantara ». Ces deux branches rsprésentent ce qu'il y a de plus austère dans l'Église.

Tandis que les clarisses réformées vivaient uniquement la vie contemplative, les urbanistes, qui conservèrent la règle d'Urbain IV (1263), se sont consacrées aussi à l'éducation et même au travail missionnaire [1].

Minimes. — De son côté, la réforme déjà ancienne de saint François de Paule, qui avait donné naissance aux minimes, manifestait une nouvelle activité. En 1623, elle comptait plus de trois cents religieuses en quatorze monastères, parmi lesquels ceux qui venaient de s'établir en France la même année [2].

SERVITES   Le second ordre des servites ou « servantes de Marie » devait en partie son origine à saint Philippe Benizzi (1283). De là leur surnom de « philippiennes ». Leur manteau noir les a fait appeler aussi « sœurs noires ».

Elles s'étaient déjà répandues en Italie, lorsqu'en 1612 on leur offrit un couvent à Innsbrück, puis à Munich. Elle essaimèrent aussi en Espagne. Elles suivaient la règle de saint Augustin, avec les constitutions de saint Philippe Benizzi.

§ 2. — Congrégations nouvelles.

CONDITIONS   On a pu constater que le renouveau manifesté chez les anciens
NOUVELLES [3]   ordres consistait surtout dans un retour à la règle et à la fer-
veur primitives. Un des éléments d'intérêt les plus attrayants dans l'histoire de l'Église est son infatigable adaptation aux nécessités nouvelles que créent les transformations successives de l'humanité. Telle l'émancipation graduelle de la femme dans la société moderne et le rôle toujours plus considérable qu'elle y joue.

La femme du XVIᵉ siècle n'est plus l'esclave antique ni la dame plus ou moins recluse ou soumise du Moyen Age. Dans une société plus policée, héritière des fruits de la chevalerie et de la Renaissance, elle peut imposer le respect et exercer une influence. L'Église renouvelée lui fera confiance. Le temps est venu de « la promotion de la femme à l'apostolat ». Isolément d'abord, puis avec un élan croissant, des initiatives perspicaces et hardies

---

[1] Un bref du 3 juillet 1558 réforma les franciscaines, *B.T.*, t. VII, p. 685.

[2] J. M. ROBERTI, *Disegno storico del ordine dei Minimi*, Rome, 1902-1922, 3 vol.

[3] BIBLIOGRAPHIE. — *E.C.*, t. IV, col. 305; J. CREUSEN, *Les instituts religieux à vœux simples*, dans *Rev. des communautés relig.*, t. XVI, 1940, p. 52-63; t. XVII, 1945; ID., *La clôture*, *ibid.*, t. XV, 1939, p. 11-20, 38-45, 81-84; F. DE DAINVILLE, *L'accès des religieuses à la vie active*, dans *La vie spirituelle*, t. LXXXI, 1949, p. 36-61; G. LESAGE, *L'accession des Congrégations à l'état religieux*, Ottawa, 1952.

inviteront les femmes pieuses à se consacrer à l'enseignement public, à la visite et au soin des malades, voire à l'apostolat en terre étrangère.

Ajoutez à ce premier motif de changement que bon nombre de santés ne résistaient plus aux austérités trop sévères des anciens ordres cloîtrés.

Le mouvement vers l'action extérieure n'était pas inconnu. Depuis longtemps, deux tendances s'étaient manifestées parmi les personnes consacrées à Dieu. Tandis que la majorité se portait exclusivement à la contemplation, d'autres cherchaient en outre à se dévouer au Christ dans ses membres souffrants, dès le XIIᵉ siècle au service des hôpitaux, puis au XVᵉ par la visite des malades. Au XVIIᵉ, ce zèle charitable prend une extension extraordinaire. Mais il pose d'épineux problèmes. Il faudra que l'idéal et les constitutions de la vie religieuse s'assouplissent à ces conditions nouvelles. La piété personnelle, l'union intérieure à Dieu, privées de la protection de la clôture et des liturgies régulières, plus exposées à l'évaporation, à la tentation du « primat de l'action », à « la fascination de la bagatelle », devront se fortifier par une armature en profondeur et par l'aliment d'une Présence aimée plus « réalisée ».

Mais il y a autre chose. Les pionnières de cette campagne et leurs héritières ne seraient plus des « moniales », le terme étant réservé aux religieuses à vœux solennels. Pourraient-elles au moins garder le nom et la capacité juridique de « religieuses »? Pour ce faire, au sens canonique qu'avait alors ce mot, elles devaient prononcer les trois vœux traditionnels au titre « solennel » et par conséquent, observer la clôture. Depuis le XIIᵉ siècle, en effet, la solennité suppose la clôture dans son acception la plus stricte.

Or il se fit que, précisément à cette époque, dans le but de corriger les abus, les prescriptions canoniques resserraient la clôture par des clauses toujours plus rigides. Depuis le XIIIᵉ siècle on connaissait les tiers-ordres et des couvents de sœurs noires sans profession religieuse proprement dite. Par la constitution *Circa Pastoralis* du 29 mai 1566, Pie V ordonna l'observation plus exacte de la clôture dans tous les monastères et même l'adoption de la profession solennelle dans les « congrégations »[1]. Grégoire XIII, en 1572 et la Congrégation des évêques et réguliers en 1592, s'efforcèrent de faire appliquer ces ordonnances. Si elles avaient été maintenues, les congrégations existantes auraient disparu et aucune nouvelle n'aurait pu s'établir.

Pratiquement cependant, sans annuler le texte de ses lois, l'Église tint compte des nécessités nouvelles et tempéra progressivement la rigueur de sa législation. Il faut rappeler que Grégoire XIII lui-même, en déclarant que les scolastiques et les coadjuteurs de la Compagnie de Jésus — qui ne font pas de vœux solennels — sont de vrais religieux, a contribué à l'éclosion des congrégations à vœux simples[2]. Toutefois, des fondatrices qui, parties « en flèche », avaient hardiment tenté d'introduire d'emblée des formes trop insolites, furent rappelées à l'ordre. Puis, peu à peu, très lentement,

---

[1] *B.T.*, t. VI, p. 447.
[2] Constitution *Ascendente Domino*, 22 mai 1584. Cf. *supra*, p. 135.

se constitua la « congrégation », institut religieux à vœux simples, non astreint à la clôture.

Tandis que le statut de « congrégation » pour hommes ne paraîtra qu'au XVIIIᵉ siècle, celui de femmes éclôt largement au XVIIᵉ. Certaines de ces religieuses adoptent en l'adaptant, une des règles anciennes, celle de saint Augustin, de saint Benoît, de saint Dominique ou de saint François. D'autres, d'allure plus moderne, se sont approprié la structure d'un d'ordre récent. Souvent, sans changer des coutumes traditionnelles, certains instituts prennent un autre esprit et une autre organisation sous l'influence d'un directeur appartenant à un ordre moderne.

Une remarque s'impose. Telle fut alors l'efflorescence de la vie religieuse qu'on ne peut ici en citer toutes les manifestations; on devra se borner aux principales.

LES CONTEMPLATIVES Il est bien caractéristique qu'on ne relève guère d'instituts nouveaux qui soient strictement contemplatifs. En voici cependant quelques-uns.

Les bénédictines de Notre-Dame du Calvaire ou calvairiennes furent fondées à Poitiers en 1617 par la bienheureuse Mère Antoinette d'Orléans Longueville (1572-1618), puissamment aidée par le P. Joseph Le Clerc du Tremblay, l'Éminence grise [1].

Annonciades [2]. — Tandis que les annonciades de la bienheureuse Jeanne de Valois se répandirent largement en France et en Belgique, la branche italienne, qui dut à son habit bleu ciel le nom de célestines, fondée à Gênes (1604) par la bienheureuse Marie-Victoire Fornari, peupla bientôt plus de 50 couvents italiens, français, autrichiens et danois.

Augustines déchaussées. — En Espagne, sous l'impulsion de l'archevêque de Valence Juan de Ribera, les augustines déchaussées furent instituées en 1597 à Alcoy; elles suivaient la règle de saint Augustin, mais y ajoutaient celle des carmélites réformées; elles s'interdisaient toute relation avec les personnes étrangères au cloître [3].

Dames du Verbe Incarné. — Dans le but d'honorer particulièrement le Saint-Sacrement, Jeanne M. de Chezard de Matel fonda en 1625 à Roanne les dames du Verbe Incarné, approuvées en 1633.

LES ENSEIGNANTES Voici maintenant l'armée nouvelle. Pour restaurer la foi compromise par l'ignorance, tout un corps de troupes modernes se consacrèrent à l'enseignement des jeunes filles.

---

[1] L. DESDOUVRES, *Le P. Joseph de Paris. Le zélateur des bénédictines et leur réforme,* dans *Rev. des Fac. de l'Ouest,* t. XXVII, p. 561-599; ID., *Le P. Joseph de Paris. L'Éminence grise,* t. II, 1932, p. 323.

[2] BIBLIOGRAPHIE. — *H.E.,* t. XV, p. 290; *C.E.,* t. I, p. 543; *Cathol.,* t. I, col. 601; *D.H.G.E.,* t. I, col. 2482; t. III, col. 404-412; *D.T.C.,* t. V, col. 612; *E.C.,* t. I, col. 1396; *K.E.,* t. II, col. 413; *K.L.,* t. I, col. 873; *L.T.K.,* t. I, col. 462; HEIMB., *op. cit.,* t. II, p. 269.

[3] HEIMB., *op. cit.,* t. II, p. 210.

Certaines n'abandonnèrent pas pour autant ni la règle ancienne, ni la clôture, ni même parfois l'office divin; elles admettaient les enfants dans l'enceinte du couvent, presque toujours comme pensionnaires. Il est naturel qu'elles appartiennent en majorité à la famille augustinienne.

Congrégation de Notre-Dame de Saint Pierre Fourier [1]. — La France, ici encore, occupe une place de premier rang. C'est à saint Pierre Fourier et à la bienheureuse Alix Le Clerc que remonte l'ordre des chanoinesses régulières de Saint-Augustin de la congrégation de Notre-Dame. Fondée à Noël 1597, l'association fut reconnue par Urbain VIII comme ordre régulier (1628) et ouvrit de nombreuses maisons en France et à l'étranger.

Ursulines [2]. — C'est en France aussi que fut érigé en « ordre » l'institut des ursulines de sainte Angèle de Merici. Il s'était merveilleusement développé en Italie d'abord, atteignant dès 1584 le nombre de 600 religieuses. Ce genre de vie avait déjà été adopté dans le Comtat-Venaissin par Françoise de Bermond et ses compagnes en 1574. Bientôt la règle des ursulines se répandit dans le royaume et à l'étranger, avec un étonnant succès. Parmi les nombreuses congrégations qui se formèrent, celle de Paris réunit 84 couvents, celle de Lyon plus de 100, celle de Bordeaux finit par en avoir 140.

Mais la mentalité française de l'époque différait sensiblement de celle d'Italie. Malgré les exigences de la vie apostolique, les ursulines d'en-deça des monts, comme d'autres instituts semblables, désiraient vivement être organisées « en vrai religion » avec clôture stricte. Elles y réussirent d'autant plus facilement que leurs aspirations rencontraient les exigences du droit canonique. Par une bulle du 12 septembre 1612, elles furent admises à prononcer des vœux solennels. Au reste, leurs diverses constitutions, toutes à base augustinienne, ont été modifiées d'après les circonstances locales.

[1] BIBLIOGRAPHIE. — *C.E.*, t. X, p. 681; *Cathol.*, t. II, col. 917; *E.C.*, t. IV, col. 78; t. V, col. 1270; t. IX, 1454; *K.E.*, t. XIV, col. 828; *K.L.*, t. II, col. 1845; t. IV, col. 1936; t. IX, col. 1910; *L.T.K.*, t. VI, col. 445; t. X, col. 417, n° 18; HEIMB., t. II, p. 85; J. BEDEL, *La vie du T. R. P. Pierre Fourier...*, Pont-à-Mousson, 1656; FOURIER-BONNARD, *Saint Pierre Fourier*, Paris, 1953; CHAPIER, *Histoire du bx P. Fourier*, Paris, 1850, 2 vol.; J. ROGIE, *Histoire du bienheureux Pierre Fourier*, Paris, 1887-1888, 3 vol.; A. DE REMIREMOND, *Mère Alix Le Clerc (1576-1622)*, Paris, 1946; L. PINGAUD, *Pierre Fourier*, Paris, 1902; E. RENARD, *La Mère Alix Le Clerc, religieuse de la congrégation de Notre-Dame*, Paris, 1935; J. B. VUILLERMIN, *Alix Le Clerc*, Paris, 1910; *P.G.*, t. XI, p. 140.

[2] BIBLIOGRAPHIE. — *C.E.*, t. XV, p. 228; *D.T.C.*, t. I, col. 2481; *K.E.*, t. XXIII, col. 129, *K.L.*, t. XII, col. 498-506; *L.T.K.*, t. X, col. 455; HEIMB., *op. cit.*, t. II, p. 273; *Annales de l'ordre des ursulines*, Clermont-Ferrand, 1857; M. ARON, *Les ursulines*, Paris, 1937; G. BERNOVILLE, *Le cloître dans le monde. Anne de Xaintonge, fondatrice de la Compagnie de Sainte-Ursule (1567-1621)*, Paris 1957; ID., *Sainte Angèle de Merici. Les ursulines de France et l'union romaine*, Paris, 1947; A. BERTOUT, *Les ursulines de Paris sous l'ancien régime*, Paris, 1936; H. BREMOND, *Histoire littéraire du sentiment religieux*, t. VI; L. CRISTIANI, *La merveilleuse histoire des premières ursulines françaises*, Paris, 1935; H. CUZIN, *De l'Incarnation à la Trinité d'après l'expérience mystique de Marie de l'Incarnation*, Lyon, 1937; DE POMMEREU, éd., *Les chroniques de l'ordre des ursulines*, 1673; DE DAINVILLE, *art. cit.*, p. 47; C. DE SAINTE-FOI, *Vies des premières ursulines de France*, Paris, 1852; G. GENDRÉ, *Au cœur des spiritualités. Catherine Ranquet, mystique et éducatrice (1602-1651)*, Paris, 1952; *H.-B.*, t. VI, p. 13 s.; *H.E.*, *op. cit.*, t. XVII, p. 267; *P.G.*, t. XI, p. 140; t. XII, p. 357; t. XIII, p. 360; *P.H.*, t. XIX, p. 98; V. POSTEL, *Histoire de sainte Angèle de Merici et de tout l'ordre des ursulines*, Paris, 1878; *De orde der Ursuli.*, 1932; P. RENAUDIN, *Une grande mystique française au XVIIᵉ siècle : Marie de l'Incarnation*, Paris, 1936; ID., *Sainte Angèle de Merici et l'ordre des ursulines*, Paris, 1922. — J. MOREY, *Anne de Xainctonge et les Ursulines*, Besançon, Paris, 1892, 2 vol.

VISITANDINES
OU SALÉSIENNES [1]
Quant à la Visitation de Notre-Dame, ses origines offrent un curieux exemple du conflit des tendances conventuelles du temps avec les formes traditionnelles.

Lorsque saint François de Sales conçut le plan d'une société religieuse contemplative mais adaptée aux nécessités d'alors, il rédigea (1610-1618) des statuts qui ajoutaient à la vie de prière la « visite » des malades à domicile. Juridiquement, ce fondateur apparaît comme un pionnier. Ses religieuses formeraient, non une « religion », un « ordre » mais une simple « congrégation » sans vœux solennels ni clôture. Grâce à sainte Jeanne de Chantal, l'idéal salésien ne tarda pas à prendre corps. Mais, en 1616, intervint l'opposition formelle de l'archevêque de Lyon, de Marquemont. C'est un représentant du « légalisme » qui prévalait alors en France [2]. Tandis qu'ailleurs le droit s'adaptait au temps, pour ce prélat d'esprit rigoriste et peu favorable aux innovations, seules les « religions » à vœux solennels avec approbation apostolique et clôture stricte avaient droit à l'existence. Le doux saint François, qui ne tenait pas obstinément à ses idées personnelles, n'était pas homme à quereller : le 16 octobre 1618, il érigea lui-même la Visitation en « religion formelle ». L'ordre fut canoniquement constitué en 1618 et solennellement approuvé en 1626. A la mort de sainte Jeanne (1641), il comptait 86 couvents; il devait se répandre hors de France au XVIIIe siècle. Le but primitif céda dès les débuts la place à l'éducation des jeunes filles, qui fleurit dans de nombreux pensionnats en clôture.

FILLES
DE LA PRÉSENTATION
De moindre importance, quoique véritable « religion » enseignante, la Présentation de Marie au Temple fut fondée en 1627 par Nicolas Sanguin, évêque de Senlis et approuvée en 1628.

ANGÉLIQUES
GUASTALLINES [3]
En Italie, les angéliques prêtaient depuis 1539 un précieux concours aux barnabites; elles se consacraient à l'éducation depuis 1557 dans des monastères de stricte clôture; tandis que les filles de Marie, fondées comme les angéliques par Louise Torelli,

---

[1] BIBLIOGRAPHIE. — *C.E.*, t. XV, p. 481; *D.H.G.E.*, t. V, col. 614, n° 22; *E.C.*, t. V, col. 1600, t. VI, col. 490; *K.E.*, t. XXIII; *K.L.*, t. X, col. 1558-1562; *L.T.K.*, t. IX, col. 116; M. BÉCAMEL, *La Visitation Sainte-Marie d'Albi (1638-1792)*, dans *Bull. de la Soc. de Sciences, Arts, ... du Tarn (1949-1950)*, Albi, 1950; E. BOUGAUD, *Histoire de saint François de Sales et des origines de la Visitation*, Paris, 1874; M. DESCARGUES, *Aux origines de la Visitation*, dans *N.R.T.*, t. LXXIII, 1951, p. 483-514; MOEHLER, *op. cit.*, t. III, p. 223; *P.G.*, t. XI, p. 140; t. XII, p. 358; *La Visitation Sainte-Marie*, coll. Les Ordres religieux, Paris, 1923; *La Visitation (1610-1910)*, Paris, 1914; L. A. DE BECDELIÈVRE, *Saint François de Sales-Les origines de la Visitation et les retraites de femmes*, dans *Études*, t. CXXX, 1912, p. 821. 827; E. DU JEU, *Madame de Chantal*, Paris, 1928; J. LECLERCQ, *Saint François de Sales à la Visitation*, Bruxelles, 1920; E. LE COUTURIER, *Françoise-Madeleine de Chaugy et la tradition salésienne au XVIIe siècle*, Paris, 1933; F. TROCHU, *Saint François de Sales*, dans *R.H.É.F.*, t. XXX, 1944, p. 114.
N. B. Les Visitandines portèrent diverses dénominations : Visitation de Marie; Filles de sainte Marie; Sœurs salésiennes.
[2] Voir ci-dessus l'évolution des ursulines.
[3] BIBLIOGRAPHIE. — *C.E.*, t. I, p. 483; *D.H.G.E.*, t. III, col. 58; *E.C.*, t. I, col. 1233; *K.E.*, t. II, col. 344; *K.L.*, t. I, col. 842; *L.T.K.*, t. I, col. 429; *H.E.*, t. XVII, p. 265.

comtesse de Guastalla (de là leur nom de « guastallines » ou « guastalles »), se dévouaient à élever des orphelines pauvres de maison noble. En 1625, les statuts des angéliques, revisés par saint Charles Borromée, furent approuvés par Urbain VIII.

CONGRÉGATIONS À VŒUX SIMPLES L'évolution de la vie conventuelle au XVIIe siècle se manifeste dans la fondation de nombreuses sociétés à vœux simples et sans clôture, appelées « congrégations religieuses ».

Parmi les enseignantes, on remarque, en France encore, la fondation des filles de la Croix [1] en 1625 par le curé Guérin ; elles ouvrirent de nombreuses maisons dans le royaume et donnèrent naissance plus tard à diverses branches.

Voici encore les sœurs de Notre-Dame de la Miséricorde, fondées à Aix-en-Provence (1633) pour l'éducation des jeunes filles pauvres de la noblesse par l'oratorien Antoine Yvan et la Mère Marie-Madeleine de la Trinité.

Une singulière adaptation de règle ancienne est celle des bénédictines de la congrégation de Notre-Dame [2] (ou compagnie de Notre-Dame), approuvée par Paul V en 1617. Leur fondatrice, la bienheureuse Jeanne de Lestonnac, leur avait donné la règle de saint Benoît et elles restèrent affiliées à son ordre. Mais, sous l'influence de leur directeur, le jésuite Jean de Bordes, elles adoptèrent les constitutions de la Compagnie de Jésus, d'où le nom de jésuitesses qu'on leur a donné. Dès avant la mort de la bienheureuse, elles desservaient plus de 30 maisons d'enseignement.

DAMES ANGLAISES JÉSUITESSES Une conséquence imprévue de la persécution anglicane fut l'impulsion spéciale donnée à l'évolution de la vie religieuse par quelques personnes réfugiées en Belgique. Plusieurs couvents furent fondés pour elles.

Le nom de « dames anglaises » [3] désigne des chanoinesses de saint Augustin établies à Louvain (Sainte-Monique), puis à Bruges (Nazareth). Comme pour la congrégation de Notre-Dame, leurs constitutions primitives subirent, au début du XVIIe siècle, une certaine adaptation à celles de la Compagnie de Jésus.

Plus « spectaculaire » fut la tentative audacieuse d'une noble Anglaise de vertu, de talent et d'initiative. Dans le but d'ouvrir aux femmes un apostolat actif sous une direction unique et vigoureuse, Mary Ward (1585-1645) n'entreprit rien de moins que de fonder une association « exempte », calquée

[1] BIBLIOGRAPHIE. — *C.E.*, t. XVI, col. 31 ; *Cathol.*, t. IX, col. 338 ; *E.C.*, t. V, col. 1264 ; *K.L.*, t. VII, col. 1090 ; *L.T.K.*, t. VI, col. 255 ; A. DE SALINIS, *Madame de Villeneuve*, Paris, 1918 ; *Directoire pour les Sœurs de la congrégation de la Croix*, Tréguier, s. d.

[2] BIBLIOGRAPHIE. — *E.C.*, t. VI, col. 491 ; *K.E.*, t. IX, col. 168 ; t. XIV, col. 575 ; *K.L.*, t. IV, col. 1933 ; *L.T.K.*, t. V, col. 458 ; L. ENTRAYGUES, *La bienheureuse Jeanne de Lestonnac... (1556-1640)*, Périgueux, 1940 ; J. STIÉNON DU PRÉ, *Sainte Jeanne de Lestonnac*, Paris, 1955.

[3] BIBLIOGRAPHIE. — Voir : chanoinesses de Saint-Augustin et jésuitesses. C. S. DURAND, *A link between Flemish mystics and English martyrs*, Londres, 1925 ; L. WILLAERT, *Le couvent des Dames anglaises à Bruges*, dans *La Femme belge*, 1915.

exactement sur la Compagnie de Jésus, avec une supérieure-générale ne dépendant que du Saint-Siège [1]. Elle s'adonnerait à toutes les formes accessibles de l'apostolat et surtout à l'enseignement; naturellement, elle ignorerait la clôture et le chœur. L'idée se réalisa en plusieurs maisons dans les Pays-Bas d'abord (1609 à Saint-Omer), puis à l'étranger. Mais elle heurtait trop violemment les conceptions du droit canon. Elle fut dissoute par une bulle d'Urbain VIII publiée le 16 janvier 1631. Quelques-unes des anciennes « jésuitesses » se groupèrent sous le nom d'Institut de Marie ou de dames anglaises, qu'il ne faut pas confondre avec celles mentionnées plus haut. Soumises à l'autorité épiscopale, leurs constitutions furent approuvées, mais non leur institut. Elles continuèrent leur activité, notamment en Bavière (Englische Fräulein) et en Angleterre.

HOSPITALIÈRES A quelle œuvre de miséricorde faut-il donner la palme? Celle de l'esprit était nécessaire au plus haut point. Mais le témoignage de la charité corporelle n'est-il pas, dans tous les temps, la manifestation la plus impressionnante de la vie évangélique? « C'est à cela que tous connaîtront que vous êtes mes disciples, si vous avez de l'amour les uns pour les autres » [2].

A l'époque de la Restauration catholique, la miséricorde pour les souffrances des corps et pour les faiblesses du cœur resplendit par toute la Chrétienté; mais elle a fleuri en France avec une exubérance qui est incontestablement la gloire la plus pure du Grand Siècle. Aussi est-il impossible d'énumérer ici toutes les congrégations instituées alors, même en s'arrêtant à la limite fixée à ce volume (1648).

Filles de la Charité [3]. — « Monsieur Vincent » est devenu à juste titre un des symboles de la bienfaisance et la cornette de ses filles de la Charité a popularisé dans les deux mondes une des formes les plus répandues du dévouement aux malades et aux pauvres. Fondées en 1634 par saint Vincent

---

[1] BIBLIOGRAPHIE. — *C.E.*, t. VIII, p. 54; t. XV, col. 551; *D.H.G.E.*, t. III, col. 131; *E.C.*, t. VII, col. 356; *K.E.*, t. XIV, col. 558; *K.L.*, t. IV, col. 572; *L.T.K.*, t. III, col. 690; t. X, col. 751; M. C. E. CHAMBERS, *The life of Mary Ward (1585-1645)*, éd. par H. J. COLERIDGE, 2 vol., Londres, 1889; J. CREUSEN, *Revue des Comm. relig.*, t. XVII, 1945, p. 35-37; I. Fr. GÖRRES, *Das grosse Spiel der Maria Ward*, Frankfurt, 1952; J. GRISAR, *Das erste Verbot der Ordensgründung M. Ward*, dans *Stimmen der Zeit*, t. CXIII, 1927, p. 34-51; ID., *Maria Ward auf dem Weg zu einem neuen Frauentum*, dans *Stimmen der Zeit*, t. CLII, 1953, p. 21-34; ID., *Die ersten Anklagen in Rom gegen das Institut Maria Wards (1622)*, Rome, 1959 et sa bibliographie; ID., *Das Urteil des Lessius, Suarez und anderer über den neuen Ordenstyp der Mary Ward*, dans *Gregorianum*, t. XXXVIII, 1954, n° 4; HEIMB., *op. cit.*, t. III, p. 365; MOELHER, *op. cit.*, t. III, p. 223; Mother SALOME, *Mary Ward, a foundress of the 17th century*, Londres, 1901; *P.G.*, t. XIII, II, p. 603; M. T. WINKLER, *Maria Ward und das Institut der Englischen Fräulein in Bayern von der Gründung des Hauses in Machen bis zur Säkularisation desselben (1626-1810)*, Munich, 1926, dans *Bayerland*, t. XXXVIII, 1927, p. 234-261; *Die deutsche illustrierte Rundschau*, 1927, p. 143-263.

[2] Jean, XIII, 35.

[3] *K.L.*, t. X, col. 2118; *Cathol.*, t. II, col. 977 s.; *E.C.*, t. IV, col. 1140, t. V, col. 1261; *L.T.K.*, t. I, col. 974-978; HEIMB., t. III, p. 230 s.; HÉLYOT-MIGNE, t. I, p. 810; *C.E.*, t. III, col. 605; *P.G.*, t. XIII, p. 566; L. CELLIER, *Les Filles de la Charité*, Paris, 1929; *Les Filles de la Charité de saint Vincent de Paul*, Paris, 1923; P. COSTE, *Saint Vincent de Paul et les Dames de la Charité*, Paris, 1913.

avec le concours de sainte Louise de Marillac (Madame Le Gras), les « puellae caritatis » essaimèrent rapidement en France, en Pologne et plus tard dans tout l'univers [1].

Autres hospitalières françaises. — Parmi les autres congrégations qui suivent en grand nombre la règle de saint Augustin, la France en a vu naître plusieurs qui se consacrèrent localement aux malades des Hôtels-Dieu.

D'autres comprenaient de nombreuses maisons, soit dans de larges régions du pays, soit dans tout le royaume et à l'étranger. Telles furent les hospitalières de la Charité-Notre-Dame de Françoise de la Croix (1624); les sœurs de Saint-Charles de Nancy (1629); les sœurs de Saint-Joseph (1630) fondées au Puy par le jésuite J. P. Médaille, qui plus tard se propagèrent jusqu'aux États-Unis; les augustines de la Miséricorde de Jésus ou hospitalières de la Merci (1630 à Dieppe) qui, reconnues en 1625 comme chanoinesses régulières, devaient dès 1639 provigner à l'étranger; les religieuses hospitalières constituées à La Flèche en 1636 par M. de La Dauversière et Marie de La Ferre, qui se répandirent plus tard au Canada; les hospitalières de Loches (Touraine), qui comptaient dix-huit établissements; et cette liste est bien incomplète.

Hors de France. — D'autres pays aussi virent se créer à la même époque diverses congrégations hospitalières, telles en Espagne les religieuses de l'ordre de Notre-Dame de la Merci, à Séville en 1568, et celles de Notre-Dame de la Merci ou de la Récollection, encore à Séville au début du xviie siècle.

PRÉSERVÉES ET REPENTIES — Pour compléter le tableau de l'inépuisable charité chrétienne dans son renouveau, il faut signaler le dévouement souvent héroïque des nombreuses congrégations qui se vouèrent à la préservation des jeunes filles ou au sauvetage des naufragées de la vertu.

Ce sont, entre autres, l'ordre de Notre-Dame de la Charité, fondé à Caen, en 1641 par saint Jean Eudes [2]; ces « eudistes » ont formé plus tard deux branches : les religieuses de Notre-Dame du Refuge à Nancy en 1624 et celles de Notre-Dame de la Charité du Bon Pasteur d'Angers; les filles de la Providence de Dieu créées par Madame Polaillon en 1643; les madelonnettes organisées par le P. Moé, capucin, en 1618.

[1] J. CALVET, *Sainte Louise de Marillac*, Paris, 1959.
[2] *L.T.K.*, t. II, col. 664-666, t. X, col. 1098; *E.C.*, t. IX, col. 241; *K.L.*, t. II, col. 1448-1453; *D.T.C.*, t. I, col. 2483, t. V, col. 1471; *K.E.*, t. XXIV, col. 1704; *C.E.*, t. VI, col. 647; HEIMB. t. III, p. 451; DRY, *Les origines de Notre-Dame de la Charité*, Abbeville, 1891; E. GEORGES, *Saint Jean Eudes missionnaire apostolique*, Paris, 1925; *Pères de la Congrégation de Jésus et de Marie. Une œuvre de miséricorde et d'apostolat : Notre-Dame du Refuge et du Bon Pasteur (1640-1923)*, Besançon 1923; A. BELLENGER, *Un institut d'enseignement populaire et d'assistance sociale : la Providence d'Alençon*, Paris, 1948; *Notre Vie*, revue eudiste de spiritualité et d'information; *Cahiers Eudistes*, notamment le Cahier no 1, Paris, 1948.

CHAPITRE IV

TIERS-ORDRES ET PIEUSES ASSOCIATIONS

§ 1. — Les Tiers-ordres réguliers.

Autant que les deux premiers « ordres » de religieux (hommes et femmes) des anciennes « religions », leurs divers tiers-ordres participèrent largement à la Restauration.

Les « tiers-ordres réguliers » sont des associations dont les unes répondent à la définition d' « ordres » avec clôture, les autres constituent des « congrégations » suivant également la règle d'un ordre religieux [1]. Quant aux « tiers-ordres séculiers », ils se composent de personnes de l'un ou de l'autre sexe qui se sont donné pour but, sans quitter le monde, de tendre à la perfection selon l'esprit d'un ordre religieux auquel elles sont affiliées. Au point de vue canonique, le concile de Trente se contente de dire que ces personnes « s'en tiendront à leurs constitutions »; mais Pie V (1566) leur interdit de recevoir désormais des novices. En fait, l'Église se montra tolérante, se contenta d'approuver les statuts des nouveaux instituts de ce genre, « sans approuver la société elle-même ». Mais bon nombre de tertiaires, observant la constitution de 1566, se soumirent à la clôture et renoncèrent au ministère au dehors [2].

TIERS-ORDRE FRANCISCAIN [3] Premier en date, le tiers-ordre franciscain masculin se développa au XVIIe siècle. L'esprit de réforme avait inspiré depuis le XVe siècle plusieurs « congrégations ». Celle de France fut organisée par le P. Vincent Mussart en 1594; elle prit possession en 1601, grâce à la comtesse de Mortemart, de la maison ouverte à Picpus, au faubourg Saint-Antoine. Les statuts de ces tertiaires « de la stricte observance » furent approuvés en 1613. Cette congrégation de Picpus ne doit pas être confondue avec la société de Picpus fondée en 1805. Les tertiaires de France furent soumis au ministre général franciscain ainsi qu'au commissaire général et au commissaire français. Bref de Clément VIII du 2 octobre 1603 [4].

[1] J. CREUSEN, Les Instituts, op. cit., p. 56, 60.

[2] Ibid., p. 60.

[3] BIBLIOGRAPHIE. — J. GOYENS, Le tiers-ordre de Saint-François à Gand, Bruges, Ypres, Cambrai, Hazebrouck, Poperinghe, Dunkerque, Cassel, dans France franciscaine, 1921; FRÉDÉGAND D'ANVERS, Le tiers-ordre de Saint-François d'Assise, dans Études franciscaines, Paris, t. XXXIII, 1921, p. 360 s.; GEMMELI-INGEN, op. cit., p. 156 s., 173; HEIMB., op. cit., t. II, p. 497; R. LUCONI, Il terzo ordine regolare di S. Francisco, Macerata, 1935; P. PÉANO, Histoire du tiers-ordre, Paris, 1943; UBALD D'ALENÇON, Le tiers-ordre de Saint-François d'Assise, Paris, dans Annales franciscaines, t. LXI, 1923, p. 268-273, 341-344; F. VERNET, op. cit., p. 92; Tiercelines ou dix siècles de vie franciscaine et nationale, Albi, 1943.

[4] B.T., t. X, p. 48, confirmé, à la demande des tertiaires, par ceux de Paul V du 27 août 1608 et du 27 octobre 1610, B.T., t. XI, p. 546 et 640.

En ce qui concerne les congrégations de tertiaires franciscains, elles ont toutes pour second but le service du prochain, soit dans l'enseignement soit dans la bienfaisance. Les obrégons, fondés par Bernardin d'Obrégon à la fin du xvie siècle, desservaient de nombreux hôpitaux en Espagne, en Belgique et aux Indes. Cinq commerçants d'Armentières instituèrent les bons-fieux, voués au soin des malades.

Parmi les franciscaines du tiers-ordre régulier, les élisabéthaines, « sœurs de sainte Élisabeth », ou « sœurs de la Miséricorde », se dévouaient en Allemagne, en Autriche et en France. Les « sœurs de la pénitence de la stricte observance » furent fondées à Besançon en 1604 par Marguerite Borrey selon la réforme du P. Mussart.

Une jeune fille de Patay, Simone Gaugaine, aidée par Madeleine Brulart, fut la fondatrice de la congrégation des « sœurs de la Miséricorde de Notre-Dame », qui eut plusieurs maisons en France. En Italie, Virginie Centurione institua à Gênes en 1619 les filles du Calvaire, qui recueillaient les enfants abandonnés. Les franciscaines pénitentes ou récollectines de Limbourg doivent leur origine au franciscain Pierre Marchant. A partir de 1626, elles se répandirent en Belgique, en France et en Allemagne. Les « sœurs de Notre-Dame des Anges » s'établirent à Tourcoing en 1630. Tandis qu'en Allemagne refleurissaient les franciscaines d'Augsbourg, celles de Dillingen et d'autres encore, le capucin Louis de Saxe rédigeait, d'après les règles de son ordre, les statuts des tertiaires capucines (1607), qui furent admis dans plusieurs couvents de Suisse.

TIERS-ORDRE DOMINICAIN [1] Suivant de quelques années seulement le tiers-ordre franciscain, celui de saint Dominique avait complété l'œuvre du fondateur. On a pu noter son essor dans l'exposé de la réforme dominicaine de la période précédente.

A Langres en 1621, sous l'impulsion de la réforme du P. Michaelis au début du xvie siècle, se constitua le tiers-ordre de la Pénitence, auquel la plupart des congrégations dominicaines enseignantes de France doivent leur origine et qui, dès le début, fit rayonner tout ensemble la piété et la bienfaisance [2].

TIERS-ORDRE SERVITE [3] Les tertiaires servites, appelées mantellates, existaient dès 1424 en plusieurs pays. C'est à l'archiduchesses Anne-Catherine de Gonzague, veuve de Ferdinand II, qu'elles doivent d'avoir été rétablies en Allemagne en 1612; devenue elle-même tertiaire, la fondatrice

---

[1] BIBLIOGRAPHIE. — *C.E.*, t. XII, col. 369; *Cathol.*, t. II, col. 986; *E.C.*, t. V, col. 1749; *K.L.*, t. III, col. 1944; *L.T.K.*, t. X, col. 1; M.-M. DAVY, *Les dominicaines*, Paris, 1934; *Les congrégations dominicaines*, Paris, 1924; *H.E.*, t. XV, p. 287, 309; G. MEERSEMAN, *Études sur les anciennes confréries dominicaines*, dans *Archiv. fratr. praed.*, t. XX, 1950, p. 5-119; t. XXI, 1951, p. 51-196; F. VERNET, *op. cit.*, p. 52.

[2] *Les congrégations dominicaines*, Paris, 1924, p. 18, 51. Cf. *supra*, p. 118.

[3] BIBLIOGRAPHIE. — *K.L.*, t. XI, col. 210; *L.T.K.*, t. X, col. 1.

fit approuver par Paul V en 1617 les constitutions qu'elle avait rédigées; les maisons allemandes formaient une congrégation autonome, qui s'occupait aussi d'enseignement et d'œuvres charitables.

TIERS-ORDRE CARMÉLITAIN [1] C'est vers 1635 que le P. Théodose Stratius, général des carmes, rédigea la règle du tiers-ordre carmélitain, qui fut d'ailleurs réformé en 1678. La branche féminine ne fut organisée qu'en 1702.

§ 2. — Les associations laïques [2].

LES TIERS-ORDRES SÉCULIERS Un des faits remarquables de la Réformation au XVIIᵉ siècle est la ferveur avec laquelle beaucoup de laïcs se consacrèrent à ce qu'on peut considérer comme l' « action catholique » d'alors.

Les ordres anciens s'étaient depuis longtemps affilié des gens du monde, qui, aspirant à la perfection selon l'esprit du fondateur, pratiquaient en même temps les œuvres de miséricorde spirituelle et temporelle. Ainsi, parmi les membres du tiers-ordre franciscain, dans divers pays, des personnes des deux sexes de la plus haute aristocratie se consacraient à la charité la plus humble. A l'exemple de rois et de reines, « des vice-rois et des cardinaux, des peintres, comme Murillo, des poètes, comme Lope de Vega, se ceignaient de la corde du tiers-ordre ». En 1685, la seule ville de Madrid comptera 25.000 tertiaires. Même engouement dans les autres pays, et nous verrons quelle admirable activité sociale germera de cette ferveur religieuse.

Il serait trop long d'énumérer tous les tiers-ordres de l'époque, mais on relève partout, à des degrés divers, un égal élan chez les laïcs des deux sexes. C'est au point qu'on s'étonne de voir un bon nombre de groupements de ce genre retrouver une telle vitalité, sans qu'aucun d'eux, malgré son succès, n'épuise la générosité de la société. Bien plus, il y eut encore place pour des associations chrétiennes d'inspiration nouvelle.

LES ASSOCIATIONS MARIALES [3] *Anciennes confréries*. — Dès la fin du Moyen Age, aux « gais chevaliers de Notre-Dame » succédèrent un peu partout, avec le tiers-ordre dominicain, des confréries de la Sainte Vierge, c'est-à-dire du Rosaire.

---

[1] BIBLIOGRAPHIE. — *K.L.*, t. II, col. 1973; *L.T.K.*, t. X, col. 1; F. VERNET, *op. cit.*, p. 143. Cf. HIGINO DE STA-TERESA, *supra*, p. 116, n.

[2] BIBLIOGRAPHIE. — Voir *ÉC.*, t. V, p. 1748; GEMELLI-INGEN, *op. cit.*, p. 157; J. MARCHAL, *Le « droit d'oblat ». Essai sur une variété de pensionnés monastiques;* P. DABIN, *Le sacerdoce royal des fidèles dans la tradition ancienne et moderne,* Paris, 1950; L. HOFMAN et O. SEMMELROTH, *Der Laic in der Kirche. Seine Sendung. Sein Recht,* Trèves, 1935.

[3] BIBLIOGRAPHIE. — *Cathol.*, t. IX, col. 12; *E.C.*, t. IV, col. 303; t. XIV, col. 123; *L.T.K.*, t. VI, col. 125; DUHR, *op. cit.*, t. I, p. 871; t. II, II, p. 776 (on trouvera dans les tables, au nom de chaque collège, ce qui concerne sa congrégation); *R.S.P.T.*, t. XXXVI, 1952, p. 260-262; H. FOUQUERAY, *op. cit.*, t. V, p. 476 (table); E. VILLARET, *Congrégations de la sainte Vierge. Esquisse générale,* Rome, 1950; ID., *Les congrégations mariales... 1540-1773,* Paris, 1947; J. WICKI et R. DENDAL, *Le Père Jean Leunis, S. J. (1532-1584), fondateur des congrégations mariales,* Rome, 1951. — *Canonicorum Regularium Sodalitates,* éd. Caninia, 1954 (Autriche).

A titre d'exemple, voici, au début du XVIIe siècle, l'«ancienne fraternité du Rosaire », qui est renouvelée à Louvain par les professeurs de l'Université [1].

Les congrégations mariales. — A certains égards, et malgré de très notables différences, les congrégations mariales peuvent être comparées aux tiers-ordres.

Leur origine est bien connue. Fondée à Rome en 1563 par un jeune jésuite liégeois, Jean Leunis, professeur au Collège romain, la première « congrégation », composée de quelques élèves, eut bientôt des imitatrices en nombre croissant, groupant des hommes de tout âge et de toute profession. Il y en eut à Paris en 1567, à Billom en 1569, à Douai en 1573, ainsi qu'en Espagne et au Portugal. En 1584, Grégoire XIII leur donne leur statut canonique. En 1658, la congrégation *Primaria* de Rome a déjà dans le monde 1459 filiales.

Il est bien vrai que, dans le début et pendant deux siècles, les congrégations mariales ne furent pas ouvertes aux femmes, qui n'en ont forcé l'entrée qu'en 1751, tant fut durable l'exclusive du fondateur de la Compagnie de Jésus à l'égard des œuvres féminines, en dépit de leur rôle nouveau dans la vie de l'Église. Il est vrai aussi que les congrégations ne sont pas des « ordres », ni même l'extension d'un ordre. Une fois affiliée à la *Primaria* à Rome, chacune des congrégations est parfaitement autonome; elle ne lui est pas subordonnée, encore moins aux supérieurs de la Compagnie de Jésus. Si elles sont des associations « religieuses », c'est uniquement parce que leur directeur doit être prêtre, parce que leur fin et leurs moyens sont exclusivement religieux, mais sans autre obligation qu'une « consécration ». Enfin, leur but apostolique fait partie de leur constitution et non seulement de leurs pratiques.

D'autre part, comme les tiers-ordres, elles sont des associations permanentes et organisées de personnes vivant dans un « état » canonique, formant un corps sujet de droits. Elles sont destinées avant tout à procurer la sanctification personnelle de laïcs vivant dans le monde, d'une élite par conséquent, mais destinée à entraîner une élite plus nombreuse. Et cependant, les congrégations ont groupé, elles aussi, des membres au nombre impressionnant, appartenant, comme les tertiaires, à tous les échelons de la société. Comme eux, ces membres ont fait revivre, entre les personnes des classes les plus différentes, une remarquable solidarité.

Ainsi, chacune de ces congrégations apporte au renouveau religieux le témoignage de sa ferveur et les aspects divers de sa charité.

---

[1] Lettre de Jansénius à Saint-Cyran, 4 février 1619. Cf. ORCIBAL, *op. cit.*, dans *Correspondance...*, p. 45. Sur les confréries, *D.T.C.*, t. XIII, col. 2910.

CONCLUSION

CARACTÈRES Cette longue et trop sèche énumération des formes bigarrées de l'ordre conventuel restauré ne présente que sa structure, — on dirait volontiers son anatomie. Il faudra revenir sur sa vie profonde et exubérante. Mais on devine déjà quelle ardeur évoque la simple mention de ses incarnations diverses, de ses succès, de ses buts spirituels et apostoliques si multiples. Lors du jugement final sur l'Église posttridentine, on se rappellera ce témoignage de sa foi et de sa générosité.

Dans l'histoire de la vie religieuse communautaire, cette période occupe un des plus hauts sommets. Rarement se rencontrèrent un tel nombre de héros de la sainteté, inspirés et assez puissants pour que leur message, leur enthousiasme et leur règle de vie continuent pendant des siècles à entretenir l'élan de milliers de disciples.

Il est possible d'entrevoir dès maintenant ce que tant d'hommes et de femmes de cette génération ont réalisé pour le progrès de l'Église et de l'humanité. Ascètes voués à la sublimation du vouloir et de la pensée, savants à la tête du mouvement des sciences spéculatives et même pratiques, enseignants et enseignantes consacrés à l'instruction et à l'éducation de presque toute la jeunesse de leur temps, missionnaires intrépides portant au delà des mers la lumière de la civilisation chrétienne, hospitaliers et hospitalières penchés sur toutes les misères physiques et morales, tous révèlent une force intérieure prodigieuse, qui marque dans l'histoire même de l'humanité.

Non seulement des rénovateurs et des rénovatrices rendent alors une âme vigoureuse à des corps religieux sclérosés, contaminés ou anémiés, mais des initiateurs de génie assouplissent audacieusement l'idéal monastique aux exigences d'une société transformée. Vie contemplative, vie mixte, vie active, toutes trois connaissent une nouvelle jeunesse.

Enfin, contrairement à certains réveils antérieurs du monachisme, celui-ci se distingue par son attitude à l'égard du Siège de Pierre. Restaurés ou légalisés par lui, ils lui témoignent en retour une filiale docilité; ils contribueront puissamment à fortifier la centralisation romaine et l'unité d'action de l'Église plus « catholique ».

Devant cette puissante manifestation de l'Esprit, une question se pose : comment l'expliquer? par qui et par quoi a-t-elle été déclenchée? quels moyens a-t-elle utilisés pour atteindre et entraîner des milliers d'âmes qui s'étaient plus ou moins assoupies?

SOURCES DE LA RÉNOVATION Ce problème concerne toute la Rénovation catholique à l'aurore des temps modernes. Mais on aimerait à le voir résolu sur le terrain particulier des ordres religieux. Il y aurait là matière à une attirante étude d'ensemble, qui demanderait autant de perspicacité et de puissance de synthèse que d'érudition. Il faudrait distinguer la naissance des ordres nouveaux et la réforme des anciens. Pour l'une et pour l'autre, la documentation abonde. Et pour chacune d'elles nous savons déjà l'influence de la hiérarchie. Mais comment agissait-elle en profondeur?

Par manière d'exemple, à quoi faut-il attribuer la restauration bien connue de l'abbaye de Port-Royal? Nous savons que la Mère Angélique — abbesse de 18 ans — a reçu pendant le sermon du Père Basile, capucin, la « chiquenaude », ou plutôt « la touche de Dieu » qui entraîna sa « conversion », que cette conversion lui inspira la résolution héroïque de la dramatique et célèbre « journée du guichet ». Mais qu'avait dit le capucin? Il avait « parlé des anéantissements et des humiliations du Fils de Dieu »[1].

Et nous voilà renvoyés à la spiritualité du temps, où il faudra découvrir la source profonde de toutes les rénovations et de chacune en particulier; car — en général — chaque institut se renouvela dans la ligne de son propre esprit. Les arguments de la réformatrice du Carmel différaient sans aucun doute de ceux qu'un saint Pierre Nolasque invoquait devant les mercédaires. En attendant que nous abordions ici cette étude plus à loisir, voici deux échantillons des formes variées que prenaient les exhortations à la réforme.

Le Speculum *de Wennius*. — Le premier est de François Wennius, prieur et maître des novices de l'abbaye norbertine du Parc à Louvain. De son *Speculum religiosorum*, publié à Louvain en 1645, le quatrième traité s'appelle : *De reformatione interioris hominis*, titre qui n'est pas rare à l'époque. Il insiste particulièrement sur l'humilité et l'amour, amour de Dieu et du prochain[2].

Le De Reformatione de C. Jansénius. — Un autre *De interioris hominis reformatione* est plus connu et mérite plus d'attention; il est de Corneille Jansénius lui-même. En 1628, l'archevêque de Malines Joseph Boonen, abbé commendataire de l'abbaye bénédictine d'Afflighem en Flandre, devait recevoir la profession du prévôt, le mystique Dom Benoît van Haeften, et des autres moines, qui avaient adopté depuis un an la rénovation déjà réalisée à l'abbaye de Saint-Hubert. Jansénius invité — peut-être par son ami van Haeften — à prononcer le discours de circonstance, pria Saint-Cyran de lui envoyer « quelque chose qui puisse servir à cela » parmi ses sermons[3].

---

[1] SAINTE-BEUVE, *op. cit.*, t. I, p. 56.

[2] Fr. WENNIUS, *Speculum religiosorum totum interiorem hominem et omnia religiosae vitae officia... exhibitum*, Louvain, 1645.
Traite de : « humilitas, exemplum Christi, inanis complacentia, vana gloria, amor ordinatus, charitas Dei, de gradibus divini amoris, amor proximi et creaturarum ».

[3] ORCIBAL, *op. cit.*, p. 411 s., 415, t. III, III, App. III, p. 88; cite SANDERUS, lequel dit que cette réforme se fit « iuxta ritum Congregationis S. S. Vitonis (Saints Vanne et Hidulphe) apud Lotharingos ». Voir SCHMITZ, *op. cit.*, t. III, p. 224, t. IV, p. 82, 89, 93, 97 : Afflighem avait d'abord accepté la réforme de Bursfeld (1522). Incorporée à l'archevêché de Malines, elle garda une partie de ses biens et « son administration spirituelle sous un supérieur régulier, dit prévôt ». Voir *supra*, p. 110 la Congrégation de la Présentation de Notre-Dame. Sur le sermon à Afflighem, L. WILLAERT, *op. cit.*, p. 181 s.; sur l'*Oratio interioris...* Les éditions successives de 1631 à 1685 sont dans *B.J.B.*, nos 1788, 1860, 1924, 2101, 3767, 4683.

Le secours vint trop tard, en sorte que l'orateur composa lui-même la harangue « suivant la doctrine de [saint Augustin] », dit-il. Il déclare vouloir traiter moins de la perfection conventuelle que de sa source, qui est la rénovation de l'homme. Il le fait non seulement avec la mentalité de son modèle, mais avec son style et sa chaude éloquence, exhortant ses auditeurs à persévérer en dépit des critiques dont ils sont l'objet [1]. Les éditions successives de son discours — qui fut traduit en français par Arnauld d'Andilly — témoignent de l'influence qu'il a sans doute exercée. Pascal lui-même y « découvrit... le caractère de l'absolu » [2].

Quel esprit puissant, recueillant et liant en gerbe une moisson suffisante de témoignages semblables, nous dira comment et pourquoi la vie conventuelle posttridentine a jeté cette flamme ample et chaude ?

---

[1] *De interioris hominis reformatione oratio...*, Louvain, 1675, 44 p. in-16. L'approbation est de H. Calenus, 13 novembre 1628. Pour expliquer les déchéances humaines, il remonte au péché d'Adam, où il découvre, dans l'égocentrisme, la source des trois déviations cardinales, les trois concupiscences énumérées par saint Jean (I Jean, II, 16). Leur commentaire forme le corps du sermon. On y reconnaît les thèses fondamentales de l'*Augustinus* : corruption de la nature humaine, délectation victorieuse, nécessité de la grâce, nécessité du mépris et de la défiance de soi. En matière de réforme, il loue le retour à la splendeur première plutôt que le recours à des formes nouvelles.

[2] J. CALVET, *La littérature religieuse, op. cit.*, p. 169.

DEUXIÈME PARTIE

LA VIE INTÉRIEURE
DE L'ÉGLISE

SA PENSÉE ET SA VITALITÉ RELIGIEUSE

LIVRE PREMIER

LA THÉOLOGIE, CENTRES D'ÉTUDES, ORIENTATIONS NOUVELLES

« *De doctrinae forma* [....]. *Haec pars vel* principem in ecclesiastica historia locum obtinet, siquidem praecipua nota et *cor verae Ecclesiae existit* [....] Actiones porro Ecclesiae Christi in doctrina potissimum [....] consistunt ». *Ecclesiastica historia...*, Bâle 1562 [1].

[1] Opinion qui, si l'on ajoute la charité, ne perd rien de sa vérité pour être de Flacius Illyricus. Cité par P. POLMAN, *L'élément historique dans la controverse religieuse du XVIe siècle*, Gembloux, 1932, p. 216 s.

CHAPITRE I

LA THÉOLOGIE : UNITÉ ET DIVERSITÉ

LA TRANSMISSION DU MESSAGE La vie intime de l'Église est la vie prolongée du Christ sur la terre. Cette vie, qui est Lumière et Amour, est d'abord celle de sa pensée. Comment cette pensée se manifeste-t-elle au lendemain du concile de Trente [1]?

L'Église se sent appelée à porter à toutes les nations un Message qui touche et à la croyance et à la conduite des hommes. Message qui peut colorer de nombreuses et diverses manifestations de leur activité. Il sera donc intéressant d'étudier les sources de ce rayonnement multiple, la conception du Message à cette époque. Mais il est naturel de commencer par l'objet primordial de sa recherche : Dieu et les relations que l'homme peut avoir avec Lui. Puisque la réflexion doit normalement précéder l'action, l'étude de la théologie dite dogmatique doit précéder l'autre.

Or, cette « parole de la Parole éternelle », que l'Église porte à travers les âges, est reçue et comprise par des générations successives, différentes de mentalité et de dispositions.

DOGME ET THÉOLOGIE L'histoire de l'Église se doit donc d'étudier ces échos de la Bonne Nouvelle. Ils se présentent sous deux formes : d'une part, « assertions révélées, définies par l'Église, proposées et imposées par son magistère infaillible à la foi des fidèles » [2] et dont l'enchaînement constitue l'histoire des dogmes. D'autre part, efforts infatigables des écoles et des docteurs, d'abord en vue de préparer la formulation de ces dogme, les « schèmes » qui seront soumis au Magistère définiteur, puis, dans le but d'expliquer l'article de foi défini, de le commenter jusque dans le détail de ses conséquences.

Dire comment la formule consacrée a été préparée et ensuite commentée par les spécialistes constitue l'histoire de la théologie [3]. Elle est à l'histoire

---

[1] BIBLIOGRAPHIE. — Voir note annexe, p. 177.

[2] A. GARDEIL, *Le donné révélé et la théologie*, Paris, 1910, p. 77.

[3] Sur la distinction entre le dogme et la théologie : *D.T.C.*, t. XV, col. 346, 432, 480; E. MARCOTTE, *La nature de la théologie d'après Melchior Cano*, Ottawa, 1949 (à ce sujet G. THILS, *E.T.L.*, t. XXVI, 1950, p. 409-414). « La conoscenza della cultura e dei costumi [della Ecclesia] è da sola insufficiente ad estimarne direttamente le condizioni religiose, se altresi non comprenda quella dello stato delle scienze sacre. Nulla infatti è tanto intimo alla religione, *quanto la dottrina teologica* in tutta la sua grande ampiezza, chè da essa [...] provengono effetti rilevantissimi nei varii gradi dell' ecclesiastica gerarchia e del popolo cristiano ». P. TACCHI-VENTURI, *Storia della Compagnia di Gesù*, Rome, 1910, t. I, p. 53.

du dogme ce que l'histoire de la jurisprudence est à l'histoire du droit. Sous sa double forme, cette recherche présente un intérêt passionnant. La théologie, il est vrai, n'est pas toute la pensée de l'Église. Elle en est l'aristocratie. Si elle ne rend pas compte de la foi des masses, elle l'influence cependant. Du haut des chaires facultaires, son enseignement descendra par degrés jusque dans les chaires des villes et des moindres villages. Elle conditionnera la foi des fidèles, de tout le Corps mystique.

L'état actuel des études ne permet pas encore de discerner cette foi du peuple catholique des XVIe et XVIIe siècles. Nous manquons des synthèses partielles préparatoires; au moins pouvons-nous observer avec quelque succès celle de ses sources qu'est la théologie. Les documents ne font pas défaut.

Sur plusieurs points importants, récemment contestés, le concile de Trente avait fixé le Credo. Mais le travail théologique continua. Il avait préparé la définition; il ne se devait pas seulement de l'élucider. Il lui fallait en outre explorer les régions de la pensée que les Pères avaient laissées à ses investigations.

On peut discuter la portée du « Renouveau » que l'Église posttridentine a réalisé sur divers terrains. Au point de vue théologique, cette période est incontestablement un âge d'or. On a pu la comparer aux belles époques de la pensée catholique et, sur certaines questions, les siècles suivants n'ont pu que le répéter [1]. Elle continue le labeur qui aboutit à la conclusion du concile de Trente (1563) et se clôt avec le premier quart du XVIIe siècle. On a noté qu'alors les « grands théologiens de la fin du XVIe siècle meurent coup sur coup : Suarez en 1617, du Perron en 1618, saint Bellarmin en 1621, saint François de Sales en 1622, Lessius en 1623, M. Bécan en 1624, Coton en 1626 » [2]. Cette période est signalée par une transformation capitale et un phénomène curieux.

DOGMATIQUE ET POSITIVE   La première tâche de la théologie d'alors était de se définir elle-même, elle et ses méthodes. C'est ce qui la rend particulièrement attachante. Pour comprendre la crise qu'elle traverse victorieusement, il faut se rappeler la difficulté du travail qu'entreprend le théologien. Il devrait en même temps être un érudit, un philosophe et un « spirituel », garder un contact immédiat et constant avec le donné révélé sous la forme des documents historiques et, d'autre part, scruter et « vivre » les profondeurs de la pensée qui s'y cache. Alliage difficile et rare. D'autant que le penseur, dans les altitudes où il plane, risque de considérer de très haut

---

[1] *G.-F.*, p. 222; A. HARNACK, *op. cit.*, t. III, p. 647, énumère trois controverses non décidées à Trente et qui diviseront les théologiens pendant la période suivante : « curialisme » (centralisation et infaillibilité romaines) et épiscopalisme (comprenant l'opposition à l'infaillibilité papale); « augustinisme » et « péliagianisme »; probabilisme.

[2] E. SNOEKS, *L'argument de tradition dans la controverse eucharistique entre catholiques et réformés français du XVIIe siècle*, Louvain, 1951, p. 165.

les besognes terre-à-terre de la philologie et de l'histoire [1]. De là, au cours des temps, le retour de situations semblables. A ce point de vue, le XVIe siècle s'explique par ce que nous avons vu au XIXe.

Vers 1850, la théologie spéculative, la scolastique, ne péchait pas seulement par faiblesse interne. Il lui manquait les aliments de la positive. Alors, timidement, les études exégétiques et patristiques reprirent une certaine vitalité. Les encouragements de la papauté et du concile du Vatican ne leur manquèrent pas. Soudain, les attaques sournoises de Turmel et celles plus franches de Loisy révélèrent la nécessité d'une résurgence des sciences dites auxiliaires. Et les travailleurs ne firent pas défaut. Mais, de la part des « spéculatifs », une réaction se mobilisa, qui, sans aller toujours jusqu'à l' « intégrisme », enflamma de vives controverses. Dans le calme rétabli, leur souvenir a presque disparu chez nos contemporains.

Ainsi en allait-il au début des temps modernes. Nous verrons la scolastique, décadente à la fin du Moyen Age, sous l'impulsion de la papauté et du concile de Trente, reprendre vie. De leur côté, Érasme ainsi que les humanistes protestants aideront par leurs attaques la théologie à pousser davantage les études « positives », dont le renouveau avait commencé dans l'Église dès la fin du XVe siècle et notamment sous l'impulsion de la papauté [2]. Et alors aussi, parmi les théologiens, un groupe de conservateurs s'opposeront — vainement d'ailleurs — à l'invasion des méthodes nouvelles.

De ce renouveau résulta un élargissement, d'une part de la méthode et, d'autre part, du champ d'investigation. C'est au point que les travailleurs de ce champ, incapables de le cultiver tous dans sa totalité, se partagèrent le travail en équipes. De là une conception nouvelle.

ÉCLOSION DE LA POSITIVE On voit apparaître la distinction entre théologie « dogmatique » ou « scolastique », qui poursuit ses méditations, et une théologie « positive », qui groupe un ensemble de scions du vieux tronc médiéval, devenus adultes sous le nom d'exégèse, de patristique, de patrologie, d'histoire ecclésiastique et même d'hagiographie. Outre ces disciplines qui scrutent l'objet de la croyance, la théologie morale, la mystique, l'homilétique et la liturgie conquièrent leur autonomie, à l'instar du droit canonique, qui poursuit sa carrière déjà ancienne. Toutes ces sciences recevront une impulsion et une diffusion plus large du fait de la réorganisation des bibliothèques et de l'utilisation de l'imprimerie, qui se répand. D'autre part, un monde nouveau s'est révélé à l'Europe, dont la découverte pose des questions variées : le sort éternel des « infidèles », le droit de

---

[1] Au XVIe siècle, Érasme et d'autres ne se firent pas faute d'adresser aux « scolastiques » le reproche de paresse que mentionnait déjà saint Augustin : « La Providence divine permet qu'il y ait des hérétiques [...] afin de nous obliger [...] de secouer notre paresse et désirer mieux connaître la sainte Écriture. Beaucoup seraient trop lâches pour chercher, s'ils n'étaient réveillés de leur torpeur par les attaques et le mépris des hérétiques... », *De Gen. contra Man.* I, 2., cité par A. HUMBERT, *Problème, op. cit.*, t. I, p. 70.

[2] Voir, par exemple, *H.E.*, t. XV, p. 27, Nicolas V fondateur de la Bibliothèque vaticane; Pie II, p. 48; Paul II, p. 70; Sixte IV, p. 88; Léon X et l'Université de Rome, p. 190.

conquête des « terres occupées », l'existence et l'inviolabilité du droit naturel [1].

Au milieu de l'ensemble des disciplines cadettes, la théologie dogmatique conserve son droit d'aînesse. Chargée de scruter les données de la Révélation, elle travaille à en découvrir les virtualités indéfinies, sans négliger les secours que les autres sciences théologiques lui fournissent sur l'exacte notion des formules révélées.

LUMIÈRES INFRASPÉCULATIVES Ajoutons que, dans l'analyse de la spéculation religieuse, on ne peut négliger ces éléments adventices qui l'influencent à son insu. Car l'intelligence du chercheur n'agit pas seule. Même dans les adhésions les plus abstraites, elle subit inconsciemment l'action subtile d'insinuations qui théoriquement lui sont étrangères, de ces lumières de biais qui lui viennent de la vie totale. La vie chrétienne, la spiritualité, le culte liturgique, les dévotions particulières, bref, tout ce que la Lumière de l'Amour inspire à la conduite pratique agit sur les théologiens et par eux sur la théologie et le dogme [2].

Parmi ces influences, la piété tient un premier rôle. Sans elle, sans l'élan « mystique », sans l'effort d'union à Dieu, qui constitue l'essence même de la religion, la théologie serait tombée au rang d'une sorte de philologie sacrée, qui pouvait être traitée avec succès par un profane, fût-il incroyant.

Par bonheur, à l'issue du concile de Trente, les théologiens sont portés par un renouveau de cette vie intérieure, auquel plusieurs d'entre eux ajoutent la flamme de leur propre ferveur. L'histoire de leur science devait d'abord dire l'intensité de cette vie. Mais il s'agit là d'un mouvement important en étendue et en profondeur qu'il faudra étudier plus loin à loisir [3].

THÉOLOGIE VIVANTE On n'aurait pas fini de caractériser la théologie des XVIe et XVIIe siècles si on ne remarquait encore quelle large audience elle rencontrait chez le public des croyants et dans le monde cultivé; il en résultait une stimulante réaction. D'où aussi un changement d'expression. On verra paraître dans les langues nationales des œuvres couronnées d'un succès qui nous étonnerait à présent. C'est qu'alors l'opinion se passionnait pour les questions religieuses, intimement mêlées aux politiques. Les souverains modernes, comme ceux des siècles antérieurs [4], profitent des discussions pour intervenir dans les questions d'Église, heureux d'affirmer

---

[1] A. Duval, dans *R.S.P.T.*, t. XXXVI, 1952, p. 536, à propos de V. D. Carro, *La teologia y los teologos-juristas españoles ante la conquista de America*, Salamanque, 1951.

[2] F. Cayré, *Patrologie...*, op. cit., t. III, p. VI s.; A. Harnack, *Lehrbuch*, op. cit., t. I, p. 12; A. Humbert, *Problème...*, op. cit., t. I, p. 69, t. II, 1902, p. 767 s. (Influence « mystique » soulignée par Abélard, Saint Bernard, Tauler, Suso, Ruysbroeck, l'*Imitation de Jésus-Christ* : « Que Moïse ne parle point, mais vous, Seigneur. » Sur l'influence des « spirituels » en théologie, P. Thureau-Dangin, *Newman catholique*, Paris, 1912, p. 15.

[3] Elle fera l'objet du t. II ci-après.

[4] Sur l'influence des rois carolingiens dans l'affaire de Gottschalk sur la grâce, *D.T.C.*, t. XII, col. 2901-2929. On se rappellera les interventions de Charles-Quint et de Philippe II au concile de Trente; celle de Philippe III lors de la Congrégation *de Auxiliis*.

leur droit de regard. Dans les documents diplomatiques et administratifs
du temps, au milieu des nouvelles de politique ou de guerre, on entend l'écho
de controverses théologiques. Et les spéculations des docteurs, même s'il
ne s'agit pas expressément d'apologétique, sont influencées par les attaques
des adversaires. Stimulée par les émotions qu'elle excite autour d'elle,
la théologie vit fréquemment sur pied de guerre et ses centres d'études
prennent facilement des allures d'arsenaux et de forteresses [1].

NOTE ANNEXE

BIBLIOGRAPHIE *de l'histoire théologique posttridentine.*

Il ne sera plus nécessaire de rappeler ici les diverses *Histoire de l'Église,*
de la *papauté* ou des *ordres religieux* (voir ci-dessus), qui traitent des études
théologiques. On trouvera des indications et de la bibliographie dans les
encyclopédies, sous les rubriques : *Dogme, Théologie, etc.* et les divers sujets
tels que *grâce, etc.* par exemple, *D.T.C.*, t. IV, II, col. 1561, 1610; y voir
sous le nom des divers pays la rubrique : « Publications catholiques sur les
sciences sacrées »; *L.T.K.*, t. III, col. 368, t. IX, col. 705, 711 (bibliogr.);
nouvelle édition sous la direction de Mgr J. H. OFER et du P. K. RAHNER,
Fribourg-en-Br., t. I, 1957 et s.; *K.L.; Catholicisme; C.E.; E.C.; D. Apolog.,*
t. I, col. 1121; *Dict. de la foi cathol.; Religious Encyclopaedia,* Edimbourg, etc.; *H.C.*

1º PÉRIODIQUES : Les *périodiques de théologie,* ou d'*histoire ecclésiastique*
fournissent un précieux relevé des publications d'histoire de la théologie
sous forme de « Bulletin », « bibliographie critique » ou autre. — Plusieurs
éditent des « Bibliothèques » ou séries d'ouvrages concernant leur discipline,
par exemple *Biblioteca teologica granadina,* dans *Bibliothèque de la R.H.E.;*
Répertoire général de sciences religieuses, Colmar, 1951 (précieux notamment pour les périodiques, 950 périod. ou collections); *Analecta sacra*
Tarraconensia; Angelicum; Année théologique, dans *A.H.S.J.,* Rome;
Archivo teologico granadino, spécialisé dans l'histoire de la théologie posttri-
dentine, par exemple J. A. DE ALMADA, *Boletin de historia de la teologia en*
el periodo 1500-1800, depuis le t. II, 1939, p. 295-345, très utile; *Archivum*
franciscanum historicum, Florence; *Archivum Fratrum Praedicatorum,* Rome;
Bulletin de littér. éccles., Toulouse; *Bulletin thomiste,* Étiolles, Paris;
Bijdragen. Tijdschrift voor theol. en philos., Nimègue; *Ciencia tomista,*
Salamanque; *Ciencia y Fé,* San Miguel, Argentine; *Divus Thomas,* Fribourg;
Dominican studies; E.T.L., Louvain, à dépouiller spécialement à cause de ses
listes bibliographiques : *Elenchus bibliographicus; Les Études,* Paris; *Grego-*
rianum, Rome; *Harvard theological review,* Cambridge, Mass. E. U. A.; *The*
Irish theological quarterly, Maynooth, Irlande; *Irish theological studies;*
Journal of historical studies, Oxford. Index; *Journal of theological studies,*
Londres; *Mélanges de Sciences religieuses,* Lille; *Münchener Theologisch*
Zeitschrift, Munich; *Nederlandsch theologisch tijdschrift,* Wageningen;
Nouvelle revue théologique, Louvain. Index; *Raz^{o}n y Fé,* Madrid. Index,
1954; *Revue apologétique,* Paris; *Revue bénédictine,* Maredsous; *Revue de*
l'histoire de l'Église de France, Paris; *R.H.E.,* Louvain; *Revue des Jeunes,*

---

[1] Sur les caractères de la théologie polémique au XVIe siècle, POLMAN, *op. cit.*, p. 281 s.

Paris; *Revue de l'histoire du protestantisme français*, Paris; *Revue des Sciences philosophiques et théologiques*, Paris, 1907 s.; *Recherches de sciences religieuses*, Paris; *Revue de théologie et de philosophie*, Lausanne; *Revista española de teologia*, Madrid; *Sacris erudiri*, Steenbrugge-lez-Bruges, La Haye, depuis 1948; *Salmanticensis*, Salamanque; *Sapiencia*, Bologne; *Skolastik*, Fribourg-en-Br.; *Stimmen der Zeit*, Fribourg-en-Br.; *Studia cattolica; Studia theologica ludensia; Theological Studies*, Woodstock. E. U. A.; *Theologie und Glaube*, Paderborn; *Theologisch Literaturzeitung*, Leipzig; *Theologisch Quartalschrift*, Stuttgart; *Theologische Revue*, Munster; *Theologisch Rundschau*, Tubingue; *Theologische Zeitschrift*, Bâle; *Thomist*, Washington. Index, 1952; *Una Sancta; Zeitschrift für Katholische Theologie*, Vienne; *Zeitschrift für Theologie und Kirche*, Tubingue.

2º BIBLIOGRAPHIES : Bon nombre de *manuels* de théologie contiennent de bonnes bibliographies; par exemple : B. BARTMANN trad. par M. GAUTIER, *Précis de théologie dogmatique*, Mulhouse, Paris-Tournai, 1935, 2 vol.; H. LANGE, *De gratia*, Valkenburg, 1926; V. MOREL, *Inleiding tot de Theologie*, Anvers, 1955 (abondante bibl.); L. ALLEVI, *Disegno di storia della teologia*, Turin, 1939; J. L. BERTIUS, *Theologia historico-dogmatico-scolastica*, Munich, 1750 (peu historique, utile pour la discussion des opinions); *Bibliographie de la Réforme*, dans *Public. de la Commission intern. d'Hist. Eccl. comparée*, Leyde, 1958 (précieux, notamment pour la dogmatique protestante); H. BRINK, *Theologisch woordenboek*, Ruremonde, Maaseik, t. VIII, 1957; GLA, *Systematisch geordneter Repertorium der Katholisch theologische Litteratur*, Paderborn, 1895; R. SAMULSKI, *Theologische Bibliographie*, dans *Theol. Revue*, 1955, p. 35-46, 84-94, 132-142, 214-234; *Thèses de doctorat concernant les sciences philosophiques et théologiques soutenues en France pendant l'année 1956*, R.S.P.T., t. LXI, 1957, p. 370-373.

3º TEXTES : (Dans cette bibliographie on n'indiquera pas les œuvres spirituelles des personnages cités; elles seront énumérées dans le t. II à propos de la *Spiritualité*.) J. A. DE ALDAMA, *Manuscritos teologicos posttridentinos de la biblioteca municipal de Porto*, dans *Arch. teol. Granad.*, t. I, 1938, p. 7-26; ID., *Manuscritos teologicos posttridentinos de la Biblioteca provincial de Cadiz*, dans *Arch. teol. Granad.*, t. II, 1939, p. 25-35; L. DE MOLINA, *De Spe. Commentario a la IIª-IIᵃᵉ, q. 17-42*, dans *Arch. teol. Granad.*, t. I, 1938, p. 111-148.

4º TRAVAUX : T. ALLIN, *The Augustinian Revolution in Theology*, Londres, 1911; R. AUBERT, *L'institution et l'événement*, dans *E.T.L.*, t. XXVIII, 1952, p. 683-693 (opposition entre *Anstalt* et *Ereignis* (Barth), l'élan et l'institution. R. A. dit : ils sont complémentaires; J. BEUMER, *Ignatius von Loyola und die Theologie*, dans *Theologie u. Glaube*, t. XLVI, 1956, p. 401-410; ID., *Theologie als Glaubensverständniss*, Wurzbourg, 1955; J. L. BONIFAS—J. BIANQUIS, *Histoire des dogmes de l'Église chrétienne*, Paris, 1886 (protestant, traite des diverses confessions protestantes et de leurs controverses, mais aussi de la théologie catholique); B. BOTTE, *Histoire et théologie*, dans *Istina*, t. IV, 1957, p. 389-400; C. BRIGGS, *History of the study of theology*, Londres, 1916; H. BUSSON, *La pensée religieuse française de Charron à Pascal*, Paris, 1933; F. A. CAYRÉ, *Précis de patrologie. Histoire et doctrine des Pères et docteurs de l'Église*, t. II, 1. III et IV, Paris, 1930; surtout t. II, p. 707 s., 723; P. L. CHARLIER, *Essai sur le problème théologique chez les commentateurs de saint Thomas au XVIᵉ siècle*,

Thuillies, 1938; J. Chevalier, *Histoire de la pensée*, t. II. *La pensée chrétienne des origines à la fin du XVIᵉ siècle*, Paris, 1956; Y. M. J. Congar, *Theologie*, dans *D.T.C.*, t. XV, i, col. 346-447; (largement utilisé ici); Id., *Vraie et fausse Réforme*, *op. cit.*; J. A. de Aldama, voir ci-dessus; Id., *La Teologia posttridentina*, dans *Razòn y Fé*, t. XIII, 1945, p. 117-125; Id., *Boletin de Historia de la Teologia en el periodo 1500-1800*, dans *Arch. Teol. Granad.*, t. XVIII, 1955, p. 233-244; G. de Fabio, voir Grabmann; J. de Gaultier, *Comment naissent les dogmes*, Paris, 1912; M. de la Barre, *La vie du dogme catholique*, Paris, 1898; H. Denzinger-Banwart, *Enchiridion symbolorum et definitionum...*, Fribourg-en-Br., 1908; H. Diem, *Theologie als kirchliche Wissenschaft*, Munich, 1951 et 1955; S. d'Irsay, *Histoire des Universités*, t. I, Paris, 1933; H. Draguet, *Histoire du dogme catholique*, Paris, 1947; Id., *Méthode de théologie d'hier et d'aujourd'hui*, t. III. *La théologie de l'époque moderne...*, dans *Rev. cathol. des idées et des faits*, Bruxelles, t. XV, 1936, p. 47. C.-r. dans *R.S.P.T.*, t. XXV, 1936, p. 744 s.; L. Ellies Dupin, *Bibliothèque des auteurs ecclésiastiques*. Paris, 1686, 28 vol.; Id., *Nouvelle bibliothèque des auteurs ecclésiastiques*, Paris, 1686. (pour les éditions suivantes, voir *B.J.B.*, nᵒˢ 365-385); K. Eder, *Die Geschichte der Kirche im Zeitalter des Konfessionellen Absolutismus (1555-1648)*, Vienne, 1949, p. 249-270 (théologie); H. E. Feine, *Kirchliche Rechtsgeschichte*, t. I. *Die Katholische Kirche*, Weimar, 1954; P. Féret, *La faculté de théologie de Paris et ses docteurs les plus célèbres*, Paris, 1900-1906; G. Fisher, *History of christian theology*, Edimbourg, 1927; R. Gagnelet, *La nature de la théologie spéculative. Le procès de la théologie spéculative au XVIᵉ siècle. Luther et Érasme*, dans *Revue thomiste*, 1938, p. 615-674; C. Giacon, *La seconda scolastica*, Milan, 1946-1950, 3 vol. C.-r. dans *Bull. thom.*, t. VII, nᵒ 1336, t. VIII, 1947-1953, nᵒ 2606; H. Gouhier, *La crise de la théologie au temps de Descartes*, dans *Rev. de théologie et de philos.*, 3ᵉ série, t. IV, 1954, p. 19 s.; M. Grabmann, *Geschichte der katholischen Theologie*, Fribourg-en-Br., 1933; Id., trad. par G. de Fabio, *Storia della teologia cattolica*, Milan, 1939 (cette traduction est postérieure à la dernière édition allemande et a été revue par l'auteur. La bibliographie de la période moderne se trouve p. 1-21, et 489-531. La préface contient des vues générales); J. Greving, *Corpus catholicorum*, Munster, 1919 (écrits catholiques contre les réformés, 1517-1563); R. H. Grützmacher, *Textbuch zum deutschen systematischen theologie und ihrer Geschichte vom XVI. bis XX. Jht.*, t. I (1530-1934). Gütersloh, 1955, 4ᵉ éd.; B. Hagghund, *Teologius historia. En Dogm historik översikt*, Lund, 1956. C.-r., dans *Svensk Teol. Kvartalskrift*, t. XXXII, 1952, p. 262; A. Harnack, *Lehrbuch der Dogmengeschichte*, Fribourg, 1897, t. III, p. 647-678; W. Hiersemann, *Thesaurus scriptorum*; J. Huby, *Christus*, Paris, 1921, p. 1169 : A. Brou et P. Rousselot, *Le christianisme de la Renaissance à la Révolution*; Hugon, *De la division de la théologie en spéculative, positive, historique*, dans *Revue thomiste*, 1910, p. 652-656; A. Humbert, *Les origines de la théologie moderne. La renaissance de l'antiquité chrétienne (1450-1520)*, Paris, 1911; Id., *Le problème des sources théologiques au XVIᵉ siècle*, dans *R.S.P.T.*, t. I, 1907, p. 66-93, 474-498; t. II, 1908, p. 704-742; t. IV, 1910, p. 282-305; H. Hurter, *Nomenclator literarius recentioris theologiae catholicae...*, Innsbruck, 1892-1895, 3 vol.; P. Imbart de la Tour, *Les origines de la Réforme*, t. III. *L'évangélisme (1521-1538)*, Paris, 1914, 1946; Jugie, *Theologia dogmatica christianorum orientalium*, Paris, 1926; J. Kleutgen, *Die Theologie der Vorzeit*, Munich, 1867; A. Kern, *Die Promotionsschriften der Jesuiten-Universitäten in der Zeit des Barocks. Ein bibliothekarische*

Studie, dans *Festschrift Julien Franz Schütz*, Graz-Cologne, 1954, p. 38-47;
F. LACHAT, voir MOELLER; N. G. LAFORÊT, *Coup d'œil sur l'histoire de la
théologie dogmatique*, Louvain, 1851; A. LANG, *Fundamental Theologie.
B. II. Der Auftrag der Kirche*, Munich, 1954 (évolution dogmatique du
magistère infaillible); K. S. LATOURETTE, *A history of the expansion of
christianity*, New-York, 1953; J. L. LEUBA, *L'institution et l'événement*,
Paris. Neufchatel, 1952. Voir R. AUBERT, ci-dessus; J. LORTZ, *Geschichte
der Kirche, ein ideengeschichtlichen Betrachtung*, Munster, 1936, p. 11-14,
ed. 1948; ID., *Die Reformation in Deutschland*, 2ᵉ éd., Fribourg-en-Br.,
1941, 2 vol.; t. I, p. VII, note 1, l'auteur fait remarquer qu'il ne parle que
de la théologie *en Allemagne;* E. MARCOTTE, *La nature de la théologie
d'après Melchior Cano*, Ottawa, 1949; J. A. MOEHLER, trad. F. LACHAT,
*La symbolique ou exposition des contrariétés dogmatiques entre les catho-
liques et les protestants*, Bruxelles-Louvain, 1855. Le 3ᵉ vol. a pour titre
*Défense de la Symbolique ou nouvelles recherches sur les contrariétés
dogmatiques*, Bruxelles, 1859; B. POSCHMAN, *Handbuch der Dogmengeschichte*, Fribourg-en-Br., 1951; A. PREVOST, *Saint Thomas More et
la crise de la pensée religieuse au début du XVIᵉ siècle*, Thèse de doctorat
d'État de l'Univ., Lille, 1955-56; G. RABEAU, *Introduction à l'étude de la
théologie*, Paris, 1926; O. RITSCHL, *Literarisch-historische Beobachtungen
über die Nomenklatur der theologischen Disziplinen in 17. jahrh.*, Tubingue,
1918; J. RIVIÈRE, *Le problème actuel de l'histoire du dogme*, dans *Rev.
Thomiste*, N. S., t. XVII, 1934; M. J. SCHEEBEN, *Histoire de la théologie*,
Extrait du IIᵉ vol. de la Bibl. théologique du XIXᵉ siècle, Paris-Bruxelles,
1879; ID., *Dogmengeschichte*, Fribourg-en-Br., 1878; ID., trad. par
B. FRAIGNEAU-JULIEN, Paris, Bruges, 1957; ID., trad. par A. KERKVOORDE,
Le mystère de l'Église et des sacrements, Paris, 1956; R. SCHULTES, *Intro-
ductio ad historiam dogmatum*, Paris, 1923; J. SCHWANE, trad. A. DEGERT,
Histoire des dogmes. Temps modernes, t. VI de l'ouvrage, Paris, 1904;
R. SEEBERG, *Grundriss der Dogmengeschichte*, 1936; [E. ROSA] *Studi positivi
e storici nella theologia*, dans *Civ. catt.*, t. II, p. 513-527; A. STOLZ, *Positive
und spekulative Theologie*, dans *Divus Thomas*, 1934, p. 327-343; G. THILS,
La nature de la théologie d'après Melchior Cano, dans *E.T.L.*, t. XXVI,
1950, p. 409-414 (au sujet de MARCOTTE, voir *supra*); ID., *Les notes de
l'Église dans l'apologétique catholique depuis la Réforme*, Gembloux, 1937;
J. TURMEL, *Histoire de la théologie positive*, Paris, 1931; Ph. TOREILLES,
*Le mouvement théologique en France depuis ses origines jusqu'à nos jours
(IXᵉ au XXᵉ siècle)*, Paris, 1907 (reprend, en les complétant, ses articles de
la *Revue du clergé français;* histoire non de la théologie, mais des courants);
Ch. WERNER, *Gesch. der apologetischen und polemischen Literatur der
christlichen Theologie*, Schaffhouse, 1862-1867, 5 vol.; ID., *Geschichte der
Katholischen Theologie seit dem Trienter Concil bis zur Gegenwart*,
Schaffouse, 2ᵉ éd., 1889; M. WERNER, *The formation of Christian dogma.
An historical study of its problem*, Londres, 1957; L. WILLAERT, *Bibliotheca
janseniana belgica*, Namur-Paris, 1949-1951, 3 vol.; WILMS, *Cajetan und
Koellin*, dans *Angelicum*, 1934, p. 568-592.

CHAPITRE II

LES HAUTS-LIEUX DE LA SCIENCE THÉOLOGIQUE.
UNIVERSITÉS, RELIGIEUX THÉOLOGIENS.

C'est dans toute la Chrétienté que se manifeste une prodigieuse activité. Elle s'alimente surtout par les travaux des Facultés de théologie des Universités et de leurs docteurs [1]; les théologiens des ordres religieux, s'ils n'appartiennent pas au monde universitaire, rivalisent avec lui et menacent son monopole.

On serait peut-être tenté de mentionner encore les grands séminaires diocésains; mais, à cette époque, les séminaires, que le concile de Trente vient d'appeler à la vie par son décret du 15 juillet 1563, sont encore rares, surtout ceux qui s'élèvent au-dessus du degré que nous appellerions l'enseignement moyen ou secondaire. On trouvera plus loin la mention de plusieurs d'entre eux [2].

SECTION I. — LES UNIVERSITÉS.

§ 1. — Ce qu'elles sont.

FONCTION ET IMPORTANCE

Il saute aux yeux que le rôle des Universités était capital. Elles n'étaient pas seulement des diffuseurs internationaux, grâce aux étudiants de tous pays qui en acceptaient la doctrine; mais leur influence permanente d'écoles traditionnelles l'emportait singulièrement sur l'action — fût-elle très puissante — de penseurs individuels.

---

[1] BIBLIOGRAPHIE. — *H.E.*, t. XVI, p. 117 s.; *E.I.*, t. XXXIV, col. 729; F. CAYRÉ, *Précis de Patrologie*, dans *Histoire et doctrine des Pères et docteurs de l'Église*, Tournai-Rome, 1930, t. V, p. 8 et les divers ordres suivants, p. 30; *D.T.C.*, t. XV, II, col. 2230-2268; *E.U.I.E.A.*, t. LXV, col. 1137-1232 (historique général; notices sur chaque Université); V. DE LA FUENTE, *Historia de las universidades... en España*, Madrid, 1884-1889, 4 vol.; S. D'IRSAY, *Histoire des universités françaises et étrangères des origines à nos jours*, Paris, 1935, t. II, du XVIᵉ siècle à 1860 (on trouvera dans le t. I, 1933, une *carte géographique* des Universités qui peut servir à situer les Facultés de théologie); H. DE JONGH, *L'ancienne faculté de théologie de Louvain*, Louvain, 1911, p. 1 (utile bibliogr.); S. EHSES, *Concilium Tridentinum*, dans *Acta*, t. IV, II, p. 505. Sess. XXV, cap. VI, cité par D'IRSAY, *op. cit.*, t. I, p. 342 n. 4 (confirmation des privilèges universit.; ELLUL, *Hist. des institutions*, t. II, p. 367 (décadence et réforme); P. FÉRET, *La faculté, op. cit.*; G.-F., p. 15; HEIMB., cite, pour chaque ordre religieux, ses docteurs célèbres; *H.-B.*, t. VI, p. 108 s.; *L.T.K.*, t. X, p. 408, 413 bibliographie; *P.G.*, t. XX, p. 65 s.; A. HUMBERT, *Les origines de la théologie moderne*, Paris, 1911; P. IMBART DE LA TOUR, *Les origines de la Réforme*, t. II, rééd. Melun, 1946; J. JANSSEN, *Geschichte des deutschen Volkes seit dem Ausgang des Mittelalters*, Fribourg-en-Br., 1892, t. I, p. 87-148; (faveurs aux Universités, p. 91-93; leur caractère international); *S.-D.*, t. VI, 24 s.; Fr. PAULSEN, *Geschichte des gelehrten Unterrichts auf den deutschen Schulen und Universitäten*, Leipzig et Berlin, 1919, 1921, 3ᵉ éd., 2 vol., dont le premier seul concerne notre période.

[2] Il a été question des séminaires à propos de la formation du clergé, *supra*, p. 85-90.

L'Église, la hiérarchie en particulier, se préoccupa donc avec une activité soutenue de la réforme des Universités anciennes et de la fondation de nouvelles. Le concile de Trente n'avait pas manqué de prendre à leur égard les mesures nécessaires [1]; du reste, l'État concourait puissamment à l'œuvre des prélats. Reprenant la recommandation de Charles-Quint, Ferdinand Ier, dans sa *Formula reformationis* du 11 mars 1562, avait inscrit, parmi les projets de réforme soumis au concile, la restauration des Universités catholiques.

Aussi, à peine Marie Tudor avait-elle restauré le catholicisme en Angleterre que le cardinal Réginald Pole (1500-1558) entreprit de rendre au catholicisme sa place à Oxford. Il y envoya les célèbres dominicains Pierre de Soto et Barthélemy de Carranza; mais la mort de Marie ruina ce projet [2].

ORGANISATION Quand il s'agit des Universités d'alors, il faut bien comprendre et leur rôle et leur organisation. Elles diffèrent, en effet, sur plusieurs points, de nos Universités actuelles. Par le nom d'abord, au moins officiellement; depuis le Moyen Age, l'universalité de leurs disciplines était exprimé par le terme de *Studium generale*. Tandis que *Universitas* désignait la corporation de leurs membres : bacheliers (apprentis), licenciés (compagnons) et docteurs (maîtres) [3]. Il est vrai que, depuis le milieu du XIIIe siècle, on les appelait aussi « Universités » au sens moderne [4]. Lorsqu'elles ne se composaient que de deux Facultés, théologie et philosophie, elles s'appelaient *Académies*. Quant à l'organisation à l'époque « moderne », pour se la représenter, il faut se rapporter aux Universités actuelles d'Angleterre qui ont conservé leur ancien statut, Oxford et Cambridge. Là, l'Université est encore constituée par les « collèges », collectivités quasi autonomes, qui continuent leur vie du Moyen Age. Sur le continent aussi, les collèges avaient précédé l'Université, qui, dans beaucoup de cas, s'était formée de leur réunion.

LES RELIGIEUX DANS LES UNIVERSITÉS Parmi eux on voit, dès le XIIIe siècle, les collèges des religieux s'introduire dans l'Université, malgré l'opposition, souvent tenace, des séculiers. Bénédictins, dominicains, franciscains, carmes, augustins obtinrent non seulement « l'incorporation » [5], mais encore la nomination de leurs membres aux chaires professorales du *Studium generale*.

---

[1] *K.L.*, t. XII, col. 107-121, 353; *P.G.*, t. IX, p. 178, 179.
— Séminaires pontificaux en Italie, *P.G.*, *op. cit.*, t. IX, 179.
[2] *H.E.*, t. XVI, p. 413; *P.G.*, t. XVI, p. 155; *K.L.*, t. XI, col. 531; W. SCHENK, *Reginald Pole, Cardinal of England*, New-York, 1950.
[3] Ainsi le titre officiel de l'Université de Paris était « Universitas magistrorum et scolarium Parisiis studentium »; celui de l'Université de Louvain est resté « Universitas Studii generalis oppidi Lovaniensis ».
[4] *D.T.C.*, t. XV, II, col. 2231. Lors de l'ouverture de l'Université de Tubingue, le fondateur l'appelle « Universale divinarum humanarumque scientiarum studium » (d'IRSAY, *op. cit.*, t. I, p. 292, n. 5).
[5] C'est-à-dire le droit de prendre part aux « actes », soutenances de thèses, etc. A Louvain, dominicains, franciscains, augustins (1447), carmes (1461).

C'est ainsi qu'à Salamanque le collège dominicain de San Esteban, presque aussi ancien que l'Université elle-même, fournit pendant le XVIe siècle et une partie du XVIIe à la Faculté de théologie ses professeurs de « prima ». A Alcalà, le collège de Saint-Ildefonse et à Valladolid celui de Saint-Grégoire occupaient une place analogue.

Les bénédictins de la congrégation de Valladolid enseignaient la théologie dans leur collège de Santiago à Sahagun (sud-est de Léon), qui devint Université en 1534 et fut transféré en 1605 dans la célèbre abbaye du même ordre à Irache (ou Hirache, à 3 km. d'Estella, sud-ouest de Pampelune). Ses grades étaient reconnus par Salamanque, Alcalà et Valladolid [1].

RIVALITÉS COLLÉGIALES Irache soutint un conflit qui mérite d'être signalé parce qu'il caractérise les relations entre Universités. On voit à plusieurs reprises les anciennes empêcher la fondation de nouvelles, qui menacent leur monopole ou même leur existence. Voici un exemple : il avait été question d'ouvrir une Université à Pampelune; Grégoire XV avait donné une bulle de fondation en 1621; elle autorisait une Faculté de théologie; mais le projet échoua faute de finances. Or, les dominicains, qui enseignaient la théologie dans leur couvent de Pampelune depuis 1275, obtinrent du pape Urbain VIII en 1624 une bulle transformant en Université leur école, qui s'appelait aussi de Saint-Jacques. Aussitôt ils eurent à se défendre contre la résistance assez vive des bénédictins d'Irache et des jésuites de Pampelune, qui avaient dans la ville une chaire de théologie. Ils triomphèrent et le 29 avril 1630, leur Université fut inaugurée [2].

De semblables oppositions — on le verra plus loin — se produisirent à Paris, à Louvain, à Cracovie, en Allemagne fréquemment et ailleurs.

§ 2. — Les Facultés de théologie.

PRESTIGE PERSISTANT Comme les autres Facultés, celles de théologie traversaient une crise. Non seulement leurs finances périclitaient, mais des difficultés doctrinales avaient surgi et, de l'extérieur, le pouvoir laïc menaçait leur autonomie : il leur avait apporté son concours en nommant des « professeurs royaux », qu'il payait; mais, du coup, il leur imposait des chaînes d'or [3].

Cependant les Facultés théologiques, « sacra theologiae Facultas », conservaient leur prestige; parmi leurs sœurs d'un *studium generale*, elles gardaient la prééminence; celle d'Alcalà, par exemple, compte plus de professeurs que les autres disciplines [4].

[1] SCHMITZ, *op. cit.*, t. V, p. 128 s.

[2] I. SALVADOR Y CONDE, *La universidad en Pamplona*, Madrid, 1949, p. 77 s., 84, 113, 121, 162, liste des gradués en théologie; 183, liste des célébrités; *E.U.I.E.A.*, t. XXVIII, p. 1920.

[3] Sur l'influence croissante du roi de France dans la Faculté de Paris, P. FERET, *op. cit.*, t. I, p. 23. On pourrait en dire autant de l'Espagne de Philippe II et des Pays-Bas.

[4] D'IRSAY, *op. cit.*, t. I, p. 339.

Dans le domaine doctrinal et l'orientation des recherches théologiques, elles occupaient encore, jusqu'au milieu du XVIIᵉ siècle, une place que nous avons de la peine à nous représenter, depuis qu'elle a été prise par la hiérarchie et surtout par le Saint-Siège [1]. Dispensatrices presque seules de la haute science, elles en étaient encore souvent les arbitres; elles étaient consultées sur les grands problèmes de l'Église et de l'État.

C'est ainsi que Léon X en 1516 demande l'avis de Louvain sur la réforme du calendrier. Innocent XI fait de même au sujet de la déclaration gallicane de 1682, afin de contre-balancer l'influence de la Sorbonne. On verra au tome suivant, que la condamnation pontificale des thèses de Baïus s'inspira presque textuellement de celles qu'avaient prononcées Salamanque et Alcalà. La Faculté de Paris s'opposa résolument au concordat de 1516, donna son avis sur le divorce projeté d'Henri VIII et sur le mariage de Gaston d'Orléans. La même Faculté affirma l'incapacité de régner de l'hérétique Henri de Bourbon. Elle avait pris une part considérable au mouvement « conciliariste » lors du Grand Schisme. En 1395, elle fait convoquer un concile national pour résoudre le problème. Son chancelier, Gerson, mène la campagne en faveur de la supériorité du concile. « Le concile de Pise (1409-1414) c'est l'Université de Paris transportée en Toscane ». Les Universités soutiennent le concile de Bâle (1431-1438). En 1456 encore, Paris en appelle au concile contre le pape [2].

Une opinion nouvelle que l'une des Facultés importantes avait censurée était blessée à mort [3]. Certaines Facultés prirent effectivement position contre le protestantisme et plusieurs de leurs docteurs jouèrent un rôle de premier plan au concile de Trente. Aussi Rome leur témoignait sa gratitude en protégeant leurs privilèges [4]. D'autre part cependant, c'est à l'époque posttridentine qu'on voit le Saint-Siège profiter des dissenssions théologiques pour réduire l'autorité doctrinale universitaire en se réservant les décisions.

[1] L. WILLAERT, Origines, op. cit., t. I, p. 389, 393; sur l'opposition de la Faculté de théologie de Paris au concordat de 1516, P. FÉRET, La Faculté..., op. cit., t. I, p. 310-318, 319, 347; S. MERKLE, Das Konzil von Trient und die Universitäten, Würzbourg, 1905.
— En 1575, l'archevêque de Paris, Pierre de Gondi, prétendit soumettre à son approbation les décisions de la Faculté de Paris. Cf. R. SIMON, Bibliothèque critique, Amsterdam, 1708-1710, t. I, p. 1 s.
— Advis de quatre fameuses Universités d'Italie sur l'absolution du roy (Henri IV)..., traduict du latin (de P. Pithou) en français, Lyon, 1594; D.A., t. III, p. 1436, opinion de P. d'Ailly sur leur pouvoir doctrinal; J. A. MARAVALL, trad. par L. CAZES et P. MESNARD, La philosophie politique espagnole au XVIIᵉ siècle, Paris, 1955, p. 30; P. IMBART DE LA TOUR, Les origines de la Réforme, Paris, 1914, t. III, p. 124.
[2] DE JONGH, op. cit., p. 87; MOURRET, t. V, p. 122; ROCQUAIN, op. cit., t. III, p. 334; FÉRET, La faculté..., op. cit., t. I, p. 253 s.; L. CEIJSSENS, L'ancienne université de Louvain et la Déclaration du clergé de France, dans R.H.E., t. XXXVI, 1940, p. 345-399; POULET, op. cit., p. 85; CONGAR, op. cit., p. 516 s.; H. THIEME, Die Ehescheidung Heinrichs VIII und die europäischen Universitäten, Karlsruhe, 1959.
[3] Au sujet de ce pouvoir doctrinal, A. PONCELET, op. cit., t. I, p. 13; L. WILLAERT, op. cit., loc. cit., n. 2. L'Université de Louvain écrit à la Sorbonne en lui décernant le titre de « praecipuum post Romanum tribunal Ecclesiae propugnaculum », B.B.R., ms. 3831, p. 191.
[4] Voir, par exemple, l'attitude très bienveillante du Saint-Siège à l'égard de Louvain, cf. E. EHSES, Nuntiatur-Berichte aus Deutschland (1585-1590), t. I, 2ᵉ partie, Paderborn, 1899, p. 120, 132, n. 2.

SORT DIVERS
DES FACULTÉS
A la suite du raz-de-marée protestant, le sort des Facultés de théologie se différencia.

Tandis que celles du Midi, d'Espagne et d'Italie, poursuivaient une existence assez pacifique et que celles de France et de Belgique résistaient à la Réforme, bon nombre d'Universités d'Allemagne furent conquises par la doctrine nouvelle et, si quelques-unes d'entre elles furent reprises par la contre-attaque catholique, le rôle de la théologie allemande dans l'évolution générale de l'Église devait nécessairement souffrir des luttes religieuses. Par contre, les Facultés qui restèrent fidèles à Rome, ainsi que celles qui formèrent ses « marches » du Nord et de l'Est, apparaissent comme des forteresses organisées pour la lutte.

LES DOCTEURS
Quelle que soit la destinée de ces centres de savoir, ils se distinguent, à cette époque, par le nombre extraordinaire de docteurs remarquables. Il ne s'agit pas ici, bien entendu, de « docteurs de l'Église », dans le sens technique du mot [1]. Il est vrai que la Rénovation catholique fut illustrée par plusieurs personnages auxquels l'Église a conféré ce titre glorieux : saint Jean de la Croix, saint François de Sales, saint Pierre Canisius, saint Robert Bellarmin, saint Laurent de Brindisi. Mais aux côtés de ces héros de la sainteté et du savoir, plusieurs Facultés de théologie peuvent s'enorgueillir de savants qui méritent d'être cités ici. Pour le moment nous nous contenterons de les nommer; plus loin nous exposerons leur œuvre [2].

DIVERSITÉS
NATIONALES
Si nous examinons en particulier les Facultés des divers pays, nous constatons que ces écoles nationales ne sont pas des autarcies; leur caractère international est assuré par la communauté de la langue, qui partout est le latin, et aussi par l'échange des professeurs voyageant d'un pays à l'autre. Ils ont la « licentia docendi hic et ubique ». Les exemples abondent [3]. Et l'on devine combien ces multiples

---

[1] Les « docteurs » sont des « écrivains ecclésiastiques qui, non seulement à cause de leur vie sainte et de leur parfaite orthodoxie, mais encore et surtout à cause de leur science considérable et de leur profonde érudition ont été honorés de ce titre par une approbation solennelle de l'Église », *D.T.C.*, t. IV, col. 1509; *E.C.*, t. IV, col. 1901-1905, avec listes des docteurs.
— Saint Thomas d'Aquin fut proclamé docteur de l'Église par Pie V (1568), saint Bonaventure par Sixte Quint (1558), saint Pierre Canisius par Pie XI (1925), saint Bellarmin par Pie XI encore (1931), saint Laurent de Brindisi par Pie XII (1959).
[2] *H.-B.*, *op. cit.*, t. VI, p. 110, 113 s. fournit une bibliographie qui peut encore rendre service; CAYRÉ, *Patrologie, op. cit.*, t. II, *passim* et l'Index; CONGAR, *op. cit.*, p. 503 s.
[3] L. WILLAERT, *Origines, op. cit.*, p. 253. — Sur l'influence d'Érasme, H. TREINEN, *Studien zur Idee der Gemeinschaft bei Erasmus... und ihre Stellung in der Entwicklung des humanistischen Universalismus*, Saarlouis, 1955.
Les jésuites flamands Moretus et Van der Veken enseignent à Cologne; l'Anglais Thomas Stapleton à Louvain et à Douai, son compatriote Richard Smith, ancien professeur d'Oxford, à Louvain et à Douai plusieurs Irlandais à Louvain. Les Belges Pierre Crockaert et Nicolas Cleynaerts se sont illustrés à Paris; Cleynaerts à Salamanque; sur l'influence des Néerlandais à l'Université de Paris, DE JONGH, *op. cit.*, p. 106 s., sur Cleynaerts, p. 180, n. 2.
Bon nombre de théologiens du collège romain furent des Espagnols : PEREZ GOYENA, *Catedraticos de teologia españoles en Roma*, dans *Estudios ecclesiasticos*, 1926, p. 26-43.
L'internationalisation de l'enseignement supérieur est amplement attestée par les correspondances des professeurs entre eux.

contacts les aidaient à élargir leurs horizons intellectuels et à comparer leurs méthodes.

Naturellement les diverses Facultés ont leur personnalité et elles ont leur histoire. Quelle que soit l'unité catholique, un historien doit tenir compte de ces diversités.

UNIVERSITÉS ESPAGNOLES   L'Espagne, qui au Moyen Age n'occupait que le second rang, vivait son âge d'or sous Philippe II. Au prestige politique, à la puissance militaire, à l'éclat des lettres et des arts, s'ajoutait la prépondérance de ses hautes écoles. Derrière le rempart de l'Inquisition, ses Universités et ses docteurs pouvaient en paix se livrer à leurs travaux et ... à leurs disputes, souvent fécondes. Ainsi l'Espagne devint le berceau de la théologie moderne. « L'âpreté virile de l'âme espagnole » assura au loin « le chaud rayonnement de l'Espagne » et contribua puissamment à la Rénovation de l'Église [1].

Les anciennes Universités de Salamanque, de Valence, de Lérida et de Barcelone remontaient au Moyen Age; plus récente, celle d'Oviedo date de 1604. Celle d'Alcalà de Henarès, fondée par le cardinal Ximenes, avait été inaugurée dès 1505 [2].

Salamanque : les grands maîtres [3]. — Peu importante jusqu'alors, Salamanque, au début du XVIe siècle, les dépassa toutes, « occupant alors la même

---

[1] D'IRSAY, *op. cit.*, t. I, p. 331 s. Pour tout ce qui concerne l'Espagne ecclésiastique, il faut consulter la très précieuse *Bibliografia hispanica de Ciencias historico-ecclesiasticas* de JOSÉ VIVES, JOSÉ GONI-GASTEMBIDE et FLORENTINUS PEREZ, dans *Analecta sacra Tarraconensia*, Barcelone, en cours de publication, par exemple, pour 1949-1950, t. XXIV, 1951, (théologiens, p. 26-35); J. V. VIVES, *Bibliografia historica de España et Hispanoamerica*, t. I, 1953-1954, Barcelone, 1955.
« Cette ardente Espagne, qui donne le ton pour la théologie comme pour la mode »; Cf. R. LAURENTIUS, *Marie, op. cit.*, t. I, p. 221; *D.T.C.*, t. V, col. 595 s.; *H.E.*, t. XVII, p. 42-43 s.; DE OSMA, *Ein Beitrag zur spanischen Universitäts, Konzils und Ketzergeschichte. Quartalschrift*, t. XLIII, 205; M. SOLANO, *Los grandes ecclesiasticos españoles de los siglos XVI y XVII*, Madrid, 1928; M. ANDRES, *Las Facultades de Teologia españolas, Anthologia annua*, Rome, t. II, 1954, p. 123-178; C. GUTIERREZ, *Españoles en Trento*, Valladolid, 1950.

[2] Au sujet de l'influence de Cisneros sur la renaissance théologique en Espagne, voir *N.R.T.*, t. LVIII, 1931, p. 436; *H.E.*, t. XVII, p. 426; D'IRSAY, *op. cit.*, t. I, 331 s. : « C'est dans la Renaissance espagnole qu'il faut chercher les sources de la réforme catholique »; *D.T.C.*, t. XV, col. 2247. Voir plus loin, p. 187, n. au sujet des inédits des docteurs de Salamanque.
H.E., t. XVII, p. 428, les nouvelles Universités; V. DE LA FUENTE, *Historia de las universidades... en España*, Madrid, 1884; ID., *Historia ecclesiastica de España*, Madrid, 1873-1876, t. IV, p. 366-369, 614; S. MERKLE, *Das Konzil von Trente und die Universitäten, op. cit.*, 1905.

[3] Les principaux docteurs de Salamanque seront mentionnés plus loin, p. 188; J. TONNEAU, *Bibliographie sur l'École de Salamanque*, dans *Bull. Thomiste*, t. IV, 1934-1936, p. 858-860; *ibid.*, t. VIII, col. 1343 s. plusieurs ouvrages; *G.-F.*, *Storia della Teologia cattolica*, Milan, 1939, p. 217-221; *H.E.*, t. XIII, p. 186, t. XVII, p. 425, 427; *E.U.I.E.A.*, t. LIII, p. 116-132, bibliographie, p. 134; t. LXV, col. 1163; S. D'IRSAY, *op. cit.*, t. I, p. 341 et n. 2; Voir BELTRÀN DE HEREDIA, *Los origenes de la Universidad de Salamanca*, Madrid, 1953, dans *C.I.T.*, t. LXXXI, 1954, p. 69-116; ID., *Los manuscritos de los teologos de la Escuela Salmantica*, dans *Ciencia tomista*, t. XLII, 1930, p. 327-349; ID., *El convento Salmantino de San Esteban en Trente*, dans *Ciencia tomista*, t. LXXV, 1948, p. 5-54; V. D. CARRO, *La teologia y los*

place que Paris au XIIIe ». On a pu l'appeler « le centre de gravité des intellectuels espagnols ». Elle avait été rénovée par trois grands pionniers de la science : François de Vitoria pour la théologie spéculative, Martin de Azpilcueta, « el Navarro », pour le droit canon, Jean Martinez Siliceo pour la philosophie et les lettres. Dès lors elle prend son essor. Elle compte sept chaires de théologie, dont six pour la spéculative. Le professeur de « prima » devient le premier théologien d'Espagne. Quatre chaires de grec, deux d'hébreu et de chaldéen assurent l'information philologique. Il y a quatre collèges « majeurs » et un grand nombre de « mineurs ». Parmi les vingt-trois collèges de religieux« incorporés », le plus ancien est celui des dominicains de San Esteban; puis viennent ceux des franciscains, des augustins, des mercédaires, des carmes, des trinitaires, des bénédictins, des jésuites, etc [1]. Le rayonnement de l'Université s'étend au loin.

Ses somptueux édifices, telle une acropole, dominent la cité. C'est un symbole. La puissante influence de Vitoria, qui nous intéresse surtout actuellement, fut incalculable.

Dans son collège de San Esteban, il forma une véritable école, une dynastie dominicaine de maîtres éminents, qui, se passant le flambeau, détinrent la chaire de « prima » pendant deux siècles et dont plusieurs allèrent à l'étranger propager la rénovation dogmatique.

teologos-juristas españoles ante la conquista de America, Salamanque, 1951; H.E., t. XVII, p. 425, 427; E.U.I.E.A., t. LIII, p. 116-132, bibliogr. p. 134; t. LXV, col. 1163; d'Irsay, op. cit., t. I, p. 341 et n. 2; S.-D., t. VI, p. 25; L. Sala-Balust, Catalogo de fuentes para la historia de los antiguos colegios seculares de Salamanca, dans Hispania sacra, t. V, 1952, p. 145-202, t. VII, 1934, p. 410-466; Id., Reales reformas de los antiguos Colegios de Salamanca, Valladolid, 1956; Id., Colegios de Salamanca, 1623-1770, Valladolid, 1956; L.T.K., t. IX, p. 108, 121; F. Cayré, Patrologie, op. cit., t. II, p. 739; A. Vidal y Diaz, Memoria hist. de la Universidad de Salamanca, 1869; R. M. de Hornedo, En el VII centenario de la Universidad de Salamanca, dans R.F., t. CXLIX, 1954, p. 421-432; L. Pereña Vicente, La Universidad de Salamanca forja del pensiamento politico español del siglo XVI, Salamanque, 1954; Id., Diego de Covarrubias y Leyva, maestro de Salamanca, dans Rev. españ. de Derecho Canon., t. XI, 1956, p. 191-199.

— Un grand nombre de traités théologiques manuscrits et encore inédits provenant de couvents supprimés ont enrichi la bibliothèque de l'Université actuelle. A. Morán, El primer catedratico jesuita « de Prima » de Teologia en… Salamanca, dans Miscellanea Comillas, t. XIII, 1950, II, p. 87 s., 128 s.; Card. Fr. Ehrle, Los manuscritos vaticanos de los teologos salmantinos del siglo XVI. De Vitoria a Bañes, dans Estud. ecclesiast., Madrid, 1929; Id., id., nouv. édit. par J. M. Marck, Madrid, 1930, p. 6; T. de Herrera, Historia del convento de San Agustin de Salamanca, Madrid, 1952; Fernandez, Historia de San Esteban, 1915; E. Reibstein, Joh. Althusius, Fortsetzer der Schule von Salamanca, Karlsruhe, 1955 (protestant); F. Pelster, Zur Geschichte der Schule von Salamanca, dans Gregorianum, t. XII, 1931, p. 303-313; Rev. thom., t. III, 1933, p. (1039); F. Delgado, év. de Lugo (1514-1576), fondateur du Collège Saint-Michel à Salamanque, D.H.G.E., t. XIV, col. 180 s.; F. Marcos Rodriguez, Don Diego de Cobarrubias y la universidad de Salamanca, dans Salmanticensis, t. VI, 1959, p. 37-85; M. Villar y Macias, Historia de Salamanca, Salamanque, 1897.

[1] D.T.C., t. VI, col. 906 s. — La nomination des professeurs appartenait aux étudiants, qui les élisaient. Le recteur et le conseil de l'Université devaient agir « secundum vota studentium ». Cf. Ehrle-Marck, op. cit., p. 8; P. Cuervo, Historiadores del convento de S. Esteban de Salamanca, Salamanque, 1914-1916, 3 vol.; voir une énumération de théologiens dominicains dans Heimbucher, op. cit., t. II, p. 136 s.

A cette pléiade dominicaine s'ajouta l'illustre école des carmes déchaussés et son œuvre célèbre le *Cursus theologicus* [1] des *Salmanticenses*, auquel travaillèrent Jean de l'Annonciation, Antoine de la Mère de Dieu, Dominique de Sainte-Thérèse. Il fut suivi plus tard par le *Cursus theologiae moralis*.

D'autres ordres religieux aussi fournirent à Salamanque des professeurs de marque. Tels, parmi les augustins, Gonzales de Mendoza († 1591), Pierre de Aragon († 1595), Jean Marquez († 1621). Leur collège Saint-Vincent obtint en 1691 le droit de conférer les grades. Les bénédictins « fournissaient de droit deux professeurs aux Universités de Salamanque, d'Oviedo et de Santiago; celle-ci avait pour recteur l'abbé de Saint-Martin », O. S. B. [2]. Leur ordre dirigeait à Irache une Université dont il a été question plus haut (p. 183). Parmi leurs professeurs, on cite Laurent Ortitz de Ibarola y Ayala, Joseph de la Cerda († 1645).

La théologie proprement dite n'était pas seule à répandre le renom de Salamanque. Ce n'est pas la place ici de noter son influence internationale sur l'éclosion et l'évolution du droit naturel et du droit des gens. Il en sera question quand nous étudierons le rayonnement de l'Église sur le terrain juridique (p. 425-444).

Salamanque : les jésuites. — Quant aux relations de la Compagnie de Jésus avec l'Université, avant de contribuer de façon décisive à la Rénovation catholique, elles traversèrent une période tragique. Dans les débuts, de jeunes jésuites fréquentèrent les cours universitaires (1566-1570); c'est ainsi que se formèrent — au moins en partie — plusieurs des théologiens les plus célèbres de l'ordre. En vertu de son incorporation à l'Université, le collège de la Compagnie avait le droit d'intervenir dans les « actes » publics à l'instar d'autres ordres religieux [3].

Mais, en 1624, un gros orage éclata. A l'instigation, semble-t-il, du trop célèbre Père Fernand de Salazar, le roi Philippe IV avait offert au général de la Compagnie de transformer le collège de Madrid en *Estudios generales*, c'est-à-dire en Université [4]. Après bien des hésitations, l'ordre accepta le 23 janvier 1625. Pour les mêmes motifs qu'ailleurs, l'opposition des

---

[1] *Collegii Salmanticensis fratrum discalceatorum B. M. de Monte Carmelo primitivae observantiae Cursus theologicus...*, Salamanque, 1631 s., 12 vol.; *D.T.C.*, t. XIV, i, 1017-1031, étudie les auteurs, l'ouvrage, la méthode et la doctrine, le *Cursus theologiae moralis*; *L.T.K.*, t. IX, p. 121; *K.L.*, t. X, col. 1565; *C.E.*, t. XIII, 391; *R.S.P.T.*, t. XX, 1931, p. 628; on trouvera une liste de théologiens carmes dans HEIMBUCHER, *op. cit.*, t. II, p. 564 s.; Fr. EHRLE, *Los manuscritos vaticanos de los teologos Salmantinos del siglo XVI. De Vitoria a Bañes. Estudios eclesiasticos, passim,* 1929.

[2] SCHMITZ, *op. cit.*, t. V, p. 128 s., 151 s., 180 n., 107.

[3] A. MORÁN, *op. cit.*, p. 93. — Quant à l'influence de Salamanque sur la théologie des jésuites, *S.-D.*, t. V, p. 31.

[4] Le collège « impérial » de Madrid avait déjà été très largement fondé par la reine Marguerite, épouse de Philippe II, et par le roi lui-même (1614). Le projet de décret fixait la rente annuelle ainsi que les chaires à établir. Cf. A. ASTRAIN, *op. cit.*, t. I, p. 32, 140; V. DE LA FUENTE, *Historia ecclesiastica de España,* Madrid, 1873-1875, t. V, p. 469-472.

Universités espagnoles ne devait pas tarder : il s'agissait surtout des chaires de philosophie et de théologie. Déjà des difficultés avaient surgi à Valence en 1567; en sorte que la Compagnie obtint de Pie V, le 10 mars 1571, le bref *Cum litterarum studia*, qui fut confirmé par la bulle *Quanta in vinea* de Grégoire XIII le 7 mai 1578. Ces documents accordaient aux jésuites le droit d'enseigner publiquement et les arts libéraux et la théologie, même dans les villes possédant une Université [1].

Le conflit ne s'apaisa pas pour autant. A Salamanque, le nombre des étudiants séculiers qui suivaient les cours des jésuites s'était élevé à 150; comme il était naturel, l'Université s'alarma. L'affaire fut portée devant le Conseil royal, où elle s'enlisa pour plusieurs années. Finalement l'Université concéda aux jésuites le droit d'enseigner chez elle la théologie à certaines heures déterminées [2]. Alcalà leur attribua le même privilège (1602-1603) [3].

Estudios generales à Madrid. — Mais le projet des *Estudios generales* de Madrid vint tout brouiller. D'autant qu'à ce moment intervint un envoyé de l'Université de Louvain qui n'était autre que Corneille Jansénius. A Louvain, avaient surgi les mêmes oppositions qu'en Espagne et ailleurs. Contre les prétentions de la Compagnie de Jésus, Jansénius venait tenter d'organiser la défense commune des Universités [4]. Mais à Madrid les pouvoirs publics prirent nettement position en faveur de la Compagnie, dont les membres furent autorisés à remonter dans leurs chaires à l'Université. En février 1629, les *Estudios generales* ou plutôt *reales* furent inaugurés en présence de Philippe IV et de toute la cour. Leur existence cependant fut de courte durée : pendant la seconde moitié du siècle, ils redevinrent un simple collège [5].

Par contre, en 1668, grâce à l'intervention de la reine-régente, un jésuite, le P. Jean Barbiano, fut nommé à l'Université à la chaire « de prima » de théologie [6], à laquelle accédèrent dans la suite bon nombre de ses confrères.

Alcalà. — Après Salamanque d'organisation démocratique, où les étudiants élisent les professeurs et où l'un d'eux est recteur, Alcalà de Henarès (Complutum), sa rivale « de type aristocratique » [7].

---

[1] Il est curieux d'observer que le texte appelle les jésuites « Padres teatinos de la Compañia ». (ASTRAIN, *ibid.*, p. 150, 151).

[2] ASTRAIN, *loc. cit.*, p. 149.

[3] ID., p. 159.

[4] Il en sera question au t. II, à propos de jansénisme. Sur le projet de coalition défensive des universités contre la Compagnie de Jésus, D'IRSAY, *op. cit.*, t. II, p. 54; H. FOUQUERAY, *Histoire de la Compagnie de Jésus en France*, Paris, 1922, t. III, p. 301 s.

[5] S. DIAZ, *Historia del Colegio imperial de Madrid*, Madrid, 1952.

[6] A. MORÁN, *op. cit.*, p. 97 s. — On trouvera des notices sur d'autres théologiens de Salamanque, dans EHRLE-MARCK, p. 69-130; voir aussi, *G.-F.*, 237-246.

[7] D'IRSAY, *op. cit.*, t. I, p. 338; *H.E.*, t. XV, p. 302-304. Cisneros y avait installé une imprimerie; *D.H.G.E.*, t. II, col. 3; V. BELTRÀN DE HEREDIA, *La teologia en la universidad de*

Tandis qu'à Salamanque primait le collège de Saint-Étienne, ici c'était le collège de Saint-Ildefonse. Et ce sont encore ici les carmes qui ont contribué à la gloire de l'institution par un autre *Cursus*, philosophique celui-là, les *Complutenses*, qui parurent depuis 1624. Ils constituent un vaste recueil de «disputationes» sur l'œuvre d'Aristote commentée dans le sens thomiste [1]. Parmi les docteurs d'Alcalà, il faut citer « l'un des plus grands théologiens thomistes » le dominicain portugais Jean de Saint-Thomas (1589-1644), qui y enseigna pendant trente ans [2]; le scotisme y était représenté par Jean Merinero [3].

Valladolid. — La troisième Université « mayor » de l'Espagne était Valladolid, dont le *Studium* datait de 1260, et dont les collèges rivalisaient avec ceux de Salamanque, par exemple celui de San Gregorio, qui datait de 1488 [4].

Oviedo. — Les Asturies eurent aussi leur Université, celle d'Oviedo, dont la Faculté de théologie devint célèbre [5]. Le futur saint François de Borgia obtint de saint Ignace dès 1547 des professeurs jésuites pour son Université de Gandie [6].

Rayonnement espagnol. — Telle fut la richesse de la théologie de l'Espagne qu'elle fournit des maîtres éminents non seulement aux Universités d'Europe mais aussi aux colonies lointaines : Rubius à Mexico, à Lima Étienne d'Avila et Barthélemy de Ledesma [7]; Pierre d'Oviedo à Quito; Philippe de la Sainte-Trinité à Goa [8].

Alcalà, dans *Rev. Esp. Teol.*, t. V, 1945, p. 145-178, 405-432, 497-527; J. DE RÚJULA Y DE OCHOTORENA, *Indice de los colegiales del mayor de San Ildefonso y minores de Alcalà*, Madrid, 1946; A. DE ALDAMA, *Nuevos documentos sobre las teses de Alcalà*, dans *Arch. teol. Granad.*, t. XIV, 1951, p. 129-182.

[1] «*Collegium complutense philosophicum, hoc est, artium cursus, sive Disputationes in Aristotelis dialecticam et philosophiam naturalem juxta angelici doctoris D. Thomae doctrinam*». Alcalà, 1588 s. L'œuvre fut suivie de multiples éditions et développements, notamment « *Philosophia moralis in tres libros divisa a quaest. 1 usque ad 76 primae secundae D. Thomae* », Paris, 1647; *K.L.*, t. III, col. 769, qui indique les auteurs et les diverses éditions; *D.H.G.E.*, t. II, col. 4.

[2] JEAN DE SAINT-THOMAS (1589 à Lisbonne — 1644) dominicain. *Bull. thom.*, t. III (suite), 1933, p. (1055), t. VIII, 1947, p. 1340; *K.L.*, t. VI, col. 1770; *D.T.C.*, t. VIII, I, col. 803-808.

Sur son *Cursus theologicus (1627)*, Paris, 1931. *R.S.P.T.*, t. XXI, 1932, p. 517.

[3] *D.T.C.*, t. VI, col. 841; *Bull. thom.*, t. VIII, 1953, p. 1340.

[4] D'IRSAY, *op. cit.*, t. I, p. 337; G. DE ARRIAGA, *Historia del Colegio de San Gregorio de Valladolid*, edit. por el P. M.-M. HOYOS, Valladolid, 1930, cité par A. DUVAL, *R.S.P.T.*, t. XLI, 1957, p. 405, n. 21; *E.U.I.E.A.*, t. LXV, col. 1165; G. M. COLUMBAS, *Estudios sobra el primer siglo de San Benito de Valladolid*, Montserrat, 1954.

[5] BELTRÀN DE HEREDIA, *La Faculdad de teologia en la Universidad de Oviedo*, dans *Ciencia tomista*, t. LV, 1936, p. 213-259; D'IRSAY, *op. cit.*, t. I, p. 337.

[6] P. GALTIER, *La Compagnia di Gesù e la teologia dommatica*, dans *La Compagnia di Gesù e le Scienze sacre*, Rome, 1942, p. 46.

[7] R. GOYA-MASSOT, *Los jesuitas en la Universidad de Lerida*, dans *A.H.S.J.*, t. XXI, 1957, p. 43.

[8] *H.-B.*, t. VI, p. 112.

LE PORTUGAL: Ne quittons pas la péninsule ibérique sans remarquer
COÏMBRE [1] l'Université de Coïmbre, qui rivalisait en gloire avec ses
sœurs espagnoles. Située tantôt à Lisbonne tantôt à Coïmbre,
elle était revenue de la capitale en 1537. Le centre de l'enseignement théologique était le couvent de Saint-Augustin, où l'on enseignait aussi le droit
canonique. Il fut illustré par le dominicain Martin de Ledesma, par les
augustins Gaspar Casal et François du Christ, par Balthazar Limpo, Pierre
Margalho, François de Maçâ et autres, dont plusieurs avaient enseigné à
Paris. Dans la chaire de droit canon se distinguèrent François Caello et
surtout Martin d'Azpilcueta, surnommé le Navarrais. Paul III, en 1559, avait
accordé à la Faculté le droit de conférer les grades dans l'une et l'autre de ces
disciplines. Coïmbre forma le célèbre franciscain Luc Wadding.

UNIVERSITÉS Alors qu'en Espagne les Facultés étaient protégées par
ROMAINES l'Inquisition, en Italie, elles l'étaient par le caractère tout
spécial de la religion italienne [2].

C'est à Rome que se manifeste le plus intensément l'activité des théologiens. Les papes en recueillent le principal mérite et l'un des résultats de
la concentration romaine fut la création ou la restauration d'un nombre
considérable de Facultés universitaires de théologie [3].

La *Sapience* [4]. — En nous bornant aux principales, voici d'abord la plus
ancienne, la *Sapience*. Boniface VIII l'avait érigée en *Studium generale*
(1303); Léon X y avait introduit une réforme pleine de promesses, mais
qui fut éphémère. Paul III l'avait rénovée. Alexandre VII l'enrichit de
larges revenus, développa son enseignement et sa bibliothèque. Le bienheureux
Pierre Faber et Laynez, jésuites, y enseignèrent [5].

Angelicum. La Minerve. — Quant aux Facultés universitaires des ordres
religieux anciens, le collège dominicain de Saint-Thomas d'Aquin avait
été fondé pour les hautes études en 1577 par le Père espagnol Jean Solano
à Sainte-Marie sur la Minerve au Quirinal. Il était ouvert aux étrangers
comme aux membres de l'ordre. Transformé en Université par Grégoire XIII

---

[1] A. LOISEAU, *Histoire de l'Université de Coïmbre,* dans *Revue de la Société des études histor.,* t. LIX, 1893, p. 180-200, d'après Th. Braga.

[2] *H.E.,* t. XV, p. 208.

[3] *K.L.,* t. III, col. 609-646; *Catholicisme,* t. II, col. 1368; *E.U.I.E.A.,* t. X, p. 740; *D.A.,* t. II, p. 964.

[4] *H.E.,* t. XV, p. 190; *P.G.,* p. I, p. 167.

[5] *K.L.,* t. III, col. 621; D'IRSAY, *op. cit.,* t. I, p. 359; E. MORPURGO, *Roma e la Sapienza. Compendio di notizie storiche sulla Università Romana,* Rome, 1881; J. FICHTER, *James Laynez, Jesuit,* Saint-Louis, 1944.
— Le bienheureux Pierre FABER, Favre, (1506 à Villaret, Savoie — 1564) jésuite; *K.L.,* t. IV, col. 1176-1178; TACCHI-VENTURI, *op. cit.,* t. I, table, p. 692; FOUQUERAY, *op. cit.,* table; ASTRAIN, *op. cit.,* t. I, table, p. 696; t. II, table, p. 651.
— Jacques LAINEZ, Laynez (1512 à Amazen, Castille — 1565), jésuite; *D.T.C.,* t. VIII, col. 2449 s. Laynez à Trente : *H.C.,* t. IX, p. 1045; t. X, p. XXX (table); *H.E.,* t. XVII, p. 201; TURMEL, *op. cit.,* p. 346, 341 n. 1; *K.L.,* t. VII, col. 1555-1557; FOUQUERAY, *op. cit.,* t. I, p. 221-243; TACCHI-VENTURI, *op. cit.,* t. I, table, p. 690; *R.S.P.T.,* t. XXXI, 1947, p. 247; F. CERECEDA, *Diego Laynez en la Europa religiosa de su tiempo (1512-1565),* Madrid, 1946.

en 1580, il s'acquit une renommée universelle sous le nom d'*Angelicum* ou de *la Minerve*[1].

Anselmianum[2]. — Sur les pentes de l'Aventin, mais plus tardivement (1687), Innocent XI organisa l'*Anselmianum*, *Saint-Anselme*, où enseignèrent les bénédictins. Les membres anglais de l'ordre avaient depuis 1621 leur *Collegio gregoriano*.

Collegio gregoriano Antonianum[3]. — Quant aux franciscains, leur faculté fait partie du célèbre *Antonianum*, proche du Latran. Ils avaient aussi, pour leurs confrères, le collège créé par Sixte-Quint pour l'enseignement de la doctrine de saint Bonaventure et qui porte son nom. Le célèbre franciscain Luc Wadding fonda encore, pour les membres de l'ordre, le collège *Saint-Isidore*, tandis qu'il obtenait pour ses confrères irlandais un *collège national*[4]. Les carmes et d'autres ordres anciens eurent également à Rome leur Faculté de théologie.

Le Collège romain. La Grégorienne[5]. — Rivalisant avec ces centres célèbres, le *Collège romain* était dirigé par la Compagnie de Jésus.

Le zèle génial d'Ignace avait rêvé d'un centre d'instruction supérieur, destiné à devenir non seulement un collège général pour sa Compagnie, mais un Institut pour toutes les nations. Quoique ses cours fussent suivis par les étudiants de plusieurs collèges (1583), ses bâtiments ruineux semblaient prédire une existence éphémère, lorsque Grégoire XIII, en 1585, fit ériger un nouvel édifice et dota somptueusement la jeune Université, méritant ainsi qu'elle fût appelée « *grégorienne* ». Elle devint rapidement un centre international de brillantes études théologiques, ouvert aux étudiants de nombreux collèges romains. Dix papes et de nombreux saints y ont reçu

---

[1] Le P. Jean Solano avait été élève de Salamanque. En 1694 le collège fut érigé en « Studium generale » de la province romaine par le chapitre général de l'ordre, *K.L.*, t. III, col. 620.
— A. PEREZ GOYENA, *Teologos no españoles formados en España profesores de la Minerva*, dans *Mélanges Mandonnet*, Paris, 1930, t. I, p. 448-481.

[2] *K.L.*, t. III, col. 624; SCHMITZ, *op. cit.*, t. V, p. 129-134. Érigé en 1687, Saint Anselme se place hors du cadre de ce volume. — [3] *K.L.*, t. III, col. 624.

[4] Luc WADDING (1588-1657), franciscain irlandais, *G.-F.*, p. 237; *K.L.*, t. X, p. 708 s.; *D.T.C.*, t. XV, col. 3495-3497; *Father Luke Wadding. Commemoration volume*, Dublin, 1957; A. GEMELLI, *op. cit.*, p. 227-231; C. MOONEY, *The writings of Fr. L. Wadding*, dans *Fr. Studies*, t. XVIII, 1958, p. 225-240.

[5] R. GARCIA VILLOSLADA, *Storia del Collegio Romano del suo initio (1556) alla soppressione della Compagnia di Gesù (1773)*, dans *Analecta Gregoriana*, t. LXVI, 1954; *L.T.K.*, t. VI, col. 75; *K.L.*, t. III, col. 610; P. DE LETURIA, *Il Papa Paolo IV e la fondazione del collegio romano*, dans *Civiltà cattolica*, Quad. 2479, 1953, t. IV, p. 50-63; ID., *El Papa Paolo IV hace universidad el Colegio romano*, dans *R.F.*, t. CXLVIII, 1953, p. 229-231; ID., *La « signatura » motu proprio de Paolo IV que elevo a Universidad el Colegio Romano*, dans *A.H.S.J.*, t. XXII, 1953, p. III-XXIV; ID., *El P. Filippo Febri S. J. y la fundación de la catedra de Historia eclesiastica en el Colegio Romano (1741)*, dans *Gregorianum*, t. XXX, 1949, p. 158-192; L. DE RAEYMAEKER, *Le quatrième centenaire de l'Université Grégorienne*, dans *Rev. Phil.*, Louvain, t. LI, 1953, p. 624-631; H. BREMOND, *Histoire littéraire du sentiment religieux en France*, Paris, 1916, t. I, p. 21, cite l'éloge que Montaigne fit du Collège, « pépinière de grands hommes en toutes sortes de grandeur »; P. TACCHI-VENTURI, *L'inaugurazione della Pontificia Universidad Gregoriana, (1553)*, dans *Gregorianum*, t. XXIV, 1955, p. 333-340, t. XVI, p. 31; ID., *L'umanesimo e il fundatore del collegio romano*, dans *A.H.S.J.*, t. XXV, 1956, p. 63-71.

leur formation. Voici quelques-uns des professeurs qu'y appelèrent les autorités de la Compagnie : sans compter le futur cardinal saint Robert Bellarmin [1], les Espagnols Jean Maldonado [2], François Toledo [3], François

---

[1] François-Robert-Romulus BELLARMINO, jésuite, cardinal, archevêque de Capoue, (1542 à Montepulciano, territoire de Florence — 1621). Il étudia les belles lettres à Florence et à Mondovi, la théologie à Padoue. Envoyé à Louvain pousuivre ses études, il s'y distingua comme prédicateur (1569); enseigna publiquement la théologie au collège S. J. de Gand (1570-1576), puis au collège romain les *Controverses* (1576-1588); travailla à l'édition de la Bible Sixto-Clémentine et au « Ratio studiorum »; cardinal en 1599; membre de plusieurs Congrégations romaines; participa à la controverse « de Auxiliis », archevêque de Capoue (1602); démissionna et devint conservateur de la bibliothèque vaticane; prit part aux controverses vénitienne (1606), anglicane (1607-1609) et gallicane (1610-1612). Il mourut en 1621, fut canonisé le 29 juin 1930 et déclaré docteur de l'Église le 17 septembre 1931. Ranke l'appelle « le plus grand controversiste de l'Église catholique ». Cf. F. MOURRET, *Hist. générale de l'Église*, t. V, p. 557. Outre ses célèbres *Controverses*, qui eurent de son vivant une trentaine d'éditions, il a laissé des commentaires, ainsi que des ouvrages d'exégèse et d'instruction. On trouvera, dans *D.T.C.*, t. II, I, col. 560-599 une étude approfondie avec la liste de ses œuvres et la bibliographie; SOMM.-BLIARD, *op. cit.*, t. XI, col. 1374 s.; *A.H.S.J.*, t. VII, 1938, II, 330, t. VIII, 1939, II, p. 346 et passim, dans le *Bulletin bibliographique*; A. BERNIER, *Saint R. Bellarmin ...et la musique religieuse*, Montréal-Paris, 1939; F.-X. JANSEN, *Le bienheureux Bellarmin et la controverse avec les protestants*, dans *N.R.T.*, t. L., 1923, p. 393-407; *Gregorianum*, 1932, p. 3-31; *L.T.K.*, t. II, p. 126-129; *H.-B.*, *op. cit.*, t. VI, p. 113; J. BRODRICK, *The life and work of Blessed Robert-Francis cardinal Bellarmine, 1542-1621*, Londres, 1928, 2 vol.; G. BUSCHBELL, *Selbstbezeugungen des Kardinals Bellarmin*, Krumbach, 1924, « une mine de renseignements sur l'activité littéraire et politique de B. » (*R.S.P.T.*, t. XV, 1926, p. 441); Y. DE MONTCHEUIL, *La place de S. Robert Bellarmin dans la théologie*, dans *Mélanges théologiques*, Paris, 1946; A. FIOCCHI, *S. Roberto Bellarmino*, Rome, 1930; A. HAYEN, *Saint Robert Bellarmin et les principaux courants théologiques de son temps*, dans *N.R.T.*, t. LVIII, 1931, p. 385-396; J. HENTRICK, *Zur Staatslehre des Kard. Bellarmins*, dans *Scholastik*, t. IV, 1929, p. 101-188; F. X. LE BACHELET, *Bellarmin à l'Index* (*Études*, 1907, t. III, p. 227-246); R. Z. LAUER, *Bellarmine on liberum arbitrium*, dans *The modern schoolman* (Saint-Louis) t. XXXIII, 1955, p. 61-89; POLMAN, *op. cit.*, p. 512-526 (plan et méthode des *Controverses*); E. A. RYAN, *The historical scholarship of S. Robert Bellarmine*, Louvain, 1936; P. TACCHI-VENTURI, *Il beato Roberto Bellarmino. Esame delle nuove accuse contro la sua santità*, Rome, 1923; J. THERMES, *Bellarmin*, Paris, 1923; H. VAN LAAK, *Robertus cardinalis Bellarminus, S. J....*, dans *Gregorianum*, t. XII, 1931, p. 515-546; t. XIII, 1932, p. 3-23, 404 s.; *P.G.*, t. XIII, table, p. 1035; WERNER, *Geschichte*, *op. cit.*, t. IV, p. 478; *B.J.B.*, nᵒˢ 1486 s., 1504, 1507, 1532, 1584, 1619, 1633, 1659, 1682, 1692, 1694, 1726, 1783, 1812, 1815, 7227, 9176, 12110, 12475, 13004 13597. — Sur sa théorie de la grâce et de la prédestination, *infra*, t. II. — Sur son séjour á Louvain et ses relations avec l'Université : S. TROMP, *De Sancti Roberti Bellarmini contionibus Lovaniensibus*, dans *Gregorianum*, t. XXI, 1940, p. 383-412; A. PONCELET, *op. cit.*, t. I, p. 135-278, t. II, p. 114, 121, 125 s., 131, 137, 139, 474; R. DE LE COURT, *Saint Robert Bellarmin à Louvain*, dans *R.H.E.*, t. XXVIII, 1931, p. 385-396.

[2] Jean MALDONAT, Maldonado (1533 à Casas de Reyna, Estramadure — 1583) jésuite; *D.T.C.*, t. IX, II, col. 1773; *K.L.*, t. VIII, col. 547; F. MOURRET, *Histoire générale de l'Église*, t. V, p. 560 : « Maldonat, dit Dom Calmet, possédait toutes les qualités qui devaient en faire un savant remarquable »; ajouter : FÉRET, *op. cit.*, t. III, p. 69; J. M. PRAT, *Maldonat et l'université de Paris*, Paris, 1856, p. 75 s., 161 s., 439 s.; L. SALTET, *Les leçons d'ouverture de Maldonat à Paris*, dans *Bull. de littér. ecclés.*, 1923, p. 340, voir plus loin p. 239; FOUQUERAY, *op. cit.*, t. I, p. 366-369, 418, 551-594, t. II, p. 1-30; t. III, p. 173; A. MARRANZINI, *De teologica methodo Maldonati*, dans *Anal. Gregoriana*, t. LXVIII, 1954, p. 133-141; I. TELLECHIA, *Metodologia teologica de Maldonado*, dans *Scriptorium Victoriense*, t. I, 1954, p. 183-335; R. SIMON, *Bibliothèque critique*, Amsterdam, 1708-1710, t. I, p. 1-17, 58-89, 378-423, t. IV, p. 71-78.

[3] François TOLET, Francisco de Toledo (1533 à Cordoue — 1596), jésuite, cardinal. On l'a appelé « le père de la scolastique dans la Compagnie. » (*D.T.C.*, t. VIII, I, col. 1044, t. XV, col. 1223-1225); ajouter : J. M. H. LEDESMA, *Doctrina Toleti de appetitu naturali visionis beatificae secundum opera eius edita et ineditas lectiones in Prima secundae*. Manila, 1949; U. LOPEZ, *Il metodo e la dottrina morale nei classici della Compagnia di Gesù*, dans *La Compagnia di Gesù e le scienze sacre*, p. 94 s.; *Arch. Teol. Granad.*, t. III, 1940, p. 7-211, qui contient une dizaine d'articles à son sujet.

Suarez [1], Gabriel Vasquez [2], Jean de Lugo [3], le Belge Cornelius a Lapide [4], l'Italien Pallavicino [5].

Collèges germanique et autres nationaux. — Mais le fondateur de la Compagnie avait, dès l'origine, les yeux fixés sur les pays que le protestantisme avait arrachés à l'Église. Préparer pour la reconquête des prêtres dignes et instruits fut l'idéal qui lui inspira la fondation des collèges nationaux à Rome, celui d'Allemagne tout le premier.

Grégoire XIII, conquis à ce projet, concéda au Collège germanique l'autonomie à l'égard de l'Université romaine, le droit de conférer les grades et de riches dotations. Dès 1574, 94 candidats y vinrent de tous les diocèses

[1] François SUAREZ (1548 à Grenade — 1617) jésuite. « Un des premiers penseurs qui ait organisé sous forme de traités d'ensemble toute la tradition scolastique » (A. FOREST, dans *Bull. thom.*, t. IV, 1934-1938, p. 863); *L.T.K.*, t. IX, col. 872-874; *K.L.*, t. XI, col. 923-929; CAYRÉ, *op. cit.*, t. II, p. 773; *Pensiamento*, publié par les S. J. espagnols, contient plusieurs études à son sujet; *D.T.C.*, t. XIV, II, col. 2638-2728, avec bibliographie; F. MOURRET, t. V, p. 356, relève que Bossuet n'a pas dit de lui « Suarez, en qui on entend toute l'École », mais « en qui seul, on entendra, comme on sait, la plus grande partie des modernes »; *G.-F.*, *op. cit.*, p. 241 et leur bibliographie. Ajouter : bibliographie suarézienne, dans *Analecta sacra Tarraconensia*, t. XXIV, 1951, p. 28; F. SOLA, *Repertorio bibliografico de las editiones de Suarez*, 1948; *Homenaje al ...Suarez en el IV Centenario de su nacimiento (1548-1948)*, dans *Miscell. Comill.*, t. IX, 1950; *Commemoración del tercer centenario del eximio doctor español Fr. Suarez, S. J. en la ciudad de Barcelona (1617-1917)*, Barcelone, 1923 (série de travaux; cf. *R.S.P.T.*, t. XIV, 1925, p. 246). — Bibliographie périodique, dans *A.H.S.J.*, par exemple t. XXI, 1952, p. 461-467; série d'ouvrages analysés, dans *Bull. thom.*, t. III (suite) 1931-1933, p. (1049-1055). E. ENRIQUEZ, *Censuras contra Suarez*, dans *Arch. teol. Gran.*, t. XIII, 1950, p. 173-252; E. ELORDUY, *Suarez en las controversias sobre la gracia*, *ibid.*, t. XI, 1948, p. 117-194; J. DE LA C. MARTINEZ, *Suarez y la sobrenaturalidad del merito*, *ibid.*, t. II, 1939, p. 72-128; t. XI, 1948, p. 307 s.; J. ALFARO, *El progresso dogmatico en Suarez*, dans *Analecta Gregoriana*, t. LXVIII, 1954, p. 95-122; F. CUEVAS CANCINO, *La doctrina de Suarez sobre el derecho natural*, Madrid, 1952; I. DE RÉCALDE, *Les jésuites sous Aquaviva*, voir *R.S.P.T.*, t. XVI, 1927, p. 248; N. JUNK, *Die Bewegungslehre des Franz Suarez*, Innsbrück, 1939, voir *Rev. thom.*, t. V, 1939, p. 804; L. MAHIEU, *Fr. Suarez. Sa philosophie et les rapports qu'elle a avec sa théologie*. Paris, 1921; V. ORDONEZ, *Juan Salaz junto a Suarez*, dans *Rev. Esp.*, t. XIII, 1953, p. 159-213; *Vitoria et Suarez. Contribution des théologiens au droit international moderne*, Paris, 1939; P. DUMONT, *Liberté humaine et concours divin d'après Suarez*, Paris, 1936, voir *R.S.P.T.*, t. XXVII, 1938, p. 326; J. LEIWESMEIER, *Die Gotteslehre bei Franz Suarez*, Paderborn, 1938, voir *Rev. thom.*, t. V, 1939, p. 804; MARÍN-SOLA, *op. cit.*, p. 69 s.; J. HELLIN, *Existentialismo escolastico suareziano*, dans *Pensiamento*, t. XII, 1956, p. 157-178, t. XIII, 1957, p. 21-38; J. FICHTER, *Man of Spain : Francis Suarez*, New-York, 1940; P. MESNARD, *L'Essor de la Philosophie politique au XVIe siècle*, Paris, 1936, p. 617-660 (avec bibliographie) : Suarez, « Le maître à penser du XVIIe siècle »; J. F. MORA, *Suarez and Modern Philosophy*, dans *Journal of the History of Ideas*, t. XIV, 1953, p. 528-547; H. ROMMEN, *Francis Suarez*, dans *Review of Politics*, t. X, 1948, p. 437-461. — Cf. *infra*, p. 283.

[2] Gabriel VASQUEZ ou VAZQUEZ (1549-1604), jésuite « l'Augustin espagnol ». Ses œuvres principales sont des *Disputationes* et des commentaires de la Somme, *D.T.C.*, t. XV, col. 2601-2610; *K.L.*, t. XII, col. 634-636; *G.-F.*, p. 242; U. LOPEZ, *Il metodo...*, dans *La Compagnia di Gesù e le Scienze Sacre*, Rome, 1942, p. 96.

[3] Jean DE LUGO (1583-1660), jésuite, cardinal. Saint Alphonse de Ligori a dit de lui : « Après saint Thomas, il n'y a rien d'exagéré à le mettre au premier rang parmi tous les autres théologiens ». *D.T.C.*, t. IX, col. 1071; ASTRAIN, *op. cit.*, t. V, p. 81.

[4] Cornelius A LAPIDE ou Cornelius Cornelii A LAPIDE (CORNELISSEN VAN DEN STEEN) (1566-1637), jésuite. A laissé sur l'ancien et le nouveau Testament des commentaires d'une érudition plus abondante que sûre (10 vol. in fol., Anvers, 1681); *K.L.*, t. VII, col. 1428; *L.T.K.*, t. VI, col. 209, documenté; *B.N.*, t. XI, col. 345-349; liste de ses œuvres, SOMM., t. IV, col. 1511-1525.

[5] Pierre SFORZA PALLAVICINO (1607-1667), jésuite, cardinal, *D.T.C.*, t. XI, col. 1831; *K.L.T.*, t. IX, col. 1310; SARPI, P. (édit. R. AMERIO) *Scritti filosofici e teologici editi e inediti*, Bari, 1951; *D.T.C.*, t. XI, col. 1833. Voir *infra*, p. 254.

du Nord; ils étaient 130 l'année suivante et leur influence en Allemagne contribua puissamment à la Contre-Réforme. Il en fut de même pour les élèves du Collège hongrois, ajouté au germanique en 1578 et qui lui fut uni en 1580; ils reçurent en 1584 une commune constitution, encore en vigueur à présent [1].

Leurs étudiants suivaient les cours du Collège romain. Ainsi faisaient ceux d'autres collèges créés à l'instar du « germanicum » et dans un but analogue. Érigé à Douai en 1568 par le futur cardinal Allen, le séminaire anglais, transféré à Rome en 1578, reçut de Grégoire XIII l'autonomie et de larges subsides [2]. D'autres écoles de théologie furent ouvertes et fondées par le même pape pour les Grecs catholiques, pour les maronites du Liban, pour les juifs et les musulmans convertis [3]. Les Irlandais depuis 1628, les Écossais depuis 1600 possédaient leur collège national.

Collège de la Propagande. — Un semblable idéal d'expansion évangélique inspira la fondation du *Collège de la Propagande* par Grégoire XV en 1622. Destiné à former des prêtres pour les pays de missions tant en Europe qu'en dehors, il fut confié à la Congrégation cardinalice de la Propagande et comprit naturellement une Faculté de théologie, qui put accorder le doctorat universitaire. Il porte aussi le nom de *Collège urbain* en souvenir d'Urbain XIII, qui développa l'institut primitif par la bulle *Immortalis Dei* du 1er août 1627. Plusieurs maîtres célèbres en illustrèrent l'enseignement, par exemple le cardinal Laurent Brancati di Lauria [4].

Conclusion. — Rome jouissait donc d'une pléiade de maîtres, souvent éminents, qui donneraient à l'étude du dogme catholique une merveilleuse impulsion.

Ils avaient été précédés par deux théologiens de premier ordre, dont la puissante influence continuait de se manifester : les cardinaux Gaspar Contarini (1483-1542) [5] et Thomas de Vio, dit Cajétan (1468-1534) [6].

---

[1] *H.E.*, t. XVII, p. 140; *P.G.*, t. IX, p. 172, 175; t. XIX, p. 195 s.; *K.L.*, t. III, col. 625-633; sur les séminaires pontificaux, B. Duhr, *op. cit.*, t. II, i, p. 621; *B.T.*, t. VIII, p. 53; fondation le 6 août 1579, *B.T.*, t. VIII, p. 53; *K.L.*, t. III, p. 609 s.

[2] *H.E.*, t. XVII, p. 140; *B.T.*, t. VIII, p. 209; fondation par Grégoire XIII, *B.T.*, t. VIII, p. 209; *K.L.*, t. III, col. 633; *D.A.*, t. III, p. 1199; *P.G.*, t. IX, p. 176.

[3] Sur ces collèges, voir *P.G.*, t. IX, p. 179-183, *P.H.*, t. XIX, p. 202.

[4] Laurent Brancati di Lauria (1612-1693), franciscain, cardinal, *D.H.G.E.*, t. X, p. 396; L. Ceijssens, *Cardinalis Laurenti Brancati di Laurea, O. F. M., autobiographia*, dans *Miscell. franciscana*, t. XXX, 1940, p. 1-46.

[5] Gaspar Contarini (1483 à Venise — 1542). *H.E.*, t. XVII, p. 39; *D.T.C.*, t. III, ii, col. 1615, t. XII, ii, col. 2095, 2104; *K.L.*, t. II, col. 1038-1040; *D.H.G.E.*, t. LXXVI, col. 771-784; H. Jedin, *Kardinal Contarini als Kontroverstheologe*, Munster, 1949. Publie une traduction de sa *Confutatio; P.G.*, t. V, p. 104-106, 109 s., 128 s.

[6] Thomas de Vio, dit Cajétan, Gaetano (1469 à Gaete — 1534), général des dominicains, cardinal. — Voir *H.C.*, t. X, p. XXVI, table; *D.T.C.*, t. II, col. 1313-1329, ses œuvres et sa théologie; *K.L.*, t. II, col. 1675-1680; *R.S.P.T.*, t. XXXVI, 1952, p. 531; *G.-F.*, p. 220; J. F. Groner, *Kardinal Cajetan...* Fribourg et Louvain, 1951; R. Bauer, *Gotteserkenntnis und Gottesbeweise bei Kardinal Kajetan*, Ratisbonne, 1955. — Précieuse bibliographie, dans *Bull. thom.*, t. IV, 1934-1936, p. 843-857; t. VII, 1947, p. 1311-1317; L. Babbini, *Il superfluo nel pensiero del Card. Gaetano*, Genève, 1954; J. Alfaro, *Posición de Cajetan*

Parmi les autres Facultés de théologie de la péninsule il faut citer celles de Bologne [1], du Piémont en général [2], de Mondovi [3], de Turin [4], de Pavie [5], celle de Padoue, illustrée par l'augustin Louis Alberti († 1628).

LA FRANCE *Vicissitudes et prestige de Paris. La Sorbonne.* Avec la Faculté de théologie de Paris nous abordons les Universités où l'orthodoxie catholique ne vit plus en régime pacifique, où elle doit se défendre contre des doctrines nouvelles [6].

Au XIIIe siècle, l'illustre Université domine. Elle est « mère et maîtresse des autres ». Le Saint-Siège lui réserva longtemps, comme au *Romanae Sedis Studium*, le monopole de l'enseignement théologique. Au début du XVIe siècle encore, en 1520, Érasme compare sa suprématie dans le monde

---

en el problema de la sobrenatura, dans *Bull. thom.*, t. VIII, 1947, p. 1237 s. — Sur ses travaux d'exégèse, *R.S.P.T.*, t. XL, 1956, p. 150; *Rev. thom.*, nouv. sér., t. XVII, 1934-1935, p. 503 s. consacrées tout entières à Cajétan, notamment à son influence sur TOLET (p. 353-370), puis sur Catharin et Bañez, la prédétermination physique (p. 371-399). E. GILSON, *Cajétan et l'humanisme théologique*, dans *Arch. hist., doctr., litt. du moyen-âge*, 1955, p. 113-136; A. RENAUDET *Érasme et l'Italie*, Genève, 1954, p. 231 s.; le passage est cité dans *R.H.É.F.*, t. XLI, 1955, p. 110; *H.C.*, t. X, p. XXIV (table).

— Ne pas confondre Thomas de Vio avec Constantin CAJETAN (Caetani) (1560 à Syracuse — 1650), O. S. B. de la congrégation du Mont-Cassin, fondateur de la *Bibliotheca aniciana* à Rome; a laissé 26 ouvrages imprimés et plus de 60 en manuscrit. Cf. *K.L.*, t. II, col. 1680-1681; SCHMITZ, *op. cit.*, t. V, p. 129, 293.

[1] A. SORBELLI, *Storia della Università di Bologna*, Bologne, 1940, t. II, p. 121; S. MAZZETTI, *Repertorio di tutti i professori della... università di Bologna*, Bologne, 1848.

[2] Th. VALLAURI, *Storia delle università degli studi del Piemonte*, Turin, 1845-1846, 3 vol.

[3] En 1562 Pie IV lui avait concédé la création d'une chaire de théologie et de droit canon; le 17 janvier 1566, il confirma ces privilèges; quand Emmanuel-Philibert transféra l'Université à Turin le 26 octobre 1566, la Faculté de théologie continua à conférer les grades. En 1571, il y a deux professeurs de théologie et deux de droit canon. Th. VALLAURI, *op. cit.*, t. II, p. 43, p. 208, noms des premiers professeurs désignés par le duc.

[4] Voir n. 2. L'Université possédait une Faculté de théologie depuis le XVe siècle. Depuis 1628, le nombre des professeurs de philosophie et de théologie diminua notablement. En 1638, les jésuites obtinrent d'enseigner dans leur collège la philosophie et la théologie, tant dogmatique que morale. Cf. Th. VALLAURI, *op. cit.*, t. I, p. 62; t. II, p. 118.

[5] G. C. BASCAPI, *Il collegio Borromeo di Pavia. Contributo alla storia della vita universitaria*, Milan, 1955; A. DE MEYER, *op. cit.*, p. 29.

[6] Th. TOREILLES, *Le mouvement, op. cit.*; H. FOUQUERAY, *op. cit.*, t. V, p. 477 s., table, v. Universités; P. FÉRET, *L'université de Paris et les jésuites dans la seconde moitié du XVIe siècle*, dans *Revue des questions historiques*, t. LXV, 1899, p. 455-497, t. LXVIII, 1900, p. 389-444; ID., *La faculté de théologie, op. cit.*; M. TARGE, *Professeurs et régents de collège dans l'ancienne université de Paris*, Paris, 1902; Ch. JOURDAIN, *Index chronologicus chartarum... universitatis parisiensis... ad finem decimi sexti saeculi...*, Paris, 1862; ID., *Histoire de l'Université de Paris au XVIIe et au XVIIIe siècles*, Paris, 1862; *Id.*, Paris, 1882, 2 vol. : ne reproduit pas les 293 p. de pièces justificatives de la première édition; J. M. PRAT, *Maldonat et l'université de Paris au XVIe siècle*, Paris, 1856; R. G. VILLOSLADA, *La Universidad de Paris durante los estudios de Francesco de Vitoria, O. P. (1507-1522)*, dans *Anal. Gregoriana*, t. XIV, 1938; Ch. DESMAZE, *L'université de Paris (1200-1876)*, Paris, 1876 (cite les archives de la fac. de Théol., p. 47 s. et les bibliothèques).

— Sur la réforme sous Henri IV, MARIÉJOL, *Histoire de France*, t. VI, II, p. 98; sur la Sorbonne, *ibid.*, p. 380. — L'archevêque de Paris, Pierre de Gondi, prétendit soumettre à son approbation les décisions de la Faculté de Paris. Cf. R. SIMON, *Bibliothèque critique*, Amsterdam, 1708-1710, t. I, p. 110; L. CRISTIANI, *Luther et la Faculté de Paris*, dans *Rev. d'Hist. de l'Égl. de France*, t. XXXII, 1946, p. 63-83.

des grandes écoles à celle de Rome dans l'Église [1]. Mais à partir de la moitié du siècle, elle subit une éclipse de quelque cinquante ans. Pendant les luttes religieuses, la Faculté de théologie ne jouissait pas de l'atmosphère sereine qui permet le progrès théologique. On a même pu parler de décadence [2]; cependant, par diverses réformes [3], elle travaille alors à restaurer sa discipline intérieure; elle s'enrichit de nouvelles chaires et bientôt Richelieu lui construira des bâtiments neufs ainsi que la belle église où il a son tombeau.

Malgré tout, elle a conservé son prestige. Sa Faculté de théologie, que depuis le concile de Bâle on confond souvent par erreur avec le collège de Sorbonne [4], est consultée sur les plus graves problèmes, comme le divorce d'Henri VIII [5]. Elle prend une large part au concile de Trente [6]. Le collège dominicain de Saint-Jacques, qui s'est réformé grâce à l'influence de la province de Hollande [7], maintient la glorieuse tradition de l'ordre. Il eut pour prieur Pierre Crokaert, le maître de Vitoria. Et des études récentes ont montré quelle puissante influence Paris exerça sur la brillante école espagnole, grâce aux maîtres de Vitoria, non seulement Crokaert, mais Jean de Celaya, Jean Fenario et Jean Mair [8].

La Sorbonne : arbitrages doctrinaux. — Mais ce rôle même d'arbitre de la doctrine, spéculative et morale, est dangereux. Les énergies que la Faculté devrait consacrer à la recherche scientifique, elle doit les dépenser en partie à combattre ce qu'elle considère comme l'erreur. Et ces luttes l'absorbent au cours de deux siècles.

Les unes s'imposent incontestablement parce qu'elles intéressent l'orthodoxie ou la vie de l'Église. C'est d'abord autour du concordat de François Ier

---

[1] L. WILLAERT. *Origines, op. cit.*, t. I, p. 346 n. 3; ÉRASME, *Epistolae*, lib. XXV, epist., du 6 décembre 1520, au cardinal Laurent Campeggio : « Exspectabatur sententia Parisiensis Academiae, quae semper in re theologica non aliter principem tenuit locum, quam Romana sedes christianae religionis principatum. » Cf. FERET, *La Faculté de théologie, op. cit.*, t. II, p. 7, n. 3.

[2] P. FERET, *op. cit.*, t. I, p. 10, t. II, p. 409.

[3] *Ibid.*, p. 13, 15, 23; P. IMBART DE LA TOUR, *Les origines, op. cit.*, t. III, p. 341.

[4] P. FERET, *op. cit.*, t. I, p. 275 n. 2 La Sorbonne, fondée en 1253 par Robert de Sorbon, est, non la Faculté mais un *collège* dans la Faculté, comme celui de Navarre et autres; la confusion vint de ce que la Faculté de théologie y tint ses assemblées, qu'elle en fit son « chef-lieu », que le collège prit la prépondérance dans la Faculté et aussi parce que Richelieu, le comblant de faveurs, augmenta son prestige. Sa bibliothèque, riche et accueillante, l'emportait sur les autres. Cf. *D.T.C.*, t. XIV, col. 2386-2394 (bibliogr.); *C.E.*, t. XIV, p. 150; *K.L.*, t. XI, p. 521; *L.T.K.*, t. IX, p. 676; *H.C.*, t. IX, p. 1049 (table); L. THORNDIKE, *Censorship by the Sorbonne of science and superstition in the first half of the XVIIth century*, dans *Journal of the History of Ideas*, 1935; J. BONNEROT, *La Sorbonne, sa vie, son rôle, son œuvre à travers les siècles*, Paris, 1927, indique, p. 19, les nouvelles chaires créées en 1598, 1606, 1612 et 1616, ainsi que leurs premiers titulaires; R. GARCIA VILLOSLADA, *La universidad de Paris, op. cit.* (*supra*, p. 196, n. 6). Monographies sur les professeurs; influence sur l'école de Salamanque; influence du nominalisme.

[5] P. FERET, *op. cit.*, p. 319; cf. *supra*, p. 184, n. 2.

[6] *Ibid.*, p. 347.

[7] EHRLE-MARCK, *op. cit.*, p. 15.

[8] H. ELIE, *Le traité « de l'Infini » de Jean Mair*, Paris, 1938.

avec Léon X [1]. Puis viennent les tentatives luthériennes et calvinistes :
il fallut repousser les avances de Luther lui-même, surveiller l'infiltration
des livres hérétiques ou dangereux et punir les libraires coupables, expulser
les professeurs suspects, répondre aux arguments protestants des « colloques »
et, quand la monarchie défaillante ou hérétique menaça de livrer la France
aux novateurs, intervenir avec une courageuse énergie [2].

La Sorbonne : défense des privilèges. — Par malheur, la Faculté soutint
des hostilités moins glorieuses et moins inévitables. Il s'agit de la défense
de son monopole d'enseignement. Rome l'avait protégé autrefois; nul autre
que le « romanae sedis studium » ne pouvait enseigner la théologie [3]. Une
première menace lui vint de François Ier. A l'instar du Collège des Trois-
Langues de Louvain, le roi fonda le corps enseignant de ce qui allait devenir
le « Collège royal de France ». Il n'y avait pas à contrecarrer la volonté royale [4].

La lutte fut plus longue contre les prétentions des réguliers. Au XIIIe siècle
déjà, l'Université avait d'abord refusé aux ordres mendiants l'accès aux
grades et aux chaires [5]. Au XVIe et au XVIIe, ce sont encore de nouveaux
venus qui réclament leur entrée à la Faculté. Fondés à Milan en 1630, les
barnabites s'étaient établis en France en 1622. Malgré tous leurs efforts,
la Faculté leur fit refuser l'autorisation d'enseigner en dehors de leur ordre [6].
Les oratoriens eurent plus de succès, grâce surtout à leur fondateur le cardinal
de Bérulle [7].

La Sorbonne et les jésuites [8]. Ce n'étaient là qu'escarmouches. Avec la
Compagnie de Jésus la guerre dura toute la seconde moitié du XVIe siècle
et le premier tiers du XVIIe, pour se muer ensuite en guerre froide. La Faculté
avait pour elle les ennemis de ses adversaires, Pasquier, Arnauld, les protestants, les politiques, le parlement surtout. Elle faisait valoir le danger de
la concurrence des jésuites, qui enseignaient gratuitement et dont les professeurs, soigneusement choisis — Maldonat par exemple — attiraient la foule
des étudiants. De leur côté, les religieux invoquaient la liberté et les privilèges
que leur assuraient les bulles de Pie V et de Grégoire XIII [9].

---

[1] *H.E.*, t. XV, p. 179; FÉRET, *op. cit.*, t. I, p. 299, sur toutes ces difficultés, *ibid.*, t. I, p. 310-352.

[2] P. FERET, *op. cit.*, t. I, p. 231, 244, 253, 92, 120, 170 (Index des livres condamnés), 202 (série de catalogues de livres condamnés).

[3] L. WILLAERT, *op. cit.*, p. 346.

[4] FERET, *op. cit.*, p. 49 s., t. II, p. 14.

[5] Pascal, dans la première *Provinciale*, fait allusion à l'influence que les docteurs réguliers exercent par leurs votes. En 1626, la Faculté réclama du parlement confirmation et application des anciens arrêts, en vertu desquels chaque maison de mendiants ne pouvait envoyer que deux docteurs aux assemblées facultaires, *D.T.C.*, t. VI, col. 2011.

[6] FERET, *op. cit.*, t. III, p. 54 s.

[7] *Ibid.*, p. 57 s.

[8] *Ibid.*, *loc. cit.*; A. DOUARCHE, *L'Université de Paris et les jésuites*, Paris, 1888; FOUQUERAY, *op. cit.*, t. V, p. 478, table; F. GENIN, *Les jésuites et l'université*, Paris, 1844; PRAT, *op. cit.*, p. 1-253, 331-439; A. ARNAULD, *Plaidoyer pour l'université de Paris contre les jésuites*, Lyon, 1594.

[9] P. FERET, *op. cit.*, t. I, p. 57 s. — Voir ci-dessus, p. 188 s., des discussions analogues à Salamanque.

Expulsés à la suite de l'attentat de Jean Chatel en 1594, les jésuites rentrèrent en France grâce à Henri IV. C'est par sa faveur et par celle de Louis XIII qu'ils obtinrent l'autorisation d'enseigner publiquement la théologie dans leur *Collège de Clermont* [1]. Et l'on y entendit des maîtres célèbres, dont il sera question plus loin : en exégèse Petau, Le Tellier, Hardouin; en dogmatique Maldonat, de Mariana; Fronton du Duc, Suarez; en morale Bauny, Hayreau. La paix cependant ne se fit pas entre eux et la Faculté, qui continua de les surveiller de près et plusieurs fois censura sévèrement leurs publications [2].

Théologiens parisiens. — Quand on parcourt la longue liste des théologiens parisiens de cette époque, on relève bon nombre d'hommes de grande valeur. On trouvera leurs noms, leur biographie et leurs œuvres groupés dans le précieux ouvrage de Feret, qui leur consacre ses tomes II et IV en entier. Il serait donc oiseux de les enumérer ici [3]. Il faut cependant signaler Edmond Richer [4] et Isaac Habert (vers 1600-1668), ce dernier, chanoine théologal de Paris, docteur de Sorbonne, qui, à la suite de ses célèbres sermons contre Jansénius (1642, 1643), entretint une polémique très vive avec A. Arnauld et de Barcos, évêque de Vabres (1645); il publia un important ouvrage sur la doctrine des Pères grecs au sujet de la grâce. Mais on doit constater que plusieurs des maîtres les plus en vue sont des étrangers; la Faculté produit alors comparativement peu de ces esprits supérieurs capables d'imprimer à la recherche scientifique un élan nouveau ou de lui révéler des veines inconnues.

Pont-à-Mousson [5]. — L'Université de Pont-à-Mousson en Lorraine (Meurthe-et-Moselle) présentait ce caractère particulier d'avoir été créée de toutes pièces pour les jésuites et confiée à leur direction. Par zèle pour l'orthodoxie, le cardinal de Lorraine en avait résolu la fondation et il obtint l'appui de Grégoire XIII, qui l'investit par la bulle *In supereminenti* du 5 décembre 1582. A cause d'oppositions et de complications diverses, les cours ne s'ouvrirent qu'en 1575, grâce à l'aide généreuse du cardinal de Guise.

Bordeaux. Toulouse. — D'autres facultés françaises florissaient à Orléans, à Bordeaux et Toulouse; dans ces dernières villes un collège de jésuites

---

[1] P. Feret, *op. cit.*, t. III, p. 71. — Sur toute cette lutte, *ibid.*, t. I, p. 57-91; t. III, p. 63-153; J. M. Prat, *Maldonat, op. cit.*, p. 95 s., 161 s., 253, 369; G. Emond, *Histoire du collège Louis-le-Grand*, Paris, 1845; M. Donnay, *Le lycée Louis-le-Grand*, Paris, 1939; G. Dupont-Ferrier, *Du collège de Clermont au lycée Louis-le-Grand (1560-1920)*, Paris, 1921, 3 vol., t. I, p. 157. On trouvera dans le t. III, p. 38-43, une liste des professeurs de théologie, avec références; S. d'Yrsay, *op. cit.*, t. I, p. 358; H. Fouqueray, *op. cit.*, t. I, p. 363-388, 413-434.

[2] P. Feret, *op. cit.*, t. III, p. 153-469, les questions débattues et les livres censurés.

[3] Relevons cependant Philippe de Gamaches (1568-1625), André Duval (1564-1638) et Nicolas Isambert ou Ysambert (1569-1642); Antoine Arnauld appartient plutôt à la seconde moitié du siècle.

[4] Edmond Richer (1559 à Chesley, diocèse de Cahors — 1631); *D.T.C.*, t. XIII, col. 2698-2702; *K.L.*, t. X, col. 1189-1192. Cf. *infra*, p. 387 s.

[5] Cf. *P.G.*, t. XIX, p. 195; E. Martin, *L'université de Pont-à-Mousson (1572-1768)*, Paris, 1891; H. Fouqueray, *op. cit.*, t. I, p. 604-616, documenté; J. M. Prat, *op. cit.*, p. 440-459; de sérieuses difficultés avaient surgi par suite de l'annexion à l'Université de biens monastiques; S. d'Irsay, *op. cit.*, t. I, p. 357. Parmi les professeurs, Claude Tiphaine (né

fut incorporé à l'Université [1]. D'ailleurs, à la Faculté de Toulouse, les réguliers enseignaient presque seuls, les dominicains en particulier, dont la belle église était le chef-lieu de l'Université [2]. Au reste, un bon nombre des collèges de la Compagnie équivalaient à des Facultés de théologie. Ainsi en était-il, par exemple, à Paris, Lyon, Clermont, Rodez, Bordeaux, Reims, Poitiers, etc [3].

En Dauphiné, dans les Universités de Valence et de Grenoble, la théologie faisait partie du *studium* [4].

LES PAYS-BAS   *Université de Louvain.* — Sur la carte théologique de l'Europe d'alors, l'Université de Louvain occupait l'extrême Nord-Ouest [5]. Elle apparaît comme le premier « castrum » du long *limes* qui séparait les « marches » de l'Église de ses *membra avulsa* du Nord et de l'Est. Elle tenait glorieusement son rôle de métropole intellectuelle de la Belgique, bastion du catholicisme.

à Aubervilliers — 1641), quoique fidèle thomiste, fit preuve de personnalité. Son ouvrage *De hypostasi et persona (1634)* manifeste une recherche érudite des sources théologiques. *D.T.C.*, t. XV, I, col. 1141-1143. Quoique la Lorraine n'appartînt pas alors à la France, l'université de Pont-à-Mousson subit l'influence française.

[1] S. D'IRSAY, *op. cit.*, t. I, p. 358, citant H. FOUQUERAY, *op. cit.*, t. II, p. 500; E. A. BLAMPIGNON, *Les Facultés de théologie de France*, Paris, 1872.

[2] *L'Université de Toulouse. Son passé. Son présent.* Toulouse, 1929; J. ANNAT, *Documents inédits sur l'ancienne université de Toulouse*, dans *Bull. de littérature ecclésiastique*, n. 4-5, 1904, p. 207-287 (ne dépasse pas 1500); [P. DELATTRE] *Les établissements des jésuites en France depuis quatre siècles*, Enghien-Wetteren, 1940; FOUQUERAY, *op. cit.*, passim, voir la table.

[3] J. DELFOUR, *Les Jésuites à Poitiers*, Paris, 1902; P. MASSIF, *Le collège de Tournon*, Paris, 1890.

[4] BERRIAT-SAINT-PRIX, *Notice historique sur l'ancienne Université de Grenoble*, dans *Mémoires et dissertations ... par la société royale des antiquaires de France*, t. III, 1821, p. 396. Sur les relations des Universités de Bordeaux, Bourges, Caen, Cahors, Dole, Poitiers, Reims et Toulouse avec les jésuites, FOUQUERAY, *op. cit.*, t. V, p. 478 (table).

[5] A la demande de l'évêque Miraeus, le collège des jésuites à Anvers avait ouvert des cours de théologie (A. PONCELET, *op. cit.*, t. II, p. 115). L'histoire de l'Université de Louvain vient d'être enrichie tout récemment par F. CLAEYS-BOÚÚAERT (*L'ancienne université de Louvain*, dans *Études et documents*. Bibliothèque de la *R.H.E.*, fasc. 28. Louvain, 1956), qui a largement et habilement utilisé les riches archives de l'institution. A la suite de sa suppression (*1794*), elles avaient été emportées par J. F. Van de Velde, professeur et bibliothécaire de l'Université; elles ont finalement abouti en grande partie au séminaire de Gand et aussi aux archives du Royaume à Bruxelles. L'auteur mentionnant plusieurs travaux antérieurs, il serait superflu de les rappeler ici. — POLMAN, *op. cit.*, p. 330 n. 2; *Le cinquième centenaire de la Faculté de théologie de l'Université de Louvain (1432-1452)*, dans *Liber memorialis*, Bruges, 1932; *Ephemerides theologicae Lovanienses;* H. DE JONGH, *L'ancienne faculté, op. cit.;* E. REUSENS, *Documents relatifs à l'ancienne Université de Louvain (1425-1797)*, dans *Analectes pour servir à l'histoire ecclésiastique de Belgique*, t. XXIX, p. 1901 s. — Quant à l'enseignement de la théologie, il a été exposé dans une très pénétrante étude par R. GUELLUY, *L'évolution des méthodes théologiques à Louvain, d'Érasme à Jansénius*, dans *R.H.E.*, t. XXXVII, 1941, p. 32-144; L. WILLAERT, *Origines, op. cit.*, p. 200-210. — Bibliographie sur l'Université de Louvain, dans *Ephemerides theologicae Lovanienses*, t. XXVIII, 1952, p. 199-202, 599 s.; J. GRISAR, *Die Universität Löwen zur Zeit der Gesandschaft des P. Fr. Tolet (1580)... dans Miscellanea... De Meyer*, Louvain-Bruxelles, 1946, t. II, p. 941; K. BLOCKX, *Geschiedenis van de theologische faculteit aan de Universiteit te Leuven* (Dissertation de licence à Louvain en 1951); H. DE VOCHT, *History of the foundation and the rise of the Collegium Trilingue Lovaniense, 1517-1550*, Louvain, 1951; A. PONCELET, *Histoire, op. cit.*, t. I, p. 13. — Sur J. F. VAN DE VELDE, cf. F. CLAEYS-BOÚÚAERT, dans *E.T.L.*, t. XXXV, 1959, p. 904.

Il est vrai que la révolution contre Philippe II et les ruines qui en résultèrent lui avaient infligé une certaine déchéance; mais la « visite » de 1617 renouvela l'organisation. Il est vrai encore que cette visite même et l'intrusion des « professeurs royaux », créatures de l'État, ici comme à Paris et ailleurs, élargissait la porte à l'influence gênante du pouvoir civil; mais la détresse financière avait obligé d'accepter cette opulente servitude. Au reste, Rome, qui avait présidé aux origines du *Studium generale*, continuait à lui prodiguer ses faveurs, tout en surveillant son orthodoxie par le moyen de la nonciature de Bruxelles [1].

Sa Faculté de théologie, « eximia facultas », datait de 1432 [2]. Outre ses cinq chaires ordinaires de théologie, elle eut au XVIe siècle celles de théologie scolastique (pour le Maître des sentences et pour saint Thomas), d'Écriture Sainte et de catéchisme. Deux siècles de services rendus lui avaient valu une brillante renommée, qui rayonnait dans tout le pays et à l'étranger. Elle se distinguait par la valeur de ses docteurs, dont plusieurs, entre autres Michel Baïus, Josse Ravenstein, Corneille Jansénius l'Ancien, Jean Hessels, avaient pris part avec éclat au concile de Trente. Il en allait de même de Ruard Tapperus, un autre Louvaniste, doyen des procureurs de Louvain au concile, qui contribua puissamment à en faire admettre les décrets aux Pays-Bas [3]. A ces noms il faut ajouter ceux de J. Driedo, J. Latomus, Corneille Jansénius le Jeune, J. Lindanus, J. Malderus, J. Wiggers et J. Jansonius [4].

---

[1] Par une bulle du 1er mars 1572, Grégoire XIII confirma tous ses privilèges, *B.T.*, t. VIII, p. 505.

[2] CLAEYS-B., *op. cit.*, p. 1.

[3] ID., *op. cit.*, p. 59; L. WILLAERT, *op. cit.*, p. 398; Michel BAÏUS (DE BAY) (1513 à Mélin près d'Ath — 1589). Il sera question au tome II de ses doctrines et de leur censure par le Saint-Siège (1567); *B.N.*, t. IV, col. 762-779; *D.T.C.*, t. II, I, col. 38-111, liste de ses œuvres, sa doctrine; *P.G.*, t. XVII, p. 292-303.
— Josse RAVESTEYN ou VAN RAVENSTEIN (vers 1506 à Tielt, de là son nom de TILETANUS — 1570), *B.N.*, t. XVIII, col. 802-806; *D.T.C.*, t. XIII, II, col. 1793.
— Corneille JANSÉNIUS l'Ancien (1510-1576), évêque de Gand, étudia à Louvain; l'exégèse à Tongerloo, puis à Louvain. Il a laissé de bons ouvrages de pastorale et d'exégèse. *B.N.*, t. X, p. 103. Sur la participation des prélats et des théologiens belges au concile, voir *D.H.G.E.*, t. VII, col. 636-639.

[4] Une liste des professeurs de Louvain se trouve dans *Analectes pour servir à l'histoire ecclésiastique de la Belgique*, t. XXII, 1890, p. 157, 202, 260, 319, 385, 430; J. WILS, *Les professeurs de l'ancienne Faculté de théologie de l'Université de Louvain*, dans *E.T.L.*, t. IV, 1927, p. 338-357; J. GRISAR, *Die Universität Löwen*, *op. cit.*, p. 951; H. VANDERLINDEN, *L'Université de Louvain en 1568*, dans *Bull. de la Comm. roy. d'histoire*, Bruxelles, t. LVII, 1908, p. 19.
— Jean HESSELIUS, HESSELS (1522 à Louvain — 1566), (à ne pas confondre avec HASSELIUS (van Hasselt), autre théologien belge, mort en 1552; *B.N.*, t. IX, col. 320-322; *D.T.C.*, t. VI, col. 2321-2323; DU CHESNE, *op. cit.*, p. 19 n. a; POLMAN, *op. cit.*, p. 344; L. CEIJSSENS, *Un échange de lettres...*, *op. cit.*, p. 62. Il sera question de lui plus loin à propos de Baïus.
— Ruard TAPPERUS, TAPPER, TAPPERT ou TAPPAERT (1487 à Enkhuysen, Pays-Bas — 1539), *B.N.*, t. XXIV, col. 555-577 (bibliogr.); *D.T.C.*, t. XV, col. 52-54; *L.T.K.*, t. IX, col. 992 s.; *B.J.B.*, n°s 1406 a, 1778, 7374, 7398, 7441; DE JONGH, *op. cit.*, p. 180-186; J. ÉTIENNE, *Ruard Tapper, interprète catholique de la pensée protestante sur le sacrement de pénitence*, dans *R.H.E.*, t. XLIX, 1954, p. 770-807. L' « Apothéose », pamphlet protestant contre lui, a été publié dans *Bibliotheca reformatoria neerlandica*, La Haye, 1903, t. I, p. 76 s.
— Jean DRIEDO, DRIEDOENS, en réalité NEYS ou NIJS (vers 1480 à Darisdonck, près de Turnhout, Belgique — 1535), doit être mentionné ici à cause de l'influence profonde et persistante de ses ouvrages sur la grâce, sur le libre-arbitre et sur la Vulgate, ainsi que de son *De ecclesiasticis scripturis et dogmaticis*, qui « constitue un véritable manuel d'introduction

Jusqu'à l'époque du concile, la Faculté se distinguait par sa stricte orthodoxie. Ses *Articles* servirent de base aux premières discussions dogmatiques
de Trente. C'est elle qui dressa le premier *index* de livres prohibés [1]. Elle
avait combattu vigoureusement le luthéranisme dès l'origine et même refusé
l'irénisme d'Érasme [2]. Mais, dès 1551, l'atmosphère avait changé. Michel

à l'Écriture sainte ». Cf. *B.N.*, t. VI, col. 165-167; *D.T.C.*, t. IV, col. 1828-1830. Opinion de
Dubois, docteur de Sorbonne, sur Driedo, dans R. SIMON, *Biblioth. critique*, Amsterdam, 1708-
1710, t. I, p. 1-26; J. ÉTIENNE, *Spiritualisme érasmien et théologiens louvanistes*, Louvain-
Gembloux, 1956, p. 105-160 (consacre une étude fouillée aux deux ouvrages *De captivitate*
et *De libertate christiana*, œuvres de Driedo, p. XVII s.); GUELLUY, *op. cit.*, p. 7; *R.S.P.T.*,
t. XXXI, 1947, p. 255, citant R. DRAGUET sur *Le Maître louvaniste Driedo inspirateur du
décret de Trente sur la Vulgate*, dans *Miscellanea... De Meyer*, t. II, p. 836-854; T. DHANIS,
L'antipélagianisme dans le « De captivitate et redemptione humani generis » de Jean Driedo,
dans *R.H.E.*, t. LI, 1956, p. 454-471 (avec abondante bibliographie sur Driedo); R. SEEBERG,
Der Augustinismus des J. Driedo. Geschichtliche Studien Albert Hauck, Leipzig, 1916,
p. 216-219; T. D. FOLEY, *The doctrine of the Catholic Church in the Theology of John Driedo
of Louvain. A comparative Study in 16th Century Ecclesiology*, Washington, 1946;
A. P. HENNESY, *The victory of Christ over Satan in John Driedo's De captivitate...*,
Washington, 1945; J. LODRIOOR, *La notion de tradition dans la théologie de Jean Driedo...*,
dans *E.T.L.*, t. XXVI, 1950, p. 37-53; H. PEETERS, *Doctrina Johannis Driedonis [...] de
concordia gratiae et liberi arbitrii*, Malines, 1938; DE JONGH, *op. cit.*, p. 156-159.
— Comme Driedo, Jacques MASSON, dit LATOMUS (vers 1475 à Cambron, Hainaut — 1544),
mérite aussi d'être signalé à cause de son influence sur notre période. Cf. *B.N.*, t. XI, col. 1890;
D.T.C., t. VIII, col. 2626-2628; J. ÉTIENNE, *op. cit.*, p. 163-186; œuvres de Latomus,
p. XVIII s.; GUELLUY, *op. cit.*, p. 52-68. — Luther le considérait comme « optimus omnium
qui contra me scripserunt [...]. Erasmus non est aequalis Latomo... » Cf. DE JONGH, *op. cit.*,
p. 173; POLMAN, *op. cit.*, p. 330.
— Guillaume-Damase LINDANUS, VANDERLINDEN ou VAN DER LINDT (1525 à Dordrecht —
1588), deuxième évêque de Gand, *B.N.*, t. XII, col. 212-216 (bibliogr.); *D.T.C.*, t. IX, col. 772;
E. JANSEN, *Gulielmus Lindanus, Georgius Cassander en hunne correspondentie van Ao. 1530*,
dans *Public. de la Soc. d'hist. du Limbourg*, t. XXXV, 1949, p. 311-332; POLMAN, *op. cit.*,
p. 338.
— Jean MALDERUS, VAN MALDEREN, évêque d'Anvers (1563-1633). On trouvera la liste
de ses ouvrages, dans *D.T.C.*, t. IX, II, col. 1766; *B.N.*, t. XIII, col. 223. Ajouter : GUELLUY,
op. cit., p. 105.
— Jean LENSAEUS, DE LENS (1546 à Belœil près d'Ath, d'où le nom de Belliolanus — 1593);
B.N., t. XI, col. 819-820; *D.T.C.*, t. IX, col. 216-217; GUELLUY, *op. cit.*, p. 98 s.
— Jean WIGGERS (1571 à Diest — 1639); *L.T.K.*, t. X, col. 883; *D.T.C.*, t. XV, II, col. 3538;
ajouter : GUELLUY, *op. cit.*, p. 105 s.; *B.J.B.*, t. III, p. 1188; ajouter des Commentaires
de 1629, 1630, 1631.
— Jean MOLANUS, VANDER MOELEN ou VERMEULEN ou VANDER MEULEN (1533 à Lille —
1585); *D.T.C.*, t. X, col. 2087-2088; *L.T.K.*, t. VII, col. 259; *B.N.*, t. XV, col. 48.
— Jacques JANSONIUS, JANSON (1547 à Amsterdam — 1625). Il sera question de lui à propos
des origines du jansénisme, *D.T.C.*, t. VIII, p. 529-531; A. CAUCHIE et R. MAERE, *Recueil
des instructions, op. cit.*, p. 22 n. 1.
— Corneille JANSENIUS, fils de Jean Otten, d'où Janssens, évêque d'Ypres (1585 à Acquoy,
Hollande mérid. — 1638). La bibliographie concernant Jansénius est innombrable. Toutes les
encyclopédies en fournissent une partie. — Ajouter J. ORCIBAL, *Les origines du jansénisme.
La Correspondance de Jansénius*, Louvain-Paris, 1947; *B.N.*, t. X, col. 105-130. Il en sera
longuement question plus loin.
— Jean SINNICH (1603 à Cork, Irlande — 1666); F. CLAEYS-BOÚÚAERT, *Jean Sinnich...*,
dans *Ephemerides theologiae Lovanienses*, t. XXXI, 1955, p. 406-468; L. CEIJSSENS, *Michel
Paludanus. Ses attitudes devant le jansénisme*, dans *Augustiniana*, t. V, 1955, p. 123-162,
passim (à suivre); F. DEININGER, *Johannes Sinnich*, Dusseldorf, 1928.
— Michel PALUDANUS, VAN DE BROECK, augustin (1593 à Gand — 1652), *B.N.*, t. XVI,
col. 524; ajouter : L. CEIJSSENS, *op. cit.*, qui mentionne ses œuvres.
— François CAPRONIUS (1586-1642), *D.H.G.E.*, fasc. LXIV, col. 965.
— J. HENTENIUS, O.E.S.A., O.P., (1499 à Nalinnes — 1566). Cf. *L.T.K.*, t. IV, col. 964;
B.N., t. IX, p. 233-236.

[1] S. D'IRSAY, *op. cit.*, t. I, p. 350 et n° 6, 351.

[2] *H.E.*, t. XV, p. 240-246; CLAEYS-BOÚÚAERT, *op. cit.*, p. 52, 57; L. WILLAERT, *op. cit.*, p. 397.

Baïus et plus tard Corneille Jansénius [1] devaient allumer à la faculté de Louvain le foyer d'un incendie qui se propagerait au loin. Pendant un siècle et demi, les théologiens belges allaient gaspiller leurs énergies en des luttes passionnées, où la recherche sereine de la vérité s'obscurcit par suite de rivalités de coteries et de personnes. On a dit que le jansénisme était l'anti-jésuitisme. Quoi qu'il en soit, la déplorable querelle trouva en partie son origine et en tout cas son stimulant dans l'hostilité entre les jésuites et une partie des professeurs de l'Université [2].

On se souviendra des entreprises de la Compagnie à Salamanque, à Paris et ailleurs. A Louvain, elles avaient commencé — sans succès — à la Faculté des arts et de philosophie [3]. Quand les jésuites, en 1617 puis en 1624, tentèrent de faire admettre leurs étudiants aux grades universitaires de théologie, ils essuyèrent un second échec. Deux ans plus tard, dans le but de neutraliser un nouvel assaut, l'Université envoya à Madrid Corneille Jansénius. Non seulement il réussit à faire débouter les jésuites; mais il tenta de mettre sur pied un front unique des Universités contre leurs prétentions. Il visita Salamanque, Alcalà, Valladolid [4]. L'Université elle-même écrivit à celle d'Alcalà pour obtenir qu'elle gagnât à la coalition leurs sœurs de France et de Pologne; elle alerta Douai, Dôle et Cracovie [5].

Il semble cependant que cette mobilisation n'eut pas de suite.

A Louvain, des causes plus graves de désaccord, parce qu'elles touchaient la doctrine, opposaient les théologiens de la Faculté et ceux de la Compagnie, dont le plus important était Lessius [6]. Il faudra revenir sur ces âpres discussions quand il s'agira de la doctrine de la grâce.

Université de Douai [7]. — Dans les Pays-Bas de langue française, l'Université de Douai avait été fondée par Paul IV à la demande de Philippe II malgré

---

[1] Voir plus loin, t. II.

[2] Sur les relations de S. Bellarmin et A. Schottus avec l'Université, VAL. ANDRÉ, *Fasti academici*, Louvain, 1635, p. 221. Voir aussi p. 193 n. 1.

[3] CLAEYS-B., *op. cit.*, p. 128-142. Louvain s'était opposé de la même manière à la fondation du Collège des Trois-Langues et plus tard à celle de l'Université de Douai. Cf. H. DE JONGH, *L'ancienne Faculté, op. cit.*, p. 63, 199.

[4] R. DE SCORAILLE, *Jansénius en Espagne. Texte original du discours à Salamanque*, dans *R.S.R.*, t. VII, 1917, p. 187-254.

[5] CLAEYS-B., *op. cit.*, p. 150 s. Louvain accuse la Compagnie de vouloir s'emparer des Universités de Cracovie, de Prague, de Paris, Orléans et Toulouse, de Salamanque, Alcalà, Valladolid et Coïmbre. *Ibid.*, p. 153. A Douai, les jésuites avaient obtenu de l'archiduc Albert que leurs cours de théologie fussent valables *in ordine ad gradus, Ibid.*, n. 98.

[6] Léonard LESSIUS, ou LEYS (1554 à Brecht (Anvers) — 1623), voir t. II et aussi pour le voyage de J. en Espagne.

[7] Douai, arrachée aux Pays-Bas en 1667, fut restituée en 1710, mais reprise par la France en 1712. La bulle d'érection par Paul IV date du 6 janvier 1559, mais ne fut exécutée que le 5 octobre 1562. Cf. *D.T.C.*, t. V, I, col. 872; *B.J.B.*, nos 1484, 1498, 1510, 1824, 2429, 2474, 2526, 3121; Th. BOUQUILLON, *Les théologiens de Douai*, Arras, 1879; P. BEUZART, *Les hérésies... dans la région de Douai...*, Paris, 1912, p. 203 s.; *D.H.G.E.*, t. XIV, col. 711-722; L. LEGRAND, *L'université de Douai*, Douai, 1887; G. CARDON, *La fondation de l'université de Douai*, Paris, 1898; Bibliographie citée par J. LAMBERT, *La fondation du collège Viglius à Louvain*, dans *Miscellanea... L. van der Essen*, Bruxelles, 1947, t. I, p. 711; Th. LEURIDAN, *Les théologiens de Douai*, dans *Revue des Sciences ecclésiastiques*, 1885-1905, *Histoire du collège de l'abbaye d'Anchin en l'université de Douai*, Douai, s. a.; D'IRSAY,

la vive opposition de Louvain. Organisée à l'instar de la Faculté louvaniste, la sienne se composait de cinq professeurs, parmi lesquels se distinguèrent François Sylvius, François Richardot, Guillaume Estius, que Monchamp appelle « un des plus grands théologiens de son siècle », Thomas Stapleton, Jacques Bonfrère [1]. C'est là que les bollandistes Héribert Rosweyde et Daniel Paepebrock ont étudié.

Le nom de Douai est resté célèbre dans l'Angleterre catholique. En 1568, un collège-séminaire fut fondé par le cardinal Allen à côté de l'Université, dans le but de former des prêtres pour la mission anglaise, « le premier des grands séminaires préconisés par le concile de Trente » [2]. C'est de là qu'est sortie la fameuse « Doway » ou « Douay Bible ». Il était nécessaire, en présence des versions protestantes, de fournir aux catholiques un texte conforme à la tradition. Des membres du collège de Douai, tous anciens d'Oxford, traduisirent la Vulgate, qui venait d'être déclarée « authentique » par le concile de Trente. Le collège ayant été temporairement transporté à Reims (1578-1593), la traduction du Nouveau Testament y fut publiée en 1582 et s'appela « the Rheims Testament ». La bible entière parut en 1609 et 1610. Elle eut une incontestable influence sur l'« Authorized Version » anglicane de Jacques Ier et est restée longtemps le texte officiel pour les catholiques [3].

L'ALLEMAGNE   A un certain point de vue, l'Europe du XVIIe siècle ressemble curieusement à celle du Ve. L'empire de Rome se limitait alors au Rhin et au Danube. Or, si l'on pointe sur la carte du XVIIe siècle les Universités qui forment au nord le boulevard de l'Église de Rome, on note sur le Rhin inférieur — ou tout proche — : Louvain et Douai, Münster, Osnabrük, Paderborn, Cologne et Trèves; dans la région rhénane moyenne ou supérieure : Pont-à-Mousson, Mayence, Würzbourg, Bamberg, Heidelberg et Molsheim; Fribourg-en-Brisgau; Lucerne, Fribourg

op. cit., t. I, p. 357; *L.T.K.*, t. III, col. 429. — Sur l'opposition de Louvain, De Jongh, *op. cit.*, p. 68 s.

[1] François Richardot (1507 à Morez, Franche-Comté — 1574); *B.N.*, t. XIX, col. 269-273; *K.L.*, t. X, col. 1185.

— François Sylvius, du Bois, (1581 à Braine-le-Comte — 1649); G. Monchamp, *Histoire du cartésianisme en Belgique*, Bruxelles, 1886, p. 41; *D.T.C.*, t. XIV, col. 2923-2925; *B.N.*, t. VI, col. 191-195, liste des œuvres; *K.L.*, t. XI, col. 1042 s.; A. J. Namèche, *Cours d'Histoire nationale*, Louvain, 1890, t. XXI, p. 170; [J. N. Paquot], *Mémoires...*, *op. cit.*, t. II, 285; sa biographie par N. d'Elbecque dans Fr. Sylvius, *Opera omnia*, Anvers, 1695, *initio*.

— Guillaume Estius, Van Est (1542 à Gorcum, Hollande — 1612), *D.T.C.*, t. V, col. 871-878, documenté.

— Thomas Stapleton (1535 à Henfield, Sussex — 1598), un des plus célèbres controversistes de son temps. *D.N.B.*, t. XVIII, p. 988-991, documents; F. J. Ledoux, *De vita et scriptis Thomas Stapleton oratio*, dans *Annuaire de l'université de Louvain*, 1865; Polman, *op. cit.*, p. 514; *D.T.C.*, t. XIV, col. 2566 s., liste de ses œuvres; *K.L.*, t. XI, col. 734 s., *idem*.

— Jacques Bonfrère (1573 à Dinant, Belg. — 1643), jésuite, *K.L.*, t. II, col. 1029-1036; *L.T.K.*, t. II, col. 450; *B.N.*, t. II, col. 678-681; *H.-D.*, t. VI, p. 123.

[2] S. d'Irsay, *loc. cit.*, n. 4.

[3] *D.H.G.E.*, t. XIV, col. 721 s.; *C.E.*, t. V, p. 140 s.; J. A. Butler, *The origin of the Douay Bible*, dans *American historical Review*, t. XXXII, 1905, p. 585-599.

en Suisse; sur la ligne du Danube, Dillingen, Ingolstadt, Salzbourg, Gratz et Vienne [1].

De cette ligne à peine incurvée, partira la reconquête romaine d'une partie de l'Allemagne.

En face, la ligne opposée des Universités protestantes : Leyde, Erfurt, Wittemberg, Bâle et Genève, Marburg-en-Hesse, Helmstadt, Tubingue, Rostock, Iéna, Francfort-sur-Oder, Königsberg. Enrichies par la spoliation des biens d'Église, outillées par celle de leurs bibliothèques, toutes ces Universités, luthériennes ou mélancthoniennes, devinrent des instruments du césaropapisme intolérant [2].

Si le catholicisme a pu se maintenir en Allemagne et racheter en partie ses pertes, c'est principalement grâce à ses citadelles de la science théologique. Or l'ensemble de leur histoire se caractérise par des traits communs. Elles doivent toutes leur origine ou leur réformation à des souverains, ecclésiastiques ou laïques, avec la collaboration d'ordres religieux, surtout de la Compagnie de Jésus. Enfin, la plupart d'entre elles ont souffert des guerres religieuses dans leur prospérité ou même leur existence.

Salzbourg. — Voici d'abord Salzbourg, institution bénédictine, établie en 1617 par le prince-archevêque Marcus Sitticus, avec l'aide de quarante et une abbayes souabes, autrichiennes et bavaroises, groupées dans ce but en une fédération. L'abbé de Saint-Pierre à Salzbourg, Joachim Buchauer, en fut l'initiateur [3].

Développée par le successeur de Sitticus, Paris, comte de Lodron, elle fut inaugurée en 1628 et reconnue comme telle par Urbain VIII le 17 décembre 1625. Elle était présidée par un conseil d'abbés bénédictins des abbayes confédérées [4]. Les professeurs étaient tous bénédictins. Parmi ceux qui l'ont illustrée, le plus célèbre est Augustin Reding [5].

La plupart des autres Facultés durent alors leur existence et leurs succès à la Compagnie de Jésus. On a vu précédemment les réactions victorieuses

---

[1] Pour les Universités jésuites, il faut consulter J. Brodrick, *Saint Pierre Canisius, op. cit.*, la Table, à cause de la part que le saint a prise à leur fondation. On y trouvera une carte géographique marquant les Universités jésuites, t. I ad calcem. Sur l'état de ces Universités, *ibid.*, t. I, p. 169.

[2] S. d'Irsay, *op. cit.*, t. I, p. 309-329, 352. Sur les Universités d'Allemagne, voir Fr. Paulsen, *op. cit.*; J. Jansen, *Aus dem deutschen Universitätsleben des Sechzenten Jahrhunderts*, Francfort s./M., 1886; G. Kaufmann, *Die Geschichte der deutschen Universitäten*, Stuttgart, 1896, 2 vol. (*Die Theologen*, t. II, p. 198-202).

[3] S. d'Irsay, *op. cit.*, t. I, p. 356, t. II, p. 23; Schmitz, *op. cit.*, t. IV, p. 129 et la table.

[4] *H.E.*, t. XIX, p. 466; Heimb., t. I, p. 373; S. d'Irsay, *op. cit.*, t. I, p. 356; Schmitz, *op. cit.*, t. IV, p. 132, t. V, p. 158-163; *K.L.*, t. X, col. 1640-1642; Paulsen, *op. cit.*, t. I, p. 442; L. Pröll, *Ein Triennium an der Salzburger Benediktiner-Universität (1658-1661)*, dans *Beiträge zur Österr. Erziehung-und Schul-Geschichte*, t. V, 1904, p. 4-56.

[5] Augustin Reding, bénédictin (1625 à Lichtenstein — 1690); professeur à Salzbourg en 1654. Sa carrière s'étend donc en dehors du cadre de ce volume, ainsi que celle d'autres professeurs qu'on trouvera cités dans Schmitz, *op. cit.*, t. IV, p. 160 s., et dans Heimb., t. I, p. 352-357; ajouter *K.L.*, t. X, col. 876-878. — Sur Salzburg et le thomisme, qui avait été introduit par le bénédictin italien Mariani, A. Haidacher, *Ein Gnadenstreit*, dans *Analecta praemonstratensia*, t. XXXI, 1955, p. 118 s.

des Universités de l'Ouest contre le zèle des jésuites, qu'elles accusaient d'ambition.

Les jésuites. — En Allemagne, des oppositions semblables se produisirent, d'autant que la Compagnie, depuis saint Ignace, avait adopté le « modus parisiensis », qui n'était pas pratiqué au-delà du Rhin [1]. Mais ici, plus qu'ailleurs il importait hautement de contre-balancer les infiltrations protestantes de professeurs d'orthodoxie douteuse.

Le prestige moral de saint Pierre Canisius [2], ainsi que l'opinion favorable que les évêques du concile de Trente s'étaient formée de la capacité des premiers jésuites, la volonté des autorités ecclésiastiques et civiles, fondatrices ou réformatrices d'Universités facilitèrent l'entrée des jésuites dans bon nombre de Facultés ou leur permirent même d'en prendre le gouvernement. C'est ainsi qu'ils enseignèrent à Cologne, Trèves, Münster, Paderborn, Osnabrück, Mayence, Würzbourg, Bamberg, Heidelberg, Molsheim, Fribourg-en-Brisgau, Lucerne, Fribourg en Suisse, Dillingen, Ingolstadt, Gratz et Vienne. A Dillingen et à Gratz, ils n'eurent pas à s'introduire : l'Université, comme celle de Pont-à-Mousson, fut fondée pour eux.

Cologne. — A Cologne, l'Université s'était distinguée naguère par son orthodoxie; elle avait combattu vigoureusement le luthéranisme dès les origines; plusieurs de ses docteurs avaient pris part au concile de Trente. Mais, vers le milieu du siècle, les discordes religieuses et politiques avaient entraîné une réelle décadence. Or, au début du XVIIe siècle, les jésuites dirigeaient leur fameux *Collegium Tricoronatum* (1556), le premier qu'ils eurent en Allemagne et le plus important au XVIe siècle [3]. A trois reprises, des tentatives furent faites pour les introduire à l'Université. Enfin, en mars 1631, le recteur Severin Vinius, professeur de théologie, obtint que la théologie scolastique fût confiée à deux jésuites. Les premiers furent l'Espagnol

---

[1] Par opposition au *modus italicus* plus démocratique, le *parisiensis*, accordait plus d'autorité aux professeurs qui enseignaient dans les « collèges » particuliers; la discipline et le travail en étaient favorisés. C'est pourquoi saint Ignace de Loyola choisit le *modus parisiensis;* DUHR, *op. cit.*, t. I, p. 272 s.

[2] Saint Pierre CANISIUS, CANIS, DE HONDT (1521 à Nimègue — 1597), jésuite, « l'Apôtre de l'Allemagne »; *H.E.*, t. XVII, p. 338-351; *D.T.C.*, t. II, col. 1523-1537; *H.C.*, t. IX, p. 1048 (table), t. X, p. xxv, table; *G.-F.*, *loc. cit.*, p. 216; *K.L.*, table, p. 119; *L.T.K.*, t. II, p. 728; DUHR, *op. cit.*, t. I, table, p. 866, t. II, table, p. 769; TACCHI-VENTURI, *op. cit.*, t. I, table, p. 683; J. M. TESSER, *Petrus Canisius als humanistische geleerde*, Amsterdam, 1932; *B.J.B.*, nos 1435, 4293 s., 9443; J. BRODRICK, *Saint Peter Canisius, S. J., 1521-1597*, Londres, 1936; ID., trad. par J. BOULANGÉ et A. NOCHÉ, Paris [1956], 2 vol.; ID., *Petrus Canisius*, trad. par K. TELCH, Vienne, 1950, 2 vol.; O. BRAUNSBERGER, *B. Petri Canisii S. J. Epistolae et Acta*, Fribourg-en-Br., 1896-1923; ID., *Petrus Canisius. Ein Lebensbild*, 2e éd., Fribourg-en-Br., 1921; L. CRISTIANI, *Le bienheureux Canisius* (Les Saints), Paris, 1925; W. SCHÄFER, *Petrus Canisius. Kampf eines Jesuites um die Reform der Katholischen Kirche in Deutschland*, Göttingen, 1931; J. GENOUD, *Le bienheureux Pierre Canisius*, Fribourg, 1915; J. METZLER, *Der heilige Petrus Canisius und die Neuerer seiner Zeit*, Munster, 1927; B. SCHNEIDER, *Petrus Canisius und Paulus Hoffaeus*, dans *Zeitschrift f. Kath. Theol.*, t. LXXIX, 1957, p. 304-330 (divergences de vue entre disciples immédiats de saint Ignace); J. BOULANGÉ et A. DE LA CROIX-LAVAL, *Saint Pierre Canisius, textes*, Namur, 1960.

[3] *K.L.*, t. VII, col. 910-912, documenté; *L.T.K.*, t. VI, col. 92; PAULSEN, *op. cit.*, t. I, p. 465; DUHR, *op. cit.* t. I, p. 241, t. II, I, p. 582; J. KUCKHOFF, *Die Geschichte des Gymnasium Tricoronatum*, Cologne, 1931.

Jean Perlinus et l'Anversois François van der Veken, ami et confesseur du nonce Fabio Chigi, le futur pape Alexandre VII [1].

Trèves. — Voisin de l'archevêché de Cologne, celui de Trèves souffrit plus que lui des hostilités de l'époque. « Treviris sancta », ville de prêtres et de couvents, avait depuis longtemps un grand nombre d'écoles, même de haut enseignement. Néanmoins, au lendemain du concile de Trente, le zélé prince-archevêque-électeur Jean VII de Schönenberg (1581-1599) fonda deux séminaires, l'un dans sa ville, l'autre à Coblence, qu'il confia à la Compagnie de Jésus.

Avant lui déjà, les jésuites, invités à Trèves par son prédécesseur Jean von Isenburg, fondèrent un collège en 1560 sous le règne du prince-archevêque Jean von der Leyen (a Petra) (1556-1567). Ils exercèrent une influence considérable, attestée par les archevêques et par les nonces. Deux des leurs enseignaient à l'Université la théologie dogmatique [2].

Münster, Paderborn, Osnabrück. — C'est à trois évêques réformateurs qu'est due la fondation des Universités du Nord. Celui de Münster, Godefroid de Raespeld, avait appelé les jésuites. Sous son successeur, Ernest de Bavière, ils transformèrent en 1588 l'école cathédrale en leur *Gymnasium Paulinum,* qui fut érigé en Université par une bulle du 9 septembre 1629. Les cours de théologie scolastique, d'Écriture Sainte et d'hébreu avaient commencé dès 1623; en 1650, on y ajouta la morale [3].

L'histoire de Paderborn est toute semblable. Invités par le prince-évêque Théodore de Fürstenberg (1525-1618), les jésuites dirigeaient depuis 1605 le *Collegium Theodorianum.* Afin de faciliter aux élèves la continuation de l'instruction catholique et pour préparer son clergé, le prince-évêque obtint de Paul V par une bulle du 2 avril 1615 l'érection d'une Université, qui fut entièrement soumise au général de la Compagnie. L'empereur Mathias approuva la fondation le 14 décembre 1615; mais les leçons de théologie ne commencèrent qu'en novembre 1620. Elles furent interrompues par la guerre et ne reprirent qu'en 1643 et 1651 [4]. Le P. Frédéric Spee y enseigna la philosophie et la morale [5].

Osnabrück est un exemple de citadelle tôt ruinée par la guerre. L'évêque Eitel-Frédéric de Hohenzollern avait eu recours aux jésuites, qui fondèrent un collège. Son successeur François-Guillaume de Würtemberg (1625-1661)

---

[1] Vekenius, appelé aussi Veken, Feken, Weken, jésuite anversois (1596-1664). Il a laissé une série de *Disputationes* suivant le plan de la *Somme;* B. Duhr, *op. cit.,* t. II, p. 584 s.; *B.N.,* t. XXVI, p. 516 s.
— Jean Perlinus, Perlins (1574 à Madrid — 1638), jésuite, *E.U.I.E.A.,* t. XLIII, p. 949; Somm., t. VI, col. 543 s.

[2] *K.L.,* t. XII, col. 18; Duhr, *op. cit.,* t. I, p. 95, 845, 848, t. II, p. 24; G. M. Loehr, *Die Dominikaner an der Universität Trier. Studia mediaevalia.* R. J. Martin, 499-452.

[3] *C.E.,* t. X, p. 639 s.; *K.L.,* t. VIII, p. 1996, 1998; *L.T.K.,* t. VII, col. 376; Duhr, *op. cit.,* t. II, I, p. 589 s.

[4] *K.L.,* t. IV, col. 2085; *L.T.K.,* t. VII, col. 866-870; Duhr, *op. cit.,* t. II, I, p. 40, 586.

[5] Frédéric Spee von Langenfeld (1591 à Kaiserswerth — 1635), jésuite; *L.T.K.,* t. VII, col. 714; Duhr, *op. cit* t. I, p. 749, 751 s., t. II, II, table, p. 783.

obtint la transformation du collège en Université; non sans peine, étant donnée la proximité de Münster et de Paderborn. Enfin, grâce à une bulle du 22 août 1629 et à un acte impérial du 20 février 1630, l'ouverture eut lieu le 25 octobre 1632. Mais les leçons de théologie avaient commencé dès 1628; il y avait deux chaires de théologie scolastique, une d'exégèse, une d'hébreu, une de morale, etc. Par malheur, dès le 11 septembre 1633, l'invasion de l'armée suédoise mit une fin à l'Université [1].

Mayence, Würzbourg et Bamberg. — Mayence, Würzbourg et Bamberg colmataient la vallée du Main.

Ici comme au Nord, les Universités durent leur existence et leur succès à l'initiative des évêques et à la collaboration de la Compagnie. Le collège de Mayence, fondé en 1561, fut incorporé à l'Université en 1562 [2]. A Würzbourg, dont l'ancienne Université avait disparu, le célèbre prince-évêque Jules Echter von Mespelbrünn (1573-1617) avait trouvé, à la tête d'un collège prospère, les jésuites, introduits par son prédécesseur Frédéric de Wirsberg (1558-1573). Il réunit les fonds pour la construction d'une Université, qui prit neuf ans. L'enseignement se donnait dans plusieurs collèges et dans un séminaire ecclésiastique. Par sa bulle de fondation du 28 mars 1575, Grégoire XIII accordait au nouveau *Studium* les mêmes privilèges que ceux de Paris et de Bologne; l'empereur donna son approbation le 11 mai suivant [3]. En dépit de l'opposition de son chapitre, le prélat confia aux jésuites, outre la direction du séminaire, la Faculté de théologie, où cependant ils n'enseignaient pas seuls. Elle comprenait deux chaires de scolastique, une d'exégèse et une de morale, de droit canon et de controverse. Parmi les professeurs qui l'illustrèrent, on compte les jésuites Martin Becan [4], François Coster [5], Max Sandaeus [6], Adolphe Contzen [7], Nicolas Serarius [8], Pierre Thyraeus [9].

---

[1] *K.L.*, t. IX, p. 1116; DUHR., *op. cit.*, t. II, I, p. 590-592.

[2] PAULSEN, *op. cit.*, t. I, p. 406; DUHR, *op. cit.*, t. I, p. 871, t. II, p. 778.

[3] *K.L.*, t. VI, col. 2011, t. XII, p. 1788 s.; *L.T.K.*, t. X, col. 1002; DUHR, *op. cit.*, t. I, p. 123 s., t. II, I, p. 163 s.; D'IRSAY, *op. cit.*, t. I, p. 346 s. : « L'université de Wurzbourg [...], œuvre courageuse d'un seul homme [l'évêque] et, on peut dire, principale fondation intégrale de la Contre-Réforme ».

[4] Martin BECANUS, BECAN, SCHELLEKENS, M., VERBEECK, VAN DER BEECK, jésuite (1561 à Hilvarenbeek, Brabant septentr. — 1624), *B.N.*, t. II, col. 69-71 et surtout *D.H.G.E.*, t. VII, col. 341-344; *K.L.*, t. II, col. 161 s.; *D.T.C.*, t. II, I, p. 521-523; DUHR, *op. cit.*, t. II, II, table, p. 768; FOUQUERAY, *op. cit.*, t. III, p. 301 s.; SOMM., t. I, col. 1101-1103.

[5] François COSTER, COSTERUS, DECOSTER, jésuite (1582 à Malines — 1619), *B.N.*, t. V, col. 12-16; *K.L.*, t. III, col. 1156; *D.T.C.*, t. III, col. 1920-1922; *L.T.K.*, t. III, 60; J. HARDEMAN, *François Costerus;* DUHR, *op. cit.*, t. I, table, p. 867.

[6] Maximilien SANDAEUS, VAN DER SANDT, jésuite (1578 à Amsterdam — 1656), *L.T.K.*, t. IX, col. 164; *K.L.*, t. X, col. 1691; *D.T.C.*, t. XIV, I, col. 1089 s.; DUHR., *op. cit.*, t. II, II, table, p. 782.

[7] Adolphe CONTZEN, jésuite (1571 à Monschau (Montjoie) — 1635), *L.T.K.*, t. III, col. 41 s.; *D.T.C.*, t. III, 1755 s.; *K.L.*, t. III, col. 1044; DUHR., *op. cit.*, t. II, II, table, p. 770.

[8] Nicolas SERARIUS, SERRARIUS, jésuite (1555 à Rambervilliers, Lorraine — 1609), un des exégètes les plus célèbres de son temps; Baronius l'appelle « la lumière de l'Église » en Allemagne, *D.T.C.*, t. XIV, col. 1912 s.; *L.T.K.*, t. IX, col. 488; *K.L.*, t. XI, col. 182; DUHR., *op. cit.*, t. II, II, p. 335, 664, 834.

[9] Pierre THYRAEUS, DORKENS, jésuite (1546 à Neuss — 1601), *K.L.*, t. XI, col. 1727; DUHR, *op. cit.*, t. I, 662, 751, t. II, II, table, p. 875.

Würzbourg devint un des principaux centres de la Restauration catholique en Allemagne. Ce sont ses professeurs jésuites, les *Wurceburgenses*, qui, au xviiie siècle publièrent la célèbre *Theologia Wurceburgensis* (1766-1771) [1].

C'est le prince-évêque Jean Godefroid von Aschhausen (1602-1622) qui appela les jésuites à Bamberg-sur-le-Main en Franconie (1610); il leur confia son séminaire diocésain (1613), où étudiaient aussi des bénédictins et des cisterciens. Bamberg était aux avant-postes de la zone catholique; en 1631, à l'approche des Suédois de Gustave-Adolphe, il fallut se disperser, pour revenir après la victoire de Nordlingen (1634). Le nouvel évêque Melchior-Otto-Voit von Solzburg (1642) entreprit de transformer le collège en Académie, qui fut solennellement inaugurée le 1er septembre 1648 [2].

Heidelberg. — Heidelberg, au Bas-Palatinat, dans ce que Gustave-Adolphe appelait « la rue des prêtres » et que son armée devait envahir, ne connut que peu d'années de Restauration catholique. La dernière des Universités allemandes à passer au protestantisme, elle avait d'abord résisté à l'influence de Luther en personne (1518); il rendit lui-même hommage à son opposition. Mais, ici comme ailleurs, le principe *cuius regio illius religio* permit à l'électeur Frédéric II (1544-1556) de protestantiser le pays et l'Université. Il est vrai qu'en vertu du même principe, Tilly ayant pris la ville le 16 septembre 1622, Maximilien de Bavière y rétablit le catholicisme, protégea les jésuites, qui vinrent y fonder un collège (1623-1628), et leur confia les Facultés de philosophie et de théologie de l'Université rendue à l'Église (1629). Mais les vicissitudes de la guerre, favorables aux Suédois en 1631, défavorables en 1635 et qui permirent le rétablissement du collège en 1640, aboutirent aux traités de Westphalie (1648), qui firent passer Heidelberg et tout le Bas-Palatinat au pouvoir du protestant Charles-Louis (1649-1680) [3].

Molsheim. — Le sort de l'Université de Molsheim, près de Strasbourg, fut encore plus éphémère. Un collège des jésuites avait été ouvert (1580) à l'initiative de l'évêque Jean IV von Manderscheit-Blankenheim (1569-1592). A la demande de l'archiduc Léopold, il fut transformé en Université, avec Faculté de philosophie et de théologie, par une bulle de Paul V du 1er février 1617 et l'approbation impériale du 1er septembre de la même année. On y établit trois chaires de théologie scolastique et une d'exégèse, sans compter les cours de grec et d'hébreu. Mais ici encore l'invasion suédoise fut fatale à l'enseignement théologique. En 1639, il ne comptait plus que deux professeurs; en 1702, l'Université fut transférée à Strasbourg [4].

[1] *K.L.*, t. XII, col. 1706-1708; 14 vol.; 1857, 10 vol.; 1879-1880, 10 vol. — L'Université est à présent le séminaire.

[2] *K.L.*, t. I, col. 1923, t. II, col. 128, t. XII, col. 1797; Duhr, *op. cit.*, t. II, i, p. 168, 593; *L.T.K.*, t. I, col. 940.

[3] *K.L.*, t. V, col. 1587; *L.T.K.*, t. IV, col. 878; Duhr, *op. cit.*, t. II, i, p. 180 s.; *Die Heidelberger Universität. Ausstellung zum Gedächtnis des 150. Jahrestages ihrer Neugrundung*, 1953, donne la liste des professeurs et d'intéressants portraits.

[4] *K.L.*, t. XI, p. 883; *L.T.K.*, t. IV, col. 156; Duhr, *op. cit.*, t. II, i, p. 592 s.

Fribourg-en-Brisgau. — Moins atteinte par la guerre de Trente Ans, Fribourg-en-Brisgau traversa plus paisiblement cette terrible période. *L'Albertine*, vieille de cent ans, devint la principale Université pour les catholiques d'Autriche occidentale, de Souabe, d'Alsace et de Suisse allemande. Depuis un demi-siècle, des archiducs autrichiens tentaient d'y introduire les jésuites. Déjà le 19 octobre 1582 le nonce Bonhomi avait obtenu l'établissement d'un collège, malgré les hésitations qu'inspirait à la Compagnie la pénurie de professeurs. Grâce à l'archiduc Léopold, les jésuites furent admis le 15 novembre 1620 à occuper les chaires universitaires de philosophie et de théologie dogmatique, qu'ils conservèrent jusqu'à la suppression de l'ordre en 1773. Deux d'entre eux enseignaient la théologie scolastique, un troisième, la pastorale et la morale. En 1632, de nouvelles constitutions réglèrent dans le détail les méthodes et les matières [1].

Lucerne. — Il n'y a guère lieu de parler, sinon pour mémoire, du projet d'une Université à Lucerne. Sans doute une sorte d'Académie y fut commencée; les jésuites inaugurèrent des cours de controverse en 1641; ils y ajoutèrent en 1646 la théologie, notamment le thomisme, et en 1649 l'exégèse. Mais la difficulté d'organiser la direction de l'entreprise causa son abandon [2].

Dillingen. — Voici maintenant la citadelle et l'arsenal de la contre-offensive catholique dans l'Empire, le groupe danubien : la Bavière, l'Autriche (« marche de l'Est », Ostmark) et la Hongrie.

En Bavière, centre de la récupération catholique, le célèbre prince-évêque d'Augsbourg, le cardinal Othon Truchsess de Walbourg, résolut de préparer pour son diocèse un clergé renouvelé. En 1549, il fonda à grands frais dans sa résidence épiscopale de Dillingen (sur le Danube, au N. O. d'Augsbourg) le *Collegium ecclesiasticum Sancti Hieronymi*. Il obtint de Jules III (1551) et de Charles V (1553) de le transformer en Université avec les privilèges de Paris et de Bologne [3]. Il y attira des professeurs célèbres, quatre dominicains, parmi lesquels Pierre de Soto et Bartholomé Kleindienst, Martin Olave, de l'Université de Paris. Louvain lui céda Martin Rythovius, Guillaume Lindanus, Matthieu Halen, Adrien Bessemer et Corneille Herlen de Rosendaal; au point qu'on a pu appeler Dillingen la « fille de la célèbre université de Louvain ». Elle fut solennellement inaugurée le 20 mai 1554. Elle s'enrichit en 1568 de la bibliothèque de Sebal Mayr, don du cardinal. Cependant le maintien et le recrutement des professeurs présenta des difficultés, tandis que la Compagnie offrait son concours. Par contrat signé en 1563 et malgré l'opposition du chapitre, le cardinal confia et le collège Saint-Jérôme et l'Université aux jésuites, qui en prirent possession le 17 août 1564.

---

[1] *K.L.*, t. IV, col. 1953; DUHR, *op. cit.*, t. II, I, p. 268, 577-579; PAULSEN, *op. cit.*, t. I, p. 413.
[2] DUHR, *op. cit.*, t. II, I, p. 580.
[3] *D.T.C.*, t. XIV, II, col. 2433; *K.L.*, t. III, col. 1752-1759; *L.T.K.*, t. III, col. 324; Fr. PAULSEN, *op. cit.*, t. I, p. 403. La bulle papale est du 6 avril 1551; l'autorisation impériale du 26 mai 1554; le collège Saint-Jérôme subsistait au sein de l'Université. — Paul LAYMANN *Justa defensio*, 1631, p. 303 énumère une quantité d'anciens élèves de Dillingen qui ont rendu grand service à l'Église.

Les débuts furent pénibles : dotation et maîtres étaient insuffisants et ce ne fut pas sans peine que le provincial Pierre Canisius assura la bonne marche de l'institution. Mais bientôt le succès vint ; en 1600, on comptait 650 étudiants, au séminaire 230, 300 en 1617 ; on admettait parmi eux des laïcs et des novices d'autres ordres religieux. L'Université connut son âge d'or sous le règne de l'évêque Henri de Knöringen (1598-1646) ; il organisa en 1625 la Faculté de droit canon en y appelant le célèbre Paul Laymann [1]. La Faculté de théologie fut illustrée par Alphonse Pisanus [2]. En 1585, Grégoire XIII annexa à l'Université un séminaire pontifical.

Que dire du rayonnement de cet enseignement dans la Haute-Allemagne ? Il est attesté par des conversions retentissantes parmi la noblesse, celle notamment du comte-palatin Wolfang-Guillaume de Neubourg et de tout le duché de Palatinat-Neubourg, celle du comte Schweikhart de Helffenstein, suivie du retour à l'Église de tout son comté et de la seigneurie de Bissingen.

Ingolstadt. — En Bavière encore, l'Université d'Ingolstadt (sur le Danube, S. O. de Ratisbonne) devait son origine à la clairvoyance du duc Louis le Riche et du pape Pie II, qui décidèrent dès 1458 la fondation d'un *studium generale* avec Faculté de théologie. Elle ne se contenta pas de résister victorieusement aux assauts du protestantisme ; mais elle conquit, dans la première moitié du XVIᵉ siècle, une position semblable à celle de Wittemberg chez les protestants. Cependant, après la mort de Jean Eck, le grand adversaire de Luther (1543), il ne restait plus qu'un seul professeur de théologie. Le duc de Bavière Guillaume IV obtint le concours de trois jésuites, qui furent bien reçus par l'Université [3] ; puis, afin de fournir aux étudiants la préparation nécessaire, il décida la fondation d'un collège de la Compagnie. Par suite de difficultés diverses, les premiers jésuites furent rappelés par saint Ignace. Ce fut seulement sous le duc Albert que le projet se réalisa (1556). En même temps, grâce à l'appui de l'empereur Ferdinand, des jésuites furent introduits à la Faculté de théologie [4]. Ils contrôlaient aussi le séminaire Saint-Jérôme pour clercs pauvres. Depuis leur arrivée, le nombre des étudiants s'était remarquablement élevé ; il comprit le futur électeur Maximilien et l'archiduc Ferdinand, le futur empereur. Parmi les jésuites de renom qui illustrèrent

---

[1] Paul LAYMANN (1575 à Innsbrück — 1635), jésuite, *K.L.*, t. II, col. 2041 ; t. VII, col. 1555 ; DUHR, *op. cit.*, t. II, II, p. 777 (table).

[2] Alphonse PISANUS (1528 à Tolède — 1598), jésuite ; DUHR, *op. cit.*, t. I, p. 646, 653, 662. Il avait appris l'arabe, l'hébreu, le chaldéen et le syriaque.

[3] Ce furent Claude Le Jay, Salmeron et Canisius : *K.L.*, t. VI, col. 702-718, qui cite bon nombre de théologiens ; ajouter : Ch.-H. VERDIÈRE, *Histoire de l'université d'Ingolstadt*, Paris, 1887, 2 vol. ; DUHR, *op. cit.*, t. I, p. 53, 274 ; *L.T.K.*, t. V, col. 398 ; PAULSEN, *op. cit.*, t. I, p. 392 ; D'IRSAY, *op. cit.*, t. I, p. 351. Le P. Peltan (1572) se plaint que plusieurs de ses collègues rendent la Compagnie odieuse par leurs prétentions excessives (DUHR, *op. cit.*, t. I, p. 274). De vives oppositions contre les jésuites éclatèrent dans la Faculté des arts (*ibid.*, t. I, p. 56-64 ; t. II, I, p. 558 s.) ; POLMAN, *op. cit.*, p. 318, 323.

[4] Le P. Couvillon expliqua les Psaumes ; le P. Hermann Tyraeus (ci-dessus p. 208), le Maître des Sentences ; le P. Théodore Peltan enseigna le grec et l'hébreu. — Sur l'opposition de la Faculté de théologie, qui fut confiée aux jésuites, PAULSEN, *op. cit.*, t. I, p. 402.

Ingolstadt se distinguèrent Alphonse Salmeron [1], Grégoire de Valencia [2], Jacques Gretzer [3], Jacques Balde [4], Adam Tanner [5].

Munich. — On ne s'attardera guère à l'existence éphémère d'une Académie d'histoire ecclésiastique à Munich. Ouverte en 1612, elle disparut en 1615, par suite de la mort du général Aquaviva, son principal auteur. Par contre, le collège fondé par le duc Albert en 1559 s'enrichit de cours de philosophie et de théologie en 1591. Le collège comptait 665 élèves et étudiants en 1595 et 1464 en 1631 [6].

Gratz. — Autant et plus que les autres princes catholiques allemands, la dynastie des Habsbourg se devait de promouvoir l'enseignement de la théologie orthodoxe dans ses domaines patrimoniaux. L'Autriche eut les Universités de Gratz et de Vienne, le collège d'Innbrück.

L'Université de Gratz-sur-Mur en Styrie, présente des caractères exceptionnels. Elle fut confiée totalement à l'autorité et à l'enseignement de la Compagnie; étant située hors du théâtre de la guerre, elle vécut une existence prospère et paisible — sauf de violentes bagarres entre étudiants et civils — jusqu'à la suppression de 1773. Destinée à promouvoir la Restauration catholique, elle garda un caractère strictement religieux, n'ayant que les deux Facultés de philosophie et de théologie, auxquels s'ajouta celle de droit canonique.

Dès que l'archiduc Charles, fils de l'empereur Ferdinand, prit le gouvernement de la Styrie, de la Carniole et de la Carinthie (1586), il entreprit de reconquérir à l'Église ses États, totalement protestantisés. A Gratz même, sur 12.000 habitants, 200 seulement étaient catholiques. En 1573, l'archiduc appela les jésuites à fonder un collège (1573, 1578 plein exercice) qui, malgré l'opposition violente des pouvoirs locaux, réunit rapidement un nombre croissant d'élèves.

[1] Alphonse SALMERON (1515 à Tolède — 1585), jésuite, *H. C.*, t. IX, p. 1048, table, t. X, p. xxxv, table; *D.T.C.*, t. XIV, col. 1040-1047; *K.L.*, t. X, col. 1565-1566; DUHR, *op. cit.*, t. I, p. 874, table, t. II, p. 220; ASTRAIN, *op. cit.*, t. I, p. 404, t. II, p. 658, t. III, p. 734, t. IV, p. 821.

[2] Grégoire de VALENCIA, ou VALENTINA, VALENTINUS, VALENTIANUS (1549 Medina del Campo, Castille — 1603), jésuite, « le théologien d'Allemagne le plus important pendant le siècle posttridentin », *L.T.K.*, t. X, col. 474 s.; *Bull. thom.*, t. III, suite, p. [1047]; W. HENTRICH, *Gregor von Valencia und die Erneuerung der deutschen scholastik im XVI. Jahrh., Philosophia perennis. Festgabe Geyser*, Ratisbonne, 1930, t. I, p. 293-307; POLMAN, *op. cit.*, p. 324 et n. 2; DUHR, *op. cit.*, t. I, table p. 875, t. II, p. 410.

[3] Jacques GRETZER (1562 à Markdorf, Bade — 1625), jésuite; « le jésuite allemand le plus en vue après saint Canisius », *L.T.K.*, t. IV, col. 693 s.; DUHR, *op. cit.*, t. I, table p. 869, t. II, ii, table p. 773.

[4] Jacques BALDE (1604 à Ensisheim, Alsace — 1668), jésuite, célèbre poète et patriote allemand, « l'Horace allemand », *L.T.K.*, t. I, col. 926 s.; DUHR, *op. cit.*, t. II, ii, table p. 768.

[5] Adam TANNER (1572 à Innsbrück — 1632), jésuite, « le seul vraiment grand théologien allemand de la contre-réforme » (Scheeben), *L.T.K.*, t. IX, col. 988 s.; *D.T.C.*, t. XV, col. 39-47; DUHR, *op. cit.*, t. I, p. 186, t. II, ii, table p. 484; W. LURZ, *Adam Tanner und die Gnadenstreitigkeiten des XVII. Jahrh.*, Breslau, 1932; *Bull. thom.*, t. III (suite), 1933, p. [1047].

[6] DUHR, *op. cit.*, t. I, p. 652, t. II, i, p. 531-534; PAULSEN, *op. cit.*, t. I, p. 402.

Grâce à l'intervention du nonce Malaspina, l'archiduc obtint de Sixte-Quint la création d'une Université, qui s'ouvrit solennellement en 1586, disposant de tous les privilèges des autres. Elle était placée sous l'autorité du général de la Compagnie, son recteur, recteur en même temps du collège, et tous les professeurs appartenaient à l'ordre; il y en avait deux pour la dogmatique, qui enseignaient la *Somme* de saint Thomas, un pour l'exégèse et un pour la morale[1].

Le succès fut tel que le nombre des étudiants du collège et de l'Université atteignit 600 en 1595, 1200 en 1619, y compris 64 scolastiques jésuites et 18 religieux d'autres ordres; en 1649, le collège compte 700 élèves, l'Université 470 étudiants. Parmi ceux qui l'illustrèrent, se trouvent le célèbre cardinal hongrois Pásmány et le jésuite Martin del Rio[2]. Le but du fondateur fut atteint plus pleinement lorsque, en 1598, l'archiduc Ferdinand, usant de son droit *Cujus regio...*, imposa le catholicisme à ses sujets[3].

Innsbrück. — A Innsbrück (sur l'Inn), ville principale du Tyrol, le même Ferdinand fonda un collège de la Compagnie, qui en 1606 ouvrit des cours de philosophie et de théologie et devint Université en 1673[4].

Vienne. — Capitale des États patrimoniaux, Vienne avait été la seconde ville allemande à posséder une Université (1365)[5]. Dans un quartier de la ville entouré d'une muraille, avec ses statuts copiés sur ceux de Paris, la célèbre institution s'était distinguée par son orthodoxie. Et quand le protestantisme menaça de l'envahir, quand l'attrait de Wittemberg, de Leipzig et de Tubingue devint un danger pour l'enseignement supérieur catholique, le roi Ferdinand, par sa « Nouvelle Réformation » (1554), assura le maintien du catholicisme en réorganisant le professorat; il y appela des maîtres étrangers de haute réputation. Il décréta même que tout nouveau professeur serait préalablement examiné par l'autorité ecclésiastique. Malgré tout, la faculté de théologie périclitait; en vingt ans elle n'avait formé que deux prêtres; le nombre des étudiants était tombé à dix!

Ici encore on recourut à la Compagnie. Ferdinand obtint le concours du P. Claude Le Jay, qui vint à l'Université expliquer l'Épître aux Romains; par malheur, il mourut dès le 6 août 1532; il eut pour successeurs saint Pierre

---

[1] L'acte de fondation accordait à l'Université le couvent de Millstat (Carinthie) avec tous ses droits, notamment celui de présenter les candidats aux cures de Gratz et une juridiction quasi-épiscopale sur le district de Millstat. Duhr, *op. cit.*, t. I, p. 163-169, t. II, i, p. 333, 553; K.L., t. V, col. 1053 s.; *L.T.K.*, t. IV, col. 656; Paulsen, *op. cit.*, t. I, p. 412; d'Irsay, *op. cit.*, t. I, p. 354.

[2] Pour Pázmány voir p. 216.
Martin-Antoine Del Rio (1551 à Anvers - 1608), jésuite; Duhr, *op. cit.*, t. II, ii, p. 506 s.

[3] Paulsen, *op. cit.*, t. I, p. 412; Duhr, *op. cit.*, t. I, p. 870, t. II, i, p. 475.

[4] Duhr, *op. cit.*, t. I, p. 188, 607, t. II, i, p. 210 s.; *L.T.K.*, t. V, col. 419; A. Haidacher, *Ein Gnadenstreit zwischen dem Stifte Wilten und der Univ. Innsbrück aus dem Beginn des XVII Jahrh.*, dans *Anal. Praem.*, t. XXX, p. 100-135, 193-226 (reprend les antécédents; bibliographie sur Innsbrück et son influence chez les norbertins).

[5] La faculté de théologie ne fut autorisée qu'en 1384; d'Irsay, *op. cit.*, t. I, p. 355; K.L., t. XII, col. 1540-1564 avec bibliographie; *L.T.K.*, t. X, col. 877; Paulsen, *op. cit.*, t. I, p. 411; Duhr, *op. cit.*, t. I, p. 48 s., 274, t. II, i, p. 541.

Canisius et le P. Goudanus [1]. Alors le roi stabilisa la situation en accordant aux jésuites deux chaires universitaires à la Faculté de théologie (1558). Entre temps, la foule croissante des élèves du collège obligeait les jésuites à augmenter graduellement le nombre des classes; en 1556, elles comptaient 400 auditeurs. Le 1er octobre 1563, Ferdinand assurait à l'établissement une fondation stable et lui accordait le droit de conférer les grades dans ses classes de philosophie à l'instar des Universités [2].

A sa mort (1564), son successeur Maximilien se montra moins soucieux d'orthodoxie. L'examen d'admission des professeurs de l'Université fut supprimé; des protestants furent nommés à diverses chaires. En sorte que, lors de l'avènement de Rodolphe II (1576), la situation du catholicisme à Vienne était déplorable; à l'Université, on en vint à nommer un recteur luthérien. Mais la Restauration ne tarda pas à triompher. Dès 1581, une profession de foi romaine fut exigée des professeurs.

Alors éclata une singulière et très vive dispute entre la Compagnie et le futur cardinal Melchior Klesl, à cette époque chancelier de l'Université [3]. Celui-ci, favorable aux jésuites, résolut de transférer à l'Université les cours de philosophie donnés au collège par les Pères (1610). C'était ouvrir plus largement à ces religieux les portes de l'illustre maison. Mais, du côté de la Compagnie, on se refusait à sacrifier les avantages du *cursus parisiensis :* les étudiants, actuellement sous la discipline du collège, passeraient à la vie universitaire avec toutes ses licences; de plus, les membres de l'ordre seraient soustraits à l'autorité de leurs supérieurs. Le conflit, qui prit à certains moments une tournure inquiétante pour la Compagnie, aboutit en 1616 à la victoire du chancelier, fort de l'approbation du pape, confirmée d'ailleurs par un décret impérial du 26 février 1617.

Ce ne fut cependant que par la *Pragmatique Sanction* de 1623, répétée en 1653, que s'établit pour un siècle et demi le régime définitif : le collège de la Compagnie était incorporé à l'Université, où les jésuites occuperaient la Faculté des arts et celle de philosophie; dans celle de théologie, où ils n'enseigneraient pas seuls, ils auraient deux chaires de théologie scolastique, une d'Écriture Sainte et une de controverse et de morale. Sur tous ces professeurs, sur leurs auditeurs et sur les études, le recteur du collège gardait juridiction. La bibliothèque était également placée sous l'autorité de la Compagnie. En mars 1625, de par la même pragmatique, les jésuites occupèrent les bâtiments de l'Université, quitte à en construire de nouveaux pour le consistoire, la chancellerie et les archives. Le nombre des

---

[1] Claude LE JAY, JAIUS, JAJUS (c. 1504 à Mieussy? (Savoie) — 1552), jésuite; DUHR, *op. cit.*, t. I, table p. 870; *L.T.K.*, t. V, col. 250 s.; *H.C.*, t. IX, p. 1046 (table), t. X, p. 30 (table). — Sur Nicolas GOUDANUS, DUHR, *op. cit.*, t. I, p. 47, 55, 78 s., 220.

[2] DUHR, *op. cit.*, t. I, p. 50 s. Avec l'assentiment du pape, le roi incorporait au collège le couvent des carmes de Vienne avec tous ses biens; le prieur, resté seul occupant, était indemnisé. — Le droit de conférer les grades fut l'objet d'un règlement ultérieur. — L. LUKACS, *Die Gründung des Wiener päpstlichen Seminars und der Nuntius Giovanni Delfino, 1573-1577*, dans *Archivum historicum S. J.*, t. XXIII, 1954, p. 35, 75.

[3] Melchior KLESL (1553-1630) de famille luthérienne; se convertit au catholicisme.

étudiants universitaires atteignit le millier en 1624, 1400 en 1636, 1641 en 1637 [1].

La Faculté de théologie fut illustrée à cette époque par les Pères Martin Becan (voir p. 208), Christophe Mayr (id.), Henri Philippi, Ambroise de Peñalosa, François Amicus, Scipion Sgambota, Balthazar Cordier, Nicolas Avancini [2].

LA BOHÊME *Prague.* — Empereur et maître de ses États héréditaires, le Habsbourg était aussi roi de Bohême. Dans sa capitale, de Prague, Ferdinand Ier fit venir les jésuites, conduits par saint Pierre Canisius. Ils occupèrent le collège Saint-Clément, *Clementinum*, et le roi, en leur accordant en 1562 le droit de conférer le doctorat en philosophie et en théologie, le transforma en Académie. De son côté, le chapitre créait un séminaire, qui fut soumis à l'Académie et devint une pépinière pour la Restauration catholique. Quant à l'Université, fondée en 1347, elle comprenait plusieurs collèges, dont le plus ancien était appelé *Carolinum*, en souvenir de Charles IV, son fondateur. En 1622, il fut donné aux jésuites; mais Ferdinand III le réunit en 1654 à leur Académie, pour former une Université *Carolo-Ferdinandea*. Parmi les professeurs de théologie se distingua Rodrigue de Arriaga [3]. L'illustre évêque et cardinal Ernest-Adalbert von Harrach (1623-1667) avait fondé à Prague un séminaire, mais il n'obtint pas de l'élever au rang d'Académie [4].

Olmütz, Neisse, Breslau. — A l'extrémité orientale du royaume, à Olmütz en Moravie, le collège devint Université en 1573. Grégoire XIII y fonda 50 bourses pour jeunes gens nobles du Nord, en vue d'y propager la foi catholique [5]. Plus au Nord, les succès de l'armée impériale ouvrirent aux jésuites la Silésie. Leur premier collège dans cette province fut fondé par l'archiduc Charles à Neisse, au sud de Breslau, en 1622, avec un séminaire

---

[1] *K.L.*, t. XII, col. 1540-1564 (bibliographie); DUHR, *op. cit.*, t. I, p. 51, 274, t. II, I, p. 541-553. — Il n'est pas sans intérêt de noter à ce sujet que la Compagnie, en la personne du général, le P. Vitelleschi, condamna à plusieurs reprises la combativité excessive de plusieurs de ses membres, leur rappelant la conduite de leur saint fondateur, « qui pluris faciebat exiguum fructum sine offensione quam maximum cum iusta aliorum indignatione »; DUHR, *op. cit.*, p. 548, 549 n. 1, 552.

[2] Henri PHILIPPI, *Prescensis?* (1575 à Saint-Hubert, prov. de Luxembourg, Belgique — 1636), jésuite; SOMMERVOGEL, *op. cit.*, t. VI, col. 681-684.
— Ambroise de PEÑALOSA (1588 à Mondejar, Espagne — 1656), jésuite; SOMMERVOGEL, *op. cit.*, t. VI, col. 470 s.
— François AMICUS, AMICO (1578 à Cosenza, Italie — 1651), jésuite, *L.T.K.*, t. I, col. 361 s.; *B.J.B.*, n° 1640; DUHR, *op. cit.*, t. II, II, p. 368 s., 390.
— Scipion SGAMBOTA (1595 à Naples — 1652); SOMMERVOGEL, t. VII, col. 1172-1176.
— Nicolas AVANCINI (1611 à Brez, dioc. Trente — 1686), jésuite, *L.T.K.*, t. I, col. 862 s.; DUHR, *op. cit.*, t. II, II, p. 768 (table).
— Balthazar CORDIER (1592 à Anvers — 1650), jésuite, *L.T.K.*, t. III, col. 45.

[3] Rodrigue de ARRIAGA (1596 à Logroño, Espagne — 1667), jésuite; *K.L.*, t. I, col. 1445 s.; *D.H.G.E.*, t. IV, col. 717; *D.T.C.*, t. I, II, col. 1991.

[4] *K.L.*, t. X, col. 293-301; *L.T.K.*, t. VII, col. 423; DUHR, *op. cit.*, t. II, p. 314; PAULSEN, *op. cit.*, t. I, p. 415.

[5] PAULSEN, *op. cit.*, t. I, p. 416.

comprenant des cours de philosophie et de théologie. Le collège de Breslau (1638) se transforma peu à peu en Université, qui reçut ses privilèges en 1702 [1].

LA HONGRIE   Au rempart oriental de la Chrétienté, la Hongrie contenait et repoussait l'assaut du Croissant. Elle sauvait de l'ennemi du dehors l'Église et la civilisation occidentale. Le *Regnum marianum* triompherait-il de l'ennemi qui à l'intérieur menaçait sa fidélité à la foi romaine ? Ici comme ailleurs, l'Université serait le théâtre, l'enjeu et le champion de la victoire.

Elle dut son origine à l'homme extraordinaire qui contribua plus que personne à la victoire de l'Église dans son pays. Pierre Pásmány (1570-1637), jésuite d'abord, puis archevêque-primat d'Esztergom et cardinal. Il compte parmi les plus illustres controversistes. On trouvera t. II le tableau de son étonnante activité, qui mérite d'être peint en détail. Il concentra ses principaux efforts sur la formation du clergé et de la classe dirigeante, dont l'autorité alors dictait la religion des masses populaires. Non content d'envoyer ses futurs prêtres dans les Universités étrangères, à Rome, à Vienne, à Gratz et ailleurs, il fonda lui-même des séminaires ecclésiastiques à Vienne, le *Pazmaneum* (1619-1623) et à Presbourg (1637).

Mais son œuvre par excellence fut l'Université de Nagyzombat (Tirnavie, 1635), plus tard transférée à Buda-Pest. Confiée par lui à la Compagnie, qui la dirigea jusqu'en 1773, elle commença par les Facultés de théologie et de philosophie et fut complétée dans la suite. Les jésuites lui adjoignirent un centre de propagande avec imprimerie, qui exerça une puissante influence aux XVIIe et XVIIIe siècles. Tirnavie fut appelé la « petite Rome de la Hongrie ».

LA POLOGNE   La Pologne, coude à coude avec sa voisine la Hongrie, complétait aux postes avancés de l'Est, la défense de la catholicité.

En Galicie occidentale, son Université de Cracovie, dite « des Jagellons », datait de 1343, mais n'avait obtenu une Faculté de théologie qu'en 1401 [2]. Dès le début du XVIe siècle elle fut atteinte par l'influence d'Érasme et de l'humanisme, grâce aux évêques Pierre Thomicki (1524-1535) et Samuel Maciejowski. Bientôt les doctrines luthériennes provoquèrent dans le pays d'âpres controverses. La défense de l'Église à la Faculté de théologie fut brillamment menée par l'illustre cardinal Hosius [3], par son successeur Kromer

---

[1] PAULSEN, *op. cit.*, t. I, p. 416.

[2] *H.E.*, t. XVII, p. 353; *K.L.*, t. VII, col. 1029; *D.T.C.*, t. VII, col. 178; D'IRSAY, *op. cit.*, t. I, p. 356; PAULSEN, *op. cit.*, t. I, p. 416; C. MORAVSKI, *Histoire de l'université de Cracovie, Moyen âge et Renaissance*, trad. par P. RONGIER, Paris-Cracovie, 1900-1903; H. BARYCZ, *Histoire de l'université des Jagellons au temps de l'humanisme* (en polonais), Cracovie, 1935; A. JOBERT, *L'université de Cracovie et les grands courants de pensée du XVIe siècle*, dans *Revue d'Hist. mod. et contemp.*, t. I, 1954, p. 213-225.

[3] Stanislas HOSIUS, Hosz (1505 ou 1504 à Cracovie — 1579); évêque de Kulm (1550); prince-évêque de Warnie Ermland (1551); cardinal (1561); plusieurs fois légat de papes, notamment au concile de Trente (jusqu'en 1563); sa remarquable *Confessio catholicae fidei* (1553), qui servit à Canisius et au catéchisme romain, eut, de son vivant, une trentaine d'éditions et de traductions; *L.T.K.*, t. V, col. 150-152; *K.L.*, t. VI, col. 295-302; *D.T.C.*, t. VII, I,

(Cromerius) et par Socolovius. Ils furent secondés par les jésuites, auxquels le cardinal témoigna une faveur constante [1]. Plus au Nord, à Posen, la Compagnie dirigeait un collège où s'enseignaient la philosophie et la théologie [2].

Enfin, tout à l'extrémité Nord-Est du royaume, le cardinal Hosius, prince-évêque de l'Ermland, fit venir les jésuites à Braunsberg (près du littoral du Frisches Haf). Ils y ouvrirent ce qui devint le *Lyceum Hosianum*, où ils professaient la philosophie et la théologie. Cette Académie, qui reçut de nombreux étudiants de Prusse et de l'étranger, « tint à l'Est le même rôle que Cologne à l'Ouest ». Le pape y adjoignit un séminaire pontifical [3].

Enfin, fortin avancé, la Faculté de théologie de l'Université de Vilna en Lithuanie formait l'extrémité de la défense catholique au Nord-Est. Elle fut fondée comme Académie en 1578 par le roi Étienne Bathory, grâce à l'intervention du cardinal Hosius et, confiée à la Compagnie, elle eut comme premier recteur le célèbre Père Pierre Skarga. Elle contribua puissamment à reconquérir à l'Église la Lithuanie [4].

CONCLUSION LES JÉSUITES ET LES UNIVERSITÉS — L'historien protestant de l'enseignement supérieur en Allemagne, Frédéric Paulsen, constate le surprenant succès de la Compagnie, succès que d'ailleurs il déplore. « De l'embouchure du Rhin à l'embouchure de la Vistule, elle avait entouré le foyer de l'hérésie d'une ceinture de travaux de siège ». Cherchant à comprendre ce phénomène, il refuse de l'attribuer à l'ambition mauvaise de dominer [5]. Il l'explique plutôt par l'ambition désintéressée de faire triompher un idéal élevé, chez des hommes formés à un exceptionnel renoncement personnel et à une rare maîtrise de soi [6].

---

col. 178-190; *H.C.*, t. IX, p. 1045 (table), t. X, p. xxix (table); J. Lortz, *Kardinal Hosius Beiträge zur Erkenntniss der Persönlichkeit und des Werkes*, Fribourg-en-Br., Braunsberg, 1931.

[1] Jobert, *op. cit.*, p. 224; Paulsen, *op. cit.*, t. I, p. 416.

[2] Paulsen, *ibid.*

[3] Duhr, *op. cit.*, t. I, p. 179; t. II, I, p. 376.

[4] *L.T.K.*, t. X, col. 926; *K.L.*, t. VIII, col. 1720; *P.H.*, t. XIX, p. 395; S. d'Irsay, *op. cit.*, p. 357.
— Pierre Skarga (1536 à Grojec en Mazovie — 1612), jésuite; *D.T.C.*, t. XIV, col. 2239-2245; *L.T.K.*, t. IX, col. 617; Z. Ivinskis, *Die Rolle der Jesuiten im Dienst der Gegenreformation in Litauen*, dans *X Congresso delle Scienze storiche*, Rome, 1955, t. VII, p. 276-280, documenté; O. Halecki, *From Florence to Brest*, Rome, 1958, p. 199 s., 440 s. (table).

[5] Paulsen, *op. cit.*, t. I, p. 391. De fait, cette explication ne ferait que reculer le problème; car comment expliquer par elle l'influence que les membres de l'ordre exercent sur bon nombre de princes, dont plusieurs se signalent par leur énergique indépendance?

[6] « In der Tat hat die Gesellschaft Jesu im Verlaufe des folgenden Jahrhunderts den gesamten gelehrten Unterricht in den Katholischen Landern Europas, [...] beinahe vollständig in die Hände' genommen und bis in die Zweite Hälfte des 18. Jahrhundert behalten. » *Op. cit.*, t. I, p. 391. « Die Bildung des Katholischen Klerus lag am Ende des 16. Jahrhunderts, kaum mehr als ein halbes Jahrhundert nach dem so unscheinbaren Ursprung des Ordens, fast ganz in seiner Hand ». « Man wird sagen können : Die Erhaltung der Katholischen Kirche in Südosten und Nordwesten Deutschlands ist wesentlich das Werk der Gesellschaft Jesu. » *Ibid.*, p. 416 s. « Die Idee, welche die Glieder des Ordens durchdrang und sie nach Auslöschung aller individuellen Begierden [...] erfüllte war die : dass der Orden das auserwahlte Rüstzeug zur Rettung der Kirche sei. » *Ibid.*, p. 419 s.

En réalité, cette première génération de l'ordre — vraie « première légion » — a compris, comme Ignace lui-même, la nécessité primordiale d'une Réforme intellectuelle du clergé et du laïcat [1]. Elle s'y jeta comme dans une croisade avec la « furia » d'un élan organisé. Car elle a reçu de son fondateur, directement, et par ses premiers chefs, compagnons du maître, leur brûlante ferveur pour le règne du Christ et de son Église. Elle a produit pour cette campagne des hommes d'une vertu exemplaire que l'Église a mis sur les autels, le bienheureux Pierre Favre, saint Pierre Canisius, saint Robert Bellarmin. Par là, elle exerça sur la jeunesse enthousiaste l'attraction la plus persuasive, celle de l'exemple. Elle avait été encadrée sous une autorité centralisée, qui assurait à tout le corps l'expérience de chaque membre. Soumise à une discipline rigoureuse, elle a été formée par une méthode qui assure l'unité d'action et l'efficacité, la *Ratio studiorum*.

Ajoutez qu'en un temps et dans un pays au pouvoir décentralisé, où la foi des masses dépendait de la confession de chaque souverain, la Compagnie a réalisé l'alliance avec la force temporelle, que Luther avait mobilisée à son propre service dès 1524. Elle a conquis l'estime et la confiance de cette puissante aristocratie qui gouvernait l'Allemagne, princes-évêques, seigneurs influents et riches tels que les ducs de Bavière et les archiducs d'Autriche. Elle a profité de leur aide diplomatique, politique et financière. Les princes laïcs lui ont confié leurs enfants, qui reprendraient une collaboration devenue héréditaire, et qui, à leur tour, influenceraient les destinées politiques du pays comme celles de l'Église.

Il ne faut pas oublier non plus que, grâce aux bienfaiteurs qui « fondaient » ses collèges, elle put partout observer sa règle, qui lui impose d'enseigner gratuitement, élément peu négligeable de son succès.

Les « incorporations ». — Ce tableau impressionnant est malheureusement terni par une ombre douloureusement regrettable. Toutes ces fondations exigeaient des ressources énormes : bâtisses, bibliothèques et traitements des professeurs dépassaient les possibilités financières des évêques, des princes et de la Compagnie elle-même. Le Saint-Siège fut sollicité d' « incorporer » aux nouvelles Universités des prieurés ou d'autres biens d'anciens ordres monastiques. On lui représentait — parfois à tort — que ces prieurés, soit désertés soit occupés seulement par quelques rares moines ou religieux, plusieurs ruinés par la guerre, en tout cas inutiles à l'Église, seraient employés à des fins éminemment apostoliques.

Par malheur, l'odieux de ces spoliations — qui ne se firent pas toutes sans violence — retombait sur la Compagnie de Jésus, qui en profitait et, dans bien des cas, les avait provoquées. Elles causèrent contre elles de la part des ordres lésés une animosité et une rancœur fort explicables, qui nuisirent à l'action harmonieuse des membres de l'Église [2].

---

[1] G. GANSS, *St. Ignatius' Idea of a Jesuit University : a Study in the History of Catholic Education*, Milwaukee, 1954.

[2] DUHR, *op. cit.*, t. II, ii, 171 s.; Dom Ph. Schmitz attribue en partie à ces mécontentements la sympathie de certains bénédictins pour le jansénisme, *op. cit.*, t. IV, p. 27; voir *ibid.*, p. 136,

L'historien qui cherche l'explication de ces « incorporations » doit-il prêter à leurs auteurs, prélats et jésuites, le faux principe que « la fin justifie les moyens » ? Il se souviendra plutôt que, d'après le droit canonique, le Souverain Pontife exerce le haut domaine sur tous les biens ecclésiastiques [1]. Les papes avaient affirmé ce droit en donnant « en commende » les biens d'abbayes même très puissantes [2]. Au milieu du XVIe siècle, lorsque furent établis les nouveaux évêchés dans les Pays-Bas (1559), Pie IV leur attribua plusieurs des abbayes les plus riches et les plus peuplées du pays et cela malgré de vives protestations [3].

Mais ce principe fut contesté en Allemagne au cours de la longue querelle qui suivit l'*Édit de restitution* de 1629. Les biens de couvents confisqués par les protestants devaient être « restitués ». Naturellement, les anciens propriétaires ou leurs héritiers les réclamèrent. Une vive compétition s'ensuivit entre, d'une part d'anciens ordres, entre autres les bénédictins et les cisterciens, et, de l'autre, les évêques et la Compagnie. Ces derniers faisaient valoir auprès du Saint-Siège qu'il exercerait à bon droit son pouvoir d'administration des biens d'Église en consacrant la possession de certains de ces couvents, en particulier ceux de religieuses, à la défense de la foi catholique par l'enseignement. Une vive polémique mit aux prises les meilleurs écrivains des deux camps, tel le jésuite Laymann avec sa *Justa defensio* (1631), qui provoqua d'ardentes répliques. Au point que le Saint-Siège imposa silence aux combattants [4].

SECTION II. — LES RELIGIEUX THÉOLOGIENS.

Grâce aux Universités, réformées ou fondées par elle, l'Église possédait, au début du XVIIe siècle, une armée de théologiens, groupés en écoles permanentes et, parmi eux, un bon nombre d'hommes supérieurs,

---

138 ce qui touche aux incorporations en Allemagne; I. GORDON, *El sujeto de dominio de los colegios de la Compaña de Jesus en la controversia alemana sobre la restitución de los monasterios*, dans *Archivo teologico Granadino*, t. XVI, 1953, p. 5-62. — Sur les prieurés en France [P. DELATTRE], *Établissements des jésuites en France*, Enghien-Wetteren, 1940, t. I, p. XII-XIV.

[1] Quand Clément XIV, en 1773, disposa de tous les biens de la Compagnie de Jésus, ceux qui en profitèrent ou ceux qui en profitent ne se sont pas tenus, ou ne se tiennent pas pour receleurs de « biens noirs ».

[2] On trouvera un exemple mémorable de protestations à l'occasion de constitution de commende aux Pays-Bas, dans WILLAERT, *Le placet royal, op. cit.*, p. 472.

[3] M. DIERICKX, *De oprichting der nieuwe bisdommen in de Nederlanden onder Filips II (1559-1570)*, Anvers-Utrecht, 1950; ID., *La politique religieuse de Philippe II dans les anciens Pays-Bas*, dans *Hispania*, 1950, p. 130-143 (l'auteur considère ces incorporations comme le point de départ de la Révolution); SCHMITZ, *op. cit.*, t. IV, p. 87 s., sur les incorporations à l'intérieur de l'ordre bénédictin; *ibid.*, t. VII, p. 123, 171.

[4] DUHR, *op. cit.*, t. II, II, p. 157-179, expose en détail le conflit et décrit un bon nombre d' « incorporations ». On y remarque par la correspondance des autorités supérieures de l'Ordre, en particulier du général Vitelleschi, qu'elles exercent constamment une action modératrice et prescrivent aux subordonnés l'équité et la charité à l'égard des autres ordres, repoussant, par exemple, certains projets d'annexions. Cf. SOMM., *op. cit.*, t. XI, col. 361 n° 29; WILLAERT, *Origines, op. cit.*, p. 235.

capables de rendre à leur science la vitalité qu'elle avait partiellement perdue.

On a vu plus haut que plusieurs chaires universitaires, parfois même des Facultés entières, étaient occupées par des religieux. Mais, outre ces activités, les maisons du clergé régulier prenaient largement leur part du travail théologique.

Longtemps les jeunes recrues des ordres anciens ont été formées au sacerdoce dans les abbayes ou les couvents où ils débutaient. Cet éparpillement de l'effort scientifique avait ses inconvénients : il fallait multiplier les corps professoraux et les bibliothèques, grave gaspillage d'hommes et d'argent. Aussi voit-on, par exemple, les dominicains, dans leur chapitre-général de 1551, désigner vingt-sept de leurs couvents universitaires où leurs étudiants peuvent prendre le grade de maître en théologie [1].

Quant aux ordres récents, les jésuites en particulier, faut-il rappeler qu'ils rencontraient de la part des Universités le même ostracisme que les ordres mendiants au Moyen Age? Mais ils possédaient souvent, en face des Universités et en concurrence avec elles, des centres d'études importants. Le collège de Clermont en est un exemple typique avec Maldonat et ses successeurs; le collège de Louvain avec saint Bellarmin, Lessius et d'autres.

Cependant il conviendra mieux d'énumérer les docteurs religieux lorsqu'il sera question plus loin des diverses écoles de théologie p. 264 s.

— Sur le « prophétisme » en théologie et l'enseignement *ex Spiritu* distinct de celui *ex officio*, cf. CONGAR, *Vraie et fausse réforme, op. cit.,* p. 204-215.

[1] *D.T.C.*, t. VI, I, col. 906. — Sur les théologiens *prémontrés*, *D.T.C.*, t. XIII, I, col. 24 s., 31. Cf. *supra*, p. 119.

CHAPITRE III

ORIENTATION NOUVELLE
DES MÉTHODES ET DU CONCEPT DE THÉOLOGIE

JEUNESSE DE LA THÉOLOGIE   Ainsi donc, l'Église avait repris avec élan sa tâche séculaire.

De Coïmbre à Vilna, de Louvain à Vienne, dans les régions paisibles d'Espagne et d'Italie comme dans la vie agitée des « marches », elle avait réorganisé l'étude approfondie et la défense de ses dogmes. Elle avait recommencé de préparer des prêtres capables de diffuser parmi les peuples des deux mondes la pure lumière d'un Évangile mieux connu et mieux obéi.

Devant cet immense effort de réorganisation et d'équipement de la recherche, devant cette foule bigarrée de travailleurs du champ théologique, esprits souvent curieux, ouverts et profonds, on se demande naturellement vers quelles méthodes les portait leur mentalité, quels problèmes les ont attirés, quelles solutions neuves ils ont moissonnées.

Étude d'autant plus attachante que l'Église, dans sa vie intime de pensée, connaît alors un âge d'or comparable à celui des IVe et Ve siècles ou à celui du XIIIe [1]. Sur toutes les Facultés de théologie souffle un vent de jeunesse retrouvée.

RETOUR AUX SOURCES   Parmi les « summa cacumina » de l'histoire théologique, l'époque de la Renaissance est un sommet lumineux. On peut dire qu'il est la réplique du XIIIe ; car il le recommence en sens contraire. Il est curieux de constater que l'un et l'autre ont été soulevés par des circonstances extérieures semblables, conséquences dans les deux cas de la prise de Constantinople. La prise de la ville par les croisés en 1204 et l'occupation d'une partie de l'Orient par les latins ont permis à l'Occident des contacts nouveaux avec la science et surtout la philosophie helléniques : l'aristotélisme s'est imposé alors à la théologie comme instrument de recherche et d'approfondissement, mais aussi comme orientation ratiocinante de méthode. Tandis qu'auparavant la « sacra doctrina » se bornait à la « pagina sacra », au commentaire de l'Écriture, la théologie scolastique va développer toujours plus le rôle de la raison en théologie. Mais voici une deuxième prise de Constantinople, celle de 1453 par Mahomet II, qui aidera à ramener la théologie à ses origines. D'innombrables érudits orientaux ont afflué vers

---

[1] Voir *supra*, p. 177 la bibliographie de la théologie dogmatique. Ch. EDER, *Die Kirche im Zeitalter des Konfessionnellen Absolutismus (1555-1648)*, Fribourg-en-Br., 1949, p. 246-256. Die Weiterentwicklung der Theologie.

les écoles d'Europe, y apportant les trésors de l'érudition scripturaire et patristique de l'Antiquité.

§ 1. — Le climat de la théologie.

VIEILLISSEMENT DES MÉTHODES Or, aucune science n'est indépendante ni ne travaille en vase clos. Les chercheurs d'une discipline vivent dans un climat et respirent une atmosphère déterminés; ils participent aux manières de penser de leurs compatriotes et de leurs contemporains. Les théologiens posttridentins évoluaient dans un puissant courant d'idées qui modifia profondément leurs méthodes et le concept même de leur science.

La théologie médiévale abordant le xvie siècle a été comparée à un vieux bateau mal entretenu, la coque alourdie d'une carapace de coquillages. Coquillages, tout le fatras des questions oiseuses dont la scolastique décadente avait surchargé l'étude du dogme. Défaut d'entretien, le jargon et le style barbare qu'avaient adoptés les théologiens.

Dès la fin du siècle précédent, leur science était tombée dans un discrédit profond et universel [1]. On lui reprochait cette superfétation de subtilités inutiles, le caractère presque purement philosophique des *quaestiones*, éloignées du véritable esprit religieux, les interminables querelles d'école entre scotistes et thomistes, la présentation négligée adoptée par les maîtres [2]. De plus, l'intrusion du droit canon dans la théologie en avait faussé l'esprit Enfin, l'orgueil de nombreux *magistri nostri* rendait leur science antipathique. Dans ses *Lettres* (Leipzig, 1537), Wicelius, un disciple d'Érasme, déclare que le danger, pour la théologie, vient de l'intempérance des écoles autant que des hérétiques [3].

L'Église n'avait pas attendu les attaques de ses adversaires pour tenter une réforme [4]. Dès le xive siècle, sur ordre du pape Clément V, Durand,

---

[1] S. D'IRSAY, *op. cit.*, t. I, p. 289 cite le vers de Celtis : « Sic perdunt nugis tempora cuncta suis. » Saint François de Sales observe qu' « il n'est pas grand besoin de savoir si les anges sont dans le lieu par leur essence ou par leur opération; s'ils se meuvent d'un endroit à un autre sans passer par un milieu »; H. BREMOND, *Histoire littéraire du sentiment religieux en France*, Paris, 1916, t. I, p. 224; FEBVRE, *Les origines...*, *op. cit.*, p. 41; PRAT, *Maldonat*, *op. cit.*, p. 564; GUELLUY, *op. cit.*, p. 61 et n. 3, remarque que cette déchéance est moins notable à Louvain; DE JONGH, *op. cit.*, p. 80 n.; WILLAERT, *op. cit.*, p. 400 s., 420.

[2] Une autorité aussi considérable que Melchior Cano critique amèrement cette décadence, notamment ceux qui transforment « en dogmes indiscutables et indubitables les opinions d'école et en hérésies les opinions contraires », ceux qui « ediderint in theologiam commentaria vix digna lucubratione anicularum ». Cité par G. THILS, *op. cit.*, p. 410; HARNACK, *Lehrbuch...*, *op. cit.*, t. III, p. 672.

[3] P. GALTIER, *La Compagnia di Gesù e la Teologia dommatica*, dans *La Compagnia di Gesù e le Scienze sacre*, Rome, 1942, p. 53 s. et notes; *H.E.*, t. XV, p. 201 s.; *D.T.C.*, t. XV, col. 407-411 s.; CAYRÉ, *op. cit.*, t. II, p. 723 s.; IMBART DE LA TOUR, *op. cit.*, t. III, p. 334; LAMINNE, *op. cit.*, p. 380, n. 21; HAYEN, *op. cit.*, p. 387 s.; TACCHI-VENTURI, *op. cit.*, t. I, p. 56 cite le décret de l'Université de Paris de 1530 contre les défauts de l'enseignement théologique et, en note, la bulle de Grégoire IX (1227-1241) *Parens scientiarum* dans le même sens.

[4] FEBVRE, *Les Origines*, *op. cit.*, p. 41 n. 2.

évêque de Mende, rédigea un mémoire contre l'abus de discussions stériles [1]. Une rénovation de la « via antiqua » fut essayée par la « via moderna » du xve siècle. Mais les promoteurs du mouvement, admirateurs d'Occam — tel Gabriel Biel († 1495) — s'inspiraient d'une philosophie « gangrenée par le nominalisme », qui triomphait encore au début du xvie siècle. Le salut ne viendrait pas de ce côté [2].

Au reste, il ne suffisait pas à la théologie de se corriger de ses défauts. Elle devait s'adapter à un monde nouveau.

LES TENDANCES DU MILIEU La science se distingue de l'érudition en ce qu'elle prétend interpréter les faits observés. Opération subjective, conditionnée par la nature du chercheur et donc variable. Mais les théologiens travaillent pour un milieu. Ceux du xvie siècle eurent donc à répondre aux questions de leur milieu. Milieu nouveau et bouillant de passions intenses et variées, qui, à cette époque de résurgence, transforment tout, la pensée comme la littérature, les arts et les mœurs.

Le tableau de Rembrandt, son chef-d'œuvre favori, le *Christ aux cent florins*, exprime l'idée qu'il se faisait de l'attitude religieuse de son siècle. En pleine lumière, le Christ réalise en action ses Béatitudes, tandis qu'à l'arrière-plan le groupe des doctes, lui tournant le dos, discute.

Le xvie siècle est harcelé par l'inquiétude religieuse, par la soif d'une religion personnelle qui alimente tout l'homme et pas seulement son cerveau, par le besoin du contact vécu avec Dieu, avec son Christ surtout, et avec leur Parole [3]. D'autre part, cette génération, qui connaît les grandes découvertes maritimes et celles des sciences naturelles, est éprise de réel, d'observation directe des faits. Elle veut voir par elle-même. De plus, elle est entraînée dans le tourbillon de la vie économique nouvelle; elle doit résoudre les problèmes que suscitent les formes récentes du commerce, de la finance et de la sociologie. Alors, comme elle est encore croyante, elle demandera aux théologiens de son temps la solution de « cas » de morale que leurs prédécesseurs du Moyen Age ne se sont pas posés.

En même temps, le sentiment national qui s'aiguise envahit la théologie [4]; elle se met à parler la langue de toute la nation cultivée qu'elle recommence à intéresser. Ajoutez que l'imprimerie, en élargissant le cercle des lecteurs,

---

[1] R. SIMON, *Bibliothèque critique*, Amsterdam, 1708-1710, t. II, p. 245-247; FEBVRE, *Les origines, op. cit.*, p. 41 n. 2.

[2] *G.-F., op. cit.*, p. 156-163; *Bull. thom.*, t. V, 1937-1939, p. 163. — De la critique légitime, Pierre RAMUS (Pierre de la Ramée, 1595-1572) passa à de violentes attaques contre Aristote et sa philosophie. Cf. J. M. PRAT, *Maldonat, op. cit.* — Sur la « via antiqua », *H.E.*, t. XIII, p. 362 s.; sur la « via moderna », *ibid.*, p. 417 s.; POULET, *op. cit.*, p. 253.

[3] Le dominicain humaniste Jean FABER écrit en 1520 : « Le monde est fatigué des pointilleries de la théologie; il languit après les sources de la vérité évangélique. Si on ne lui en ouvre pas l'accès, il le forcera par la violence » (cité par LORTZ, *Die Reformation, op. cit.*, t. I, p. 61); MOURRET, *op. cit.*, t. V, p. 260.

[4] G. HANOTAUX, *Recueil, op. cit.*; FEINE, *Kirchl. Rechtsgesch., op. cit.*, p. 415.

augmentera le nombre des amateurs de théologie; et qu'en même temps elle permettra une plus large diffusion des documents de base [1].

DEUX COURANTS
CHEZ LES RÉFORMATEURS

De tout cela résultait la nécessité d'une transformation de la théologie médiévale. Les théologiens en étaient tous plus ou moins conscients [2]. Mais, ne s'accordant pas sur la méthode à suivre, ils se divisaient nettement en deux corps d'armée, parfois hostiles entre eux.

Car la recherche théologique, comme tout autre travail scientifique, comporte deux éléments : l'observation d'un *donné objectif* et l'interprétation de ce donné par le *sujet* qui cherche à le comprendre, à le « construire » et à l'expliquer. « La théologie ne crée rien; elle jette des ponts d'idées entre les faits, entre les données » [3]. Or, si, pour le théologien, le « donné » est la Révélation faite par Dieu à l'humanité, le « donné objectif » est la trace observable laissée par cette Révélation; cette trace se compose de deux catégories de documents, les textes de l'Écriture et les écrits des interprètes autorisés de la Révélation, la *Paradosis*, les Traditions [4]. Aux XVIe et XVIIe siècles, catholiques et protestants s'accordent sur la valeur des Pères des premiers siècles, au moins comme documents historiques.

A leur tour, comme Malebranche l'a nettement expliqué, les dogmes de la foi « sont quelque chose d'analogue à ce qu'est, en matière de physique, un fait d'expérience : la réflexion philosophique s'appuie sur ce donné révélé précisément de la même manière et avec la même sécurité que sur le donné de l'observation sensible ou de la conscience » [5].

Quant à la partie spéculative de la théologie, à l'interprétation du donné révélé, à « l'analyse conceptuelle de chaque vérité révélée », en un mot, à la scolastique [6], elle avait brillé d'un vif éclat au XIIIe siècle, grâce à saint Thomas d'Aquin et à l'utilisation de la philosophie aristotélicienne; d'autres l'avaient demandée à Duns Scot ou à saint Bonaventure.

[1] D'IRSAY, *op. cit.*, t. I, p. 259; *D.T.C.*, t. XV, I, col. 411-413; IMBART DE LA TOUR, *op. cit.*, t. II, p. 397, cité par GUELLUY, *op. cit.*, p. 53.

[2] Voir, par exemple l'ouvrage de Louis DE CARVAJAL, frère mineur observantin, *Theologicarum sententiarum liber singularis seu restitutae theologiae et a sophisticis et barbarie pro viribus repurgatae specimen.* Cologne, 1545, Anvers, 1548, cité par *K.L.*, t. II, col. 2005.

[3] A.-D. SERTILLANGES, *Catéchisme des incroyants*, Paris, [1930], p. 102.

[4] Il est bien entendu que ce double travail suppose le concours de la foi et des lumières, qu'elle apporte, *D.T.C.*, t. IV, col. 1529 s.; t. XIV, col. 1532, 1538; t. XV, I, col. 412, 421, 426, 463 s., 468, 694, 704, 849 s.; A. GARDEIL, *Le donné révélé et la théologie*, Paris, 1910; « La théologie, telle que saint Thomas l'a entendue et pratiquée, nous apparaît comme une considération du donné révélé, de mode rationnel et scientifique, tendant à procurer à l'esprit de l'homme croyant une certaine intelligence de ce donné ». *Ibid.*, col. 385. Pour éviter une chicane, il faudrait ajouter la tradition orale, par exemple le discours du pape proclamant *ex cathedra* un dogme, ou encore l'enregistrement de ce discours — On ne tient pas compte ici de révélations individuelles, toujours possibles mais étrangères à la science; ni des « faits dogmatiques », qui n'étaient pas encore en question à cette époque.

[5] J. LAPORTE, *La Doctrine de Port-Royal*, Paris, 1923, t. I, I, p. XVII.

[6] « Ce qui constitue essentiellement la méthode scolastique [...] c'est l'emploi habituel de la raison subordonnée à l'autorité de la révélation chrétienne. » *D.T.C.*, t. IV, col. 1530, 1537.

Observation et spéculation doivent se compléter mutuellement. Sans la seconde, la première n'est qu'une philologie ou une histoire littéraire. Sans la première, la seconde risque de s'égarer en des abstractions sans fondement.

Dès la fin du xvᵉ siècle, on voit nettement deux courants parmi les rénovateurs : les uns, les conservateurs à tendance médiévale, s'attachent surtout à retrouver la méthode sobre, claire et souple du xiiiᵉ siècle et nommément celle de saint Thomas d'Aquin. Les autres ouvrent peu à peu la porte à ce qu'on appellera la théologie « positive », une science *tempori aptior*, comme dira Melchior Cano [1].

Les conservateurs. — Les premiers devaient, pour rendre à la scolastique son crédit, lui réapprendre à parler une langue acceptable, voire élégante; c'est à quoi tendront avec succès des commentateurs fidèles de la *Somme*, comme Barthélemy de Médina (cf. p. 237) ou Bañez (cf. p. 237). Ils n'avaient pas à changer les pratiques médiévales, telles que les disputes en syllogismes; elles s'étaient maintenues malgré le discrédit de la scolastique, car il est habituel que les coutumes extérieures survivent à leur contenu. Il fallait surtout aux théologiens revenir à un usage de la philosophie qui la fît admettre. A leurs yeux, leur rôle consiste toujours à «arriver, en conjuguant une prémisse de foi et une prémisse de raison, à des précisions qui ne sont pas expressément données par la révélation » [2].

Ce renouveau de la *via antiqua* se manifeste par les rééditions de saint Thomas et par le nombre croissant de ses commentateurs [3] (sans exclure cependant les *Sentences* de Pierre Lombard). Il y avait eu les dominicains Jean Capreolus († 1444), saint Antonin de Florence, Jean de Torquemada et Cajétan (cf. p. 195). Après le concile de Trente vinrent Bañez, Jean de Saint-Thomas (cf. p. 190), les carmes de Salamanque (cf. p. 188, 274), Estius (cf. p. 204), le jésuite Arriaga (cf. p. 215) et le grand Eckius [4].

Le renouveau éclate surtout dans la reconquête triomphale des chaires universitaires par la *Somme* [5]. Mais l'œuvre du *Doctor communis* n'est pas

---

[1] *D.T.C.*, t. XV, i, col. 422. — Il ne sera pas possible de signaler ici *tous les théologiens de cette époque;* on en trouvera une *énumération,* dans *D.T.C.,* sous le nom des divers pays et la rubrique « Publications catholiques » ou « Sciences sacrées »; en ce qui touche les ordres religieux, voir Heimbucher et les Bibliographies de chaque ordre.

[2] Tacchi-Venturi, *Storia...*, *op. cit.,* t. I, p. 53 s., 141s.; *K.L.,* t. XI, col. 1562 s.; Féret, *op. cit.,* t. III, p. 321; Guelluy, *op. cit.,* p. 111; Draguet, *Revue cathol. des Idées et des Faits,* 14 février 1936, p. 13; Cayré, *Patrol...,* *op. cit.,* t. II, p. 707, 735.

[3] Par exemple l'édition de Rome (1570), à laquelle ont travaillé R. Nanni et P. Pelican, O. P. *Bull. thom.,* t. III suite, 1933, p. (1034). — Sur ce renouveau dès le début du xviᵉ siècle, G. Rabeau, *Introduction, op. cit.,* p. 342.

[4] Jean Eckius, Eccius, Eck, Jean Maier, Johannes Majoris (1486 à Eck sur la Günz en Souabe, d'où son nom — 1543). Humaniste, *K.L.,* t. IV, col. 108-112; *D.T.C.,* t. IV, col. 2056 s.; *H.C.,* t. IX, p. 1044 (table), t. X, p. xxvii (table); A. Kolping, *Systematische und dogmengeschichtliche Erinnerungen anlässlich einer neben Darstellung über Johannes Eck,* dans *Theol. Quartalschr.,* t. CXXXII, 1952, p. 327-342, 432-469; Polman, *op. cit.,* p. 318 et n. 1; Lortz, *Die Reformation, op. cit.,* t. II, p. 87-97.

[5] *D.T.C.,* t. XV, col. 417 s., 423; Feret, *op. cit.,* t. III, p. 321-326; L. Charlier, *Essa sur le problème théologique chez les commentateurs de saint Thomas au XVIᵉ siècle,* Thuillies, 1938.

pure spéculation; et l'on verra tout à l'heure que, pour les gens du XVIe siècle, retourner à saint Thomas n'était pas renoncer à la mentalité de leurs contemporains.

Influences étrangères. — Une transformation plus profonde de la méthode et du concept de la théologie devait résulter des influences de l'époque.

On a fait honneur de cette transformation aux humanistes et aux protestants. Mais il ne faut pas exagérer. Sans doute, les uns et les autres ont rendu aux théologiens un double service. D'abord, en les aiguillonnant de leurs sarcasmes, ils leur ont ouvert les yeux aux besoins présents des âmes. Même en se bornant à Érasme, on alignerait une longue file d'épithètes injurieuses et de satires mordantes à l'adresse, par exemple, des « théologastres », des « guêpes nocturnes », des « hommes obscurs », des « ânes de Louvain » [1]. Luther lui a fait bruyamment écho. Il est vrai encore que les érudits ont encouragé les théologiens dans l'étude des sources de la connaissance, même de celles de la foi.

Le protestantisme, de son côté, a provoqué ses adversaires à le rencontrer sur son propre terrain, l'Écriture et les Pères. Et, en outre, à prouver la fidélité des dogmes à leurs origines, la « perpétuité de la foi » par la confrontation avec ses bases historiques [2].

Mais ici, comme en d'autres secteurs de la Restauration catholique, les adversaires n'ont fait que stimuler un mouvement déjà lancé. Il suffit de rappeler le célèbre et savant bénédictin Jean Trithemius ou de Heidelberg (1462-1516) et son *De vera studiorum ratione.* Il y préconise une théologie dégagée des routines scolastiques, rattachée davantage à la Sainte Écriture, ce qui suppose une connaissance scientifique de la Bible, mais en même temps orientée vers le perfectionnement moral [3].

[1] — Sur *Érasme*, voir *H.E.*, t. XV, p. 240; t. XVII, p. 433; voir ci-après p. 228; J. ÉTIENNE, *Spiritualisme érasmien et théologiens louvanistes. Un changement de problématique au début du XVIe siècle*, Louvain-Gembloux, 1956, avec bibliographie abondante; relations avec Louvain, p. 97 s.; IMBART DE LA TOUR, *op. cit.*, t. III, p. 59-108, 274 s.; M. BATAILLON, *Érasme et l'Espagne*, 1937; ID., *Erasmo y España*, Mexico, Buenos-Ayres, 1950; A. RENAUDET, *Érasme et l'Italie*, Genève, 1954; M. O. CHENU, dans *R.S.P.T.*, t. XVII, 1928, p. 308; t. XXXIX, 1955, p. 508; DE JONGH, *op. cit.*, p. 130, 154, 188. — Sur ses relations avec Louvain, *ibid.*, p. 104, 112; L. BOUYER, *Autour d'Érasme. Étude sur le christianisme des humanistes catholiques*, Paris, 1955. Cf. aussi p. 226 n. 2.

— Sur l'*humanisme*, *H.E.*, t. XIII, p. 399-408; P. O. KRISTELLER, *Studies in Renaissance Thought and Letters*, Rome, 1956; G. TOFFANIN, *L'umanesimo al Concilio di Trento*, Bologne, 1955. Voir ci-dessous, p. 229. F. HERMANS, *Histoire doctrinale de l'humanisme chrétien*, Tournai-Paris, 4 vol., 1948, t. II, p. 114; H. BREMOND, *Autour de l'humanisme. D'Érasme à Pascal*, Paris, 1936; ID., *Histoire littéraire...*, *op. cit.*, t. I, p. 1-18, 218-233; L. E. HALKIN, *Apologie pour l'humanisme chrétien de la Renaissance*, Liège, 1941; ID., *De l'humanisme au jansénisme*, dans *La Revue nouvelle*, t. XII, 1950. — Sur l'influence de la Renaissance en théologie et les réactions violentes qu'elle a provoquées, voir le précieux article de A. HUMBERT, *Le problème...*, *op. cit.*, p. 72-93.

[2] *D.T.C.*, t. XV, col. 429; WILLAERT, *op. cit.*, p. 408.

[3] Cf. *infra*, p. 247 et n. 4.

UN DOUBLE HUMANISME Dans la vitalité complexe et prodigieuse de la Renaissance et de l'humanisme, du retour à la culture antique, plusieurs aspects intéressent l'histoire de l'Église [1]. On observe d'une part un humanisme philologique, de l'autre un humanisme moral.

Le premier, l'étude des auteurs anciens, avec ce qu'il comporte de critique textuelle et donc de connaissance des langues, passionnait tous les milieux cultivés d'Europe [2].

Henri Bremond a magistralement décrit l'influence de l'humanisme sur la littérature spirituelle catholique. Jusqu'ici personne n'a entrepris de montrer dans le détail comment le même humanisme a transformé la théologie. En attendant on peut tenter d'en indiquer l'essentiel.

L'humanisme philologique. — Il y a, dans l'histoire de la pensée, des coups de foudre qui, dispersant un puissant foyer de lumières, en répandent au loin les riches potentialités. Ainsi la prise d'Alexandrie par les Arabes (641) et la dispersion des trésors de la bibliothèque des Ptolémées ont lancé dans tout le monde musulman un prodigieux courant de science et de perfection artistique. On a déjà remarqué ci-dessus (p. 221) les répercussions prodigieuses de la prise de Constantinople par les croisés (1204) sur la culture occidentale. A la suite de cette invasion de la science d'Orient dans la faculté des Arts de Paris, les « Artiens » communiquèrent aux théologiens les lumières de la philosophie hellénique [3]. De même aussi au XVe siècle, le monde chrétien fut transformé par un événement de semblable portée.

La chute de Constantinople (1453) provoqua l'exode de nombreux érudits grecs, qui s'en vinrent en Italie puis en Occident répandre le goût de l'hellénisme, celui aussi des œuvres de l'Antiquité. Les bibliothèques s'enrichirent d'innombrables manuscrits en langues orientales.

En Italie, devenue « la main tendue de l'Europe vers la culture antique », papes, Universités et mécènes accueillaient avec ferveur la science venue d'Orient. L'engoûment gagna jusqu'aux Pays-Bas [4]. Les Frères de la Vie commune répandaient les lettres classiques. A Louvain, Busleijden ouvrait

---

[1] La Renaissance a été traitée au t. XV de cette *H.E.*, auquel il sera bon de retourner si l'on veut se rendre compte de l'atmosphère du XVIe siècle et de la bibliographie du sujet. On n'y touche ici que pour montrer son incidence sur l'évolution de la théologie. A. HUMBERT, *Les sources…*, op. cit., t. I, p. 72-89; ID., *Les origines de la théologie moderne*, I. *Renaissance de l'antiquité chrétienne (1450-1521)*, Paris, 1911; A. RENAUDET, *Un problème historique : la pensée religieuse de J. Lefèvre d'Étaples; Medievo e Rinascimento*, dans *Studi in onore di Bruno Nardi*, Florence, 1955, t. II, p. 621-653; J. DAGENS, *Lefèvre d'Étaples, humaniste et évangélique*, Colloque de Strasbourg, mai 1957 (sera publié); J. LORTZ, *Die Reformation*, op. cit., t. I, p. 48-69, 127-137; C. MAFFEI (1425 à Vérone — 1508), chanoine de Latran, littérateur et théologien, rassemble un grand nombre de manuscrits. Cf. *Enc. Ital.*, t. XXI, p. 861; H. DE VOCHT, *History of the foundation and the rise of the Collegium trilingue Lovaniense (1517-1550)*, Louvain, 1953-1955, 3 vol.

[2] « L'origine lointaine de ce mouvement bienfaisant se discerne dans l'impulsion donnée par Clément V (1311) à l'institution de chaires de langue hébraïque, arabe et chaldéenne dans les principales Universités, mais cette mesure visait surtout la conversion des infidèles. » TACCHI-VENTURI, *op. cit.*, t. I, p. 90.

[3] *H.E.*, t. XIII, p. 287 s.

[4] Sur l'humanisme à Louvain. Cf. DE JONGH, *op. cit.*, p. 103 s.

son *Collège des Trois Langues* (1517). En France, François Ier l'imitera avec son *Collège royal [de France]* (1531). Et, remarquons-le, tous sont encore des membres fidèles de l'Église romaine.

L'humanisme chrétien. — Érasme aussi, malgré toutes les critiques. On sait l'influence considérable, pour ne pas dire déterminante, que sa visite exerça en Espagne, avec ses bienfaits, mais aussi avec ses menaces d'hérésie [1]. A Louvain, il trouva d'abord un milieu très accueillant. « Entre 1490 et 1520 environ, le futur pape Adrien VI, Van den Dorp (Dorpius), Luis Vivès, Costers, de Palude en font leur résidence » [2]. En Allemagne, le même pèlerin de la culture antique était allé répandre la bonne nouvelle : il fallait partout enseigner le grec; Reuchlin (1455-1522) lui avait apporté son concours [3]. Bon nombre d'Universités introduisirent l'étude de l'hébreu, du syriaque, de l'arménien.

C'est en France surtout qu'il faudrait s'interdire de parler de « Renaissance ». Depuis le XIIIe siècle, le culte des lettres anciennes n'y avait pas connu la mort. « L'enseignement des langues orientales (hébraïque, arabe, chaldaïque, arménienne) fut toujours poursuivi dans les Facultés de théologie, selon les instructions données par Clément V et par les conciles de Vienne et de Bâle » [4]. Au XVIe siècle, Guillaume Budé exerce une influence semblable à celle d'Érasme en Allemagne [5]. Sous cette influence, « François Ier fait le geste décisif. En mars 1530, les premiers « lecteurs » royaux sont institués : Danès et Toussaint pour le grec, Vatable et Guidacerius pour l'hébreu [...]. Des cénacles partout, dans les villes d'Universités et dans celles de la bourgeoisie riche [...]. Une floraison superbe d'écrivains et de savants » [6].

Un fait frappant est l'orientation religieuse de plusieurs des plus marquants parmi les humanistes laïcs.

---

[1] Voir le très remarquable ouvrage devenu classique : M. BATAILLON, *Érasme et l'Espagne*, Paris, 1937; « L'influence de l'humaniste néerlandais, tout en contribuant à alimenter en Espagne des énergies spirituelles très authentiques, n'allait pas non plus sans y préparer en fait le terrain à des semences d'erreurs. » A. DUVAL à propos de J. E. LONGHURST, *Erasmus and the Spanish Inquisition. The case of Juan Valdes*, Albuquerque (E.U.A.), 1950, dans *R.S.P.T.*, t. XXXVI, 1952, p. 535; au sujet de la correspondance d'Érasme, P. S. ALLEN, *Opus epistolarum Des. Erasmi Roterodami*, par exemple t. VII (1527-1528), Oxford, 1928, cf. *R.S.P.T.*, t. XX, 1931, p. 620; E. PFEIFFER, *Erasmus und die Einheit der klassischen und der christlichen Renaissance*, dans *Hist. Jahrbuch*, t. LXXIV, p. 175-188; *Hist. Zeitschr.*, t. CLXXXI, 1956, p. 701; ID., *Humanitas erasmiana*, Berlin, 1931. Cf. *R.S.P.T.*, t. XX, 1931, p. 621 : « La vraie culture est héritée des anciens; loin de s'opposer à la religion chrétienne, elle lui fournit une base solide et son abandon est une des causes principales de la décadence de l'Église. » — L. BOYER, *Autour d'Érasme, op. cit.*; S. A. NULLI, *Erasmo e il Rinascimiento*, Turin, 1955; *Pensée humaniste et tradition chrétienne*, dans *Centre Nat. de la Rech. Scient.*, Paris; D. F. PENHAM, *De transitu hellenismi ad christianismum. A little known Treatise of Guill. Budé*, dans *Dissert. Abstracts*, t. XV, 1955, p. 2192.

[2] D'IRSAY, *op. cit.*, t. I, p. 356. Sur l'attitude de Louvain à l'égard de l'humanisme et d'Érasme, cf. GUELLUY, *op. cit.*, p. 53 et ses précieuses références; ÉTIENNE, *op. cit.*, *passim;* O. HENDRIKS, *Erasmus en Leuven*, Bussum, 1947.

[3] *H.E.*, t. XV, p. 237; PAULSEN, *op. cit.*, t. I, p. 71 s. Pour Heidelberg, *K.L.*, t. V, col. 1597.

[4] Voir ci-dessus; D'IRSAY, *op. cit.*, t. I, p. 261; FÉRET, *op. cit.*, t. I, p. 49.

[5] IMBART DE LA TOUR, *op. cit.*, t. III, p. 279.

[6] *Ibid.*, p. 274 s.

Quand ils attaquent les *Quaestiones* et les *Disputationes* médiévales, c'est parce que, en s'attachant trop exclusivement à la philosophie, elles ont négligé le côté proprement religieux de la théologie [1].

LES HUMANISTES ET L'ÉCRITURE Aussi, pour eux, la *sincera theologia*, la *philosophia Christi* — terme qu'ils reprennent aux Pères — « c'est l'Écriture lue pour elle-même, dans son texte original, grec ou hébreu, et, en second lieu, les écrits de ceux qui, plus proches des origines, avaient un sens plus pur et plus simple de l'Évangile [2]. L'influence religieuse d'Érasme a pénétré l'Église profondément. Elle se fait sentir chez Paul III et jusque dans les décisions du concile de Trente.

Les humanistes se mettent donc à l'œuvre. Les éditions critiques des textes sacrés se succèdent. Érasme publie à Bâle en 1516 le *Nouveau Testament* dans le texte grec. Il le fera suivre d'*Annotations* et de *Paraphrases* [3]. Lefèvre d'Étaples et l'École de Meaux travaillent au « retour » à l'Évangile. Entre 1521 et la fin de 1524, leur activité est prodigieuse. Ils donnent au public le *Nouveau Testament* en français, le Psautier (1513, 1524), le recueil des « *Épîtres et Évangiles* » (1523), puis les « *Commentaires* », qui vont plus loin que l'édition et proposent une doctrine des Évangiles [4]. De son côté, Guillaume Budé (1467-1540), dans son *De transitu Hellenismi ad Christianismum* (1555) invitait à passer de la culture hellénique au christianisme [5].

L'Anversois Daniel Bomberg, qui tient à Venise une librairie hébraïque, lance en 1518 deux éditions de la Bible en hébreu [6]. En Angleterre, l'héroïque et si captivant humaniste qu'était Thomas More eut à réagir contre la traduction anglaise du Nouveau Testament par W. Tyndale, d'ailleurs fort tendancieuse (1528) [7]. Quant à l'humanisme nordique, on a remarqué

---

[1] *D.T.C.*, t. XV, I, col. 413, 414 : « L'humanisme avait représenté, lui aussi, surtout en son premier état, chez Ficin et chez Pic, une union de la Révélation chrétienne et de la pensée philosophique païenne. » Sur les relations entre l'humanisme et la religion, F. RUSSO, *Science et religion aux XVIe et XVIIe siècles*, dans *Cahiers d'hist. mondiale*, vol. III, n. 4, 1957, p. 857.

[2] *D.T.C.*, t. XV, I, col. 413.

[3] Il sera question plus loin des traductions de la Bible par les gens d'Église (p. 232); *H.E.*, t. XV, p. 244; sur la préparation du N. T. d'Érasme, *K.L.*, t. II, col. 600; DE JONGH, *op. cit.*, p. 130 s.; PAULSEN, *op. cit.*, t. I, p. 72; IMBART DE LA TOUR, *op. cit.*, t. III, p. 102. Sur les éditions de la Bible à la Renaissance, *K.L.*, t. II, col. 588 s.; D'IRSAY, *op. cit.*, t. I, p. 259; sur le caractère religieux de l'œuvre d'Érasme, cf. ÉTIENNE, *op. cit.*, p. 57 s.; V. BARONI, *La bible dans la vie catholique depuis la Réforme*, Lausanne, 1955.

[4] IMBART DE LA TOUR, *ibid.*, p. 108, 110, 123, 158; *H.E.*, t. XV, p. 251.

[5] *K.L.*, t. II, col. 1400; R. A. SAYCE, *The French biblical epic in the XVIIth century*, Oxford, 1955.

[6] *K.L.*, t. II, col. 589. Les éditions se suivent en 1521, 1525-1528, 1533, 1544.

[7] Th. MORE, éd. E. F. ROGERS, *The Correspondance of Sir Thomas More*, Princeton, 1947; ID., trad. R. ROBINSON, *Utopia and A Dialogue of Comfort*, New-York, 1951; ID., *The Utopia of Sir Thomas More*, including Ropers's Life of More, and Letters of More to his Daughter Margaret, New-York, 1947; C. MORE, éd. J. KENNEDY, *Life of Sir Thomas More*, Greensburg, 1941; J. W. FARROW, *The Story of Thomas More*, New-York, 1954; A. DUVAL, analysant l'ouvrage de W. E. Campbell, dans *R.S.P.T.*, t. XXXV, 1951, p. 348 s., qualifie l'attitude du cardinal Pole, qu'on « situerait assez bien entre Érasme, si lucide, mais si peu engagé,

qu'il était moins païen que celui du midi [1]; celui des Allemands se distingue par son caractère religieux et même orthodoxe dans les débuts [2]. En Italie, berceau de la Renaissance, on s'étonnera de voir citer ici un personnage aussi discutable que Laurent Valla (1407?-1457); mais celui qui se vantait d'être le premier des humanistes, fut parmi les premiers à rénover l'étude du Nouveau Testament; ses *Annotationes* (1506) procèdent de la collation du texte grec; il avait d'ailleurs été aidé par Bessarion. Leur pieux compatriote Gianozzo Manetti, étudiant assidu du grec et de l'hébreu, traduisit en latin le Psautier et le Nouveau Testament [3].

De leur côté, les juifs publiaient en hébreu le Psautier (1477 à Bologne?), le Pentateuque (1482), les Prophètes (1486), etc.

§ 2. — Les débuts de la théologie positive.

AVÈNEMENT DE LA POSITIVE   Au milieu de cette intense fermentation, les théologiens qu'on pourrait grouper sous le nom d' « aile marchante » ou « parti du mouvement », sans négliger la spéculation, cherchèrent le renouveau de leur science dans l'étude plus poussée du donné positif de la Révélation. Ils sont hommes de leur temps. Alors que la « lectio » du Moyen Age préthomiste étudiait, somme toute, comme « donné » l'enseignement de la Tradition [4], eux s'appliquèrent, plus que leurs prédécesseurs, à la critique textuelle de l'Écriture, à la patristique, à l'histoire du dogme, c'est-à-dire à ce qu'on avait commencé d'appeler la « théologie positive » [5].

Peut-être est-il bon de noter qu'ils retournaient eux aussi à saint Thomas.

et Contarini, plus informé de théologie et plus réalisateur » (à propos de l'ouvrage de W. SCHENK); Th. MORE, trad. par M. C. LAISNEY, *Dialogue du réconfort*, Namur, 1959.

[1] DE JONGH, *op. cit.*, p. 191, n. 2; *H.E.*, t. XV, p. 230-240.

[2] D'IRSAY, *op. cit.*, t. I, p. 295-297, 302, 307. Sur le chanoine Mutianus Rufus (Conrad MUTH, 1470?-1526), célèbre humaniste, *H.E.*, t. XV, p. 238; D'IRSAY, *ibid.*, K.L., t. VIII, col. 2066.

[3] TACCHI-VENTURI, *op. cit.*, t. I, p. 91.

[4] *D.T.C.*, t. XV, I, col. 356. Cependant « jusqu'à la fin du XIIe siècle, la théologie sera essentiellement et, on peut dire, exclusivement biblique », mais d'une Bible connue seulement dans le texte latin. *Ibid.*, col. 354.

[5] On voudra bien remarquer comme le sens actuel du terme de « positive » diffère de l'ancien. Ils se ressemblent, il est vrai, en ce qu'ils excluent tous deux la « spéculative ». Mais le sens ancien ne couvre que ce qu'on appelle aujourd'hui « la *positive des sources* » (Écriture et Pères ou traditions historiques). On aurait appelé autrefois « *la* Tradition » et non « *les* traditions » ce que nous appelons la « *positive du magistère* », qui reste « en contact avec la vie de l'Église, l'évolution dogmatique, pour autant qu'elle est garantie par le magistère infaillible du Souverain Pontife » (R. AUBERT). Le nom de « positive », qui apparaît vers 1509 (*D.T.C.*, t. XV, I, col. 1526 s.), a varié de sens; cf. *D.T.C.*, t. IV, col. 1531; t. XV, I, col. 426 (saint Ignace de Loyola, dans ses *Exercices*, distingue nettement la spéculative (scolastique) de la positive comme deux formes de la théologie; il comprend par « positive » l'étude des Pères, dont le propre est d'émouvoir l'affectivité à aimer et servir mieux le Seigneur, et par « scolastique », saint Thomas et autres, dont le propre est de définir et d'éclaircir les choses nécessaires au salut éternel. *Regulae ad sentiendum cum Ecclesia*, Reg. 12). « Triplicem in Societate theologiam tradendam esse Constitutiones dicunt : Scholasticam, Scripturam et Moralem, quam Positivam vocant. MALDONAT, dans *Monumenta historica S. J. paedagogica*, p. 864-870. N. B. Ce cours de Morale s'appelait aussi cours de Pastorale ou de Cas de Conscience.

GUELLUY, *op. cit.*, p. 129, 138, indique les divers sens du mot au XVIIe siècle et son étymologie, voir aussi *D.T.C.*, t. XV, I, col. 464. — On prend ici le mot pour désigner l'étude du donné observable de la Révélation, la méthode qui, « avec l'appui de l'Écriture,

Inspiration thomiste. — Il est vrai que ce maître de la théologie philosophique « semble se placer sur un plan strictement intellectuel et [que]
son effort ne paraît viser qu'à constituer par des procédés rationnels une
science de Dieu »[1]. Et, cependant, il n'a pas manqué de pratiquer en même
temps ce qu'on appellerait « l'observation directe ». On lui a reproché de
ne pas avoir appris le grec ni même l'hébreu. Mais il avait le souci d'aller
aux sources, d'étudier les textes. Il a poussé Guillaume de Moerbeke (Flandre
orientale) à lui traduire Aristote. Son œuvre scripturaire ne néglige pas
l'exégèse savante[2]. On peut même la considérer comme une revanche de
l'exégèse. Avant saint Thomas, l'Écriture avait été évincée comme texte
classique par les *Sentences* de Pierre Lombard[3].

Les premiers héritiers du thomisme, tout en restant fidèles à la spéculation,
se préoccupent, comme le Maître, de la base documentaire de leur travail;
on a remarqué que les humanistes se contentaient dans les débuts d'imprimer
les manuscrits médiévaux. Leur supériorité consistait en ceci, que leurs ainés
du Moyen Age manquaient des moyens techniques nécessaires à la critique
des textes, et en premier lieu de la connaissance des langues anciennes[4].

de la Tradition et de l'enseignement de l'Église, recherche ce qui est contenu dans la Révélation
divine et comment il y est contenu ». Cf. *D.T.C.*, t. IV, col. 1532, où est indiqué plus en détail
le rôle de la positive. — Gamache définit la positive : l'étude de l'Écriture, aidée par les interprétations des Pères et des conciles (J. ORCIBAL, J. DUVERGIER, *op. cit.*, p. 134, n. 3). — Sur le
le sens du mot à cette époque, voir aussi LETURIA, cité dans FILOGRASSI, *L'enseignement*,
op. cit., p. 25 n. 24; GUELLUY, *op. cit.*, p. 123, 130, 140; GUÉRARD DES LAURIERS, *La théologie
historique et le développement de la théologie*, dans *Année théologique*, t. VII, 1946, p. 15-55;
A. HARNACK, *op. cit.*, t. III, p. 605; *Pensée humaniste et tradition chrétienne aux XVIᵉ et
XVIIᵉ siècles*. Publications d'histoire moderne du *C.N.R.S.*; G. TOFFANIN, *L'umanesimo
al Concilio di Trento*, Bologne, 1955; H. HUMBERT, *Le problème des sources théologiques
au XVIᵉ siècle*, dans *R.S.T.P.*, t. I, 1907, p. 66-93, 474-498; t. IV, 1910, p. 283-305;
P. DE VOOGT, *Les sources de la doctrine chrétienne d'après les théologiens du XIVᵉ siècle
et du début du XVᵉ*, Paris, 1954; A. GARDEIL, *La notion du lieu théologique*, dans *R.S.P.T.*,
t. II, 1908, p. 51, 246, 484; ID., *Le donné révélé*, *op. cit.*, p. 220 s.; J. BEUMER, *Positive und
spekulative Theologie; kritische Bemerkungen an Hand der Loci theologici des Melchior
Cano*, dans *Scholastik*, t. XXIX, 1954, p. 52-72; POULET, *op. cit.*, t. III, p. 1042, 1048; *D.T.C.*,
t. VI, col. 624, t. IX, col. 712; *S.-D.*, t. VI, p. 401; A. LANG, *Die Loci theologici des Melchior
Cano und die Methode des dogmatischen Beweises*, Munich, 1925; J. TURMEL, *op. cit.*;
cf. *R.H.E.*, t. VIII, 1907, p. 373; *Cath. Enc.*, t. IX, col. 65; *Catholicisme*, t. II, col. 1108;
P. BATIFFOL, *Études d'histoire et de théologie positive*, Paris, 1904; *G.-F.*, p. 217-220, 490-498,
509-510. — Sur la positive à Louvain, GUELLUY, *op. cit.*, p. 126; sur la positive dans la
Compagnie de Jésus, P. GALTIER, *op. cit.*, p. 57 et notes; *D.T.C.*, t. VIII, I, col. 1047 s.

[1] *D.T.C.*, t. XV, 631.
[2] *D.T.C.*, t. VI, col. 881; t. XV, I, col. 408 : « saint Thomas est l'un des témoins les plus
notables de cette distinction des ouvrages d'exégèse et de théologie biblique d'une part et de
théologie proprement dite et rationnelle d'autre part, dissociation qui s'esquissait au
XIIᵉ siècle [...]. Après saint Thomas, on ne relève guère d'œuvre exégétique marquante
jusqu'à Nicolas de Lyre. » — M. GRABMANN, *Guglielmo di Moerbeke, O. P., il traduttore
delle opere di Aristotele*, Rome, 1946. Érasme dit de saint Thomas : « Nullus est recentium
theologorum cui [...] solodior eruditio; planeque dignus erat, cui linguarum quoque peritia
reliquaque bonarum artium supellex contingeret, qui iis, quae per eam tempestatem dabantur,
tam dextre sit usus. » Cité par TACCHI-VENTURI, *op. cit.*, t. I, p. 57, n. 1.
[3] *D.T.C.*, t. XV, 694.
[4] On a noté que les médiévaux ont « merveilleusement connu l'Écriture », mais qu'ils
manquaient de sens historique. De même ils ont largement utilisé les Pères; ceux des XIIᵉ et
XIIIᵉ siècles lisaient les *originalia*; mais aux XIVᵉ et XVᵉ on se contentait de consulter les
excerpta ou les *deflorationes*, *D.T.C.*, t. XV, p. 408 s. Sur l'ensemble des problèmes,
H. DE LUBAC, *Exégèse médiévale. Les quatre sens de l'Écriture*, Paris, 1959, 2 vol.

L'outillage critique. — Quand reparut la culture antique païenne, « une confrontation du christianisme avec [elle] devait s'imposer tôt ou tard ». Cette rencontre des méthodes de pensée supposait d'abord, de la part de la théologie, une préparation, puis une pénétration de l'esprit critique dans toutes les étapes du travail scientifique. La préparation fut le retour aux sources et, à ce point de vue, Melchior Cano doit être considéré comme l'initiateur *per accidens* [1] de l'exégèse. Puis ce fut l'œuvre de ceux qu'on pourrait appeler les « pourvoyeurs ».

Ils introduisirent dans les facultés la connaissance des textes originaux; ils en répandirent à profusion les éditions critiques et les traductions en langue vulgaire [2].

Éditions et traductions de la Bible. — En tête de ces pionniers, qui, notons-le, précèdent la Réforme protestante, domine la haute personnalité du franciscain « qu'on appelle en France le cardinal Ximénez (Jimenez) et en Espagne le cardinal Cisneros », François Ximenes de Cisneros (1439-1517). Fondateur de l'Université d'Alcalà, grâce à son « Collège des trois langues » il eut la gloire de provoquer (1502) et de diriger l'édition de la fameuse *Bible polyglotte* d'Alcalà ou *Complutense*, terminée en 1517, mais publiée en 1520 en 6 volumes in-folio [3]. Avec la Bible de Bomberg, elle servit de modèle à de nombreuses éditions, notamment à la célèbre Bible polyglotte, *Biblia regia*, que Philippe II fit imprimer chez Christophe Plantin à Anvers (1569-1572, en 8 vol. in-folio) et à celle qui parut à Paris chez Antoine Vitré (1645) en 10 énormes volumes in-folio [4]. Cette activité espagnole fut aidée par le courant de la *Devotio moderna*,

---

[1] *D.T.C.*, t. I, col. 740.

[2] Voir plus loin p. 234; *H.E.*, t. XV, p. 304. Il n'est pas question de présenter ici ne fût-ce qu'un essai de bibliographie. Pour avoir une idée de son étendue, il suffit de consulter les bibliographies publiées des ordres religieux; celle des jésuites sur la Sainte Écriture, par exemple, est dans SOMMERVOGEL-BLIARD, *op. cit.*, t. X, col. 1-78; D. LORTSCH, *Histoire de la Bible en France*, Paris, 1910; *H.-B.*, *op. cit.*, t. VI, p. 123, donne une liste encore utile; *K.L.*, t. II, col. 587-636; V. CARRIÈRE, *Libre-examen et tradition chez les exégètes de la Préréforme (1517-1521)*, dans *Revue d'Histoire de l'Église de France*, t. XXX, 1944, p. 39-53; *P.G.*, t. XI, p. 472-483; P. VAN HERREWEGHEN, *De Leuvense Bijbelvertaler Nicolaus van Winghe*, dans *O.G.E.*, t. XXIII, 1949, p. 5-38, 150-168; 268-315, 357-396. — Sur diverses éditions de la Bible, *B.J.B.*, t. III, p. 977; BELLARMIN, *Disput. de Controvers.*, *op. cit.*, t. I, col. 83-119. — Sur les principes de traduction de la Bible à cette époque, W. SCHWARZ, *Principles and Problems of Biblical Translation*, Cambridge, 1955, cf. *R.S.P.T.*, t. XL, 1955, p. 99; J. A. GAERTNER, *Latin verse translations of the Psalms, 1500-1520*, dans *Harvard Theol. Review*, t. XLIX, 1956, p. 271-306; F. ROSENTHAL, *The study of the Hebrew Bible in sixteenth century Italy*, dans *Studies in the Renaissance*, New-York, 1954-1956.

[3] *H.E.*, t. XV, p. 299-305; *D.H.G.E.*, t. II, col. 4; *D.T.C.*, t. XV, col. 2247; *K.L.*, t. II, col. 588, où l'on trouvera les diverses éditions, t. X, col. 143. Sur l'activité humaniste à Alcalà, *H.E.*, t. XV, p. 303; *Ibid.*, la Bible polyglotte; D'IRSAY, *op. cit.*, t. I, p. 340 : « plusieurs années avant les éditions d'Érasme et de Mélanchton ».

[4] Sur les Bibles polyglottes, *K.L.*, t. I, col. 1290, t. II, p. 596 s.; t. IV, col. 1184; t. X, col. 143, 245; *L.T.K.*, t. VIII, col. 356; la préparation de la Bible plantinienne avait été confiée par Philippe II à Benoît ARIAS, dit MONTANUS (1527 à Frenejal de la Sierra? — 1598); l'édition de la Bible dura de 1568 à 1572; D'IRSAY, *op. cit.*, t. I, p. 350; J. DENUCÉ, *Correspondance de Christophe Plantin*, Anvers, 1915, p. 321; V. DE LA FUENTE, *Historia eclesiastica de España*, Madrid, 1873-1875, t. V, p. 97; E. REY, *Censura inedita del P. J. de Mariana a la Poliglota regia de Amberès (1577)*, I. *Evolución de las ideas sobre la censura de Mariana*,

venue des Pays-Bas, où elle avait déjà contribué à l'étude de l'Écriture et des Pères [1].

Avant cette œuvre colossale, avait déjà paru à Tolède (1512) la traduction castillane des *Épîtres et Évangiles*, établie par le dominicain français Guillaume de Paris en 1437, corrigée par le franciscain Ambrosio Montesino et qui « extrêmement répandue, peut être regardée comme le pendant populaire de la Bible polyglotte, accessible [celle-ci] aux seuls savants » [2]. Un autre franciscain, Louis Carvajal, composa un traité pour réformer la théologie (1545) [3]. D'autre part, grâce au dominicain Augustin Giustiniani, voyait le jour à Gênes en 1516 le premier Psautier en huit colonnes, grecque, arabe, hébraïque, chaldéenne, etc. [4].

Un autre Italien, l'illustre Cajétan (cf. p. 195), contemporain des Salmantins, s'était aussi distingué par ses travaux exégétiques. En France, le Flamand Josse Clichtove, disciple et ami de Lefèvre d'Étaples, prenait rang à ses côtés par ses travaux d'exégèse et de patristique [5].

La Vulgate. — Alors, une grave question se posa [6]. Au milieu de cette faveur accordée aux nouvelles éditions de la Bible, que devenait la Vulgate, la traduction latine de saint Jérôme, jusque-là entourée dans l'Église d'une vénération séculaire [7]?

dans *Razòn y Fé*, t. CLV, 1957, p. 525-548. — L'édition polyglotte de Londres, *S. S. Biblia polyglotta*, édit. Brianus WALTONUS, ne fut publiée qu'en 1657, en 6 vol. in fol.

[1] *H.E.*, t. XV, p. 305.

[2] *Ibid.*, p. 306.

[3] *D.T.C.*, t. V, col. 599. — Louis de CARVAJAL (? en Andalousie — après 1545), franciscain ; *D.T.C.*, t. II, II, col. 1811 s.; *K.L.*, t. II, col. 2005.

[4] *K.L.*, t. VI, col. 2058.

[5] Sur LEFÈVRE d'Étaples, voir *H.E.*, t. XV, p. 252 et *supra*, p. 227, 229; F. HERMANS, *Histoire doctrinale...*, *op. cit.*, t. I, p. 160-202. — Josse CLICHTOVE, Clichtoue, Clithoue (1472 à Nieuport — 1543). *B.N.*, t. IV, p. 172; *D.T.C.*, t. III, col. 236-243; *K.L.*, t. III, col. 551; POLMAN, *op. cit.*, p. 347; FÉRET, *op. cit.*, t. II, p. 30-41; J. A. CLERVAL, *De Judocis Clichtovei vita et operibus*, Paris, 1894; R. DÉRUMAUX, *Une réputation surfaite? Josse Clichtove, 1472-1543*, dans *Mélanges de S. rel.*, t. VI, 1949, p. 253-276.

[6] TACCHI-VENTURI, *op. cit.*, t. I, p. 92.

[7] *S.-D.*, t. VI, p. 420; *H.C.*, t. IX, p. 257-270, table p. 1050, p. 1010 s., t. X, p. 12-27; *Enc. Catt.*, t. XII, col. 1584; *D.T.C.*, t. XV, col. 3478-3492; *L.T.K.*, t. X, col. 703; *K.L.*, table, p. 584, t. XII, col. 1137-1140; P. SALMON, *La révision de la Vulgate*, Rome, 1937. — Sur les idées de *Driedo*, GUELLUY, *op. cit.*, p. 78; cf. ci-dessus, p. 201 sur Driedo. — KAULEN, *Geschichte der Vulgata*, Mayence, 1868; Ch. WEBER, *Geschichte*, *op. cit.*, t. IV, p. 418-425; B. EMMI, *Il decreto Tridentino sulla Volgata nei commenti della prima polemica protestantico-cattolica*, dans *Angelicum*, t. XXX, 1953, p. 107-130; 228-272; ID., *Senso e portata del decreto Tridentino sulla Volgata nelle due polemiche protestanto-cattoliche*, *ibid.*, p. 347-374; A. ALLGEIER, dans G. SCHREIBER, *Das W.*, *op. cit.*, t. I, p. 359-380; S. MUOZ IGLESIAS, *El decreto tridentino sobre la Vulgata y su interpretación per los teologos del siglo XVI*, dans *Est. biblicos*, t. V, 1954, p. 137-161; EDER, *Die Kirche*, *op. cit.*, p. 206; E. VAILHÉ, *L'autorité de la Vulgate et le concile de Trente*, dans *L'Année théologique* (Paris), t. III, 1942, p. 244-264; T. AVUSO MARAZUELA, *Contribución al estudio de la Vulgata en España*, dans *La Biblia de Oña*, Saragosse, 1945; M. DE LOS RIOS, *El P. Juan de Mariana escriturario. El tratado « Pro editione Vulgata »*, dans *Estud. bibl.*, t. II, 1943, p. 279-289. — Sur l'« *Authenticité* » *de la Vulgate* à Trente, *D.T.C.*, t. VI, col. 3488; *R.S.P.T.*, t. XXXI, 1947, p. 255. — A. ALLGEIER (*Haec vetus et vulgata editio. Neue wort - und begriffsgeschichtliche Beiträge zur Bibel auf dem Tridentinum*, dans *Biblica*, t. XXIX, 1948, p. 353-391) « conclut que le concile de Trente n'a pas fait

Il fallait s'attendre à ce qu'on lui fît subir des corrections résultant de l'étude des originaux. On n'y manqua point. En Italie particulièrement, parurent plusieurs éditions de l'Ancien Testament; de 1475 à 1499, on imprima vingt-deux fois la Vulgate [1]. Robert Estienne en publia en 1528 un texte critique; le sorbonniste Jean Benoist en fit autant en 1540. Tel fut le nombre de leurs imitateurs et le désarroi qui s'ensuivit, tels les reproches des protestants, que le concile de Trente prit un décret fixant le canon des livres saints, sanctionnant l' « authenticité » de la Vulgate, sans d'ailleurs exclure les autres traductions [2], mais priant le pape de faire publier un texte corrigé. La Faculté de théologie de Louvain joua ici un rôle important : l'un de ses membres, Jean Hentenius (cf. p. 202) publia en 1547 un texte accompagné de l'apparat critique; Plantin l'imita dans ses éditions de 1569 et suivantes.

Mais ces tentatives ne furent pas considérées comme satisfaisantes; l'apparat critique semait le doute, disait-on, et Paul III créa dès 1546 à Rome une commission chargée de reprendre le travail. Les choses traînant en longueur, Sixte-Quint, en 1585, prit lui-même en main la correction, mais sans y réussir. Sous son second successeur Clément VIII, l'édition parut enfin en 1592, œuvre en grande partie des cardinaux Tolet et Bellarmin. Par respect pour Sixte-Quint, on la publia sous le titre de *Biblia sacra Vulgatae editionis Sixti V. P. M. jussu recognita et edita*, habituellement appelée *Vulgata Clementina* [3].

La lecture en langue « vulgaire ». — Un second problème, aussi crucial que celui de la Vulgate, naquit de la multiplication de ces traductions à l'usage du grand public. Elles pullulèrent à l'époque dans la plupart des langues nationales [4]. Et, naturellement, plusieurs prêtèrent le flanc à la

---

de différence entre *Vulgata* et *Vetus latina* », *R.B.*, t. LXV, 1955, p. [11]; Érasme publia la satire de Valla contre la Vulgate : DE JONGH, *op. cit.*, p. 116; Lindanus en prit la défense : GUELLUY, *op. cit.*, p. 85 : Driedo « rappelle que saint Jérôme n'a pas voulu traduire les mots mais les idées »; il reconnaît cependant l'utilité de vérifier les textes sur les originaux », *ibid.*, p. 79; H. HÖPFL, *Kardinal W. Sirlet annotationen zum N. Testamentum. Eine Verteitigung der Vulgata gegen Valla und Erasmus*, dans *Bibl. Stud.*, éd. Barden, Fribourg, 1908.

[1] TACCHI-VENTURI, *op. cit.*, t. I, p. 90, 92.

[2] POLMAN, *op. cit.*, p. 345.

[3] R. BELLARMIN, *De editione Vulgata latina;* TACCHI-VENTURI, *op. cit.*, t. I, p. 94, 90; *P.H.*, t. XVII, p. 156, 159; *P.G.*, t. X, p. 153, 159, 162; t. XIV, p. 560; t. XI, p. 473; BAUMGARTEN, *Die Vulgata sixtina von 1590 und ihre Einführungs-bulle*, Munster, 1911; X. M. LE BACHELET, *Bellarmin et la Bible sixto-clémentine*, Paris, 1911; bibliographie, p. 107. Sa dissertation sur la Vulgate (1591), p. 5-12; authenticité, p. 13; Bellarmin dans la Congrégation grégor.-clément., p. 35; attaques contre lui. (Dans sa préface à la dite Bible, où Bellarmin a tenté d'expliquer la nouvelle version sans nuire à la réputation de Sixte V, a-t-il commis « un pieux mensonge »? Cf. *R.S.P.T.*, t. VI, 1912, p. 390); cf. intéressant C.-r., dans *R.H.E.*, t. XIII, 1912, 735-740; H. E. FEINE, *Kirchliche Rechtsgeschichte*, Weimar, 1954, t. I, p, p. 460. — Contre la Vulgate : S. AMAMA (1593-1629) *Censura Vulgatae... Franeker, 1620 ([J. N. PAQUOT], *Mémoires pour servir à l'histoire littéraire des ...Pays-Bas*, Louvain, 1767, t. IX, p. 119). — R. SIMON, *Nouvelles observations sur le texte et les versions du Nouveau Testament*, Paris, 1695.

[4] Ce n'est pas le lieu de les énumérer; cf. par exemple *K.L.*, table : *Bibelübersetzungen;* *L.T.K.*, t. II, col. 277, 304; *D.T.C.*, t. XV, II, col. 2728 s., 2738; *R.S.P.T.*, t. XXXI, 1947, p. 254; C. DE BRUIJN, *Middelnederlandse vertalingen van het Nieuwe Testament*, Groningue, 1935;

critique. Celle, par exemple, de René Benoist, qui souleva de vives polémiques [1].

Sans doute, elles avaient le précieux avantage de mettre les fidèles en contact direct avec la parole de Dieu. Mais la conception protestante de l'usage de la Bible et les nombreuses traductions à tendance hétérodoxe déterminèrent le concile de Trente, dans sa quatrième règle de l'*Index*, à fixer des limites à la lecture de l'Écriture par les simples fidèles [2].

LA THÉOLOGIE NOUVELLE — Le magnifique travail d'érudition des philologues et des exégètes n'était qu'une préparation.

C'est en Espagne surtout que l'humanisme et la scolastique se rencontrèrent. De leur union naquit la théologie moderne et, tout de suite, elle manifesta une prodigieuse activité. Salamanque fut le Moguer de ce nouveau *descubrimiento*.

C. DE CLERCQ, *La Versio belgica de la Bible du franciscain Guillaume Smits*, dans *Gulden Passer* (Anvers), t. XXXIII, 1955, p. 48-91; K. J. PROOST, *De Bijbel in de Nederlandsche letterkunde*, Assen, 1932-1933, 2 vol.; W. J. VAN EYS, *Bibliographie des Bibles et du Nouveau Testament en langue française du XVᵉ et du XVIᵉ siècles*, Genève, 1900; R. A. SAYCE, *op. cit.*; FÉRET, *op. cit.*, t. I, p. 387-395; t. II, p. 400; IMBART DE LA TOUR, *op. cit.*, t. III, p. 335. Qui voudra en dresser la liste complète consultera les catalogues de bibliothèque dans les villes d'imprimerie célèbres, par exemple le catalogue de la *Nationale* à Paris, du *British Museum* à Londres, à Anvers la bibliothèque du *Musée Plantin* et celle du *Ruijsbroek Genootschap*, qui contiennent bon nombre de bibles néerlandaises, françaises, allemande et slavonne, des XVᵉ et XVIᵉ siècles. Sur ces bibles, DENUCÉ, *Correspondance de Chr. Plantin*, *op. cit.*, t. V, p. 322; p. 461 n. 22; A. GIELEN, *Over nederlandsche bijbelvertalingen*, dans *Studien*, t. LXVIII, 1907, p. 344-362; J. REITSMA, *Geschied. van de hervorming*, Utrecht, 1913, p. 144. — Il a été question (p. 204) de la fameuse *Douay Bible*.

[1] René BENOIST (1521 aux Charonnières près d'Angers — 1608), *D.T.C.*, t. II, col. 645-647; *K.L.*, t. II, col. 385, 746.

[2] *H.C.*, t. IX, p. 263-270, 279; t. X, p. 6-31. A ce sujet, il sera indispensable de consulter le *Bulletin* du P. A. Duval (*R.S.P.T.*, t. XXXI, 1947, p. 253-256, documenté) sur le livre du P. Cavallera et autres : à Trente, aux Espagnols portés à la sévérité en ce qui concerne la lecture en langue vulgaire s'opposaient le cardinal de Trente Madrucci et l'Orléanais Gentien Hervet, savant humaniste, plus favorables. Cf. J. LEDESMA, *De divinis scripturis quavis passim lingua non legendis*, Cologne, 1570, 1574, 1597. — Sur les conséquences néfastes attribuées par le clergé à la *Bible* en langue vulgaire. IMBART DE LA TOUR, *op. cit.*, t. III, p. 265; J.-B. MALOU, *La lecture de la Sainte Bible en langue vulgaire*, Louvain, 1846, 2 vol. (historique de la législation à ce sujet); *K.L.*, t. II, col. 679-691; J. DANIELS, *Middeleeuwsche verbodsbepalingen omtrent het lezen der H. Schrift in de volkstaal*, dans *Studien*, t. LXXXVIII, 1917, p. 480-487. — « *Latomus redoute* [...] que la traduction de la Bible en langue vulgaire ne porte atteinte à son prestige et que le peuple, se croyant capable de la comprendre sans les lumières de l'Église et les travaux des docteurs, ne la traite sans aucun respect » (GUELLUY, *op. cit.*, p. 67). En 1533, Marie de Hongrie, gouvernante des Pays-Bas, consulte les docteurs de Louvain « sur les traductions qu'on préparait des Psaumes de Jean CAMPENSIS en français et en flamand; leur réponse fut qu'il n'était pas à propos de les traduire, parce que les explications de l'auteur ne s'accordaient pas avec celles des Pères... » [J. N. PAQUOT], *Mémoires pour servir à l'histoire des ...Pays-Bas*, Louvain, 1763-1770, t. XI, p. 231; A. PONCELET, *Histoire...*, *op. cit.*, t. I, p. 26 s. — On sait le tumulte que suscita plus tard la fameuse Bible dite de Mons. — [J. N. PAQUOT], *op. cit.*, t. XVIII, p. 40 et n. m., cite l'opposition de Jean Bononia (1518 à Palerme — 1564), docteur de Louvain, et celle des autres docteurs de l'Université, la censure de la Faculté de Paris contre certaines propositions d'Érasme (1527) et l'opinion de Jean DE GAIGNY (Gagnaeius), prédicateur de François Iᵉʳ (1543). — « *An utile ac licitum sit* [...] *legere scripturam sacram in lingua vernacula?* », *B.A.R.*, Jesuit. Fl.-b., nᵒ 1534, notes de théologie; *B.B.R.*, ms. 7266-88, fol. 284, 290 : Décrets de Pie IV, de Philippe II (1569) et des évêques des Pays-Bas, *B.A.R.*, Jesuit, Fl.-b., nᵒˢ 214-273; *B.B.R.*, ms. 7334, p. 248 s.

Un grand nom en marque les débuts, celui du dominicain François de Vitoria, dont il a déjà été question plus haut à propos de l'Université de Salamanque (p. 187). Or, on se souviendra des principaux griefs des contemporains contre la théologie d'alors. On lui reprochait surtout son ignorance des textes de base, ses « cavillations » stériles et son langage barbare.

Vitoria et son école vont enseigner ou écrire en un style correct et souvent élégant une théologie sobre et appuyée sur une connaissance approfondie des sources. Somme toute, ils vont rénover le thomisme primitif.

L'école de Salamanque. — Vitoria[1] avait été initié par son confrère flamand Pierre Crokaert (Petrus Bruxellensis), dont il suivit les cours à Paris et qui, tout en enseignant la *Somme*, avait apporté du milieu humaniste de Louvain le soin des sources anciennes[2]. Lui-même eut comme disciples à Salamanque (1527-1530) Dominique de Soto[3] et Melchior Cano[4].

---

[1] Voir ci-dessus, p. 187. François DE VITORIA, il écrit lui-même indifféremment VITORIA ou VITTORIA (1492? à Burgos ou à Vitoria — 1546); il travailla avec zèle à la réforme du clergé et à celle des méthodes de colonisation : il peut être considéré comme l'initiateur du droit des gens. Il n'a rien publié de son vivant. Voir ci-dessus, *ibid.*, l'école de Salamanque. Sur le lieu de naissance de Vitoria, voir *N.R.T.*, t. LVIII, 1931, p. 441. — Sur les relations de Vitoria avec Érasme, voir *R.S.P.T.*, t. XX, 1931, p. 620. — *D.T.C.*, t. VI, col. 908; t. XV, col. 426; t. II, col. 3117-3147; *Cath. Enc.*, t. XII, p. 368; *L.T.K.*, t. III, p. 386 (mention). Ajouter : *Bull. thom.*, t. III (suite), 1933, notes p. 47, p. [1046]; t. VIII, 1947, p. 1302, 1304, 1309, 1318; *N.R.T.*, t. LXXVII, 1955, p. 1004; Fr. DE VITORIA,, *Comentarios a la secunda secundae de Santo Tomas*, Salamanque, 1952; L. G. GETTINO, *Relecciones teologicas del maestro fray Francesco de Vitoria*, Madrid, 1936; ID., *El maestro Fr. de Vitoria y el renascimiento filos. e teol. del siglo XVI*, Madrid, 1930; M. M. DE LOS HOYOS, *La controversia entorno a Fr. Francesco de Vitoria*, dans *Ciencia tomista*, t. LXXVIII, 1951, p. 223-256; *Arch. teol. Granad.*, t. XI, 1948, p. 279-295; EHRLE-MARCK, *op. cit.*, p. 12-28; TACCHI-VENTURI, *op. cit.*, t. I, p. 57 s., 63, 65; P. MESNARD, *L'Essor de la philosophie politique au XVIᵉ siècle*, Paris, 1936, p. 454-468; H. MUNOZ, *The International Community according to Francis de Vitoria*, dans *Thomist*, t. X, 1947, p. 1-55; F. STEGMÜLLER, *Fr. de Vitoria y la doctrina de la gracia en la escuela Salmantina*, Barcelone, 1934. Cf. *R.S.P.T.*, t. XVII, 1938, p. 326 (textes et exposé); A. NASZALYI, *Doctrina Francisci de Vitoria*, Rome, 1937, cf. *Bull. thom.*, t. V, 1939, p. 800; I. DE TELLECHEA, *Francisco de Vitoria y la Reforma catolica*, dans *Rev. Esp. de Derech.*, t. XII, 1957, p. 65-110.

[2] Pierre CROKAERT, Petrus BRUXELLENSIS (? — 1514), dominicain. *B.N.*, t. IV, col. 511-513; *D.T.C.*, t. VI, I, col. 907; t. XV, II, col. 3119; FÉRET, *op. cit.*, t. II, 258-260; EHRLE-MARCK, *op. cit.*, p. 15; R. G. VILLOSLADA, *Pedro Crockaert, O. P.*, maestro de Fr. Vitoria, dans *Est. ecles.*, t. XIV, 1935, p. 174-201.

[3] Dominique DE SOTO (1495-1560), *D.T..C*, t. XIV, II, col. 2423-2431; ajouter : S. RAHAIM, *Valor moral-vital de « de justitia et jure » de Domingo de Soto*, dans *Arch. teol. Gran.*, t. XV, 1952, p. 5, 213; EHRLE-MARCK, *op. cit.*, p. 29-50 (documenté); P. DUHEM, *Dominique Soto et la Scolastique parisienne*, dans *Bulletin hispanique*, t. XII, 1910, p. 357-376; t. XIII, 1911, p. 157-194; t. XIV, 1912, p. 272-299; STEGMÜLLER et MUNOZ, cf. *Bull. thom.*, t. VIII, 1947-1948, p. 1326-1328; *B.J.B.*, n° 12845 s. — Pierre DE SOTO (entre 1495 et 1500-1563), *D.T.C.*, t. XIV, II, col. 2431-2443 (liste de ses œuvres); *R.S.P.T.*, t. XVII, 1928, p. 325, t. XXXVI, 1952, p. 539; V. D. CARRO, *El maestro Fr. Pedro de Soto, O. P. ... y las controversias politico-teologicas en el siglo XVI. Biblioteca de Teologos españoles*, vol. 15, Salamanca, 1950. ID., *El maestro Soto, la controversia teologica y el Concilio de Trento.* Salamanca, 1950; cf. *Bull. thom.*, t. VIII, 1947, p. 1328; *ibid.*, t. III (suite), 1933, p. [1045]; *B.J.B.*, nᵒˢ 1406 a, 1430, 1436 s., 7374, 7398, 7441.

[4] Melchior CANO (1509-1560); *H.E.*, t. XVII, p. 427; *Cathol.*, t. II, col. 464; *Bull. thom.*, t. VIII, 1947, p. 1329; *D.T.C.*, t. II, II, col. 1537-1540; t. XV, 421 s.; *L.T.K.*, t. II, c. 732; ajouter : POLMAN, *op. cit.*, p. 285 n. 2; J. BEUMER, *Positive und spekulative Theologie. Kritische Bemerkungen an Hand der « Loci theologici » des Melchior Cano*, dans *Scholastik*, 1954, p. 53-72; M. JACQUIN, *Melchior Cano et la théologie moderne*, dans *R.S.P.T.*, t. IX, 1920, p. 121-141; t. X, 1921, p. 286; E. MARCOTTE, *Les étapes du labeur théologique d'après*

A son tour, ce dernier forma Barthélemy de Medina [1] et Dominique Bañez [2].

De Salamanque, la réforme de Vitoria se propagea à Alcalà par les dominicains Martin de Ledesma († 1574) et André de Tudela, à Séville, Valladolid, Evora et Coïmbre, où Martin de Ledesma occupa la chaire de « prima » pendant plus de trente ans [3].

Le dominicain Jean Solano l'introduisit à la *Minerve* à Rome, où Diego Alvarez et Thomas de Lemos devaient l'illustrer [4]. Ce sont encore des Salmantins qui travaillèrent à l'établir à Oxford et à Cambridge pendant le règne éphémère de la catholique Marie Tudor. L'Université de Mexico fut organisée sur le modèle de Salamanque (1553); ainsi en fut-il de celle de Lima [5] et autres (1555). Plusieurs des docteurs de Salamanque contribuèrent énergiquement à défendre les droits des « Indiens » opprimés [6].

Melchior Cano, dans *Rev. univers.*, t. XV, Ottawa, 1945, p. 189-220; ID., *La nature de la théologie d'après Melchior Cano*, Ottawa, 1949, simple analyse du *De Locis*, dans *R.S.P.T.*, t. XXXIV, 1951, p. 353; *Arch. teol. Granad.*, t. XIV, 1950, p. 303; A. GARDEIL, *La notion du lieu théologique*, dans *R.S.P.T.*, t. II, 1908, p. 51-73, 246-276, 484-505; V. BELTRÀN DE HEREDIA, *Melchior Cano en la Universidad de Salamanca*, dans *Ciencia tomista*, t. XLVIII, 1933, p. 178-208; cf. *Bull. thom.*, t. III (suite), 1933, p. [1044]; EHRLE-MARCK, *op. cit.*, p. 50-69; L. SALA BALUST, *Una censura de M. Cano y de Fr. Domingo de Cuevas sobre algunos escritos del P. M. Avila*, dans *Salmanticens.*, t. II, 1955, p. 677-685.

[1] Barthélemy DE MEDINA (1528-1580), *D.T.C.*, t. X, I, col. 481-485; ajouter : EHRLE-MARCK *op. cit.*, p. 85-89.

[2] Dominique BAÑEZ ou VAÑEZ (1528-1604), « le fondateur de l'école thomiste moderne » (DE LUBAC, *Surnaturel*, p. 280); *H.E.*, t. XVII, p. 428; ASTRAIN, *op. cit.*, t. III, p. 288; G.-F., *op. cit.*, p. 500 s.; *D.T.C.*, t. II, I, col. 140-145; ajouter : *Scolastica Commentaria in Primam partem summae theologicae S. Thomae Aquinatis*, auct. P. D. BAÑEZ. Édit. L. URBANO, Madrid, 1934; D. BAÑEZ, *Comentarios ineditos a la Prima secundae de Santo Tomas.* Édit. V. BELTRÀN DE HEREDIA, Salamanque, 1944 (V. DUVAL et Y. M. J. CONGAR, *R.S.P.T.*, t. XXXIII, 1949, p. 234); J. M. JAVIERRE ORTAS, *La razon en teologia segun D. Bañez*, dans *Cienc. tom.*, t. LXXVI, 1949, p. 258-297; *P.G.*, t. X, p. 112 s., 122, 141; t. XI, p. 788 (table); t. XII, 170, 176; *Rev. thom.*, t. VIII, 1947, p. 1332; *Bull. thom.*, t. III (suite), 1933, p. [1047]; BAÑEZ, *Comentarios ineditos a la tercera parte de Santo Tomas*, Salamanque, dans *Arch. teol. Granad.*, t. XV, 1952, p. 355.

— MANCIO DE CORPUS CHRISTI (1497 à Becerril de Campos (Palencia) — 1576), dominicain, *E.U.I.E.A.*, t. XXX, II, p. 697 s.

[3] A Valladolid, le célèbre collège *San Gregorio* produisit un bon nombre de grands théologiens, *N.R.T.*, t. LVIII, 1931, p. 437. — Le nom de Ledesma a été illustré par quatre théologiens célèbres : 1) Barthélemy DE LEDESMA (né à Ledesma — mort 1604), dominicain; 2) Jacques LEDESMA (1510 ou 1516 à Cuella, Espagne — 1575), jésuite; 3) Martin DE LEDESMA (né en Espagne — 1574), dominicain; 4) Pierre DE LEDESMA (né à Salamanque — 1616), dominicain, « un des théologiens illustres de l'école espagnole et en particulier des maîtres thomistes de Salamanque de 1604 à 1616 »; enseigna aussi à Ségovie et Avila, cf. *D.T.C.*, t. IX, col. 126 s.; *K.L.*, t. VII, col. 1604 s.

[4] Thomas DE LEMOS (1550 à Rivadavia, Galice — 1629), dominicain; Louvain, 1702; *B.J.B.*, nos 3838, 3839, 4290, 6819; *K.L.*, t. VII, col. 1738-1741; *D.T.C.*, t. IX, col. 210 s.; J. RODRIGUEZ CABRERO, *El gran teologo Fr. Thomas de Lemos*, dans *Bol. Real Acad. Gallegan*, t. XXIV, 1929, p. 1-27.

— Diego ALVAREZ (± 1500 à Medina de Rovoceco, Castille — 1635), dominicain, archevêque de Trani (1606), *D.T.C.*, t. I, col. 926 s.; *K.L.*, t. I, col. 665 s., 1950; *B.J.B.*, nos 1611, 1620, 2012.

[5] *D.T.C.*, t. VI, I, col. 906. *La pontificia universidad eclesiastica in su primero triennio*, Salamanque, 1943, p. 23, 27. On y trouvera une liste des hommes éminents rattachés à l'Unisité, la liste par ordres religieux et la liste des séculiers par diocèses, p. 28.

[6] *Ibid.*, p. 26, 42. Il sera question plus loin de cette campagne, p. 438.

Enfin soixante-six docteurs de Salamanque, théologiens ou canonistes, prirent part au concile de Trente.

Or, parmi les disciples plus ou moins directs de Vitoria, plusieurs, et non des moindres, appartenaient à la jeune Compagnie de Jésus, qui lui dut ses premiers théologiens.

Rayonnement de Salamanque. — On a pu écrire : « Ce furent les jésuites, anciens élèves de Salamanque, qui portèrent de Salamanque dans les Universités d'Allemagne et de Rome [et jusque chez les protestants], la méthode d'enseignement de F. de Vittoria [1]. »

Tel fut Maldonat au collège de Clermont à Paris, ainsi qu'au collège romain [2]; à Rome encore, Tolet et Suarez, dont il sera question plus loin; à Ingolstadt, Grégoire de Valence; à Prague, Rodrigue de Arriaga. De Rome, Bellarmin et Lessius importèrent à Louvain la nouvelle conception de la théologie.

CODIFICATION DE LA MÉTHODE NOUVELLE

Melchior Cano. — Il nous faut à présent retourner à Melchior Cano. Vitoria a lancé le mouvement, Cano l'a codifié. On l'a appelé « le célèbre créateur de la méthode théologique » (P. Mandonnet, *loc. cit.*). « Pour la conception et la mise en œuvre de la méthode théologique Cano est et demeure le maître, le classique » (A. Gardeil), tant par la solidité du fond que par l'élégance de la forme. Il s'inspire des *Topica* d'Aristote et des *Topica* de Cicéron. Son *De locis theologicis* est une œuvre posthume et inachevée [3].

Changeant le sens alors courant des mots « lieux théologiques », il l'applique à un traité systématique de méthode théologique, à l'étude des « domiciles de tous les arguments de cette science, où les théologiens trouveront de quoi alimenter toutes leurs argumentations », dit-il lui-même. Des dix sources qu'il énumère, les sept premières sont propres à la théologie et reposent sur l'autorité : Écriture, Tradition apostolique (qui contiennent toute la Révélation), conciles, pouvoir doctrinal de l'Église romaine, saints et Pères

---

[1] *S.-D.*, t. VI, p. 26. Il est vrai, comme on le verra plus loin, que leur enseignement était éclectique. « Le thomisme sous la forme qu'il prend chez le jésuite Suarez, est partout enseigné et arrivé à supplanter, même dans les Universités protestantes, la doctrine de Mélanchton », dit E. Bréhier, *Histoire de la philosophie*, Paris, 1947, t. II, p. 1; Cf. E. Lewalter, *Spanisch-jesuitische und Deutsch-lutherisch Metaphysik des 17. Jahrhunderts*, Hambourg, 1935; L. Jugnet, *Essai sur les rapports entre la philosophie suarézienne de la matière et la pensée de Leibnitz*, dans *Rev. d'Hist. de la philos. et d'Hist. gén.*, 1935, p. 120-136. Cf. *supra*, p. 187, Reibstein.

[2] Cf. ci-dessus p. 193 (Maldonat), et plus loin p. 239; P. Tacchi-Venturi, *L'umanesimo e il fundatore del Collegio romano*, dans *A.H.S.J.*, t. XXV, 1956, p. 63-71.

[3] M. Cano, *De locis theologicis libri duodecim*, Salamanque, 1563, Louvain, 1564, etc.; A. Gardeil, *La notion du Lieu théologique*, dans *R.S.P.T.*, t. II, 1908, p. 51-73, 246-276, 484-505; *D.T.C.*, t. II, col. 1539; t. IV, 1539; t. IX, 712-740; t. XV, 422; J. Beumer, *Positive und spekulative Theologie. Kritische Bemerkungen an Hand der « Loci Theologici » des M. Cano*, dans *Scholastik*, t. XXIX, 1954, p. 53-72; M. Jacquin, *Melchior Cano et la Théologie moderne*, dans *R.S.P.T.*, t. IX, 1920, p. 121; t. X, 1921, p. 286; E. Marcotte, *La nature de la théologie d'après Melchior Cano*, Ottawa, 1949. — Dès 1546, Caranza, dans ses *Controversiae*, discutait les *loci*, l'autorité de l'Écriture, des traditions, du Saint-Siège et des conciles: *Bull. thom.*, t. III (suite), 1933, p. [1035].

de l'Église, théologiens scolastiques et canonistes. Les trois dernières sont la raison, les philosophes et les juristes, l'histoire.

« Le théologien, dit-il, doit être versé non seulement dans l'*Invention* [des arguments], mais aussi dans le *Jugement* [critique]. » Quoiqu'il enseigne qu'en ce qui touche la foi et les mœurs, il faut s'en tenir à la Vulgate, il recommande la connaissance des langues et du texte original. Il fixe des règles très nettes pour l'interprétation des traditions et des définitions de l'Église. Et, quant aux questions et aux notes théologiques, il distingue clairement celles qui sont surnaturelles et celles qui n'en sont que les conséquences. En conclusion, des conseils indiquent la méthode pratique d'utilisation des *loci theologici*, en particulier dans la controverse. Somme toute donc, faisant à la « positive » la place qui lui revient, il reste scolastique, mais flagelle les auteurs qui « étayent des affirmations absolues sur des arguments à priori ». Il veut une théologie « tempori aptior », fondée sur un « donné » contrôlé par la critique.

« Le succès de la méthode nouvelle provoqua l'éclosion de toute une littérature. » A l'Université de Paris, le franciscain Louis de Carvajal avait tenté une réforme de l'enseignement par son traité *Restituta Theologia* (Cologne 1545); mais ce fut sans succès [1].

Plus retentissante fut en 1565 l'initiative de Maldonat, fidèle propagateur de la méthode salmantine de Cano.

Maldonat. — Versé en exégèse et en patristique, sachant le grec, l'hébreu, le syriaque, le chaldaïque et l'arabe, parlant un latin concis et clair, il inaugura au collège de Clermont le cours de théologie. Ramus venait de réclamer de Charles IX la réforme de l'enseignement universitaire. Dans son discours d'ouverture [2], le nouveau professeur expose son programme. Il blâme nettement les abus de la scolastique décadente : la « manie de pointiller », « les questions oiseuses, étrangères à l'Écriture Sainte et surtout aux besoins de l'époque ». « La vraie manière d'enseigner la théologie, c'est, à mon avis, dit-il, d'unir aux lettres sacrées la méthode scolastique. »

Quand il reprit ses leçons en 1570, abandonnant Pierre Lombard qu'il avait suivi précédemment, selon la coutume, il disposa les matières à son gré. Nous remarquerons que, cette fois, distinguant nommément la théologie en « scolastique » et en « positive » [3], il expose à nouveau sa méthode, mais avec plus de détails. Ses leçons attirèrent au collège de très nombreux auditeurs, mais il est difficile de découvrir à quel point elles influencèrent la pédagogie universitaire.

---

[1] PRAT, *op. cit.*, p. 165-167. Louis CARVAJAL ou DE CARAVAJAL, cf. ci-dessus, p. 233.

[2] PRAT, *op. cit.*, p. 171, 182; on y trouvera, p. 555-572, le texte original de sa leçon d'ouverture. L'auteur parle, p. 167-171, de quelques autres auteurs qui tentèrent à Paris avant Maldonat de réformer l'enseignement théologique. Cf. G. RABEAU, *op. cit.*, p. 347.

[3] PRAT, *op. cit.*, p. 259; J. ANNAT, *Les révisions du texte de Maldonat*, dans *Bull. de littérat. ecclés.*, n. 6-7, 1904, p. 250-259 : le texte que nous possédons est le résultat de quatre corrections posthumes; J. MALDONADO, *Comentarios a los quatro Evangelios*, Madrid, 1930.

Il y aurait lieu de parler ici du traité de Thomassin, s'il n'appartenait à la période suivante de l'histoire de l'Église [1].

L'humanisme était donc formellement reçu en théologie, même *de iure*.

RÉACTION DE LA SPÉCULATIVE   Personne n'imaginera que l'accueil ait été unanime. Que la vieille routine n'ait pas résisté et que, de leur côté, aussi, les puristes de la « spéculative » n'aient pas réagi contre cette intolérable contamination [2]! Pouvait-on supporter sans protester la menace d'une rupture de la belle synthèse médiévale et même d'une disjonction de l'Écriture et de l'Église vivante [3]? Il est naturel d'ailleurs — et il n'est pas rare — que l'orthodoxie ostracise une méthode ou une théorie pour le seul motif que l'adversaire les emploie. L'ombre même d'une désaffection à l'égard de la scolastique et surtout l'usage de la positive dégageaient alors pour les narines conformistes un fumet de protestantisme. Jean Marot, dans son *Épître au roi*, raille ainsi ce travers :

> Est deffendu qu'on ne voyse allégant
> Hebrieu ny grec ny latin élégant,
> Disant que c'est un langage d'hérétiques.

C'est une note dramatique dans cette histoire, qui fait songer à la première rencontre du christianisme avec le monde païen, lorsque ses dirigeants intellectuels se divisèrent en « collaborationistes » et en intransigeants.

A vrai dire, les théologiens devaient se défendre contre une dangereuse invasion de leur domaine. Pas mal d'humanistes, Érasme par exemple, attaquaient la Vulgate et plusieurs de leurs assertions rejoignaient le luthéranisme. De là, de violentes disputes [4].

En Allemagne. — En Allemagne notamment, une véhémente querelle opposa Reuchlin, le héraut de l'étude de l'hébreu, aux dominicains de Cologne, auxquels se joignirent le dominicain Hoogstraten, professeur de Louvain, et le juif converti Pfefferkorn. Les Universités de Cologne, Louvain, Mayence, Erfurt et Paris se prononcèrent contre l'hébraïsant (1514). Cologne désapprouvait l'enseignement des langues bibliques par les laïcs [5]. Ce fut l'occasion

---

[1] Louis THOMASSIN (1619, Aix-en-Provence — 1695), oratorien. Il a publié *La méthode d'enseigner et d'étudier* [...] *les lettres humaines par rapport aux lettres divines et aux Écritures...*, Paris, 1681-1682, 3 vol.; *D.T.C.*, t. XV, I, col. 820-823. — Les dominicains Nicolai, Contenson, Gonet, favorables à la positive, appartiennent à la deuxième moitié du XVIIᵉ siècle. TORREILLES, *Le Mouvement*, op. cit., p. 149 s.

[2] RIVIÈRE, *Le problème*, op. cit., p. 12. — Sur la question du caractère scientifique de la théologie, *D.T.C.*, t. XV, I, col. 417, 460.

[3] GUELLUY, op. cit., p. 85; R. GAGNELET, *La nature de la théologie spéculative. Le procès de la théologie spéculative au XVIᵉ siècle*, dans *Rev. thom.*, 1938, p. 615-674. Cf. dans A. HUMBERT, *Le problème...*, op. cit., t. I, p. 67 : « Les chapelles ont remplacé la cathédrale » et le texte de saint Thomas marquant « la répugnance des théologiens du moyen âge, esprits essentiellement synthétiques, à séparer dogme et morale ». — Sur la réaction de la spéculative, IMBART DE LA TOUR, op. cit., t. III, p. 221-235 (textes), 281.

[4] On a pu lire au tome XV de cette *Histoire de l'Église* (p. 237 s.) le récit de ces contestations dans divers pays.

[5] D'IRSAY, op. cit., t. I, p. 258, 298; *R.S.P.T.*, t. XX, 1931, p. 620; DE JONGH, op. cit., p. 187-204, 211, 215; l'opposition des théologiens louvanistes à Érasme était encore alimentée par sa sympathie d'alors pour Luther; *ibid.*, p. 284.

de la publication par Ulrich de Hutten et d'autres des *Epistolae obscurorum virorum* (1515), violente diatribe contre les moines. Le monde humaniste se mobilisait contre l'ancienne théologie.

A Paris. — A la faculté de Paris, l'opposition des théologiens fut menée farouchement par le fameux syndic Noël Beda [1]. Non content d'attaquer par écrit les *Paraphrases* d'Érasme et les *Commentaires* de Lefèvre d'Étaples (1526), il poursuivit avec passion et obtint la condamnation d'Érasme par l'Université (1528). Deux ans plus tard, la même Faculté défendait de dire que « la Sainte Écriture ne se peut bonnement entendre sans la langue grecque, hébraïque et autres semblables » [2]. On se souviendra de son opposition à la fondation du futur Collège de France.

A Louvain. — L'attitude des docteurs de Louvain, quoique plus modérée et avec certaines concessions à la positive, reste résolument scolastique. C'est le cas de Tapperus. Latomus et Driedo, sans déprécier l'étude des textes, attachent plus d'importance à la doctrine qu'à l'étude philologique, aux *res* qu'aux *verba*, au « sens communautaire » de fidélité à l'Église qu'aux interprétations individuelles [3].

Cependant l'étude des langues bibliques s'implantait victorieusement. « Je ne sais pas, dit de Louvain Érasme, si jamais chez aucun peuple les belles-lettres furent mieux affermies qu'ici [4]. » Au reste, les *Statuta facultatis theologicae* (postérieurs à 1596) et ceux de 1617 imposèrent aux candidats-bacheliers un examen et un travail personnel sur l'Écriture et sur la *Somme* [5].

B. de Carranza. — Peut-être faut-il ranger parmi les victimes de ces contestations l'illustre et malheureux Barthélemy de Carranza. « A l'instigation de Melchior Cano, on avait relevé dans ses *Commentarios sobre el catechismo* trop de prédilection pour la lecture directe de la Sainte Écriture et des livres de théologie par les simples fidèles [6]. » Un sort semblable,

---

[1] Noël BEDA (?-1536 ou 1537); FÉRET, *op. cit.*, t. I, p. 51; t. II, p. 4-17.

[2] *Ibid.*, t. I, p. 51; GUELLUY, *op. cit.*, p. 346; A. RENAUDET, *Érasme et l'Italie, op. cit.*, p. 233 s.

[3] GUELLUY, *op. cit.*, p. 71-73; ÉTIENNE, *op. cit.*, p. 164, 174. Latomus, par son *Dialogus*, permet de saisir pleinement l'opposition entre les théologiens scolastiques et les humanistes; il admet l'étude de l'Écriture, mais *après* celle du dogme. Cf. GUELLUY, *op. cit.*, p. 57, 59, 71 s.; ÉTIENNE, *op. cit.*, p. 164, 172-174.

[4] D'IRSAY, *op. cit.*, p. 258. Érasme publia *De trium linguarum et studii theologici oratione dialogus*, qui provoqua une controverse avec Latomus. Cf. DE JONGH, *op. cit.*, p. 175.

[5] GUELLUY, *op. cit.*, p. 47, 49.

[6] Barthélemy DE CARRANZA ou DE LA MIRANDA (du nom d'un village en Navarre) (1503-1576), dominicain, *H.E.*, t. XVII, p. 424, 435-442; *D.T.C.*, t. VI, col. 911; t. X, col. 1859-1861; *L.T.K.*, t. II, col. 768 (bibliogr.); *D.H.E.G.*, t. XI, col. 1124-1127; *G.-F.*, p. 220; *Catholic.*, t. II, col. 592; V. DE LA FUENTE, *Historia, op. cit.*, t. V, p. 252; J. DE FERRERA — J. S. SEMMLER, *Algemeine Historie von Spanien*, Halle, 1760, t. X, p. 298-300; A. DUVAL, *La Summa conciliorum de B. Carranza*, dans *R.S.P.T.*, t. XLI, 1957, p. 401-427; P.-B. GAMS, *Die Kirchengeschichte von Spanien*, t. III, II, Graz, 1956, p. 199 s.; J. I. TELLECHEIA, *El dominio y uso de los bienes ecclesiasticos segun B. de Carranza*, dans *Rev. esp. de Derecho Canon.*, t. IX, 1954, p. 725-778; ID., *Dos textos teologicos de Carranza. Articulum de certitudine gratiae. Tractatus de mysticis nuptiis Verbi divini cum Ecclesia*, dans *Anthologia annua*, t. III, 1955, p. 621, 707; ID., *Bartolomé Carranza, arzobispo. Un prelado evangelico en la silla*

quoique moins tragique, échut au savant Luis de Léon [1]. Tandis que, dans un but irénique, « un disciple de Lefèvre d'Étaples, Charles de Bouelles, avait tenté par «ses *Libri quaestionum theologicarum* (1513) un essai de conciliation entre l'humanisme et ce qui pourrait être sauvé des anciennes méthodes » [2].

§ 3. — L'efflorescence de la positive.

LA THÉOLOGIE,
SCIENCE EN EXPANSION

On a déploré que l'introduction de la positive dans la théologie en ait rompu l'unité [3]. Mais n'est-ce pas la loi de toute science ou même de toute vie? Quel cerveau peut maîtriser toute la synthèse d'une discipline qui se perfectionne et provigne?

Quoi qu'il en soit, la marche ascendante de la positive était de ces mouvements qu'on n'arrête pas. Les diverses parties de la théologie, la positive, la mystique, la morale, en se développant aux XVIᵉ et XVIIᵉ siècles, devaient nécessairement devenir des foyers autonomes de connaissances. Bien plus, la positive elle-même se diversifia en exégèse ou étude de la Bible, patristique ou étude des Pères de l'Église, histoire des dogmes, histoire ecclésiastique, toutes sciences bientôt adultes. A son tour, la vitalité exubérante de chacune d'elles ira jusqu'à défier la puissance de pensée d'un seul homme. Et c'est un spectacle saisissant, dans l'Église posttridentine, que le nombre et la valeur des auteurs qui se sont illustrés en portant d'un seul élan leur récente science à un haut degré de perfection.

L'EXÉGÈSE

Ainsi en est-il en exégèse [4]. On a pu voir ci-dessus ses premières réalisations (p. 229). L'étude de l'Écriture profita largement du goût de l'époque pour l'observation directe des données scientifiques. Avec

---

de Toledo, 1557-1558, Saint-Sébastien, 1958; ID., *Carlos V y Bartolomé Carranza, Principe de Viana*, 1-2, 1938 (son « indubitable orthodoxie foncière » a « pu parfois s'exprimer dans des formules hâtives et maladroites »). Cf. A. DUVAL, dans *R.S.P.T.*, t. XLI, 1957, p. 427; *P.G.*, t. VIII, p. 249, 282 s.; *P.H.*, t. XVII, p. 272-290; 309-313; J. LECLERC, *Le Saint-Siège et l'inquisition espagnole. Le procès de Barthélemy Carranza (1559-1576)*, dans *Rech. Sc. Rel.*, t. XXV, 1935, p. 45-69.

— La « théologie humaniste » est encore de nos jours jugée parfois sévèrement. « En réalité [l'humanisme] a considérablement plus nui [à la théologie] qu'il ne lui a été utile », dit P. MANDONNET, dans *D.T.C.*, t. VI, col. 909; dans le même sens, *D.T.C.*, t. XV, col. 414.

[1] Louis Ponce DE LÉON (1528 à Belmonte, Espagne — 1591), ermite de Saint-Augustin; *D.T.C.*, t. IX, col. 359-365; *K.L.*, t. X, col. 181 s.; *E.U.I.E.A.*, t. XXIX, col. 1673-1679; on trouvera plusieurs ouvrages nouveaux à son sujet dans *Augustiniana*, t. VII, 1957, p. 144 s.; M. DE LA PINTA LLORENTE, *Fr. Luis de Leon en las carceles Inquisitoriales*, dans *Arch. Augustin.*, t. XLVIII, 1954, p. 5-44; P. B. GAMS, *Kirchengeschichte, op. cit.*, t. III, II, p. 200 s.; U. DOMINGUEZ, *La teologia de Fr. L. de Leon*, dans *Ciudad de Dios*, t. CLXIV, 1952, 163-168; *L.T.K.*, t. VI, col. 506; Luis PONCE DE LEON, trad. par A. HUBBARD, *The Perfect Wife*, Denton, 1944; *Arch. Augustiniana*, t. XLVIII, 1954, p. 5-44.

[2] *H.E.*, t. XV, p. 255; *D.T.C.*, t. VI, col. 912. — [3] *D.T.C.*, t. XV, 423; cf. *supra*, p. 240 n. 3.

[4] Sur l'histoire de l'exégèse, *K.L.*, t. IV, col. 1114-1117; DUHR, *op. cit.*, t. II, I, 529, 551; *Enrichiridion Biblicum*, Naples-Romes, 1954; voir les *Bulletins de théologie biblique* dans les revues de théologie; A. BEA, *La Compagnia di Gesù e gli studi biblici*, dans *Anal. Gregoriana*, t. XXIX, 1942, p. 115-134.

— Saint Laurent DE BRINDIZI (1559 à Brindisi — 1619), capucin; *K.L.*, t. VII, col. 1524-1527; *S. Laurentii a Brundusio, O. M. C. opera omnia*, Padoue, 1928-1944, 13 t. en 9 vol. Cf. *Arch.*

cette particularité que, pour le théologien, « la référence du donné documentaire n'est pas [...] une preuve extrinsèque aux assertions proposées, [mais] un élément même de la parole apostolique ou du savoir théologique »[1].

Il faut noter aussi combien l'exégèse devenait capitale dès lors que des controversistes, ceux de la *controversia veroniana*, prétendaient rencontrer les protestants sur leur propre terrain, c'est-à-dire la seule Écriture Sainte[2].

Le concile et les papes. — Au concile de Trente, l'influence d'Érasme avait triomphé[3]. En cinquième session, les Pères, ayant rappelé, à l'intention des protestants, tout ce que l'Église avait fait pour les études scripturaires, prirent un décret montrant « que le concile identifiait l'enseignement de l'Écriture à celui de la théologie elle-même et prescrivant sa diffusion dans le peuple. On peut dater de là l'efflorescence merveilleuse qui fit du siècle suivant « le siècle d'or de l'exégèse catholique »[4].

De leur côté, les papes contribuèrent à stimuler le mouvement[5]. Léon X avait fondé à Rome une école de langues orientales. On a vu plus haut (p. 192)

teol. Granad., t. II, 1939, p. 308-311. — Exégète et prédicateur; docteur de l'Église (19-III-1959); C. GUMBINGER, *The Scholarship of St. Lawrence of Brindisi*, dans Franc. St., t. III, 1942, p. 113-132; ID., *St. Lawrence of Brindisi, Exegete*, dans Cath. Biblical Quart., t. VIII, 1946, p. 265-280; *Commentarii Laurentiani historici, quarto revoluto saeculo ab ortu S. Laurentii Brundusini novi Ecclesiae doctoris*, Rome, 1959, dans Coll. Franc., t. XXIX, 1959, fasc. 2-4. *Bibliot. capuccina seraphica*. Sect. hist., t. XVIII; ARTURO M. DE CARMIGNANO DI BRENTA, *Il generalato di S. Lorenzo da Brindisi, 1602-1605*, dans Coll. Franc., t. XXIX, 1959, p. 166-236; FR.-X. VON ALTÖTING, *Laurentius von Brindisi in der Politik Bayerns von 1606-1612*, dans Coll. Franc., t. XXIX, 1959, p. 237-272; ILARINO DA MILANO, *L'ultima missione de S. Lorenzo in difesa del Regno di Napoli, 1618-1619*, dans Coll. Franc., t. XXIX, 1959, p. 273-331; MELCHIOR DE POBLADURA, *Los procesos de beatificación y canonización del nuevo doctor de la Iglesia S. Lorenzo de Brindisi*, dans Coll. Franc., t. XXIX, 1959, p. 362-428; F. SPEDIALERI, *Gli scritti di S. L. da Br.*, dans Coll. fr., ibid., 145.

[1] D.T.C., t. XV, I, col. 468.

[2] Quand il sera question (p. 295) des controverses, on rappellera que « l'idée de la suffisance de l'Écriture [fut] commune aux Pères et aux scolastiques »; mais « la manière de traiter l'Écriture donnait à cette restriction des limites relativement larges ». D.T.C., t. XV, col. 347; WILLAERT, *op. cit.*, p. 408 s.; F. LÓPEZ LÓPEZ, *La multiplicidad de sentidos literales en la Escritura segun los autores españoles (1560-1650)*, dans Bull. thom., t. VIII, 1947-1953, p. 1299; J. LEVIE, *Les limites de la preuve d'Écriture Sainte...*, dans N.R.T., t. LXXI, 1949, p. 1000-1029; ID., dans *Mélanges Lebreton*, R.S.R., t. XXXIX, 1951, p. 237-252.

[3] D.T.C., t. XV, I, col. 413.

[4] H.E., t. XVII, p. 61 s.

[5] Cf. aussi ci-dessus, p. 229; G.-F., p. 223 s., 498; RABEAU, *op. cit.*, p. 347; D.T.C., t. VI, 909; *Lettre d'un théologien de Salamanque sur le rétablissement du texte des septante* (anonyme; la préface est signée... N. Indes, théol. de Salamanque), Bruxelles, Archives du Collège Saint-Michel, H. 33. — D.T.C., t. V, col. 1745; D.A., t. I, p. 763; L.T.K., t. III, p. 905; S. BERGER, *La Bible au XVIe siècle. Étude sur les origines de la critique biblique*, Paris, 1879; V. BARONI, *La contre-réforme devant la Bible. La question biblique*, dans Fac. de théol. évangél. libre, Lausanne, 1943; ID., *La Bible dans la vie catholique depuis la Réforme*, Lausanne, 1955; Cf. R.S.P.T., t. XLI, 1957, p. 593 s.; H.-B., t. VI, p. 122; J. COPPENS, *L'histoire critique de l'Ancien Testament*, Tournai, 1938, p. 4 : « C'est seulement depuis la fin du XVIIIe siècle que l'exégèse critique de l'Ancien Testament a pris un essor considérable »; R. CORNELY et H. MERK, *Introductionis in S. Scripturae sacros libros compendium*, Paris, 1929, p. 265-300; E. JACQUIER, *Le Nouveau Testament dans l'Église chrétienne*, Paris, 1913, t. II; J. LECLER, *Littéralisme biblique et typologie au XVIe siècle...*, dans Rech. de Sc. Rel., t. XLI, 1953, p. 76-95; H. MARGIVAL, *Richard Simon et la critique biblique au XVIIe siècle*, Paris, 1900; TACCHI-VENTURI, *op. cit.*, t. I, p. 89-99; A. VACCARI, *De S. Scriptura in Universum*, vol. I. *Institutiones biblicae scholis accomodatae*, Rome, 1929, p. 325-376; W. WIENER, *Exegese und Dogmatik*, dans Theol. Literatur-zeitung, 1954, p. 447-454.

le zèle de Grégoire XIII. Par une bulle du 31 juillet 1610, Paul V ordonna que, dans tout ordre religieux, il y eût, pour ses membres, des professeurs d'hébreu, de grec, de latin et, dans les plus importantes maisons, d'arabe [1].

Dès le début, la méthode de l'exégèse fut codifiée et c'est un indice de vigueur. Ce fut l'œuvre surtout du dominicain Santes Pagnino avec son *Isagoge ad sacras literas* (1528, 1536) puis son *Isagoge ad mysticos S. Scripturae sensus* (1536), ainsi que de son confrère Sixte de Sienne dans sa *Bibliotheca Sancta ex praecipuis catholicae Ecclesiae auctoribus collecta* (1566); ils posèrent ainsi les bases de la critique biblique textuelle et Sixte resta longtemps l'ouvrage d' « Introduction » le plus apprécié [2]. D'autres les imitèrent, tels saint Bellarmin et ses confrères Salmeron, Serarius, Bonfrerius, François Pavone [3], puis le chanoine Luc de Bruges et l'évêque Louis de Tena [4].

En Espagne. — En exégèse comme en dogmatique, c'est l'Espagne qui vient en tête. Et ici les jésuites fournirent des travaux de première valeur. Grabmann va jusqu'à en dire que : « Dans la suite » il resta « à peine quelque chose à faire et que, pendant des siècles, on put vivre des fruits recueillis alors [5]. »

Sans mentionner tous les auteurs de l'époque, signalons parmi les principaux celui qui « ouvrit la série », la grand exégète Alphonse Salmeron, S. J. (cf. *supra*, p. 212) « avec ses œuvres gigantesques sur le Nouveau Testament » (*Commentaires* en 16 volumes in-folio). Maldonat (cf. p. 193) est célèbre pour ses *Commentaires* des Évangiles; Tolet (cf. p. 193) commenta l'Évangile

---

[1] *B.T.*, t. XI, p. 625.

[2] *K.L.*, t. IV, col. 316 s.
— Santes PAGNINO (Xantes PAGNINUS) (1470 à Lucques — 1536 ou 1541), dominicain; *H.-B.*, t. VI, p. 124; *K.L.*, t. IX, col. 1270.
— Sixte DE SIENNE (1520 à Sienne — 1569) d'abord franciscain, puis dominicain; *K.L.*, t. XI, col. 384-386; *D.T.C.*, t. XIV, col. 2238 s.; TACCHI-VENTURI, *op. cit.*, t. I, p. 97.

[3] Dans le premier livre de ses *Controverses*, saint Bellarmin traite *De Verbo Dei.* —, Alphonse SALMERON (*supra*, p. 212) publia *Prolegomena biblica* (1598); Serarius (*supra*, p. 208) de même (1612), Bonfrerius (*supra*, p. 204) *Praeloquia in totam Scripturam Sacram* (1625).
— François PAVONE (1569 à Catanzaro, Italie — 1637), jésuite; *E.U.I.E.A.*, t. XLII, p. 1035; SOMM., t. VI, col. 390-395.
— L'illustre Antonio POSSEVINO (1533 ou 1534 à Mantoue — 1611), jésuite, dans son *Apparatus sacer* (1603-1606, 3 vol.) analysa plus de 8.000 exégètes; *D.T.C.*, t. XII, col. 1655 s.; *K.L.*, t. X, col. 235-238; SOMM., t. VI, col. 1061-1093.

[4] François LUCAS BRUGENSIS ($\pm$ 1550 à Bruges — 1619); *K.L.*, t. VIII, col. 191 s.
— Louis DE TENA (c. 1550 à Cadiz — 1622); *E.U.I.E.A.*, t. LX, col. 848.

[5] *G.-F.*, p. 223; A. BEA, *La Compagnia, op. cit.*, p. 118-134. Laynez, Canisius et Nadal se consacrèrent à l'exégèse dès les débuts de l'ordre; son étude fut organisée par le *Ratio Studiorum* (p. 119); les langues bibliques furent cultivées par Jean Harlemius (1537-1578), G. Mayr (1564-1623), Fr. Boutton (1578-1628). Parmi les interprètes de l'Ancien Testament, Bea cite, outre ceux qu'on trouvera dans ces pages, Benoît Péreira (c. 1535-1610), Salazar (1577-1646), Pineda (1558-1637). Pour le Nouveau Testament, Benoît Giustiniani (1551-1622), Ribera (1537-1591), Louis de Alcazar (1541-1613), « un des plus célèbres et des plus influents commentateurs de l'*Apocalypse* » (P. ALLO, *L'apocalypse*, 3e éd, 1933, p. CCLVI).
L'œuvre des jésuites exégètes « del secolo XVI e XVII, molto più che *critica o storica, è teologica* [...]. La parte [positiva] in molti punti è antiquata e superata; ma la discussione dottrinale, teologica ancor oggi ha il suo pieno valore... » (BEA, p. 133). — Sur 424 exégètes mentionnés par HURTER, 93 appartiennent à la Compagnie de Jésus.

de saint Jean et l'Épître aux Romains; il prit une part importante à l'édition de la Bible Sixto-Clémentine.

Le jésuite Jean de Mariana publia des *Scholia in Vetus et Novum Testamentum*, étude résumée « qui dépasse souvent un commentaire développé » [1]. Ainsi fit aussi son confrère portugais Emmanuel Sa [2]. Le dominicain espagnol Thomas Malvenda composa un commentaire de la Bible avec traduction de l'hébreu en 5 volumes in-folio. De même le dominicain portugais François Foreiro a écrit de précieuses traductions commentées de l'un et l'autre Testament [3].

En Belgique. — En Belgique, un autre jésuite, Cornelius a Lapide [4] a laissé une œuvre monumentale en plus de seize volumes, qui fut réimprimée 14 fois; ses commentaires de saint Paul eurent 20 éditions, ceux du Pentateuque 13, ceux des Évangiles 11. Cf. ci-dessus, p. 194.

Son confrère anversois Jacques Tirinus composa un commentaire des deux Testaments qui fut souvent réédité et même de nos jours (Turin, 1882-1884) [5]. A Gand, l'évêque Corneille Jansenius (ci-dessus p. 201) fut l'auteur d'une *Concordia evangelica*. Le professeur douaisien Guillaume Estius est connu pour son commentaire des épîtres pauliniennes et catholiques [6]. Le jésuite lorrain Serarius (ci-dessus, p. 208) a laissé, lui aussi, une œuvre considérable; ses *commentaires* exégétiques ont été publiés en 16 volumes in-folio [7].

---

[1] *K.L.*, t. IV, col. 1115.

— Jean DE MARIANA (1536 à Talavera de la Reina, dioc. de Tolède — 1624), jésuite; *D.T.C.*, t. IX, II, col. 2336-2338; *K.L.*, t. VIII, col. 795-800; LAURES, *Ein moderner Denker der 16. Jahrhunderts*, dans *Stimmen der Zeit*, t. CXVIII, 1930, p. 295-303; G. GIROT, *Mariana jésuite. La jeunesse*, dans *Bull. hispan.*, t. XXXVIII, 1936, p. 295; ID., *Le roman du P. Mariana, ibid.*, t. XXII, 1920, 4.

[2] Emmanuel SA, Manuel DE SAA ou DE SA (1528 ou 1530 à Villa de Gonde, dioc. de Braga — 1596), jésuite; *D.T.C.*, t. XIV, I, col. 426-428; *K.L.*, t. X, col. 1424 s.

[3] Thomas MALVENDA (1566 à Jativa — 1628), dominicain; *K.L.*, t. VIII, col. 582.

— François FOREIRO, FORERIUS (1510 à Lisbonne — 1581), dominicain; *L.T.K.*, t. IV, col. 59 s.

[4] J. POUKENS, *Een groot Limburger Cornelis Cornelissen van den Steen*, dans *Limburg Maandschrift*, t. VI, 1925, p. 241-251, 271-278; t. VII, p. 7-15; H. SYMOENS, *État des études bibliques aux Pays-Bas depuis le Concile de Trente (1564) jusqu'au jansénisme (1640)*, dans *Annuaire de l'Univ. de Louvain*, t. LXXIV, 1910, p. 439-442. Auparavant François TITELMANS (1498-1537) O. Cap. avait produit en peu d'années plusieurs commentaires de grande valeur. *K.L.*, t. VI, col. 1779 s., *B.N.*, t. XXV, col. 341-352. Cf. *supra*, p. 194, n. 4.

[5] Jacques TIRINUS (1580 à Anvers — 1636), jésuite; *K.L.*, t. XI, col. 1752; A. PONCELET, *Histoire, op. cit.*, t. II, p. 577 (table). Cf. L. WUILLAUME, *Le Cursus, op. cit.*, t. I, p. 86-88, 93-97, t. II, p. 1-25. — [6] Cf. *supra*, p. 204; *D.T.C.*, t. V, I, col. 874.

[7] Voir une énumération d'autres exégètes dans *K.L.*, t. IV, col. 1115; *G.F.*, *op. cit.*, p. 225 s.; HEIMB., *op. cit.*, t. III, p. 132 s. : exégètes dans les ordres religieux; POLMAN, *op. cit.*, p. 370 s.; Th. A. COLLINS, *Card. Cajetan's Fundamental Biblical Principles*, dans *Catholic Biblical Quart.*, t. XVII, 1955, p. 363-378. — Sur l'*exégèse* au concile de Trente, *Arch. Teol. Granadino*, t. X, 1947, p. 432 s.; R. CRIADÒ, *El Concilio Tridentino y los estudios biblicos*, dans *Razon y Fé*, t. CXXXI, 1945, p. 151-187; I. GOMÀ CIVIT, *El Concilio de Trento y la Sagrada Escritura*, dans *Apostolado Sacerdot.*, t. II, 1945, p. 349-354.; T. CASTILLO AGNADO, *Contribución a la Historia de la Exegesis en España. I — La diocesis de Coria y los estudios biblicos (XV° y XVI° s.)*, dans *Comill. Miscel.*, t. II, p. 55-59; T. HERRERO DEL COLLADO, *El beato Maestro Juan de Avila y la formación biblica del sacerdote catolico*, dans *Arch. teol. Gran.*, t. XVIII, 1955, p. 133-163.

En France. — En France, le franciscain Jean de La Haye fournit une œuvre colossale, qui remplit trente-neuf volumes in-folio et comprend plusieurs commentaires exégétiques [1]. Les travaux du jésuite Jean Lorin sur diverses parties de la Bible ont été fréquemment réimprimés aux XVIIe et XVIIIe siècles; son commentaire des Actes des Apôtres est considéré par Cornely « fere omnium [...] optimus » [2]. L'oratorien Jean Morin prit en main la défense du texte des Septante [3]. P. D. Huet, évêque d'Avranches, appartient à la deuxième moitié du XVIIe siècle [4].

En Italie. — Parmi les dominicains italiens, Augustin Justiniani collabora avec le cardinal Ximénes à la Bible polyglotte (cf. *supra*, p. 232). En Italie encore, le jésuite Étienne Menochius fit un commentaire de la Sainte Écriture, qui, par sa clarté et sa concision, mérita d'être réédité 17 fois et même en 1825-1829 [5]. Le théatin Antoine Aghelli commenta les Psaumes [6], tandis que le très savant franciscain Marius à Calasio, hébraïsant de premier ordre, publiait une grammaire, un dictionnaire et, en quatre volumes in-folio, une concordance biblique en hébreu, avec l'équivalence de ses termes en chaldéen, en syriaque, en arabe et en langue rabbinique [7].

A la différence des humanistes profanes, les théologiens exégètes avaient à se préoccuper, au-delà de l'interprétation philologique, du caractère sacré de leurs documents. Il nous faudra revenir à cet aspect théologique.

L'Église s'était donc bien équipée en vue de l'étude des Livres saints.

LA PATRISTIQUE   Elle en avait fait autant pour celle des Pères, de cette « Tradition » qu'elle venait de proclamer source de la foi à côté de l'Écriture [8]. De là, encore deux nouvelles branches théologiques, qui reçoivent au XVIIe siècle les noms de *patrologie* et de *patristique;* le premier désignant l'étude des Pères comme personnages et leur histoire littéraire; le second se rapportant aux « divers points de l'enseignement

---

[1] Jean DE LA HAYE (1593 à Paris — 1661), franciscain de la province espagnole de stricte observance. *K.L.*, t. V, col. 1545 s.

[2] Jean LORIN (1559 à Avignon — 1634), jésuite; *K.L.*, t. VIII, col. 152 s.

[3] Jean MORIN (1591 à Blois — 1659), oratorien; *D.T.C.*, t. X, col. 2486-2489; *K.L.*, t. VIII, col. 1917-1919.

[4] Au sujet d'A. DUPRONT, *Pierre-Daniel Huet et l'exégèse comparatiste au XVIIe siècle*, Paris, 1930, cf. *R.H.E.*, t. XXVII, 1931, p. 490.

[5] Jean-Étienne MENOCHIUS (1576 à Padoue — 1655) jésuite; *K.L.*, t. VIII, col. 1259 s.

[6] Antoine AGHELLI, AGELLI, AGELLIUS (1532-1608), théatin, évêque d'Acerno; *K.L.*, t. I, col. 332; *L.T.K.*, t. I, col. 129. — On trouvera une énumération des exégètes italiens dans *D.T.C.*, t. VIII, col. 214 s., 222.

[7] Marius A CALASIO (1550-1620), franciscain; à sa mort, sur ordre de Paul V, son travail fut publié par son confrère Michel-Ange de Saint-Romulus; *K.L.*, t. II, col. 641.

Le terme de « Père de l'Église » s'applique aux « écrivains ecclésiastiques de l'Antiquité chrétienne qui doivent être considérés comme des témoins particulièrement autorisés de la foi »; à ne pas confondre avec les « écrivains ecclésiastiques »; *D.T.C.*, t. XII, col. 1195; D. GORCE, *La patristique dans la réforme d'Érasme*, Festgabe J. LORTZ, t. I, p. 233-276.

commun des Pères de l'Église », sans grande référence à l'histoire littéraire [1].

Comme en exégèse et pour les mêmes motifs, les études patristiques vivent au XVIIe siècle leur âge d'or, particulièrement en Belgique, en France et en Italie, aux Universités de Paris et de Louvain, chez les dominicains, les oratoriens, les jésuites et surtout les mauristes.

Le retour à l'Antiquité, le goût des lettres grecques, l'aiguillon de la Réforme protestante, qui accusait l'Église d'innovation dans le dogme [2], l'engoûment si légitime pour saint Augustin [3] et enfin la pratique sacramentaire stimulée à Trente et provoquant l'étude des anciennes liturgies, toutes ces causes provoquèrent une intense étude de la littérature chrétienne primitive.

A dire vrai, son apogée se place après le milieu du siècle, qui sert de terme à ce volume, et on devra se contenter ici de signaler les auteurs les plus célèbres. Cette science commença de manière fort méthodique par l'inventaire de ses ressources. Déjà, pendant la période précédente le savant bénédictin allemand Jean Trithème (1462-1519) avait réuni « des notices sur près d'un millier d'écrivains » dans son *De scriptoribus ecclesiasticis*. Sous le même titre, saint Bellarmin poussa le travail jusque en 1500. Son confrère Antonio Possevino élargit encore l'enquête [4].

Puis les critiques scrutèrent l'authenticité des documents et l'on put commencer les grandes publications de textes, dont plusieurs sont le fruit d'un labeur énorme. Telles sont les collections de Marguarin de la Bigne et sa *Bibliotheca SS. Patrum* (Paris, 1575, 8 vol. in-folio), qui devint d'abord la *Magna bibliotheca veterum Patrum* (Cologne, 1618, 14 vol. in-folio), puis la *Maxima Bibliotheca veterum Patrum* (Lyon, 1677, 27 vol. in-folio); telles encore les œuvres de J. B. Cotelier († 1686), « des dominicains comme Fr. Combefis, des jésuites comme Fronton du Duc, Jacques Sirmond, Denys Pétau, Barthélemy Corderius, du cardinal Hosius

---

[1] Cf. *supra* les ouvrages sur la positive; A. CAYRÉ, *Patrologie et histoire de la théologie*, t. III-V, Tournai, 1933-1943; POLMAN, *op. cit.*, p. 284-543 (passim); *D.T.C.*, t. IV, II, col. 7601 s.; t. XII, I, col. 1200; *L.T.K.*, t. XV, col. 1040 s.; Fr. FRANSES, *Franciscus Feuardent en de Patrologie*, dans *Collect. francisc. neerlandica*, Bois-le-Duc, 1927, p. 285 s.; sur les travaux des bénédictins sur la patristique en Italie, *D.T.C.*, t. VIII, col. 215, 223.

[2] POLMAN, *op. cit.*, p. 113 s., 377; déjà la « devotio moderna » avait stimulé le retour aux Pères. Cf. ÉTIENNE, *op. cit.*, p. XI.

[3] Sur les éditions de saint Augustin à cette époque, cf. *infra*, p. 269.

[4] DE HEIDENBERGE, dit abbé TRITHÈME, TRITHEMIUS (1462 à Trittenheim s/Moselle — 1516) abbé de Spanheim, puis de Saint-Jacques à Wurzbourg; *K.L.*, t. VI, col. 1770-1780. Sur son zèle pour la philologie des Livres Saints, R. SIMON, dans *Biblioth. crit., op. cit.*, t. IV, p. 156-167; *H.E.*, t. XV, p. 235; *D.T.C.*, t. XV, col. 1862-1867.
— BELLARMIN, *De scriptoribus ecclesiasticis*, Rome, 1613, fut continué plus tard par le jésuite Ph. LABBE (Paris, 1658-1660) et par le prémontré O. OUDIN (Paris, 1668).
— Antonio POSSEVINO écrivit plusieurs ouvrages théologiques et historiques, notamment la *Bibliotheca selecta* (traité d' « introduction ») et l'*Apparatus sacer ad scriptores Veteris et Novi Testamenti*. Cf. *supra*, p. 244 n. 3; *L.T.K.*, t. VIII, col. 396; *D.T.C.*, t. XII, col. 2647-2657; *K.L.*, t. X, col. 235-238 et table p. 463; O. HALECKI, *From Florence to Brest (1439-1596)*, Rome, 1958, p. 438 (table).

et de son successeur Cromeiius (Cromer) » [1] et particulièrement de l'illustre école des bénédictins de Saint-Maur [2].

L'attribution séculaire et universelle du *Corpus dionysiacum* au « plus vénéré des Pères apostoliques », saint Denys l'Aréopagite, résista longtemps à la ciitique de Laurent Valla, d'Érasme, de Sirmond, de Tillemont. « La traduction française du feuillant Goulu (Paris, 1608) assura au *Corpus dionysiacum* une large diffusion [3]. »

LES TEXTES DES CONCILES   Pour compléter l'étude des traditions, il fallait connaître la série des conciles, arbitres, donc aussi hérauts et témoins de la foi de l'Église à travers les siècles. Les « symboles » qu'ils ont élaborés et les procès-verbaux de leurs travaux sont des documents indispensables à l'histoire de la vie du dogme et même à l'étude théologique. De plus, l'éveil de l'esprit critique devait révéler combien il importait d'en posséder des textes authentiques [4].

---

[1] *D.T.C.*, t. XII, 1205, 1211; *K.L.*, t. IX, col. 1616-1620; *D.T.C.*, t. VIII, col. 215 et 223 énumère les auteurs italiens de patristique. — Laissant de côté les auteurs qui appartiennent plutôt à la fin du XVIIe siècle et ceux qui ont déjà été cités, tels Salmeron (p. 212), notons les grands noms suivants :
— François COMBEFIS (1605 à Marmande — 1679), dominicain; *D.T.C.*, t. III, I, col. 385-387; *K.L.*, t. III, col. 687-690.
— Saint Robert BELLARMIN (cf. p. 193) dans ses *De Scriptoribus* et dans ses *Controverses*, néglige les auteurs médiévaux au profit de ceux qui vécurent pendant les cinq premiers siècles de l'Église. Il a été continué par Ch. de Sauvage jusqu'à 1600. Cf. R. SNOEKS, *L'argument de tradition dans la controverse eucharistique entre catholiques et réformés français au XVIIe siècle*, Louvain, Gembloux, 1951, p. 355, citant E. A. RYAN, *op. cit.*
— Fronton DU DUC, ou LE DUC, Fronto DUCAEUS (1558 à Bordeaux — 1624), jésuite; *K.L.*, t. IV, col. 2064 s.; *L.T.K.*, t. III, p. 476.
— Jacques SIRMOND (1559 à Riom — 1651), jésuite; *L.T.K.*, t. X, col. 598; *K.L.*, t. II, col. 1861, 1903; t. IV, col. 1607; t. XI, col. 363; t. XII, col. 560.
— Denys PÉTAU, PETAVIUS (1583 à Orléans — 1652), jésuite; « le précurseur de l'histoire des dogmes »; H. FOUQUERAY, *op. cit.*, t. III, p. 642 (table); t. IV, p. 266, 437 (table); t. V, p. 442; [MICHAUD], *Biogr. univ.*, t. XXXIX, p. 415 s.; cf. J. MARTIN, *Pétau*, dans *Science et religion*, 1910, et *R.S.P.T.*, t. IV, 1910, p. 375; t. XXXIII, 1949, p. 232; *D.T.C.*, t. XII, col. 1313-1337; *L.T.K.*, t. VIII, col. 111 s.; *K.L.*, t. IV, col. 49; t. V, col. 1305; t. IX, col. 1341; t. X, col. 238; t. XII, col. 54, 560, 638; *B.J.B.*, nos 2495, 2613, 7309 s., 12194, 12816.
A ne pas confondre avec son frère Antoine, pris à partie par les *Provinciales*, *ibid.*, p. 417.
— Barthélemy CORDIER (1592 à Anvers — 1650), jésuite; *K.L.*, t. III, col. 1091 s.; *L.T.K.*, t. III, col. 45.
[2] Les Mauristes. Cf. *supra*, p. 109. Leur prodigieuse activité se développa à partir de la moitié du XVIIe siècle sous l'impulsion de Dom Luc D'ACHERY *(D.H.G.E.*, t. I, col. 309) et grâce à la puissante organisation de Dom Grégoire TARRISSE (1575-1648); SCHMITZ, *op. cit.*, t. V, p. 267 s. L'activité des mauristes sort du cadre de ce volume-ci (voir *H.E.*, t. XIX, p. 233, 467 s., 503, 706); *D.T.C.*, t. IX, col. 405; SCHMITZ, *op. cit.*, t. V, p. 188, 300.
Le moine de Mozat Gilbert GÉNÉBRARD (1537 à Riom — 1597) prit une place éminente par ses ouvrages d'exégèse et de patristique. SCHMITZ, *op. cit.*, t. V, p. 152; *D.T.C.*, t. VI, I, 1183; *K.L.*, t. V, col. 254 s. — Cf. aussi *D.T.C.*, t. II, I, col. 613 s. les travaux des bénédictins; *D.T.C.*, t. X, col. 405-443; *L.T.K.*, t. VII, p. 3-6 (bibliogr. abondante); O. D'ALBRET, *Comment on travaillait à Saint-Germain-des-Prés*, dans *Revue d'Hist. mod. et contemp.*, t. IV, 1957, p. 212-228, relève le rôle capital de Dom Claude Martin (1619-1696); le but des Mauristes était avant tout la dévotion.
[3] ORCIBAL, *Relazioni*, *op. cit.*, p. 115 n. 1; *D.T.C.*, t. IV, I, col. 430 s., 436, les éditions princeps (1516 à Florence) et suivantes. Le *Corpus* fut produit pour la première fois vers 532 à Constantinople.
[4] Pour ce qui concerne le pouvoir définiteur des conciles et la question conciliaire, cf. *infra*, p. 303; Ch. J. HEFELE, trad. H. LECLERCQ, *Histoire des conciles*, Paris 1907, t. I. Intro-

Force nous est de nous borner aux collections générales de conciles, sans énumérer celles qui se bornent aux synodes nationaux.

C'est un docteur de l'Université de Paris, Jacques Merlin, qui, en 1524, ouvre la série des collections conciliaires, mais sa tentative assez fruste est rapidement dépassée [1]. Tandis qu'il ne donnait que les actes de 55 conciles, le franciscain flamand Pierre Crabbe publia à Cologne, en 1558, ceux « de 130 assemblées au moins ». Après « des recherches dans près de 500 bibliothèques », il eut « le mérite de donner aux collections la forme [chronologique] qu'elles ont encore » et de publier les textes avec leur apparat critique et des notes historiques, notamment sur les papes [2].

A l'approche du concile de Trente, il était naturel de s'inspirer des assises précédentes et, par conséquent, de les faire connaître. Dans ce but, « l'évêque de Vienne Jean Fabri invitait le pape Paul III à se procurer les *Acta conciliorum* [de] Jean Merlin ».

A son tour, le cardinal Contarini « offrait lui aussi à Paul III [...] une esquisse rapide de l'histoire conciliaire » [3]. Mais une œuvre plus importante fut entreprise par le savant et célèbre dominicain Barthélemy de Carranza. Il a voulu, non seulement aider la réforme de l'Église par le contraste entre le passé et le présent, mais surtout rendre service à ses étudiants théologiens de Valladolid. « La *Summa conciliorum* [qui paraît à Venise en 1546] est en dépendance directe de l'édition de Crabbe »; mais Carranza la complète et il s'est donné la peine de collationner bon nombre de textes [4].

Par contre, avec la publication du chartreux Laurent Surius, la valeur de l'édition est en régression. Il croit pouvoir accommoder les textes à son purisme, il néglige les variantes et les moyens typographiques par lesquels ses prédécesseurs distinguaient la nature des citations. Erreurs d'autant plus regrettables que l'auteur servit de modèle à ses successeurs [5].

---

duction, p. 97-108, s'inspirant de H. QUENTIN, *Jean-Dominique Mansi et les grandes collections conciliaires*, Paris, 1900, p. 119-124, bibliographie des sommes conciliaires; F. SALMON, *Traité de l'étude des conciles et de leurs collections*, Paris, 1726; à son sujet, A. DUVAL, *La Summa conciliorum de Barthélemy Carranza*, dans R.S.P.T., t. XLI, 1957, p. 23; L. CHAILLOT, *Les principales collections des conciles*, dans *Revue du monde catholique*, t. XVI, 1866, p. 235-255, cité par DUVAL, *ibid.*

[1] Jacques MERLIN (né à Saint-Victurnien, Haute-Vienne — 1541); H.C., t. I, p. 97 s.; D.T.C., t. X, col. 787; A. DUVAL, op. cit., p. 404.

[2] Pierre CRABBE (1470 ou 1471 à Malines — 1554), franciscain; ses *Concilia omnia...* furent complétés par l'adjonction de deux tomes parus à Cologne en 1551 et en 1567 par SURIUS. Cf. H.C., t. I, p. 98-100; D.T.C., t. III, col. 2010; DUVAL, op. cit., p. 406-422.

[3] DUVAL, op. cit., p. 404; H.C., t. I, p. 98 s.

[4] Sur Carranza, supra, p. 241. A. DUVAL, op. cit., p. 401-427: étude fouillée de la *Summa* et de ses sources; relève l'aide apportée à l'auteur par l'humaniste orléanais Gentien Hervet; à côté de qualités incontestables, Carranza pèche par « manque de rigueur et de précision ». Sa *Summa* fut rééditée une trentaine de fois en Allemagne, en Espagne, en France, en Italie et aux Pays-Bas; H.C., t. I, p. 121.

[5] *Tomus primus Conciliorum omnium, tum generalium, tum provincialium atque particularium*, Cologne, 1568.

— Laurent SURIUS (1522 à Lubeck — 1578); son œuvre « gigantesque » comprend « plus de 36 volumes, la plupart in-folio »; son œuvre principale fut le *De probatis vitis sanctorum ab Al. Lipomano olim conscriptis...*, Cologne, 1570-1575; H.C., t. I, p. 100 s.; K.L., t. XI, col. 1000; D.T.C., t. XIV, col. 2842-2849.

C'est le cas notamment pour les frères prêcheurs Dominique Nicolini et Dominique Bollanus, qui publient à Venise en 1587 cinq volumes in-folio d'actes de conciles tant œcuméniques que provinciaux [1]. Ils inaugurent une méthode nouvelle en ajoutant au travail de Surius plusieurs collections empruntées à divers auteurs. Mais ils ne réalisent aucun progrès au point de vue critique [2].

Éditions conciliaires. — Pas non plus d'amélioration de méthode chez Séverin Bini, en dépit des annotations abondantes et des textes nouveaux qu'il ajoute à l'œuvre de Surius. « Il confond [...] les versions antiques avec des morceaux de traductions modernes », grave défaut qui se perpétua dans toutes les collections suivantes. Et cependant sa collection *Concilia generalia et provincialia*, qui parut à Cologne en 1606, eut un tel succès qu'elle fut rééditée en 1618 et en 1637. Elle « fait époque dans la littérature conci-liaire [...]. Elle est [...] le centre des grandes collections, une sorte de carrefour où ont abouti les deux courants des collections anciennes et d'où les modernes sont parties » [3]. Pour étoffer sa seconde édition, Bini put faire son profit de la compilation publiée sous Paul V, œuvre des cardinaux Antoine Carafa, Frédéric Borromée et François Tolet, aidés de l'érudit français Pierre Morin et dont le jésuite J. Sirmond écrivit la préface. Pour la première fois, une collection conciliaire contenait des textes grecs. Mais hélas! les textes latins, « sous prétexte d'élégance », avaient été retouchés et, comme chez Bini, des versions antiques se confondaient avec des morceaux de traductions modernes [4].

Jusqu'aux premières décades du XVIIe siècle, les éditeurs de conciles n'avaient guère osé dépasser le nombre de quatre tomes, consacré par Surius. Encore en 1665, l'ermite augustin Christian Wolf ou Lupus se borne à 6 tomes, qui forment une vraie histoire des conciles [5]. Mais, dès 1644, commence l'imposante série des collections gigantesques. Elle s'ouvre par les 37 volumes in-folio de la *Collectio regia*, publiés à Paris en 1644; il est vrai que ses compilateurs y avaient inséré « les trois volumes des conciles des Gaules du Père Sirmond et le tome premier des conciles d'Angleterre de Spelman » [6].

---

[1] *Conciliorum omnium tam generalium quam provincialium... volumina quinque.*

[2] *H.C.*, t. I, p. 101 s.

[3] H. QUENTIN, cité par *H.C.*, t. I, p. 105.
— Séverin BINI ou BINIUS (1573 à Randerath, Rhénanie — 1641). *D.T.C.*, t. II, I, col. 900 s., que *H.C.* (t. I, p. 102, n. 3) juge trop indulgent.

[4] H. QUENTIN (cité par *H.C.*, t. I, p. 105 et n. 1), qui ajoute : « il faut bien reconnaître que le but des éditeurs était de donner le grec d'abord et que le latin ne jouait dans leur plan qu'un rôle secondaire ».

[5] Christian WOLF, LUPUS, LOUP (1612 à Ypres — 1681), ermite de Saint-Augustin. Ses *Opera omnia*, publiés à Venise en 1724-1727, en 12 vol. in-folio, contiennent 6 vol. de *Synodorum generalium et provincialium statuta et canones...*, parus à Louvain en 1665 et à Bruxelles en 1673; *D.T.C.*, t. XV, II, col. 3583; *K.L.*, t VIII, col. 304-306; *B.N.*, t. VI, p. 24-27; M. BAEKELAND, *Christianus Lupus. Zijn leer over de hierarchie van de Kerk* (Thèse stencilée), Louvain, Université, 1952.

[6] *H.C.*, t. I, p. 106.

Il faut nous arrêter là. Les collections de la seconde moitié du siècle sortent de notre cadre. On connaît d'ailleurs suffisamment leurs auteurs : les jésuites Philippe Labbe et Gabriel Cossart (1671-1672), l'illustre Étienne Baluze (1682), le jésuite Jean Hardouin (1714-1715), Nicolas Coleti (1728), Jean-Dominique Mansi (1759-1798) [1] etc.

En conclusion, si la préparation à l'histoire des conciles témoigne d'un labeur considérable, elle ne manifeste pas le même progrès scientifique que les autres sciences ecclésiastiques.

L'HISTOIRE LITTÉRAIRE ECCLÉSIASTIQUE [2] Enfin, disposant des matériaux, on put bâtir une histoire littéraire des écrivains ecclésiastiques, tant des premiers siècles que de la suite. Ce sera, plus tard, l'œuvre des éditeurs de textes et notamment des mauristes dans leurs introductions; l'œuvre surtout d'Ellies du Pin dans sa *Nouvelle bibliothèque des auteurs ecclésiastiques*, de Le Nain de Tillemont dans ses *Mémoires*, du bénédictin Le Nourry dans son *Apparatus ad bibliothecam... Patrum*.

HISTOIRE DES DOGMES Elle n'est mentionnée ici qu'en pensant à ses développements futurs, car c'est tout juste si, à cette époque, un Melchior Cano et un Denis Petau amorcent les études à venir.

L'HISTOIRE DE L'ÉGLISE Aux études exégétiques et patristiques s'ajouta naturellement celle de l'histoire ecclésiastique [2].

Peut-on dire, avec E. Fueter, que « l'histoire ecclésiastique moderne est fille de la Réforme luthérienne » [3]? Ce n'est vrai que partiellement. Car il ne faut pas oublier que l'humanisme sous sa forme philologique, en rappelant le devoir du recours aux documents, préparait l'efflorescence de la science historique [4]. L'esprit qu'il avait inspiré à l'exégèse, à la patristique et même

---

[1] *H.C.*, t. I.

[2] Pour abréger, on se bornera ici à l'histoire générale, *abstraction faite des histoires particulières d'ordres religieux ou de nationalités*; *L.T.K.*, t. V, col. 1001; *K.L.*, t. VII, col. 552-567; *H.-B.*, t. VI, p. 419, avec bibliogr.; *S.-D.*, t. VI, p. 38, 45; Rabeau, *Introduction, op. cit.*, p. 348; [H. d'Avrigny], *Mémoires chronologiques...*, Paris, 1720; Feret, *op. cit.*, t. V; G. Cave, continué par H. Wharton, *Scriptorum ecclesiasticorum historia litteraria*. Bâle, 1751, 2 vol. (s'arrête à l'époque de Luther, mais ses prolégomènes éclairent l'historiographie et la publication des sources aux XVIe et XVIIe siècles); M. Flick et Z. Alzeghy, *Teologia della storia*, dans *Gregorianum*, t. XXXV, 1954, p. 256-298; F. Callaey, *Praelectiones historiae ecclesiasticae...*, Rome, 1950; pour les Italiens, *D.T.C.*, t. VIII, 221-229; E. Goller, *Kirchengeschichtlige Probleme des Renaissance Zeitalters*, 1924; Polman, *op. cit.*, p. 149 s., 500-510; M. Knar, dans J. Scheuber, *Kirche...*, *op. cit.*, p. 559-586. Comme plusieurs auteurs de l'époque, Guillaume Lindanus (v. p. 202), dans sa *Panoplia evangelica* prétend retrouver dès l'époque des apôtres la doctrine et les institutions de l'Église. Cf. É. de Moreau, *op. cit.*, t. V, p. 241.

[3] A. Harnack (*Lehrbuch*, *op. cit.*, t. I, p. 25) constate que l'histoire des dogmes a largement profité des controverses protestantes; E. Fueter, *Geschichte der Neueren Historiographie*, Munich, 1936; pour le lecteur de langue française, on citera ici de préférence la traduction de E. Jeanmaire, *Histoire de l'historiographie moderne*, Paris, 1914, p. 305; Ch. Eder, *Die Kirche*, *op. cit.*, p. 208, 256; Tacchi-Venturi, *Storia*, *op. cit.*, t. I, p. 99.

[4] Tacchi-Venturi, *op. cit.*, t. I, p. 100, qui cite Voigt et Tiraboschi. Il mentionne Charles Sigonio (*Romani Pontifices et Cardinales, 1557*), dont Fueter relève les qualités d'humaniste scientiste, et les défauts de l'humaniste esthète (*op. cit.*, p. 158).

à la théologie dogmatique, se communiqua naturellement à l'histoire ecclésiastique [1]. De plus, l'histoire hagiographique, celle des ordres religieux et les travaux d'érudition pure n'attendirent pas pour s'épanouir les attaques protestantes.

Celles-ci, sur le terrain de l'histoire générale de l'Église, provoquèrent chez les catholiques une vigoureuse réaction. Car l'honneur de l'Église était en jeu, et aussi le concept même de sa constitution avec sa clef de voûte, la papauté, et jusqu'à l'histoire de ses dogmes.

Les Centuries de Magdebourg. — Tout cela avait été atteint de plein fouet par une machine de guerre formidable.

Préparés par les *Vitae romanorum pontificum* [2] de l'Anglais Robert Barnes avec préface par Luther, puis par le *Summarium* de l'évêque Jean Bale [3], les 13 volumes des *Centuries de Magdebourg* furent l'œuvre d'un organisateur de haute classe et d'une équipe de savants travailleurs, compacte et passionnée. En 1534, Mathias Vlacich, Illyrien, dit Flacius Illyricus, réunit à Magdebourg une compagnie, avec laquelle il rédigea (1557-1558) l'*Ecclesiastica historia... secundum centurias.* Seules les 13 premières centuries, c'est-à-dire l'histoire des 13 premiers siècles, parurent sous sa direction (1574). Elles avaient ceci de bon qu'elles étudiaient l'Église, non dans son action du dehors, mais dans sa vie intérieure, dans sa doctrine et sa piété. Seulement l'entreprise était faussée par la prévention. Elle devint un réquisitoire. « Les Centuries ne voulaient être qu'un arsenal bien rangé à l'usage de la polémique protestante. » Il s'agissait de dénoncer « les affreuses ténèbres où avait conduit la domination de l'Antéchrist », c'est-à-dire de la papauté, le *mysterium iniquitatis.* « L'histoire universelle redevint une lutte entre Dieu et le Diable » [4]. L'esprit critique était « aiguisé par l'intérêt polémique. » Malgré l'impopularité que valut à leur principal auteur son mauvais caractère, les *Centuries* eurent un retentissement européen. « Conception et méthode des Centuriateurs sont restées jusqu'au XVIIIe siècle la règle non seulement de l'histoire ecclésiastique populaire, mais des recherches savantes chez les protestants » [5]. Elles suscitèrent en Suisse l'*Historia ecclesiastica* de

---

[1] POLMAN, *op. cit.*, p. 501-511. « Cano déclarait en 1560 que tous les gens instruits considéraient comme *omnino rudes* les théologiens dans les œuvres de qui l'histoire était muette. » Cf. *D.T.C.*, t. XV, I, col. 429.

[2] Robert BARNES (1495 à Lynn — 1540), moine augustin; devenu luthérien; FUETER, *op. cit.*, p. 307; *D.N.B.*, t. I, col. 1173-1176; *D.T.C.*, t. II, I, 424; TACCHI-VENTURI, *op. cit.*, t. I, p. 100 n° 2, qui cite les ouvrages anti-papistes de P.-P. Vergerio (1554-1556) et d'autres, renvoyant à Janssen et à Pastor.

[3] John BALE, BALAEUS (1495 à Cove près Dunwich en Suffolk — 1563), carme, devenu protestant; FUETER, *op. cit.*, p. 308; *D.N.B.*, t. I, col. 961 s. — Flacius avait préparé sa grande entreprise par des recueils de pamphlets publiés contre l'Église, par exemple son « *Catalogus testium veritatis* ». Cf. POLMAN, *op. cit*, p. 184 s.

[4] FUETER, *op. cit.*, p. 306, 309-312.

[5] *Ibid.*, p. 314. Sur Flacius et les Centuries, outre la bibliographie de Fueter, *D.T.C.*, t. VI, col. 1-12; *K.L.*, t. III, col. 7-11; t. IV, col. 1527-1532; t. VII, col. 553; O. PANVINIUS, *De primatu Petri... contra Centuriarum auctores*, Vérone, 1589; POLMAN, *op. cit.*, p. 213; TACCHI-VENTURI, *op. cit.*, t. I, p. 102 s.

H. Hottinger (1620-1667) et en Angleterre le célèbre *Livre des martyrs* de John Foxe [1].

Parallèllement aux Centuries, parut l'*Examen concilii Tridentini* de Martin Chemnitz. Synthèse de grande érudition, qui, malgré ses qualités critiques, souffre de sa tendance polémique; l'auteur y prétendait montrer que bon nombre de pratiques catholiques, inventions humaines, n'avaient pas de base dans les traditions primitives. L'ouvrage « au cours d'un siècle et demi a connu vingt-cinq éditions. » [2]

César Baronius. — Il fallait, dans ce volume, faire une place à ces attaques. C'est, en effet, pour leur répondre que le cardinal César Baronius composa ses célèbres *Annales ecclesiastici*, longtemps la principale histoire catholique de l'Église [3].

Il avait été chargé de réfuter les Centuries [4]. En sorte que si les Centuriateurs avaient écrit un réquisitoire, les *Annales* sont un plaidoyer, en ce sens qu'elles démontrent victorieusement, en réponse à leurs adversaires, la fidélité de l'Église à sa doctrine primitive. Elles résultent d'un immense travail de recherche et d'une mise en œuvre qui marque un progrès relatif dans l'historiographie. Car, si l'auteur a encore utilisé de bonne foi certains apocryphes et certaines légendes, s'il exagère parfois l'antiquité de certaines croyances et la fixité des dogmes, si, à l'imitation des Centuries, il déchiquète l'histoire en annales, s'il omet certaines questions importantes et si son style est parfois diffus ou négligé, il a, par contre, utilisé un grand nombre de documents inédits, rejeté pas mal de légendes, projeté une vive lumière sur des questions obscures, compensé la négligence de son style par la lucidité de la pensée et la belle ordonnance de la matière [5].

---

[1] John FOXE (1516 ou 1517 à Boston — 1587) écrivit *Acts and monuments of the Christian Martyrs...*, que le peuple appela *Book of Martyrs (1563)*. « L'historiographie ecclésiastique anglaise doit son existence aux théologiens de Magdebourg. » FUETER, *op. cit.*, p. 314; on y verra aussi l'influence des Centuriateurs sur John Knox ($\pm$ 1505-1572).

[2] POLMAN, *op. cit.*, p. 234-244.
— Martin CHEMNITZ (1522-1586), un des principaux théologiens luthériens. *K.L.*, t. III, col. 115-118.

[3] Elles furent réfutées aussi par des répliques partielles de Conrad BRAUN (1565), de Guillaume EISENGREIN, des jésuites saint BELLARMIN (*Compendium de haeresi*, resté inédit, étudié par RYAN, *op. cit.*, voir *R.S.P.T.*, t. XXVII, 1937, p. 103), saint Pierre CANISIUS (1571-1577) et François TORRES (TURRIANUS, 1572), de Laurent SURIUS, de l'Anglais HARPSFIELD, de l'ermite-augustin Onuphre PANVINIO (1557); *K.L.*, t. III, col. 10; t. IX, col. 1366; *G.-F.*, t. VI, p. 267; TACCHI-VENTURI, *op. cit.*, t. I, p. 103 s.; FUETER, *op. cit.*, p. 326 s. — Sur PANVINIO, *K.L.*, t. III, col. 10 s.; POLMAN, *op. cit.*, p. 564 (table); TACCHI-VENTURI, *op. cit.*, t. I, p. 106; *E.I.*, t. XXVI, p. 219.
— César BARONIUS (1538 à Sora, Naples — 1607), oratorien, cardinal; *D.H.G.E.*, t. I, col. 871-882; *P.H.*, t. XIX, p. 152; *P.G.*, t. XI, p. 789, t. XII, p. 682; POLMAN, *op. cit.*, p. 527-538 (plan, caractères); A. KERR, *Baronius*, 1890; CALENZIO, *Baronius*, Rome, 1909; A. PAGI, *Critica historico-chronologica in universos annales ecclesiasticos Caesarii card. Baronii* (ad 1698), Anvers, 1705, 4 vol. — Sur l'influence enthousiasmante de Baronius, H. BREMOND, *Hist. litt.*, *op. cit.*, t. I, p. 233. — Parmi les traductions, citons la *Generale Historie*, revue et augmentée par le jésuite H. Rosweyde.

[4] A Rome, une commission composée à l'initiative du cardinal Hosius étudia la méthode à suivre pour répondre aux Centuries.

[5] TACCHI-VENTURI, *op. cit.*, t. I, p. 105; FUETER, *op. cit.*, p. 327 s. Les *Annales* parurent en 12 volumes à Rome de 1588 à 1607; elles vont jusqu'à l'année 1198; elles furent continuées

Paolo Sarpi. — On a soupçonné de protestantisme le religieux servite qui, sous prétexte d'histoire, livra à la curie de Rome un nouvel assaut. Paolo Sarpi, au service de la République de Venise alors en lutte avec Rome (1606), commença son *Istoria del Concilio Tridentino* en 1608; utilisant les riches archives diplomatiques de ses maîtres, il poursuit de ses dénigrements toutes les initiatives et les prétentions de la cour romaine. Il n'a pas vu sous son vrai jour l'importance capitale du concile au point de vue dogmatique et réformateur. Son récit, d'ailleurs « écrit avec un art supérieur et un emploi diligent de bons matériaux », est d'un partisan, non d'un historien [1].

Pallavicino. — On devait s'attendre, ici aussi, à une réaction. Sans vouloir citer toutes les répliques, notons seulement la plus connue, celle du jésuite Sforza Pallavicino, *Istoria del concilio di Trento* [2]. Célèbre par sa diffusion, sa langue pittoresque et originale, son habileté polémique, elle ne vaut pas, au point de vue de la critique historique, l'œuvre inédite de son confrère Térence Alciati, qui lui a servi de base [3].

●

dans la suite, notamment par Oderic RAYNALDI, oratorien (1595 à Trévise — 1671; ses 10 volumes portent les *Annales* jusqu'à 1566; *K.L.*, t. X, col. 842 s.) et par THEINER jusqu'en 1582 (1866). P. DE LETURIA, dans *La Compagnia di Gesù e le scienze sacre*, *op. cit.*, p. 168, renvoie « sulla vera indole degli *Annales* di Baronio » à A. WALZ, *La storiografia del Baronio et la storiografia di oggi*, dans *Angelicum*, t. XVII, 1940, fasc. 1, « dove l'Autore raccoglie le bibliografia più moderna ».
— Henri DE SPONDE, SPONDANUS, évêque de Pamiers, publia *Annales ecclesiastici... in Epitomen redacti*, Mayence, 1614. — Sur lui et les autres éditions, *D.H.G.E.*, t. VI, col. 877; *K.L.*, t. XI, col. 661 s.

[1] *H.E.*, t. XVII, p. 7 s. L'auteur se dissimulait sous l'anagramme *Pietro Soave Polano* (= Paolo SARPI Veneto); il fut publié à Londres, sans le gré de l'auteur, en 1619, par l'archevêque apostat de Spalato, Marc-Antoine de Dominis, qui avait emporté le manuscrit; une deuxième édition, revue par l'auteur, vit le jour à Genève en 1629.
— Paolo SARPI (1552 à Venise — 1623). *D.T.C.*, t. XIV, col. 1115-1121; *K.L.*, t. I, col. 21; t. X, col. 1720-1726; t. XI, col. 2115; FUETER, *op. cit.*, p. 337-340; *B.J.B.*, nᵒˢ 6329, 10293; V. BUFFON, *Chiesa di Christo e Chiesa romana nelle opere e nelle Lettere di Fra Paolo Sarpi*, annoncé comme devant paraître. Cf. *Sylloge excerptorum...* Louvain, t. VIII, 1941; L. SALVATORELLI, *Le idee religiose di Fra Paolo Sarpi*, dans *Atti delle Acad. Naz. dei Lincei*, ser. VIII, vol. V, 1953; cf. *R.H.*, t. CCXIV, 1955, p. 180; *Histor. Zeitschr.*, t. CLXXVIII, 1954, p. 637.
— J. AMELOT DE LA HOUSSAYE, *Histoire du concile de Trente* (traduit de Sarpi), Amsterdam, 1699; *B.J.B.*, nᵒˢ 6329, 10293; B. ULIANICH établit l'authenticité de sa lettre à Heinsius (1620) et son orthodoxie, dans *Rev. stor. ital.*, t. LXVIII.

[2] Sforza PALLAVICINO (1607 à Rome — 1667), jésuite, cardinal (1659). FUETER, *op. cit.*, p. 340-342; *K.L.*, t. I, p. 491; t. II, col. 1679; t. IX, col. 1310-1312; SOMM., *op. cit.*, t. IV, col. 120-143; *D.T.C.*, t. XI, col. 1831-1834. — Sur la valeur son *Istoria*, A. DUVAL, à propos de H. JEDIN, *R.S.P.T.*, t. XXXI, 1947, p. 245 et n. 5; *H.E.*, t. XVII, p. 8.
— Comme tentatives de réfutation de Sarpi avant Pallavicino, on peut citer Scipion ENRICO (1654), Bernard FLORI (1642-1656), Philippe QUORLI (1655); cf. H. JEDIN, *Der Quellenapparat der Konzilsgeschichte Pallavicinos*, Rome, 1940, p. 18 s; R. SIMON, dans *Bibliothèque critique*, *op. cit.*, t. III, p. 56-63, estime que le jésuite Gagliati a mal traduit [en latin] l'histoire du concile par Pallavicino. — Celui-ci a utilisé bon nombre d'imprimés, les archives pontificales, les collections de manuscrits Barberini, les archives Borghèse, etc. Cf. H. JEDIN, *Quellenapparat*, *loc. cit.*

[3] Térence ALCIATI (1570 à Rome — 1651), jésuite. Il assembla une documentation énorme, conservée actuellement à l'Université grégorienne; H. JEDIN (*op. cit.*, p. 17, 19-20) dit de lui : « Alciati hat als erster die Widerlegung Sarpis aus der Sphäre der Polemik herausgehoben und auf der Ebene der Historie versezt; er hat die Bausteine für eine Konziliengeschichte zusammengetragen », cité par LETURIA, *op. cit.*, p. 170, n. 30. Au moment de mettre en œuvre

Si nous quittons le terrain de l'histoire polémique, nous constatons que le labeur scientifique commença logiquement par l'élaboration des instruments de travail, des « subsidia ». Un des plus indispensables était la liste chronologique des évêques et des abbés, base nécessaire à l'interprétation des documents et à la reconstitution des événements. Les érudits se mirent au travail dans les divers pays.

En *Allemagne*, la future *Germania sacra* eut au XVIe siècle une préhistoire pleine de promesse [1]. En 1549, Gaspar Brusch publia à Nuremberg son *Magni operis de omnibus Germaniae episcopatibus epitome tomus primus*. Mais, dans la suite, le projet fit long feu. Il a été repris récemment et avec succès [2].

En *France* aussi, une première ébauche attendit longtemps la réalisation. Claude Robert publia en 1626 à Paris sa *Gallia christiana;* mais « il se rendit compte de l'imperfection de son travail, puisqu'il engagea les frères de Sainte-Marthe à le compléter et à le perfectionner ». De fait, Abel et Nicolas de Sainte-Marthe en donnèrent une nouvelle édition en 4 volumes (Paris, 1656). Mais ce fut surtout le bénédictin Denis de Sainte-Marthe et ses confrères de la congrégation de Saint-Maur qui menèrent l'œuvre à bien (Paris, 1715 à 1785, 13 vol.) [3], sinon à son terme.

L'*Italie* eut son *Italia sacra*, publiée en 1642-1648 par le cistercien Ferdinand Ughelli [4]. Pour ce qui concerne l'*Espagne*, il faudra attendre le XVIIIe siècle pour voir paraître l'*España sagrada* de l'augustin Henri Florez. Ces travaux de grande envergure sont menés par les ouvriers les plus célèbres de l'historiographie ecclésiastique au XVIIe siècle travaillant en équipe.

A vrai dire, ces équipes doivent presque toutes leur origine à quelque esprit audacieux entreprenant une besogne au-dessus de ses forces, qui dut être prise en charge par une association. Ce fut le cas pour Claude Robert, pour Ferdinand Ughelli, pour Héribert Rosweyde et d'autres.

---

ces matériaux, il mourut subitement. En 1941, le P. G. Schlaerth a défendu à la Grégorienne une dissertation intitulée « *Terenzio Alciati (1570-1651), Historiographer of the Council of Trent* (LETURIA, *ibid.*, p. 169 n° 29, p. 170 s.) » — *K.L.*, t. I, col. 461; t. IX, col. 1310; *L.T.K.*, t. I, col. 227; *D.H.G.E.*, t. II, col. 17-21.

[1] Sur les recueils de ce genre, *K.L.*, t. VII, col. 574. La *Germ. sacra* semblerait avoir été influencée soit par les travaux des cosmographes tels que la *Germania generalis* de Conrad CELTES (1500) ou la *Cosmographia* de Sebastian MÜNSTER (1544), soit par l'*Epitome rerum germanicarum* de Jacques WINPHELING (1508). Cf. J. PRINZ, *Mitteilungen aus der Max-Plank-Gesellschaft*, Gottingen, 1958, fasc. I, p. 18-20.

[2] Diverses tentatives se succédèrent sans grand résultat; Bucelin en 1655 fut le premier à employer le nom de *Germania sacra*. En 1783, le prince-abbé de Saint-Blaise, Martin Gerbert entreprit de réaliser l'œuvre en équipe; mais la sécularisation l'en empêcha; son plan servit de base à celui de 1908. Depuis 1956, le *Max-Planck Institut* (Göttingen) y travaille activement.

[3] L. ANDRÉ, *Sources, XVIIe siècle*, Paris, 1932, p. 124-127. L'œuvre de Robert servit au jésuite Philippe LABBE (1607-1667) pour le *Pouillé général*, qu'il publia à Paris en 1648; ce genre de répertoires ou *listes de bénéfices ecclésiastiques* rend de grands services tant à l'histoire économique et sociale qu'à la religieuse. On trouvera indication des *Pouillés* de 1626, 1648, dans ANDRÉ, *op. cit.*, p. 125 s.

[4] F. UGHELLI (± 1595 à Florence — 1670), abbé cistercien, érudit; conçut et réalisa en partie l'*Italia Sacra*, série complète des évêques italiens groupés par diocèses (Rome, 1642-1648, 9 vol., Venise, 1717-1722, 10 vol.), servit de modèle à la *Gallia christiana*. Cf. *Enc. Ital.*, t. XXXIV, p. 612; *K.L.*, t. XII, col. 184.

Équipes catholiques. Les jésuites de Rome et de Paris. — Des groupements analogues aux centuriateurs de Magdebourg se constituèrent du côté de l'Église : l'association des historiens du Collège romain et du Gesù, ceux du collège de Clermont, les bollandistes et, enfin, les plus célèbres d'entre eux, les mauristes.

Dans la Compagnie de Jésus, les historiens subirent fortement l'influence humaniste sous sa double forme; la philologique détermina le caractère critique de leurs études historiques comme celles d'exégèse et de patristique, exposées ci-dessus; en même temps, leur fondateur, par son *Autobiographie* et ses *Exercices*, leur communiqua un goût très vif pour l'étude de l'humain, pour « l'analyse psychologique » et pour le culte de la forme [1].

La renommée de saint Bellarmin comme théologien ne doit pas faire oublier ses travaux historiques. Sa *Chronologia brevis*, son *De scriptoribus ecclesiasticis*, son *Compendium de haeresi* préparèrent les bases solides de ses *Controverses* [2].

Il contribua aussi puissamment à créer une atmosphère scientifique au Collège romain.

Mais, en outre, le général Aquaviva avait décidé la formation d'une « Académie ecclésiastique » destinée à l'étude critique de l'histoire et, si ce projet ne put éclore selon la pensée du général, il se réalisa partiellement [3]. Au collège de Clermont à Paris, le groupe des historiens, disposant de la riche bibliothèque dirigée par Fronton du Duc, produisit les « *Concilia antiqua Galliae* » (1629) de Sirmond, la *Doctrina temporum* de Petau (1627), le *De byzantinae historiae scriptoribus* (1648) de Labbe et Poussines, sans compter les œuvres de Labbe, de Cossart et d'Hardouin, qui n'appartiennent pas au champ de ce volume-ci.

Équipes catholiques. Les Bollandistes. — De toutes ces équipes du XVIIe siècle, la seule qui ait survécu jusqu'à nos jours — à travers une mort

---

[1] E. FUETER, *op. cit.*, p. 345-357, consacre à l'historiographie des jésuites une étude pénétrante. Il analyse l'autobiographie de saint Ignace, les œuvres de Pierre RIBADENEYRA (1527 à Tolède — 1611) (« L'humanisme n'a pas produit une seule biographie qu'on puisse mettre sur le même rang que l'œuvre de Ribadeneira », p. 351) et de Jean-Pierre MAFFEI (1533 à Bergame — 1603), ainsi que les histoires de l'ordre par Nicolas ORLANDINI (1554 à Florence — 1606) et ses successeurs. — A ses observations sur l'historiographie jésuite, il faut ajouter celles de LETURIA (*op. cit.*, p. 163). Ignace, en obligeant ses inférieurs des deux mondes à envoyer à Rome à intervalles rapprochés des rapports circonstanciés, a provoqué la concentration d'un dépôt d'archives extrêmement précieux et pas seulement pour l'histoire de l'ordre; celles des pays d'outre-mer, de l'ethnographie et de la linguistique comparée y ont puisé largement (P. LETURIA, *op. cit.*, p. 164). En outre, le caractère centralisé de la Compagnie a fourni à ses historiographes une mine de documents sur ses rapports avec le monde extérieur. — Sur les jésuites historiens de l'Église, SOMMERVOGEL-BLIARD, *op. cit.*, t. X, col. 1419-1520.

[2] Sur le caractère critique de son œuvre, voir les ouvrages cités par P. LETURIA, *op. cit.*, p. 168.

[3] Il est probable que le général fut inspiré par le P. Sirmond, qui fut son sous-secrétaire pendant 18 ans. Duhr a publié les statuts de cette Académie, qui fut inaugurée en 1612, dans les trois centres projetés, à Munich sous le P. Keller, à Anvers sous le P. Scribani, à Louvain sous le P. Lessius. — En Belgique dès 1571, le provincial François Coster avait songé à créer un collège d'écrivains. Cf. A. PONCELET, *op. cit.*, t. II, p. 470, citant B. DUHR, *Ein Kirchenhistorisches Seminar in München...*, dans *Zeitschr. für Katholische Theologie*, t. XXXIV, 1910, p. 737 s.; LETURIA, *ibid.*, p. 172.

partielle et temporaire — est la société des Bollandistes. Elle doit son origine au P. Héribert Rosweyde. Frappé du grand nombre d'histoires apocryphes ou douteuses qui déshonoraient alors les vies des saints, connaissant d'autre part les grandes richesses hagiographiques des bibliothèques belges, l'intrépide travailleur conçut et rédigea le plan d'une collection de textes hagiographiques, dûment éprouvés, rétablis dans leur intégrité et suivis de commentaires critiques.

Il se mit vaillamment à l'exécution de son téméraire projet; il publia même ses *Vitae Patrum* (1616), qui sont considérées comme « la pierre fondamentale des *Acta Sanctorum* »; mais il fut distrait par d'autres travaux d'érudition et de ministère sacerdotal, puis brusquement saisi par la mort. Son entreprise fut sauvée par le P. Jean Bollandus, qui bientôt reçut comme collaborateur le P. Godefroid Henschenius. Selon le plan de Rosweyde, ils classèrent les saints d'après l'ordre du calendrier et, en 1643, les deux volumes de janvier parurent, salués dans le monde érudit par une approbation unanime et enthousiaste. L'œuvre était lancée. Sous l'impulsion de collaborateurs tels que Daniel Papebroch, « le Bollandiste par excellence » (1628 à Anvers — 1714), la période suivante allait voir grandir la réputation de la société [1].

Équipes catholiques. Les mauristes. — Il a déjà été fait mention plus haut (p. 248) de l'œuvre colossale des mauristes. Elle aussi naquit de l'organisation d'une étroite collaboration [2] et serait illustrée, après la date qui clôture ce volume, par les noms glorieux de dom Jean Mabillon (1632-1707), de dom Bernard de Montfaucon (1655-1741) de dom Martin Bouquet (1685-1754) et d'autres. La *Gallia christiana* leur doit son existence (*supra*, p. 255).

A côté de la congrégation de Saint-Maur, celle de Saint-Vanne a produit au XVIIIe siècle des travaux de valeur, qui ne peuvent cependant être comparés aux chefs-d'œuvre des mauristes [3].

---

[1] Sur les vies de saints aux XVIe et XVIIe siècles et sur les collections d'*Actes* et de *Vies* de saints, R. AIGRAIN, *L'Hagiographie*, Paris [1953], p. 318-328, 351-353, 356-368. Sur l'œuvre de Laurent Surius, cf. *supra*, p. 249.
— Sur les Bollandistes, *ibid.*, p. 329-350. Outre les encyclopédies, voir H. DELEHAYE, *L'œuvre des Bollandistes*, Bruxelles, 1959; P. PEETERS, *L'œuvre des Bollandistes*, Bruxelles, 1942; A. PONCELET, *op. cit.*, t. II, p. 475-480 et leurs références; FUETER, *op. cit.*, p. 386, 403 (« les prolégomènes dont les Bollandistes font précéder la biographie de chaque saint sont les premiers exemples d'une critique méthodique des sources »); LETURIA, *op. cit.*, p. 176-178; L. H. VAN EEGHEN, *De Acta Sanctorum en het drukken van Katholieke boeken te Antwerpen en te Amsterdam in de XVIIe eeuw. De Gulden Passer (Anvers)*, t. XXXI, 1953, p. 49-58; POULET, *op. cit.*, t. III, p. 1044; R. AIGRAIN, *op. cit.*; K.L., t. V, col. 1780.
— Sur l'hagiographie en France de 1600 à 1670, H. BREMOND, *op. cit.*, t. I, p. 238-250.
[2] Elle est décrite au long dans SCHMITZ, *op. cit.*, t. V, p. 268-273; *D.T.C.*, t. X, I, col. 417-443; les travaux des mauristes sont énumérés par SCHMITZ, *op. cit.*, p. 273-278; *D.T.C.*, *ibid.*, col. 423-443; E. FUETER, *op. cit.*, p. 382-386; HEIMB., t. I, p. 308-312; les encyclopédies citées plus haut; M. LAURAIN, *Les travaux d'érudition des mauristes. Origine et évolution.* dans *R.H.É.F.*, t. XLIII, 1957, p. 231-271; M. D. KNOWLES, *Great historical enterprises. II : The Maurists*, dans *Transactions of Royal Hist. Soc.*, t. IX, 5e sér., 1959, p. 169-187.
[3] SCHMITZ, *op. cit.*, p. 277; HEIMB., t. I, p. 304 s.

Historiens isolés. — Ces grandes constructions collectives ne doivent pas faire oublier quelques historiens isolés, qui, dans les divers pays, enrichirent l'historiographie ecclésiastique de leur temps [1].

Les sciences auxiliaires, l'archéologie. — L'archéologie chrétienne, si précieuse pour l'histoire de l'Église primitive, prit un nouvel élan de par la découverte et l'exploration de la Rome souterraine, commencée par les franciscains au XVe siècle. A partir du dernier quart du XVIe siècle, elle fut l'objet d'un travail passionné. En 1632, parut l'œuvre du « Colomb des Catacombes », Antoine Bosius, *Roma soterranea* [2].

CONCLUSION
En conclusion, les historiens de l'Église à cette époque ont accumulé un immense trésor de matériaux; ils ont conçu la manière scientifique de les critiquer, ils les ont utilisés dans des constructions « annalistiques » ou partielles. Mais il ne s'est pas trouvé parmi eux de génie capable d'expliquer, dans une vision de synthèse désintéressée, le déroulement de la vie des siècles.

L'histoire ecclésiastique, l'hagiographie et même l'archéologie révèlent la foi concrète de l'Église historique. Elles complètent ainsi l'étude de la vie des dogmes. Cette étude, l'Église posttridentine l'avait considérablement étendue. Elle l'avait approfondie. Elle avait perfectionné son outillage.

Et l'on a pu voir que cette transformation était due en grande partie à l'humanisme, à l'humanisme sous sa forme philologique, combiné avec les procédés traditionnels des méthodes spéculatives. Mais une autre forme de l'humanisme allait colorer la théologie d'une seconde nuance, celle de l'humanisme affectif.

§ 4. — L'influence de l'humanisme affectif.

La religion n'est pas affaire de raison pure.

Elle est l'hommage de tout l'homme. Mais, les uns vont à Dieu surtout avec leur raison, les autres par le cœur surtout. De même aussi, l'on observe,

---

[1] Nous bornant aux *Histoires universelles*, signalons : — En *France* : Antoine GODEAU (1605 à Dreux —1672), évêque de Grasse et de Vence, *Histoire de l'Église (1653-1678)*, 5 vol. in-fol.; *D.T.C.*, t. VI, col. 1470 s.; *K.L.*, t. V, col. 788; André DU CHESNE, *Histoire des papes (1616-1653); Louis COULON, L'histoire et la vie des papes (1656-1669).* Les œuvres de Maimbourg, de Noël Alexandre, de Lenain de Tillemont appartiennent à la période suivante. — En *Allemagne*, on ne vit surgir aucune œuvre de grande envergure. « Trois collections des *Acta* des Conciles parurent de 1530 à 1606. » *D.T.C.*, t. I, col. 865; la période suivante fut plus fertile. Cf. *K.L.*, t. VII, col. 562. — En *Italie*, après Baronius et Raynaldi (cf. p. 253) il faut attendre le XVIIIe siècle. — En *Belgique*, Aubert LE MIRE, MIRAEUS (1573 à Bruxelles — 1640), compila une *Notitia episcopatuum orbis christiani (1613)* et, outre de nombreuses histoires partielles, *Rerum toto orbe gestarum chronica, (1608).* Cf. *B.N.*, t. XIV, col. 882-895. Denis MUTSAERTS (1580 à Tilbourg — 1635) prémontré, *Historia ecclesiastica*, 1624, 2 vol.; Héribert ROSWEYDE (cf. p. 253), *Generale Kerckelijcke Historie*, 1623, 2 vol. Cf. *K.L.*, t. VII, col. 552-566; *B.N.*, t. XX, col. 175.

[2] Antoine BOSIUS, BOSIO (c. 1575, île de Malte? — 1629) avocat; se mit très jeune à parcourir les catacombes, se documenta scientifiquement; 36 ans d'exploration; surpris par la mort; son manuscrit fut publié par l'Ordre de Malte. Cf. TACCHI-VENTURI, *op. cit.*, p. 112-114; *K.L.*, t. II, col. 1128 s.

dans l'histoire de la théologie, l'alternance cyclique d'une prédominance de la tendance rationnelle et de celle de l'affective, qu'on appelle parfois mystique, le triomphe de ces forces de l'intuition, étrangères aux savantes constructions de l'École, qui vivifient le Corps de l'Église. Forces qui lui permettent d'approfondir et de « développer » les vérités de la foi avant même que l'étude ne les aient précisées. C'est la « fides faciens rationem » avant la « ratio faciens fidem. ». C'est le « sensus fidelium ». La fin du Moyen Age avait connu un de ces réveils de la sensibilité religieuse, revanche de l'*humanità* évadée de la ratiocination desséchante [1]. Réveil aussi du sens communautaire : *sentire vere in Ecclesia militante* [2].

DIALECTIQUE OU « PIA FIDES »   La période posttridentine vit réapparaître la différence de conception qui n'a jamais cessé d'opposer la théologie « dialectique » à la « pia fides », saint Bernard († 1153) à Abélard († 1142), Pierre Lombard († 1160) à saint Bernard, Jean Pecham († 1291), saint Bonaventure († 1274) et les autres augustiniens à saint Thomas († 1274) et à Albert le Grand († 1280) [3].

Ce n'est pas qu'au XVIᵉ siècle les fervents de la tendance mystique rejettent la philosophie. Peut-on sans elle construire une théologie? Mais ils en veulent à l'aristotélisme. La scolastique s'était servie de la raison raisonnante pour emmener les croyants descendre aux fondations rationnelles de leur foi, et encore pour élever depuis là l'édifice du dogme. Dès le XVᵉ siècle, beaucoup se déclarent fatigués de l'atmosphère des fondations et veulent voir monter une Jérusalem céleste bâtie de pierres vivantes. Raisonner avait été trop longtemps « l'emploi de toute la maison ». On voulait croire. « L'existence de Dieu, dit Pierre d'Ailly, n'est affirmée que par la foi [4]. »

---

[1] *H.E.*, t. XIII, p. 172. On voudra bien noter qu'il ne s'agit pas ici de mystique proprement dite, mais « d'une théologie dogmatique traitée dans un esprit de piété et d'édification » (*D.T.C.*, t. XV, col. 424), d'une théologie non principalement ratiocinante. — On a dit que « l'évolution du dogme s'est réalisée [...] par le moyen de la pratique et du sens chrétien [...]. La *pure dialectique* [...] vient après coup, pour justifier la dialectique constituée de façon spontanée ou intuitive au moyen de la pratique ou de l'expérience chrétienne. Ainsi se réalise le mot de saint Thomas : *Prius vita quam doctrina* », cité par F. MARÍN-SOLÀ, *L'évolution homogène du dogme catholique*, Fribourg, 1924, t. I, p. 280 s.; G. COMBÈS, *La charité d'après saint Augustin*, Paris, 1934. La recherche de Dieu par amour. Cf. L. FEBVRE, *Les origines, op. cit.*, p. 43; WILLAERT, *op. cit.*, p. 386.

[2] Exercices de saint Ignace cités par CONGAR, *Vraie et fausse Réforme, op. cit.*, p. 273 s.

[3] *D.T.C.*, t. XV, col. 367-370, 386 s., 654-658. « L'opposition réside [...] en ceci que saint Thomas [...] est conduit à voir dans la théologie une science principalement spéculative, tandis que les maîtres franciscains cherchent en elle avant tout une doctrine spirituelle ordonnée à la perfection de l'homme dans son retour à Dieu. » *Ibid.*, col. 657.

— Cette diversité dans les tendances théologiques est tellement humaine qu'on la retrouve ailleurs, par exemple dans le boudhisme; le *bhakti*, qui répond assez bien à la *pia fides*, s'oppose à la foi-science. Cf. *Encyclopaedia of religion and Ethics*, éd. J. HASTINGS, t. II, p. 539.

[4] *Enc. catt.*, article *Teologia*; J. HUBY, *Christus, op. cit.*, p. 1185; sur l'attitude de Ph. J. Spener (1635-1705): F. X. JANSEN, *Baius et le Baïanisme*, Louvain-Paris, 1927, p. 93. Les jeunes docteurs de Louvain sont « en quête, non d'une synthèse métaphysique, mais d'un message vivifiant et concret ». Tandis que Latomus « estime que la méthode rigoureuse des scolastiques rachète par sa valeur scientifique ce qu'elle perd en fruits de sainteté » (GUELLUY, *op. cit.*, p. 60, 63, 117 s.). — Bérulle et Gibieuf remplacent la scolastique par la prière et par la méditation des Pères, de saint Augustin surtout; cf. E. GILSON, *La doctrine cartésienne de la liberté et la théologie*, Paris, 1913.

Et précisément la faveur nouvelle dont jouit saint Augustin, et Platon grâce à lui, fournit à beaucoup d'esprits une philosophie plus à leur gré [1].

Du côté protestant comme du catholique, certains « relèguent au second plan la foi intellectuelle, dont la théologie du Moyen Age leur avait transmis la notion, en insistant sur une connaissance plus intime et plus savoureuse, une expérience du divin » [2]. Saint François de Sales n'était pas « théologien de profession », mais la dogmatique qui sous-tend sa spiritualité, nettement platonicienne, est le fruit de tout ce qu'il a vécu concrètement [3].

Aux Pays-Bas, Driedo renvoyait à Gerson, qui opposait le *modus rhetoricus* des Pères au *modus logicalis* des scolastiques; Latomus parle de la *vivae vocis energia* des Pères. Dans l'*Augustinus*, Corneille Jansénius s'élève avec véhémence contre le tort fait à la théologie par la scolastique : « Il y a deux moyens, dit-il, de pénétrer les mystères de Dieu, la raison humaine et la charité; la première est dangereuse et le propre des philosophes; la seconde est sûre et le propre des chrétiens [4]. »

A Paris en 1527, la Faculté de théologie condamne Érasme pour avoir dit que « le message chrétien aurait perdu de sa vigueur, faute de sainteté, chez les auteurs des quatre derniers siècles ». On trouve la même idée chez Vivès : C'est « faute de la puissance donnée à la prédication primitive par l'Esprit-Saint que, très tôt, les auteurs chrétiens ont dû recourir au raisonnement ». Chez saint Ignace de Loyola, dans les *Exercices*, « la même opposition [apparaît] entre la théologie scientifique des médiévaux et les exposés littéraires et pieux de l'âge patristique » [5].

L'antipathie de pas mal d'esprits pour la pensée médiévale ne tenait pas seulement à leur nausée de la dialectique. Elle résultait naturellement aussi des tendances individualistes de l'époque, de sa « volonté de libération

---

[1] A la fin du XVIᵉ siècle, François Patrizzi demande à Grégoire XIV de remplacer Aristote par Platon. Cf. *D.T.C.*, t. I, 2514. — Sur le mysticisme des humanistes, IMBART DE LA TOUR, *op. cit.*, t. III, p. 132, 139, 288-303. — Sur le platonisme, E. GILSON, *Introduction à l'étude de saint Augustin*, Paris, 1929, p. 40 s., 148; Spener écrit : « La corruption [de la théologie] ne fit que s'étendre depuis que la philosophie d'Aristote supplante celle de Platon. » (JANSEN, *op. cit.*, p. 93). — Pendant son voyage en Italie, Luther subit l'influence du platonisant Gilles de Viterbe, qui lui inspire « son aversion pour Aristote et son culte pour Platon », sa « conversion philosophique »; *D.T.C.*, t. XIV, II, col. 1923.

[2] IMBART DE LA TOUR, *op. cit.*, t. III, p. VI; GUELLUY, *op. cit.*, p. 86. — Antoine Arnauld veut « libérer l théologie de la philosophie, [...] » rendre la théologie simple, vivante, « édifiante [...], renonçant enfin au raisonnement comme instrument de découverte ». Cf. J. LAPORTE, *op. cit.*, t. II, I, p. XI s., p. 19, n. 147.

[3] H. BREMOND, *Histoire littéraire du sentiment religieux en France*, Paris, 1916, t. I, p. 115; *S. François de Sales théologien. Étude de la thèse de J. Martin, Die Theologie des heil. Franz von Sales*, dans *Notes salésiennes*, t. XXIV, 1935, p. 297-302; M. HAMON, *Vie de saint François de Sales...*, Paris, 1911. A saint François de Sales il faut rattacher son ami Jean-Pierre Camus, évêque de Belley (1584-1652). Cf. *D.T.C.*, t. II, II, col. 1451 s.; BREMOND, *op. cit.*, p. 149.

[4] *Augustinus*, Louvain, 1640, t. II, Liber proemialis, chap. VII; SAINTE-BEUVE, éd. R. L. DOYON et Ch. MARCHESNÉ, *Port-Royal*, Paris, 1926, t. II, p. 260, donne en traduction certains de ses beaux passages sur le besoin, pour comprendre, d'aimer et même de pratiquer. Cf. GUELLUY, *op. cit.*, p. 86, « l'expérience du divin », 114 s.

[5] *Ibid.*, p. 128 s.

individuelle et d'expression individuelle » [1]. Chacun veut vivre sa personnalité et par conséquent aller à Dieu par tout son être.

L'AUTONOMIE DE LA THÉOLOGIE AFFECTIVE On a fait observer que « dans un état de la théologie où celle-ci remplit toutes les obligations de sa fonction de sagesse, une théologie mystique ou spirituelle n'avait pas à se constituer à part » [2]. C'est bien vrai en théorie. Historiquement, à mesure que l'étude du sacré s'étend et s'approfondit elle déborde toujours davantage les capacités d'un seul esprit; elle doit donc recourir à des travailleurs de plus en plus spécialisés dans des catégories toujours plus nombreuses. Ici, comme pour les sciences théologiques non purement spéculatives (cf. *supra*, p. 242), l'ancienne conception unitaire de la théologie devait s'élargir pour offrir une place à une science nouvelle, la théologie « mystique », « ascétique » ou « spirituelle ».

Ce ne fut pas sans tentative de résistance, notamment chez les dominicains. Guillaume de Contenson, procédant d'ailleurs de la tradition de Salamanque, tenta « de réintégrer à la scolastique, dans une unique théologie, les éléments spirituels et les valeurs mystiques » [3].

Mais le mouvement était lancé. Le département mystique de la théologie dogmatique, science nouvelle, devint étude scientifique de l'expérience ascétique et mystique. Il faudra en parler quand il s'agira de la spiritualité posttridentine.

§ 5. — Méthodes pédagogiques.

LES INSTRUMENTS DE TRAVAIL Grâce au célèbre décret de la session XXIII du concile de Trente imposant la création des séminaires diocésains, la formation des futurs prêtres et donc la diffusion de la science théologique allaient prendre au XVIIe siècle un essor lent mais sûr. Il en a été question ci-dessus, p. 87.

MÉTHODES PÉDAGOGIQUES Un esprit curieux se demandera comment les jeunes gens qui abordaient la théologie étaient initiés à une science nouvelle pour eux. Les maigres données que nous possédons à ce sujet sont assez décevantes [4].

---

[1] A. Renaudet, cité dans *H.E.*, t. XV, p. 207.

[2] Y. M. J. Congar, dans *D.T.C.*, t. XV, I, p. 423.

[3] *D.T.C.*, t. XV, col. 424. — Guillaume de Contenson ou de Contensous (1641 à Auvillar, Guyenne — 1674), dominicain, *Theologia mentis et cordis*, Lyon, 1668; *D.T.C.*, t. III, col. 1631-1633; *K.L.*, t. I, col. 1964; t. III, col. 1040-1042; *D. Spirit.*, t. II, col. 2193-2195; *Cathol.*, t. III, col. 140-141.

[4] J.-B. Aubry, *Œuvres IX. La méthode des études ecclésiastiques dans nos séminaires depuis le concile de Trente*, Paris, 1900; à Louvain, Guelluy, *op. cit.*, p. 365. Il sera bon de se reporter à ce qui a été dit plus haut des « introductions » à la théologie, aux œuvres de M. Cano, de Possevino, etc. (p. 236, 244, 193). — A. Degert, *Hist. des séminaires français*, t. II, Paris, 1912, p. 1363. — Sur les méthodes pédagogiques, en particulier l'application du *Ratio Studiorum S. J.*, cf. L. Wuillaume, *op. cit.*, *passim*.

La pédagogie théologique dépendait naturellement de la conception que le professeur se faisait lui-même de sa science et l'on a vu plus haut qu'au xvie siècle cette conception évolue.

Au Moyen Age, le commentaire scripturaire avait peu à peu laissé une place aux « quaestiones », « qui, à propos du texte sacré, mais en marge de celui-ci, discutent pour lui-même un point de doctrine [...] pour des motifs apologétiques ou pour satisfaire une curiosité subtile [1] ». Elles conquirent progressivement la prépondérance et formèrent, par exemple, la base de la *Somme* de saint Thomas; en sorte qu'elles se perpétuèrent avec le thomisme.

Elles avaient cet avantage de provoquer la discussion. Ces soutenances de « thèses » rendirent service aussi longtemps qu'elles conservèrent leur âme, malgré la routine, la monotonie ou la médiocrité [2]. Elles permettaient aux étudiants, quand ils le voulaient, de scruter plus personnellement une théorie.

Les cours dictés. — La coutume de dicter les leçons — au moins en partie — avait été transportée de la faculté de Paris à Salamanque par François de Vitoria [3]. Sans doute, elle nous paraît imposer aux auditeurs un travail horriblement servile; mais il faut tenir compte des limites que lui imposaient les règlements, par exemple, chez les jésuites, le *Ratio studiorum* [4].

A Salamanque, la coutume de prendre des notes écrites, introduite à l'époque de Vitoria, rencontrait une difficulté : le mobilier sommaire se prêtait mal à écrire pendant une heure et demie, quoiqu'il fût en progrès sur celui de l'ancienne Sorbonne. Là, les élèves étaient assis à terre. « Sedeant in terra coram magistris, non in scampnis vel sedibus levatis a terra, sicut hactenus, tempore quo dicte facultatis studium magis florebat, servabatur, ut occasio superbie a iuvenibus secludatur » [5].

Dans les débuts, les professeurs parlant lentement, les élèves notaient le cours plus ou moins selon leur agilité. Puis, eux-mêmes exigèrent la dictée. A cet égard, la réaction des règlements varia. Les statuts de 1563 (?) l'interdisent, « s'ils répètent leur conclusion, en tout ou en partie plusieurs fois ». Mais, en 1565, ils la permettent en théologie [6].

---

[1] *D.T.C.*, t. XV, col. 370 s.

[2] Sur ces soutenances, voir WILLAERT, *op. cit.*, p. 371-374; P. GALTIER, *La Compagnie... op. cit.*, p. 61 : les « disputes » sont imposées par les Constitutions mêmes de la Compagnie de Jésus comme « perutilis usus ».

[3] *S.-D.*, t. VI, p. 26; « Vitoria dicta les leçons de théologie, que ses prédécesseurs se contentaient de réciter, à peu près comme on débite un discours de mémoire [...], usage qu'adoptèrent peu à peu les autres Universités d'Espagne » et auquel Maldonat, devenu professeur, resta toujours fidèle. » (PRAT, *Maldonat, op. cit.*, p. 12.)

[4] J. FILOGRASSI, *La teologia dogmatica nella « Ratio studiorum » della Compagnia di Gesù*, dans *La C.d.G. e le scienze sacre, op. cit.*, p. 13-44; la dictée, p. 21. Cependant l'abus existait. En 1570, le jésuite Alphonse Pisanus se plaint au général qu'à Dillingen la dictée nuit à la santé des étudiants; car toute la leçon se passe à cet exercice et le professeur devient un *dictator*, les élèves, des scribes. De plus, des professeurs négligents se contentent de dicter le cours de leur prédécesseur. Cf. DUHR, *op. cit.*, t. I, p. 557; t. II, I, p. 579, p. 529-535 : l'enseignement de la théologie dans les provinces allemandes de la Compagnie.

[5] H. DENIFLE et E. CHATELAIN, *Chartularium*, Paris, 1889-1897, t. III, p. 145.

[6] V. BELTRÀN DE HEREDIA, *Los manuscriptos..., op. cit.*, p. 13-25; p. 22 « cuando repiten cada palabra o parte de la conclusion por sì, sin decirla entera, o la repiten entera muchas veces ».

La dictée avait l'avantage de noter nettement la théorie du maître; et ses adversaires ne se priveront pas d'invoquer ses cahiers scolaires. Ce sera le cas pour Baïus, puis pour Lessius. Et puis, pour l'histoire de l'enseignement et celle de la doctrine, ces cahiers, que nous avons encore en grand nombre, apportent un témoignage précieux et irrécusable [1].

D'autres documents nous ont conservé le programme d'un professeur, par exemple les leçons inaugurales de Maldonat au collège de Clermont [2]. Nous savons que, à Louvain, Latomus se préoccupait d'inculquer aussi une théologie populaire capable de toucher les cœurs [3]. De même, Corneille Jansénius attribue les erreurs qu'il impute aux théologiens de son temps à l'habitude d'enseigner la philosophie scolastique avant la théologie; il veut que la vérité chrétienne soit pénétrée plutôt par le cœur que par l'intelligence [4].

LE PETIT DOGME Tout cela concerne l'enseignement méthodique complet de la haute science. Mais il se posait alors un problème pratique. Vu l'ignorance résultant chez les pasteurs, chez les « simplices sacerdotes », de l'absence de préparation, il était nécessaire d'aller au plus urgent, de former rapidement des prêtres nantis au moins des connaissances strictement nécessaires pour prêcher et administrer les sacrements. Le *Ratio Studiorum* de la Compagnie de Jésus, en 1599, organisa donc, parallèlement au cours développé de théologie appelé « Grand dogme », un « Petit dogme », allégé des hautes spéculations. Il devait en deux ans atteindre le but indiqué. Les noms qu'il porte l'annoncent clairement : *Cursus pastoralis* à Douai, *Lectiones pro pastoribus* à Ingolstadt; ailleurs *Lectio casuum conscientiae* [5].

LES BIBLIOTHÈQUES ET LES IMPRIMERIES Une étude complète sur les méthodes de formation et sur les instruments de travail conduirait à en faire l'inventaire. Cet inventaire ne peut être dressé ici. Mais, si l'on observe que de toute part se sont réformées ou constituées de riches bibliothèques, on conclura que la nombreuse cohorte des théologiens de l'époque était armée pour ses recherches et ses campagnes d'un équipement solide. En outre, de divers côtés, on imita l'exemple du cardinal Cisneros en montant des imprimeries pour assurer la diffusion des textes et des ouvrages [6].

---

[1] Le P. Beltràn de Heredia a publié ainsi des cours de F. de Vitoria et de Bañez. Cf. *R.S.P.T.*, t. XXXIII, 1949, p. 234.

[2] J. MALDONAT, *De ratione studendi theologiae ad auditores parisienses*, 1571. Cf. PRAT, *Maldonat...*, *op. cit.*, p. 12; son discours d'ouverture p. 555-566; L. SALTET, *Les leçons d'ouverture de Maldonat à Paris*, dans *Bull. de littér. ecclés.*, t. XXIV, 1923, p. 340; Lorenzo de VILLAVICENCIO, *De recte formando theologiae studio*, cité par U. DOMINGUEZ, *Ciudad de Dios*, t. CLXIII, 1951, p. 234 : « es un vera propedéutica a la teologia y a la Biblia ».

[3] GUELLUY, *op. cit.*, p. 60 s.

[4] *Ibid.*, p. 114, 116, 132, ci-dessus, p. 260.

[5] L. WUILLAUME, *Le « Cursus pastoralis » au XVIe siècle*. Thèse stencilée. Univ. de Louvain, 1960.

[6] *K.L.*, table : « Bibliotheken », t. II, col. 781-804; A. HESSEL, *Geschichte der Bibliotheken*, Göttingen, 1925. Il faudrait rechercher les catalogues de bibliothèques du temps, soit publiques, soit privées, qui révéleraient l'outillage disponible; par exemple, celle du nonce à Bruxelles, C.F. Guidi di Bagno. Cf. B. DE MEESTER, *op. cit.*, t. II, p. 981-986, 369-373; JUSTE-LIPSE, *De*

Ce fut le cas, par exemple, de l'archevêque François de Harlay, qui, au début du XVIIe siècle, organisa dans son palais une imprimerie avec caractères de diverses langues [1]. C. Jansénius, étant évêque d'Ypres, avait une petite typographie dans son palais, comme d'ailleurs l'archevêque de Rouen et l'évêque de Bruges [2]. Il ne faut pas oublier non plus que le rapide développement de la typographie, permettant de diffuser largement les documents et les travaux, aida puissamment l'essor scientifique.

§ 6. — Les " écoles " de théologie.

FORMATION DES ÉCOLES Dans l'histoire de la pensée humaine surgissent de loin en loin des initiateurs de génie. Leur transcendante originalité subjugue et entraîne la masse des esprits moyens, qui les suivent en disciples dociles.

Autour de leur mémoire veille la garde de générations successives d'admirateurs. Si ces héros de la pensée ont appartenu de quelque manière à un ordre religieux, qu'ils s'appellent Thomas d'Aquin, Duns Scot, Bonaventure ou Bellarmin, Suarez ou Bérulle, leur gloire lui appartient. Il entretient leur culte et la fidélité à leur doctrine. Quand à la piété qu'il y met s'ajoute l'amour-propre de groupe, il n'en assure que plus infailliblement la pérennité de leur enseignement.

En théologie, saint Augustin et saint Thomas d'Aquin, à un degré moindre saint Anselme, saint Bonaventure, Duns Scot et Suarez ont laissé ce lumineux sillage. Leur influence, il est vrai, subit au cours des âges de passagères éclipses, car le monde des penseurs a ses modes comme le monde tout court; mais elle reprend à certaines époques une surprenante vigueur. Ainsi en va-t-il, au XVIe siècle, le siècle de l'augustinisme.

Or, saint Augustin n'a pas rédigé de sa doctrine une synthèse développée et systématisée. Cette synthèse, saint Thomas l'a fournie à l'Église en la basant sur la philosophie d'Aristote. Au réveil de l'augustinisme pouvait donc, sans contrariété, s'ajouter un réveil du thomisme. Et telle fut l'activité

---

bibliothecis syntagma, Anvers, 1602, 35 p. in-fol. (généralités des bibl., économie, notices sur diverses bibliothèques de l'Antiquité); FOUQUERAY, *op. cit.,* t. V, p. 69. — Nicolas V fonde la Bibl. Vaticane, *H.E.,* t. XIII, p. 37. Sur la Bibliothèque Vaticane, *P.H.,* t. II, p. 656 s.; sous Grégoire XIII, t. XIX, p. 227; *P.G.,* t. X, p. 49 s., 434 s. — Sur les bibliothèques bénédictines, SCHMITZ, *op. cit.,* t. V, p. 104-107. — Sur la bibliothèque Barberini, *P.G.,* t. XIII, II, p. 905. — Sur celle de Diego Hurtado de Mendoza, A. DUVAL, dans *R.S.P.T.,* t. XLI, 1957, p. 402 s. — Sur les agrandissements de la bibliothèque de l'Escurial, *H.-D.,* t. VI, p. 108.

[1] FOUQUERAY, *op. cit.,* t. V, p. 69. — Pour ce qui concerne les *imprimeries,* voir, par exemple, DE JONGH, *op. cit.,* p. 108 s.; GUELLUY, *op. cit.,* p. 123; J. DE GHELLINCK, *La première édition imprimée des « Opera omnia S. Augustini »,* dans *Miscellanea J. Gessler,* s. l., 1948, t. I, p. 530 s.; J. GUIRAUD, *Histoire partiale. Histoire vraie,* Paris, 1912, p. 211-233. Encouragements de Paul III (1434-1471) à l'imprimerie à Rome, *P.G.,* t. II, p. 288-319, 345. — Sur les imprimeries O. S. B., SCHMITZ, *op. cit.,* t. V, p. 95; sur celle de Tirnavie, ci-dessus p. 216.

[2] L. CEIJSSENS, *Sources relatives aux débuts du jansénisme et de l'anti-jansénisme, 1640-1643,* Louvain, 1957, citant G. DANSAERT, *Les imprimeries particulières des grands seigneurs et des grandes dames,* Bruxelles, 1927.

intellectuelle de cette époque ardente que l'on y trouve aussi un renouveau des théologies de saint Anselme, de Duns Scot et de saint Bonaventure.

Faut-il s'étonner de voir les théologiens se diviser en légions derrière chacun de ces porte-bannières de la doctrine?

Il n'y a pas de génération spontanée en psychologie. Chaque théologien commence son étude avec un complexe d'hérédité, d'adhésions mentales, de manières de voir les choses et de raisonner, voire de ces sentiments subtils qui se glissent dans nos spéculations les plus abstraites. Ajoutez que, malgré l'identité d'un même « donné » de foi, « la diversité des théologies pourra naître du choix délibéré d'instruments conceptuels et philosophiques divers » [1].

Pourquoi peut-on, sauf exception, dans n'importe quelle discipline, préjuger les opinions d'un chercheur d'alors, comme de ceux d'aujourd'hui, d'après l'Université ou l'ordre religieux qui l'a formé? De nos jours, l'un adhère au dogme qu'il n'y a point de dogmes, qu'au-delà de l'observable sensible il n'y a rien, tandis que l'autre tient qu'entre la science et la foi il ne peut y avoir conflit. Au XVIIᵉ siècle, on peut présumer le système d'un théologien d'après la forme et la couleur de sa robe : le dominicain moyen est thomiste, le franciscain scotiste.

Pour expliquer ces oppositions par groupes, celles d'alors comme les nôtres, humiliantes qu'elles sont pour l'orgueil de l'esprit, il n'est pas nécessaire d'évoquer l'instinct grégaire. Elles sont inévitables. Dans l'impossibilité de maîtriser toute l'étendue du savoir, l'esprit, même le plus loyal et le plus consciencieux, doit accepter — au moins provisoirement — sa condition de cellule d'un corps. Dans les secteurs qu'il n'a pu explorer lui-même, il ne peut se soustraire aux influences de l'éducation, à celles des traditions de son groupe social ou du prestige de maîtres éminents.

Il arrivera même à certains de capituler devant une inquisition, celle des bûchers ou celle de la destitution. Car, si les autorités académiques, conventuelles ou civiles, sont incapables de contraindre le professeur dans le secret de sa pensée intime, elles peuvent l'empêcher de l'enseigner.

Ainsi en va-t-il chez ces théologiens au XVIIᵉ siècle. Il serait injuste de dire qu'ils pensaient par équipes; mais ils enseignaient par équipes. C'est le cas surtout chez les religieux, où telle doctrine est « d'ordonnance », le thomisme intégral chez les frères-prêcheurs, le scotisme chez les franciscains. En 1613, le général des jésuites Aquaviva imposa l'enseignement du congruisme, tout en maintenant l'obligation générale du thomisme. Mettons que, parmi eux, un esprit plus personnel sorte du rang et lance une théorie nouvelle. On peut citer un dominicain moliniste, tel Ferreira, et un jésuite qui ne l'est pas, tel Suarez. Mais, quand cette initiative est jugée étrangère à la tradition du groupe, elle n'a guère de chance de s'incorporer à son enseignement [2].

---

[1] *D.T.C.*, t. XV, ɪ, col. 482.

[2] « Universal costumbre era entre los escritores de una misma familia religiosa utilizar los succesores los trabajos de sus predecesores; y, en general, unos los de otros. », U. Dominguez-Del Val, *Caracter de la teologia según la escuela agustiniana de los siglos XIII-XX*, dans *Ciudad de Dios*, t. CLXIII, 1951, p. 233. — On pense à Romain Rolland et à ses « rateliers pleins de foin » cités par Congar, *V. et F. R.*, *op. cit.*, p. 198.

Et ainsi se sont formées et se maintiennent les écoles de théologie [1].

Encore faut-il s'entendre sur le terme. Il y a des écoles au sens strict, celles qui se réclament d'un grand nom historique et qui professent une adhésion plus ou moins littérale à sa doctrine; elles s'identifient souvent avec un ordre religieux : l'augustinisme, le thomisme, le scotisme, l'école de saint Anselme ou celle de saint Bonaventure.

On a donné aussi — moins justement — le nom d'école à des groupes de théologiens plus éclectiques, qui, tout en professant une philosophie et une théologie de base, accueillent des lumières latérales; tels, par exemple, la majorité des capucins et des jésuites.

L'ÉCOLE AUGUSTINIENNE La plus ancienne des écoles proprement dites est l'augustinienne. Elle avait brillé au Moyen Age [2]. Mais y a-t-il au XVIe siècle une école spécifiquement augustinienne? « Saint Augustin est comme ces grands empires qui ne se transmettent à leurs héritiers, même illustres, qu'en se divisant », en se « démembrant », tandis que son « génie religieux » est immortel [3]. Tout le monde alors est augustinien de quelque manière [4].

[1] Sur les oppositions d'école, R. SIMON, *Bibliothèque critique*, Amsterdam, 1708-1710, t. I, p. 372. — Sur les diverses écoles en général, F. CAYRÉ, dans *Précis de patrol., op. cit.*, t. III, p. 1-168.

[2] Notamment avec Gilles de Rome, Egidius Colonna (c. 1247-1316), *D.T.C.*, t. I, col. 2513. — Théologiens chanoines réguliers de Saint-Augustin, *D.T.C.*, t. I, col. 2475. — Jean Garetius, *D.T.C.*, t. VI, col. 1158-1160; *B.N.*, t. VII, col. 488. — Gilles de Viterbe, ermite de Saint-Augustin (1493 à Troja, Pouille, — 1563), *D.T.C.*, t. XIV, col. 1923-1940; L. RENWART, *Augustiniens du XVIIIe siècle et Nature pure*, Thèse stencilée, Paris, 1948 (exemplaires à l'Institut cathol. de Paris, à la Bibl. nation., au coll. théol. d'Eegenhoven, Louvain). — Sur *l'augustinisme*, *D.T.C.*, t. I, col. 2501-2561; J. IRIARTE, *Presencia de San Agustin en el pensamiento moderno en su XVI centenario*, dans *Razon y Fé*, t. CXLIX, 1954, p. 531-540; CAYRÉ, *op. cit.*, t. II, p. 747-753; *Augustinus Magister. Congrès International augustinien*, Paris, 21-24 septembre 1954. *Actes*, supplément à *l'Année théologique augustinienne*, Paris, s. a., 3 vol.; contient : L. CEIJSSENS, *Le drame de conscience augustinien des premiers jansénistes*, t. I, p. 1071-1076; et P. VIGNAUX : *Influence augustinienne* (époque moderne), t. III, p. 266 s. Voir aussi la note précédente; J. CHEVALIER, *Histoire de la pensée*, II. *La pensée chrétienne des origines à la fin du XVIe siècle*, Paris, 1956. Augustinisme et thomisme; *Augustiniana* (Revue). *Répertoire bibliographique de saint Augustin*. Depuis 1951 paraît à la fin de chaque année, t. VI. Influence et survie, p. 650-655; saint Augustin est très fort loué par Pázmány. Cf. ÖRY, *De notis Eccles., op. cit.*, p. 97 s.; A. LIUIMA, *L'influence de saint Augustin chez saint François de Sales*, dans *Bull. littérat. ecclés.*, t. LX, 1959, p. 3-37; H.-I. MARROU, *Saint Augustin et l'augustinisme*, Paris, 1955; L. SMITS, *L'autorité de saint Augustin dans l'Institution chrétienne de J. Calvin*, dans *R.H.E.*, t. XLV, 1950, p. 670-687; E. STAKEMEIER, *Der Kampf um Augustinus. Augustinus und die Augustiner auf dem Tridentinum*, Paderborn, 1937. Voir aussi plus loin, p. 285; U. DOMINGUEZ-DEL VAL, *Caracter, op. cit., Ciudad de Dios*, t. CLXII, 1950, p. 229-271; t. CLXIII, 1951, p. 233-255; t. CLXIV, 1952, p. 513-531. Au t. CLXII, 1950, p. 229, l'auteur donne au nom d'école augustinienne un sens spécial : « Designase con el nombre de *escuela agostiniana* el numeroso e importante grupo de teologos de la orden de S. Agustin que enseñaron [...] desde la segunda midad del siglo XIII hasta fines del siglo XV »; à ne pas confondre avec l' « agustinismo mediaevale » du cardinal Ehrle. L'auteur a pour but de montrer quelle est la pensée des théologiens augustiniens jusqu'au XXe siècle « sobre el concepto de Teologia y acerca del fin a que se ordena la ciencia teologica » (p. 235); E. DOMINGUEZ, *La escuela teologica agustiniano-salmantina de 1560 à 1630*, dans *Estud. ecles.*, t. XXIV, 1960, p. 150.

[3] *D.T.C.*, t. I, II, col. 2456.

[4] Cf. SAINTE-BEUVE, *Port-Royal*, éd. R. L. DOYON et Ch. MARCHESNÉ, t. II, p. 64. « Le mot *augustinisme* désigne, tantôt d'une manière générale l'ensemble des doctrines d'Augustin

Depuis le XIIIe siècle, la doctrine du grand docteur avait été absorbée dans un certain syncrétisme. Au siècle suivant, la théologie scolastique, sans le répudier, obéissait à une inspiration plus « rationalisante ». Mais l'humanisme ramena les esprits à l'Antiquité. De plus, le mouvement de réforme à la fin du XVe siècle et au début du XVIe devait attirer les esprits vers saint Augustin. Le converti au cœur de feu, comme saint Paul cet autre converti [1], avait scruté mieux que personne les angoissants problèmes du mal, de la chute originelle, de la Rédemption, qui passionnaient l'époque de Luther [2]. Les esprits cultivés avaient été préparés à le suivre grâce au puissant renouveau de platonisme de Bessarion (1403-1472), de Marsile Ficin (1433-1499) et d'autres [3]; plus tard le cartésianisme et l'ontologisme devaient ajouter à l'influence augustinienne [4].

L'Église elle-même, en canonisant sa doctrine, avait confié au « docteur de la grâce » la mission d'être son interprète en la matière, « linguam Ecclesiae », selon le mot de saint Bernard [5]. Au XVIe siècle, protestants et catholiques rivalisent d'augustinisme. Luther, dans une lettre à Lang, constate avec joie qu'à Wittenberg saint Augustin l'emporte sur Aristote [6]. Le pasteur Maresius invoque son témoignage à côté de celui de la Bible [7].

Prestige de saint Augustin. — Dans les Universités catholiques, à Salamanque, à Paris, à Louvain on garde sa doctrine. Saint Bellarmin en est profondément marqué [8]. Parfois on s'engage sous serment à le suivre, non

ou même un certain esprit philosophique qui les pénètre, tantôt spécialement le système sur l'action de Dieu, la grâce et la liberté ». Cf. E. PORTALIÉ, dans *D.T.C.*, t. I, col. 2485, 2501, 2514; t. XV, I, col. 655.

[1] Cf. A. SAINTE-BEUVE, *op. cit.*, t. II, p. 263.

[2] G. COMBÈS. *La charité d'après saint Augustin*, Paris, 1934. La recherche de Dieu par amour. L'augustinisme souffrit cependant de la réaction contre l'abus qu'en firent les réformateurs. Cf. *D.T.C.*, t. XII, col. 2420.

[3] J. ORCIBAL, *Thèmes platoniciens dans l'« Augustinus » de Jansénius*, dans *Augustinus magister, op. cit.*, t. II, p. 1077-1085; CAYRÉ, *op. cit.*, t. II, p. 724. Sur l'Oratoire, foyer de néo-platonisme, GILSON, *La doctrine..., op. cit.*, p. 160.

[4] G. LEWIS, *Augustinisme et cartésianisme*, dans *Augustinus magister*, t. II, p. 1087-1104.

[5] J. LAPORTE, *La doctrine de Port-Royal*, Paris, 1923, t. II, I, p. 22; *D.T.C.*, t. I, col. 2318. — Sur l'autorité de saint Augustin dans l'Église, *D.T.C.*, t. I, col. 2463, 2466, 2470; H. DE LUBAC, *Deux augustiniens fourvoyés*, dans *R.Sc.R.*, t. XXI, 1931, p. 424, n. 6. « L'Église considère saint Thomas et saint Augustin comme de grands docteurs, [...], mais elle ne reconnaît l'infaillibilité qu'aux auteurs inspirés de la Sainte Écriture. » (Discours de Pie XII le 17 octobre 1953. *Osservatore romano* (éd. franç.), 30 octobre 1953, p. 1).

[6] F.-X. JANSEN, *Baïus et le Baïanisme*, Louvain, 1927, p. 117. — Quant à l'influence de saint Augustin sur Luther et Calvin, voir J. CADIER, *Saint Augustin et la Réforme*, dans *Recherches augustiniennes*, Paris, 1958, t. I, p. 357-371.

[7] S. MARESIUS, *Apologia pro S. Augustino...*, Groningue, 1654; D. NAUTA, *Samuel Maresius*, Amsterdam, 1935, p. 93, n. 1; J. MOREAU, *El Agustinismo de Malebranche*, dans *Augustinus Magister*, t. I, 1956, p. 494-516. M. Reulos juge « que l'utilisation d'Augustin est pour ainsi dire « humaniste » au XVIe siècle et « polémique » au XVIIe siècle, *Augustinus Magister, op. cit.*, t. III, p. 273. — Sur l'augustinisme réformateur, cf. CONGAR, *op. cit.*, p. 223.

[8] *D.T.C.*, t. II, col. 597. SOMM.-BLIARD-RIVIÈRE, *op. cit.*, t. XI, table p. 1961; énumération d'une soixantaine d'ouvrages de jésuites sur saint Augustin, *ibid.*, t. X, col. 88-90. — Les jésuites du collège d'Alcalá firent peindre par Rubens pour leur église un « Ravissement de saint Augustin », actuellement à San Fernando de Madrid. Cf. E. PEETERS, *Rubens et la Comgnie de Jésus*, dans *Études classiques* (Namur), t. XIII, 1945, p. 169. — A. LIUIMA,

sans lui adjoindre saint Thomas [1]. Louvain se distingue dans cet attachement. « Saint Augustin est le maître incontesté de tous les théologiens de Louvain » [2]. Baïus l'aura lu tout entier, dit-il, neuf fois et soixante-dix fois ses écrits sur la grâce; Jansénius se vantait de les avoir lus et annotés plus de dix fois et plus de trente fois ceux contre Pélage [3]. Jansénius écrit qu'« ils [lui] portent ici plus de respect qu'aucune part ailleurs » [4]. Il exaltera son témoignage exclusif jusqu'à lui attribuer une sorte d'infaillibilité [5] et ses successeurs mettront le « Docteur de la grâce » au dessus des décisions de l'Église hiérarchique; ils oublient la décision d'Augustin lui-même : « Roma rescripta venerunt, causa finita. » Nous verrons plus loin sa profonde influence sur la conception qu'on se fit alors de la théologie.

Tous sont donc unanimes pour le célébrer; ils ne le sont pas pour l'interpréter; chaque théologien le tire à soi, citant de lui tels ou tels passages isolés. Rares sont ceux qui avouent le déserter. Les vives controverses du temps ne sont pas pour ou contre lui, mais pour ou contre telle interprétation de ses paroles. Baïus et Tapperus, ardents adversaires, sont tous deux « très versés en théologie augustinienne » [6].

Interprétation de sa pensée. — Confusion inévitable. Pas plus que les autres Pères, l'illustre défenseur de l'orthodoxie catholique n'a laissé de sa pensée une « théologie », une synthèse systématique, nette, définitive. Au contraire, ses ouvrages polémiques frappent tantôt à droite, tantôt à gauche, exaltant, les uns, contre les pélagiens, la puissance de Dieu, les autres, contre le fatalisme manichéen, la liberté humaine. Une autre question s'est posée

---

L'influence de saint Augustin chez saint François de Sales, dans *Bull. de littér. ecclés.*, t. LX, 1959, p. 3-39; V. Capañaga, *En el centenario de… S. Ignacio de L.*, dans *Augustinus*, t. I, 1956, p. 295-311 (influence de S. Aug.).

[1] A. de Meyer, *Les premières controverses jansénistes en France (1640-1649)*, Louvain, 1919; Willaert, *Les origines, op. cit.*, p. 417 s., où l'on verra l'emprise de saint Augustin en Belgique. — En juin 1627, pour fermer la porte aux doctrines des jésuites, l'Université de Salamanque voulut obliger tous ses membres à adhérer sous serment à l'enseignement de saint Augustin et de saint Thomas. Il en sera question plus loin, p. 277.

[2] Guelluy, *op. cit.*, p. 124.

[3] Valère André, cité par Jansen, *op. cit.*, p. 117, n. 218.

[4] Polman, *op. cit.*, p. 406 s.; J. Orcibal, *Les origines du Jansénisme,* I. *Correspondance de Jansénius*, Louvain-Paris, 1947, p. 192. « Nous sommes, nous et toute l'Église, entièrement redevables aux théologiens de Louvain de ce que les ouvrages de N. S. P.S. Augustin ne demeurent pas ensevelis sous la poussière et jettés dans les coins des bibliothèques. Puisque ce sont eux qui […], les ayant collationnés avec plus de deux cents exemplaires… ». Réponse du P. Barthélemy de los Rios, O. S. A. au P. de Figuerola, S. J., citée dans *Annales de la société des … jésuites, op. cit.*, t. IV, p. 509.

[5] Sainte-Beuve, *op. cit.*, t. I, p. 269; voir cependant Laporte, *op. cit.*, p. 21 n. 168. De son côté, Antoine Arnauld lui restera fidèle, même lorsque, sur le tard, il s'attachera à saint Thomas, *ibid.*, p. xiii.

[6] Sur l'ambivalence de saint Augustin, cf. Congar, *op. cit.*, p. 226, 235. E. Van Eyl, *Les censures des universités d'Alcalà et de Salamanque et la censure du pape Pie V contre Michel Baïus (1565-1567)*, dans *R.H.E.*, t. XLVIII, 1953, p. 719-776; Jansen, *op. cit.*, p. 138, rappelle quelques-uns des hétérodoxes qui prétendent le représenter. — Lessius dans son *Apologia* dit : « Nous prétendons de part et d'autre embrasser la doctrine de ce saint Docteur. Il ne s'agit que d'examiner qui de nous a la vraie intelligence. » (Duchesne, *Histoire du baïanisme*, Douai, 1731, p. 233 s.). — Même remarque dans [G. Estrix], *Doctrina theologica per Belgium…* Mayence, 1681, Praefatio, p. 3. Voir comme exemples du désaccord entre interprètes de nos jours, J. van Gerven, *op. cit.*, p. 131 s., 144.

de savoir à quel stade de son évolution — du début à la vieillesse — il faut saisir sa pensée propre [1].

Ajoutez que son « tempérament oratoire » l'entraîne à exagérer [2]; que son vocabulaire n'est pas compris par tous de la même manière; que l'époque moderne a posé en pleine lumière des questions qu'il avait laissées dans l'ombre, telles la volonté salvifique universelle de Dieu et la mort du Sauveur pour tous les hommes [3].

Pour savoir dans quelle mesure les théologiens posttridentins pouvaient saisir sa pensée authentique, il nous faudrait connaître les textes dont ils se servaient. Nous ne savons pas toujours quelles éditions utilisaient les divers auteurs. Ils se reprochaient mutuellement d'alléguer des œuvres apocryphes. Et c'était naturel. Personne alors ne pouvait se vanter de posséder le vrai « canon » de ses ouvrages. En fait, le premier incunable augustinien « est un pseudépigraphe (*De vita christiana*, 1460-1465) », car saint Augustin fut un des premiers à être diffusé par l'impression.

Éditions de ses œuvres. — Ses *Epistolae* en 1493; avant la fin du siècle, ses sermons, ses *Enarrationes in psalmos*. La première collection d'*Opera omnia S. Augustini*, que Jean Amerbach publie à Bâle en 1513, fait honneur au zèle et à la sagacité de ses auteurs; mais elle ne fournit pas un texte vraiment critique. Il faudra attendre la célèbre et très savante édition des mauristes (11 vol., 1669-1700) pour disposer d'un texte auquel notre critique actuelle ne trouvera rien d'important à corriger [4].

L'importance de ces questions de critique textuelle apparaît dans un exemple piquant, bien connu des spécialistes. L'édition des mauristes donna lieu à une vive polémique au sujet d'un seul mot. Il est vrai que le mot pouvait servir de projectile aux camps opposés. A propos des habitants de Tyr et de Sidon, l'*Enchiridion*, au chapitre 95, dit : *nec utique iniuste noluit Deus*

---

[1] O. ROTTMANNER, *Der Augustinismus*, Munich, 1892, trad. par J. LIEBAERT, *L'Augustinisme. Saint Augustin et la prédestination*, dans *Mélanges de Sciences religieuses*, t. VI, 1949, p. 29-48. — Avant le « *Ad Simplicianum* », saint Augustin admet un certain semi-pélagianisme : « l'homme trouve dans son libre-arbitre le moyen [...] ut credat Liberatori et accipiat gratiam » (J. VAN GERVEN, *Liberté humaine...*, *op. cit.*, p. 106). Voir ci-dessus au sujet de l'augustinisme hétérodoxe. On sait que, pour les protestants et pour les baïano-jansénistes, l'augustinisme est la doctrine augustinienne interprétée à leur manière déterministe, par exemple en matière de prédestination. C'est ainsi que A. HARNACK a pu parler d'un « Niedergang des Augustinismus », *Lehrbuch der Dogmengeschichte*, Fribourg-en-Br., 1897, 3e éd., p. 659; *D.T.C.*, t. I, col. 2519. Jean Eck, « dans l'interprétation de la doctrine de saint Augustin, sans soupçonner que la pensée du grand docteur ait subi une évolution, tâche de concilier [ses] différentes propositions [...]. Jean Gropper [...] admet que, sous l'influence de leurs préoccupations polémiques, les Pères ont parfois employé des expressions dont ils n'auraient pas fait usage dans un exposé didactique ». (POLMAN, *op. cit.*, p. 295). — Sur l'*autorité* de saint Augustin, R. SIMON, *Bibl. crit.*, *op. cit.*, t. III, p. 136-157.

[2] *D.T.C.*, t. I, col. 2456. Sur les faiblesses que lui trouve M. Cano, *ibid.*, col. 2469 : « Mausbach avoue qu'on se trouve en face d'excès de *pensée* et non seulement d'*expression de la pensée.* » (JANSEN, *op. cit.*, p. 181, n. 233).

[3] *D.T.C.*, t. II, col. 2517.

[4] R. SIMON, *Bibliothèque critique*, *op. cit.*, t. III, p. 101 s., p. 116-118; J. DE GHELLINCK, *La première édition imprimée des « Opera omnia S. Augustini »*, dans *Miscellanea J. Gessler*, s. l., 1948, t. I, p. 530-547.

salvos fieri, cum possent salvi esse, si vellent [ipsi], ou *si vellet [Deus]*. Au pluriel, le mot est moliniste, au singulier, il est le contraire! Or, quoique 25 manuscrits sur 36 portent cette dernière leçon, les diverses éditions des mauristes adoptent, les unes *vellent*, les autres *vellet* [1].

A supposer même que les théologiens eussent à la main un Augustin critiquement impeccable, il restait la difficulté de la sémantique. On observe que plusieurs de ses commentateurs interprétaient — et interprètent encore — les mots de son vocabulaire dans le sens de leur propre époque et non dans le sien. Or certains de ces mots commandent toute la doctrine; c'est le cas pour *natura, libertas, concupiscentia, persona, gratia*, etc. [2].

Enfin, il n'apparaît pas, dans les polémiques, qu'on ait tenu compte à suffisance de cet émouvant examen de conscience que sont les *Retractationes* [3]. Après tout ce qui précède, on ne s'étonnera pas que l'autorité de l'incomparable docteur ait été invoquée en sens divers.

Sur sa théorie de la grâce, « l'Église à Trente a sagement maintenu le véritable augustinisme entre les deux excès..., pélagianisme et prédestinatianisme protestant » [4].

Même dans l'ordre qui porte le nom d'Augustin et qui s'attache à sa règle, on ne voit pas, à l'époque en question, assez d'unanimité pour qu'on puisse parler d'école [5]. Il est vrai qu'au concile de Trente on avait vu, sous la conduite du cardinal Seripando [6] « une école augustinienne originale dans l'ordre des augustins » [7]. Il y aura lieu d'y revenir à propos des controverses sur la grâce.

---

[1] ID., *L'édition de saint Augustin par les mauristes*, dans *N.R.T.*, t. LVII, 1930, p. 746-774, 768 s. Voir aussi *B.J.B.*, nᵒˢ 6360, 6403, 6409 s., 6413-6416, 6439, 6447, 6519, 6559 s., 6606, 7608, 11864; A. INGOLD, *Histoire de l'édition bénédictine de saint Augustin*, Paris, 1903. Les mauristes firent tirer une feuille de correction avec lecture *vellet*, qui répond certainement mieux à la pensée de saint Augustin (communiqué par Dom C. Lambot, O. S. B).

[2] *D.T.C.*, t. I, col. 2404; DE LUBAC, *op. cit.*, p. 432, 442 et *passim*; R. BOIGELOT, *Le mot « personne » dans les écrits trinitaires de saint Augustin*, dans *N.R.T.*, t. LVII, 1930, p. 5-16.

[3] J. DE GHELLINCK, *Les rétractations de saint Augustin...*, dans *N.R.T.*, t. LVII, 1930, p. 481-500; J. BURNABY, *The retractationes*, dans *Augustinus Magister*, t. II, p. 85-92; J. BLUMENKRANZ traite des apocryphes de saint Augustin au Moyen Age; mais son étude éclairerait aussi le travail des modernes. Cf. *Augustinus Magister, op. cit.*, t. II, p. 1003-1018. — Il est intéressant d'entendre aussi récemment qu'en 1954, au congrès augustinien, M. A. Mandouze souhaiter une plus étroite collaboration entre théologiens d'une part et de l'autre « philologues, philosophes, historiens. » Le P. Cayré conclut dans le même sens. *Augustinus Magister*, t. III, p. 262, 275.

[4] *D.T.C.*, t. I, col. 2545. Voir ci-dessus au sujet de l'augustinisme hétérodoxe.

[5] U. MARIANI, *Il Petrarca e gli Agostiniani*, dans *Storia e Letteratura*, XII, Rome, 1946; A. MARTIN, *Reforma y estudio de Teologia entre los agustinos reformados españoles (1431-1550)*, dans *Anthologia annua*, t. IV, 1956, p. 439-464.

[6] Jérôme SERIPANDO (1493 à Troja, Pouille — 1563), ermite de Saint-Augustin, général de l'ordre (1539-1551), cardinal; *D.T.C.*, t. XIV, col. 1923-1940; *K.L.*, t. XI, col. 194-197. On verra au t. II sa théorie de la double justice. Cf. *H.C.*, t. IX, p. 1049 (table); t. X, p. xxxv (table); D. GUTERRIEZ, *Fray Jeronimo Seripando, O. S. A., ...legado en el Concilio de Trento*, dans *La Ciudad de Dios*, t. CLV, 1943, p. 403-432; H. JEDIN, *Girolamo Seripando. Sein Leben und Denken in Geisteskampf des 16. Jahrhunderts* (Cassiciacum, II, III) Würzbourg, 1937, 2 vol. Cf. *Arch. teol. granad.*, t. II, 1939, p. 300 s.; ID., trad. F. C. ECKHOFF, *Papal Legate at the Council of Trent. Cardinal Seripando*, St. Louis, 1947.

[7] FERET, dans *R.S.P.T.*, t. XXVII, 1938, p. 317, analysant l'ouvrage de H. JEDIN, *supra*; *D.T.C.*, t. XIV, col. 1930-1938; D. GUTIERREZ, *Concilio Tridentino y notas acerca de*

Mais, précisément pendant ces controverses, on vit des augustins dans l'un et l'autre camp [1].

La grande figure du « docteur des docteurs » s'imposa d'autant mieux aux théologiens posttridentins qu'elle se reflétait dans le renouveau en faveur de saint Bonaventure, de saint Thomas d'Aquin et de Duns Scot, ainsi que dans l'école française. Tous prolongent d'une certaine manière l'influence augustinienne [2].

L'ÉCOLE
DE SAINT BONAVENTURE

Augustinien, platonicien, mystique, saint Bonaventure convenait à beaucoup d'esprits au XVIe siècle.

Supplantée jusque là dans l'ordre franciscain par la doctrine de Duns Scot, celle du *docteur séraphique* reprit une vie nouvelle grâce à Sixte-Quint; il lui accorda une approbation solennelle, en déclarant le saint docteur de l'Église (1588); il ordonna l'impression de ses œuvres et, par une bulle du 18 décembre 1587, érigea à Rome un collège où vingt religieux étudieraient ses écrits [3]. S'il n'en résulta pas dans son ordre une adhésion unanime, les frères mineurs capucins « se sont attachés à lui de préférence pendant deux siècles au moins » [4].

L'ÉCOLE THOMISTE

Or, tandis que, pour saint Bonaventure, la théologie est « une réintégration progressive de l'homme intelligent et de tout l'univers connu de lui dans l'unité de Dieu, par amour et pour l'amour », chez saint Thomas d'Aquin « elle est le rayonnement, dans la raison humaine comme telle, des convictions de la foi et la construction de ces convictions par la raison du croyant » [5].

Au point de vue de la classification en système, le thomisme possède une prérogative unique. La *Somme* théologique est une théologie au sens le plus

---

Seripando, dans *Ciudad de Dios*, t. CLXIV, 1952, p. 603 s.; augustins professeurs à Louvain, *A.H.E.B.*, t. XXII, p. 257; t. XXIII, p. 134; D. Carretero, *La escuela Agustiniana de Salamanca*, dans *Ciudad de Dios*, t. CLXIX, 1956, p. 638-685.

[1] *D.T.C.*, t. I, col. 2485; Cayré, *op. cit.*, t. II, p. 733-746, 750-753. Il faut attendre la fin du XVIIIe siècle pour voir se former l'école de « l'augustinianisme », celle du cardinal Noris et de ses confrères. — Parmi les autres théologiens augustins célèbres de l'époque posttridentine, le P. U. Dominguez traite des Espagnols Jean de Guevara (1518-1600), Pierre de Uceda Guerrero (1543-1586), professeurs à Salamanque, François de Cristo, professeur à Coïmbre, de l'Irlandais augustin Gibbon († 1676), professeur en Irlande, en Espagne et en Allemagne, de l'Italien Célestin Bruni († 1660), professeur à Rome, des Français Fulgence Lafosse et Jean Puteanus († 1623), professeurs à Tolosa, *Ciudad de Dios*, *op. cit.*, p. 234-255. Sur Louis de Léon, *supra*, p. 242, et (*ibid.*, t. CLXIV, 1952, p. 163-178) *La teologia de Fr. Luis de Leon* par U. Dominguez. — Sur Jean Marquez (1564 à Madrid — 1621), célèbre théologien et écrivain, voir Gabriel del Estal, dans *Ciudad de Dios*, t. CLXIII, 1951, p. 489-528.

[2] Harnack oppose les protestants aux « thomistes-augustiniens ».

[3] *B.T.*, t. VIII, p. 980; *K.L.*, t. III, col. 624; on verra plus loin (p. 278) la faveur dont jouit saint Bonaventure chez les capucins.

[4] *D.T.C.*, t. II, col. 983. En 1562, le chapitre-général des capucins ordonna la réorganisation des études; on commença aussitôt la publication des commentaires du saint (1569); dans cette résurgence, se distingua surtout le capucin Pierre Trigoso de Calatayud († 1593). Cf. *D.T.C.*, t. VI, col. 836; Cayré, *op. cit.*, t. II, p. 725; *G.-F.*, p. 239, énumère un bon nombre de commentateurs de saint Bonaventure au XVIIe siècle; Gemelli, *op. cit.*, p. 181-187.

[5] *D.T.C.*, t. XV, col. 395 s.

précis, « une synthèse systématique de l'ensemble du dogme »[1]. On peut la combattre ou l'admettre plus ou moins docilement. Elle est là, nettement exprimée pour des siècles et avec elle une méthode rigoureuse et uniforme. Il est vrai que l'école thomiste se compose de commentateurs de la *Somme* qui l'interprètent chacun à sa façon, comme tout texte figé. Mais il est possible de ramener ces conceptions à « des principes communément reçus chez les plus grands d'entre eux »[2].

Le thomiste est le disciple de saint Thomas; mais tous les disciples ne se tiennent pas à égale distance de la chaire. De plus, saint Thomas a suivi « trois lignes, la ligne spéculative, la ligne historico-positive et la ligne mystique »[3]. Ceux-là donc pourront aussi se réclamer de lui qui ont adopté la théologie « nouvelle ». Tout en accentuant davantage la ligne historico-positive, ils restaient fidèles au *Doctor communis*. C'est surtout sous la forme que lui donna l'école de Salamanque que le thomisme reconquit et vivifia l'enseignement théologique des XVIe et XVIIe siècles.

On ne s'étonnera pas cependant de voir les maîtres qui, au XVIe siècle, ont renouvelé le thomisme spéculatif considérés comme les héritiers par excellence du grand docteur[4].

Les frères prêcheurs. — Il s'est agi déjà ci-dessus (p. 236) de ce renouveau. C'est une reconquête menée comme une croisade par les frères prêcheurs. Elle commence à l'intérieur de l'ordre, qui va de plus en plus représenter l'école thomiste[5].

---

[1] *Ibid.*, col. 346.

[2] *Ibid.*, t. VI, col. 906, 914; t. VIII, I, col. 215, 224; t. XIV, II, col. 1718 s.; t. XV, I, col. 417, 694; 823-831; *D.A.*, t. IV, col. 1709; *L.T.K.*, t. IX, col. 304; t. X, col. 141; *C.E.*, t. XII, col. 368; *K.L.*, t. XI, col. 1700; POULET, *Histoire du Christianisme*, t. III, p. 961; *G.-F.*, *op. cit.*, p. 217, 221, 231-247, bibliogr. p. 500 s.; M. J. SCHEEBEN, *op. cit.*, p. 58 s.; ID., *Handbuch der Katholichen Dogmatik*, 2e éd. M. GRABMANN, Fribourg-en-Br., 1948, p. 472 s.; H. M. FÉRET, *Bibliographie critique*, dans *Revue thomiste*, t. IV, 1934-1936, p. 836-875; H. JANSEN, *Die scholastische Philosophie des 17. Jahrhunderts*, dans *Philos. Jahrb.*, t. I, 1931, p. 401 s.; A. BACIÉ, *Ex primordiis scholae thomisticae*, Rome, 1928; A. WALZ, *Rilievi posttridentini Domenicani*, dans *Angelicum*, t. XXVII, 1950, p. 366-379. Sur ses relations avec l'augustinisme, *D.T.C.*, t. XV, I, 386, 392, 395, 658; CAYRÉ, *op. cit.*, t. II, p. 746. Sur les interprétations diverses d'une même formule, WILLAERT, *op. cit.*, p. 384.

[3] *D.T.C.*, t. XV, col. 421 : « La notion de thomisme est une notion vague », DAGENS, *Bérulle*, *op. cit.*, p. 44.

[4] Tels déjà les dominicains Cajétan et Capréolus († 1444) (voir *supra*, p. 195), puis Pierre de SOTOMAYOR († 1564) et BARTHÉLEMY DE MEDINA (*supra*, p. 237). Bañez et Jean de Saint-Thomas, qui développent surtout la « ligne spéculative », tout en veillant à la pureté et à l'élégance de leur langue. « Chez Bañez le retour à la grande tradition thomiste [...] est déjà pleinement effectué ». *D.T.C.*, t. VI, I, col. 909, t. XV, I, col. 379, 400, 417; voir ci-dessus, p. 225; CAYRÉ, *op. cit.*, t. II, p. 743. Sur JEAN DE SAINT-THOMAS, voir ci-dessus, p. 190.

[5] Pour l'époque posttridentine, on trouvera des nomenclatures de frères prêcheurs théologiens célèbres dans *D.T.C.*, t. VI, col. 906, 919-921; *E.I.U.E.A.*, t. XIII, col. 113; *C.E.*, t. XII, col. 368; à l'Université de Paris, FERET, *op. cit.*, t. II, p. 288; t. V, p. 206-260; HEIMB., t. II, p. 134-138; C. FISCHER, *Jacques Nacchianti, O. P. ...*, dans *France franc.*, t. XX, 1937, p. 97-174; G. LOHR, *Die Dominikaner an den deutschen Universitäten am Ende des Mittelalters*, dans *Mélanges Mandonnet*, t. II, p. 403-435 (va jusqu'au XVIe siècle); *ibid.*, t. I, p. 13 s., relevé des articles de *D.T.C.*, sur des *théol. O. P.* par le P. Mandonnet. A l'Université de Louvain, *A.H.E.B.*, t. XXII, p. 167 s.; *infra*, t. II (jansénisme); E. REUSENS, *Documents...*, t. V, p. 132; *B.J.B.*, nos 792, 793, 3039.

Déjà au XVᵉ siècle, les dominicains commentent la *Somme;* ils la traduisent en plusieurs langues; ils l'imposent à leurs professeurs de l'Université de Pavie; ainsi feront leur collègue de Fribourg-en-Brisgau et Pierre Crokaert à Paris [1]. Nicolas Coeffeteau, par exemple, écrit la première version française [2]. Au XVIᵉ siècle, Cajétan († 1534) le premier prend la *Somme* comme base de ses commentaires. Elle évincera progressivement les *Sentences* de Pierre Lombard en qualité de texte scolaire, notamment dans les cours de Vitoria. En 1512, c'est encore un dominicain, Conrad Köllin, qui publia à Cologne le premier commentaire de la Iᵃ-IIᵃᵉ. Depuis 1523, une série de décrets des chapitres-généraux de l'ordre imposent la *Somme;* ceux de 1611 et de 1615 renforcent l'ordre de fidélité au thomisme; en 1629, elle est imposée sous serment [3]. Le pape dominicain Pie V, le 11 avril 1567, proclamant saint Thomas docteur de l'Église, donna une nouvelle impulsion à cette conquête [4]. Vers 1620, le cardinal de Lerme fonde pour les dominicains six chaires d'enseignement thomiste à Salamanque, à Alcalà et à Valladolid [5].

Lancé à l'intérieur de la famille des frères prêcheurs, le mouvement s'étendit rapidement. L'Espagne — on le sait — donna l'exemple. Salamanque, Alcalà, Valladolid conquises [6], ce fut Paris, qui avait déjà entendu Pierre Crockaert († 1514) [7], et Louvain [8], Salzbourg [9], les Universités des jésuites en Allemagne [10]. Si parfois on continua de commenter Pierre Lombard, la Somme prévalut

[1] *Bull. thom.*, t. VIII, 1947, p. 1338.

[2] *D.T.C.*, t. II, col. 1327; t. VI, col. 865; BELTRÀN DE HEREDIA, *Los manuscritos, op. cit.*, p. 3.

[3] *D.T.C.*, t. VI, col. 907. EHRLE, *Der päpstliche ...*, *op. cit.*, p. 395.

[4] *P.H.*, t. XVII, p. 157; *D.T.C.*, t. VI, col. 916; J. MARITAIN, *L'attitude des papes à l'égard de saint Thomas*, dans *Bull. de la confér. Saint-Michel, 1920-21*, nº 7, cité par J. DAGENS, *Bérulle et les origines de la restauration catholique (1575-1611)*, Paris, [1952], p. 44, n. 3.

[5] P. B. GAMS, *Die Kirchengeschichte von Spanien*, Graz, 1879, 1956, t. III, p. 262.

[6] HEIMB, t. II, p. 132; RABEAU, *op. cit.*, p. 346; *D.T.C.*, t. V, col. 598; t. VIII, I, col. 1021; t. XV, II, 3119; les *Complutenses, ibid.*, t. XIV, I, 1017; POULET, *Hist. du Christ., op. cit.*, t. III, p. 961; EHRLE-MARCK, *op. cit.*, p. 7; D'IRSAY, t. I, p. 341. — Sur le vœu de Salamanque voir ci-dessus, p. 267; *H.-B.*, t. VI, p. 113.

[7] YSAMBERT (1569-1642), premier titulaire de la chaire de controverse à la Sorbonne, commente la *Somme.* Cf. *D.T.C.*, t. XV, col. 3621. Le remplacement du nominalisme par les *Realium doctores* datait de la *Reformatio Universitatis* de 1474. Cf. TACCHI-VENTURI, *op. cit.*, t. I, p. 54; *G.-F., op. cit.*, p. 116; faut-il rappeler que, vers la fin, Antoine Arnauld rejoignit saint Thomas?

[8] A Louvain, les dominicains obtinrent de Philippe II la fondation d'un « collège royal » pour l'enseignement de la *Somme.* En 1617, dans les nouveaux statuts de l'Université, il fut stipulé qu'on n'accéderait à la licence qu'après « avoir suivi dans son entier le cycle de sept ans consacré à l'explication de saint Thomas ». Cf. GUELLUY, *op. cit.*, p. 51; R. MARTIN, *L'introduction officielle de la Somme théologique dans l'ancienne université de Louvain*, dans *Revue thomiste*, t. XVIII, p. 230-239; DE LE COURT, *supra*, p. 193; H. ROBBERS, *De Spaans-scholastieke Wijsbegeerte op de Noord-Nederlandse Universiteiten in de eerste helft der 17ᵉ eeuw*, dans *Bijdr. en tijd. voor philos. en theol.*, t. XVII, 1956, p. 26-54.

[9] « On peut affirmer que c'est l'Université de Salzbourg qui a causé la renaissance des études théologiques en Allemagne et de la philosophie thomiste; sauf à Cologne, partout ailleurs en Allemagne, prédominait l'enseignement des jésuites et le molinisme ». Cf. SCHMITZ, *op. cit.*, t. V, p. 158.

[10] A Vienne, DUHR, t. II, I, 552; à Dillingen, *ibid.*, t. I, p. 249.

presque partout [1]. Son rayonnement atteignit jusqu'aux penseurs protestants d'Allemagne et d'Angleterre [2].

En se diffusant, le thomisme s'exposait naturellement à des déviations. Rien d'étonnant s'il s'en produisit en dehors de l'ordre dominicain, par exemple chez les jésuites, thomistes plus ou moins éclectiques, dont il sera question plus loin [3]. Mais, parmi les frères prêcheurs eux-mêmes, diverses nuances se firent jour. Au concile de Trente, une querelle dramatique éclata. Le frère Ambroise Catharin, esprit hardi, puissant et frondeur, donnant un « coup de barre » vers l'humanisme, avait dans ses écrits pris nettement position contre Cajétan. Au concile, il se trouva en conflit ouvert avec « les thomistes de stricte observance », Carranza, Dominique Soto et Spina, notamment au sujet de la prédestination, où il tenait le parti des jésuites. La polémique amorcée alors se poursuivit par écrit [4].

Les théologiens carmes. — Dans l'ordre carmélitain les directives diffèrent. On parle de sa « bienveillante indépendance » à l'égard de saint Thomas; mais l'ancienne observance prescrit encore en 1548 de continuer à suivre les docteurs de l'ordre, nommément Jean Baconthorp et Michel de Bologne. Le prieur-général Étienne Chizzola en 1593 et ensuite plusieurs chapitres-généraux recommandent de suivre aussi saint Thomas; mais bientôt une réaction se produit et « Johannes Baconis » devient « le chef unique de l'école carmélitaine » [5]. Chez les carmes de la réforme thérésienne, au contraire, les constitutions, celles de 1611 par exemple, imposent le thomisme intégral. Aussi les *Complutenses* et les *Salmanticenses*, dont il a été question plus haut (p. 188, 190) tinrent-ils à assurer «l'accord le plus parfait de leur enseignement, même dans les moindres choses, avec la doctrine de saint Thomas » [6]. Quant

---

[1] *D.T.C.*, t. VI, col. 906 s.

[2] J. K. RYAN, *The reputation of St. Thomas Aquinas among English protestant thinkers of the seventeenth century*, Washington, 1948 et dans *New Scolasticism*, t. XXII, p. 1-33, 126-208, cf. *Bull. Thom.*, t. VIII, p. 1346; E. FLESSEMAN VAN LEER, *Richard Hooker*, dans *Kerk en Theol.*, t. VI, 1955, p. 234-242 (1554-1600) ; — sur Joh. Althusius, voir p. 187 n.

[3] *D.T.C.*, t. VIII, col. 1043 s.

[4] Lancelot POLITI (1483? à Sienne — 1553), dominicain; « Ambroise CATHARIN » en souvenir d'Ambroise Sansedoni et de sainte Catherine, tous deux O. P. et de Sienne; à ne pas confondre avec son confrère Ambroise Catharin Spannocchi (XVIIIe siècle). Cf. *D.T.C.*, t. II, col. 1329; t. VI, p. 912-916, t. XII, 2418-2434; V. D. CARRO, *Los dominicanos y el concilio de Trento*, Salamanque, 1948; *Bull. thom.*, t. VIII, 1947, p. 1317 s. (Catharin s'apparente à l'école scotiste sur trois points : identité de la grâce et de la charité, Immaculée Conception, prédestination éternelle du Christ). H. M. FERET au sujet de D. SCARAMUZZI, *L'idée scotiste de... Catarino*, dans *Revue thomiste*, t. IV, 1934-1936, p. 842; LE BACHELET, *Prédestination*, *op. cit.*, t. I, p. 50, 154; J. SCHWEITZER, *Ambrosius Catharinus Politus (1484-1553), ein Theologe des Reformationszeitalters*, Münster, 1910 (d'après les écrits de Cath. lui-même; documents en annexe); ID. et A. FRANZEN, *Ambrosius Catharinus Politus, Apologia pro veritate catholicae et apostolicae fidei...*, *1520*, Munster, 1956; POLMAN, *op. cit.*, p. 361; DU CHESNE, *op. cit.*, p. 109, n.; *H.C.*, t. X, p. xxv (table).

[5] MARCELO DEL NIÑO JESUS, *El tomismo de San Juan de la Cruz*, Burgos, 1930; B. F. M. XIBERTA, *Le thomisme de l'école carmélitaine*, dans *Mélanges Mandonnet*, Paris, 1930, p. 444 s. — Voir aussi *Bull. thom.*, t. III, 1933 (suite), p. [1060]. — Jean BACON, Baco, Bacco, Bacho, Bacondorp, Baconthorp, carme (fin XIIIe-1346); *K.L.*, t. III, col. 1838 s.; *D.N.B.*, t. I, col. 851-853. Sur l'école carmélitaine au XVIe siècle, voir *Bull. thom.*, t. III (suite), 1933, p. [988].

[6] *D.T.C.*, t. II, col. 1785 s., où sont indiqués les auteurs ainsi que d'autres théologiens connus. Sur les carmes à l'Université de Paris, FERET, *op. cit.*, t. II, p. 372-383; t. V, p. 261-281.

à « la réforme de Lorraine et aux autres provinces réformées soumises au prieur-général, [elles] embrassèrent (1636) une voie moyenne » [1].

Les théologiens bénédictins. — On peut rattacher à l'école thomiste les plus connus des théologiens bénédictins.

Si, en théologie positive, leur ordre a produit la pléiade de très remarquables savants dont il a été question plus haut, si bon nombre de moines des diverses congrégations se sont distingués dans la controverse, la théologie morale et l'ascétique, en dogmatique à cette époque les hommes célèbres ne sont pas nombreux, mais tous sont fidèles au thomisme. Tels sont les professeurs de l'Université de Salzbourg. Tel aussi le sorbonniste dom Jacques le Bossu et les bénédictins espagnols « ardents thomistes » [2].

Dom Reding et les cardinaux Sfondrati et Saënz d'Aguirre appartiennent à la deuxième moitié du XVIIe siècle. C'est aussi à cette époque, — à partir de 1671 — que les théologiens de l'ordre voudront quitter la doctrine de saint Thomas pour celle de leur confrère saint Anselme [3].

L'École française. — N'y a-t-il pas lieu de faire ici une place à l'École française ? Il est vrai qu'elle est avant tout la merveilleuse école de spiritualité que l'on sait. Mais elle suppose et propage une théologie, la dogmatique très personnelle du cardinal de Bérulle. L'auteur qui la connaît le mieux s'est demandé à quel docteur la rattacher [4].

Bérulle « aime à se référer à saint Thomas »; mais il a le souci constant de démontrer « l'harmonie de la pensée thomiste et de la pensée augustinienne »; car « il est avant tout un disciple de saint Augustin », qu'il appelait l'« aigle

---

[1] XIBERTA, *op. cit.*, p. 447.

[2] Jacques LE BOSSU ou LE BOSSUT (c. 1546 à Paris — 1626), bénédictin; SCHMITZ, *op. cit.*, t. V, p. 176 et table; *D.T.C.*, t. II, col. 613, 628; t. IX, col. 98 s.; *D.H.G.E.*, t. VII, col. 1151; *C.E.*, t. II, col. 462; *K.L.*, t. II, col. 1131 s. — Sur les théologiens O. S. B. à l'Université de Paris : FERET, *op. cit.*, t. II, p. 328-355. — Dom BESSE, *Le moine bénédictin*, Ligugé, 1893; HEIMB., t. I, p. 349-353, 373. — Sur les théologiens cisterciens, *D.T.C.*, t. II, col. 2540-2544; à la faculté de Paris, FERET, *op. cit.*, t. V, p. 288-295; M. A. DENIS, *Théologie bénédictine*, Paris, 1932.

[3] La rédaction de cette *Theologia benedictina* fut confiée à Gerberon. — Sur les théologiens O. S. B., SCHMITZ, *op. cit.*, t. V, p. 152, 156, 158, 163, 172, 178-180.

[4] Pierre DE BÉRULLE (1575 à Sérilly, Champagne — 1629). Sur les théologiens de l'Oratoire, de Condren, Olier, saint Jean Eudes. Cf. *D.T.C.*, t. XI, col. 1131-1133; *D.H.G.E.*, t. XIV, col. 1115-1135; J. DAGENS, *Bérulle et les origines de la restauration catholique (1575-1611)*, Paris, [1952], p. 44-48. On y trouvera, p. 377-446, un excellent « supplément bibliographique et critique »; ID., *Correspondance du Cardinal de Bérulle*, Paris, Louvain, 1937-1939, 3 vol.; A. MOLIEN, *Le cardinal de Bérulle*, Paris, 1947, 2 vol.; *D.T.C.*, t. II, col. 798 s. Influence de Bérulle sur Saint-Cyran : ORCIBAL, *Origines*, *op. cit.*, t. III, p. 94 s. Bérulle, défenseur de l'Église, ORCIBAL, *Relazioni* (congrès de Rome, 1955), t. IV, p. 115. JULIEN-EYMARD D'ANGERS, *L'exemplarisme bérullien; les rapports du naturel et du surnaturel dans l'œuvre du cardinal de Bérulle*, dans *Rev. Sc. rel.*, t. XXXI, 1957, p. 122-140; L. COGNET, *Bérulle et la théologie de l'Incarnation*, XVIIe siècle, t. XXIX, 1955, p. 330-352; RAPIN-DOMENECH, *op. cit.*, p. 93-99, 103, 120-138, 142, 149-153, 174, 177-179, 200 s., 214, 229 s.; BREMOND, *op. cit.*, t. IV, p. 25-28, 33, 37, 115, 175-198; M. HOUSSAYE, *Monsieur de Bérulle...*, Paris, 3 vol., 1872-1875; J. ZÖBELEIN, *Les relations de saint François de Sales et du cardinal de Bérulle*, Erlangen, 1956; J. CALVET, *La littérature religieuse...*, *op. cit.*, p. 89-111; A. RAYEZ, *Le cardinal de Bérulle en Sorbonne*, dans *N.R.T.*, t. LXXIII, 1951, p. 514-520.

des docteurs ». D'autre part, il s'inspire volontiers de saint Bonaventure, « le représentant d'une théologie « affective ». « Est-ce à dire que Bérulle soit « bonaventurien »? Ce serait sans doute aussi inexact que de le dire thomiste de stricte observance. Bérulle ne se rattache à aucune théologie d'École. Par surcroît, il semble qu'à l'influence de saint Thomas et de saint Bonaventure se soient ajoutées «certaines influences des théologiens jésuites», Suarez, Lessius.

Sensiblement touché par l'humanisme, Bérulle veut que la théologie soit « fortement appuyée sur l'Écriture Sainte ». Aussi sa congrégation a-t-elle produit bon nombre d'exégètes de valeur. Parmi ses théologiens les plus connus il faut citer Guillaume Gibieuf († 1650), ancien sorbonniste, auteur d'un ouvrage célèbre *De libertate Dei et creaturae* (1630) [1], et surtout Louis Thomassin, dont le premier ouvrage théologique ne parut qu'en 1675, en dehors de notre cadre [2]. Nous reviendrons à l'École française quand il s'agira de spiritualité.

Mais il faut se borner. Il est impossible de citer toutes les terres sur lesquelles rayonna l'influence du « Doctor communis » [3].

Cependant, à partir de 1680 environ, la coutume de commenter la *Somme* céda la place à des cours et à des manuels systématisés de théologie [4]. Au reste, vers la même époque, on voit se dessiner dans quelques familles religieuses au passé glorieux une certaine émulation de ce qu'on pourrait appeler le chauvinisme conventuel. On semble vouloir rivaliser avec le zèle dominicain pour le thomisme en s'attachant à un théologien célèbre de l'ordre. Ce sera le cas chez les carmes, les bénédictins, les franciscains et les jésuites.

L'ÉCOLE SCOTISTE « Age d'or » est une expression qu'il faut répéter souvent dans une histoire posttridentine. C'est encore le cas pour la théologie de Duns Scot.

En face de l'école thomiste dominicaine, la majorité des frères mineurs formaient l'École scotiste. Imposée par plusieurs chapitres-généraux de l'ordre, la doctrine de leur confrère Duns Scot (c. 1274-1308) peut être appelée « la doctrine officielle de la famille franciscaine » [5].

---

[1] Guillaume GIBIEUF (né à Bourges — 1650), oratorien; *D.T.C.*, t. II, col. 1347 s.; *C.E.*, t. I, p. 537 c.; *K.L.*, t. I, col. 864.

[2] Louis THOMASSIN (1619 à Aix-en-Provence — 1695), oratorien; *D.T.C.*, t. XV, col. 787-823; J. MARTIN, *Thomassin (1619-1595,)* dans *Science et Religion*, Paris, 1911; *R.S.P.T.*, t. V, 1911, p. 394 s. Sur les oratoriens à la Faculté de Paris, FERET, *op. cit.*, t. V, 313, 380.

[3] Il faudrait noter, par exemple, Richard HOOKER (1553-1600). *D.N.B.*, t. IX, col. 1183-1189; *K.L.*, t. IV, col. 611) et Antoine Arnauld. Cf. J. LAPORTE, *op. cit.*, t. II, p. XIII : Arnauld « reconnaît en saint Thomas une pensée très conforme, quant au fond, à celle de saint Augustin, mais plus précise, plus méthodique ».

[4] *D.T.C.*, t. XV, col. 432.

[5] *H.E.*, t. XVII, p. 53; *D.T.C.*, t. IV, col. 1860-1947; t. V, col. 597; t. VI, col. 835 s., 840-844; t. XIV, col. 1719 s.; *C.E.*, t. VI, col. 295 s.; A. GEMELLI, trad. par C. INGEN-HOUSZ, *Het Franciscanisme*, Turnhout, 1938, p. 162; CAYRÉ, *op. cit.*, t. II, p. 640-646, 725, 788 (spiritualité). Le scotisme est enseigné dans un grand nombre d'Universités : Paris, Padoue, Pérouse, Bologne, Florence, Rome, Turin, Vienne, Louvain, surtout en Espagne. A l'Université de Paris, FERET, *op. cit.*, t. II, p. 214-254, t. V, p. 179-203. Franciscains professeurs à l'Université de Louvain, E. REUSENS, *Documents...*, *op. cit.*, t. V, p. 228; *A.H.E.B.*, t. XXII, p. 214-256.

Elle devait plaire à beaucoup de posttridentins par plusieurs de ses caractères : son esprit critique, son souci de la « positive », surtout la tendance « volontariste » et affective que Duns Scot avait héritée de saint Augustin au-delà de saint Bonaventure et qui l'opposait à l'intellectualisme thomiste [1]. « La conception scotiste des rapports entre la nature et la grâce — le surnaturel *quoad modum* — s'introduisait jusque dans les écoles adverses pour régner dans les systèmes d'un bon nombre de théologiens orthodoxes, du XVIe au XIXe siècle » [2]. Son influence se répandit largement en dehors de l'ordre de saint François; elle atteignit entre autres Molina et s'insinua même chez plusieurs thomistes.

Les franciscains. — Au concile de Trente, les nombreux franciscains, parmi lesquels brillaient Alphonse de Castro et André de Vega, fidèles à la théorie du primat de la volonté, avaient défendu les droits de la liberté humaine. Leur conception de son harmonie avec la Providence divine annonçait celle de Molina; ils avaient soutenu avec succès — contre les thomistes — la thèse de l'Immaculée Conception de la Sainte Vierge [3].

Le serment de Salamanque. — On se souviendra (ci-dessus, p. 267) qu'en 1627 la faculté de théologie de Salamanque voulut imposer à tous ses membres présents et futurs, le serment de n'enseigner en théologie scolastique que ce qui est clairement exprimé dans la doctrine de saint Augustin et dans les *conclusions de la Somme* de saint Thomas. On visait particulièrement les jésuites. Mais les scotistes ressentirent vivement cet ostracisme. Or, le frère prêcheur Basile Ponce de Léon, un des auteurs du décret, fut chargé d'obtenir du Conseil royal l'approbation nécessaire; il publia un mémoire à ce sujet au nom des augustins et des dominicains; ces deux ordres mirent tout en œuvre pour obtenir le succès. Mais, de la part des franciscains et des jésuites, la réaction ne se fit pas attendre. Un memorandum fut publié en faveur de l'enseignement de saint Bonaventure, de Duns Scot et des autres docteurs franciscains, tandis que les jésuites rédigeaient trois opuscules contre le projet de serment. A l'unanimité, le Conseil royal refusa la confirmation sollicitée. Les demandeurs s'adressèrent alors à Urbain VIII, qui, le 29 avril 1629,

---

[1] Les principales différences entre scotisme et thomisme portent sur les relations entre la philosophie et la théologie, sur le caractère scientifique de la théologie, sur la critique de notre connaissance de Dieu, sur l'objet de la métaphysique, sur le primat de l'Amour, sur l'Immaculée Conception, que Scot affirme. Cf. *D.T.C.*, t. XV, col. 401-403 et les références ci-dessus; A. BROU et P. ROUSSELOT, dans J. HUBY, *Christus*, Paris, 1921, p. 1179; *D.T.C.*, t. XV, col. 3495-3497; GEMELLI-INGEN, *op. cit.*, p. 203.

[2] WADDING (voir ci-dessus, p. 192) publia les œuvres de Duns Scot à Lyon, 1639.

[3] V. HEYNCK, *A Controversy at the Council of Trent concerning the Doctrine of Duns Scotus*, dans *Francisc. St.*, t. IX, 1949, p. 181-258; GEMELLI-INGEN, *op. cit.*, p. 162.
— Alphonse DE CASTRO, appelé parfois *Franciscus Alphonsus* (1495 à Zamora — 1558), franciscain observant; *D.T.C.*, t. II, col. 1835 s.; *K.L.*, t. II, col. 2034; *Cartas de D. João de Castro*, éd. El. SANCEAU, Lisbonne, 1954.
— André DE VEGA (1490 à Ségobie — 1560), franciscain observant; *D.T.C.*, t. XV,, col. 2610 s.; *K.L.*, t. XII, col. 637 s.; *B.J.B.*, n. 1367, 1373, 1450. — Avant Molina, il enseigna la prédestination *post praevisa merita* (livre 11 de l'*Opusculum* et 12 du *De Justificatione*). En rééditant et en préfaçant ces deux ouvrages en 1572, saint Canisius marqua son plein accord sur cette théorie. Cf. P. POLMAN, S. J., *Canisius en Vega*, dans *Studien*, t. CXXXIV, 1940, p. 226 s. avec les textes.

leur répondit en les exhortant, avec grands éloges, à éviter les nouveautés, il est vrai, mais à continuer leur très louable fidélité aux deux saints docteurs plutôt par piété qu'en se liant par serment [1].

La décision papale déclarait clos cet épisode du désaccord entre écoles théologiques ou plutôt entre ordres religieux. Il méritait d'être signalé ici parce qu'il montre combien l'évolution de l'enseignement peut dépendre d'inférences étrangères à la pensée pure.

Parmi le grand nombre d'ouvrages scotistes du début du XVIIᵉ siècle, on en relève plusieurs au sujet de la controverse avec les thomistes. Les deux théologies s'enseignent concurremment dans pas mal d'Universités, à Cologne, Valladolid, Alcalà, Louvain, Cracovie, Prague et Vienne, Lecce, Naples et ailleurs [2].

Il est impossible de citer ici les noms des nombreux scotistes de cette époque brillante. Le plus célèbre sans contredit est « le prodigieux Luc Wadding », observant. Fondateur de l'école irlandaise de Saint-Isidore à Rome (1625), il en fit le centre des études philosophiques et théologiques selon Duns Scot; il mena à bien l'édition des œuvres complètes du Docteur Subtil en 12 volumes in-folio (1639), grâce à la collaboration de la savante équipe de confrères dont il sut s'entourer [3].

On peut encore citer, en Italie, Jean Poncius, auteur d'un commentaire de l'*Opus oxoniense* de Scot en 5 volumes in-folio et le cardinal Brancati [4]; en Espagne, Joseph Angles, François de Herrera et d'autres; à Louvain, Théodore Smising et Guillaume Herincx, qui fut chargé d'écrire un solide traité de théologie pour les étudiants de son ordre. Plusieurs écrivains se chargèrent de montrer l'accord de la doctrine scotiste avec celle de saint Augustin [5].

Les capucins. — Tel fut aussi le but du capucin Pierre Trigoso, qui représente bien la tendance des théologiens de son ordre [6]. Son œuvre,

---

[1] Voir ci-dessus, p. 267; *H.-B.*, t. VI, p. 113; A. ASTRAIN, *op. cit.*, t. V, p. 171-189; on y trouvera, outre d'autres documents, le texte des projets de serment et celui du document pontifical, ainsi que les titres des ouvrages pour et contre le serment; A. P. GOYENA, *Un Episodo de la Historia de la Teologia española*, dans *Razon y Fé*, t. XXXIV, 1912, p. 434 s.; t. XXXV, 1913, p. 30.

[2] *D.T.C.*, t. VI, col. 841; cf. p. 279; DE RADA, *Controversiarum ...inter S. Thomam et Scotum*, 1620.

[3] Il a été question de Wadding (1588-1657) ci-dessus p. 192. — On trouvera une énumération de théologiens scotistes dans *D.T.C.*, t. VI, col. 841-844.

[4] *G.-F.*, p. 236-501 s.; *E.C.*, t. XI, col. 152-162. Cf. *supra*, p. 195.

[5] *G.-F.*, *op. cit.*, p. 237 s.
— Jean PONCIUS, PONCIO, PONCE (1603 à Cork, Irlande — 1672 ou 1673), franciscain; *L.T.K.*, t. VIII, col. 367; *E.I.*, t. XXVII, col. 845; *E.U.I.E.A.*, t. XLVI, p. 258.
— Joseph ANGLES (? à Valence — avant 11 mai 1588), franciscain; *K.L.*, t. I, col. 852; *D.H.G.E.*, t. III, col. 141; *E.U.I.E.A.*, t. V, p. 362 s.
— Théodore SMISING (1580 en Westphalie — 1626), franciscain observant; *B.N.*, t. XXII, col. 839; *B.J.B.*, n° 1627.
— Guillaume HERINCX (né à Helmond, Brabant sept. — 1678), franciscain récollet; *B.N.*, t. IX, col. 251 s.; *B.J.B.*, p. 1072.

[6] Sur Pierre TRIGOSO, voir ci-dessus, p. 271 (1533 à Calatayud, Espagne — 1593), jésuite en 1556, capucin depuis 1580; *D.T.C.*, t. XV, col. 1543; *E.U.I.E.A.*, t. LXIV, p. 381.

interrompue par la mort, fut reprise par plusieurs de ses confrères. D'autres exposèrent la doctrine de saint Bonaventure, tels en Italie François Longo de Corigliano († 1625), Gaudence Bontempi († 1672) et surtout Barthélemy Barbieri de Castelvetro († 1697); en France, Marcel de Riez; en Allemagne, Bonagratia de Habsheim († 1672) [1].

La conciliation. — Mais il est intéressant de noter les dispositions irénistes de plusieurs théologiens capucins, qui s'appliquent à montrer l'harmonie des doctrines diverses. Jean-Marie Zamorra d'Udine († 1649) tend à concilier scotisme et thomisme; Bonaventure de Langres dans son *Bonaventura et Thoma* (1655) compare les deux systèmes; Marc de Bauduen, dans son *Paradisus* (1661) évoque quatre fleuves : angélique, séraphique, subtil et conciliateur; il est imité par Jean-François Leoni de Carpi, dont l'*Enucleatio* (1685) s'inspire des mêmes trois docteurs [2].

Au reste, cet esprit de conciliation se retrouve dans les écrits d'un célèbre franciscain espagnol, Jean de Rada. Il va jusqu'à déclarer que saint Thomas et Duns Scot diffèrent *potius in nomine quam in ipsa re* [3]!

Mais la course du temps allait bientôt appeler d'autres polémiques et nous rencontrerons plus loin le P. Yves de Paris au nombre des apologistes contre les libertins [4].

THÉOLOGIENS JÉSUITES La part que la Compagnie de Jésus a prise pendant son premier siècle à l'élaboration théologique est considérable, celle « du lion », a dit Scheeben [5].

---

[1] *D.T.C.*, t. VI, col. 844 s.; voir aussi ci-dessus, p. 278.

[2] *Ibid.*

[3] Jean DE RADA (né en Aragon — 1608), franciscain; *K.L.*, t. X, col. 725 s.; *E.C.*, t. XI, col. 152-162.

[4] Yves DE PARIS (vers 1590 à Paris — 1678), capucin; *D.T.C.*, t. XV, col. 3640-3642; JULIEN EYMARD D'ANGERS, *Naturel et surnaturel dans l'œuvre d'Yves de Paris antérieure à la querelle janséniste (1632-1638). Étude de vocabulaire*, dans *Mélanges de Science religieuse*, t. XIII, 1956, p. 63-80; Ch. CHESNEAU (= Julien Eymard), *Yves de Paris et son temps*, Paris, 1946.

[5] M. J. SCHEEBEN, *Handbuch der Katholischen Dogmatik*, 2e éd. par M. GRABMANN, Fribourg-en-Br., 1948, p. 473 : « Der Löwenteil fiel jedoch dem neuentstanden Jesuitenorden zu. » — « Apud Societatem Jesu pullulant summi viri mira et vix audita efflorescentia. » Dom JANSSENS, O. S. B., *Praelectiones de Deo uno*, t. I, p. 19. — Théologie dans la Compagnie de Jésus, *D.T.C.*, t. VIII, col. 1043-1068, bibliogr. col. 1068 ; P. GALTIER, *La Compagnia di Gesù e la Teologia dommatica*, dans *La Compagnia di Gesù, op. cit.*, p. 45-83. — Vues générales sur cette théologie, *D.T.C.*, t. VIII, col. 1011, 1013, 1065; t. XIV, col. 1719-1722; R. G. VILLOSLADA, *Il Collegio romano, passim;* GALTIER, ci-dessus; DUHR, *op. cit.*, t. I, p. 875; t. II, p. 529, 551-587; t. II, ii, p. 391; ASTRAIN, *op. cit.*, t. V, p. 78-93. — Nomenclatures de théologiens jésuites, dans HURTER, *op. cit.*; *G.-F.*, p. 240-246; HEIMB., t. III, p. 131-134; SOMMERVOGEL-BLIARD, *op. cit.*, t. X, col. 103-189, 594; un choix limité dans *Synopsis historiae S. J.*, Louvain, 1950; col. 760-769; *A.H.S.J.*, bulletin périodique. — En Espagne, *Patres S. J. facultatum theologicarum in Hispania professores, Sacrae theologiae summa*, Madrid, 1950-1953, 4 vol.; cf. *Rec. Sc. Rel.*, t. XLIII, 1955, p. 306; *D.T.C.*, t. V, col. 599; *Pensiamento, passim* (bulletin périodique); ASTRAIN et DUHR, ci-dessus. — Théologiens martyrs GALTIER, *op. cit.*, p. 50. — Sur les jésuites et saint Augustin, WILLAERT, *Origines, op. cit.*, p. 419 et n. 7.

Peut-on parler d'une « école » jésuite? Pas au sens d'un ordre religieux étroitement lié à un système théologique particulier; les *Constitutions* veulent qu'on « soit d'accord avec l'Église », qu'on s'attache « à la doctrine la plus sûre et la plus approuvée »[1]. Cependant le groupe des théologiens de la Compagnie d'alors n'est pas une simple « expression numérique ». Il a ses caractères particuliers qui le différencient des autres. Il a adopté officiellement certaines théories, telles le congruisme, par exemple.

Caractères communs. — On peut dire qu'il porte la forte empreinte du Fondateur, le *miles Christi et Ecclesiae.* Chevalier du Christ prolongé par l'Église, il a communiqué à ses hommes, avec la mystique enthousiaste qui enflamme sa croisade apostolique, un esprit réaliste, qui se manifeste ici de diverses manières. Avant tout, « dans l'attitude théologique », dans l'influence de la spiritualité des Exercices qui lui confère sa « véritable unité doctrinale »[2].

L'ouverture de collèges et d'Universités n'a pas d'autre but que la défense et la propagation de la foi. Dans le choix des questions, on se préoccupera d'éviter les recherches et les subtilités vaines; on visera à l'utile; on s'attachera aux problèmes contemporains; on classera la matière en cadres plus pratiques que ceux de la *Somme*[3]; à l'étude de la théologie spéculative on joindra celle de la positive, où d'ailleurs l'ordre occupera une place éminente; dans les maisons de formation, on fera une large place aux « disputes », aux exercices de discussion, préparant ainsi excellemment les futurs controversistes.

Ce dernier caractère mérite qu'on le souligne. Car ce n'est pas seulement dans les controverses avec les hétérodoxes que les théologiens jésuites se distingueront. Il faudra revenir plus loin sur les algarades auxquelles ils prirent part pendant l'époque posttridentine.

Formation. — A quoi tient le succès que remporta, sur le terrain théologique cet ordre religieux à peine fondé, et qui ne l'avait pas été pour enseigner les hautes sciences?

---

[1] *Exercices : ad sentiendum vere in Ecclesia militante. Sequantur securiorem et magis approbatam doctrinam et eos auctores qui eam docent. Constitutiones,* pars IV, c. 5, n. 4; G. E. GANS, *Saint Ignatius' Idea of a Jesuit University,* Milwaukee, 1954. — Ces *Regulae ad sentiendum cum Ecclesia* distinguent nettement la positive et la spéculative, indiquant leurs mérites respectifs. Cf. Fr. AMIGO, *Cursus theologicus juxta scolasticam hujus temporis S. J. methodum,* Douai, 1640; TACCHI-VENTURI, *op. cit.,* t. I, p. 58 s., 63 s.

[2] « La véritable *unité doctrinale* [c'est moi qui souligne] de la Compagnie était moins dans une thèse d'école que dans l'attitude théologique qu'impliquait une spiritualité »; on a relevé « le lien très direct entre ces controverses théoriques [sur la grâce] et la méthode de direction spirituelle de la Compagnie, l'ascèse des Exercices ». Cf. H. RONDET, *Gratia Christi,* Paris, 1948, t. I, p. 307 note; cf. A. DUVAL, dans *R.S.P.T.,* t. XXXIII, 1949, p. 231; H. M. FERET, *Bull. thomiste,* t. IV, 1934-1936, p. 805; J. M. DALMAN, *San Ignacio y los studios eclesiasticos,* dans *Est. ecles.,* t. XXX, 1956, p. 295-300.

[3] Cajétan et son école se bornent à un commentaire de la *Somme.* Vasquez et Suarez ont « eux-mêmes leurs divisions particulières ou leurs traités, harmonisés au moins substantiellement avec l'ordre général de la *Somme* », *D.T.C.,* t. IV, col. 1543; t. VII, col. 1045 s. Saint Bellarmin en a donné dans ses *Controverses;* Tolet insère dans ses commentaires de la Somme des *Dubia,* qui sont de vraies dissertations; chez Suarez, Vasquez, Grégoire de Valence, elle deviennent de longues *Disputationes.* Cf. P. GALTIER, *op. cit.,* p. 63 s., 69.

On est frappé de voir Paul III, qui avait approuvé la Compagnie en 1540, dès 1545 envoyer trois jésuites comme ses propres théologiens au concile de Trente. Laynez et Salmeron — le bienheureux Pierre Fabre fut surpris par la mort — y rejoignirent leur confrère Le Jay, envoyé par l'évêque d'Augsbourg [1]. C'est que les premiers compagnons d'Ignace avaient étudié le thomisme à l'Université de Paris. On a vu plus haut comment d'autres reçurent à l'Université de Salamanque leur initiation à la théologie nouvelle, qu'ils allèrent propager dans le reste de l'Europe. Quand l'ordre grandit, il fallut organiser la formation scientifique de ses membres. Ce fut l'objet du *Ratio studiorum*. Une première rédaction, parue en 1586, fut plusieurs fois remaniée et devint en 1599, ou mieux en 1615, le programme définitif des études. Dans le but d'assurer l'orthodoxie et l'uniformité de l'enseignement, il fixait l'organisation du travail, les méthodes, et les directives dans le choix des doctrines [2].

Il concernait en même temps l'étude de la philosophie, considérée comme la base nécessaire de la théologie. Et ce fut encore une note particulière de plusieurs théologiens jésuites de cultiver en même temps la philosophie pour elle-même [3].

Éclectisme ou thomisme. — On qualifie souvent d'éclectique la théologie de la Compagnie [4]. Il faut s'entendre sur ce terme. S'il désigne un complexe hétérogène de doctrines empruntées çà et là à des systèmes divers, il ne répond pas à la réalité. En principe, tant pour la philosophie que pour la théologie, l'ordre suit saint Thomas. Dans les *Constitutions*, son fondateur, qui avait subi l'influence des maîtres thomistes, imposa comme texte de cours la *Somme*, à côté du Lombard, il est vrai. Dès 1559, le P. Jacques de Ledesma (cf. p. 237 n. 2), professeur au collège romain, avait prescrit, pour les professeurs, la manière d'enseigner saint Thomas; le général saint François de Borgia renforça ces règles (1565) et le *Ratio* fit du « Docteur commun » le « docteur propre » des jésuites. En fait, saint Bellarmin commenta la *Somme* à Gand dès 1570 jusqu'à 1576; lui-même, ainsi que Grégoire de Valence, Suarez et beaucoup d'autres ne ménageaient pas l'expression de

---

[1] Astrain, *op. cit.*, t. I, p. 545-567.

[2] *D.T.C.*, t. VIII, 1012-1018, 1047; J. Filograssi, *La teologia dommatica nella « Ratio Studiorum » della Compagnia di Gesù*, dans *La Compagnia...*, *op. cit.*, p. 13-44. Le projet de *Ratio* avait été revu par les professeurs du Collège romain, saint Bellarmin notamment; il était notablement influencé par les coutumes des Universités de Paris et de Salamanque. (Il est piquant de lire dans R. Simon, *Bibliothèque critique*, Amsterdam, 1708-1710 que le *Ratio Studiorum* est « un livre très rare. ») Duhr, *op. cit.*, t. I, p. 281 s.; t. II, I, 529; Paulsen, *op. cit.*, t. I, p. 522. — Influence du *Ratio* dans les Universités allemandes, d'Irsay, *op. cit.*, t. I, p. 353. — L. Lukacs, *De prima Societatis Ratione Studiorum a Sancto Fr. Borgia [...] constituta (1565-1659)*, dans *A.H.S.J.*, t. XXVII, 1958, p. 209-232.

— Pierre da Fonseca, « l'Aristote portugais », dirigea la collection des Commentaires d'Aristote qui s'appelèrent « Conimbricences ». P. Galtier, *op. cit.*, p. 65; Duhr, *op. cit.*, t. I, p. 873; t. II, p 523-551, 566, 578; *D.T.C.*, t. VIII, col. 1049 s.; Galtier, *op. cit.*, p. 59, 64; Suarez, dit Grabmann, inaugure « die Aera selbstandiger Philosophiehandbücher im grossen Stil ». *Ibid.*, p. 67; Duhr, *op. cit.*, t. I, p. 873; t. II, p. 523-551, 566, 578.

[3] *D.T.C.*, t. V, col. 598 s.; t. VIII, col. 1013, 1015.

[4] *Ibid.* t. II, col. 561; t. VIII, col. 1045, les éloges que prodiguent à saint Thomas Grégoire de Valence et Suarez.

leur admiration pour lui. Au reste, Clément VIII en 1593, exprima le désir que l'ordre fût fidèle à sa doctrine. Bien entendu, ses théologiens n'étaient pas tenus à adopter le cadre même de la *Somme*, ni à se ranger à toutes les conclusions que l'école thomiste en a tirées.

On a pu voir plus haut combien la Compagnie avait contribué à répandre l'enseignement thomiste, notamment en Allemagne [1].

Ses membres étaient-ils tenus cependant à suivre le Maître seul et en tout? Des trois attitudes qui se manifestent alors parmi eux, la Vᵉ congrégation générale (1593) adopta celle qui tenait le milieu entre une conformité servile et une totale liberté. On pourra différer du Docteur commun, mais *gravate admodum et rarissime*, sur les points d'abord où l'Église elle-même l'a quitté : l'Immaculée Conception et la question des vœux solennels; puis, là où son opinion n'est pas nette, ou pour le compléter sur les questions qu'il n'a pas approfondies; à plus forte raison, sur celles qu'il n'a pas touchées. Enfin, dit le *Ratio*, il n'est pas requis de se montrer plus thomiste que les thomistes eux-mêmes, qui parfois s'écartent de saint Thomas [2].

En conclusion, *si parva licet componere magnis*, les théologiens jésuites ont imité saint Thomas en ceci qu'ils ont repensé la théologie avec la mentalité et les préoccupations de leur temps, sans servilisme.

On pourrait comparer cette attitude à leur méthode en architecture. Depuis le voyage en Italie de leur ami et conseiller Rubens, ils ont bâti leurs églises dans le style de la Renaissance italienne, mais en l'adaptant aux nécessités d'autres cieux.

Thomisme adapté. — Leur thomisme devait se ressentir de l'atmosphère humaniste de leur formation. Et cela par les deux aspects de l'humanisme. Le philologique les poussa à une étude plus approfondie de la théologie positive [3]. D'autre part, l'*umanità*, la tendance « humaine », les intéressera aux attributs de l'homme quand il s'agira de ses relations avec Dieu. En contact intime avec leurs confrères missionnaires, lorsqu'ils affronteront le problème du salut des infidèles, le même humanisme leur inspirera une

---

[1] *D.T.C.*, t. II, col. 561; t. VIII, col. 1016-1026, 1024 s., intervention de Clément VIII, col. 1027, 1030, 1045; EHRLE, dans *Stimmen*, *op. cit.*, p. 398-400; DE LE COURT, *Saint Robert Bellarmin à Louvain*, dans *R.H.E.*, t. XVIII, 1932, p. 74-83; *G.-F.*, p. 240-246; ASTRAIN, *op. cit.*, t. V, p. 181; DAGENS, *Bérulle*, *op. cit.*, p. 44, n. 5; *supra*, p. 273.
Sur le thomisme au Collège romain, où saint Thomas est enseigné seul depuis 1557, TACCHI-VENTURI, *op. cit.*, t. I, p. 58-60; *P.H.*, t. XVI, p. 34; ailleurs, *ibid.*, p. 63 s.; DUHR, *op. cit.*, t. II, p. 579 (Fribourg-en-Br.); D'IRSAY, *op. cit.*, t. I, p. 348 (Würzburg).
Sur le thomisme S. J. *en pratique*, *D.T.C.*, t. VIII, col. 1065 s.
Sur le thomisme de Tolet, qui, au début de son cours, déclara qu'il suivrait, non pas P. Lombard mais saint Thomas, *D.T.C.*, t. VIII, col. 1013 s.; t. XV, col. 1224.

[2] Ci-dessus, p. 272. Le *Ratio* prescrit d'écarter un professeur qui se montrerait hostile à saint Thomas. *Non sic tamen S. Thomae adstricti esse debere intelligantur, ut nulla prorsus in re ab eo recedere liceat, cum illi ipsi qui se thomistas maxime profitentur, aliquando ab eo recedant; nec arctius alligari par sit, quam thomistas ipsos* » (Theol. 2), cité par VILLOSLADA, *op. cit.*, p. 20 n. 14; *D.T.C.*, t. XIV, col. 1041, lettre de Salmeron sur la liberté d'opinion dans la Compagnie.

[3] Voir ci-dessus, l'exégèse, la patristique et l'histoire ecclésiastique. Sur la positive chez Tolet, *D.T.C.*, t. XV, col. 1067; chez Suarez, GALTIER, *op. cit.*, p. 57, 62.

théorie plus optimiste en faveur de cette humanité concrète. Il leur répugnera de limiter la volonté salvifique de Dieu et les fruits du Sacrifice rédempteur.

Préoccupés par les besoins de l'apostolat, ils ont développé l'étude des questions morales et politiques et surtout accordé plus d'importance aux problèmes que le protestantisme et le concile de Trente mettaient au premier rang : celui de la grâce et de la prédestination, par exemple, et encore ceux qui se posaient aux missions lointaines.

Aucune de ces divergences n'altère le principe : la Compagnie n'a pas de doctrine propre; mais elle s'attache à celle de saint Thomas comme théorie de base. Au plus fort de ses chaudes mêlées avec les frères-prêcheurs, en 1611 et 1613, son général répéta l'ordre de fidélité à saint Thomas. Par malheur, cette adhésion imparfaite ne pouvait satisfaire les docteurs thomistes les plus orthodoxes, qui considéraient les théologiens jésuites comme de dangereux adversaires de la pure doctrine. On verra plus loin le conflit des deux écoles.

Il sera question aussi de l'attitude doctrinale de la Compagnie à l'égard de saint Augustin et de son enseignement [1].

Célébrités. — Déjà, à propos de l'enseignement universitaire et de la théologie nouvelle, on a mentionné ici quelques-uns des hommes qui marquent parmi les grands théologiens de l'époque, entre autres saint Bellarmin, saint Canisius. Il y a lieu de rappeler ici François Tolet, « le père de la théologie scolastique dans la Compagnie », Jean Martinez de Ripalda, un des théologiens les plus célèbres en son temps, Pierre de Fonseca, « le véritable père de la science moyenne », et surtout François Suarez, « en qui seul on entendra, comme on sait, la plus grande partie des modernes » et notamment des jésuites [2].

Son œuvre est surtout théologique, mais « c'est la philosophie qui le caractérise le mieux »; elle a « le grand mérite d'une systématisation scientifique de toute la métaphysique »; or, elle influence sa théologie sur plus d'un point. Ainsi, sa négation d'une distinction réelle entre l'essence et l'existence créées; sa conception de l'accident par rapport à la substance, qui intéresse le dogme de l'Eucharistie; sa notion de relation, notamment dans la Trinité; celle de personnalité, qui touche l'Incarnation [3].

---

[1] *Supra*, p. 267; A. HUYLENBROUCK, *Notata in Sancto Augustino*, ms. autogr. en 10 tomes, 34 cahiers, Malines, Arch. de l'archevêché.

[2] BOSSUET, cité par MOURRET, cf. *supra*, p. 194, n. 1 et la bibliographie *ibid.*

— Jean Martinez DE RIPALDA (1594 à Pampelune — 1648), jésuite; *D.T.C.*, t. XIII, col. 2712-2737; *K.L.*, t. X, col. 1212 s.; ASTRAIN, *op. cit.*, t. V, p. 81. — Sur ses œuvres et le *Vulpes capta*, qui lui fut opposé : *B.J.B.* nos 2355, 2482, 2514, 2529, 4103, 4249, 11726, 11734; au sujet de *Adversus articulos... ad... De Ente... appendix et tome III* (Cologne, 614 p. in-fol.) : L. CEIJSSENS, dans *Gulden Passer* (Anvers), t. XXX, 1956, p. 1-26; ASTRAIN, *op. cit.*, t. IV, p. 56, groupe ainsi les principaux Espagnols : « los tres Andaluces : Toledo, Suarez, Sanchez; los tres Castellanos : Molina, Valencia, Vasquez ».

[3] *D.T.C.*, t. XIV, col. 1721 s. Sur sa philosophie voir GALTIER, *op. cit.*, p. 65-69.

Sur tous ces points, sa pensée, très personnelle et originale, s'éloigne de saint Thomas. Il y a donc un éclectisme suarézien, qui a été jugé fort différemment [1]. Quoi qu'il en soit, il apparaît comme chef de file à l'époque moderne, après saint Thomas et Duns Scot [2].

Parmi les principaux théologiens jésuites, on ne peut omettre Diego Ruiz de Montoya, dont Scheeben et Grabmann déclarent : « Le premier rang revient à Ruiz, supérieur à Suarez lui-même pour l'érudition et la profondeur ». Si l'on peut rejeter leur opinion au sujet de la profondeur, on doit l'admettre en ce qui concerne son érudition, qu'on a égalée à celle de Petau lui-même [3].

§ 7. — Théologiens laïcs.

Nous ne pouvons clôturer cette enquête sur les théologiens catholiques sans rappeler qu'à cette époque on en trouvait en dehors du clergé. Tel, par exemple, un théologien couronné, le roi d'Angleterre Henri VIII, auteur de la célèbre *Assertio septem sacramentorum* (1521), dirigée contre Luther; elle lui valut de la part du pape le titre de « Defensor fidei », encore inscrit à présent sur les monnaies anglaises (D. F.).

Tel aussi le médecin du concile de Trente Fracastoro, ainsi que ce comte L. Nagarola, qui, « sur invitation des légats, prêcha devant les Pères » et qui contribua à la rédaction du décret sur les traditions. Au XVIIe siècle, Simon de Fierlant, seigneur de Bodeghem, chancelier du Conseil de Brabant (1602-1686), publia en latin bon nombre d'ouvrages théologiques et prit part à la polémique anti-janséniste [4]. Aux Pays-Bas encore, Simon Verepeius était considéré par le nonce Frangipani comme théologien « assai dotto ».

CONCLUSION

CONCLUSION En conclusion, la théologie vient de faire un très grand pas. Mais ce n'est qu'un pas. Elle connaît mieux ses richesses scripturaires et patristiques. Par malheur, elle ne les monnaie pas en bonne

---

[1] *D.T.C.*, t. XV, 1011; GALTIER, *op. cit.*, p. 62-69; G. GIACON, *La seconda scolastica...* t. II, voir *Bull. thom.*, t. VIII, p. 1295.

[2] K. WERNER, *Franz Suarez und die Scholastik der letzten Jahrhunderte*, Ratisbonne, 1889.

[3] Diego (Jacques) RUIZ DE MONTOYA (1562 à Séville — 1632), jésuite; *D.T.C.*, t. XIV, col. 163-167; *K.L.*, t. X, col. 1357; *L.T.K.*, t. IX, col. 5; *E.U.I.E.A.*, t. LII, p. 777; ASTRAIN, *op. cit.*, t. V, p. 78; *G.-F.*, p. 242; J. A. DE ALDAMA, *Diego Ruiz de Montoya. De natura peccati actualis, IIª IIᵃ, q. 71, a. 6*, dans *Anal, teol. Granad.*, t. II, 1939, p. 233-295.

[4] Jérôme FRACASTORO († 1553) a laissé, entre autres œuvres, un commentaire sur l'Apocalypse et un autre sur la prédestination. H. JEDIN, *Laientheologie im Zeitalter der Glaubensspaltung. Der Konzilsarzt Fracastoro*, dans *Trier theol. Zeitschrift*, t. LXIV, 1955, p. 11-24; *Bull. de théol. anc. et médiév.*, t. VII, 1955, p. 394; *E.C.*, t. IX, col. 2492; t. X, col. 130; t. XI, col. 387; t. XII, col. 53; *E.U.I.E.A.*, t. XXIV, p. 830. — Sur Henri VIII comme théologien, POLMAN, *op. cit.*, p. 18-23. — Sur Nagarola, H. JEDIN, cité dans *R.S.P.T.*, t. XXXI, 1947, p. 253. — Sur de Fierlant, *B.N.*, t. VII, p. 57; *B.J.B.*, nᵒ 4786. — Sur Simon VEREPEIUS, *B.N.*, t. XXVII, col. 604-610; M. A. NAUWELAERTS, *Simon Verepeius (1522-1598), pedagoog der contra-reformatie*, Tilburg, 1950. — Laïcs dans l'Église. Leur rôle même doctrinal, par exemple à Trente : *R.S.P.T.*, t. XXXI, 1947, p. 253.

frappe. Beaucoup de théologiens continueront trop longtemps à manier les textes comme des jetons, sans s'éclairer sur leur force probante, sur leur sens réel à la lumière de la philologie et du contexte. On a vu plus haut combien cette remarque vaut pour la langue de saint Augustin (p. 270). C'est le cas pour Baïus, par exemple. « Un verset de la Genèse et un autre de l'Ecclésiaste [...], c'en est assez pour lui; ces deux textes, qu'il répète incessamment, lui ont livré le dernier mot de l'énigme »[1]. Au reste, le sens précis et la force des textes de l'Ancien Testament utilisés alors dans les controverses devraient être revus à l'aide de notre science contemporaine. Précaution d'autant plus nécessaire que ces textes occupent dans l'argumentation protestante ou baiano-janséniste une place plus importante que ceux de la Loi nouvelle.

La même erreur infirme également les arguments tirés des textes patristiques. Catholiques et protestants, catholiques dans leurs controverses entre eux, utilisent couramment des pseudépigraphes célèbres, dont Denys l'Aréopagite est le chef de file[2].

De ces défauts, et de critique et de sémantique, résultent fréquemment des constructions en porte-à-faux et d'interminables combats *in aethere*. On pense à ces historiens qui raisonnaient à perte de vue sur les salaires d'un groupe sans s'informer d'abord de leur pouvoir d'achat.

Sur un autre terrain, par manque de réflexion critique, les discussions s'égarent dans le maquis. On néglige — même dans les plus hautes sphères — de tenir compte de la valeur relative de l'argument patristique. Et cependant Cassandre l'avait rappelé tout récemment : « Les Pères ne sont témoins officiels que dans le cas où ils s'expriment dans un accord vraiment universel, *testimonium publicae receptaeque in universa Ecclesia sententiae* »[3]. Malgré cela, pendant plus de deux siècles, on continuera à brandir des deux côtés de la barricade un même texte isolé de saint Augustin ou de saint Thomas, dont l'interprétation est contestée. Y eût-on mis plus de ferveur combative s'il se fût agi d'un *logion* authentique et net du Verbe incarné Lui-même?

---

[1] DE LUBAC, *Deux august.*, op. cit., p. 432, n. 18.

[2] POLMAN, *op. cit.*, p. 327, 340, 349, 355, 360, 388 s., 414, 517 *(Donatio Constantini)* et DENYS, à la table, p. 553. — Sur le souci comparé du sens précis des textes chez les calvinistes et chez les catholiques, par exemple du Perron, cf. R. SNOEKS, *L'argument de tradition dans la controverse eucharistique entre catholiques et réformés français au XVIIe siècle*, Louvain, 1951, p. 430 s., 434 s.

[3] Sur Cassandre, POLMAN, *op. cit.*, p. 383. — Sur la valeur démonstrative attribuée par le XVIIe siècle à l'argument patristique, R. SNOEKS, *op. cit.*, p. 483 s., 485; WILLAERT, *Origines*, *op. cit.*, p. 387; IMBART DE LA TOUR, *op. cit.*, t. III, p. 102 s. — Sur l'autorité que Jansénius et Saint-Cyran accordent à saint Augustin, LAPORTE, *op. cit.*, t. II, p. 21, n. 168; p. 22, n. 174 s. — Sur les Pères utilisés par Calvin, cf. SNOEKS, *op. cit.*, p. 5 et n. 2. — Voir aussi *infra*, p. 302, 329.

LIVRE II

LES PROBLÈMES DOCTRINAUX
DE LA RESTAURATION CATHOLIQUE

PERSPECTIVES D'ENSEMBLE

PERSPECTIVES D'ENSEMBLE « Jamais on ne vit tant de théologiens », écrit Molinier en 1646 [1].

Rechercher — comme il vient d'être fait — quels étaient leur nombre, leurs méthodes de travail, leur conceptions de la théologie et leurs « écoles » méritait sans doute une étude.

Ont-ils fait progresser leur science [2]? Quel sang nouveau ces chercheurs ont-ils infusé à la vie intime de l'Église? En quoi leur effort marque-t-il dans le déroulement de son histoire? De quelles lumières inattendues ont-ils éclairé notre compréhension du Message divin? Ces lumières — et c'est l'essentiel — ont-elles contribué à revigorer la vie du Christ dans son Corps mystique? Questions capitales. Car, de leurs chaires doctorales, bon nombre de leurs théories descendront par degrés jusqu'aux chaires des villes et des villages. Ils alimentent le cerveau de l'Église totale.

Sans doute ont-ils exploré tout le champ du dogme; souvent ils l'ont mieux fait comprendre et l'on a pu voir plus haut combien la nouvelle théologie avait scruté plus à fond le donné primitif.

Mais, cela fait, comment s'est poursuivi le travail? On comprendra qu'il ne s'agisse pas ici d'en explorer toute l'étendue. Il faut faire un choix, car chaque époque a ses privilégiées parmi les « quaestiones disputatae »; et ce n'est pas à nous à prétendre imposer à une époque l'étude de tels sujets que nous, nous jugeons plus importants. Au risque de paraître affectionner l'histoire-bataille, il faudra tâcher de comprendre pourquoi et comment la théologie posttridentine a traité de préférence certains problèmes épineux, et les a discutés avec passion.

En théologie, comme en toute science, l'option des « pistes de travail » est souvent dictée par les circonstances, par les courants de pensée, et même par les sentiments qui, à une époque déterminée, s'emparent des esprits ou des consciences. Or, au XVIe siècle, la Réforme oblige à repenser le Message du Christ. Sa destinée sur terre est mise en question. Les bases de la foi sont discutées; car on ne croit plus sur parole l'Église enseignante. Au fait, beaucoup se demandent si elle existe encore et si l'*Histoire de l'Église* n'est pas close.

Puis, au XVIe siècle, siècle de déchéance morale, de luttes politiques et religieuses, l'éternel problème du mal, l'angoisse du salut individuel et du salut de l'Église torturaient beaucoup d'âmes, qui posaient l'anxieuse et

---

[1] Bremond, *op. cit.*, t. I, p. 225.

[2] En quoi consiste le progrès théologique? Est-ce surtout à mettre en relief la réponse que le monde chrétien apporte aux questions de son temps? ou est-ce à réaliser le potentiel de lumière que contiennent encore les formules dogmatiques et les élaborations théologiques classiques? Cf. A. Patfoort, dans *R.S.P.T.*, t. XL, 1956, p. 691 s.

immortelle question : « Que dois-je faire pour obtenir la vie éternelle ? » (*Luc*, XVIII, 18.) Luther en cela résume toute une génération [1].

De là, deux sujets de première importance : d'une part, les critères traditionnels de la foi ébranlés par la Réforme; d'autre part, les relations de la liberté humaine avec la volonté salvifique de Dieu et sa grâce, problème qui sépare tant les catholiques des protestants que les catholiques entre eux.

---

[1] Tout relèvement moral suppose une doctrine. Les problèmes des indulgences, des sacrements ou de la hiérarchie ne sont pas le centre des controverses religieuses du xvie siècle. « La Réforme supposait d'abord un souci passionné des conditions du salut » (SÉE et RÉBILLON, *Le XVIe siècle*, p. 66); E. GILSON, *Introduction, op. cit.*, p. 177. La question de l'origine du mal moral se pose dans tous les ouvrages dogmatiques ou polémiques des xvie et xviie siècles. Calvin et Zwingle le résolvent en attribuant l'origine du mal à Dieu. Cf. MOELLER-LACHAT, *Symbolique, op. cit.*, t. I, p. 24 s. avec textes. — Pour Luther, le christianisme se résume dans le Christ sauveur crucifié. *D.T.C.*, t. XV, col. 414; E. J. LÉONARD, *Relazioni* du Xe Congrès à Rome, Florence, 1955, t. IV, p. 78 s., 83 s.

LES CRITÈRES DE FOI
ET LES SOURCES THÉOLOGIQUES

La fissure de l'unité doctrinale au XVIe siècle ne s'arrêtait pas aux points de doctrine. Elle descendait plus bas; entre les catholiques et leurs adversaires, protestants ou sociniens, l'opposition alla jusqu'aux problèmes préjudiciels concernant les bases mêmes de la croyance et, par conséquent, jusqu'à l'existence de l'Église.

LES LOCI THEOLOGICI   Les « Topiques » (Topoi) où la théologie puise ses inspirations sont exposés presque sous le même nom des deux côtés de la barricade, par M. Cano dans son *De Locis theologicis* (1563), par Eckius dans son *Enchiridion locorum communium* (1525) et par Mélanchton dans ses *Loci communes theologorum* (1521, 1535, 1543). C'est une science nouvelle à l'époque [1].

La question est primordiale; Cano va même jusqu'à dire que toute discussion est inutile à cause des divergences [2]. Car ces « sources » ne fournissent pas seulement à la théologie ses arguments. Elles doivent encore garantir la solidité de ses constructions. Critères de vérité religieuse, elles permettent de vérifier si le « symbole » d'une confession est conforme à l'authentique Révélation du Christ [3]. Car c'est un axiome intangible dans le monde chrétien qu'aucune puissance humaine ne peut ajouter un « iota » à la Parole du Verbe divin.

[1] BIBLIOGRAPHIE. — *Travaux.* — *S.-D.*, t. VI, 401-468; *D.T.C.*, t. X, col. 508 s. — A. HUMBERT, *Le problème des sources théologiques au XVIe siècle*, dans *R.S.P.T.*, t. I, 1907, p. 66-93, 474-498; t. II, 1908, p. 704-742; t. IV, 1910, p. 282-305. Ce remarquable travail étudie la question de l'Écriture Sainte comme source théologique depuis l'âge patristique jusqu'à Luther inclusivement. — On s'en est largement inspiré dans le présent exposé.
L'Enchiridion de Eckius, dirigé contre les *Loci* de Mélanchton, eut 46 éditions en un demi-siècle. *D.T.C.*, t. IV, col. 2057; *K.L.*, t. IV, col. 160. — Au sujet des *Loci* de M. Cano : E. MARCOTTE, *op. cit.* — Les *Sources de la foi* au concile de Trente : *H.C.*, t. IX, I, p. 952 s. — STAPLETON publia *Principiorum fidei doctrinalium relectio scholastica*, Anvers, 1592, Paris, 1579, 1596. (*D.N.B.*, t. XVIII, p. 990.) — BELLARMIN, dans ses *Disp. de controversiis*, développa largement les *Loci;* THILS, *Les notes*, *op. cit.*, p. 4 n. 2 (divers ouvrages et sens du mot).
Entre théologiens catholiques aussi on discuta la question des bases de la foi, les uns plus portés à faire appel à la « lumière de la foi », les autres à la raison. *Infra*, t. II. — R. AUBERT, *Le problème de l'acte de foi. Données traditionnelles et résultat de controverses récentes*, dans *Revue thomiste*, t. LI, 1951, p. 224-237; E. G. MORI, *Il motivo della fede da Gaetano a Suarez*, Rome, 1953; C. ZIMARA, *Die Lehre Cajetans und des Franz von Vitoria über christliche Glaubenswurdigkeitsurteil*, dans *Divus Thomas*, t. XIV, 1936, p. 421.

[2] POLMAN, *op. cit.*, p. 285-362.

[3] Sur l'importance de ces *normes* de la Révélation : CULLMANN, *Tradition*, *op. cit.*, p. 42, n. 2. — Sur les critères de *crédibilité*, *D.T.C.*, t. II, col. 2285, 2308, 2396.

Aussi longtemps que l'autorité de l'Église institutionnelle était intacte, les déviations éventuelles du Message étaient écartées d'office avec l'accord de la communauté.

CRITÈRES DIFFÉRENTS Au XVIᵉ siècle, en face de l'Église hiérarchique traditionnelle, se forme une Église « invisible », de plus en plus nombreuse et toujours mieux armée, qui revendique le droit d'interpréter librement le texte de la Révélation, seule source de la foi [1]. Puis se constituent des « symboles » qui prétendent n'admettre comme norme que l'Écriture interprétée à leur manière. Alors se pose la question des titres de chacun des adversaires. Quelles sont les sources pures de la foi [2]?

Et c'est parce que les diverses confessions adoptaient des critères différents que toutes les théologies de l'époque prennent des allures d'armées en campagne; la plupart d'entre elles sont représentées principalement par des controversistes [3]. C'est pour le même motif qu'il était alors — et qu'il est encore — difficile à ces confessions de retrouver l'unité de la doctrine chrétienne.

§ 1. — L'Écriture Sainte.

INSPIRATION DES ÉCRITURES La difficulté portait même sur une source où tous allaient puiser, les Livres Saints. Non au sujet du principe général : tous considèrent la Bible comme parole infaillible de Dieu [4].

Mais en quoi consistait cette inspiration divine, qui de tout temps avait été attribuée à l'Écriture? Assurait-elle l'inerrance absolue? Impliquait-elle une nouvelle Révélation? Et, supposées ces questions résolues, quels étaient parmi les livres de la Bible, ceux qui bénéficiaient de ce charisme? En termes techniques, de quoi se composait le « canon » des Écritures [5]?

[1] Pour tout ce qui concerne le protestantisme, voir *Realencyklopädie für protestantische Theologie und Kirche*, Leipzig, 1901. Le principe de l'Écriture, seule source de foi chez Pierre Valdès (Vaudois), DE LAGARDE, *op. cit.*, t. II, p. 124. — Sur la « sola scriptura », HARNACK, *Lehrbuch…, op. cit.*, t. III, p. 669 s.

[2] Cette question conditionnait naturellement celle des « notes » de la vraie Église, dont il sera question *infra*, p. 318. Voir surtout G. THILS, *Les notes de l'Église dans l'apologétique catholique depuis la Réforme*, Louvain, 1937. « Les dénominations protestantes se définissent par le fait qu'elles ont la Bible comme seule Révélation écrite… ». E. G. LÉONARD, dans *R.H.*, t. CCXVI, 1956, p. 74.

[3] Pendant la première moitié du XVIᵉ siècle, les théologiens s'occupent à réfuter les objections de leurs adversaires « en d'innombrables travaux sur l'histoire du dogme et de l'Église »; la seconde moitié est marquée par les vastes synthèses de Bellarmin et de Baronius en réponse aux Centuriateurs et à Chemnitz. Cf. POLMAN, *op. cit.*, p. 281.

[4] « Pendant tout le XVIᵉ siècle, Bellarmin est peut-être le seul qui se soit attaché à démontrer l'inspiration de l'Écriture » d'après « l'Ancien Testament, Notre Seigneur et les apôtres », donc par l'Écriture seule, cf. TURMEL, *op. cit.*, p. 47. Serrarius ébaucha une démonstration par les écrits des Pères, qui fut achevée plus tard par DUPIN. Cf. *ibid.*, p. 28 s.; JEDIN, *Relazioni, op. cit.*, p. 66 (Cochlaeus, Driedo).

[5] L'historique de ces problèmes a été traité de façon magistrale par le P. MANDONNET, dans *D.T.C.*, t. VII, col. 2096 s., 2131 s., 2227 s.; en résumé, *H.-D.*, t. VI, p. 123 s., 129 s.; *K.L.*, t. II, col. 1030; t. IV, col. 1083, 1272; J. TURMEL, *Hist. de la théol. posit.*, p. 27 (documenté); *S.-D.*, t. V, p. 441. — G. H. TAVARD, *A forgotten theology of inspiration :*

Sur ce terrain, le protestantisme ne fut un stimulant pour les théologiens qu'en ce qui touche la deuxième question, celle de la canonicité. Étant données leurs tendances « biblicistes » fidéistes, les réformateurs, héritiers des lollards, prenaient l'Écriture comme parole de Dieu sans préciser ni discuter. Calvin et d'autres admettent la « dictatio mechanica ». Chez les catholiques aussi, l'opinion traditionnelle générale était que l'Esprit-Saint avait dicté aux hagiographes, non seulement le sens, mais jusqu'aux mots qu'ils écriraient. Le concile de Trente n'avait défini le terme que d'une manière implicite.

En sorte qu'après lui deux courants se dessinèrent. La plupart des théologiens continuèrent à tenir l'inspiration verbale; l'écrivain sacré est « la plume entre les mains du scribe » [1].

Lorsque deux jésuites de Louvain, L. Lessius et J. Hamelius, lancèrent une opinion moins stricte, ils provoquèrent un orage. Pour eux, l'inspiration n'est pas verbale; toutes les assertions de l'Écriture ne sont pas directement inspirées; enfin, de même qu'un document revêtu de la signature royale devient un acte du roi, même s'il provient d'un secrétaire, l'inspiration pourrait être subséquente à l'admission d'un livre dans le canon de l'Église [2].

Nikolaus Ellenbog's refutation of Scriptura sola, dans *Francisc. Studies*, t. XV, 1955, p. 106-122. — Sur Ellenbog, O. S. B. (1481-1543), qui fonda à Ottobeuren un *Gymnasium trilingue* et une imprimerie, *K.L.*, t. VI, col. 796; t. IV, 407; *L.T.K.*, t. III, col. 638. — Sur l'inspiration chez les protestants, F. BONIFAS - J. BIANGUIS, *op. cit.*, t. II, p. 457.

[1] Par exemple, chez les dominicains, l'opinion « bannésienne »; Bañez enseignait que, tout en respectant les dispositions particulières de l'écrivain et de son milieu, l'Esprit-Saint avait inspiré tous les mots du texte. Admettaient aussi l'inspiration verbale les théologiens de Louvain Fr. Tietelmans et Cornelius Jansenius de Gand, le bénédictin Gilbert Génébrard, les jésuites Suarez, Serarius, Grégoire de Valence, François Coster, Maldonat, le franciscain Diego Stella, le sorbonniste André Duval, etc. Pour le dominicain Sixte de Sienne, lorsqu'un écrit est accepté par l'Église comme canonique, son contenu est vrai et certain. Le jésuite Salmeron écrivait que les évangélistes n'avaient pas reçu, comme tels, une nouvelle révélation. Cf. *D.T.C.*, t. VII, col. 2132-2136, 2146, 2151; GUELLUY, *op. cit.*, p. 83, n. 1; S. PAGANO, *De inspiratione apud Dominicum Bañez*, dans *Rev. Univ. Ottawa*, t. XVII, 1947, p. 5-20; ID., *Analysis notionis inspirationis S. Scripturae apud Cornelium a Lapide*, dans *Rev. Univ. Ottawa*, t. XV, 1945, p. 65-85; J. DE FRAINE, *Lessius' leer over de inspiratie der H. Schrift*, dans *Bijdragen*, t. XV, 1954, p. 256-271; O. GARCIA DE LA FUENTE, *El canon biblico en el concilio de Trento según J. Seripando*, dans *Ciudad de Dios*, t. CLXIX, 1956, p. 35-72.

[2] Ces thèses furent enseignées par les deux jésuites dans leur collège de Louvain en 1585, au milieu de l'atmosphère enfiévrée de la querelle sur la grâce. Elles furent aussitôt dénoncées par Michel Baïus et son école. Isaac Habert affirme qu'il y trouvait une revanche de ses condamnations (J. DE FRAINE, *op. cit.*, p. 256). Les Universités de Louvain et de Douai les condamnèrent dans une *Censure* du 9 septembre 1587, qui fut suivie de leur *Justificatio censurae* (*B.J.B.*, t. III, p. 992 s., 1086). A la suggestion de l'archevêque Boonen, Lessius écrivit ses *Antitheses* explicatives; le pape Sixte-Quint approuva sa théorie et chargea du règlement de l'affaire le nonce de Cologne, qui interdit toute discussion publique sur la matière: *D.T.C.*, *loc. cit.*, col. 2140-2145; A. PONCELET, *Histoire de la Compagnie de Jésus dans les anciens Pays-Bas*, t. II, Bruxelles, 1927, p. 137; J. DE FRAINE, *Lessius' leer over de inspiratie der Heilige Schrift*, Bijdragen. *Tijdschrift voor Philosophie en Theologie*, t. XV, 1954, p. 256-271 (indispensable; cite de nombreux extraits). Saint Bellarmin approuve les deux premières thèses; quant à la troisième, sans y souscrire, il la déclarait « tolerabilis »; J. DE FRAINE, *op. cit.*, p. 269. — Parmi ceux qui adoptèrent la théorie de Lessius, son confrère Jacques Bonfrerius (*supra*, p. 204), dans son commentaire sur le Pentateuque (Anvers, 1625), distingue : « inspiratio antecedens » (la Révélation), « concomitans » et « consequens ». *S.-D.*, t. VI, p. 445; S. PAGANO, *Évolution de la troisième proposition de Lessius sur l'inspiration dans la controverse de Louvain*, dans *Rev. de l'Univ. d'Ottawa*, t. XXII, p. 129*-150*; ID., *Some Aspects of the Debate on Inspiration in the Louvain Controversy*, dans *Catholic Biblic. Quart.*, 1587-1588, t. XIV, 1953, p. 336-349; t. XV, 1953, p. 46-59.

Après de très vives polémiques, leur théorie, éclairée par les explications que Lessius en donna, « devint dominante » au moins en ce qui concerne les deux premières propositions [1].

CANON
DES ÉCRITURES

Catholiques et protestants, d'accord pour s'appuyer sur les livres sacrés comme règle de foi et pour leur attribuer une certaine origine divine, différaient sur la désignation de ces livres. Question capitale, puisque l'exclusion d'une partie du texte entraînait l'exclusion d'une partie du credo. Les Réformateurs rejetaient comme non-inspirées, outre les « deutero-canoniques », celles des Écritures qui ne cadraient pas avec leurs doctrines [2].

Aussi le concile de Trente, dans sa quatrième session, par son décret du 8 avril 1546 *de canonicis scripturis*, prit-il nettement position : acceptant la canonicité des livres deutero-canoniques, il déclara que « tous les livres dont il a rédigé le catalogue sont sacrés, c'est-à-dire inspirés et canoniques, donc du nombre de ceux que l'Église reçoit comme règle de foi et de mœurs » [3]. Il déclarait en même temps « authentique » le texte de la Vulgate (*supra*, p. 233 et n. 7).

INTERPRÉTATION
DES ÉCRITURES

Restait une question essentielle. Un texte écrit ressemble à une harpe. Par lui-même il est, non pas mort comme a dit Arnauld, mais muet; le lecteur le fait vibrer, c'est-à-dire « ad modum recipientis recipitur »; dans certaines limites autour d'un sens fondamental, il est compris par divers lecteurs à la manière de chacun, sans toujours leur révéler la pensée authentique de l'auteur qui l'a

---

[1] *D.T.C.*, *loc. cit.*, col. 2144.

[2] Les livres « Deutéro-canoniques, que les Juifs de la dispersion, dont le centre principal était Alexandrie, reconnaissaient comme divins et inspirés [...étaient] Tobie, Judith la Sagesse, l'Ecclésiastique, Baruch et les deux Livres des Machabées. Il faut y joindre des fragments de Daniel et d'Esther qui n'existent qu'en grec. Ils faisaient partie de la Bible dite des Septante ». (*D.T.C.*, t. II, col. 1571.) — Cette attribution d'un caractère divin à un écrit humain éclaire vivement le contraste entre la « position » catholique du XVIe siècle et celle des Réformateurs sur les questions scripturaire et ecclésiologique. Quand l'Église hiérarchique fixe *de fide* le canon des Écritures, elle invoque son mandat providentiel hérité des apôtres. Luther, de son propre chef, « rejetait l'autorité de *II Mach.*, XII, 44 [ ] parce que ce livre n'est pas dans le canon; il écartait aussi l'épître de saint Jacques [comme contraire à saint Paul...], l'épître aux Hébreux, celle de Jude, l'Apocalypse » et les deutéro-canoniques de l'Ancien Testament. « Carlstadt défendit contre Luther les deutéro-canoniques du Nouveau Testament ». Mélanchton, Brentz, Flacius, les rejetaient comme au moins douteux. (*D.T.C.*, t. II, col. 1556 s.) Cf. sur l'attitude de Zwingle et son « Geistprinzip » du Nouveau Testament, *D.T.C.*, t. XV, col. 3773. Quand ces novateurs, trahissant le libre-examen, prétendront imposer leurs doctrines personnelles et d'ailleurs divergentes, ils n'auront d'autre recours que le « *cuius regio illius religio* ». Cf. BELLARMIN, *Disputationes...*, *op. cit.*, t. I, p. 209 s.

[3] *H.E.*, t. XVII, p. 232; *H.C.*, t. IX, I, p. 252-276; t. X, p. 3-25 — Décret sur le canon, p. 19-23; décret sur la Vulgate, p. 25-28; *D.T.C.*, t. VII, col. 1593-1603, 2096; t. VIII, col. 2051 s.; *K.L.*, t. IV, col. 1081; B. EMMI, *Il posto del « De ecclesiasticis scripturis et dogmatibus » nelle discussione tridentine*, dans *Ephemerides theologicae Lovanienses*, t. XXV, 1949, p. 588-599; Ch. WEBER, *Geschichte*, *op. cit.*, t. IV, p. 401-405; B. CARRANZA, *Quatuor Controversiarum...*, *Venise, 1546*, dans *Ad sacrosancta...*, Paris, 1672, *op. cit.*, p. CVI-CIX; P. DUNCKER, *The Canon of the Old Testament at the Council of Trent*, dans *Catholic Biblical Rev.*, t. XV, 1953, p. 277-299.

dicté. Or, si l'Écriture est admise comme messagère d'une révélation divine, parle-t-elle à chaque individu une langue particulière qu'il interprétera librement? ou apporte-t-elle à tous les chrétiens un enseignement uniforme? Dans ce cas, est-elle « suffisante » à elle seule?

L'Antiquité chrétienne, avec Tertullien et tout le Moyen Age à la suite de saint Augustin tenaient que l'Église était « en possession » d'interpréter d'autorité le texte sacré. On connaît le mot célèbre du grand docteur : « Je ne croirais pas à l'Évangile si je n'étais poussé par l'autorité de l'Église catholique. » C'est dans ce sens qu'il faut comprendre la doctrine ancienne et scolastique de la *Sola Scriptura* [1].

Au contraire, à l'aurore des temps modernes, la crise qui secouait le pouvoir de la papauté et de la hiérarchie devait entraîner une crise dans la théologie et même dans la foi. Quand les humanistes se mettent à étudier et à publier les livres des deux Testaments, ce n'est pas à l'Église institutionnelle qu'ils vont en demander le sens exact. Pour Érasme comme pour Reuchlin, les vrais arbitres de l'exégèse biblique sont les Pères et, parmi eux, saint Jérôme, le « prince des théologiens ». Ils lui vouent un culte unique, de préférence à saint Augustin. On voit l'illustre cardinal Cajétan lui-même leur emboîter le pas.

Cependant le XVIᵉ siècle allait voir refleurir la gloire de l'évêque d'Hippone. En 1517, son *De spiritu et littera* est publié par Karlstad. Aussitôt il provoque une révolution. « Après la lettre, dont les philologues avaient rétabli la pureté, c'était l'esprit qu'on croyait retrouver. » [1] Catholiques et protestants — Luther notamment, — au-delà de l'humanisme érasmien épris de saint Jérôme, vont avec saint Augustin chercher dans les Livres saints l'Esprit qui vivifie.

Jusqu'où irait cette tendance plus « mystique »? Elle mènerait les Réformateurs jusqu'au libre-examen, tandis que, dans l'Église, par des richesses nouvelles, elle récompenserait la spiritualité catholique de ses efforts pour mieux connaître le texte sacré.

SUFFISANCE OU INSUFFISANCE Il n'en restait pas moins que ce texte, même mieux connu et mieux goûté, ne parlait pas toujours une langue indiscutablement claire [2]. En théorie, cette difficulté ne devait pas embarrasser les tenants du libre-examen absolu, puisqu'ils enseignaient en même temps une assistance individuelle

---

[1] HUMBERT, *op. cit.*, p. 488, 493; il cite l'opinion de saint Augustin au sujet de la « Sola Scriptura », authentiquée d'ailleurs par l'Église. — Sur les *quaestiones* du XIIᵉ siècle *de divina scriptura* par l'étude du texte, *H.E.*, t. XIII, p. 168.

[2] Ce que les théologiens modernes appellent « insuffisance formelle ». Cf. IMBART DE LA TOUR, *op. cit.*, t. III, p. 99; t. IV, p. 62; LODRIOOR, *op. cit.*, p. 43, où il cite les passages de Driedo à ce sujet; BELLARMIN, *Disputationes...*, *op. cit.*, t. I, col. 159-199; nécessité d'un arbitrage, col. 170-199, bibliogr., 170. Il « ne fait que systématiser et compléter les idées de Fisher, de Peresius, de Driedo, de Cochlaeus et surtout de Hosius et de Cano ». POLMAN, *op. cit.*, p. 521; voir aussi p. 285; TURMEL, *op. cit.*, p. 38 s., obscurité de l'Écriture; *S.-D.*, t. VI, p. 431, 434 s., 442 (Cano, Bellarmin); LORTZ, *op. cit.*, t. II, p. 182; JEDIN, *Relazioni*, *op. cit.*, p. 66 n. 5. — Opinion protestante sur la suffisance, BONIFAS-BIANGUI, *op. cit.*, t. II, p. 447.

et immédiate de l'Esprit-Saint. Pour eux, le seul interprète de l'Écriture est l'Écriture. « Scriptura sui ipsius interpres. »

Les docteurs catholiques, de leur côté, tirèrent de ces ombres un de leurs principaux arguments en faveur de la nécessité d'une Tradition orale. Cano, Driedo, Sanderus, Stapleton et surtout saint Bellarmin relevèrent les passages de l'Écriture où elle atteste ses propres obscurités; ils y joignaient le témoignage des Pères dans le même sens. Ils observaient « ad hominem » que, si le texte sacré était limpide, les nombreux commentaires protestants tombaient à faux et leurs discussions mutuelles ne s'expliquaient pas.

Cano, Bellarmin et d'autres soulignaient qu'on ne trouve pas dans la Bible elle-même la preuve de son infaillibilité [1], ni l'indication de ses limites, de son « canon ». Calvin affirmait que les écrits canoniques se distinguent des autres comme la lumière des ténèbres, comme le doux de l'amer. Mais alors, remarquait Bellarmin, comment se fait-il que vous admettiez comme canonique la lettre de saint Jacques, alors que Luther la rejette comme « du foin »; et pourquoi condamnez-vous le livre de la Sagesse, que les apôtres et l'Église primitive considéraient comme sacré [2]? Comment prouvez-vous, par le texte seul, que notre évangile de Marc est bien authentique, alors qu'il est repoussé par les anabaptistes [3]? De là, le reproche adressé aux Réformateurs d'interpréter la Bible d'après un système [4].

BESOIN
D'UN ARBITRAGE

De tout cela résultait une conclusion. Un message envoyé par Dieu ne pouvait être laissé à l'humeur changeante des hommes. Il fallait un arbitre divinement autorisé à l'interpréter. Et ainsi en venait-on à l'ancienne conception du Magistère. De l'exégèse on passait à l'ecclésiologie.

La question de savoir s'il y avait dans la communauté chrétienne, d'ordre de son Fondateur, un pouvoir définiteur permanent se posait à propos de la Bible, de son canon et de son sens exact. Le concile de Trente définit qu' « à l'Église appartient de juger du vrai sens et de l'interprétation des Saintes Écritures » [5]. La question se posait plus impérieusement encore au sujet de la seconde source catholique de la foi, la Tradition. Et le problème de la Tradition impliquerait celui de l'interprétation de l'Écriture.

[1] Sur la question de la suffisance, Ch. WERNER, *Geschichte, op. cit.*, t. IV, p. 426-442; BELLARMIN, *Disputationes..., op. cit.*, t. I, col. 210 s.; POLMAN, *op. cit.*, p. 286 s.; TURMEL, *op, cit.*, p. 45-54; Érasme, IMBART DE LA TOUR, t. III, p. 99-101 s.

[2] « L'Alcoran affirme à plusieurs reprises avoir été envoyé par Dieu et pourtant nous n'y croyons pas ». BELLARMIN, *op. cit.*, col. 213.

[3] *Ibid.*, col. 214. On sait que les Réformateurs utilisaient surtout, comme leurs adversaires d'ailleurs, les textes bibliques de l'Ancien Testament sans se soucier de leur perspective historique et sans noter que, placés ensemble sur le même plan temporel, ils se contredisaient.

[4] Henri VIII déjà demandait ironiquement à Luther comment ce qu'il voyait dans la Bible pouvait avoir échappé à tant de lecteurs pendant des siècles. (BAKHUIZEN VAN DEN BRINK, *Traditio, op. cit. infra*, p. 20.) Marnix, quand il interprète l'Écriture, lit, comme Luther, « l'Écriture tout entière en partant du texte sur la justification par la foi ». (*Ibid.*, p. 40).

[5] *H.C.*, t. X, n. 28. — Sur l'attitude des théologiens posttridentius au sujet des relations entre a Bible et l'Église, cf. CONGAR, *V. et F.R., op. cit.*, p. 484-503.

§ 2. — La tradition et les traditions doctrinales. [1]

TRADITIONS ET TRADITION   Nous voici au plus dense de la mêlée entre théologiens catholiques et protestants. Fallait-il admettre d'autres sources et critères de foi que l'Écriture? Problème primordial, car on verra par ce qui va suivre qu' « il s'agit essentiellement de la nature de l'Église et des tout premiers principes de la théologie chrétienne » [2].

Problème tragique, car au moment où la lutte s'engagea et dans la chaleur du combat, ni d'un côté ni de l'autre on ne prit soin de définir ses « buts

---

[1] BIBLIOGRAPHIE. — Voir importantes ajoutes : *Addenda*, p. 451. *D.T.C.*, t. IV, vol. 2148 s.; t. XV, col. 462 s., 1255-1350 (XVIᵉ et XVIIᵉ siècles, col. 1309-1324); *D.A.*, t. IV, col. 1758 s., 1785; *L.T.K.*, t. X, col. 246-248; *K.L.*, t. XI, col. 1970 s.; J. N. BAKHUIZEN VAN DEN BRINK, *Traditie in de Reformatie en het Katholicisme in de XVIᵉ eeuw*, Amsterdam, 1952; ID., *La tradition dans l'Église primitive et au XVIᵉ siècle*, dans *Rev. d'Hist. et de philos. relig.*, t. XXXVI, 1956, p. 271-281; R. BELLARMIN, *Disputationes de controversiis christianae fidei...*, Ingolstadt, 1591, t. I, livre IV, De Verbo Dei non scripto, col. 202-258. (Il indique col. 201 les auteurs des deux confessions qui ont écrit sur le sujet pour et contre (ajoutez Driedo). Après avoir défini les traditions, il en montre la nécessité et l'existence tant par l'Écriture que par les Pères, puis établit cinq critères des vraies traditions et enfin réfute les objections des adversaires. Une analyse de cette partie, *D.T.C.*, t. XV, col. 1324 s.); ID., *Opera omnia*, éd. Card. X. R. SFORZA, Naples, 1856. Introduction biograph.; J. BEUMER, *Die Frage nach Schrift und Tradition bei Robert Bellarmin*, dans *Scholastik*, t. XXXIV, 1959, p. 1-22; B. CARRANZA, *Quatuor controversiarum... explicatio*, Venise, 1546, dans *Ad sacrosancta concilia a Ph. Labbaeo... edita Apparatus alter*, Paris, 1672; F. CAYRÉ, *Précis..., op. cit.*, t. II, p. 882, précieuse table; J. COPPENS, *Notata de Traditione divina* (Meded. v. d. k. Vl. Academie... van België, 1940) (cours dicté au XVIIIᵉ siècle à Louvain); O. CULLMANN, *Die Tradition als exegetisches, historisches und theologisches Problem*, Zurich, 1954; ID., *La tradition*, dans *Cahiers théologiques*, Neuchâtel-Paris, 1953, et ses autres articles qu'il y mentionne, par exemple : *Écriture et Tradition*, dans *Dieu vivant*, n° 23, p. 47; J. DANIÉLOU, *Dieu vivant*, n° 24; ID., *Réponse à Oscar Cullmann, ibid.*, n° 24; A. DENEFFE, *Der Traditionsbegriff*, Munster-en-W., 1931; J. DELMOTTE, *Traditie en geloof volgens de Controversen van S. Robertus Bellarmin*, dans *Sylloge excerpt. et dissert. ad Doctoris... in S. Theologia*, Louvain, t. XXII, 1950-1951 (Delmotte étudie comment Bell. traite les relations entre tradition et foi, tradition et foi au Christ, tradition et Révélation, tradition et Église, tradition et foi motivée); A. HARNACK, *Lehrbuch..., op. cit.*, t. III, p. 665, 839, table : Überlieferung; P. HUBER, *Traditionsfestigkeit und Traditionskritik bei Thomas Morus*, dans *Beiträge zur Geschichtswissenschaft*, n° 47, Bâle, 1953; HUMBERT, *op. cit.*, p. 474; J. LODRIOOR, *La notion de tradition dans la théologie de Jean Driedo de Louvain.* dans *E.T.L.* t. XXVI, 1950, p. 37-54; A. LIUIMA, *Saint François de Sales et la tradition. Les Pères de l'Église*, dans *R.A.M.*, t. XXVI, 1950, p. 202-227; *M.-L.*, t. II, p. 61 s.; O. MULLER, *Zum Begriff der Tradition in der Theologie der letzten hundert Jahre*, dans *Münchener theol. Zeitschrift*, t. IV, 1953, p. 164-186; J. L. MURPHY, *The notion of tradition in John Driedo*, dans *Pont. Univ. Gregor. Diss. theol.*, Milwaukee, 1959; J. ORCIBAL, *Relazioni, op. cit.*, p. 125; M. PERESIUS AYALA, év. de Ségovie, *De divinis, apostolicis atque ecclesiasticis traditionibus...* (composé en 1545), Cologne, 1560; PIGHIUS, dans JEDIN, *Relazioni, op. cit.*, p. 67; POLMAN, *op. cit.*, p. 303, 565 (table), p. 569 (table), p. 293 n. 3, citation; J. RANFT, *Der Ursprung des Katholischen Traditionsprinzips*, Wurzbourg, 1931 (comparaison avec tradition juive, islamique et protestante); E. SNOEKS, *L'argument de tradition dans la controverse eucharistique entre catholiques et réformés français au XVIIᵉ siècle*, Louvain 1951 (abondamment documenté); C.-r. dans *N.R.Th.*, t. LXXV, 1953, p. 436 s.; TURMEL, *op. cit.*, p. 115-155; WERNER, *Geschichte..., op. cit.*, t. IV, p. 442; *Werkgenootschap van Katholieke Theologen in Nederland. Voordrachten en Discussies*, Roermond, Maaseik, 1948-1949, p. 150-186; WILLAERT, *Origines, op. cit.*, p. 362-372, 382-399.

[2] Voir les pages remarquables du professeur J. N. BAKHUIZEN VAN DEN BRINK, *Tradition, op. cit.*, p. 280, 273; « Dès les premiers jours des conflits réformateurs, on a compris par institutions humaines, outre les coutumes et usages, aussi les dogmes de la théologie philosophique ou scolastique »; ID., *Traditio..., op. cit.*, p. 6, n° 3, le texte fondamental de Calvin. — Quant aux divergences entre catholiques et protestants sur cette question : *D.T.C.*, t. XV, col. 1255, 1309-1311, 1315. — Sur l'existence dans l'Église d'une « autorité vivante et enseignante », TURMEL, *op. cit.*, p. 45-78.

de guerre ». Le champ de bataille restait un terrain vague. Quels étaient précisément les « 'ἄγραφα », autour desquels on se battait sans les avoir identifiés?

L'opposition reprochait à l'Église d'avoir, par une *declinatio doctrinae*, introduit dans son enseignement dogmatique des « traditions », « inventions humaines, *stipulae, Menschensatzungen* ». On allait jusqu'à situer cette déviation au Moyen Âge, plus précisément autour du xe siècle [1].

Par cette accusation collective, on s'assurait une position stratégique assurément avantageuse. Car elle attaquait tout ce qui, dans la vie de l'Église, n'était pas formellement et explicitement enseigné par l'Écriture, pêle-mêle autorité doctrinale, dogmes et pratiques, liturgiques ou autres. Or, parmi ces dernières, un certain nombre — les indulgences mal comprises, par exemple, et les légendes hagiographiques — étaient assez décriées pour que leur discrédit mérité compromît par contagion toute l'efflorescence catholique non explicitement mise par écrit, toutes les « traditions » [2].

La confusion s'expliquait.

Tâchons de voir clair en notant d'abord que nous étudions ici la pensée de l'Église au xvie siècle. Nous nous occuperons de l'attitude des théologiens à l'égard des traditions-doctrines de l'Église, de son enseignement, basé sur l'Écriture et sur la Tradition. Certaines traditions-coutumes avaient avec le dogme ou la morale un lien étroit, par exemple le culte de l'Eucharistie, la messe. Les autres, de nature purement rituelle, sur lesquelles la discussion s'égare fréquemment, ne méritaient pas de diviser la chrétienté. Un esprit ouvert comme Mélanchton les appelait « indifférentes, ἀδιάφορα » [3].

DÉFINITIONS   Dans l'Antiquité chrétienne, le mot « traditio » a désigné tantôt la prédication doctrinale, l'action de transmettre, de communiquer *(tradere)* un enseignement, tantôt et surtout « l'objet transmis par le Christ et ses apôtres, puis d'âge en âge par l'Église », les traditions au pluriel [4].

A l'époque moderne, mais seulement à la suite des grandes algarades, on en vint à distinguer deux notions : *l'ensemble des traditions*, matière de l'enseignement non-scripturaire, qu'on appela « tradition passive » ou simplement « traditions », et *la fonction* de transmettre le Message, qui devint « tradition active » ou « formelle », « tradition-fonction » : « Évangile

---

[1] SNOEKS, *L'argument...*, *op. cit.*, p. 417.

[2] Au reste, les protestants accusaient l'Église de prétendre que toutes ses traditions, même les cérémonies, remontaient aux apôtres. Ainsi CALVIN, *Instit.*, lib. 4, cap. 10 § 19, que cite BELLARMIN, *op. cit.*, col. 206; il y répond : *Eas tantum accipimus pro apostolicis, quas firmis testimoniis antiquorum probare possumus esse apostolicas.* — Par malheur, cette preuve, en ce qui concerne certaines institutions, reposait sur des documents dont les adversaires contestaient — souvent à raison — la valeur historique. (Voir ci-dessus, à propos de Baronius, p. 253.) C'est là un de ces malentendus qui divisaient alors les confessions et qu'une critique plus éclairée peut dissiper de nos jours.

[3] POLMAN, *op. cit.*, p. 219.

[4] *D.T.C.*, t. XV, col. 464, 1252.

vivant » ou simplement « Tradition » [1]. D'autre part, il eût été essentiel de bien préciser qu'il s'agissait de transmission de la doctrine du Christ, non de Révélation nouvelle. Il arrivait aux étrangers — et cela leur arrive encore de nos jours [2] — d'attribuer à l'Église la prétention d'ajouter au dépôt de la Révélation, ce dont elle se défend expressément.

Par malheur, de fréquents malentendus se sont produits, de nos jours encore, du fait de la différence des définitions [3].

Ce qui, dès la fin du Moyen Age, rendait l'offensive contre l'Église terriblement grave, c'est qu'à travers *les traditions*, elle attaquait *la Tradition*, c'est-à-dire l'Église elle-même, dans une de ses prérogatives essentielles, qui est d'enseigner la Bonne Nouvelle. L'Église et son armée, la théologie, devraient donc se porter à la défense de deux secteurs menacés de la citadelle du dogme : aux remparts, les traditions; devant le donjon central, la Tradition.

CONCILE DE TRENTE La position de l'Église fut définie par le concile de Trente dans son célèbre décret de la quatrième session (8 avril 1546).

---

[1] Sur le sens du mot chez DRIEDO, cf. LODRIOOR, *op. cit.*, p. 41-44.

Sur ces définitions aux XVIe et XVIIe siècles, outre la bibliographie ci-dessus, par exemple *K.L.*, t. XI, col. 1933 s.; POLMAN, *op. cit.*, p. 238 s., 304 s., 307; BAKHUIZEN VAN DEN BRINK, *Traditie...*, *op. cit.*, p. 23 : celle de Henry VIII encore catholique, p. 31 : Chemnitz accusait l'Église de faire passer comme apostoliques toutes ses traditions; c'est, dit-il, la « Pandorae pixis »; p. 34 : bibliographie récente; p. 33 : définitions de Bellarmin, de M. Cano; ID., *Tradition...*, *op. cit.*, p. 272-274. Pour comprendre cet auteur, il faut noter que lui-même considère que : « Les traditions, au pluriel, en effet, sont surtout les institutions et les coutumes, tandis que la tradition, au singulier, touche plutôt à la vie, la fonction et l'essentiel de la raison d'être de l'Église. » *Ibid.*, p. 273.

Sur les « consuetudines » de l'Église, CARRANZA, *Quatuor...*, *op. cit.*, *Prima controversia*, p. CIII-CVI.

BELLARMIN, *op. cit.*, cite (col. 202) diverses définitions. Lui-même distingue les traditions *divines*, reçues du Seigneur par les apôtres, mais non écrites; *apostoliques*, instituées par les apôtres sous l'inspiration du Saint-Esprit; *ecclésiastiques*, qui ont reçu force de loi du « consensus populorum »; elles ont la même valeur que les lois écrites de l'Église (col. 203 s.).

On appellera « traditio explicativa » le développement des dogmes. (*D.T.C.*, t. XV, col. 465.)

« Mutatis mutandis », la Tradition occupe dans l'histoire du dogme la place que la coutume garde dans l'histoire du droit, même écrit. Cf. WILLAERT, *Origines*, *op. cit.*, p. 378; BAKHUIZEN VAN DEN BRINK, *Tradition*, *op. cit.*, p. 27.

On se rappellera Moehler, qui a comparé la Tradition au « mos maiorum » des Romains, code non écrit, mais religieusement transmis, (MOEHLER-LACHAT, *Symbolique*, *op. cit.*, t. II, p. 24.)

On verra plus loin, à propos du concile de Trente, pourquoi l'Église n'a pas exclu nettement les traditions ecclésiastiques. C'est Le Jay qui, à Trente, les distingua des doctrinales. Cf. HOLSTEIN, *op. cit.*, p. 377.

[2] O. CULLMANN, *Tradition*, *op. cit.*, p. 34, peut refuser à l'Église romaine moderne le caractère d' « apôtre », dans le sens où il l'entend, c'est-à-dire d'interprète-témoin direct de la Révélation; il conclut : « L'apôtre ne peut donc pas avoir de successeur qui, pour les générations futures, puisse jouer le rôle de *révélateur* à sa place. » (C'est moi qui souligne.) Même thèse du même auteur dans *Saint Pierre...*, Paris, 1952. Voir J. DANIÉLOU, dans *Études*, t. CCLXXVI, 1953, p. 206-219. Mais l'Église prétend seulement transmettre et interpréter la Révélation, qui se termine à la mort du dernier des douze apôtres du Sauveur.

[3] BAKHUIZEN VAN DEN BRINK, *Tradition*, *op. cit.*, p. 374. — Rappelant la « réfutation classique » des traditions comme inventions humaines, l'auteur cite *Marc*, VII, 8 et les textes de Tertullien et de saint Cyprien condamnant l'abus des coutumes; mais ces textes ne visent que des traditions non-reconnues par l'Église comme divino-apostoliques. Il faut se rappeler que l'auteur appelle « traditions » les institutions et les coutumes Voir la note ci-dessus.

Invoquant l'Évangile, il déclara que « cette vérité et cette règle morale sont contenues dans les Livres écrits et dans les traditions non écrites, qui, reçues de la bouche même du Christ par les apôtres ou des apôtres sous la dictée de l'Esprit-Saint, ont été transmises jusqu'à nous comme de la main à la main » [1].

Ainsi donc, l'Église n'affirmait pas seulement ce qu'on appelle maintenant l'insuffisance « formelle » de la Bible, c'est-à-dire son obscurité relative; elle déclarait son insuffisance « matérielle », c'est-à-dire la nécessité de recourir aussi à la Tradition, ou plutôt aux traditions [2]. Ces traditions, où la doctrine protestante ne voit que « un simple complément de l'Écriture », l'Église les définissait comme canaux de la Révélation et donc normes de la foi.

Elle précisait avec soin qu'il ne s'agissait pas — en principe — des traditions « ecclésiastiques », mais de celles « ayant comme point de départ la prédication du Christ ou la révélation du Saint-Esprit aux apôtres ». De ce chef, elle déclarait « les recevoir et les vénérer avec le même sentiment de piété et de respect » que l'Écriture [3].

On a noté que si le concile avait eu lieu cinquante ans plus tôt et que le décret eût précisé le sens et la portée doctrinale des « traditions », une bonne partie des objections protestantes ne se seraient pas produites.

QUELLES TRADITIONS? Car les Pères de Trente déclaraient implicitement qu'à certaines traditions l'Église n'attribuait pas une origine ni donc une valeur divine. Ces traditions « ecclésiastiques » étaient humaines, en effet, et n'appartiennent pas au dépôt de la foi. Mais, consi-

---

[1] *H.C.*, t. IX, p. 267 s. : « Perspiciensque hanc veritatem et disciplinam contineri in Libris scriptis et sine scripto traditionibus, quae *ab ipsius Christi ore* ab apostolis acceptae, aut *ab ipsis apostolis* Spiritu sancto dictante quasi per manus traditae ad nos usque pervenerunt, omnes libros tam Veteris quam Novi Testamenti [...] necnon *traditiones* ipsas, tum ad fidem tum ad mores pertinentes, tamquam *vel oretenus a Christo vel a Spiritu sancto* dictatas et *continua successione* in Ecclesia catholica conservatas *pari pietatis affectu ac reverentia suscipit et veneratur.* » Cf. *H.E.*, t. XVII, p. 59 s.; *H.C.*, t. IX, I, p. 267 s.; t. X, p. 5 s., 14; PASTOR, *Geschichte, op. cit.,* t. V, p. 545-547.
— Voir *D.T.C.*, t. XV, col. 1312 s., les « autorités » invoquées par le concile; POLMAN, *op. cit.,* p. 307-309; Ch. WERNER, *Gesch., op. cit.,* t. IV, p. 442-456.
— Un exemple de malentendu en cette matière : le professeur Bakhuizen van den Brink écrit : « Les traditions, au pluriel, en effet, sont surtout les institutions et les coutumes », qui peuvent être purement humaines. (*Tradition..., op. cit.,* p. 273, dernières lignes.)

[2] *D.T.C.*, t. XV, col. 1298 s., 1315 s.

[3] *Pari pietatis affectu et reverentia suscipit et veneratur, D.T.C., ibid.,* col. 1315; BAKHUIZEN VAN DEN BRINK, *op. cit.,* p. 27.
— Il y a lieu de rappeler ici les interventions parfois sensationnelles sur lesquelles le concile eut à se prononcer : celle du cardinal Étienne BONNUCCI (1521-1589), général des servites, évêque d'Alatri, qui voulait différencier la valeur de l'Écriture et celle des traditions (*D.H.G.E.,* t. IX, col. 1125; BAKHUIZEN VAN DEN BRINK, *op. cit.,* p. 28 s.); celles du cardinal Marcel CERVINI (1501-1555, président du concile en 1545, futur pape Marcel II), qui insista pour faire préciser le sens du mot « traditiones ». (*D.T.C.*, t. IX, col. 1992 s.; t. XV, I, col. 1313 s.; *H.C.*, t. IX, p. 1042 (table); t. X, p. xxv, (table); le refus de définir les « traditions » ne fut voté que par 13 voix contre 11, les autres Pères s'abstenant. (BAKHUIZEN VAN DEN BRINK, *op. cit.,* p. 26 avec textes; ID., *Tradition, op. cit.,* p. 273). — Pierre Soto, Hosius, Cano s'efforcèrent de préciser quelles étaient ces traditions « apostoliques ». Cf. POLMAN, *op. cit.,* p. 239, 308, 312 et 569 (table). — Cf. HOLSTEIN, *op. cit.,* p. 376-380.
— Les confirmations du décret de Trente par les papes, *D.T.C.*, t. XV, col. 1317.

dérant la valeur de beaucoup d'entre elles, le concile ne voulut pas sembler les condamner en les excluant explicitement.

Malheureusement, étant donnée cette crainte, il ne crut pas opportun d'admettre l'avis du cardinal Cervini (futur pape Marcel II) et autres, qui insistaient pour que fussent précisées les traditions auxquelles on reconnaissait ce caractère christo-apostolique (ci-dessus p. 300). Ce qui laissait subsister l'obscurité des controverses [1].

Quoi qu'il en soit, le décret soulevait nécessairement une importante question. Les traditions ainsi transmises « de la main à la main » ne s'étaient-elles pas « adultérées » au cours des âges, comme l'affirmaient les Réformateurs ? Le concile n'avait pas répondu à l'accusation, sinon par les mots « traditions [...] conservées dans l'Église par une succession continue » [2].

Aux théologiens de montrer la solidité et l'intégrité de cette chaîne ininterrompue. La démonstration pouvait être purement historique ; elle pouvait aussi être théologique, c'est-à-dire établir le pouvoir divin de l'Église d'enseigner infailliblement.

DÉFENSE HISTORIQUE DES TRADITIONS   Au point de vue historique, les dogmes « modernes » n'étaient-ils pas des inventions médiévales ? S'il s'était agi d'une documentation purement orale, la critique historique devait se montrer sévère. Il ne suffisait pas d'observer que les traditions formaient un corps de doctrines constitué dès l'origine en « symboles », conservées avec un respect religieux dans un milieu organisé et qui les considérait comme un dépôt sacré, donc intangible [3] ; que chaque siècle avait repoussé avec horreur comme hérétiques des innovations proposées.

Il y avait mieux. Les catholiques se mirent alors à construire un système de défense parallèle à la ligne d'attaque. Tandis que leurs adversaires cherchaient à montrer par l'histoire la concordance de leur propre doctrine avec celle de l'Église primitive — une tradition, somme toute, — les défenseurs de la foi romaine fouillaient la même histoire dans le but de justifier leurs traditions.

---

[1] Sur les motifs de cette attitude du concile, cf. HOLSTEIN, *op. cit.*, p. 379. Ce n'est que plus tard, à l'occasion de la querelle janséniste, que se posa la question des *faits dogmatiques* (*D.T.C.*, t. IV, col. 2188-2192). Il s'agit des faits ayant une connexion intime avec le dogme : *S.-D.*, t. VI, p. 461-467 ; Y. GONGAR, *Fait dogmatique et foi ecclésiastique*, dans *Catholicisme*, t. IV, col. 1059-1067 ; A. GITS, *La foi ecclésiastique aux faits dogmatiques dans la théologie moderne*, Louvain 1940 ; TURMEL, *op. cit.*, p. 82-104.
     Au sujet des vérités « catholicam veritatem sapientes » (par exemple que Nicolas V soit pape) de Torquemada, *D.T.C.*, t. XV, col. 1309. MARÍN-SOLA, *op. cit.*, t. I, p. 215, 228 s., 414 : « Molina serait donc le premier précurseur de la foi ecclésiastique ». Voir, entre autres, J.-J. HAVELANGE, *Ecclesiae infallibilitas in factis doctrinalibus demonstrata et a jansenianorum impugnationibus vindicata*, s. l., 1788 ; ORCIBAL, *Relazioni*, *op. cit.*, t. IV, p. 123 ; Ch. JOURNET, *L'Église*, *op. cit.*, t. I, p. 411-415, 525. A propos du pape Honorius, Torquemada déclare que le sixième concile, faillible dans les questions de fait, avait mal compris les lettres du pape : TURMEL, *op. cit.*, p. 320.

[2] *Traditiones [...] continua successione in Ecclesia catholica conservatas.* *D.T.C.*, t. XV, col. 1316.

[3] Voir ci-dessus p. 299, n. 1.

Et c'est ici qu'apparaissaient les précieux avantages des progrès récents et sérieux de la théologie positive, de la patristique et de l'histoire ecclésiastique en particulier (ci-dessus p. 246-258). Ils permettaient en bien des cas de suivre à la trace dans les documents le développement de la vérité révélée, la « succession continue » « de la main à la main », dont parlait le décret [1].

LE FUTUR TRAITÉ « DE ECCLESIA »   Parmi les théologiens catholiques, plusieurs et des plus importants, jetèrent les fondements du traité De Ecclesia, qui se continue de nos jours [2]. On y examine tous les points essentiels : dans quels documents se trouvent attestées les traditions? quelles sont-elles? quelle est leur autorité [3]? Plusieurs s'efforceront de montrer historiquement que le « changement insensible », la declinatio doctrinae était impossible, surtout aux IXe et Xe siècles, où les adversaires la situaient [4].

Saint Bellarmin présente la somme de l'argumentation catholique de cette époque. Après avoir posé nettement le problème en citant les adversaires — Luther, Brenz, Calvin et Chemnitz — il montre la nécessité des traditions, leurs critères et leur autorité, fondée sur l'Écriture, les pontifes, les conciles et les Pères. Il termine en réfutant les objections protestantes, notamment sur la difficulté de garder intactes les traditions [5].

[1] Sur cette *successio traditionum*, *velut per manus* (Henri VIII), *de aure in aurem, vivae vocis oraculo* (M. Cano), BAKHUIZEN VAN DEN BRINK, p. 21 s., 33.
— Sur les *critères d'apostolicité* des traditions, textes de M. Cano, etc., dans TURMEL, *op. cit.*, p. 5 s.; Bellarmin énumère ces critères, *op. cit.*, col. 235 s.

[2] H. X. ARQUILLIÈRE, *Le plus ancien traité de l'Église : Jacques de Viterbe, De Regimine christiano*, édition critique, Paris, 1926. — *D.T.C., loc. cit.*, col. 1321-1325, analyse avec textes à l'appui l'apport de Driedo, de M. Pérez de Ayala, de M. Cano, de Tolet, de Stapleton, de Bañez, de Vasquez, de Bellarmin, puis des auteurs qui débordent notre cadre chronologique. TURMEL montre le progrès ascendant de ces études chez Cano, Stapleton et Bellarmin, *op. cit.*, p. 10-24. Ajouter les *op. cit.* de Lodrioor, Humbert, Thils etc. et surtout POLMAN, *op. cit.*, p. 339-345, qui expose la part prise dans cette étude par l'école de Louvain. Lindanus, dans sa *Panoplia* (1566-1569), justifie par l'Écriture et par les Pères les traditions non-écrites. Ravesteyn s'applique à réfuter l'*Examen* de Chemnitz. Jansénius l'Ancien, comme Lindanus, se borne à dessein aux Pères des quatre premiers siècles. — Pérez (1504-1566).
Dans la *Perpétuité de la foi*, Arnauld et Nicole réfuteront les négations protestantes au sujet de la doctrine eucharistique en montrant que cet « enseignement s'est transmis de maître en disciple depuis les apôtres jusqu'à l'époque moderne ». (T. I, p. 704-708, cité dans SNOEKS, *op. cit.*, p. 525). Ainsi fera aussi le P. NOUET, *Ibid.*, p. 526.

[3] Parmi les « témoins » officiels de la tradition, ces auteurs énumèrent : les symboles, les actes des synodes, les catéchismes officiels, les constitutions pontificales, les décisions des Congrégations romaines, le *Codex juris canonici*, les lettres épiscopales (*L.T.K.*, t. X, col. 246). Il faut naturellement y ajouter les écrits des Pères, des écrivains ecclésiastiques et des théologiens, les liturgies, les sacramentaires, les formulaires de prières.
— Sur l'*argument patristique*, cf. supra, p. 296. — Auteurs cités dans TURMEL, *op. cit.*, *Histoire*, p. 28; A. LIUIMA, *Saint François*, *op. cit.*; WILLAERT, *Origines*, *op. cit.*, p. 387.
— Sur l'*autorité des Pères*, mais seulement de l'*accord unanime des Pères*, voir *supra*, p. 285. *D.T.C.*, t. XII, col. 1198; t. XV, col. 469, 738, 756 (chez saint Thomas d'Aquin); P. GALTIER, *op. cit.*, p. 62; WILLAERT, *Origines*, *op. cit.*, p. 422 s. (références); MOEHLER, *op. cit.*, t. II, p. 45 s.; J. HUBY, *Christus*, p. 109 s. Cf. *infra*, p. 329.

[4] SNOEKS, *op. cit.*, p. 515.

[5] *Disputationes de controversiis*, *op. cit.*, t. I, col. 204-258; le tout est abondamment documenté.

LE POUVOIR DOCTRINAL
DE L'ÉGLISE

Au-dessus de ces problèmes purement historiques, un autre plus large et plus capital réclamait une solution. C'était la démonstration théologique de la « Tradition », fonction de l'Église, de son pouvoir doctrinal.

Origine divine. — La théologie et le dogme catholique s'abreuvaient à une source coulant parallèlement à l'Écriture; mais qui garantissait la pureté de son eau? Les protestants ne lui attribuaient qu'une cause et donc une valeur humaines. Les catholiques travaillaient à la démontrer historiquement pour chacune de ses manifestations... Mais leur foi professait en outre une preuve théologique collective, autrement importante.

Un personnage aussi indépendant que Richard Simon (1638-1712) a déclaré plus tard : « Les catholiques ne sont pas obligés à prouver aucun de leurs dogmes, hormis l'autorité de l'Église »[1]. Il faudrait ajouter : une autorité infaillible. Démonstration nécessaire. On a vu plus haut qu'aux yeux des catholiques l'interprétation de l'Écriture exigeait un arbitrage constitué légitimement pour assurer la transmission de la Révélation. En matière de traditions, cette nécessité s'imposait de manière encore plus impérieuse. C'est le cœur même du débat entre confessions : l'Église romaine a-t-elle le droit de revendiquer un pouvoir vivant, divinement habilité à enseigner et à interpréter jusqu'à la fin des siècles le Message reçu du Christ?

Pouvoir infaillible. — Il saute aux yeux qu'il fallait démontrer l'infaillibilité de ce pouvoir, puisque destiné à assurer le salut.

Le concile de Trente — on l'a vu plus haut — n'avait pas défini explicitement une prérogative dont l'existence découlait — il est vrai — nécessairement de la foi aux traditions[2]. Il n'avait pas non plus à rappeler la distinction essentielle entre Tradition et Révélation (voir *supra*, p. 299).

DIFFICULTÉ
POUR LES HUMANISTES
ET LES PROTESTANTS

Pour comprendre l'attitude humaniste et la protestante au début du XVIe siècle, il faut se rappeler la physionomie de l'Église d'alors, la difficulté que devait éprouver le monde lettré — humaniste — à admettre le pouvoir surnaturel d'une Église dont le prestige subissait une profonde éclipse. D'une part, les mœurs d'une fraction notable du clergé ne l'accréditaient pas, en fait, comme messager de l'Esprit-Saint. D'autre part, prélats et docteurs manquaient souvent de l'érudition qui leur eût permis de répondre aux attaques de leurs adversaires, dont plusieurs se distinguaient par leur science exégétique, Mélanchton et Zwingle par exemple. Luther raillait certains évêques grands seigneurs, peu préparés à leur tâche de docteurs[3]. Quel crédit pouvaient bien valoir à l'Église

---

[1] Cité par WILLAERT, *Origines, op. cit.*, p. 408.
[2] « A. Michel fait observer que c'est à peine si le singulier [tradition] se lit une fois au cours des débats de Trente; en tout cas, il n'apparaît pas dans le texte officiel du décret. » Cité par *H.E.*, t. XVII, p. 59, n. 5.
[3] BAKHUIZEN VAN DEN BRINK, *Traditio*, p. 31. Sur Mélanchton, Zwingle et Oecolampade humanistes, POLMAN, *op. cit.*, p. 31-64. Zwingle, le plus humaniste des Réformateurs, est aussi le plus « bibliciste » (BAKHUIZEN VAN DEN BRINK, *op. cit.*, p. 4).

les théologiens étroitement spéculatifs, incapables, non seulement d'interpréter l'Écriture d'après le texte original, mais de le lire, et d'ailleurs hostiles
à toute théologie positive?

En sorte qu'aux yeux des Réformateurs en quête de renouveau spirituel,
l'Église n'apparaissait pas comme une institution supra-humaine, douée du
charisma veritatis (saint Irénée), capable de compléter et d'interpréter
l'Écriture en *magistra Libri*, « Meister der Schrift » [1]. En somme, il n'est
pas vain de remarquer que, si l'Église s'était mieux imposée sur le plan
humain, la Réforme n'aurait pas été amenée à proclamer si radicalement
le principe de l'Écriture-seule-source-de-la-foi.

« VARIATIONS »   Devant les attaques biblicistes, la tactique des théologiens
PROTESTANTES   et des controversistes catholiques dépendait naturellement
des « variations » de la position adverse [2]. Car, comme
il n'y a pas de position adverse uniforme et nette, la défense catholique
s'adaptera en conséquence.

Il est vrai que, dans toute l'armée protestante, la *sola scriptura* était
inscrite sur les diverses bannières. Mais elle était comprise différemment
par deux groupes radicalement différents.

Les radicaux. — A l'aile gauche extrême, « libre-penseurs, anabaptistes,
anti-trinitaires, spirituels », repoussant toute idée d'une Église institutionnelle,
n'admettant que la libre-interprétation absolue, aidée d'ailleurs par la lumière
de la raison et par l'action du Saint-Esprit. Théorie la plus radicale, la plus
logique, somme toute, une fois le principe admis; la plus défendable aussi.
Elle ne laissait aux catholiques que les armes tirées de la seule Écriture,
sans oublier d'ailleurs son silence sur sa propre inspiration. Dans la lutte
contre les extrémistes, l'Église avait comme alliés les autres « protestants »,
qui leur reprochaient d'interpréter l'Écriture *proprio arbitrio* [3].

Tradition protestante. — Par contre, catholiques et biblicistes extrêmes
mobilisaient contre les luthériens et les réformés une commune objection.
C'est qu'à la place de la Tradition romaine, ces deux groupes avaient conservé,
en dépit du principe bibliciste, une sorte de tradition implicite [4]; que même

---

[1] *« Egit autem diabolus [...] ut quo tempore adversum ingruentes ex Germania haereses
oportebat scholae theologos optimis esse armis instructos, ea nulla prorsus habeant nisi
arundines longas, arma videlicet puerorum. Ita irrisi sunt a plerisque »* (M. CANO, cité par
E. Marcotte). V. THILS, dans *E.T.L.*, t. XXVI, 1950, p. 413.

[2] Sur la théorie protestante d'alors, voir ci-dessus p. 297 la bibliographie, en particulier
les deux remarquables articles récents de J. N. BAKHUIZEN VAN DEN BRINK, dont cette étude-ci
s'est largement inspirée.

[3] Sur la position de Luther et son interprétation du fameux texte de saint Augustin : *Ego non
crederem Evangelio...*, BAKHUIZEN VAN DEN BRINK, *op. cit.*, p. 9 s. « ... wanneer de blik eenmaal
open gegaan is voor het feit dat geen christelijk Kerk zonder « traditie » is ». *Ibid.*, p. 34. —
Un exemple topique est la question du baptême des enfants. Les luthériens, dit Bellarmin
(*op. cit.*, t. I, col. 215), affirment que ces enfants ont réellement l'usage de la raison. Les anabaptistes les défiaient de prouver leur thèse par la seule Écriture.

[4] BAKHUISEN VAN DEN BRINK, *op. cit.*, p. 35 s., marque bien la différence entre les «onkerkse
sectariers », les « sectaires hors d'Église », qui n'admettaient que le « Verbe intérieur », et la

ils se construisaient une tradition de leur invention. D'abord, parce qu'ils
appartenaient à des corps organisés et qu'aucune société ne peut être basée
sur un texte seul. Dans les pays où le droit écrit a prévalu, la coutume — qui
est une tradition — garde nécessairement son autorité.

Dans le cas en discussion, les théologiens protestants ne niaient pas
que la Tradition pût aider à mieux connaître la Révélation. Ils allaient
plus loin, Luther en tête et surtout Calvin, puis de Bèze, Bullinger,
G. Mayor et autres, invoquent le témoignage des « précurseurs de la
Réforme », de cette chaîne séculaire de la *successio doctrinae*, une Tradition,
qu'ils prétendent constituer par ces auteurs favorables à la doctrine
protestante [1].

Lutte sur deux fronts. — Enfin, dès lors que luthériens et réformés se
groupaient en sociétés professant un « symbole », une « confession » officielle,
ils constituaient d'une certaine manière une « tradition » [2]. De telle sorte
qu'ils se voyaient forcés de « lutter sur deux fronts », contre les catholiques
et contre la libre-interprétation absolue [3]. Les controversistes catholiques
leur objectaient qu'en imposant une interprétation de la Bible en fonction
d'un système théologique, luthérien ou calviniste, ils s'attribuaient un
pouvoir ecclésial [4]. Mais, en vertu de quel charisme — remplaçant celui
de Rome — imposaient-ils à leurs disciples leur jugement personnel,
différent d'ailleurs de confession à confession, au besoin par le glaive

---

« Réforme constituée en Église » (« kerkvormende Reformatie »), qui s'attache surtout au texte
même de l'Écriture. — On a relevé d'ailleurs le souci des controversistes protestants de montrer
« la continuité de la Réforme » dans le passé. Cf. J. Courvoisier, cité par O. Cullmann,
Tradition, op. cit., p. 38, n. 1.

— Luther, Calvin, de Bèze se considèrent comme ayant reçu « de la vraie Église catholique,
qui s'est perpétuée même au sein du papisme, [...] leur mission légitime ». Il y a, en effet,
des ouvrages des premiers Réformateurs qui invoquent la *successio doctrinae*. Cf. Polman,
op. cit., p. 179; Snoeks, *op. cit*, p. 407-413.

[1] Certains protestants, Brenz et Chemnitz notamment, afin d'établir le caractère sacré de
l'Écriture, admettent une tradition apostolique jusqu'à la fixation du canon (Bellarmin,
op. cit., t. I, col. 214). Leur position a été renouvelée tout récemment par O. Cullmann, qui la
fortifie en arguant que, lors de cette fixation — qu'il place aux environs de 150 p. C. —, on
était encore assez proche du temps des apôtres pour distinguer leur enseignement des fables
parasites qu'il avait suscitées... (*Tradition, op. cit.*, p. 9, 41-46). Bellarmin répliquait que le
recours à cette tradition montrait bien l'insuffisance de la *sola scriptura*. (*Disputationes, op. cit.*,
t. I, col. 238; Polman, *op. cit.*, p. 178.)

[2] Bakhuizen van den Brink, *op. cit.*, p. 35, 41 : « La question doit être posée [...] de savoir
si une Église, en tant qu'organisation historique, peut jamais se passer de tradition. Son existence
même, qui suppose continuité, signifie en un certain sens tradition. » C'est ce que reconnaît
actuellement H. Bavinck, contredit par K. Barth. Cf. Congar, *V. et F. R., op. cit.*, p. 509.

[3] Bakhuizen van den Brink, *op. cit.*, p. 39 s. L'auteur cite, p. 37, l'exemple de Marnix de
Sainte-Aldegonde, qui combat en même temps petites sectes et catholiques.

[4] De son côté, Flacius Illyricus admet une action de Dieu dans l'Église, action préservatrice
de l'erreur; il l'oppose à celle du mal, qui est la papauté. (Polman, *op. cit.*, p. 225 s.). —
Mélanchton maintenait l'obligation, en vertu de *Matt.*, XVIII, 17, d'écouter l'enseignement
de l'Église, c'est-à-dire de « nos pasteurs », qui est la vraie Église, fidèle à la doctrine des Pères
et « d'autres lumières de l'Église ». Au cas de dissension au sujet d'un texte de l'Écriture,
dans l'Église vaut seule la décision qui s'accorde avec la Parole de Dieu et la *confessio piorum*.
Textes cités par Bakhuizen van den Brink, *op. cit.*, p. 14 s.; p. 11 et 13, attitude de Mélanchton
au sujet de la parole de saint Augustin « Evangelio non crederem ».

du *Cujus regio...?* Henri VIII adressait déjà ce reproche à Luther dans sa célèbre *Assertio* [1].

DÉFENSE DU POUVOIR DOCTRINAL Contre ces diverses formules de la négation bibliciste, la défense de la Tradition s'était organisée dès les débuts [2]. Quand Jean Wicleff (1320-1384) déclencha l'attaque, le carme anglais Netter de Wald (Waldensis, 1377-1431) prit la défense du pouvoir de l'Église de fixer le canon des Écritures. Mais c'est au cardinal Jean de Turrecremata ou Torquemada (1388-1468) qu'on doit la première étude spéciale des traditions, où il affirme l'infaillibilité pontificale.

Quand, au xvie siècle, la campagne pour la *Sola scriptura* menace de plus près et les traditions de l'Église et, à travers elles, son pouvoir doctrinal, la théologie catholique est prise de court. La paisible possession dont elle jouissait au Moyen Âge ne lui avait pas imposé de construire une théorie approfondie de la fonction essentielle du Magistère, ni de prouver l'origine divino-apostolique des traditions doctrinales. D'ailleurs, son adversaire ne lui oppose pas davantage une machine de guerre bien construite.

Les offensives protestantes sont dirigées plutôt contre telle ou telle « tradition » déterminée et cela en partant de l'érudition historique. En sorte que les apologètes catholiques doivent suivre sur ce terrain et plusieurs s'y distingueront. Mais « absorbés par la nécessité de démontrer la continuité des traditions [sur un point précis] à travers les âges, [ils] n'eurent pas l'attention attirée par le rôle du magistère vivant en matière de foi » [3]. L'opposition protestante fut précisément l'occasion de fouiller ce secteur de la théologie, qui devint plus tard un traité spécial *De divina traditione*.

---

[1] *Ibid.*, p. 22, p. 40. L'auteur fait remarquer que Marnix, comme Luther, construit « une interprétation déterminée de la Bible qui peut être appelée tradition dans la Réforme. » — Sur Henri VIII, ci-dessus, p. 284 et n. 4; sur sa position en cette matière, citations topiques, dans BAKHUIZEN VAN DEN BRINK, *op. cit.*, p. 18-23; que vaut le témoignage du seul Luther contre celui des Pères et de l'Église des siècles? (*ibid.*, p. 20 s.); POLMAN, à la table, p. 558. — J. COURVOISIER a souligné cette lutte sur deux fronts. *Atti* du Congrès de Rome, *op. cit.*, p. 465; IMBART DE LA TOUR, *op. cit.*, t. IV, p. 61, 67, 106; t. IV, p. 424.

[2] *D.T.C.*, t. XV, col. 1250-1308 s.
Sur le *pouvoir doctrinal vivant* dans l'Église, WILLAERT, *Origines*, *op. cit.*, p. 386-396; les auteurs cités par TURMEL, *op. cit.*, p. 2-9, 45; *S.-D.*, t. VI, p. 432, 437. Les arguments de M. Cano et de Stapleton y sont indiqués; voir aussi *D.T.C.*, t. XV, col. 1322-1325; pour Cano, voir aussi t. IX, col. 726-731. Bellarmin ne traite pas à part, explicitement, le pouvoir doctrinal; voir, *op. cit.*, col. 257 : *Est enim in Ecclesia auctoritas et certa etiam via decernendi veras traditiones et scripturas a falsis.* — J. A. DELPHINUS, *De tractandis in concilio œcumenico*, cap. XXVII, dans *Ad Sacrosancta concilia a Ph. Labbaeo... edita Apparatus alter*, Paris, 1672, p. I-XXIII; H. JEDIN, *Kleine Konzilsgeschichte. Die zwanzig ökumenischen Konzilien im Rahmen der Kirchengeschichte*, Fribourg, 1959.
Sur l'infaillibilité de l'Église, voir les auteurs cités par *S.-D.*, t. VI, 418 s.; TURMEL, *op. cit.*, p. XI, XV s., 10-18, 61-79 et les auteurs récents indiqués *supra*. Par exemple, au sujet de DRIEDO, qui fait fréquemment appel à la *series successionis;* « il prend un soin manifeste à montrer le lien historique [...] qui rattache l'Église catholique actuelle à la communauté chrétienne primitive, c'est-à-dire, au Christ et aux apôtres. Et il atteint celle-ci par la succession « matérielle » des Pères qui ont enseigné la même doctrine ». Cf. LODRIOOR, *op. cit.*, p. 47 s. et notes 51 s., 58 et 59 (textes). — Sur DRIEDO, voir aussi *D.T.C.*, t. XV, col. 1255.

[3] C'est le cas pour Bellarmin lui-même et pour du Perron. Cf. SNOEKS, *op. cit.*, p. 490 s., 492, 542-550.

PREUVE IMPLICITE ET EXPLICITE En attendant, pendant le siècle posttridentin, la preuve catholique de la Tradition ne manqua point. Il est vrai qu'elle est souvent implicite et tend surtout, par conséquent, à montrer le pouvoir d'interprétation. Elle découle de l'insuffisance affirmée de l'Écriture. C'est la méthode de Melchior Cano, de Pighius, de Stapleton et de Bellarmin, qui affirment l'assistance indéfectible de l'Esprit-Saint [1]. Pourtant les mêmes auteurs proposent aussi, quoique avec moins d'insistance, la démonstration explicite. On la trouve codifiée chez Bellarmin. Déjà Driedo, à Louvain, l'avait basée sur le témoignage des Pères, dans son remarquable *De ecclesiasticis scripturis et dogmatibus* (1533).

Mais, contre les anabaptistes et contre tous les biblicistes, seule l'Écriture sera invoquée. Ce sont les textes scripturaires souvent cités [2]. Secondairement on ajoutait une confirmation. L'Église, répétaient les controversistes, est « en possession ». De quelle mission divine les Réformateurs se prévalent-ils [3]? On rappelle l'argument de Tertullien, que, sans la Tradition, la foi en l'Écriture est compromise [4]. On concluait du Nouveau Testament que la Bonne Nouvelle avait été révélée oralement — donc comme tradition doctrinale — autant que par l'Écriture. Le texte de saint Paul aux Thessaloniciens était clair : « Gardez les enseignements que vous avez reçus, soit de vive voix, soit par écrit » [5].

On allait plus loin : l'Évangile oral a précédé l'écrit. Le célèbre Estius (1542-1612, *supra*, p. 204), dans son *Enchiridion*, faisait valoir que « le Christ n'a écrit aucun livre; il n'a pas davantage ordonné à ses disciples ou à ses apôtres d'en écrire; l'Église est plus ancienne que l'Écriture. Quand les apôtres commencèrent de prêcher, il n'y avait pas d'Évangile écrit, aucune épître de Paul; et cependant l'Église existait, fondée par le sang du Christ [6]. Bellarmin reprendra le même raisonnement *(loc. cit.)*.

Du côté protestant, on n'opposait pas une réplique uniforme et ferme. Marnix, polémiquant contre les spiritualistes, leur reprochait d'admettre

---

[1] POLMAN, *op. cit.*, p. 292, citant les textes de J. Fisher, de Hosius et de Melchior Cano. — PIGHIUS établit que : 1. c'est la Tradition qui garantit l'authenticité de l'Écriture; 2. elle complète l'Écriture; 3. dans les controverses, elle fournit le moyen de fixer la foi. Son texte fut admis au concile de Trente au sujet du contenu de la tradition, mais pas le terme *traditio Ecclesiae*. Cf. H. JEDIN, *Studien über die Schriftstellersthätigkeit Albert Pighes*, Münster, 1931, p. 127-130, 149. Sur Pighius, voir plus loin p. 349 n. 1.

[2] *Tibi dabo claves; Pasce oves; Confirma fratres tuos; Si Ecclesiam non audierit; Ero vobiscum usque ad consummationem saeculi; Visum est Spiritu Sancto et nobis. Luc.* I, 2; *Act.*, VI, 14; XVI, 4; *I Thess.*, II, 8; *II Thess.*, II, 15; III, 6; *I Cor.*, XI, 2, 23; XV, 3; *Gal.*, I, 14. *D.T.C.*, t. XV, col. 1258; TURMEL, *op. cit.*, p. 46. — Sur le pouvoir d'interprétation de l'Écriture, POLMAN, *op. cit.*, p. 289 s.; *ibid.*, p. 384 la démonstration de Clichtove, p. 514 celle de Stapleton; p. 288 et 354 celle du savant et héroïque John Fisher en faveur du pouvoir doctrinal promis à l'Église. (Sur lui, *D.N.B.*, t. VII, col. 58-63.) Sur la Tradition-pouvoir chez Bellarmin, SNOEKS, *op. cit.*, p. 484; chez du Perron, p. 486, 488, chez le P. Maimbourg, p. 513.

[3] SNOEKS, *op. cit.*, p. 506-510.

[4] *K.L.*, t. XI, col. 1969.

[5] « Κρατεῖτε τὰς παραδόσεις ἃς ἐδιδάχθητε, εἴτε διὰ λόγου εἴτε δι' ἐπιστολῆς ἡμῶν ». *II Thess.*, II, 15; voir aussi *I Cor.*, XI, 2.

[6] Cité par BAKHUIZEN VAN DEN BRINK, *Traditio, ... op. cit.*, p. 39 n. 6. Même argument chez Henri VIII, *ibid.*, p. 23. Marnix admet qu'on aurait pu être convaincu de la parole du Verbe, même si elle n'avait jamais été écrite. (*Ibid.*, p. 39.)

ce raisonnement des catholiques. D'autres, au contraire, ne niaient pas l'origine orale du Nouveau Testament [1].

TRADITION APOSTOLIQUE Quant à la tradition dans l'Église primitive, même flottement. Bon nombre de Réformateurs du XVIᵉ siècle, respectueux des Pères de l'Église, acceptaient les dogmes définis pendant les quatre premiers siècles. Mélanchton, en humaniste et en critique apprécié, admet la valeur des preuves traditionnelles. « Il reconnaît une *Ecclesia doctrix*, interprète authentique de la Bible ». Il publie un commentaire du concile de Nicée (325). « Il va jusqu'à dire que [les anciens symboles] constituent avec l'Évangile le fondement de la foi » [2].

Sur quoi les catholiques, Hessels et Jansénius l'Ancien notamment, observent combien la foi de ces origines comprenait des dogmes niés par les Réformateurs [3]. Et puis, ce souci protestant de se rattacher à l'Église primitive — même considérée seulement comme « témoin » de la foi — n'est-il pas un hommage à la Tradition ?

TRADITION PATRISTIQUE O. Ritschl a finement remarqué combien les goûts d'humaniste d'un Mélanchton le portaient à accorder une autorité particulière à la tradition patristique. De même, dit-il, que, dans la culture gréco-latine, excellait la période classique, ainsi l'âge des Pères constituait dans l'histoire du dogme une époque « normative » [4].

Mais l'attitude de Mélanchton et de son école faisait exception dans le camp protestant. Même en accordant un « consentement » des Pères des premiers siècles, la majorité des Réformateurs le considérait comme un simple « témoignage » de la foi de l'Église à l'enseignement de l'Écriture; non comme une norme de foi.

Les controversistes catholiques prirent donc à tâche de montrer une chaîne de documents partant de la *Didachè*, passant — entre autres — par Clément, Irénée, Eusèbe, Épiphane, Tertullien, Jérôme, le concile de Nicée, Augustin, attestant l'adhésion à cette « règle » de foi, cette Tradition, le pouvoir de *tradere* qui va « de Dieu au Christ, du Christ aux apôtres, des apôtres à l'Église » [5].

---

[1] *Ibid.*, l'auteur y étudie la position de Marnix, maintenant contre les anabaptistes l'autorité d'une Église enseignante et donc d'une tradition, p. 38, 40.

[2] POLMAN, *op. cit.*, p. 31 s.

[3] SNOEKS, *op. cit.*, p. 487; POLMAN, *op. cit.*, p. 31 s., 312, 314 s., 343 s. Sur Chemnitz, *Ibid.*, p. 239, BAKHUIZEN VAN DEN BRINK, *op. cit.*, p. 31, plus tard Hugo Grotius, p. 32.
D'autres retournaient contre les catholiques l'argument tiré de l'obscurité de l'Écriture; DU MOULIN leur objectera que le témoignage des Pères n'est pas clair. (SNOEKS, *op. cit.*, p. 404, n. 4 s.) Pour les protestants en général, les Pères ne constituent pas une *norme* de foi. (*Ibid.*, p. 403).

[4] *Ibid.*, p. 17.

[5] Voir ci-dessus p. 302. POLMAN, *op. cit.*, p. 343; *K.L.*, t. XI, col. 1940-1957; *D.T.C.*, t. XV, col. 1313; BAKHUIZEN VAN DEN BRINK, *Tradition* ..., *op. cit.*, p. 278-280; ID., *Traditio...*, *op. cit.*, p. 42 s.; cite p. 25 n. 1 le remarquable texte du concile de Nicée.
— « Driedo hat die dogmatische Autorität der Väter gegenüber manchen übertreibungen

Il est vrai qu'à lire leur démonstration, on est frappé de constater qu'elle ne concerne guère que les époques apostolique et patristique [1]. Il leur suffisait, en effet, contre la thèse absolue de leurs adversaires, de montrer que l'Église des premiers temps professait la foi en la réalisation de la promesse du Seigneur. Ils ne manquaient pas d'ailleurs, à l'occasion, de rappeler expressément les textes : « Allez, enseignez toutes les nations. Voici que je suis avec vous tous les jours jusqu'à la consommation des siècles » [2].

Mais ce sera l'œuvre des apologistes suivants d'étendre la preuve jusqu'à l'Église de nos jours, de montrer la « perpétuité » de ses dogmes malgré leur efflorescence [3].

§ 3. — Le « développement » du dogme.

ALTERNATIVE :
DÉVELOPPEMENT OU FIXITÉ

A considérer les positions comparées de l'Église et de ses adversaires, on constate que, chez l'une et les autres, ces attitudes sont commandées par la conscience religieuse, par le respect du Message divin. Tous croient en l'intervention du Saint-Esprit, soit, dans les confessions séparées, pour éclairer chaque lecteur sur le texte de l'Écriture, soit, dans l'Église, pour garantir en outre le pouvoir d'explication du Magistère.

D'autre part, l'attitude de principe de chaque confession vis-à-vis de la Bible devait alimenter la controverse. Car, à chacune des deux conceptions du christianisme s'opposait une objection fondamentale. Les catholiques, en effet, objectaient aux protestants, d'abord que la libre-interprétation de la Bible conduisait à des « variations » innombrables et souvent opposées entre elles; puis, qu'ils méprisaient la Révélation non-écrite et le pouvoir doctrinal promis à l'Église.

De leur côté, les protestants reprochaient à l'Église de subordonner à son jugement la Parole de Dieu et de la mettre sur le même pied que des « inventions humaines », ajoutées par les théologiens au cours des siècles. Étant donné leur principe de la *Sola scriptura*, tout développement de doctrine était condamné en théorie [4].

---

auf der richtige Mass zurück gefürt und sie schärfer umschrieben als es nach ihm Pigge gelungen ist... » (H. JEDIN, *Studien... Pigges*, op. cit., p. 144, 147 s.)

[1] BELLARMIN, op. cit., t. I, col. 214, 216.

[2] *Matt.*, XXVIII, 19; POLMAN, op. cit., p. 343.

[3] Il est remarquable que, dans un ouvrage aussi savant que celui du P. Polman, il n'y ait pas eu matière à un chapitre sur la preuve explicite au XVIe siècle de la Tradition-fonction.

[4] BIBLIOGRAPHIE. — 1º Sur l'attitude de Calvin, IMBART DE LA TOUR, op. cit., t. II, p. 62, 65. (Il admettait des « termes plus clairs », mais garantis par le *consensus*.) 2º Érasme admettait le développement. Cf. ID., t. III, p. 99-104. 3º Nous n'avons pas encore de travail d'ensemble sur les études posttridentines au sujet du développement du dogme. Mais il y en a sur des questions particulières. Ainsi la remarquable analyse de R. SNOEKS à propos de l'Eucharistie (op. cit., p. 421 s., 522 s.). Mais, par le fait même de leur but restreint, ces œuvres se défendent de fournir un tableau d'ensemble de la « perpétuité ». Cf. SNOEKS, op. cit., p. 523.
Les travaux modernes indiqués ci-dessous font connaître les *auteurs posttridentins*, qui ne seront donc pas recensés ici : J. ALFARO, *El progreso dogmatico en Suarez*, dans *Anal. gregor.*, t. LXVIII, 1954, p. 95-122; J. N. BAKHUIZEN VAN DEN BRINK, *Traditio in de Reformatie*

Reproche capital, au centre de la controverse essentielle au sujet de la présence du Christ dans le monde[1]. Reproche spécieux, à vrai dire, et qu'ils ne sont pas seuls à lui adresser. Sully-Prudhomme, voyant un jour à côté du petit volume des Évangiles les quatre tomes de saint Thomas, aurait remarqué : « Et dire que ceci est sorti de cela! »[2]. Le

en het Katholicisme in de zestiende eeuw, Mededel. der Kon. Ned. Academie van Wetensch. Afd. Letterk., N.R., deel 15, n. 2, Amsterdam, 1952; bibliogr. récente, qu'il cite, p. 34, n. 2; ID., *La Tradition dans l'Église primitive et au XVIᵉ siècle*, dans *Rev. d'hist. et de philos. relig.*, nᵒ 4, 1956; F. BONIFAS, cours notés par J. BIANGUIS, *Histoire des dogmes de l'Église chrétienne*, [protestant], Paris, 1886, t. II, p. 445 s.; O. CHADWICK, *From Bossuet to Newman. The idea of doctrinal development*, Londres, 1957; O. CULLMANN, *La Tradition*, dans *Cahiers théologiques*, 33, Neufchâtel, Paris, 1953; L. DE GRANDMAISON, *Le Développement du dogme chrétien*, dans *Rev. pr. d'Apol.*, t. VI, 1908, p. 5, 81, 401, 881; DE LA BARRE, *La vie du dogme catholique. Autorité. Évolution*, Paris, [1898]; A. DENEFFE, *Der Traditionsbegriff*, Münster, 1931; *D.T.C.*, t. IV, col. 1630; t. XV, col. 382, 419, 479, 852; A. DE MEYER, *Les premières controverses...*, *op. cit.*, p. 475-480; A. GARDEIL, *La notion du lieu théologique*, Paris, 1908; ID., *Le donné révélé*, *op. cit.*, p. 151 [pas historique]; F. JIMENEZ, *Un paso mas hacia la solución del problema de la evolución del dogma*, dans *Rev. españ. de Teologia*, t. XVI, 1956, p. 289-340; Ch. GUINEBERT, *L'évolution des dogmes, 1910;* M. HEBERT, *L'évolution de la foi catholique, 1905;* HUBY, *Christus*, 1921, p. 1198; J. KUNZE, *Glaubensregel. Heilige Schrift und Taufbekenntnis...*, Leipzig, 1899 [concerne la règle de foi dans l'Église primitive]; A. LÉPICIER, *De stabilitate et progressu dogmatis*, Rome, 1910; J. LODRIOOR, *La notion de tradition...*, *op. cit.;* G. LE BRAS, *Introduction à l'histoire de la pratique religieuse...*, Paris, 1942, 1945, fasc. II, p. 123 (influences populaires); F. MARÍN-SOLA, *L'évolution homogène du dogme catholique*, Fribourg, Suisse, 1942, 2 vol.; ID., *La evolución homogenea del dogma catolico*, Madrid, 1952; F. G. MARTINEZ, *Estudios teologicos entorno al objeto de la fe y la evolución del dogma*, Oña (Burgos) 1953; ID., *La solución de Suarez al problema de la evolución e progresso dogmatico*, dans *Estudios eclesiast.*, t. XXXI, 1957, p. 17-41; voir aussi ci-dessus p. 194, n. 1; G. E. MEULEMAN, *De ontwikkeling van het dogma in de Rooms Katholieke Theologie*, Kampen, 1951; J. H. NEWMAN, *An Essay on the development of Christian Doctrine*, 1845, 1846, 1878; trad. de L. BOELDIEU d'AUVIGNY, Paris, 1847, de J. GOUDON, *Histoire du développement de la doctrine chrétienne*, Paris, 1848, autres traductions, *D.T.C.*, t. XI, col. 358; O. DOHERTY, *Doctrinal progress and its laws*, Dublin, [1924]; H. N. OXENHAM, trad. J. BRUNEAU, *Histoire du dogme de la rédemption. Essai historique avec une introduction sur le principe du développement théologique*, Paris, 1909; ID., *Le principe des développements théologiques*, Paris, 1911; A. PALMIERI, *Il progresso dommatico nel concetto cattolico*, Florence, 1910; [attitude de l'Église orthodoxe]; P. POLMAN, *L'élément historique...*, *op. cit.;* C. POZO, *Una contribución a la historia de las soluciones al problema del progreso dogmatico*, cité par *Estud., eclesiast.*, t. XXXII, 1958, p. 121; ID., *La teoria del progresso dogmatico en Domingo de Soto*, dans *Rev. esp. de teol.*, t. XVII, 1957, p. 325-355; K. RAHNER, *Schriften zur Theologie*, Einsiedeln, 1954-1955, 2 vol.; J. RIVIÈRE, *Le problème...*, *op. cit.;* L. H. RUCHERT, *Die theologische Entwicklung Gaspar Contarinis*, Bonn, 1926; *S.-D.*, t. I, p. 14; R. SNOEKS, *L'argument de tradition...*, *op. cit.*, p. 522-543 et la bibliographie qu'il cite p. 529, n. 1; R. H. SCHULTES, *Introductio ad historiam dogmatum*, Paris, [1922] [discussion avec P. Gardeil et F. Marín-Sola au sujet de l'objet défini]; *S.-D.*, t. VI, p. 9-48; R. STRUMAN, *La perpétuité de la foi dans la controverse Bossuet-Jurieu, 1686-1691*, dans *R.H.E.*, t. XXXVII, 1941, p. 145-189; *Lo Sviluppo del dogma secundo la dottrina cattolica*, Rome, Univ. Greg. 1953; Fr. TAYMANS, *Le progrès du dogme*, dans *N.R.Th.*, t. CXXI, 1949, p. 687-701; C. THILS, *L'évolution du dogme dans la théologie catholique*, dans *E.T.L.*, t. XXVIII, 1952, p. 679-683 [à propos de G. E. Meuleman, ci-dessus]; J. TURMEL, *Histoire de la théologie positive...*, *op. cit.*, p. 58-78; Fr. TUYAERTS, *L'évolution du dogme*, Louvain, 1919.

[1] Le développement du dogme est la cause essentielle des divergences chrétiennes. Cf. L. CRISTIANI, dans *D.T.C.*, t. XIII, col. 2027.

[2] De son côté, reprenant une métaphore antique, Brunetière écrivait : « L'épanouissement des frondaisons de l'arbre n'est pas une variation du germe et ce n'est pas changer, ce n'est pas devenir autre que développer le contenu *de sa loi*, puisqu'au contraire *c'est achever de devenir soi-même.* » *Après une visite au Vatican*, 1895, cité par DE LA BARRE, *op. cit.*, p. 253. — L'homme a considéré de tout temps la « nébuleuse » d'Andromède comme *une* étoile; nous savons seulement maintenant que *cette même nébuleuse* est une galaxie, lumineuse « comme deux milliards de soleils ». — Rôle d'une évolution du dogme, THUREAU-DANGIN, *Newman catholique*, Paris, 1912, p. 15.

grief protestant opposait les décrets du concile de Trente à ceux du concile de Nicée [1].

IDENTITÉ
MALGRÉ L'EFFLORESCENCE
S'il s'était agi d'une science profane, cette critique tombait à faux. Mais est-il nécessaire de répéter encore que tous les chrétiens admettaient le dogme d'une Révélation close au second siècle. D'où la formule du couple « fixité = vérité », « variation = erreur ». D'ailleurs, les études patristiques ou historiques, le recours aux sources, avaient ramené l'attention sur l'histoire des dogmes. Pouvait-on condamner à la stérilité le noyau de la doctrine enfermé dans le zeste pétrifié de sa première formulation ? Pouvait-on condamner la théologie, tout en respectant « l'immutabilité substantielle du dogme », à se contenter de répéter de siècle en siècle des textes identiques et gelés. C'eût été la tuer et supprimer de toute « Histoire de l'Église », l'évolution, la maturation de sa pensée. C'eût été l'obliger à manquer à une loi fondamentale de l'intelligence, qui est d'approfondir son objet. Aussi entendra-t-on plus tard Leibniz, dans ses critiques du concile de Trente, s'élever moins contre sa prétention à fournir des lumières nouvelles qu'à celle d'« enjoindre aux autres, sous peine de damnation, des articles dont l'Église s'était passée depuis tant de siècles... » [2]. C'est une lourde erreur d'affirmer, comme on l'a fait, qu'après Trente la *théologie* est « fixée *ne varietur* ».

Développement dans l'Église primitive. — Il est vrai qu'aux yeux de nombreux protestants, la difficulté ne commençait pas au temps de l'Église primitive. Ils ne se scandalisaient pas de noter les anathèmes du concile de Nicée [3], considérant qu'on était alors trop proche de la Révélation pour tolérer des déformations. « Cousins » des Réformés en cette matière, les jansénistes, tout en « archaïsants », devaient bien avouer que saint Augustin était plus explicite que saint Paul en matière dogmatique. Les augustiniens d'ailleurs furent obligés de « développer » l'augustinisme [4].

[1] Sur certaines rares concessions de protestants irénistes, SNOEKS, *op. cit.*, p. 426 ; p. 417, 428, position protestante au sujet des modifications des doctrines concernant l'Eucharistie. — Les port-royalistes, « férus de l'Église primitive » comme les protestants férus de la Bible, refusaient au magistère vivant de l'Église de modifier la formule des données de la Révélation. (J. ORCIBAL, *Le premier Port-Royal*, dans *Nouvelle Clio*, nos 5-6, 1950, p. 266). Nicole admettait, non une « explication » du dogme, mais tout au plus une « confirmation ». (SNOEKS, *op. cit.*, p. 531.) — Sur Arnauld et sa « foi vivante de l'Église », J. LAPORTE, *La doctrine de Port-Royal*, Paris, 1923, t. II, p. 19 s. ; SNOEKS, *op. cit.*, *ibid.*

[2] *H.E.*, t. XVII, p. 227. Tout récemment O. CULLMANN écrivait : « Lorsque l'interprétation ecclésiastique prend la même valeur normative *pour tous les temps* que la norme apostolique elle-même, l'affirmation qu'il y a seulement interprétation ne devient-elle pas une fiction ? » (*La tradition*, *op. cit.*, p. 38).

[3] Calvin admettait les traditions des premiers siècles. — IMBART DE LA TOUR, *op. cit.*, t. IV, p. 65 s.

[4] « Les augustiniens de la génération suivante [après Jansénius] ont été conduits, [...] à *déployer* [...], face à leurs ennemis de droite et de gauche, tout le contenu affectif de l'augustinisme ». LAPORTE, *op. cit.*, t. I. SNOEKS, *op. cit.*, p. 251.

Comme on peut le voir plus haut (p. 298), c'est vers les IXᵉ et Xᵉ siècles que la Réforme plaçait ce « changement insensible » qui avait introduit les « nouveautés » dans le *credo* de l'Église [1].

Solutions anciennes. — Or le problème avait été posé de vieille date et les apologistes du développement disposaient de l'enseignement de l'Antiquité chrétienne. Déjà saint Jérôme, expliquant la parabole du grain de sénevé, avait proposé la comparaison de la croissance végétale, qui devint classique. Il considérait les « diversités des dogmes » comme les branches du plant primitif [2]. Saint Léon déclarait que « le meilleur moyen d'approcher de la Vérité était de comprendre que, dans la science des choses divines, quelque progrès qu'on ait fait, il reste toujours à progresser » [3].

Pour saint Thomas d'Aquin, « il fallut que la connaissance de la foi procédât de l'imperfection à la perfection » [4]. Avant lui, saint Albert avait proclamé que « le fidèle progresse dans la foi, et non la foi dans le fidèle » [5], et saint Augustin avait indiqué l'hérésie comme une des causes de ces lumières plus nettes : « Une opinion fausse appelle l'affirmation de la doctrine du point de vue catholique » [6].

Saint Vincent de Lérins. — Mais le docteur bien connu de l'efflorescence du dogme fut saint Vincent de Lérins († vers 450) dans son *Commonitorium* [7]. « Tout ce qui, dans le champ de l'Église de Dieu, dit-il, a été semé par la foi des Pères, tout cela doit *fleurir* et *mûrir*, tout cela doit *progresser* et se *perfectionner* ». Bien entendu, ce progrès doit se faire « *in eodem sensu* », dans le même sens [8]. D'après la conception catholique, « la doctrine révélée, en vertu de la définition infaillible, passe d'une existence subjective, encore cachée dans le sein de l'Église, à une existence objective, où elle jouit désormais d'une valeur normative absolue et immuable pour la foi de tous les chrétiens » [9].

---

[1] On trouvera dans Marín-Sola, *op. cit.*, t. I, p. 127-211, une nomenclature enrichie de textes des auteurs qui ont traité la question — et surtout celle de la « définibilité » d'un article — depuis saint Irénée jusqu'à nos jours, puis, p. 212-243, une étude sur la position de M. Cano. —
[2] « *Ramos puto evangelicae arboris, quae de grano sinapis creverit, dogmatum esse diversitates* ». (Saint Jérôme, *Comment. de saint Mathieu*, libre II, chap. 13.)
[3] *Nemo enim ad cognitionem veritatis magis propinquat quam qui intelligit, in rebus divinis, etiam si multum proficiat, semper sibi superesse quod quaerat.* (S. Léon, pape, *Sermo 9 in Nativitate.*)
[4] S. Thomas, 2ᵃ 2ᵃᵉ, q. I, art. 7, cité par J. Rivière, *Le problème...*, *op. cit.*, p. 31.
[5] Marín-Sola, *op. cit.*, p. 38 s.
[6] Cité par O'Doherty, *op. cit.*, p. 108, qui ajoute d'autres textes dans le même sens.
[7] Sur saint Vincent de Lérins, *D.T.C.*, t. XV, col. 1345-1355; *K.L.*, t. XII, col. 985-989; *L.T.K.*, t. X, col. 632 s.; F. Cayré, *op. cit.*, t. II, p. 163-166; Marín-Sola, *op. cit.*, p. 275 s.; Palmieri, *op. cit.*, p. 58, 258-275; de la Barre, *op. cit.*, p. 169; Harnack, *op. cit.*, 258 et n. 8; Willaert, *op. cit.*, p. 380; Polman, *op. cit.*, p. 399; Rivière, *op. cit.*, p. 6 et n. 2; Turmel, *op. cit.*, p. 57. — Le *Commonitorium*, « après sa première édition dans l'*Antidotum* de Sichardus, connut 35 éditions et 22 traductions au cours du XVIᵉ siècle, et 23 éditions et 12 traductions au cours du XVIIᵉ. » Polman, *op. cit.*, p. 399 avec références. Comme exemple d'édition, celle de B. Petri, professeur à Louvain, puis à Douai (1613); Hurter, *op. cit.*, t. III, p. 792 s.; M. Meslin, *S. V. de L.*, *Commonitorium*, traduct., Namur, 1959.
[8] Willaert, *Origines*, *op. cit.*, p. 383, n. 3 « Saint Vincent... »; Marín-Sola, *op. cit.*, p. 395; Bañez : « *Ecclesia... educeretur* », cité *ibid.*, p. 513.
[9] J. H. Walgrave, *Newman et le développement du dogme*, Tournai-Paris, 1957, p. 63, 57, 324.

Au XVIᵉ siècle. — Il était naturel que les humanistes, épris de l'Antiquité, fussent portés à la tendance archaïsante et « fixiste »[1]. A plus forte raison le principe de la *Sola scriptura* devait-il, par contre-coup, ramener l'attention sur la théorie de l'efflorescence du dogme, quoique immuable, et sur celle qui s'ensuit de la « définibilité » d'un article dogmatique.

Ici revient la distinction entre les traditions et la Tradition, entre l'enseignement concret de l'Église et son pouvoir doctrinal. Nous avons constaté ci-dessus (p. 306) que la théologie catholique, prise à partie sur le *fait* des traditions plus que sur *le droit* de l'Église à enseigner d'autorité, avait suivi ses attaquants sur leur terrain, sans se consacrer avec autant de diligence à la question essentielle de la mission divine. Au contraire, quand il s'agit de « développement », cette mission occupe le centre de la discussion, qui d'ailleurs continue au sujet des traditions[2].

POUVOIR DE L'ÉGLISE — Il était capital, en effet, de prouver que ce développement progressif du dogme, couvert par l'« *amplissima potestas* » de l'Église (Petau), est immunisé contre l'erreur par une promesse divine. Heureusement, cette promesse était attestée par l'Écriture. A l'argument historique des érudits protestants qui objectaient le silence de l'Antiquité sur les « dogmes nouveaux » la majorité des théologiens catholiques répondirent avec une égale érudition ; et la polémique se poursuivit au-delà du cadre de notre présent volume par les célèbres controverses sur la *Perpétuité de la foi* (1664) et l'*Histoire des Variations des Églises protestantes* (1688), où s'illustrèrent Leibnitz, Jurieu, Arnauld, Nicole et Bossuet[3].

Cependant, malgré leurs progrès en exégèse et en patristique, les défenseurs de l'Église ne pouvaient pas toujours, par des textes explicites et sûrs, rattacher tous les articles de dogme ou de morale à la Révélation primitive. Le problème d'un « développement » légitime du dogme restait donc posé. Aussi voit-on les principaux théologiens reprendre la question.

LES DÉFENSEURS — Driedo, par exemple, renouvelle Vincent de Lérins. Textes scripturaires et patristiques à la main, il affirme la mission de l'Église d'« expliquer les Écritures ». « L'Église, dit-il, grâce à l'Esprit de Vérité qui demeure en elle à tout jamais, peut enseigner ce qui était auparavant obscur. » Il pose naturellement comme condition à pareille

---

[1] Guelluy, *op. cit.*, p. 127 s. Voir l'opposition d'Érasme aux « constitutions humaines ». Humbert, *op. cit.*, p. 86 s.

[2] Au XVIIᵉ siècle, pour *Vasquez*, les données implicites deviennent explicites par raisonnement logique ; les conclusions sont « révélées » ; *Molina* nie la « révélation » ; ces conclusions ne sont pas de « foi divine » ; pour *Suarez* et *Lugo*, elles ne sont pas à croire avant la définition, qui les élève au rang de « révélées » ; *Arriaga* aussi accorde à la définition certaine valeur d'appartenance à la Révélation.

[3] Struman, *op. cit.* ; Snoeks, *op. cit.*, p. 525 ; Toreilles, *Mouvement*, *op. cit.*, p. III ; Turmel, *op. cit.*, p. 56 ; *H.E.*, t. XVII, 225 s. — Chez Arnauld et Nicole, la prescription s'appuie parfois sur l'autorité infaillible de l'Église, mais, en général, ils préfèrent la méthode « naturelle » historique. Cf. Snoeks, *op. cit.*, p. 513 s.

« élucidation », qu'elle ne soit pas opposée à l'Écriture, qu'elle n'enseigne pas, en marge de l'Écriture ou des traditions apostoliques »[1]. Après Driedo, les principaux théologiens de l'époque posttridentine s'appliquent à établir la même théorie, en s'étendant d'ailleurs sur la question de savoir jusqu'où allait le pouvoir de définir une vérité, fruit plus ou moins immédiat de l'efflorescence doctrinale[2].

Il est vrai que Molina, qui s'illustra par une autre initiative plus retentissante encore, alla jusqu'à nier la légitimité de toute évolution vraiment dogmatique. Mais il ne fut suivi par aucun théologien de marque[3].

Comme dans la polémique autour des traditions, les catholiques pouvaient représenter aux protestants qu'eux-mêmes admettent une certaine évolution du dogme[4]; que d'ailleurs les deux grandes confessions, luthérienne et réformée, avaient été contraintes, pour éviter le « morcellement à l'infini » des « petites sectes »[5], d'établir de « nouveaux symboles » plus complets, plus précis et surtout plus théologiques »[6], ceux de la « Formule de concorde » et des « Articles de Dordrecht ». Comme en ce qui touche les traditions encore, la théorie de l'efflorescence du dogme continua, elle aussi, indéfiniment de fleurir, à mesure que se renouvelaient les critiques de ses adversaires.

Supposée admise l'existence d'un charisme *de* l'Église vivante, restait à savoir quels étaient *dans* l'Église les détenteurs de cette prérogative. Et ainsi se posait, à propos du dogme et de la morale, le problème de l'ecclésiologie. Comme un projectile dessine dans l'eau des cercles toujours plus larges, le problème de la Tradition-fonction provoqua dans la théologie une série de questions toujours plus essentielles : qui, dans l'Église, possède ce pouvoir? Quelle est l'Église « enseignante »? y a-t-il seulement encore une Église? une Église visible? a-t-elle jamais existé?

Ici encore, comme en ce qui concerne la Tradition, la controverse a donné naissance en théologie catholique à un traité spécial, le « De Ecclesia ».

---

[1] LODRIOOR, *op. cit.*, p 50-53, avec bon nombre de citations précieuses.

[2] Sans énumérer ces illustres auteurs, il suffira de rappeler la nomenclature de MARÍN-SOLA, *op. cit.*, p. 127-211. Voir aussi, pour Bellarmin et du Perron par exemple, SNOEKS, *op. cit.*, p. 528. — Sur l'insistance des théologiens à montrer la « perpétuité » comme note de la vraie Église, THILS, *op. cit.*, *Les notes...*, p. 48, 263.

[3] MARÍN-SOLA, *op. cit.*, t. I, p. 97, 167, 412 s. Baronius supprime pratiquement tout « développement » du dogme et de la pratique, puisqu'il prétendre trouver dans l'Écriture toute l'Église moderne. Cf. E. FUETER, trad. E. LEMAIRE, *L'Histoire de l'historiographie moderne*, Paris, 1914, p. 327; CAYRÉ, *Patrologie, op. cit.*, t. II, p. 163-165.

[4] F. BONIFAS-J. BIANGUIS, *op. cit.* t. II, p. 447.

[5] *Ibid.*, p. 449-551.

[6] *Ibid.*

CHAPITRE II

L'ECCLÉSIOLOGIE (1ʳᵉ question) : LES NOTES DE L'ÉGLISE

§ 1. — Importance historique et théologique du problème.

Dans les études actuelles au sujet du XVIᵉ siècle religieux, il apparaît toujours davantage que l'attention passionnée des théologiens chrétiens d'alors se concentrait sur deux sujets principaux : l'Eucharistie et l'Église [1].

LE MAGISTÈRE
QUESTION FONDAMENTALE

Et, en effet, de la solution du problème ecclésial dépend celui de la Tradition, sujet fondamental des divergences de doctrines. Pour que l'Église ait le droit de « développer » le sens des paroles de l'Écriture, comme le prétendent les catholiques, pour qu'une Église protestante puisse légitimement imposer par une « Confession » une interprétation déterminée de la *Sola*

---

[1] BIBLIOGRAPHIE. — Cf. aussi la bibliographie sur le *Concile de Trente*, p. 44 ; sur la *primauté pontificale*, p. 331 ; *D.T.C.*, t. IV, col. 2108-2224 ; t. V, col. 2210 ; t. VI, col. 1545-1552 ; t. XV, col. 959 ; *K.L.*, t. VII, p. 477-513 (doctrine et notes), 513 (fonctions ecclésiastiques), 691-715 (théories ecclésiales) ; *The Catholic Encyclopedia*, t. III, p. 744-761 (théories anglicanes, p. 754, 756 s., 758) ; A. ARNAULD, cf. ORCIBAL, *Relazioni, op. cit.*, p. 122 ; H. X. ARQUILLIÈRE, *Sur la formation de la théocratie pontificale*, dans *Mélanges F. Lot*, Paris, 1925 ; R. AUBERT, *L'institution et l'événement : A propos de l'ouvrage de M. le pasteur Leuba*, dans *E.T.L.*, t. XXVIII, 1952, p. 683-678 ; S. AUGUSTIN, dans *D.T.C.*, t. II, col. 2403 s. ; J. BAINVEᵧ, *L'idée d'Église*, dans *Quinzaine*, t. XXX, 1899, p. 141-156, 403-419 ; R. BELLARMIN, *op. cit.*, fol. 591-1958 ; L. BERNACKI, *La doctrine de l'Église chez le Cardinal Hosius*, Paris, 1936 ; P. DE BÉRULLE, *Discours de controverse*, citations dans ORCIBAL, *Relazioni, op. cit.*, p. 115 n. 4 ; K. BINDER, *Wesen und Eigenschaften der Kirche bei Kardinal J. de Torquemada*, Innsbruck, 1955 ; Y. M. J. CONGAR, *Vraie et fausse réforme dans l'Église. (Unam Sanctam)*, Paris, 1950 ; J. COURVOISIER, voir *l'Idée, infra* (2 mentions) ; J. DANIÉLOU, *Un livre protestant sur saint Pierre* [O. *Cullmann*], dans *Études*, t. CCLXXVI, 1953, p. 206-219 ; G. DE LA GARDE, *La naissance de l'esprit laïque au moyen-âge*, Paris [1934], 1946 ; O. HALECKI, voir *l'Idée, infra* ; *H.-B.*, t. VI, p. 164 ; HARNACK, *op. cit.*, t. III, p. 591-617 ; H. HAUSER, *La modernité du XVIᵉ siècle*, Paris, 1930, p. 31-43.

— *L'Idée d'Église aux XVIᵉ et XVIIᵉ siècles*, dans les *Relazioni du Xᵉ Congrès international des sciences historiques à Rome*, 1955, 5-11 septembre, publiés par la *Giunta centrale per gli Studi Storici*, Florence [1955], t. IV. Ce « rapport » contient trois parties : 1. H. JEDIN, *Zur Entwicklung des Kirchenbegriffs im 16. Jahrhundert*, p. 59-73. 2. E. G. LÉONARD, *La notion et le fait de l'Église dans la Réforme protestante*, p. 75-110 ; on y trouvera, p. 75 note, indication des articles du même auteur, indispensables pour la bibliographie de l'histoire de la Réforme. 3. J. ORCIBAL, *L'idée d'Église chez les catholique au XVIIᵉ siècle* (imprimé par erreur XVIII), p. 111-135. Au t. VII, p. 272-275 : O. HALECKI, *The idea of the Church in Eastern Europe after the Council of Trente* (concerne les faits historiques).

— Les *ATTI* de ce même congrès, Rome, s. a., faisant suite aux *Relazioni*, contiennent : interventions de H. JEDIN, S. KOT, A. DUPRONT, A. WALZ, E. ISERLOH, E. G. LÉONARD, J. COURVOISIER, D. LIGOU, H. ZIMMERMANN, K. THIEME, p. 460-467 ; M. POMMIER, *L'Idée d'Église chez les anabaptistes italiens au XVIᵉ siècle*, p. 791-793 ; J. COURVOISIER, *L'arrière-plan ecclésiologique de la Réforme de Zwingli*, p. 796-798. Faute d'espace, ces deux dernières communications ont dû être condensées ; L. FEBVRE, *Les origines de la Réforme française*,

Scriptura, il faut que l'une et les autres établissent leurs titres à transmettre, de par Dieu, l'objet de la foi.

Le corps visible de l'Église était-il encore actué par l'âme? Était-il encore l'Église du Christ Jésus ou avait-il dévié? C'est la question cruciale de la conception et de l'idée de l'Église, [qui] « pendant deux cents ans, occupe le centre de la pensée, non seulement théologique, mais historique et surtout de l'effort pour la réforme de l'Église » [1]. — « L'ecclésiologie [...] a tendu et [...] tend de plus en plus, semble-t-il, à faire de l'autorité de l'Église enseignante comme le nœud de tous les problèmes religieux » [2].

Aucun chrétien ne niait que le Christ ait voulu une Église. Le mot est nettement dans l'Écriture. Mais il y a aussi les pluriels, « les églises », « l'Église qui est à Corinthe, par exemple » [3].

A qui le Seigneur a-t-Il dit : « Enseignez toutes les nations... Et voici que je suis avec vous tous les jours jusqu'à la consommation des siècles... Qui vous écoute m'écoute... Celui qui n'écoute pas l'Église, qu'il soit pour vous comme un païen et un publicain... »? Question capitale, puisque « par

dans *R.H.*, t. LXI, 1929, p. 1-73; intéressante synthèse de l'*historiographie* de ce sujet; IMBART DE LA TOUR, *op. cit.*, t. III, p. 42-50. (Luther), 97-105 (Érasme), 150-155 (Meaux); t. IV (Calvin) 98-111, 168-172, 447-457; S. JÁKI, *Les tendances nouvelles de l'ecclésiologie*, Rome, 1957 (rappelle les sources patristiques et scolastiques); H. JEDIN, voir *L'Idée*, *supra* (2 mentions); A. LANG, *Fundamental Theologie. II. Der Auftrag der Kirche*, Munich, 1954; J. LECLER, *L'origine et le sens de la formule* « *Cuius regio illius religio* », dans *R.S.R.*, t. XXXVIII, 1951, p. 119-131 (bibliographie); E. G. LÉONARD, voir *L'Idée*, *supra* (2 mentions); J.-L. LEUBA, *L'Institution et l'événement*, Paris-Neufchâtel, 1952; *M.-L.*, t. II, p. 1-163; V. MARTIN, *Les origines du gallicanisme*, Paris, 1939; J. ORCIBAL, voir *L'Idée*, *supra*; *Relazioni*, *op. cit.*, p. 120 n. 1; N. ÖRY, *Doctrina Petri Cardinalis Pázmány de notis Ecclesiae* (Pont. Univ. Gregor.), Chieri (Turin) 1952, avec bibliographie; D. PETAVIUS, *De ecclesiastica hierarchia*, Paris, 1643 (contre Walonis Mess., *infra*, *Somm.*, t. VI, col. 607; POLMAN, *op. cit.*, p. 291 s. (notion d'Église), p. 455-600; M. POMMIER, voir *L'Idée*, *supra*; M. REULOS, *La discipline ecclésiastique des églises réformées françaises en France et dans les Églises du Refuge (1153-1576)*, dans *Bull. de la Soc. d'Hist. mod.*, 56e année, 1957, p. 9-12 (influence de Bucer); J. RIUDOR, *Nuovas tendencias en Eclesiologia*, dans *Estud. ecles.* t. XXXII, 1958, p. 227-234; A. RIEDMAN, *Die Wahrheit über die Kirche Jesu*, Fribourg, 1953; F. ROCQUAIN, *La cour de Rome et l'esprit de Réforme avant Luther*, Paris, 1893-1897, 3 vol.; *S.-D.*, t. VI, p. 447; L. SALVATORELLI, *Le idee religiose di Fra Paolo Sarpi*, Rome, 1953; C.-r., dans *R.S.P.T.*, t. XXXVIII, 1954, p. 538; SCHNÜRER, *op. cit.*, t. II, p. 285; SNOEKS, *op. cit.*, p. 4, 13 (*Ecclesia* dans les *Loci*); G. THILS, *Les notes de l'Église dans l'apologétique catholique depuis la Réforme*, Gembloux, 1937, p. 2, n. 1; C.-r. dans *R.S.P.T.*, t. XXVII, 1938, p. 320; B. TIERNEY, *Foundations of Conciliar Theory. The contribution of medieval canonists from Gratian to the Great Schism*, Cambridge, 1955; R. VOELTZEL, *Vraie et fausse Église selon les théologiens protestants français du XVIIe siècle*. Paris, 1956 (Fac. protest. de Strasbourg); consulter sa riche bibliographie (p. 165-174), à laquelle il faut ajouter ses multiples annotations au bas des pages. — On y trouvera des ouvrages protestants de l'époque qui ne sont pas énumérés ici; WALONIS MESSALINI, *De episcopis et presbyteris contra Petavium loiolitam dissertatio prima*, Leyde, 1641, voir Petavius (SOMM. t. VI, p. 606).

[1] H. JEDIN, *Atti*, *op. cit.*, p. 460 : « Kardinal Cajetan sagt, in seinem Buch über den Konzil (1517), dass « diejenigen schwer irren, die dieses Gebiet den Kanonisten überlassen ». ID., *Relazioni*, *op. cit.*, t. IV, p. 62 : « Die Theologie entreisst der Kanonistik die Behandlung der Ecclesiologie »; VOELTZEL, *op. cit.*, p. 1 s., p. 5, importance soulignée par Dichtenberger et Cochlaeus, LORTZ, *op. cit.*, t. II, p. 182; ORCIBAL, *Relazioni*, *op. cit.*, p. 114, n. 4; ID., Louis XIV et les protestants, *op. cit.*, p. 10 : « Au XVIIe siècle, elle dépassait même en importance celle de la justification ».

[2] THILS, *Les notes... op. cit.*, p. IX.

[3] Textes dans *D.T.C.*, t. IV, col. 2108, 2115; F. PRAT, *La théologie de saint Paul*, Paris, 1912, t. II, p. 403-431.

hypothèse » — *sit venia verbo* —, il s'agit là d'un magistère infaillible. Ainsi en droit romain, le Sénat disait infailliblement « le droit ».

A cette première question s'en ajoute une seconde. Puisqu'il s'agit d'un Message divin, d'un Message qui engage le salut éternel de l'homme, il faut qu'il se présente avec une garantie très certaine d'infaillibilité. On se demandera donc comment il s'impose invinciblement à l'esprit du croyant. Est-ce au lecteur de la Bible par l'irrésistible conviction subjective de l'assistance divine? Ou par une autorité institutionnelle, celle de l'Église, et laquelle?

Là-dessus, la chrétienté se divise : si l'Église se compose uniquement des élus que Dieu seul connaît, elle est conduite individuellement par l'Esprit. Une Église visible, au contraire, institutionnellement organisée, imposant un symbole de foi obligatoire, se doit de prétendre à l'infaillibilité, sinon elle n'a pas le droit de dire : « Hors de moi, point de salut ». Et ce sera, on le verra plus loin, le destin des grandes confessions protestantes elles-mêmes.

Quant à l'Église catholique, elle n'avait pas à changer sa doctrine. Mais elle était tenue de la préciser et de la défendre contre les négateurs. Ses théologiens s'appliquèrent donc à établir qu'elle est infaillible et quels sont les organes de cette infaillibilité : la hiérarchie et la papauté.

Ce fut l'œuvre des cardinaux dominicains Jean de Torquemada et Thomas Cajétan, ainsi que de leur confrère Melchior Cano. Saint Bellarmin, en cela encore, synthétise et consolide les travaux de ses prédécesseurs, tant leurs preuves tirées de l'Écriture que celles de la Tradition. Il développe plus longuement qu'eux la réponse aux objections reprises par les protestants [1].

Mais à qui, dans l'Église, appartient ce magistère?

ESPRIT ET LOI Dès les origines apostoliques, on vit apparaître dans l'Église la dualité des éléments constitutifs de toute société organisée : l'autorité, la règle, la Κυβερνήσις de saint Paul, l'ἐξουσία et, d'autre part, la spiritualité, l'esprit, l'élan vital, le πνεῦμα [2].

A travers toute son histoire, l'Église a connu des alternatives de priorité tantôt de l'organisation, tantôt du « spirituel », du sacré qui entretient la vie dans le Corps mystique [3]. L'idéal n'est atteint que rarement et localement, lorsque le gouvernail est confié aux « mystiques ».

---

[1] *D.T.C.*, t. IV, col. 2184 s., ne traite que l'*objet* de l'infaillibilité; *S.-D.*, t. VI, p. 456-460; *K.L.*, t. XII, col. 240-268; Turmel, *op. cit.*, p. 61-74; il poursuit, en exposant les arguments des auteurs suivants, puis l'objet de l'infaillibilité, p. 74-78; 79-104.

[2] *I Cor.*, II, 10-16, XII, 26; Prat, *op. cit.*, t. II, p. 429 s. — Je ne perds pas de vue que chez saint Paul πνεῦμα est opposé à la *lettre. Ibid.*, t. II, p. 224.

[3] Depuis les Montanistes (c. 172 p. C) cette tendance s'est manifestée sous différentes formes : J. Huby, *Christus*, Paris, 1927, p. 1088, 1176. On se souviendra des « pneumatikoi », des « spiri-tuels », de la « cité des Saints », de l'« Église de l'Esprit », de l'« Église des charismes ». — Au pied de la colline lorraine de Sion-Vaudémont, Maurice Barrès, contemplant l'église qui domine la prairie exubérante, observe qu'elles ne sauraient se passer l'une de l'autre. « Qu'est-ce qu'un enthousiasme qui demeure une fantaisie individuelle? Qu'est-ce qu'un ordre qu'aucun enthousiasme ne vient plus animer? L'Église est née de la prairie et s'en nourrit perpétuellement pour nous en sauver »; cité par Willaert, *Origines, op. cit.*, p. 171 s.

Cependant, au Moyen Âge, où l'Église se confond avec la Chrétienté, les révoltes contre l'autorité de la *Mater Ecclesia* sont rares. Elle groupe tout le monde chrétien pour les croisades; l'iconographie la représente comme une citadelle solidement défendue. Van Eyck la réunit autour de l'Agneau mystique.

Vers le déclin du Moyen Âge, l'esprit social des métiers et des États, la défense de la Chrétienté menacée, l'influence nominaliste avec son engoûment pour les abstractions, non moins que celle du droit canon dominant, la théorie du Corps mystique, toutes ces causes combinées ont renforcé l'idée d'*Église - institution*, d'une réalité juridique et corporative.

LE RÉVEIL DE « L'ESPRIT » Toutefois un réveil se préparait lentement, celui de l'*Église - inspiration*, de son âme, de sa spiritualité. Il était dû en partie à la dissolution de la conception médiévale : la Chrétienté avait été scindée par le Grand Schisme et par les luttes nationales [1]. La République chrétienne ne survivait pas aux rivalités mortelles de ses deux chefs, le monde ecclésiastique décrié manifestait de plus en plus la nécessité d'une réforme *in capite et in membris*. Mais l'impatience fiévreuse causée par les retards de cette réforme attendue allait provoquer une explosion qui ne tarderait plus [2].

Dès le XVIe siècle, le monde change. L'humanisme ramène au contact direct avec les sources de la Révélation. D'autre part, en contraste avec l'esprit de corps médiéval, il éparpille les hommes dans leur individualisme jaloux, dans le souci égocentrique de leur personnalité. Puis, au milieu des désastres de ces époques catastrophiques, les fidèles, suppliant d'être sauvés *a peste, fame et bello*, attendent avec une soif angoissée la parousie du Consolateur.

On perçoit à l'horizon les premières promesses de la Lumière résurgente qui réalisera la Réformation de la Chrétienté [3]. Et, dans la barque de l'Église, on entend le cri des âmes justes, menacées par la tempête, appelant au secours le Seigneur endormi.

L'idéal eût été de réaliser l'épuration nécessaire en respectant le vœu du Fondateur et de l'apôtre : « Que tous soient un », « un Corps, un Esprit, un Seigneur, une foi, un baptême ». (*Jean*, XVII, 22; *Éph.*, IV, 4-6.)

Par malheur, l'Église hiérarchique d'alors était incapable d'orchestrer ce mouvement, de « rendre témoignage à la Lumière » (*Jean*, I, 7). En sorte que « la Lumière vraie qui illumine tout homme venant en ce monde » (*Jean*, I, 9) n'apparaissait pas clairement au monde et « le monde ne la [re]connut pas » dans la lampe ecclésiale.

---

[1] Lortz, *Die Reformation*, op. cit., t. I, p. 7. — J. Orcibal a montré dans le cas de la tentative irénique du franciscain Chr. de Roja, évêque de Thina (1677) un exemple typique de l'influence pernicieuse des rivalités nationales. (*Relazioni*, op. cit., t. IV, p. 130 s.)

[2] Lortz, *Die Reformation... op. cit.*, t. I, p. 11 s.

[3] Febvre, *Les origines, op. cit.*, p. 47 n. 1.

*ÉGLISE « DE L'ESPRIT »
OU ÉGLISE INSTITUTIONNELLE* Ainsi donc, à partir de 1520 environ, passant par le prisme de nos catégories humaines et sous l'influence des faits historiques et de passions diverses, l'idée évangélique et traditionnelle de l'unique Église se dispersa en un « spectre » de plus d'une centaine de nuances. On peut s'en représenter l'ensemble.

A l'une de ses extrémités, l'Église catholique romaine; au-delà, invisible, la foi croyait en une forme *ultra* - ecclésiale, celle de l'Église triomphante. A l'autre extrémité, au-delà des Églises orthodoxes et de l'Église anglicane, qui toutes conservaient la structure hiérarchique monarchique, le protestantisme se diversifiait en deux groupes très distincts : celui de « confessions » qui gardaient à des degrés diminuants une certaine organisation visible; puis, au delà, celui des « Églises » invisibles, *infra* - ecclésiales. Désespérant d'obtenir des organismes légaux le renouveau attendu, ces radicaux rejettent toute autorité extérieure, ne reconnaissant comme membres de l'Église, comme héritiers du Message divin, que les porteurs de l'élan vital.

Les formes variées que prend l'idée d'Église dépendent somme toute du dosage de deux éléments, l'esprit et la loi.

Une des causes de cette diversité de conception est que la définition de l'Église ne pouvait pas résulter d'une observation directe. Tous les réformateurs, y compris les catholiques, s'accordaient pour ne pas considérer l'Église concrète d'alors comme la réalisation parfaite du plan de son Fondateur. Il fallait, pour retrouver l'idée d'Église, retourner aux sources de la foi. Et voilà un des cas où le désaccord sur les sources produisait — et produit encore — un désaccord sur la doctrine.

Les formes de l'idée d'Église aux XVIe et XVIIe siècles se groupent sommairement en catholique romaine, protestante institutionnelle, protestante invisible et orthodoxe.

*LA RÉFORME?
A QUEL TITRE?* Quant à l'Église concrète de ce temps-là, les théologiens de l'Église étaient défenseurs; ils plaidaient coupable, puisqu'elle travaillait à se réformer. Mais il s'agissait de repousser les attaques protestantes contre sa « légitimité ». Elles refusaient de la reconnaître comme héritière du Royaume. Elles niaient sa Tradition, son pouvoir de transmettre intact et de « développer » authentiquement le message de son fondateur.

La défense catholique passa à la contre-offensive. Et sa tactique s'imposait. Révoltés contre Rome, des hommes s'étaient levés, à qui leurs talents, parfois même leur génie sinon leur sainteté, assuraient un incontestable prestige. Une masse grossissante les avait suivis, parce qu'ils donnaient une voix à sa soif de réforme et à son angoisse du salut; parce qu'ils promettaient de ramener la Chrétienté à la pureté de ses origines et au Christ. Ils s'étaient arrogé le droit, seuls contre tous les docteurs et les saints des quinze siècles antérieurs, de restreindre le dépôt de la foi au seul texte écrit de la Bible. Ils allaient plus loin. Chacun d'entre eux prétendait imposer son interprétation personnelle de l'Écriture — sur le point capital de l'Eucharistie, par exemple — souvent en lutte violente avec d'autres novateurs.

Ce qui était plus étrange encore, en dépit du principe de l'inspiration personnelle de l'Écriture, « il semble bien que l'autorité infaillible que les protestants déniaient au pape était par eux transférée, de la façon la plus absolue, aux synodes »[1]. Et pourtant les foules allaient à eux.

Mais d'autres, se défiant, se refusaient. Ces prophètes modernes, qui déchiraient la robe sans couture, quels étaient leurs titres à parler de par Dieu?

Il était légitime de les leur demander, de leur poser la question : « Par quelle autorité fais-tu cela? Et qui t'a donné cette autorité? » (Matt., XXI, 23). On interrogeait ces nouveaux apôtres, comme on avait fait les anciens : « Par quelle puissance ou au nom de qui avez-vous fait cela[2]? » (Act., IV, 10). Saint François de Sales écrivait à son ami Favre (1595) : « Vous voyez bien où je veux battre! C'est sur la faute [le manque] de mission et de vocation que Luther et Calvin avaient[3]... »

Érasme déjà objectait : « On a cru avec peine aux apôtres qui confirmaient leur doctrine par des miracles. Qu'un de ces nouveaux apôtres me montre un seul d'entre eux qui ait pu guérir un cheval boiteux. Et si, contre eux, autrement qu'eux, d'autres parlent au nom de l'Esprit, qui décidera[4]? » On ne manqua pas non plus du côté catholique d'objecter aux Réformateurs le « flottement et l'évolution » de leurs théories[5], alors qu'ils accusaient l'Église d'avoir changé, alors que leur « développement » n'était pas, comme l'exigeait Vincent de Lérins, *in eodem sensu*[6].

COMMENT DÉFINIR L'ÉGLISE   Pour comprendre l'attitude catholique à l'égard des divers protestantismes, il serait nécessaire de discerner leurs diverses conceptions de l'Église. Car c'est la controverse qui obligea les défenseurs de Rome à scruter l'idée qu'elle se faisait d'elle-même. Or voici un fait curieux : pas plus au XVIᵉ siècle que pendant les siècles antérieurs, l'Église ne s'est *définie* officiellement, pas même au concile de

---

[1] VOELTZEL, *op. cit.*, p. 119, qui cite les formules décisives des synodes de Dordrecht (1618), de Charenton (1623). « Jurieu reconnaît à l'Église universelle une espèce d'infaillibilité », *Ibid.*

[2] Voir *supra*, p. 305. Pajon répondait : « Qui vous a donné le pouvoir de prêcher, d'enseigner publiquement et d'administrer les sacrements? Cette question est à peu près comme s'il demandait à un homme, dans l'embrasement d'une ville : qui vous a donné le pouvoir de crier au feu? », cité par VOELTZEL, *op. cit.*, p. 114, n. 116. DU MOULIN compare les pasteurs aux « oisons » du Capitole qui donnèrent l'alarme. *Ibid.* — Bossuet ne manquera pas de faire usage contre les protestants de l'autorité doctrinale qu'ils attribuent à leurs synodes. Cf. TURMEL, *op. cit.*, p. 54 s.

[3] Cité dans *Saint François de Sales*, éd. L. F. DECHEVIS, Namur, 1958, p. 8.

[4] Cité par IMBART DE LA TOUR, *op. cit.*, t. III, p. 101. C'est encore l'argument du cardinal du Perron dans sa « *Réplique à la Réponse de quelques ministres* » (1597). SNOEKS, *op. cit.*, p. 9.

[5] VOELTZEL, *op. cit.*, p. 2. LINDANUS (*De vera... Ecclesia...*, *op. cit.*, p. 38) objecte aux luthériens leurs dissensions au sujet des notes de l'Église.

[6] THILS, *Les notes*, *op. cit.*, p. 269; VOELTZEL, *op. cit.*, p. 2 et n. 9.

Trente [1]. Ses adversaires n'ont pas davantage précisé ce qu'ils entendaient par l'Église. Il est vrai que tous les membres d'une Église institutionnelle le faisaient d'une certaine manière en affirmant sa forme constitutionnelle : monarchique en raison du primat pontifical ou de l'autorité de l'État, aristocratique si on la concevait comme épiscopalienne, démocratique sous le régime conciliariste-occamiste ou presbytérien. Dans chacune des écoles au sujet de l'idée d'Église, on aurait dû préciser comment on la concevait. Sur un point, catholiques et protestants s'accordaient. Les novateurs, partis de la notion d'Église invisible, avaient été presque tous forcés par les circonstances à y joindre celle d'une organisation, d'une Église visible.

Les théologiens catholiques, malgré la nécessité de défendre l'Église institutionnelle, affirment nettement sa nature invisible. L'expression la plus auguste de cette conviction est l'identification de l'Église avec le Seigneur Jésus-Christ. Doctrine traditionnelle, semée par Lui-même dans le fulgurant colloque avec Saul sur le chemin de Damas : « Pourquoi *me* persécutes-tu ? » (*Act.*, IX, 5.) Elle est exposée par l'apôtre dans la comparaison avec le corps (*I Cor.*, XII, 12), dans sa théorie du « plérôme », de l'Église comme « achèvement », comme « complément » du Christ (*Éph.*, I, 23). Elle est développée au cours des siècles, notamment par saint Augustin, par saint Thomas et tant d'autres [2].

A l'époque qui suit le concile de Trente, la théorie de l'Église, Corps mystique du Christ, était élaborée ; on la trouve dans l'école de Salamanque ; elle sera exaltée dans l'école française [3]. Le Christ n'est pas seulement la tête mystique (sacrée) de l'Église, ni seulement son époux ; c'est Lui qui lui « confère sa personnalité ». Il est son « suppôt ». Il ne forme avec elle qu'une seule personne. C'est la théorie du cardinal Jean de Turrecremata (*supra*, p. 306), de Cajetan (*supra*, p. 195), de Bellarmin, de Jacques Nacchiante, de Jean-Paul Nazari et d'autres. Une conséquence de cette appartenance des « fidèles » au Christ est la Communion des Saints. Cette formule de foi traditionnelle était naturellement comprise par chaque confession d'après son idée d'Église. Le *Catéchisme romain* a fixé la doctrine catholique [4].

---

[1] « On chercherait en vain chez les grands scolastiques un exposé systématique du concept de la nature de l'Église. » (SCHERER, cité par THILS, *op. cit.*, p. XI, voir aussi p. XIII-XV). Cf. H. JEDIN, *Atti* de Rome, p. 461 ; ID., *Relazioni, op. cit.*, t. IV, p. 68, 71 s. (définition de Bellarmin) ; R. VOELTZEL, *Vraie, op. cit.*, p. 1 s. et notes, où sont cités plusieurs auteurs catholiques. La définition de Bellarmin reprend celle de saint Augustin. Il définit l'Église : *Coetus hominum eiusdem Christianae fidei professione et eorumdem sacramentorum communione colligatus, sub regimine legitimorum pastorum, ac praecipue unius Christi in terris Vicarii Romani Pontificis.* (*Disp. de Controv., op. cit.*, Quarta controv., lib. III, cap. II, éd. 1596, t. I, col. 1403).

[2] Sur l'Église comme Corps mystique du Christ, É. MERSCH, *Le corps mystique du Christ*, Paris-Bruxelles, 3e éd., 1951, t. II, p. 35-231.

[3] *Ibid.*, p. 265, 285, 301-343. L'auteur expose pourquoi les protestants ne pouvaient l'adopter (p. 253-264) ; G. GRABKA, *Cardinalis Hosii doctrina de corpore Christi mystico in Luc XVI*, Washington, 1945.

[4] Sur tout cela, Ch. JOURNET, *L'Église du Verbe incarné*, Paris, Bruxelles, 1951, t. II, p. 118-131, 584 ; Turrecremata, *ibid.*, p. 128 ; Cajetan avait dit : *Christus non solum caput mysticum eius sed mysticum suppositum ipsius est. Ibid.*, p. 584. — Jacques NACCHIANTI, *Naclantius*, (né à Florence — 1596) dominicain, évêque de Chioggia ; ses œuvres exégétiques

Voilà pour l'Église idéale, suprasensible. Mais quelles sont ses relations avec l'institution visible? Les théologiens recourent presque tous à la comparaison biologique. Comme le Verbe de Dieu dans l'humanité, l'Église invisible est incarnée, âme du corps qu'elle anime. Pour Bañez, cette âme est la partie principale, comme est principale, dans le Christ, la divinité.

D'accord sur l'existence d'une Église invisible, catholiques et protestants ne l'étaient pas sur la visible. Mais, au lieu de s'efforcer de la définir, on s'est appliqué — pour user des termes de l'École — moins à découvrir son « essence » qu'à fixer ce qui lui est « propre », ses « attributs » [1]. Car, pour chaque communion particulière, le point crucial était de montrer que son Église, ou plutôt son idée d'Église, était « la vraie », qu'elle répondait à l'idée de la société spirituelle, du Royaume que — de l'avis commun — le Christ a voulu fonder sur terre. Question capitale puisque, hors de celle-là, il n'y avait pas de salut. Quels étaient, au témoignage de l'Écriture et des premiers siècles, les caractères qui permettraient de discerner cette Église? Conséquemment, quels étaient ses membres légitimes? Et dans la pratique, quelle était la communion qui, au XVIᵉ siècle, réunissait ces caractères? On en arriva ainsi à discuter ce qu'on appela les notes de la vraie Église [2].

---

et théologiques furent publiées en 2 vol. in fol. à Venise en 1595 et à Lyon en 1657. Cf. *K.L.*, t. II, col. 7; JOURNET, *op. cit.*, p. 131. — J. P. NAZARI (né à Crémone — 1645) dominicain, théologien et controversiste. (*K.L.*, t. IX, col. 70; JOURNET, *op. cit.*, p. 131.) — Le cardinal polonais HOSIUS (*supra*, p. 216), dans sa célèbre *Confessio* (1552-1553), proclame que nos mérites sont ceux du Christ *qui vit en nous*. (MERSCH, *op. cit.*, t. II, p. 283.) — BELLARMIN, *Disp. de controv.*, Tertia controv... De romano pontifice, l. I, chap. IX, éd. 1596, t. I, col. 632 s.— Bossuet dira plus tard que l'Église est « Jésus-Christ répandu et communiqué, Jésus-Christ homme parfait ». (JOURNET, *loc. cit.*, p. 583.) — H. A. PREUS, *The Communion of Saints : A Study of the Origin and Development of Luther's Doctrine of the Church*, Minneapolis, 1948. — Sur la *communion des Saints*, dans *D.T.C.*, t. III, col. 429-480 (ne traite pas la doctrine catholique posttridentine; théories des Réformateurs, col. 417-454); *K.L.*, t. V, col. 1621 s.; F. VALENTIN, *La communion des Saints. Histoire. Dogme. Piété*, Paris, 1934; V. L. BRETON, *La Communion des Saints. Histoire, doctrine, piété*, Paris, 1954; A. PIOLANTI, *Il misterio della communione dei santi nella rivelazione e nella teologia*, Rome, 1957.

[1] JURIEU, cité par VOELTZEL, *op. cit.*, p. 11, 16 : « L'Église est du nombre de ces choses de la nature desquelles on convient quand on se contente d'une idée confuse et sur laquelle on se divise aussitôt qu'on en veut avoir une idée distincte. » « Pour bien définir l'Église et en former une juste idée, il faut consulter l'expérience et l'histoire et *expliquer l'Écriture Sainte par cette expérience*. Car si l'on veut connaître l'Église par les idées abstraites et métaphysiques, on ne trouvera jamais son compte. » (C'est moi qui souligne.)

Voir cependant TURMEL, *op. cit.*, p. 149 « Launoi recueillit dans les écrits des Pères et des scolastiques tous les textes où la notion d'Église était exposée. Il recueillit ainsi, une à une, deux-cent-quarante-deux définitions, dont cent-trois antérieures au concile de Trente et cent-trente-neuf postérieures. » *Epist. ad Gattineum*, VIII, 13. Turmel cite en notes quelques-unes de ces définitions.

Sur la définition de l'Église : *D.T.C.*, t. IV, col. 2109-2112.

[2] On les appelle aussi « conditions, attributs, qualités, propriétés, titres, signes, marques, témoignages », etc. Cf. THILS, *op. cit.*, p. XV, 3; VOELTZEL, *op. cit.*, p. 33.

§ 2. — Les notes de l'Église [1].

LE NOMBRE Bien entendu, par définition, les membres d'une Église invisible ne sont connus que de Dieu. La controverse n'a donc lieu qu'entre Églises organisées [2]. Elle va d'ailleurs se développer largement, mais surtout à partir du milieu du XVIIe siècle. Nous n'avons à nous occuper ici que des débuts.

Il était naturel de rechercher avant tout la volonté du Fondateur. C'était la méthode recommandée par saint Augustin [3]. L'Évangile indiquait nettement les caractères d'unité, de catholicité (universalité) et d'apostolicité. Celui de sainteté résultait de la nature même du but. D'ailleurs, dès les premiers siècles, les symboles de la foi, celui du concile de Constantinople notamment, l'ajoutèrent explicitement; ce qui donna naissance à la formule traditionnelle du *Credo :* « une, sainte, catholique et apostolique » [4].

Dès que la Réforme éclate, la question des notes sépare ses représentants des catholiques, mais les divise encore entre eux [5]. De leur côté, les théologiens catholiques, après avoir établi, chacun pour soi, des notes plus ou moins nombreuses, adoptèrent généralement les quatre notes des anciens symboles, qui sont restées classiques [6]. Il va sans dire qu'ils préfaçaient cette démonstration par celle de la visibilité et de l'indéfectibilité de l'Église [7].

Mis au premier rang par la controverse, et plus pratique que le problème de la définition de l'Église, celui de ses caractères visibles s'imposa dès l'origine de la Réforme à l'attention des maîtres de la théologie.

[1] BIBLIOGRAPHIE. — 1o Du côté catholique : *K.L.*, t. IV, col. 1348; t. VII, col. 500-513; *D.T.C.*, t. IV, col. 2130-2132, 2142, 2149,2154; *D.A.*, t. I, col. 1268-1301. — Dans les encyclopédies allemandes, au mot *Merkmale;* BELLARMIN, t. I, 4ª controv., lib. IV, cap. III, col. 1476-1544; H. JEDIN, *Relazioni, op. cit.*, p. 67; N. ÖRY, *Doctrina Petri cardinalis Pázmány de notis Ecclesiae* (Dissertatio Pont. Univ. Gregor.), Chieri, Turin, 1952; POLMAN, *op. cit.*, p. 345, 355 (tables); THILS, *op. cit.*, p. 2 s., 97 s. (On y trouvera une étude fouillée avec (p. 121-292) l'historique de chacune des quatre notes); TURMEL, *op. cit.*, t. III, p. 117-149. — Voir également la bibliographie générale, p. 177.
2o Du côté protestant : *Realencyklopädie für protestantische Theologie und Kirche*, Leipzig, 1901, t. X, p. 315-344; VOELTZEL, *op. cit.*, attributs de l'Église, p. 33-94; marques de l'Église, p. 95-116, 119-124.
Les ouvrages récents de THILS (1937) et de VOELTZEL (1956) sont hors pair; mais ils concernent principalement la deuxième moitié du XVIIe siècle.

[2] Il faut noter cependant que « l'ecclésiologie [protestante] du XVIIe siècle porte en sous-jacence la doctrine de la prédestination dans le sens calvinien accentué ». « L'Église n'est que l'exécution de l'élection », dit Claude. (VOELTZEL, *op. cit.*, p. 25.) Ce qui ramène à l'idée d'une Église invisible. Dieu seul en connaît les membres.

[3] Cité par TURMEL, *op. cit.*, p. 126; THILS, *op. cit.*, p. 56; sur les éléments d'origine patristique, p. 57 s.

[4] Comme on verrait dans les ouvrages de THILS et de VOELTZEL.

[5] VOELTZEL, *op. cit.*, table des noms, p. 177.

[6] Sur le nombre des notes au XVIe siècle, THILS, p. 97 s., p. 106 : en 1591, un oratorien italien T. Bizio annonce au pape qu'il a découvert cent notes de l'Église; N. Cunerus Petri en trouve quatorze; N. Sanderus, six; Stapleton, deux; S. Sokolowski, vingt-quatre, etc. Cf. *D.T.C.*, t. IV, col. 2128; BELLARMIN, *op. cit.*, col. 1477.

[7] TURMEL, *op. cit.*, p. 109-113, citant M. Cano, Stapleton, Bellarmin.

LA THÉORIE DES QUATRE NOTES — Mais on ne voit pas dès lors se constituer une doctrine uniforme [1]. C'est le franciscain Nicolas Herborn qui publia la première monographie sur les notes (*De notis Ecclesiae*, 1529). Melchior Cano (*supra*, p. 236), dans son « *De locis theologicis* », se contenta d'indiquer les quatre classiques. Driedo et Pierre de Soto n'en citaient que trois [2]. Pour Stapleton (*supra*, p. 204), intéressé au côté historique, tout se résume en la catholicité, l'universalité dans la durée et dans l'espace. Bañez (*supra*, p. 237), ajoute une cinquième note, la visibilité. A cette addition, Grégoire de Valence (*supra*, p. 212) joint encore la *recta ordinatio*, l'indéfectibilité dans la foi et la *nécessité* dans la foi. En 1553, le cardinal Hosius (*supra*, p. 216) publie un large exposé dans sa *Confessio catholicae fidei*. Suarez (*supra*, p. 194), pour prouver que l'Église romaine est la véritable, en montre, outre les quatre notes principales, quatre complémentaires. Enfin, saint Bellarmin traite des notes *ex professo* [3]. Il fait remarquer que ces « notes ou témoignages ou signes » produisent « l'évidence de la crédibilité » et non « l'évidence de la vérité », sauf pour ceux qui admettent l'autorité de l'Écriture, de la Tradition et de l'histoire (col. 1476 s.). Il en énumère quinze, mais ajoute qu'elles « pourront de certaine manière être ramenées à ces quatre, qui, prises du symbole [du concile] de Constantinople, sont communément indiquées par les auteurs récents » (col. 1477).

Dans les premières années du XVIIᵉ siècle, la théorie des notes fut savamment développée par le cardinal Pázmány, l'illustre controversiste hongrois, aux prises avec les dissidents aux marches de l'Est. On y reviendra plus loin [4].

LA SAINTETÉ — Qu'est-ce que la sainteté de l'Église? Il y avait bien quelque audace à revendiquer ce caractère au moment où l'on réclamait bruyamment la réforme *in capite et in membris* et où elle ne donnait encore que ses premiers fruits. Il est vrai que la Réforme ne pouvait se prévaloir

---

[1] Voir les auteurs cités *supra*, p. 318, notamment THILS, *op. cit.*, p. 2 s. avec références.
— Du côté protestant, la théorie la plus répandue est celle des deux notes de la prédication exacte de l'Évangile et de l'administration correcte des sacrements. (*D.A.*, t. I, col. 1269-1277). Pour Calvin, « unité, catholicité et sainteté échoient à l'Église invisible »; elles ne sont pas des marques ou « enseignes »; seule l'apostolicité l'est. (*Institution*, IV, chap. I, n. 8, cité par Ch. JOURNET, *L'Église, op. cit.*, t. II, p. 984). Catholiques et protestants adoptent la notion de « corps et âme » de l'Église, le corps étant l'Église visible, seul objet des notes. Cf. VOELTZEL, *op. cit.*, p. 17, 22; *D.T.C.*, t. IV, col. 2154.
— Le Moyen-Age, avec J. de Raguse et J. de Turrecremata, avait déjà étudié la question des notes, mais les polémistes du XVIᵉ siècle la reprirent *ab ovo*. — Nicole HERBORN, O. F. M., de son vrai nom FERBER, né à Herborn, Nassau, 1480, appelé aussi Herbonensis, surnommé STAGEFYR ou STAGEBRAND, mort en 1534. — Turmel considère Sanderus (*supra*, p. 296) comme le premier auteur d'un exposé systématique des notes (1571), *op. cit.*, p. 119, cité par THILS, *op. cit.*, p. 3, n. 4, qui attribue à Hosius « la paternité du premier exposé systématique d'une certaine importance » avec références. — Le *Catéchisme romain* reprit les quatre notes du IXᵉ article du symbole.

[2] BELLARMIN, *op. cit.*, l. IV, chap. III, col. 1477.

[3] Dans sa *Quarta controversia generalis*, livre IV, *De notis Ecclesiae* (Ingolstadt, 1596, t. I, col. 1469-1544). Après avoir réfuté les notes proposées par les protestants, il établit, textes à l'appui, chacune de ses quinze notes.

[4] Elle fait l'objet de l'étude de N. ÖRY (*supra*, p. 216), voir plus loin, p. 322 n. 5.

d'une évidente et générale sanctification des masses. Et les controversistes ne manquèrent pas de souligner cet échec. Au début, les apologistes catholiques enferment dans ce concept tout un ensemble d'éléments, qui, à partir de 1580 environ, se décante progressivement par l'action de la critique catholique elle-même. La preuve par le miracle deviendra principale au XVIIe siècle. Quoiqu'il en soit, du côté catholique, on insistait surtout sur les moyens de sanctification dont dispose l'Église et sur le grand nombre de saints qu'elle a produits. D'ailleurs, le critère de sainteté occupe une place secondaire dans la polémique posttridentine. Plus tard, on recourra de plus en plus à l'argument du miracle.

L'UNITÉ Quant à la notion d'unité, elle allait prendre une importance grandissante. Elle devait s'imposer, semble-t-il. Le renouveau de vie chrétienne signifiait évangéliquement un renouveau de charité. Et la charité, à son tour, ne pouvait vivre que par et dans l'unité. Du côté catholique, le problème de l'unité s'identifia dès les débuts, et toujours plus, avec celui de la primauté papale, centre d'unité.

Pour l'étude de ce problème, catholiques et protestants suivent des trajets partant de pôles opposés. Les premiers, se basant sur la notion d'unité, clairement prescrite par l'Écriture (*Jean*, X, 16, XVII, 11, 22; *Éph.*, IV, 5), établissent d'après l'Évangile l'unicité de pouvoir (« Si Satan est divisé contre lui-même, comment subsistera-t-il? » (*Matt.*, XII, 26; *Luc*, XI, 18) conféré à Pierre et à ses successeurs. Le protestantisme, *historiquement*, a commencé par attaquer et nier la primauté du pape [1]; puis cette négation l'a entraîné à se contenter d'abord de l'unité doctrinale des « quatre points », puis de la conception fédérative des « variations » d'Églises. Ainsi les ecclésiologies différentes procèdent en grande partie des différences d'unité.

Apparemment, sur ce terrain particulier, la controverse catholique devait triompher facilement, grâce à la dispersion et aux hostilités internes de la Réforme protestante. Et, en effet, elle avait beau jeu à leur opposer, dès le XVIe siècle, sa propre unicité de doctrine et d'institutions, unité de fait dans l'espace et dans le temps, reposant sur une unité de droit, la papauté [2]. Au XVIIe siècle, la théorie évoluera sous l'influence de la défense protestante. Car, de ce côté, on ne pouvait demeurer en reste. Le Maître avait trop expressément voulu que tous « fussent un ». Mais c'est ici un exemple typique de « l'insuffisance formelle » de l'Écriture par suite de l'ambiguïté d'un mot. « Unité » peut se comprendre différemment.

---

[1] POLMAN, *op. cit.*, p. 173 s.

[2] THILS, *op. cit.*, p. 165 s. : L'unité de droit, la papauté, « exposée par les apologistes scolastiques, s'entend d'une unité doctrinale sauvegardée par une autorité infaillible, tandis que, pour les théologiens louvanistes, elle signifie l'unité d'une communauté chrétienne organisée hiérarchiquement sous la conduite d'un chef unique. » Les écrits des théologiens louvanistes « trahissent la survivance des idées augustiniennes sur l'unique Cité de Dieu, si chère au Moyen Âge ». Ils montrent fréquemment « l'Église de Dieu, groupée autour du successeur de saint Pierre, une par sa foi, ses sacrements, ses Écritures »; GUELLUY, *op. cit.*, p. 113. Sur l'unité, TURMEL, *op. cit.*, p. 121-134.

L'unité protestante. — Déjà Calvin avait revendiqué pour les divers membres de son Église un accord sur bon nombre de questions. La théorie de l'unité doctrinale des protestants sur les « points fondamentaux » avait fait fortune. Mais Jurieu allait « transformer radicalement » la recherche de la « vraie Église », grâce à une conception élastique de l'unité, celle du fédéralisme, qui mettait à l'aise les « variations » multiples.

L'unité fédéraliste. — A vrai dire, cette conception n'était pas nouvelle : Calvin l'avait préparée; du Plessis-Mornay l'avait proposée [1] et elle s'harmonisait trop bien avec l'esprit constitutionnel d'Angleterre et de Hollande pour ne pas se développer chez le roi Jacques Ier et chez les Remontrants. Partie de France, elle fut reprise à Saumur en 1665 par un opuscule intitulé : *La réunion du christianisme*, qui annonce Jurieu [2].

Voici la thèse en résumé : l'Église catholique comprend toutes les Églises qui invoquent un seul Dieu par Jésus-Christ. Aucune d'entre elles n'est catholique mais chacune fait « partie de la catholique ». Dire « que l'Église romaine est la catholique » vaut autant que dire « que la mer de Bretagne est tout l'Océan » [3]. Jurieu, dans la seconde moitié du siècle, développera magistralement ce thème en fonction de sa théorie des points fondamentaux et de la foi minimale [4]. La réplique catholique soulignera combien cette conception concorde peu avec l'insistance de l'Écriture « qu'ils soient un » (*Jean*, XVII, 11, 22), « un unique bercail du seul Pasteur » (*Jean*, X, 16), « un Dieu, une foi, un baptême » (*Éph.*, IV, 5) [5] et avec les discordes souvent âpres des confessions protestantes entre elles. La controverse opposera donc

---

[1] Philippe DE MORNAY, seigneur du Plessis-Marly, dit DU PLESSIS-MORNAY (1549 à Bahy, Normandie — 1623), cité par THILS, *op. cit.*, p. 168, d'où est tiré ce qui suit : « le pape huguenot », au synode national de Vitré, proposa une union générale des Églises protestantes dans toute l'Europe; conseiller d'Henri IV; a écrit, parmi de nombreux ouvrages, un *Traité de l'Église*, Londres, 1578. — *K.L.*, t. IV, col. 33-39; HOEFER, *Nouvelle biographie générale*, t. XXXVI, col. 617-623; VOELTZEL, *op. cit.*, où l'on trouvera les ouvrages des polémistes protestants; J. CALVET, *op. cit.*, t. III, p. 482.

— L'opinion arminienne est exprimée dans la « Confession de foi [...] des pasteurs surnommés Remontrants », citée par THILS, *op. cit.*, p. 171, n. 2.

— Jacques DAVY DU PERRON (1556 à Saint-Lô — 1618), « cardinal (1604), orateur, controversiste, diplomate et homme d'État », de famille calviniste, se convertit au catholicisme; nommé évêque d'Évreux, il entra dans les ordres (1591); archevêque de Sens (1606); se consacre à une fructueuse controverse anti-protestante avec une très vaste érudition, notamment sur l'Église et l'Eucharistie. En particulier, entre en lutte avec du Plessis-Mornay et son *Traité de l'Église*; il intervint aussi contre le gallicanisme. Cf. *D.T.C.*, t. IV, col. 1953-1960; *K.L.*, t. IV, col. 26-30; *R.H.É.F.*, t. XLII, 1956, p. 288; J. CALVET, *op. cit.*, t. III, p. 482.

— Mis en relation avec Jacques Ier, le cardinal du PERRON en vint à une controverse avec lui. Cf. THILS, *op. cit.*, p. 172; TURMEL, *op. cit.*, p. 122.

[2] Elle est attribuée au calviniste d'Huisseau avec des collabotateurs. (*D.T.C.*, t. IX, col. 996 cité par THILS, *op. cit.*, p. 174, n. 1.) Le calviniste Jean MESTREZAT *(Traité de l'Église, 1649)* développe la même proposition d'une confédération (VOELTZEL, *op. cit.*, p. 42 s.). — Sur la théorie de Jurieu et la controverse avec Bossuet et Nicole, *ibid.*, p. 176-189.

[3] Cité par THILS, *op. cit.*, p. 168.

[4] THILS, *op. cit.*, p. 178-185; VOELTZEL, *op. cit.*, p. 54-71. Voir *supra*, p. 305, les tendances de Calvin et de Mélanchton.

[5] Outre les paroles déjà citées du Sauveur, la comparaison des membres du corps familière à saint Paul, « un seul corps dans le Christ » (*Rom.*, XII, 5; *I Cor.*, XII, 12, 20), « un seul pain, un seul corps » (*I Cor.*, X, 17), « un corps et un esprit », une foi, un baptême (*Éph.*, IV, 4-6).

les deux conceptions : théorie fédérative et primauté romaine. Elle deviendra célèbre avec Bossuet, Nicole et Arnauld. Elle s'étendra d'ailleurs aux autres notes, telle l'étendue dans le temps et dans l'espace.

L'APOSTOLICITÉ   Dans le temps, c'est l'apostolicité. L'Église et son pouvoir d'enseigner continuent-ils authentiquement l'Église du Christ et des premiers âges? L'unité est une marque visible pour tous. L'apostolicité ne vaut que pour les érudits. Fruit de la recherche historique, ce problème en fut aussi le stimulant. Il en a déjà été question ici à propos de la Tradition (*supra* p. 302). Mais il était ramené à la surface du fait que les catholiques contestaient la mission des Réformateurs. Réciproquement, ils devaient établir celle de l'Église.

Deux manières se présentaient de réfuter les attaques de leurs adversaires : montrer que les dates alléguées pour la corruption de l'enseignement étaient démenties par les documents de l'Église primitive et secondement prouver l'accord doctrinal de l'Église du XVIe siècle avec les dogmes des temps apostoliques [1]. *Ad hominem*, on ajoutait à l'adresse des Réformateurs, le défi d'établir l'accord de leurs théories avec les témoignages du donné primitif.

Le réveil de la théologie positive permettait d'étayer la thèse catholique. Outre cette apostolicité de la doctrine, les apologistes Bellarmin, du Perron, Becanus (*supra*, p. 208). Josse Coccius, Driedo, Tapper, Pázmány établissaient par quantité de textes la succession ininterrompue des évêques, dépositaires du Message, et au-dessus d'eux celle des papes [2]. A vrai dire, cette érudition n'était pas toujours du meilleur aloi. Il faudra la critique de Petau, de Nicole, de Boileau et de Bossuet pour asseoir la démonstration catholique sur des bases solides.

LA CATHOLICITÉ   Que le Christ ait voulu une Église étendue dans l'espace autant que par la durée, Bellarmin n'avait pas de peine à le rappeler [3]. Les apôtres devaient être ses témoins « jusqu'à l'extrémité de la terre » (*Luc*, XXIV, 46); la Rédemption devait être annoncée « dans

---

[1] TURMEL, *op. cit.*, p. 144-145. Pour Pázmány, la preuve principale de la vraie Église est *« duratio perpetua professionis unius fidei a tempore apostolorum »* (ÖRY, *op. cit.*, p. 44). Dans son étude sur les notes, il cite abondamment l'Écriture et les Pères, saint Augustin surtout. (POLMAN, *op. cit.*, p. 301).

[2] TURMEL, *op. cit.*, p. 141-147. A Louvain, Tapper et Driedo basent leur argumentation en faveur de l'Église « sur la continuité de la succession des pontifes ». Bellarmin traite séparément « l'antiquité », la durée et la succesion des évêques. Cf. GUELLUY, *op. cit.*, p 102.

— Josse COCCIUS (né à Bilfeld, mort vers 1618), chanoine de Juliers; son *Thesaurus catholicus*, paru à Cologne en 2 vol. en 1599, 1600, 1619, fut célèbre; il y avait réuni une foule de témoignages de la tradition catholique sur les points controversés de son temps. — A ne pas confondre avec Josse Coccius, S. J. (1581-1622), ni surtout avec Jean Coccejus, théologien protestant (1603-1669). Cf. HOEFER, *N. Biogr. gén.*, t. X, col. 946; *K.L.*, t. III, col. 571.

— Sur la même note chez les protestants, VOELTZEL, *op. cit.*, p. 106-116; J. SALAVERRI, *El concepto de successione apostolica nel pensamiento catolico y en las teorias del Protestantismo, XVIᵒ*, dans *Sem. Esp. de Teologia*, 1956, p 121-178.

[3] Le terme *Catholica* vient 240 fois dans saint Augustin. Cf. L. DE GRANDMAISON, *Jésus-Christ* (édit. abrégée), p. 469.

toutes les nations » (*Act.*, I, 8). Si l'apologétique catholique, qui invoquait la patristique, devait concéder que les terres de l'Église étaient limitées, elle faisait valoir que ce domaine s'étendait progressivement au monde connu et, qu'en tout cas, il était plus « universel » que celui d'aucune communion séparée [1].

HORS DE L'ÉGLISE Par le critère des notes, chaque communion prétendait
PAS DE SALUT montrer qu'elle était la véritable héritière du Christ. Une conséquence s'imposait. Chaque communion devait proclamer qu'« il n'y avait pas sous le ciel un autre nom [qu'elle ...], par lequel nous devions être sauvés » (*Act.*, IV, 12) [2]. La formule « Hors de l'Église, point de salut » n'était pas alors un monopole catholique. Tous les chrétiens l'admettaient [3]; mais chacun l'appliquait naturellement à son Église.

Du côté catholique, le principe est affirmé par tous les grands auteurs, Canisius, Bellarmin, du Perron, Becanus. Ils s'appuient sur l'Écriture et sur les Pères; après eux, on s'en tint généralement à l'argument patristique. Du côté protestant, la même intolérance est commune, encore que son application varie d'Église visible à Église invisible. Mais le principe d'exclusivité ainsi proclamé n'était pas une pure *quaestio* académique. Ses conséquences se révélèrent pathétiques.

Dimensions nouvelles du problème. — Quand on songe aux perspectives fantastiques qu'ouvrirent brutalement à la théologie du xvıᵉ siècle les découvertes récentes d'Asie et d'Amérique, on comprend l'intense émotion que suscita le sort des populations innombrables « assises à l'ombre de la mort ». « Tragique problème », qui s'ajoutait au cauchemar des humanistes : qu'étaient devenues les foules de l'Antiquité et parmi elles les « héros » et les « saints »?

A vrai dire, la difficulté n'avait pas éclaté soudainement au xvıᵉ siècle. Elle avait été étudiée dès les premiers âges chrétiens. « Revendiquer pour

---

[1] TURMEL, *op. cit.*, p. 134; G. THILS, *La notion de catholicité à l'époque moderne. Sylloge excerptorum...*, Louvain, 1936, t. III, fasc. I.

[2] Sur l'*intolérance dogmatique* (« Hors de l'Église, point de salut ») : TURMEL, *op. cit.*, p. 115; *D.T.C.*, t. IV, col. 2160-2164, 2173; GUELLUY, *op. cit.*, p. 119; *K.L.*, t. VII, col. 491-493; *D.A.*, t. I, col. 1268-1301 (question des notes, bibliographie abondante); J. B. JAUGEY, *Dictionn. apolog.*, Paris-Lyon, 1888, col. 1412-1431 (pas historique); J. ORCIBAL, *Louis XIV et les protestants*, Paris, 1951, p. 20 (documenté).
— Sur *le salut des infidèles* : *D.T.C.*, t. IV, col. 2171-2174; *D.A.*, t. IV, col. 1156-1182; L. CAPÉRAN, *Le problème du salut des infidèles. Essai historique*, Paris, 1912 (documenté), p. 220-351; ID., *Essai théologique* (c'est l'essai historique qui sera cité ici); A. ARBELOA, *Francisco Javier en el dialogo teologico sobre la justificación de los infideles*, cité dans *Est. eclesiast.*, t. XXXII, 1958, p. 120; R. SIMON, *Bibliothèque critique*, Bâle, 1708-1710, t. IV, p. 233-251 (salut des anciens philosophes).
— Sur la tolérance, voir *infra*, t. II; *D.A.*, t. IV, col. 1714-1726.

[3] J. ORCIBAL, *Louis XIV*, *op. cit.*, p. 20 s.; TURMEL, *op. cit.*, p. 113, citant Canisius, Bellarmin, du Perron et Becan.
— Reste la question de savoir qui sont, au juste, les membres de l'Église. Voir *D.T.C.*, t. IV, col. 2160-2163; tables générales, col. 1198-1121. Sur la *Communion des Saints*, voir *supra*, p. 317, n. 3.

l'Église seule le pouvoir de sauver les âmes » c'est refuser à ceux qui ne lui appartiennent pas « le moyen de profiter de la Rédemption », alors que le Christ est mort pour tous les hommes [1]. Le dilemme ainsi posé a été résolu dès l'époque des Pères par la créance en une action providentielle de Dieu, qui peut donner — par exception — en dehors de l'Église la grâce du salut. Au XVIᵉ siècle, la question ardemment discutée reçoit des solutions nettes.

Solutions protestantes [2]. — Du côté protestant, deux attitudes s'opposent. Luther et Calvin surtout, du fait de la prédestination, damnent irrévocablement ceux qui n'appartiennent pas à leur « Église ». Il est vrai, dit Luther, que, en fait, « Dieu a aussi son Église et un grand nombre de fidèles parmi les païens », grâce aux chrétiens disséminés dans la gentilité. Mélanchton pense de même. Bucer, Zwingle et Calvin estiment aussi que la foi a pénétré dans une grande partie du monde païen.

Cependant, enseigne Calvin, la prédication n'atteint que les prédestinés. « Dieu a une fois décrété par son conseil éternel et immuable lesquels il voulait prendre à salut et lesquels il voulait dévouer à la perdition. » Damnés donc, mêmes les païens qui ont « un sentiment de divinité ». Car « c'est Dieu qui les a amenés jusque là pour leur condamnation plus grande ». Théodore de Bèze ne parle pas autrement. Une conclusion s'impose irrésistiblement. Les païens étant privés de la grâce, leurs vertus mêmes sont des vices. C'est pélagianisme d'attribuer au libre-arbitre une préparation quelconque à la foi [3].

Rien d'étonnant que ces grands Réformateurs n'aient que vitupération pour Zwingle, coupable d'accord avec les papistes. En bon humaniste, Zwingle, comme Érasme, mettait en paradis les héros de l'Antiquité qui ont rendu de grands services à l'humanité. « Il n'y a pas eu, dit-il, d'homme de bien [...] que vous ne deviez voir là avec Dieu [4]. » En quoi Zwingle ressemblait-il aux catholiques?

Solutions catholiques. — L'Église n'a pas « défini » le sort des « infidèles négatifs », c'est-à-dire de ceux qui ont ignoré la Révélation d'une « ignorance invincible ». Car le « Hors de l'Église » ne frappe clairement que le refus de la foi explicitement connue. A l'époque de la Réforme, la théologie catholique avait hérité de la doctrine scolastique résumée en saint Thomas d'Aquin. Personne ne sera sauvé sans la foi en l'Incarnation, la Rédemption, la Trinité. Mais, si un homme « nourri dans les forêts » « se laisse conduire par sa raison naturelle dans la poursuite du bien et dans la fuite du mal, il faut très

---

[1] CAPÉRAN, *op. cit.*, p. VII s.

[2] *Ibid.*, p. 227.

[3] *Ibid.*, p. 232 s., textes de l'*Institution chrétienne* et des *Sermons*. — Dans sa controverse avec le jésuite Diego de Payva d'Andrada, Chemnitz attaque violemment sa théorie de foi « implicite ». (*Ibid.*, p. 238 s.)

[4] *Ibid.*, p. 243. Érasme, dans son édition des *Tusculanes*, prétend montrer que Cicéron a été sauvé; d'autres, en France et en Espagne, sauvèrent Aristote. — Arminius, ayant admis des moyens de salut autres que la prédication, déchaîna une vive polémique. Le pasteur de Saumur Moïse Amyraut provoqua des colères semblables à cause de sa théorie assez proche du catholicisme. (*Ibid.*, p. 299-311.)

certainement tenir que Dieu, de son côté, fera le nécessaire [... et] révélera à l'homme de bonne volonté les vérités de la foi indispensables » [1]. L'adage scolastique était : « A qui fait ce qu'il peut, Dieu ne refuse pas sa grâce. » Et ce n'est pas là un miracle, c'est-à-dire une rareté.

Sur cette donnée traditionnelle et en face de l'attitude protestante, la théologie catholique se mit au travail. « Touchant la nécessité absolue d'un véritable acte de foi en Dieu », en dépit de quelques divergences, l'accord se fit unanime.

Mais fallait-il la foi en Jésus-Christ? Ici les théologiens se divisèrent. Les uns crurent qu'une foi explicite était condition de salut; les autres pensaient qu'il suffisait de la « foi implicite »; croire en Dieu-Providence c'est croire qu'Il accorde la Rédemption par Jésus-Christ. Suarez se contente d'une foi explicite *vel in re vel in voto* [2]. En définitive, en cette question où les opinions restent libres dans l'Église, c'est la théorie de la foi implicite qui rallia la majorité des docteurs.

---

[1] CAPÉRAN, p. 198.

[2] On trouvera le détail des opinions, *ibid.*, p. 251-296. L'opinion sévère, inaugurée par M. Cano et Dominique Soto est suivie par Bañez et Valentia. En faveur de la foi implicite : André Véga, Vasquez, Driedo (moyennant le concours divin), Tapper, Lessius, Molina. — Collius (1622) eut la singulière idée de publier une nomenclature de personnages historiques, qu'il classe hardiment au ciel ou en enfer. (*Ibid.*, p. 286.)

CHAPITRE III

L'ECCLÉSIOLOGIE (2ᵉ question) : L'AUTORITÉ PONTIFICALE

SECTION I. — PRÉLIMINAIRES.

§ 1. — Le problème avant le concile de Trente.

LES FAITS ORIENTENT LA RECHERCHE THÉOLOGIQUE A qui réfléchit aux divergences douloureuses entre catholiques et protestants au sujet de l'Église, une constatation s'impose : c'est l'invasion exorbitante des faits dans le domaine des idées. Sans s'abandonner au jeu frivole de ce qu'on a appelé l'« uchronie »[1], une question vient à l'esprit : Qui donc eût songé au XVIᵉ siècle à mettre en question la constitution traditionnelle de l'Église et de la papauté si l'une et l'autre s'étaient imposées comme la réalisation effective du plan esquissé dans l'Écriture, celui d'une communauté de saints? Juger des institutions par la conduite des hommes qui les incarnent relève de la psychologie mais non de la logique. Or, n'a-t-on pas, du côté protestant, cherché une interprétation des Livres saints qui justifiât en droit une Réformation de structure, alors qu'il suffisait, en fait, d'une Réformation des personnes, de la vie, de l'esprit?

L'Église, de son côté, tenta d'assurer cette rénovation des personnes dans la ligne de l'Évangile. Comparée aux préoccupations d'un Luther, soucieux surtout de son salut personnel, sa Réformation manifeste, en même temps qu'un renouveau de la spiritualité, un souci plus actif du sens social, de la charité évangélique : œuvres de bienfaisance spirituelle et corporelle, missions étrangères et intérieures témoignent d'une rénovation dans l'esprit authentique du Sauveur.

REVISION CONSTITUTIONNELLE? Dans quelle mesure l'Église devait-elle reviser, en outre, ce qu'on appellerait volontiers son droit constitutionnel? C'était le devoir de la pensée catholique d'expliquer et de justifier en droit ce qui avait commencé en fait à se réaliser « dans le chef et dans les membres », comment, sans rien changer aux lignes générales du cadre historique, ont évolué les pouvoirs comparés de chacun des organes de l'Église et notamment son pouvoir doctrinal. Non comme le voulait la Réforme, une révolution, mais une adaptation.

---

[1] Mot forgé sur le modèle d' « utopie » pour désigner les faits imaginaires qui n'ont pas eu place dans le temps.

*POSITION
DU PROBLÈME
AU XVIᵉ SIÈCLE*

Précisons la question telle qu'elle se pose au XVIᵉ siècle. Ce qui est en cause, ce n'est pas, ni du côté catholique, ni même chez les dissidents (*supra*, p. 315, 329) l'existence d'un pouvoir doctrinal *de* l'Église. Il est vrai cependant qu'elle est affirmée par les catholiques de manière singulièrement plus nette. Mais alors, *dans* l'Église, quel est le rôle respectif des organes de ce pouvoir et, par la même occasion, des autres pouvoirs?

Une autre question s'ajoute à la première. Il faut aller encore plus au fond. Quelle était l'importance de ces organes? Revenant à la coexistence de l'élan vital et de l'institution (*supra*, p. 317), à laquelle de ces deux forces fallait-il, en ecclésiologie, consacrer le plus d'étude et accorder le plus d'importance, à l'Église de l'Esprit ou à celle de la hiérarchie? On verra la théologie catholique du Réveil ne pas négliger « l'élément pneumatologique et l'élément anthropologique, l'action intérieure du Saint-Esprit et la part active des fidèles »[1]. Mais on vivait une époque de luttes, où les adversaires s'en prenaient précisément aux gardiens de cette discipline sans laquelle « l'esprit » risque de s'égarer. La théologie se devait d'éclairer et de justifier leur rôle.

Aux yeux du catholique, la réalisation de l'idée de l'Église, telle que l'a voulue son Fondateur, est une œuvre divine, mais humaine aussi. Son Chef incontesté est toujours le Seigneur Jésus, le Κύριος. Turrecremata, avec beaucoup d'autres, l'avait rappelé. Bellarmin intitule sa seconde Controverse : *De Christo capite totius Ecclesiae.*

*INFLUENCES
HUMAINES*

Divine par son origine, par son but et par ses moyens, elle a été confiée à des hommes, libres et imparfaits. Elle a donc été entravée, au cours des siècles, soit par les circonstances historiques, telles les difficultés de communication, soit par des hostilités nationales, soit par des divergences de tactique ou de doctrine, soit enfin par les passions, les erreurs et les fautes des hommes. Sans oublier l'indispensable et indéfectible assistance de Dieu, qui appartient à ses secrets, l'histoire catholique se doit d'observer l'incidence de ces facteurs humains, sous peine de renoncer à expliquer l'orientation nouvelle que prend alors la vie de l'Église. H. Jedin a noté que la théorie conciliaire n'a jamais pris racine aussi profondément en Italie qu'en Allemagne ou en France[2]. On aurait pu y ajouter en Espagne. Or, il s'agit là de pays où le sentiment patriotique était déjà plus évolué, grâce en partie à l'unification politique.

Au XVIᵉ siècle, par réaction contre les attaques protestantes, la réalisation ecclésiale catholique va évoluer nettement dans le sens que ces attaques exigeaient. Or, les ravages de l'incendie allumé par la libre-interprétation de

[1] Y. CONGAR, dans *R.S.P.T.*, t. XXXI, 1947, p.93, d'après qui « la théologie de la Contre-réforme a laissé dans l'ombre » ces éléments. Ne pourrait-on pas cependant alléguer la théologie des ouvrages de spiritualité et de morale; ainsi que l'apport de la dévotion?

[2] H. JEDIN, *Das Konzil...*, *op. cit.*, t. I, p. 29 : « Es mag zutreffen dass die Konziltheorie in Italien während der Periode der Reformkonzilien nie so tief Wurzel gefasst und so weite Verbreitung gefunden hat wie in Frankreich und Deutschland. »

la Bible menaçaient de s'étendre à toutes les Églises. Toutes devaient prendre leurs assurances contre un danger qui, logiquement et historiquement, irait à détruire toute foi en un dogme révélé. Les Églises institutionnelles protestantes se remparèrent derrière leurs « Confessions » et leurs « Symboles », étayés par l'affirmation d'une certaine indéfectibilité sans laquelle elles ne s'assureraient aucune obéissance [1].

ÉCRITURE ET TRADITION — Pour l'Église, la Tradition, même la Tradition post-patristique, garantissait la fidélité au Message, et, par conséquent son infaillibilité [2]. Mais elle n'attribue cette autorité qu'à l'accord des Pères, comme témoins de la foi. Elle n'accorde pas la même valeur au témoignage d'un seul. Saint Thomas le précise clairement : « La doctrine des docteurs catholiques tient son autorité de l'Église; en sorte qu'il faut se tenir à l'autorité de l'Église plutôt qu'à celle soit de saint Augustin, soit de saint Jérôme, soit d'un docteur quelconque. » [3] Après lui, les théologiens du XVIe siècle ont exposé, avec un rigoureux esprit critique, le rôle des Pères dans l'enseignement religieux [4].

QUELLE INSTITUTION VIVANTE? — A côté de ces deux organes, augustes mais « fixés » quoique interprétés différemment, à quelle institution vivante fallait-il attribuer l'autorité doctrinale suprême? L'Église enseignante, où était-elle? Question capitale dans l'ordre pratique, mais dont la solution devait influencer profondément la notion théorique d'Église. Ici, le sens attribué aux documents de base, scripturaires et patristiques, dépendait et de l'histoire et des dispositions personnelles des interprètes.

L'histoire transmettait au XVIe siècle des tendances variées. Elles pourraient être représentées à l'instar d'une assemblée parlementaire. Tous les théologiens catholiques accordent que l'Église en masse jouit de l'infaillibilité promise par le Sauveur [5]. Mais des partis s'étaient formés. A l'extrême gauche, une tendance « spiritualiste », parente des théories d'Église invisible de Wiclef et de Huss, mais non condamnée comme hétérodoxe. On la devine sous-jacente aux doctrines des « Spirituels » franciscains, des Fraticelli et à celles de Wessel Gansfort († 1489) [6].

Tendances diverses. — A gauche encore, « l'opposition dynastique », ceux qui, respectueux de la hiérarchie, insistaient cependant sur le charisme du peuple chrétien. Tel Latomus, qui « semble accorder grande importance

---

[1] Sur l'autorité doctrinale dans les Églises protestantes : VOELTZEL, *op. cit.*, p. 117; LÉONARD, *Relazioni*, *op. cit.*, t. IV, p. 82.

[2] Voir *supra*, p. 303, ajouter : p. 484 s. Sur l'*infaillibilité de l'Église* : *S.-D.*, t. VI, p. 454 s. (M. Cano, Stapleton); *D.T.C.*, t. IV, col. 2148, 2175, 2181-2195; *K.L.*, t. XI, col. 1959 s.; THILS, *op. cit.*, p. 15, 99. Voir les arguments des polémistes chez POLMAN, *op. cit.*, p. 292-000.

[3] *D.T.*, IIa-IIae, q. 10, a. 12. Cf. *supra*, p. 302, n. 3.

[4] POLMAN, *op. cit.*, p. 291-297. Sur les positions comparées des cardinaux Bellarmin et du Perron en cette matière, SNOEKS, *op. cit.*, p. 483-493; voir les références intéressantes d'ORCIBAL, *Relazioni*, *op. cit.*, p. 125.

[5] *S.-D.*, t. VI, p. 458 s.

[6] JEDIN, *Relazioni*, *op. cit.*, p. 63.

à la foi du peuple, à la parole de Dieu écrite non sur des feuilles mortes mais dans le cœur des fidèles » [1]. Quelle est la pensée authentique de son collègue Driedo? Il semble difficile de déterminer avec certitude si, pour lui, l'autorité appartient à l'Église-multitude ou à sa hiérarchie [2]. Le « multitudinisme » de Richer, syndic de Sorbonne, allait plus loin, attribuant à toute l'Église représentée par le concile général, le magistère suprême [3].

Pouvoir doctrinal des Universités. — Car c'est de cela qu'il s'agit et non de la simple *licentia docendi*, que l'Église reconnaissait aux docteurs des Universités. Il est vrai cependant que ces investitures, en se groupant, acquéraient une réelle autorité. Ainsi celle des docteurs des Universités illustrées par des siècles de signalés services dans l'ordre de la doctrine. Elles formaient des citadelles de la pensée catholique. On a pu voir plus haut (p. 184) leur influence au Moyen Âge et leurs notables interventions, en particulier pendant le Grand Schisme, et de quel crédit elles disposaient encore au XVIe siècle. Mais on percevait déjà le crépuscule de leur pouvoir doctrinal. Quoique le rôle de leurs docteurs au concile de Trente fût considérable, il n'égalait plus celui qu'ils avaient joué aux conciles du XVe siècle, à Pise, à Bâle, à Constance, à Florence [4]. Et s'ils prirent encore une part magnifique dans la défense et dans la propagation de la foi catholique, ils perdirent peu à peu, au profit du magistère hiérarchique, leur caractère sinon de flambeaux au moins de juges de la foi.

Écriture, Pères, Universités, l'Église reconnaissait leur autorité. Mais, sur la scène du monde, par quelle puissance visible était-elle représentée pour arbitrer en son nom et en dernier ressort les questions de dogme et de morale, pour en diriger authentiquement le développement? Question essentielle qu'ignore une église invisible [5], mais qui s'impose à toute Église organisée.

Le magistère de la hiérarchie. — Dans chaque diocèse, l'évêque détient ce pouvoir en premier ressort, comme héritier des apôtres. Celui de Rome jouit de prérogatives incontestées. Mais l'épiscopat collectif réuni en concile? Quelle est son autorité? Est-elle infaillible? Cette dernière question tient intimement à celle de ses relations avec la papauté. Un concile est-il infaillible sans l'intervention du pape [6]? Et surtout lui est-il subordonné ou supérieur?

ÉQUILIBRE DIFFICILE   Épiscopat et papauté, deux puissances, l'une expansive, l'autre attractive, centralisatrice. Puisque, sur le plan historique, il faut observer le côté humain des choses divines,

---

[1] POLMAN, *op. cit.*, p. 294.

[2] LODRIOOR, *op. cit.*, p. 45, n. 48, opine que Driedo a en vue l'Église entière et non, comme le pense A. Deneffe, surtout la hiérarchie; cependant, p. 52, il écrit « que, en parlant de l'Église universelle [Driedo] entend, en fait, le magistère ».

[3] *D.T.C.*, t. VIII, col. 2701; voir *supra*, p. 199 n. 4. La Sorbonne fit à cette théorie une opposition tenace.

[4] D'IRSAY, *op. cit.*, t. I, p. 343; MARTIN, *Origines*, *op. cit.*, t. II, table p. 372 v° Université de Paris.

[5] PALMIERI, *op. cit.*, p. 91 s.

[6] Cette question sera traitée p. 347 s. au sujet de la primauté doctrinale du pape.

on note que les détenteurs de ces puissances agirent fréquemment sous l'influence de tendances naturelles : impatience de l'autorité pontificale chez les évêques [1], excès du pouvoir chez les pontifes [2].

[1] Il faut tenir compte naturellement de la conscience de leurs devoirs. L'évêque Pavillon écrit à Alexandre VII : « J'ai cru qu'étant évêque, établi avec les autres pour régir l'Église de Dieu..., j'étais non seulement en droit, mais dans l'obligation de proposer mes sentiments. » Cité par ORCIBAL, *Relazioni, op. cit.,* p. 126.

[2] BIBLIOGRAPHIE. — Voir aussi la bibliographie sur l'*Ecclésiologie, supra,* p. 315. « Il n'existe jusqu'ici aucun exposé satisfaisant de la lutte littéraire entre conciliarisme et théorie pontificale. » (H. JEDIN, *Nouvelles (infra),* p. 174.); *D.T.C.,* t. III, notion : col. 636; convocation (historique), 644; théorie conciliaire, 664; valeur doctrinale, 665; nécessité, 669; bibliographie, histoire, 674; t. IV, col. 2193; t. VI, col. 116 (survivances), 1539-1551 (bibliogr. abondante), t. XIII, col. 307-316; *D.A.,* t. II, col. 217 s.; *Enc. catt.,* t. IV, col. 164-166; *K.L.,* voir la table au mot *Concil* et le nom des divers conciles, par exemple *Konstanz;* sur le conciliarisme, t. IX, col. 1370 s.; *Ad sacrosancta concilia a Ph. Labbaeo et G. Gossartes, S. J. edita Apparatus alter,* Paris, 1672, contient (voir plus loin) : JACOBATIUS, DELPHINUS, MANTUA-BONAVITUS, FABULOTTUS, CARRANZA, PETRUS DE MONTE; H. X. ARQUILLIÈRE, *L'origine des théories conciliaires,* Séance de travaux de l'Acad. des Sc. mor. et pol. (Institut de France), t. CLXXV, 1911, p. 573-586; ID., *L'appel au concile sous Philippe le Bel et la genèse des théories conciliaires,* dans *Rev. des Quest. hist.,* t. XLV, 1911, p. 23-55; R. BELLARMIN, *op. cit., Disputationes... de Controversiis,* Ingolstadt, 1596, t. I, p. 1256-1397, 4ª Controv. *De Conciliis;* B. CARRANZA, *Quatuor controversiarum de authoritate pontificis et conciliorum explicatio,* Venise, 1546, dans *Ad sacrosancta (supra),* p. CI-CXXVIII); DANIEL-ROPS, *L'Église de la Renaissance et de la Réforme,* Paris [1955], p. 33-62; C. DE CLERCQ, *Histoire des Conciles,* Paris, t. XI, 1950; G. DE LAGARDE, *La naissance de l'esprit laïque au déclin du moyen âge,* Saint-Paul-Troix-Châteaux, Paris, Vienne [1934]-1946, 6 vol.; J. A. DELPHINUS, *De tractandis in concilio œcumenico,* Rome, 1561. Dans *Ad sacrosancta (supra,* p. I-XXIII); J. A. DELFINO, O. F. M. (1504-1560), vic. gén. des conventuels 1545-1549; HURTER, *op. cit.,* t. II, p. 1504; *D.H.G.E.,* fasc. LXXVIII, col. 178; Petrus DE MONTE, ou DA MONTE, ou DEL MONTE, *Monarchia, in qua generalium conciliorum materia de potestate [...] Romani Pontificis et Imperatoris [...] discutetur, ex proprio originali Felini Sandei transcripta...,* Rome, 1537, dans *Ad sacrosancta (supra,* p. CXXXIX-CLVIII). Felinus-Maria SANDEUS, SANDEO (1444-1503) canoniste, évêque de Lucques. *K.L.,* t. X, col. 1691. Voir, *supra,* p. 208; J. DONATUS, *De principatu romanae sedis,* Rome, 1525, dans *Ad Sacrosancta... (supra),* p. XXV-XXXVI; HURTER, *op. cit.,* t. II, p. 1124; P. FABULOTTUS (romanus, ex religione S. S. Barnabae et Ambrosii), *De potestate papae supra concilium disputatio theologica,* Venise, 1613, dans *Ad sacrosancta,* p. LIX-C; H. E. FEINE, *Kirchliche Rechtsgeschichte,* Weimar, 1954, p. 408-434 (bibliographie); IMBART DE LA TOUR, *op. cit.,* t. II, p. 529-541; D. JACOBATIUS ou DE JACOBATIIS, JACOVAZZI, GIACOBACCI, cardinal, *De concilio,* Rome, 1538, dans *Ad sacrosancta (supra),* p. 1-550, suivi de l'index rerum. Liber X, p. 427-557, *De superioritate pape ad concilium;* HURTER, *op. cit.,* t. II, p. 1225; *H.C.,* t. VIII, § 882; H. JEDIN, trad. par C. KNOERTZER et Y. DESVIGNES, *Nouvelles données sur l'histoire des conciles généraux,* dans *Cahiers d'Histoire mondiale,* t. I, Paris, 1953, p. 164-178; (à propos des collections conciliaires, contient des données intéressantes au sujet de la convocation des conciles au Moyen Âge); ID., *Geschichte des Konzils von Trient,* Fribourg-en-Br., 1951, t. I, p. 3-172, littérature conciliariste; ID., *Kirchenreform und Konzilgedanke 1550-1559,* dans *Histor. Jahrb.,* t. LIV, 1934, p. 401-431; ID., *Relazioni, op. cit.,* p. 59, 61 s.; ID., *Atti, op. cit.,* p. 461 s.; A. C. JEMOLO, *Stato e Chiesa, op. cit.,* p. 156-163 (droit divin des évêques au XVIIIᵉ siècle); Ch. JOURNET, *L'Église du Verbe incarné,* Paris (1941), 2 vol. (Au t. I, p. 466-481 : les pouvoirs... des évêques : opinions de Bellarmin, de Suarez, etc.); J. LORTZ, *Die Reformation in Deutschland,* Fribourg-en-Br., 1941, t. I, p. 23, 99 s.; M. MANTUA-BONAVITUS (patavinus, iurisconsultus), MANTUA BENAVIDES, *Dialogus de concilio,* Venise, 1541, dans *Ad Sacrosancta (supra),* p. XXXVII-LVIII; aussi dans *Tractatus univ. iuris,* t. XIII, p. 182 s. (*Encicl. ital.,* t. XXII, p. 178; V. MARTIN, *Les origines du gallicanisme,* Paris, 1939, 2 vol. (indispensable); *M.-L.,* t. II, p. 87; F. MOURRET, *Histoire générale de l'Église. La Renaissance et la Réforme,* Paris, 1921, p. 124-236; J. ORCIBAL, *Relazioni* (Congrès de Rome, 1955), *op. cit.,* t. IV, p. 118, 124; M. PACAUT, *La théocratie. L'Église et le pouvoir au Moyen Âge,* Paris, 1957; A. PALMIERI, *Il progresso dommatico,* Florence, 1910, p. 91 (à propos du « développement »; concerne notamment l'Église orthodoxe); POLMAN, *op. cit.,* table : conciles, infaillibilité, p. 298, Pighius, p. 302; Ch. POULET, *Histoire du christianisme. Temps modernes,* Paris, 1937; bibliographies, p. 87, 97, 117; *S.-D.,* t. VI, p. 460; B. TIERNEY, *Foundation of the Conciliar Theory. The Contribution of the Medieval Canonists*

La courbe sinueuse et rythmique des relations entre ces deux éléments subit l'influence des circonstances [1], ainsi que dans l'État alternent les périodes de grandeur et de servitude du souverain et des subordonnés. Et parallèlement à ces variations, se développent les théories favorables à l'une ou à l'autre, événements et théories se conditionnant mutuellement. La vie intime de l'Église, sa pensée, évolue sous l'action de ces influences.

A ce point de vue, XVIe et XIVe siècles se ressemblent. Ce sont deux époques fatidiques dans l'histoire de l'Église, où son existence même paraît se trouver « sur le tranchant du rasoir ». Car l'unité est la loi de la vie. Or, dans l'un et l'autre cas, l'unité de l'Église est en jeu. Au temps du Grand Schisme, c'est la tête qui est menacée. Bicéphale et même tricéphale, l'Église « se divise contre elle-même, comment donc subsisterait-elle ? » (*Matt.*, XII, 26). Au XVIe siècle, ce sont les membres qui risquent d'être centrifugés par le libre-examen en une foule de sectes hostiles. La tête aura-t-elle la puissance de retenir les membres, avant tout les membres majeurs que sont les évêques ? Les mêmes causes engendrant les mêmes effets, les évêques ne se grouperont-ils pas à nouveau, au grand risque de recommencer un schisme ?

§ 2. — Les décisions tridentines.

INFAILLIBILITÉ DES CONCILES — Au reste, une distinction s'impose. Autre chose est la supériorité du concile sur le pape, autre chose l'autorité du concile œcuménique et sa nécessité éventuelle. Or, il se fait que, dès avant les attaques de Luther, la théologie catholique fut amenée à réaffirmer l'infaillibilité de l'Église réunie. Ce fut le cas lorsqu'il s'agit de réunir un concile à Mantoue en 1536-1537. Au témoignage de Latomus, tous les théologiens étaient d'accord pour enseigner que les conciles œcuméniques ne peuvent errer, au moins sur les points importants [2].

LE CONCILE DE TRENTE — On aimerait voir un concile œcuménique composé d'hommes dégagés de préoccupations humaines, résolvant dans le recueillement et la piété des problèmes religieux avec le seul souci de la lumière. Celui de Trente, il est vrai, a suscité et commencé de réaliser dans l'Église un redressement magnifique. Nous n'avons pas à revenir sur le fécond travail de ses réunions, sur les trésors de science et souvent de vertu que beaucoup de ses membres y ont apportés. Mais il y a lieu de s'arrêter à son œuvre ecclésiologique, qui ne s'accomplit pas dans la sérénité. La foi du chrétien discerne dans cette imposante rencontre la force de l'Esprit, qui atteint son but en se jouant parmi les agitations des hommes. Dans la forêt,

---

from Gracian to the Great Schism, Cambridge, 1955; TURMEL, *op. cit.*, p. 360-411; H. VON SCHUBERT, *Der Kampf des geistlichen und weltlichen Rechts*, dans *Sitzungsber. d. Heidelberger Akad.*, Heidelberg, 1927, p. 49 (documenté); Ch. WERNER, *Geschichte...*, *op. cit.*, t. IV, p. 550-557 (épiscopalisme au concile de Trente).

[1] G. DE LAGARDE, *op. cit.*, t. IV, p. 142; PACAUT, *op. cit.*, p. 137-222.

[2] POLMAN, *op. cit.*, p. 298 s.

chaque feuille se trémousse à sa manière, mais la frondaison chantera la chanson que lui dictera le vent. L'action divine, cependant, n'apparaît pas sur l'écran de l'observation scientifique. Quant aux documents, ils projettent une série d'images souvent déroutantes, confuses et passionnées.

CARACTÈRE ET AUTORITÉ DE L'ÉPISCOPAT
La théorie de la supériorité conciliaire survivait de manière larvée dans l'épineux problème des relations entre le pape et la hiérarchie, notamment les évêques. Devant l'offensive protestante, qui niait l'origine divine de l'épiscopat, sur un terrain du domaine de la foi plus encore que du droit canon, l'Église devait se prononcer [1]. La décision entre la tendance papale et l'épiscopalienne interviendrait-elle au concile de Trente [2]?

Au point de vue qui nous occupe à présent, on voit en jeu au concile des forces diverses, les unes premières et fondamentales, les autres adventices, qui obscurcissent les débats et ne permettront pas une solution définitive. Il y avait d'abord la thèse persistante de la supériorité du concile; parallèlement, celle des attributions que les évêques revendiquaient à bon droit. A ces problèmes se joignaient les rivalités nationales, étrangères à l'Église, qui électrisaient l'atmosphère au point de provoquer de redoutables orages.

Les ambassadeurs des princes rencontraient au concile des alliés naturels, l'aristocratie des évêques. Or, la majorité d'entre eux, même de nombreux Italiens, arrivaient avec la décision de renforcer leur autorité contre la centralisation de la curie [3]. Les oppositions à la primauté romaine devaient provoquer des conflits pendant toute la durée du concile. Divisés sur divers sujets, opposés même violemment sur les questions de préséance, des groupes nationaux d'évêques faisaient bloc contre les partisans de la primauté du pape, tels notamment les Français, les Espagnols et les Allemands... Or, ce bloc était étayé par la politique des souverains. L'épiscopat et la monarchie feraient contrepoids à la prépondérance romaine. Leur alliance était assurée; car les évêques parlaient et votaient sous les yeux des ambassadeurs de leur roi.

LE DROIT DIVIN DES ÉVÊQUES
Le sujet sur lequel se livreraient les vraies batailles fut le caractère sacré de l'épiscopat, sujet inévitable dès lors qu'on traitait de réforme. Le choc fut très rude entre les « zelanti », défenseurs de la curie, et l'« épiscopalisme anti-centraliste ». Voici le terrain principal. Les évêques, de par leur consécration, reçoivent-ils leur pouvoir directement de Jésus-Christ par la succession légitime, ou indirectement par l'investiture de son Vicaire? En d'autres termes, leur pouvoir est-il « de droit divin »? Question juridique et doctrinale fondamentale. C'est alors le cœur même de l'ecclésiologie. Car affirmer le droit divin des

---

[1] Sur les *relations entre les pouvoirs du pape et ceux de l'épiscopat*, D.T.C., t. III, col. 665; t. V, 2, 1702 s.; *K.L.*, t. II, col. 863-873; *S.-D.*, t. VI, p. 468-480.

[2] Pour la bibliographie, voir ci-dessus, p. 44 s.

[3] *D.A.*, t. II, col. 225 s.; *D.T.C.*, t. XIII, col. 320. — Il est digne de remarque que ces dispositions subsistaient encore au concile du Vatican (1870). Cf. MOURRET, t. VIII, *L'Église contemporaine*, 1re partie, p. 555-559, 564-573.

évêques, c'est leur attribuer la même autorité d'origine qu'au pape; égaux à lui individuellement, réunis en concile, ils lui seraient supérieurs. De fait, ce fut la base de la théorie conciliariste au xvᵉ siècle. Certains allaient encore plus loin, affirmant que la résidence de l'évêque dans son diocèse est elle-même de droit divin, en sorte que le pape ne peut y intervenir [1]. La question de résidence devint « un gouffre, où tous se jetèrent à corps perdu », dit Pallavicino [2]. Car, si l'obligation de résidence n'était que de droit ecclésiastique, elle apparaissait à plusieurs comme insuffisamment « assurée contre l'arbitraire des exceptions et des dispenses » [3].

PAPAUTÉ ET ÉPISCOPAT — Amorcée à propos de la prédication, de la résidence et des réformes, évitée successivement par prudence, la bataille sur le droit divin éclata violemment à la fin du concile, pendant l'hiver de 1562-1563. Elle provoqua une crise redoutable. Énumérer les arguments des deux partis ne serait pas en place ici. Un dominicain et un jésuite préparèrent l'apaisement. Le premier, le dominicain Pierre de Soto proposa de définir « que les évêques, établis de droit divin, reçoivent leur juridiction *eodem jure* du pape, vicaire de Jésus-Christ » [4].

La solution de Laynez. — De son côté, Jacques Laynez suggéra une solution qui lui avait été inspirée par celles des célèbres dominicains Cajétan et Jean de Torquemada. La voici en substance. Le pouvoir d'un évêque ou d'un prêtre se compose de deux éléments. Ils reçoivent par le sacrement de l'Ordre la grâce de dispenser les mérites de Jésus-Christ. C'est la *potestas ordinis*. Qu'elle fût de droit divin, reçue directement de Dieu par le sacre ou l'ordination, qu'en cela tout évêque fût l'égal de l'évêque de Rome, ce n'était pas contesté. Mais l'évêque et le prêtre ne peuvent validement exercer leur ministère sur un groupe déterminé du Bercail qu'après en avoir reçu le pouvoir concret, la juridiction, la *potestas juridictionis*. Ce pouvoir est confié par Dieu dans la *plenitudo potestatis* immédiatement au pape par la succession légitime sur le siège de Pierre. Elle descend du pape à chaque évêque, qui la reçoit « de droit ecclésiastique », de Dieu médiatement [5]. Cette théorie gagna peu à peu du terrain parmi les membres modérés de l'assemblée.

---

[1] A. Duval, dans *R.S.P.T.*, t. XXI, 1947, p. 265 s.
— Sur *le droit divin des évêques* : *H.C.*, t. IX, p. 632-635, 650-665, 737-751, 755, 771-776, 799-812, 878-881, 892-896; de la Fuente, *Historia eclesiastica de España*, Madrid, 1873-1875, t. V, p. 276 s.; E. Ehses, *Conc. Trid., op. cit.*, t. IX, p. 231 s.
[2] Cité par Mourret, *op. cit.*, t. V, p. 561.
[3] *D.T.C.*, t. XIV, col. 1040 (Salmeron).
[4] *H.C.*, t. IX, p. 751.
[5] Turmel, *op. cit.*, p. 340-345; *S.-D.*, t. VI, p. 476-479; on y trouve les thèses de Laynez et les objections de ses adversaires. — Sur Laynez, « qui tenait plus que jamais les premiers rôles » au concile, *H.C.*, t. IX, ii, p. 893 et *passim*; table, p. 1045; t. X, p. 474 s. Il concède que le pouvoir de juridiction des évêques *in genere* est de droit divin, mais non *in particularibus*, individuellement. — J. Rupert, *De programmate secundi praepositi generalis Societatis Jesu reformationem Papatui per Concilium generale imponere temptantis*, Rome, 1953. — Sur la *résidence*, *H.C.*, t. IX, p. 293, 347, 363; *R.S.P.T.*, t. XXXI, 1947, p. 265. — Le confrère de Laynez, Vasquez, tenait l'opinion de Vitoria en faveur du droit divin des évêques. Cf. *S.-D., op. cit.*, t. VI, p. 495.

La menace des Églises d'État. — Mais les autres n'en continuèrent pas moins leurs véhémentes rencontres. De ces conflagrations politico-religieuses on voyait monter dans le ciel du concile une menace catastrophique, celle des Églises d'État. A plusieurs reprises, elle s'était annoncée, surtout du côté de l'Allemagne.

Le danger de démembrement. — La papauté était parvenue à réunir, sous la direction de ses quatre légats et présidents, une partie notable de l'Église universelle; six cardinaux, trois patriarches, vingt-cinq archevêques, cent soixante-neuf évêques, dix-neuf procureurs d'évêques, sept généraux d'ordres, sept abbés, douze ambassadeurs, cent trente-trois théologiens [1]. N'avait-elle remporté ce succès que pour capituler ensuite plus solennellement, pour offrir au protestantisme triomphant et aux peuples des deux mondes le spectacle ridicule et scandaleux de l'éclatement de l'Église? Ses débris allaient-ils former, à l'instar des confessions protestantes allemandes, autant de *religiones* que de *regiones?* Ne resterait-il de la belle unité catholique que l'Église d'État du territoire pontifical? L'Église connut alors une des heures les plus décisives de ses destinées.

SOLUTION DE SAGESSE — On a pu croire qu'elle ne survivrait pas à la Chrétienté démembrée, surtout lors de certaines séances tumultueuses, où l'érudition historique et les « raisons théologiques » furent coupées d'invectives et d'accusations d'hérésie. Dieu merci! on évita le pire. Ce fut sans doute grâce aux arguments des théologiens pontificaux, grâce au cardinal de Lorraine, dont l'autorité, d'abord hostile à la primauté, pesa ensuite fortement en sens contraire [2]. Dans le même sens, le cardinal Jérôme Seripando apporta un concours décisif [3]. Mais ce fut surtout — sur le plan humain — à la sagesse de Pie IV et à son sens du possible que l'Église dut son salut. Il comprit qu'il devait s'attacher au « bien » et renoncer au « mieux, son ennemi ». Le « mieux » était la définition de la primauté papale, le « bien », d'éviter une définition conciliariste. Et ce serait déjà un succès pour la papauté.

Le 15 juillet 1563, le texte définitif reçut enfin le *placet* général [4]. En évitant systématiquement les questions controversées entre catholiques, il affirme au canon 6 que « Si quelqu'un dit que, dans l'Église catholique, il n'y a pas de *hiérarchie instituée par une disposition divine* et qui se compose des évêques, des prêtres et des ministres placés par l'Esprit-Saint pour gouverner l'Église de Dieu (*Act.*, XX, 28), qu'il soit anathème » [5].

---

[1] *H.C.*, t. IX, II, p. 896.

[2] Sur l'attitude du cardinal de Lorraine et les mobiles de son « ralliement », *H.C.*, t. IX, II, p. 936-940; G. HANOTAUX, *Recueil des instructions données aux ambassadeurs et ministres de France...*, Paris, 1888, t. I, p. LXX.

[3] *H.C.*, t. IX, II, p. 1049 (table).

[4] *H.C.*, t. X, p. 478-494.

[5] *Si quis dixerit in Ecclesia catholica non esse hierarchiam divina ordinatione institutam, quae constat ex episcopis, presbyteris et ministris, A. S.; H.C.*, t. X, p. 491.

Le pouvoir doctrinal des évêques est attesté par la formule officielle de leur signature des actes du Concile : « *Ego N. N. definiens subscripsi* ».

CONCLUSION — En conclusion, l'ecclésiologie catholique était fixée dans celles de ses lignes essentielles que le protestantisme avait attaquées. A la ratification de la papauté, le concile, en se séparant le 4 décembre 1563, soumettait ces décisions comme toutes les autres. A la théologie de continuer le travail de réflexion sur le terrain que les définitions laissaient libre [1].

SECTION II. — LE POUVOIR DOCTRINAL DU PAPE. [2]

§ 1. — Progrès dans les faits.

LE BESOIN DU COMMANDEMENT UNIQUE — Dès avant la réunion du concile de Trente, la restauration de la primauté était en marche. L'attribuer à la *libido imperandi* des pontifes et de la curie, c'est voir d'en bas les choses et les gens, comme le valet de chambre voit son grand homme. Les papes posttridentins

---

[1] Sur la suite de ces controverses sur la *juridiction directe ou indirecte*, TURMEL, *op. cit.* p. 346-359. Sur les *pouvoirs respectifs des papes et des conciles, ibid.*, p. 361-411.

[2] BIBLIOGRAPHIE. — *Travaux.* Voir les Traités de droit canonique. Voir aussi la bibliographie citée au Livre I (papauté, p. 37), sur l'ecclésiologie (p. 315), celle sur les conciles (p. 331) et celle sur le gallicanisme (p. 363); *H.C.*, t. IX, p. 747, 824 s., 827, 480; *C.E.*, t. VII, Infallibility, p. 796-800; t. XII, pope, p. 260-270; *D.A.*, t. II, col. 202-231 (historique de la preuve de primauté); t. III, col. 1405 s., 1440 s.; t. IV, col. 933 (papes et humanisme); *D.T.C.*, t. III, col. 725; t. VII, col. 1678-1695, 1710 (infaillibilité); t. XI, 1877, 1894 s.; 1908 s.; t. XIII, col. 247-391, époque mod. 316-343, spécialement 321-325, voir les Tables, *B.J.B.*, n. 11325, 11430; *Enc. catt.*, 1951, t. VI, col. 1920-1924 (bibliogr. abondante); *K.L.*, t. II, col. 2062; t. IX, 1370, 1383-1423, énumération de papalistes d'après J. T. DE ROCABERTI; t. X, 406, 1834; t. XII, col. 243 s.; *L.T.K.*, t. VII, Papst, col. 928-936, t. X, Unfehlbarkeit, col. 376-383, bibliographie récente; H. X. ARQUILLIÈRE, *Sur la formation de la théocratie pontificale*, Paris, 1925; M. BAIUS, *Tractatus apologeticus circa quaestionem : utrum ex Christi verbo : « ego pro te rogavi »... satis clare ostendatur Pontificem in definiendo non posse errare*; ID., *Oratio an solus pontifex immediate a Deo suam iurisdictionis potestatem habeat...*, dans l'édition de GERBERON, p. 481-487, 488-490. (Cité par L. CEIJSSENS, *Un échange..., op. cit.*, p. 73, n. 35); ID., *De Romani pontificis et aliorum episcoporum potestate*, dans *Opera*; B. BARTMANN, trad. M. GAUTIER, *Précis de théologie dogmatique*, Mulhouse, Paris, Tournai, 1935, t. II, p. 187-198 (textes script. et patrist.); R. BELLARMIN, *op. cit.*, voir *supra* (bibliographie sur la papauté et les conciles; *De Summo pontifice*, 3ᵃ Controv., *op. cit.*, col. 591-1108; infaillibilité, liber IV, col. 972-980; voir ci-après LE BACHELET; S. TROMP, édit. *S. Roberti Bellarmini... continens Tractatum primum de Romano Pontifice*, Rome, 1935; G. BIEL pour la primauté. *D.T.C.*, t. XIII, col. 316; CAJETAN, *Scripta theologica*. t. I. *De comparatione auctoritatis papae et concilii. Apologia eiusdem tractatus* (Réédition), Rome, 1936. (A propos du concile de Pise en 1511.); *H.E.*, t. XV, p. 163; B. CARRANZA, *De auctoritate pontificis et conciliorum*, dans *Ad Sacrosanta*, p. CI-CXXVIII; A. CAYRÉ, *Précis de patrologie*, t. II, p. 898 (table); t. V, p. XIII; L. CEIJSSENS, *op. cit.*, *Un échange de lettres entre M. Baïus et H. Gravius*, dans *Jansenistica minora*, Malines, 1957, nᵒ 9; L. CHOUPIN, *Valeur des décisions doctrinales et disciplinaires du Saint-Siège*, Paris, 1907 (pas d'exposé historique); L. DANAEUS (DANEAU), *Ad Roberti Bellarmini Disputationes theologicas... responsio*, Genève, 1596-1598, voir POLMAN, *op. cit.*, p. 263; J. A. DE ALDAMA, *Nuevos documentos sobre la tesis de Alcalá* (infaillibilité pontificale), dans *Arch. teol. granat.*, t. XIV, 1951, p. 129-282; M. A. DE DOMINIS, *De republica ecclesiastica*, Londres, 1617, 2 vol.; H. DE JONGH, *L'ancienne faculté de théologie de Louvain*, Louvain, 1911, p. 98 s. Attitude d'Adrien d'Utrecht, futur pape Adrien VI. A ce sujet, DE BECDELIÈVRE, *Biographie liégeoise*, Liège, 1836, t. I, p. 185; citant ses « Quaestiones »; G. DE LAGARDE,

La naissance, op. cit., t. I, p. 76; C. P. M. DELFINI, *De summo romani pontificis principatu*, Venise, 1547; ID., *De proportione papae ad concilium;* HURTER, *op. cit.*, t. III, p. 24; P. DE MARCA, voir p. 363-367, 397 s.; DESCHAMPS, *L'Assemblée générale du cl. de Fr. de 1625-1626... sur l'infaillibilité... du chef de l'Église en matière de foi*, Malines, 1873; J. DE VERNANT, *La défense de l'autorité des papes...*, Louvain, 1669; J. DONATUS, *De principatu romanae sedis*, dans *Ad Sacrosancta, supra*, p. 331; W. D'ORMESSON, *La Papauté*, 1957; X. DUIJNSTEE, *s'Pausen primaat in de latere middeleeuwen en de Aegidaansche school*, Amsterdam, 1935-1936; J. DRIEDO, cité par Ch. MONETT, *Jus Belgarum* (Bruxelles Bibl. roy. ms. 21476) : *Sententia papae circa fidem, tanta concilii moderatione concipi debet, tantaque maturitate patientiae decoqui et tanta deliberationis gravitate proferri, ut omnino recta sit credenda; verum quia papa quatenus homo talem modum deliberationis circa ea quae sunt fidei potest omittere et inniti proprio sensui, propriaeque prudentiae : idcirco etiam(?) plerumque liceret examinare litteras mandatorum papae definientis aliquid credendum esse aut fide tenendum;* DURAND II contre la papauté, *D.A.*, t. II, col. 214; J. ECKIUS, *De primatu Petri adversus Lutherum*, Ingolstadt, 1520; J. ÉTIENNE, *op. cit.*, p. XXIII; P. FABULOTTUS, *De potestatae papae supra concilium*, dans *Ad Sacrosancta, supra*, n. 139; ID., *Id.*, Venise, 1613 (HURTER, *op. cit.*, t. I, n. 145); FLACIUS ILLYRICUS, *Ecclesiastica historia, supra*, p. 252; M. GOLDAST, *Monarchia S. Romani Imperii sive tractatus de iurisdictione Imperiali sive Regia et Pontificia seu Sacerdotali*, Hanau, 1612-1614, reproduit bon nombre d'écrits; ID., *Politica imperialis sive discursus politici, acta publica et tractatus generales de imperatoris, regis Romanorum et pontificis romani etc. iuribus...*, Francfort, 1614; *H.E.*, t. I, p. 267 s., 324; t. II, p. 196, n. 2, 202, 329, 407, n. 2, 409, 411 s., 414, 417 s., 419; t. III, p. 82, n. 2, 228 s., 441, 485; t. IV, p. 173, 175, 224, 240 s., 256, 259, 265, 267, 297, 340, 427, 536; t. V, p. 375, 476; t. VI, p. 81, 141, 149, 183; t. VII, p. 102, 153; t. VIII, p. 33, 39, 63, 79 s., 89, 95, 110, 134, 161, 180, 220, 241 s., 281, 322, 348, 369; t. IX, I, p. 71 s., 83; II, 73, 101 s., 160, 288, 349; t. XV, p. 15-20; *H.-B.*, t. VI, p. 157-168; I. HABERT, *De cathedra seu primatu singulari S. Petri in ecclesia*, Paris, 1645 (*B.J.B.*, n. 2353); HARNACK, *op. cit.*, p. 592 s., 646 s.; S. HOSIUS, *De loco et auctoritate romani pontificis in Ecclesia Christi et conciliis*, 1563; A. HUMBERT, *op. cit.*, p. 483; D. JACQUET, *L'indépendance du pape d'après les données de l'histoire*, 1911; P. JANELLE, *Obedience in Church and State* (trad. de Ét. GARDINER); ID., *La controverse entre Ét. Gardiner et M. Bucer sur la discipline ecclésiastique (1541-1548)*, dans *Rev. des Sc. relig.*, t. VII, 1927, p. 452-466. C.-r. dans *R.S.P.T.*, t. XX, 1931, p. 624 s.; C. JANSENIUS, dans l'*Augustinus*, exprime sa soumission au pape, t. III, l. X. Épilogue. — « Sfondrato (« *Regale sacerdotium* ») a recueilli les hommages rendus dans ce livre à l'infaillibilité du pape ». L. D[elplace], *Jésuites et jansénistes*, Louvain, 1891, polygraphié, p. 100, n. 2; H. JEDIN, *Relazioni, op. cit.*, p. 59-62, 65-73; ID., *Atti, op. cit.*, p. 460, 463, 467; A. C. JEMOLO, *Chiesa e Stato*, Milan, Turin, Rome, 1914, p. 125-155, 138-143 (conciles); Ch. JOURNET, *Primauté de Pierre dans la perspective protestante et dans la perspective catholique* (= Sagesse et Culture), Paris, 1953; X. M. LE BACHELET, *Bellarmin et la Bible Sixto-Clémentine*, Paris, 1911, p. 60, 63, 158; H. LEROI, *Primaatschap en onfeilbaarheid van de Paus gedurende de zestiende eeuw te Leuven*, dans *Sylloge excerptorum...*, Louvain, t. XIX, 1950; J. LODRIOOR, *La notion de tradition dans la théologie de Jean Driedo de Louvain*, dans *E.T.L.*, t. XXVI, 1950, p. 37-53; E. LOPEZ-DORIGA Y OLLER, *San Pedro y el Romano Pontifice. Estudio historico-critico*, Grenade-Cadix, 1957; LORTZ, *Geschichte, op. cit.*, p. 292, 305; *M.-L.*, t. III, p. 84, n. 2, 236 s.; A.-G. MARTIMORT, *Comment les Français du XVIIe siècle voyaient le pape*, dans *Bull. de la Soc. d'études du XVIIe siècle*, t. XXV-XXVI, p. 83-101; P. MASSI, *Magisterio infallibile del papa nella theologia di Giovanni da Torquemada*, Turin, 1957; F. MOURRET, *La papauté*, Paris, 1929; ID., *Histoire, op. cit.*, t. VI, p. 21 s.; M. PACAUT, *La théocratie*, Paris, 1957, p. 181 s.; O. PANVINIUS, *De primatu Petri et apostolicae sedis potestate libri tres contra Centuriarum auctores*, Véronne, 1589; PASTOR, *Geschichte, op. cit.*, t. XIII, II, p. 637 et n. 3; PETRUCCELLI DELLA GATTINA, *Histoire diplomatique des conclaves*, Paris, 1864; PIGHIUS, dans POLMAN, *op. cit.*, p. 112; POLMAN, *op. cit.*, p. 152, 299 et n. 3; 300-302, 564 (table); PRÉCLIN, *Le XVIIe siècle*, p. 617 s., 668 (bibliographie); RABARDEAU (contre la primauté). DE MEYER, *Les premières..., op. cit.*, p. 67, 401; L. VON RANKE, trad. J. B. HAIBER, *Histoire de la papauté* t. III, p. 142; Pierre RAVAT, évêque de Saint-Pons de Thomières, développa les arguments en faveur du pape au concile de Paris en 1398 (V. MARTIN, *Les origines du gallicanisme*, Paris, 1939, t. I, p. 278); E. RICHER, *J. Gersonii... opera... cum aliquot opusculis... super Ecclesiae et concilii auctoritate...*, Paris, 1606; ID., *Apologia pro J. Gersonio...*, Leyde, 1676; ID., *De ecclesiastica et politica potestate*, Paris, 1611, Francfort, 1613, 1621; ID., *Demonstratio libelli de ecclesiastica et politica potestate*, Paris, 1622; M. J. ROUET DE JOURNEL, *Enchiridion patristicum*, 1922, Index theol. p. 62, recueil des témoignages patristiques; *S.-D.*, t. VI, p. 454-529, surtout 480-498, 705 (table); SAINT-CYRAN, voir ORCIBAL, *Relazioni, op. cit.*, p. 119, n. 2; Cl. SALMASIUS (DE SAUMAISE), *De primatu papae...*, Leyde, 1638 (*B.J.B.*, n° 2064a); Th. STAPLETON, *Principiorum fidei doctrinalium*

n'ont pas l'ambition d'un Jules II. Il s'agissait de bien autre chose. Faut-il, d'autre part, attribuer cette poussée monarchique et la concentration qui l'accompagne, à « l'esprit du temps »[1]? Sans doute, le début du XVIe siècle est le berceau des grandes monarchies et l'idée d'unification centralisatrice est dans l'air. Elle s'impose alors à tous les gouvernements.

Si l'Église resserre le faisceau de ses pouvoirs à la même époque que les États occidentaux, c'est pour les mêmes motifs. A la considérer du biais humain, elle doit se protéger, comme eux, contre les ennemis du dedans et du dehors. Elle n'est pas seulement l'élan chrétien vers Dieu. Elle forme une société qui doit défendre son existence, donc son unité. Corps mystique du Christ, elle se sait chargée d'un Message où il est écrit : « Afin qu'ils soient un comme nous sommes Un » (*Jo.*, XVII, 22) et encore : « Un Seigneur, une foi, un baptême » (*Éph.*, IV, 5).

Or, elle vit l'heure la plus dramatique qu'elle ait connue depuis l'arianisme. La citadelle de son unité vient d'échapper à l'écroulement par le schisme. Elle est guettée par l'émiettement. Son enceinte est sapée par les innombrables coups de pioche de la libre-interprétation. De plus, l'armée rationaliste a repris la campagne, son avant-garde le socinianisme annonce l'assaut. Son bélier bat les murs.

ÉGLISE INVISIBLE OU ÉGLISE ORGANISÉE   Car — c'est une remarque judicieuse de L. Febvre — ce qui inspire surtout les attaques virulentes contre la papauté, le « no popery », le « los von Rom », ce ne sont pas les abus, même « in capite ». La cause est plus profonde. Le grand Réveil dans l'Église ne tendait pas à la réforme par une simple négation. Chez les protestants, comme jadis chez les « spirituels », puis chez les conciliaristes, oubliant la doctrine du Sauveur dans l'Évangile, il veut se réaliser dans le contact immédiat avec Dieu, dans l'effort particulier et même personnel, dans l'Église morcelée ou mieux, dans l'Église invisible; en fait, en dehors d'une Église. Conflit entre deux conceptions fondamentales de la religion, individualiste ou sociale. Et c'est ce qui cause la durée et l'acuité des controverses d'alors[2]. Ce qui les prolongera, c'est que la théorie de l'Église invisible recevra, malgré elle, les renforts de l'incroyance.

---

demonstratio methodica, Paris, 1579; P. Tacchi-Venturi, *Storia delle religioni*, t. II, p. 565-567; Thils, *op. cit.*, p. 164, 282-284, 369 (table : primauté), p. 371 (table : Via primatus); S. Tromp, voir *supra* Bellarmin; Turmel, *op. cit.*, p. IX, remarque au sujet du nombre comparé des ouvrages consacrés à la papauté et ceux qui traitent de la défense de l'Église et de la règle de foi, p. 151-430, surtout p. 189, 195, 200, 289-303, 310, 435 (table); Universités de Cologne et de Paris pour la primauté : De Meyer, *Les premières...*, *op. cit.*, p. 400 et n. 5; Ch. Werner, *Geschichte*, *op. cit.*, t. IV, p. 557-574 (papauté au concile de Trente).

[1] Orcibal, *Relazioni*, *op. cit.*, p. 112.

[2] Sur les attaques protestantes contre la papauté : Turmel, *op. cit.*, p. IX, observe que les protestants, au sujet de la règle de foi catholique, « mirent en œuvre, en quelque sorte dès les débuts, toutes les forces dont ils devaient jamais disposer », tandis que « sur le terrain de la papauté, protestants et gallicans [...] fouillèrent l'histoire et en tirèrent une armée sans cesse grossissante de textes et de faits, qu'ils prirent à leur service [... ce qui] donna aussi à la défense un caractère progressif »; Polman, *op. cit.*, p. 180-200, 484-487, 507-522, 536, 542; Turmel, *op. cit.*, p. X, XVI.

On pourrait résumer, en partie, le point de vue catholique-romain à l'issue du concile de Trente en adaptant la phrase bien connue de Tacite : « Lorsqu'il fut de l'intérêt de la [foi et de l'unité] que tout le pouvoir fut confié à un seul [1]. » Mais en ce moment il s'agit surtout du pouvoir doctrinal du pape. Que cette primauté se soit affirmée alors plus nettement, c'est le résultat de causes multiples. Non seulement elle apparaissait comme une nécessité de l'existence de l'Église, mais, sans avoir fait l'objet à Trente d'une définition, elle ressortait implicitement de ses décisions et notamment des tâches que le concile avait confiées au pape [2].

RESTAURATION DE FAIT Par bonheur pour l'Église, de même que des papes du passé avaient fait tort à la papauté du xvie siècle, « la papauté [...] doit son rapide essor au fait que, depuis Pie IV, ce sont les papes qui prirent en mains l'exécution des décrets conciliaires et s'emparèrent ainsi de la direction de la Réforme catholique » [3]. Plus il sera aisé d'admettre qu'ils agissent, comme Pierre, « au nom de Jésus-Christ de Nazareth » (*Act.*, X, 10), plus ils reconquerront la vénération et l'amour des fidèles pour Celui qu'ils représentent.

§ 2. — Évolution des doctrines.

RÉVEIL DOCTRINAL Voilà pour les événements. Or, de même que naguère les événements — les fautes de la hiérarchie — avaient déterminé la doctrine — les doctrines anti-ecclésiales, — de même les événements nouveaux — une hiérarchie restaurée — allaient aider la doctrine — celle de la primauté — vers un retour à la tradition. La pensée de l'Église va se concentrer comme son pouvoir. Ses docteurs vont s'appliquer, sur le terrain des théories, à consolider le rocher de Pierre, sur lequel le Seigneur a bâti son Église. Ils s'absorbent tellement sur ce sujet qu'ils en laissent au second plan l'étude de l'Église comme telle [4]. On observera que leur tâche ne consistait pas à découvrir une lumière nouvelle. Ils devront seulement apporter des aliments nouveaux à une clarté déjà ancienne. Cette tâche est variée. Et aussi la mentalité qui les y prépare, en particulier leur philosophie. Tandis que le nominalisme occamiste avait menacé l'idée d'Église par son individualisme, le réveil du thomisme contribua à la renforcer [5].

LES DÉFENSEURS Pour cette campagne on voit mobilisés tous les grands noms de la théologie posttridentine. L'avant-garde de cette armée précède le concile. Quand se déclenche l'attaque protestante,

---

[1] *Postquam omnem potestatem in unum conferri pacis interfuit, Hist.*, t. I, 1; voir aussi LORTZ, *Geschichte*, p. 232; IMBART DE LA TOUR, *Les Origines...*, op. cit., t. II, p. 176.

[2] *H.E.*, t. XVII, p. 220; MOURRET, t. V, p. 503; EDER, *op. cit.*, p. 250 s.

[3] H. JEDIN, *Nouvelles*, op. cit., p. 176.

[4] ID., *Relazioni* (Congrès de Rome), *op. cit.*, p. 66.

[5] P. A. WALZ et E. ISERLOH, dans *Atti* (Congrès de Rome), *op. cit.*, p. 469 s.

c'est encore Cajétan qui se jette à la traverse. Il a comme principal allié
Jean Eckius, à qui se joint l'augustin O. Panvinius (1529-1568). Plus tard
« Pighius, Canisius, Melchior Cano, Sanderus, Stapleton, Contarini »[1] construiront des remparts que Bellarmin viendra colmater et joindre en un
système défensif; on pourrait l'appeler « la ligne Bellarmin ». Les attaques
qui déferlèrent sur cette position, celles notamment de Richer et du théologien couronné Jacques Ier d'Angleterre, provoquèrent les contre-offensives
du cardinal du Perron et d'A. du Val. Lorsque l'archevêque-apostat de
Spalato Marc-Antoine de Dominis renouvela l'assaut, il rencontra l'opposition du « dominicain Coeffetau, du jésuite Becan, du capucin Boverio ».
Puis la lutte se prolongea avec saint François de Sales dans le XVIIe siècle
et au-delà du cadre de ce présent volume, notamment grâce à la véhémente
attaque de la *Defensio* de Bossuet contre Bellarmin, grâce aussi à Dupuy
et à Jean de Launoy, à qui répondront Schelstrate et Lupus.

L'ARGUMENT DE RAISON Quand on étudie l'argumentation de ces défenseurs du magistère pontifical, on constate qu'ils
tiennent compte des arguments de raison, notamment de la nécessité du
chef unique.

Le plus illustre d'entre eux, qui les synthétise, saint Bellarmin, commence
par se demander quelle est la meilleure forme de gouvernement. Il répond
qu'en pratique c'est la monarchie tempérée d'aristocratie et de démocratie.
Il en voit le type dans l'Église, où il distingue la monarchie du Souverain
Pontife, l'aristocratie des évêques, « qui sont de vrais princes et pasteurs,
non les vicaires du souverain pontife », et enfin la démocratie « puisqu'il
n'y a personne de toute la multitude chrétienne, qui ne puisse être appelé
à l'épiscopat, si toutefois il est jugé digne de cet office »[2]. Il procède ensuite
à montrer que l'Église n'est pas une pure démocratie, ni une aristocratie,
soit des princes séculiers, soit des évêques principalement, mais qu'elle doit
être « surtout monarchique », puisque son Chef doit avoir voulu la meilleure
forme de gouvernement[3].

Les exigences de l'unité apparaissent aussi dans le *Catéchisme du concile
de Trente* : « Tous les Pères sont unanimes sur ce point que ce Chef
[cette Tête] visible de l'Église était nécessaire pour établir et conserver son

---

[1] TURMEL, *op. cit.*, p. XII, 152 s.; *D.T.C.*, t. XIII, col. 319-327.

[2] *Disputationes... de controversiis (1596)*, t. I, col. 614. — Suarez développe la même
pensée. THILS, p. 165. — Bellarmin énumère ensuite les thèses adverses de Flacius, de Calvin
et de Brentius, col. 617. — On a dit que Lénine appréciait le caractère démocratique de l'Église,
où un pâtre peut devenir pape.

[3] *Ibid.*, col. 616-632. — Doellinger, peu suspect de « papalisme », « établissait que, si les
Églises séparées étaient devenues nationales tandis que l'Église romaine était demeurée
universelle et supra-nationale, c'est parce qu'elles n'avaient pas voulu admettre la papauté
comme centre du christianisme ». (Cité par THILS, *op. cit.*, p. 249). — PAULSEN, *op. cit.*, p. 387,
constate qu'à l'opposé du protestantisme, la centralisation *administrative* romaine contribua
à l'unité doctrinale; IMBART DE LA TOUR, *op. cit.*, t. II, p. 82 s. (à propos de Gerson); sur la
conception ecclésiologique de Bellarmin, H. JEDIN, *Zur Entwickelung des Kirchenbegriffs...
Relazioni* (Congrès de Rome 1955), t. IV, p. 70-73.

unité » [1]. Cette idée apparaît, par exemple au IIIe siècle, chez saint Jérôme, saint Cyprien, suivi par saint Optat au IVe [2].

Mais ces arguments, efficaces de soi sur le plan humain, ne valaient pas aux yeux des protestants. Car ceux-mêmes parmi eux qui acceptaient l'idée d'Église et, par conséquent, celle d'une autorité nécessaire, reprochaient à Rome d'avoir « attaché indûment à l'institution du Christ [...une simple] nécessité sociale, d'avoir attribué une origine divine à un droit humain » [3]. Et, de vrai, si l'Église enseignait ce point de doctrine, si un jour elle devait l'imposer comme un dogme de foi, il incombait à la théologie de montrer qu'il procédait organiquement de ce que Vincent de Lérins appelait « les semailles » de la Révélation (voir ci-dessus, le développement, p. 312). En face donc du protestantisme, en face aussi des Églises orthodoxes, les défenseurs de la primauté romaine devaient montrer qu'elle n'était pas une « nouveauté ».

Pour cela, il fallait répondre à une double attaque : prouver que la primauté pontificale était *fondée en droit*, c'est-à-dire qu'elle reposait sur une délégation authentique du pouvoir divin. Il fallait en outre, sur le *terrain du fait*, établir non seulement qu'elle avait été constamment *considérée en possession* de ce droit, mais encore que, dans la réalité, elle n'avait *pas forfait en tombant dans l'erreur*.

QUESTION DE MÉTHODE Dans la période moderne, la théologie catholique rencontrait trois groupes d'adversaires, protestants, gallicans et jansénistes. Les deux derniers convenaient de la valeur de la Tradition comme source de foi. Contre eux, c'est donc à l'arme patristique qu'on s'escrime. Il serait naturel, au contraire, de voir la phalange de la *Sola Scriptura* se tenir uniquement sur le terrain scripturaire-philologique. Mais elle s'attaquait à des antagonistes qui recouraient à la Tradition. Elle avait donc intérêt à briser cette machine de guerre dans leurs mains, à montrer que l'Église historique et notamment les Pères n'avaient pas compris les textes dans le sens « romain ». D'autant que le concile de Trente prescrivait de s'attacher aux explications des Pères dans l'interprétation de l'Écriture. Protestants et catholiques vont donc scruter la Tradition, ceux-ci pour bâtir, ceux-là pour démolir.

Les catholiques voulaient montrer que la période conciliariste n'était qu'une parenthèse dans l'histoire de l'Église, que la Tradition dès ses débuts montrait une chaîne solide et ininterrompue, reliant le présent aux textes de base de l'Écriture [4]. Ici, comme sur le sujet général des traditions,

---

[1] *Catéchisme du Saint Concile de Trente*, Paris, s. a., p. 122.

[2] Cité par HARNACK, *op. cit.*, t. III, p. 41. Saint Jérôme écrit à propos de saint Pierre : « *propterea inter duodecim [apostolos] unus eligitur ut capite constituto schismatis tolleretur occasio* ». Cité par BELLARMIN, *Disp. de controv.*, t. I, chap. X, *op. cit.*, t. I, col. 656. Le Seigneur avait équivalemment énoncé le même argument : « Si Satan est divisé contre lui-même, comment son royaume subsistera-t-il? » (*Matt.*, XII, 26; *Luc*, XI, 18.)

[3] TURMEL, *op. cit.*, p. 152. — Les canonistes anti-romanistes admettaient la nécessité d'une certaine concentration des pouvoirs, mais sans coaction. Cf. A. C. JEMOLO, *Chiesa e Stato*, Milan, Turin, Rome, 1914, p. 133.

[4] CAYRÉ, *op. cit.*, p. 898 (table).

ils profitaient des progrès de leur érudition. Par malheur, dans la fougue de la polémique, il leur arrivait de manier des textes de valeur critique douteuse ou même nulle, que leurs adversaires n'avaient pas de peine à pulvériser [1].

Quant à leur plan de démonstration, il comprenait des assises superposées : l'apôtre Pierre a été investi de la primauté; il est allé à Rome, il y a été évêque; sa primauté a été transmise à ses successeurs légitimes; la succession des papes fut ininterrompue. Comme bien on pense, cette défense fut assaillie et la bataille sévit autour de chacune de ces assertions. Chaque fois, l'un et l'autre adversaire se sert de l'Écriture et de la tradition. Il sera intéressant d'écouter un moment ce débat comme specimen de ceux de l'époque [2].

PRIMAUTÉ DE L'APÔTRE PIERRE La solution de la question originelle et principale, celle des pouvoirs suprêmes de l'apôtre Pierre, reposait depuis toujours avant tout sur les textes classiques de l'Écriture.

« Tu es Pierre et sur cette Pierre je bâtirai mon Église. » (*Matt.*, XVI, 18). — « Je te donnerai les clefs du Royaume des Cieux. » (*Ibid.*, 19.) — « Simon, [...] j'ai prié pour toi [...]. Quand tu seras converti, affermis tes frères. » (*Luc*, XXII. 32.) — « Pais mes agneaux... pais mes brebis. » (*Jo.*, XXI, 15, 17.) [3]

Mais comment fallait-il les interpréter? C'est là-dessus que la controverse, s'engagea et qu'elle perdure en dépit de la clarté prétendue des textes sacrés.

Le Seigneur a dit à Simon, *qu'il avait appelé Pierre* (*Jo.*, I, 41 *Mc.*, III, 16) et qui *venait de reconnaître sa divinité :* « Tu es heureux [...] car ce n'est pas la chair ni le sang qui te l'ont révélé, mais mon Père qui est dans les Cieux. Et moi je te dis que tu es Pierre [πέτρος] et que sur cette pierre [πέτρα] je bâtirai mon Église. » (*Matt..* XVI. 18.) Quelle intention ces paroles exprimaient-elles? Signifiaient-elles que Pierre était investi de la suprématie dans l'Église, parce que l'autorité du chef est à une société ce que la fondation est à un édifice?

Il fallait aux adversaires de Rome inventer pour ces paroles un sens qui ne fût pas en faveur de la personne de Pierre. On les voit en conséquence

---

[1] Voir ci-dessus, p. 248, 285; Turmel, *op. cit.*, p. 154 (Décrétales).

[2] Turmel, *op. cit.*, p. x s., 220 s.; Polman, *op. cit.*, p. 155 s., 164-173, 222, 255, 264, 474-484; D.T.C., t. XIII, col. 328 s.

[3] « Jésus [...] demanda à ses disciples : [...] Qui dites-vous que Je suis? — Simon-Pierre [...] dit : « Vous êtes le Christ, le Fils du Dieu vivant. » — Jésus lui répondit : « Tu es heureux Simon, fils de Jean, car ce n'est point la chair ni le sang qui te l'ont révélé, mais c'est mon Père [...]. Et moi je te dis que tu es Pierre et sur cette pierre je bâtirai mon Église et les portes de l'enfer ne prévaudront point contre elle. Et je te donnerai les clefs du royaume des Cieux et tout ce que tu lieras sur la terre sera lié dans les cieux, et tout ce que tu délieras sur la terre sera délié dans les cieux. » (*Matt.*, XVI, 13-19.) — « Simon, [...] j'ai prié pour toi, afin que ta foi ne défaille point, et toi, quand tu seras converti, affermis tes frères. » (*Luc*, XXII, 32.) — « Jésus dit à Simon-Pierre : Simon, fils de Jean, m'aimes-tu plus que ceux-ci? Il lui répondit : Oui, Seigneur, vous savez que je vous aime. Jésus lui dit : Pais mes agneaux ». Et, après deux répétitions des mêmes question et réponse, « Jésus lui dit : Pais mes brebis. » (*Jo.*, XXI, 15-17.)

traduire « sur cette pierre » par « sur ta profession de foi » (Luther) [1] ou
« sur moi le Christ » ou « sur la foi en général » (M.-A. de Dominis) ou donner
à cette péricope d'autres sens (de Launoy).

Tradition patristique. — Il est assez caractéristique de la science de ce
temps que les partisans de la *Sola scriptura* ne s'attachent pas avant tout
à la critique d'interprétation des documents de base. Ils se laissent entraîner
par l'orientation que la discussion avait prise tout au début, lors de la célèbre
Dispute de Leipzig (1519) entre Luther et Eckius. Ce dernier, devant l'argumentation de son adversaire, avait invoqué la Tradition des Pères, qu'il cita
d'ailleurs avec plus d'érudition et de vigueur que d'esprit critique. Luther,
après avoir d'abord, il est vrai, récusé la tradition et même les conciles, cité
saint Pierre et saint Paul, commit l'erreur tactique — au point de vue
protestant — de suivre Eckius sur le terrain patristique [2]. Les deux protagonistes s'engageaient ainsi dans un maquis où pendant les siècles suivants
la polémique s'éternisa. On se mit des deux côtés à fouiller toute la littérature
chrétienne pour mobiliser des citations de conciles, de Pères et d'auteurs
ecclésiastiques, chaque confession tâchant de noyer les témoins de l'autre
par le « dumping » d'un nombre supérieur de textes, comme s'ils étaient
seulement « numerandi »; chacun apportant, pour éclairer la péricope
biblique, des allégations de commentateurs souvent si peu lumineuses que
la discussion y reprenait élan et rebondissait.

Telle était, pour choisir un exemple typique, l'opinion de saint Augustin,
peu uniforme comme sur d'autres sujets, et par conséquent alléguée par
chacun dans son sens à soi. On ne pouvait nier que le grand docteur eût dit :
« Au sujet de cette question [Pélage], deux conciles ont été envoyés au Siège
apostolique; de là, les réponses sont arrivées... *La cause est entendue* » [3].
Il était aussi certain que le même auteur, dans ses *Retractationes*, avait reconnu
qu'on pouvait admettre le sens *petra* = Pierre, qu'il l'avait déclaré
« *communis Ecclesiae sententia* », qu'au reste, il n'avait nulle part traité
ex professo la question de la papauté. Mais on objectait qu'il avait aussi
— et plus souvent, disait Luther — identifié le *petra* avec *la foi de Pierre*.
De là, une interminable discussion, qui se prolongea pendant tout le
XVIIe siècle, escortée d'ailleurs par celle des autres textes patristiques [4].

---

[1] Parce que saint Paul a dit que « personne ne peut poser un autre fondement que Celui qui
est déjà posé, savoir Jésus-Christ » (*I Cor.*, III, 11) et que saint Pierre proclame le Christ « la
pierre vivante, choisie et précieuse devant Dieu » (*I Petr.*, II, 4). Cf. TURMEL, *op. cit.*, p. 155 s.,
où l'on trouvera la suite de la discussion sur ce texte.

[2] TURMEL, *op. cit.*, p. 152-158; *H.E.*, t. XVI, p. 46-48; LORTZ, *Die Reformation*, *op. cit.*,
p. 221-224.

[3] *De hac causa* [*Pelagii*] *duo concilia missa sunt ad sedem apostolicam; inde rescripta
venerunt... Causa finita est.* (Sermon CXXXI, *De verbis apostol. P.L.*, t. XXXVIII, p. 734).
Cf. V. HUBY et P. ROUSSELOT, *Christus*, Paris, 1927, p. 1118 n. 3; DE MONTÉZON, dans
SAINTE-BEUVE, *Port-Royal*, Paris, édit. 1926-1932, t. II, p. 139 n. 2.

[4] Stapleton, du Perron et plus tard Coeffetau et Schelstrate s'efforcèrent d'expliquer la
traduction *petra* = *foi* par la tendance mystique de saint Augustin et par son désir de ne pas
fournir d'arguments aux donatistes. Cf. TURMEL, *op. cit.*, p. 161, 169. — En faveur du sens
petra = *Pierre*, on alléguait les saints Jérôme, Ambroise, Cyprien, Hilaire, Léon, Grégoire,
la lettre de Clément à Jacques, etc. (*Ibid.*, p. 154, 157 s., 159, 161 s.). — On trouvera la liste

Elle importait aux protestants qui voulaient bien admettre ces écrits, mais comme simples témoins de la foi historique de l'Église. Mais elle prit plus tard un sens et une *furia* autrement passionnés entre catholiques « romains » d'une part, gallicans et jansénistes d'autre part. Car, pour eux, l'enseignement des conciles et des Pères représentent la Tradition, source de foi. Mais trop souvent alors on perd de vue que seul le *consensus* des Pères a valeur de norme. Le gallican Jean de Launoy (1603-1678), dans son acerbe attaque contre Bellarmin, prétendit avoir découvert chez les Pères quatre sens différents de *petra*, le 1er représenté par 17 textes, le 2e par 8, le 3e par 44, le 4e par 16[1]!

Il est naturel qu'à entendre tout ce fracas d'audience, bon nombre d'esprits moins escrimeurs ou moins vaillants se soient réfugiés dans une adhésion à l'Église vivante plus fidéiste, plus mystique, plus proche de ce que le cardinal Hosius appelait déjà *fides carbonaria*, la foi du charbonnier[2].

Exégèse scripturaire. — Mais, du point de vue scientifique, il y avait mieux à faire que de capituler devant la difficulté ou de se borner aux interprètes du texte biblique. Eckius donna l'exemple du recours au document original. Or, argue-t-il, le contexte montre clairement que « le Christ a fait une promesse à saint Pierre pour le remercier de sa profession de foi ». Cajétan ajouta : Que signifie ce prologue « Tu es Pierre » si la suite ne se rapporte pas à lui, mais au Christ lui-même? Que signifie ce futur « j'édifierai », alors que l'Église était déjà primordialement bâtie sur le Christ? Pighius, de son côté, souligna, entre autres faits, qu'il fallait la foi pour faire simplement partie de l'Église, en sorte que la foi de Pierre n'avait rien de « fondamental ». Mieux que cela, rencontrant l'interprétation de *petra = foi* — une de celles qu'admettait saint Augustin, — il relève que le Christ a appelé Simon Κηφᾶς (*Jo.*, I, 42), ce qui en syriaque signifie rocher : Il a donc dû lui dire dans sa langue : tu es « Rocher » et sur ce « rocher ». « Jeu de mot » plus clair que πέτρος et πέτρα. Saint Augustin, ignorant la langue syriaque, n'a pas vu l'identité de « Pierre » et de « cette pierre »[3]. L'argument fut largement utilisé dans la suite. Saint François de Sales le mit en son français[4].

Avec son habituelle rigueur de méthode, saint Bellarmin établit d'abord que *petra* est l'apôtre Pierre, puisque « être le fondement, c'est être le

---

des témoignages en faveur de *petra = l'apôtre Pierre* réunis par Bellarmin dans *Disp. de Controv.*, t. I, lib. I, cap. X, éd. 1596, t. I, col. 649. Elle est suivie de la discussion des interprétations contraires; H. DONATUS, *De principatu Romanae Sedis*, p. xxv, dans *Ad sacrosancta concilia a Th. Labbaeus... Apparatus alter*, p. xxv-xxxvi; HURTER, *op. cit.*, t. II, n. 1124.

[1] TURMEL, *op. cit.*, p. 166.
[2] POLMAN, *op. cit.*, p. 289 et n. 1.
[3] *Ibid.*, p. 174.
[4] « On accorde sans contestation que Notre-Seigneur a parlé à saint Pierre et de saint Pierre jusqu'ici : *et super hanc petram;* mais on veut que, par ses paroles suivantes, il ne parle plus de saint Pierre. Mais, je vous prie, quelle apparence y a-t-il que Notre-Seigneur eût fait cette grande préface : *Beatus es, Simon Bar Jona, quia...* pour ne rien dire autre chose sinon *quia tu es Petrus?* [... Il] ne parlait pas latin, mais syriaque. Il appela donc, non pas Pierre, mais Céphas, en cette façon : *Tu es Céphas et super hoc cepha aedificabo* [...] Tu es roche et sur cette roche. » (*Controverses*, discours 30, cité par TURMEL, *op. cit.*, p. 174 s.)

« *gubernator totius Ecclesiae* ». Quant au sens de *petra*, il reprend plus explicitement, en l'étayant de citations, l'interprétation de Pighius : « *Tu es Cephas et super hoc cepha* » [1]. « Que le gouvernement de toute l'Église, surtout au sujet de la foi, ait été commis à Pierre » ressort, dit Bellarmin, de ce que « le propre de la pierre fondamentale est de commander [*regere*] et soutenir tout l'édifice ». Et il cite en faveur de sa thèse les saints Chrysostome, Ambroise et Grégoire. Comme toujours chez lui, l'affirmation est suivie de la réfutation des adversaires.

Voilà pour le « Tu es Pierre ». Pour compléter le récit du débat textuel sur la primauté de saint Pierre, il faudrait continuer à entendre les « parties », appeler à la barre les trois autres textes classiques et, comme pour le premier, les interroger et les contre-interroger, parfois jusqu'à les torturer. Ce qui lasserait la patience et ne nous instruirait pas davantage sur la méthode des controverses de l'époque. Qu'il suffise donc d'indiquer ici où trouver de quoi poursuivre cette étude [2].

L'apôtre à Rome. — Supposée admise la primauté de l'apôtre Pierre, les catholiques devaient établir qu'il était allé à Rome, y avait été évêque et y était mort. Sans entrer dans le détail de cette démonstration, il sera utile d'indiquer qu'on la lit dans les divers auteurs que Bellarmin groupe en faisceau, Cajétan, Cano, Sanderus, Stapleton. Tous commencent par

---

[1] *Syriace enim loquebatur, et syriaca lingua Petrus dicitur Cephas* [...] *Cephas autem petram significat, ut Hieronymus docet in cap. 2 ad Galatas* [...]; *ubicumque in textu Hebraeo est* Kêphâ *id est petra, in Syriaco est Cephas* [...] *Dixit ergo Dominus : Tu es Cephas et super hoc Cepha.* Bellarmin explique ensuite pourquoi le latin ne dit pas : *Tu es petra.* Il ajoute que saint Augustin « *ex sola ignorantia linguae hebraeae esse deceptum* », col. 652. *Disp. de Controv.*, 1596, t. I, col. 648 (lib. I, cap. X).

[2] Au sujet des arguments pour et contre tirés du texte « *Je te donnerai les clefs...* », voir BELLARMIN, *op. cit.*, col. 656-672, cap. XII; TURMEL, *op. cit.*, p. 177-188. — L'un et l'autre relèvent les objections des adversaires avec les réponses; notamment la communication du pouvoir de lier et de délier, non pas simplement promis, mais conféré aux douze apôtres. « Lier et délier » signifiait alors « fixer la doctrine »; mais, dit Bellarmin en s'appuyant sur les saints Chrysostome, Cyrille et Jérôme, dans ce passage (*Matt.*, XVIII, 18), vu le contexte, il s'agit spécifiquement et seulement du pouvoir de remettre les péchés (*ibid.*, col. 662).

« Pais mes agneaux, pais mes brebis. » Ici Luther avait heureusement, à Leipzig (1519), aiguillé la discussion sur l'interprétation du texte grec. Après Cajétan et Pighius, BELLARMIN, *op. cit.*, col. 673-685, insiste sur le terme ποίμαινε (gouverne). — Il rappelle le ποιμένα λαῶν d'Homère — succédant à βόσκε (pais). — Il discute successivement le *pasce* (gouverner) puis *oves* (l'Église universelle). Cf. TURMEL, *op. cit.*, p. 195-199 : « la discussion rationnelle [scripturaire] de *pasce* n'a fait aucun progrès depuis la fin du XVIe siècle »; discussion patristique, p. 189-195.

« *J'ai prié pour toi... Affermis tes frères.* » Ce texte, qui fut utilisé surtout en vue de l'infaillibilité pontificale, le fut aussi par saint François de Sales pour établir la suprématie de Pierre. Il fut, au contraire, combattu par Richer. Cf. TURMEL, *op. cit.*, p. 200-202.

Pour répondre aux attaques des Centuriateurs, saint Bellarmin ajoute (*ibid.*, col. 685-705) à ces textes classiques un certain nombre de preuves qui avaient été ou qui seraient d'ailleurs utilisées par d'autres théologiens. Il les confirme par des citations patristiques et répond aux objections, notamment à celle des « quinze fautes » imputées à saint Pierre par les Centuriateurs (col. 717-721). — Voir aussi TURMEL, *op. cit.*, p. 202-215.

L'objection tirée de la parole de saint Paul disant de saint Pierre : « Je lui ai résisté en face » (*Gal.*, II, 11) donne à Bellarmin l'occasion de traiter des relations entre les deux apôtres. Nous devrons nous occuper à propos du gallicanisme et du jansénisme de la fameuse question des « *deux chefs de l'Église qui n'en font qu'un* » (voir *infra* p. 404).

Le lecteur du XIXe siècle se dispensera, en général, de lire le livre III (p. 855-944) que le grand docteur consacre à montrer que le pape n'est pas l'Antéchrist.

répondre aux objections de leurs adversaires; la plupart font observer que la fonction pastorale, *pastorale officium*, confiée à Pierre, devait durer sans interruption ni fin, puisque l'immortel bercail ne pouvait exister sans chef. Quant à la question historique du séjour à Rome et à la mort de l'apôtre, la solution fut fournie surtout par Sanderus, se basant sur la première lettre de saint Pierre (V. 13, Babylone = Rome) et sur les témoignages des premiers siècles [1]. Mais la réponse aux objections de l'érudition protestante vint de Panvinius et de Bellarmin. Celui-ci notamment consacre une thèse spéciale à l'épiscopat de Pierre à l'exclusion de Paul et réfute dix-huit arguments opposés. Après lui, le cardinal du Perron, Becanus et Coeffeteau renforcèrent la même démonstration [2].

LE PAPE HÉRITIER DE PIERRE   Enfin, pour continuer l'édifice de leur démonstration, les apologistes de la primauté pontificale s'appliquèrent à prouver que les papes sont les héritiers légitimes du pouvoir confié au premier chef de l'Église. Le travail d'Eckius, de Pighius, de Sanderus n'avait abouti qu'à « d'indigestes dissertations [...]. Bellarmin, le premier de tous, après avoir accumulé une quantité énorme de matériaux [...], sut construire avec eux une thèse qui était autre chose qu'un entassement » [3].

Parmi ses principaux arguments, il invoque le droit divin et le mode de succession, les témoignages des conciles, celui des Pères, tant grecs que latins, l'autorité exercée par les papes sur les évêques, la pratique des appels, des exemptions et des censures [4]. Et, précisément sur ce point, s'enchaîne la série des objections protestantes, auxquelles l'auteur répond avec sa précision habituelle.

N.B. — Il faudra revenir plus loin sur ces questions du XVIIe siècle (p. 349 s.).

SECTION III. — L'INFAILLIBILITÉ PONTIFICALE.

§ 1. — L'infaillibilité personnelle.

LE POSTULAT ET L'HISTOIRE   Si l'on a bien voulu suivre le développement de la théorie catholique ecclésiale au XVIe siècle, on aura constaté que la thèse de son pouvoir doctrinal, culminant dans le magistère du souverain pontife, y postulait l'infaillibilité. Que serait sans elle un

---

[1] BELLARMIN, *op. cit.*, livre II, chap. XII s., p. 677 s.; TURMEL, *op. cit.*, p. 220-258; POLMAN, *op. cit.*, p. 152, 465-500, 564 (table).

[2] BELLARMIN, *op. cit.*, t. I, p. 703, 724-757; TURMEL, *op. cit.*, p. 223-258, qui analyse longuement l'argumentation de Bellarmin, puis celle de ses successeurs.

[3] TURMEL, *op. cit.*, p. 229-258; BELLARMIN, livre II, chap. XII-XXXI, p. 758-852. Il n'y a pas lieu de mentionner ici la controverse au sujet de la distinction entre le Siège de Pierre, perpétuel et immuable, et le siège épiscopal de Rome. Cf. CARANZA, *Quatuor controversiarum...*, *op. cit.* (ci-dessus p. 297) p. CXVII : *Nullam auctoritatem accepit immediate a Christo Ecclesia sive concilium generale, nisi in suo capite Petro et successoribus illius* [...]. *Est sane intelligendum accepisse quidem Ecclesiam claves illas, sed in suo capite Petro.*

[4] TURMEL, *loc. cit.*

« pouvoir » autre chose qu'une opinion discutable? Et comment un docteur mandaté par Dieu serait-il sujet à l'erreur dans l'exercice de son mandat?

Mais aucune prérogative des successeurs de Pierre n'avait autant subi l'influence de l'événement. Son affirmation, « semée » dans l'Écriture, avait germé dès l'âge apostolique et s'était « développée » pendant tout le Moyen-Âge [1]. Elle avait naturellement suivi la courbe de l'autorité du Saint-Siège. C'est ainsi qu'en 1274, au concile de Lyon, elle est présentée comme « une croyance dont il est téméraire de douter » et celui de Florence (1438-1445) *définit* que le pape « successeur de saint Pierre et vicaire de Jésus-Christ est le *docteur* de toute l'Église et de tous les chrétiens ». Augustin Trionfo affirme à la même époque que « la sentence du pape et la sentence de Dieu ne sont qu'une sentence » [2].

LA CRISE CONCILIARISTE   Comment cet enseignement n'aurait-il pas été discrédité par le Grand Schisme et par ses excommunications réciproques, puis par les préoccupations si peu surnaturelles des pontifes de la Renaissance? Comment reconnaître en ces papes le pasteur à qui le Seigneur avait dit « Pais mes brebis »?

Aussi est-ce à l'époque du Grand Schisme et des théories conciliaires qu'éclatent les oppositions. Subordonner le pape au concile impliquait logiquement la négation de son infaillibilité. On voit donc quelques auteurs la lui refuser à moins qu'il ne soit d'accord avec un concile œcuménique; c'est le cas de théologiens ébranlés par les erreurs manifestes de certains pontifes, Alphonse de Castro, les conventuels italiens Thomas Illyricus et Jean Delphinus, Barthélemy Latomus. Pour eux, ainsi que plus tard pour le futur Adrien VI et pour Driedo, pour le dominicain Catharinus et pour Peresius, c'est l'Église de Rome qui est infaillible et non le pontife personnellement. Pierre d'Ailly, quoique favorable au privilège en général (1388-1417), admet des exceptions [3]. Son successeur, le chancelier Gerson, en 1418, encore qu'il considère comme une faute de contredire la définition d'un évêque, ne leur reconnaît pas l'impossibilité d'errer [4]. En Espagne, Pierre d'Osma,

---

[1] Ce n'est pas ici le lieu de faire l'histoire de cette première efflorescence. On en trouvera les éléments, dans *D.T.C.*, t. VII, col. 1638-1694 et dans *D.A.*, t. III, col. 1422-1451; TURMEL, *op. cit.*, 291 s.; *M.L.*, t. II, p. 85.

[2] G. DE LAGARDE, *La naissance, op. cit.*, t. I, p. 76. — On lira dans NEWMAN, *Essay on the development of Christian doctrine*, p. 75 s. son idée sur la nécessité d'un magistère infaillible. Cf. J. H. WALGRAVE, *Newman*. Tournai-Paris, 1957, p. 276-278. Au concile de Paris en 1398, Pierre Le Roy nie l'infaillibilité. (MARTIN, *op. cit.*, p. 281).

[3] *D.A.*, t. III, col. 1436 s.; POLMAN, *op. cit.*, p. 300 au sujet de Castro, etc.

[4] Les termes latins *falli, infallibilis* ne se rapportent qu'à l'erreur et non à la faute morale. Les termes des langues modernes prêtent à confusion, surtout l'allemand « unfehlbar » qui se rapporte à la conduite aussi bien qu'à la pensée.

Aussi, pour dissiper cette équivoque, un amendement au concile du Vatican (1870) introduisit le titre : « De Romani Pontificis infallibili *magisterio* ». Cf. *D.A.*, t. III, col. 1431.

Sur la persistance du *faillibilisme* : H. JEDIN, *Storia del Concilio di Trento*, dans *Storia e Literatura*, t. XIX, 1949, p. 34-53; L. SALTET, *Aux origines du gallicanisme*, dans *Bull. de*

professeur à Salamanque, avait causé grand scandale en enseignant que
« l'Église de la ville de Rome peut errer »; censuré par l'archevêque de
Tolède, il se rétracta [1].

Le courant conciliariste et, par conséquent, anti-infaillibiliste, affaibli
pendant le XVIᵉ siècle, reprit ampleur en France au XVIIᵉ. Il en sera question
plus loin à propos du gallicanisme (p. 363).

*LES DÉFENSEURS
AU XVᵉ SIÈCLE*

D'autre part, même au XVᵉ siècle, le privilège pontifical
trouva partout des défenseurs de choix [2].

Le cardinal Jean de Torquemada, le champion de Rome
au concile de Bâle (1431), proclame « que le jugement du siège apostolique
ne peut errer dans les choses de la foi et nécessaires au salut ». Gabriel Biel
(† 1495), en dépit de son occamisme, professe la plénitude de juridiction
spirituelle du Pontife romain. Voilà pour l'Espagne et l'Allemagne. En Italie,
Isidore de Isolanis considère comme irréfragable le jugement d'un pape
parlant en tant que tel. Le cardinal Cajétan, dans son ouvrage publié en 1511,
eut le mérite de distinguer l'erreur personnelle *in credendo* et l'erreur
judiciaire *in definiendo*, qu'il déclare impossible.

Il est remarquable que même la Sorbonne, en 1486, condamne
Jean Lailler pour avoir affirmé que le pape peut se tromper en
prononçant une canonisation. D'autres Universités montrent un zèle
analogue. A Cambridge, le futur bienheureux martyr, l'évêque Jean
Fisher, précise que les jugements du pape en matière de foi doivent être
acceptés.

Mais on était entré dans une phase nouvelle. Les attaques des partisans
de la supériorité conciliaire étaient remplacées par celles du protestantisme
naissant. Déjà Wicleff avait nié l'autorité doctrinale du pape; elle fut défendue
par le carme Thomas Netter (1426). Ce sont des diatribes de Luther et de
ses partisans qui donnèrent occasion aux apologistes catholiques de défendre
et de préciser la doctrine. Il faut citer dans cette campagne les noms les
plus illustres [3].

Littér. ecclés., 1918, p. 193-214; *D.D.C.*, t. VI, col. 320-326, 426-525; RICHARD, *Gallicanisme
et ultramontanisme*, dans *Ann. de Saint-Louis des Français*, 1888; J. DE LA COSTE, gallican
(1560 à Cahors — 1637). *D.D.C.*, t. VI; P. DE MARCA, dans *D.D.C.*, t. VI, col. 726.

[1] *D.A.*, col. 1441.

[2] Au sujet d'un pape devenu hérétique, voir ci-dessus p. 351. — Le Décret de Gratien déclare
que le pape hérétique peut être jugé par l'Église (Dist. XL, c. 6).
    Jean de Torquemada tenait que l'Église devait encore subir un pape même formellement
hérétique. TURMEL, *op. cit.*, p. 367; *D.T.C.*, t. XV, col. 1308. — P. MASSI, *Magisterio
infallibile del Papa nella teologia di Giov. de Torquemada*, Turin, 1957. Mais la plupart
des auteurs affirment que le pape hérétique, schismatique ou simoniaque, est déposé par le fait
même. Jean de Saint-Thomas, Cajétan, Jacobatius (*De concilio*, *op. cit.*, p. 142, 362-426);
D.A., t. II, col. 214; Ch. JOURNET, *L'Église*, *op. cit.*, t. I, p. 519-522, 596; t. II, p. 1063.
V. aussi plus loin, p. suiv.

[3] *D.A.*, t. III, col. 1440, 1449 s. Parmi les infaillibilistes les plus connus, il faut citer
Eckius, Cochlaeus, Hosius et surtout Pighius et Melchior Cano, qui vont jusqu'à refuser
l'infaillibilité aux conciles seuls. (POLMAN, *op. cit.*, p. 301-303.)

LES DÉFENSEURS
AU XVIᵉ SIÈCLE
Le plus « papaliste » parmi eux fut le néerlandais Albert Pighius [1]. Objet des faveurs de plusieurs papes, il attribuait à l'évêque de Rome, non seulement l'inerrance et comme pontife et comme personne privée, mais aussi l'impeccabilité, le déclarant incapable d'hérésie; par contre, il professait que les conciles pouvaient errer [1].

A Louvain, Ruard Tapper († 1559) est le premier, semble-t-il, à avoir enseigné l'infaillibilité « de la chaire de Pierre » [2]. Driedo lui fait écho, mais ne suit pas Pighius en ce qui touche l'infaillibilité *personnelle* du pape [3]. Son collègue de Douai, Stapleton, n'accepte pas l'opinion de Pighius, que le pape ne puisse errer comme personne privée; mais il affirme la théorie, « maintenant reçue, dit-il, par les catholiques comme certaine », que le pape ne peut jamais, dans l'exercice de sa charge, enseigner une hérésie. Fait notable : à Venise, malgré la rupture avec le pape, les théologiens reconnaissent son infaillibilité quand il définit *ex cathedra* les choses de la foi [4]. En Pologne, c'est le cardinal Hosius, qui, dans sa célèbre *Confessio catholicae fidei* (1551), oppose « à la censure de je ne sais quel maître de Wittenberg et d'une Église née d'hier », le jugement de l'Église de Rome, considéré depuis l'Antiquité comme à l'abri de toute erreur.

Que disait Salamanque, alors la première parmi les Facultés catholiques? Melchior Cano affirmait que, si la doctrine anti-infaillibiliste était déférée à un concile général, elle serait condamnée comme hérétique. Bañez opinait de même; car, dit-il, avant le concile de Constance, seuls les Grecs séparés refusaient de reconnaître la prérogative. Elle s'impose d'ailleurs comme une tradition apostolique et maintenant elle est admise par tous les catholiques. Cette unanimité des théologiens de l'époque est affirmée par plusieurs contemporains, par Théophile Raynaud (1583-1663) par exemple. En particulier, les *Salmanticenses* (carmes) et les théologiens de la Compagnie de Jésus l'enseignent unanimement, notamment les principaux, outre Bellarmin, Suarez, Grégoire de Valencia, Tolet. Même en France, à la fin

---

[1] Albert Pighius, Pigghe, Pigghi, Campensis, (1490 à Kempen, Pays-Bas — 1542) théologien, mathématicien et astronome, étudia à Cologne et à Louvain sous Driedo et le futur Adrien VI, qu'il suivit en Espagne et à Rome; publia, entre autres nombreux ouvrages, *De hierarchia ecclesiastica* (1538), *De libero hominis arbitrio et divina gratia* (1542); prévôt de Saint-Jean à Utrecht. Cf. *K.L.*, t. X, col. 2110; *N.N.B.W.*, t. X, col. 733 s.; *D.T.C.*, t. XII, col. 2094-2104; F. X. Linsemann, *Albert Pighius und sein theologischer Standpunkt*, dans *Theol. Quartalschrift*, Tubingue, t. XLVIII, 1866, p. 571-644; Polman, *op. cit.*, p. 89, 337; H. Jedin, *Studien uber die Schriftstellersthätigkeit Albert Pigges*, Münster, 1931, p. 134 : les principales papales sont principes de foi avec l'Écriture et la Tradition.

[2] « Dans la déclaration doctrinale publiée en 1544 au nom de la Faculté [de Louvain, la doctrine de l'infaillibilité] est exposée d'une manière très explicite. » Cf. De Jongh, *L'ancienne Faculté...*, *op. cit.*, p. 220 avec citation. J. Opstraet, *Antiquae Facultatis... Lovaniensis...*, s. l., 1717, ch. 3, § I, n. 5 s.; les *Mémoires historiques...*, t. I, p. 71, affirment que Cunerus Petri l'a soutenue le premier sans condition en 1580.
On notera avec intérêt que Corneille Jansénius, lors de son doctorat (1617), défendit l'infaillibilité pontificale. (L. Ceijssens, *Nieuw licht...*, dans *Studia catholica*, t. XIX, 1943, p. 216, n. 28). A comparer avec l'attitude de ses héritiers intellectuels.

[3] H. Jedin, *Studien... Pigges*, *op. cit.*, p. 148.

[4] A. C. Jemolo, *Stato e Chiesa*, Milan, Turin, Rome, 1914, p. 145.

du XVIᵉ siècle, les opinions conciliaristes subissent une éclipse favorable aux prérogatives papales[1]. Il se trouve un docteur de Sorbonne, André du Val, pour écrire en faveur du pape et de son infaillibilité.[2]

§ 2. — Les théologiens posttridentins.

LE CONCILE Le concile de Trente, pour les raisons qu'on a vues ci-dessus, ne s'était pas prononcé. Mais il avait admis les directives fréquentes de la papauté dans les questions doctrinales; il lui avait confié l'interprétation de plusieurs de ses décrets intéressant le dogme.

NATURE DU PROBLÈME Ce sera la tâche des défenseurs de la thèse « papaliste », en précisant la doctrine, de la dégager des obscurités accumulées par les faits et par les malentendus.

Car — il est utile de le remarquer — on discutait une question de variable et de limite. Aucun chrétien n'avait jamais prétendu que le pape peut se tromper quand il cite un texte de l'Écriture. Le pouvait-il quand il donnait de ce texte un commentaire évidemment incontestable? Et quand il expliquait le contenu de ce texte? On voit qu'il importait de s'entendre sur l'objet et le mode de cette inerrance alléguée.

PRÉJUGÉS Beaucoup d'adversaires d'alors, comme ceux de maintenant, confondaient l'inerrance, qui concerne la pensée, et l'impeccabilité, qui regarde la conduite[3]; d'autres ignoraient que le privilège concerne exclusivement l'interprétation de la Révélation, non une révélation nouvelle, ni une inspiration; qu'il est limité aux mêmes objets que ceux de l'infaillibilité de l'Église entière, c'est-à-dire aux questions de foi (dogmes spéculatifs) et de morale (doctrines pratiques); d'autres, qu'il ne s'agit pas du pouvoir de gouvernement, ni du pape comme personne privée, mais seulement du pasteur suprême, lorsque, en vertu de sa fonction, il « définit », c'est-à-dire qu'il manifeste son intention de prononcer une sentence définitive avec obligation de l'accepter; que d'ailleurs, dans la pratique, sa décision clôture

---

[1] *D.A.*, *loc. cit.*; *S.-D.*, t. VI, p. 490-499. Ajouter le dominicain Sylvestre PRIERIAS (1456 à Prierio, Italie — 1523) de son vrai nom MAZOLINI, *K.L.*, t. X, col. 394-396.
Le célèbre cardinal bénédictin Joseph SAËNZ d'AGUIRRE (1630-1699) défendit les prérogatives papales contre les gallicans, mais il appartient à la deuxième partie du XVIIᵉ siècle. Cf. SCHMITZ, *Histoire*, *op. cit.*, t. V, p. 179 s.; *D.T.C.*, t. I, col. 639.
Sur la théorie de SUAREZ et des autres théologiens S. J., *S.-D.*, t. VI, p. 496-498.

[2] *D.A.*, *loc. cit.*, col. 1441. — André DU VAL (1564 à Pontoise — 1638), nommé à la première chaire de théologie fondée par Henri IV à la Sorbonne en 1596; écrivit contre les gallicans Richer et Simon Vigor, son défenseur; publia *Vie admirable de sœur Marie de l'Incarnation (Mme Acarie)* (1625). Cf. *D.T.C.*, t. IV, col. 1967; *D.A.*, t. III, col. 1439. Voir aussi plus loin, p. 384.

[3] Sur les termes latins « falli, infallibilis », *supra*, p. 347 n. 4.

une consultation de l'Église universelle [1]. Ces précisions apparurent de plus en plus clairement au fur et à mesure de la controverse.

LES PRÉCISIONS Dès le début des attaques luthériennes, le dominicain Conrad Köllin, répétant Cajétan, admet que le pape peut, comme personne privée, errer jusqu'à l'hérésie, mais non comme docteur de l'Église [2]. Son avis est partagé par M. Cano et par beaucoup d'autres. Dominique de Soto ajoute que, dans ce cas, il pourrait être excommunié par un concile général [3].

C'est au même Melchior Cano que la doctrine doit ses grandes lignes, au point que le concile du Vatican (1870) n'a eu qu'à les retracer. Dans ses *Loci theologici*, il enseigne que les définitions du pape — c'est-à-dire de *droit divin* l'évêque de Rome — sont infaillibles et irrévocables [4].

EX CATHEDRA Le terme *cathedra Petri* pour désigner le siège de Rome était traditionnel [5]; mais la formule *definitio ex cathedra* doit son origine à M. Cano [6].

Son adoption trancha le problème qui a nourri copieusement les discussions : infaillibilité de la *Sedes* ou celle du *Sedentis*, du « Siège de Rome » ou « du pape personnellement »?

[1] Il sera utile de relever les précisions indiquées par le rapporteur du décret au concile du Vatican (1870), sur le rapport duquel porta le vote des Pères « infaillibilistes ». (*D.A.*, t. III, col. 1424 s., 1429-1431.)

[2] Est-il nécessaire de rappeler que le sens précis de l'infaillib. *ex cathedra* était encore discuté à cette époque? A la question de savoir comment remédier au règne d'un pape vicieux en dehors de la déposition, « Cajétan, qui avait vu le règne d'Alexandre VI, n'a qu'une réponse : [...] par la vertu de la prière ». (Cf. JOURNET, *L'Église du Verbe incarné*, Paris [1941], t. I, p. 520.) — Sur l'opinion des théologiens d'alors au sujet d'un pape hérétique, *ibid.*, p. 396; LORTZ, *Die Reformation, op. cit.*, t. II, p. 182 s.

Conrad KÖLLIN, A COLLE (1476 à Ulm — 1536), dominicain; professe la théologie à Heidelberg; publia un remarquable commentaire de la *Somme* (1512) et des écrits polémiques contre Luther. A ne pas confondre avec son frère et confrère Ulrich, qui combattit vigoureusement l'introduction de la Réforme à Ulm. Cf. *K.L.*, t. VII, col. 821 s.

Innocent III lui-même avait déclaré qu'un pape hérétique serait justiciable de l'Église; mais il considérait cette hypothèse comme chimérique. MARTIN, *op. cit.*, t. II, p. 13 s.

[3] *S.-D.*, t. VI, p. 480 s., 490s.; M. Cano et le cas d'hérésie, p. 484; Bellarmin reprend la distinction de Cajétan : répondant à l'objection tirée du droit canon *nisi inveniatur [papa] a fide devius*, il répond *istos canones loqui de errore Pontificis personali, non iudiciali.* « Il pense que dans un pareil cas, c'est le pape lui-même qui s'excommunie ». (*Disp. de Controv. Tertia*, l. IV, C. VII, éd., 1596, t. I, 985); TURMEL, *op. cit.*, p. 367; LORTZ, *Die Reformation, op. cit.*, t. II, p. 201.

Sur l'opinion de Pierre d'Ailly et de Gerson, MARTIN, *op. cit.*, t. II, p. 135; voir aussi p. 12-29 (l'opinion commune au Moyen-Age est que le pape devenu *a fide devius, ne serait plus pape*). Cf. POLMAN, *op. cit.*, p. 300.

[4] *S.-D.*, t. VI, p. 482-486; *D.T.C.*, t. IX, col. 729 s.; BARTMANN, *op. cit.*, t. II, p. 182.

[5] Th. KLAUSER, *Die Kathedra in Totenkult*, Munster, 1927, p. 179-181, cité par *Catholicisme*, t. IV, col. 867 : dans le vocabulaire patristique, *Cathedra* signifie l'enseignement et l'autorité enseignante; *D.T.C.*, t. V, col. 1731-1734; t. VII, col. 1694-1707.

[6] M. Cano le premier désigne par là l'enseignement du pape *non ut privato homini (sic)* mais *si e Petri cathedra tribunalique pronuntiet.* (*De Locis*, lib. VI, c. VII cité par *Catholicisme, loc. cit.*); *S.-D.*, t. VI, p. 483; la formule devint classique surtout depuis la définition du concile du Vatican. (DENZ.-B., n. 1839); *C.E.*, t. V, col. 671, t. VII, col. 790 s.; *D.T.C.*, t. III, col.1108 s.

Sur l'argument tiré des *recours à Rome*, dans *Enc. Catt.*; DENZINGER-B., n. 100, 109 s., 112, 149-171, 466.

Les objections d'ordre théologique et historique formulées par les protestants provoquèrent un docte exposé de saint Bellarmin, qui reprend les arguments de ses prédécesseurs. Il énumère d'abord les diverses opinions, orthodoxes et autres, rejette en passant celle de Castro et d'Adrien VI (*supra*, p. 347) puis délimite l'objet et la nature de la prérogative et répond longuement aux difficultés soulevées par « Nilus » et par les Centuriateurs de Magdebourg [1]. Quand ses *Controverses* subirent les attaques véhémentes des gallicans Richer, Jean de Launoy et Bossuet, le grand lutteur n'était plus là. Mais ses héritiers trouvèrent dans son arsenal, notamment dans la clause *ex cathedra* le moyen de défendre sa thèse principale.

DÉMONSTRATION SCRIPTURAIRE ET PATRISTIQUE — « Nouveauté humaine » ou maturation d'une semence évangélique? En controverse avec les protestants, Bellarmin recourt naturellement d'abord à l'Écriture. Il n'avait qu'à reprendre les textes classiques : « Simon, Simon [...], j'ai prié pour toi afin que ta foi ne défaille point, et toi, quand tu seras converti, *affermis tes frères* » (*Luc*, XXII, 31, 32); « Sur cette pierre »... « Pais mes brebis » (voir ci-dessus, p. 342). Sa démonstration se complète par l'interprétation des textes chez les Pères et par la réfutation des objections historiques [2].

§ 3. — L'autorité du Saint-Siège.

PAPES ET CURIE — Pour désigner la tendance absolutiste en faveur de la suprématie et surtout de l'infaillibilité pontificale, on se sert fréquemment du terme « curialisme ». Il désigne la puissance romaine dans son ensemble, pape et « curie » ou cour pontificale [3]. Mais ce n'est pas

---

[1] Son argumentation comprend les 14 premiers chapitres du livre IV de la *Tertia Controversia*, éd. 1596, t. I, col. 968-1035. Nilus KABASILAS († 1363), métropolite de Thessalonique; écrit avec esprit et finesse contre la primauté romaine, dont les adversaires l'ont fréquemment utilisé; il impute aux papes la sécession de l'Orient. Cf. *K.L.*, t. VII, col. 3; *L.T.K.*, t. VII, col. 577, 595. Ses ouvrages contre la papauté parurent en grec à Londres, s. a., puis à Bâle en 1544 et 1559, avec traduction latine par Flacius Illyricus à Francfort en 1555. A ne pas confondre avec son neveu et successeur Nicolas. — Parmi les objections historiques, Bellarmin réfute la fable de la papesse Jeanne, *loc. cit.*, p. 962-966.

[2] BELLARMIN, *op. cit.*, col. 972-1035; la preuve patristique, col. 973-983 et *passim;* TURMEL, *op. cit.*, p. 289-303; 310-324. Déjà le texte « J'ai prié pour toi » avait été invoqué par Innocent III (MARTIN, *op. cit.*, t. II, p. 14) et par Pierre d'Ailly (quoique avec restriction) parlant au nom de l'Université de Paris. (*D.A.*, t. III, col. 1437 s.). M. BAÏUS publia en 1585 un *Tractatus [...] utrum ex Christi verbo : Ego rogavi pro te [...] satis clare ostendatur pontificem in definiendo non posse errare* (éd. GERBERON, p. 481-487), cité par L. CEIJSSENS, *Un échange...*, *op. cit.*, p. 73 n. 35. — Quant à l'*objet* de l'infaillibilité, TURMEL, *op. cit.*, p. 79-82.

[3] HARNACK, résumant l'héritage du Moyen-Âge, énumère le « Curialismus »; il continue à désigner ainsi la tendance que nous appellerions « ultramontaine »; il parle, par exemple, de la « Controverse zwischen dem Curialismus und Episkopalismus ». (*Handbuch*, *op. cit.*, t. III, p. 593, 647; dans l'édition de 1932 on trouve le même terme, p. 664 s.) — A son tour, Mgr H. JEDIN emploie le terme « Der kurialistische Kirchenbegriff » (*Relazioni*, *op. cit.*, t. IV, p. 79); mais, dans la discussion, il spécifie qu'on pourrait en détacher l'élément « aristocratique » constitué par le collège des cardinaux (*Atti*, de Rome, 1955, *op. cit.*, p. 460). — J. B. SÄGMÜLLER, *Ein Traktat [...] über das Verhältniss von Primat und Kardinalat*, Rome, 1873; H. JEDIN, *Relazioni*, *op. cit.*, t. IV, p. 61 (tendances « curialistes » de 1512-1523); A. C. JEMOLO, *Stato e Chiesa*, *op. cit.*, p. 147-154.

une chicane de distinguer le pouvoir qu'on reconnaissait au pape de celui qu'il devait nécessairement déléguer à ses collaborateurs, les cardinaux du Sacré-Collège. Car il fallut définir séparément la place de « la Curie » dans la doctrine ecclésiologique.

Le schisme terminé, le besoin d'une réforme dressa plusieurs fois les cardinaux contre les lenteurs des améliorations à la cour papale [1]. Parmi eux, Contarini — avec d'autres — prit position contre les pouvoirs exagérés attribués au Souverain Pontife; il eut même l'audace d'adresser à Paul III de courageuses recommandations [2]. Moins édifiante fut l'opposition que firent à la publication des décrets de Trente les cardinaux de la curie que la réforme atteignait dans leurs intérêts [3].

Ce qui, au point de vue ecclésiologique, est plus important que ces questions de fait, c'est la théorie mise en avant par Pierre d'Ailly, reprise ensuite par Théodore de Lelli et Dominique de Dominichi [4]. Pour eux, le pouvoir doctrinal suprême dans l'Église est aristocratique. Il appartient, non au pape seul, mais au pape conjointement avec le collège des cardinaux [5]. Leur thèse ne fit pas école. On n'en trouve pas trace chez Bellarmin quand il traite des cardinaux [6]. Au contraire, la règle s'établit que le Sacré-Collège n'a pas le droit de se réunir sans la permission du Souverain Pontife [7].

LA CENTRALISATION ROMAINE — De tout ce que l'on vient de voir résultait un approfondissement doctrinal de la primauté romaine. Ce progrès sur le terrain des théories devait évidemment accentuer la concentration du magistère ecclésiastique. Il renforçait, en effet, l'action des causes qui depuis peu resserraient les liens entre la papauté et l'Église universelle. Ainsi les circonstances avaient aidé autrefois dans l'empire romain la mise en pratique de la doctrine monarchique. Tandis que l'organisation des postes et l'amélioration des routes favorisaient et hâtaient les communications, la constitution des Congrégations romaines permettait l'étude et la solution des multiples questions appelées désormais

---

[1] LORTZ, *Die Reformation*, t. II, p. 183.

[2] *P.G.*, t. V, p. 128.

[3] *H.C.*, t. IX, II, p. 996 s.; JEDIN, *Nouvelles, op. cit.*, p. 175. — Il est intéressant de noter que Jacobazzi examine la question « De appellatione de papa ad cardinales ». (*De concilio*, p. 437).

[4] V. les encyclopédies. — Théodore DE' LELLI (1427 à Terano — 1466), évêque de Feltre puis de Trévise; missions diplomatiques; intime collaborateur de Paul II; écrivit contre la Pragmatique Sanction et contre les prétentions conciliaires et cardinalices; éditeur de saint Jérôme. Cf. *Enc. catt.*, t. IV, col. 1352 s.; R. DELL'OSTA, *Theodoro De Lelli. Un teologo del potere papale e suoi rapporti col cardinalato nel sec. XV*, Belluno, 1945.

[5] H. JEDIN, *Nouvelles, op. cit.*, p. 60 s.

[6] *Disp. de controv., op. cit.*, éd. 1596, t. I, col. 1608-1612. Polémiquant contre Calvin, il compare les pouvoirs des cardinaux à ceux des évêques; il note que, si l'évêque dans son diocèse a des pouvoirs d'ordre que ne possède pas le cardinal en tant que tel — au point que le pape l'appelle « frère » alors qu'il traite le cardinal de « fils » —, il n'est pas appelé comme le cardinal à des fonctions qui concernent l'Église universelle. — Voir un vif éloge du cardinalat par Eugène IV dans D. JACOBATIUS (Jacobazzi), *De concilio, op. cit.*, p. 35-38.

[7] La question conciliaire revint encore en discussion à la fin du XVIIIe siècle. Cf. A. C. JEMOLO, *Chiesa..., op. cit.*, p. 139 et n. 1, 140 s.

à l'instance suprême. D'autre part, les nonciatures et le concours des religieux exempts facilitaient au Saint-Siège son travail d'information et de gouvernement.

§ 4. — Le pape et la hiérarchie.

A la fin du XVIe siècle, la théorie de la primauté doctrinale de l'évêque de Rome était solidement affirmée. Est-ce à dire qu'elle fût suffisamment définie? Il restait à préciser ses relations avec l'autorité de la hiérarchie.

PAPES ET CONCILES On a vu plus haut comment avait évolué la théorie de la supériorité conciliaire. Mais, si le pape avait le pouvoir d'agir en matière doctrinale sans le concours du concile, la réciproque devenait inadmissible; il y aurait eu dans l'Église deux juridictions suprêmes, éventuellement en désaccord.

Du côté catholique, le pouvoir papal de convoquer les conciles, de les présider, de les confirmer, de les dissoudre avait été traité par Pighius dans sa *Hierarchia ecclesiastica*. En réponse, les Centuriateurs prétendirent prouver par l'histoire que les empereurs et non les papes avaient convoqué les anciens conciles. La présidence et la confirmation suivaient comme corollaires. Questions historiques, mais pratiques aussi. Car les protestants en avaient déjà tiré avantage pour exiger que le futur concile (de Trente) fût convoqué, non par le pape, mais par Charles-Quint. Bellarmin, tout en maintenant que le pape a le droit de convocation, concédait qu'en fait les empereurs à l'origine avaient exercé ce droit, mais avec l'avis et le consentement des papes [1].

Au reste, que valait un concile, même œcuménique, sans l'accord du Saint-Siège? La réponse découlait de la supériorité papale.

Aussi longtemps que tous les théologiens n'étaient pas d'accord sur ce point, ils se divisaient nettement en deux opinions parallèles mais opposées. Les uns tenaient que le pape n'est infaillible que conjointement avec le concile général. Les autres que celui-ci ne tient son autorité que de l'approbation du pape [2]. On se doute bien que Bellarmin va grouper et approuver l'école

---

[1] *Disp. de Controv.*, éd. 1596, t. I, col. 1291, 1295, 1299 s.; TURMEL, *op. cit.*, p. 360 s., 381-384; PETRUS DE MONTE, *Monarchia, op. cit.*, p. CXXXIV, *Ad quem spectet congregatio concilii generalis;* D. JACOBATIUS, *De concilio*, l. III, p. 89-95, discute longuement *ad quem spectet congregare concilium*, examinant les diverses hypothèses possibles. Par exemple, dans le cas de nécessité de réforme, si le pape ne convoque pas un concile, les cardinaux peuvent le faire, p. 184.

On trouvera un très érudit exposé des études actuelles sur la question dans H. JEDIN, *Nouvelles, op. cit.*, p. 168-175; sa conclusion est que, sauf les tout premiers, « les conciles généraux du Moyen Âge ont été convoqués et dirigés par le pape » (p. 169).

Sur la thèse opposée de M.-A. DE DOMINIS, S.-D., t. VI, 487; *D.T.C.*, t. VI, col. 1544; TURMEL, *op. cit.*, p. 384-390. — Sur celle de J. DE LAUNOY. *Ibid.*, p. 390 s.

Sur la *présidence* et la *confirmation* des conciles, *Ibid.*, p. 393-411 s.

[2] La thèse « conciliariste » fut défendue par Alphonse de Castro, Thomas Illyricus, Jean Delphinus, ainsi que par Driedo et le dominicain Catharinus, s'il s'agit du pape hérétique (POLMAN, *op. cit.*, p. 298-300). D'autre part, « Jean Eck, Cochlaeus, le cardinal Hosius et bon

favorable au Souverain Pontife [1]. Il avait, il est vrai, à défendre contre les novateurs l'autorité du concile et à réfuter leurs objections. Il n'y manque pas; mais, s'il établit par l'Écriture et les Pères que les conciles, tant particuliers que généraux, sont infaillibles, c'est à la condition formelle qu'ils soient approuvés par le pape, lequel leur est supérieur [2]. C'est la théorie qui a prévalu.

L'ÉPISCOPAT Si l'on veut bien se souvenir des oppositions qui agitèrent le concile de Trente, entre tendances romaines et tendances épiscopaliennes, on observera qu'il s'agissait là principalement du pouvoir de juridiction (ci-dessus, p. 334).

Que pensait-on au xvie siècle du pouvoir doctrinal des évêques?

Sans doute était-il implicitement compris dans leur caractère d'héritiers des apôtres et surtout dans le « droit divin » de la hiérarchie, si âprement discuté. Mais il aurait mérité d'être nettement défini. Seulement l'Église avait à prendre position entre deux extrêmes. Contre Calvin, il fallait prouver le caractère apostolique de l'épiscopat; mais, contre les conciliaristes, on devait maintenir sa subordination au pape.

Il n'y a pas lieu de revenir sur l'autorité des évêques réunis en concile. Ils y sont « juges » de la doctrine et collectivement infaillibles par leur accord avec le pape. Mais celle de l'évêque dans son diocèse? Le concile de Trente, qui traite longuement de sa juridiction, affirme qu'il est héritier des apôtres; il lui confie la charge de prêcher l'Évangile, de surveiller l'enseignement religieux, notamment celui de la théologie, le pouvoir de contrôler la prédication, même celle des religieux [3]. Tout cela appartient au pouvoir doctrinal. Est-il nécessaire d'ajouter que ce pouvoir n'est pas infaillible? Bellarmin fait observer que les évêques peuvent même, entre eux, différer d'opinion.

Les problèmes ecclésiologiques étaient au xvie siècle trop compliqués pour que nous puissions nous arrêter ici. L'ascension du pouvoir pontifical devait provoquer des réactions multiples.

---

nombre de polémistes italiens » (*Ibid.*, p. 301), à qui il faut ajouter Cajétan. Melchior Cano (*D.A.*, t. III, col. 1441; t. IV, II, col. 219; *S.-D.*, t. VI, p. 483) et Caranza (*Quatuor controversiae, op. cit.*, p. cxviii) tiennent que le concile n'est infaillible que par l'approbation du pape.

Telle est aussi l'opinion de P. FABULOTTUS (*De potestate papae, op. cit.*, p. lxxxi). — Discutant la question *An papa solus sine concilio possit decidere articulum seu causam fidei*, Jacobatius cite bon nombre de documents (*op. cit.*, p. 142, 240). Ces auteurs enseignent naturellement que l'appel au concile d'une décision du pape n'a aucune valeur. Par exemple, PETRUS DE MONTE, *Monarchia, op. cit.*, p. cxiv s.

[1] Il énumère d'abord les auteurs qui ont étudié la question et traité des conciles en général (l. I, p. 1268-1322), puis il établit l'autorité des conciles (l. II, p. 1333-1397); TURMEL, *op. cit.*, p. 260; *S.-D.*, t. VI, p. 460. — Lors du concile du Vatican (1870), il apparut que les théories conciliaristes n'avaient pas disparu complètement. (*D.T.C.*, t. VI, col. 1542.)

[2] BELLARMIN, *op. cit.*, t. I, col. 698, 1069, 1302, 1311, 1337, 1492, 1596; il invoque les textes bien connus : « *Qui vos audit... Docete omnes gentes* » (col. 1337).

[3] Sess. V, cap. 2; Sess. XXIII, c. I; Sess. XXIV, cap. 4.

L'ECCLÉSIOLOGIE (3ᵉ question) : RÉSISTANCES A LA PRIMAUTÉ PONTIFICALE. ANTI-ROMANISME THÉOLOGIQUE ET ANTI-ROMANISME D'ÉTAT.

SECTION I. — LES ÉLÉMENTS DE L'ANTI-ROMANISME. [1]

LE PROBLÈME INTERNE   A l'intérieur de l'Église, la doctrine de la suprématie romaine a triomphé officiellement, mais sans écraser l'épiscopalisme. L'Église n'a pas défini clairement la limite

---

[1] Nous n'avons pas de mot pour indiquer ces résistances. Celui bien connu de « gallicanisme » désigne légitimement l'opposition *française* à la centralisation romaine. On a cru pouvoir parler de « gallicanisme hors de France ». Mais, un « gallicanisme » allemand, italien ou anglais ne semble-t-il pas rendre un son étrange?

Il ne peut être question d'un terme dérivé d'«ultramontanisme», vocable trop relatif, puisque en Italie il signifie le contraire de ce que nous entendons de ce côté des monts. D'autre part, « épiscopalisme » ou « régalisme » ne couvrent pas tout le champ de la tendance contraire à Rome. Or, cette tendance, à ses divers degrés, est essentielle et donc commune à toutes les entreprises d'Églises plus ou moins autonomes, depuis le gallicanisme fidèle à Rome malgré tout jusqu'aux Églises séparées. « Anti-curialisme » aurait le désavantage de viser surtout la « curie »; or, il importe de distinguer le pape de la curie, car il leur est arrivé de s'opposer. « Anti-romanisme » veut indiquer simplement une résistance à l'absolutisme de Rome (pape et curie). « Romanisme », dans ce sens-ci, est emprunté à l'usage protestant (*D.T.C.*, t. XIII, col. 2021).

BIBLIOGRAPHIE. — Voir aussi plus loin la bibliographie du *gallicanisme*. Voir les Traités de droit canonique. Les correspondances des nonces contiennent fréquemment des données sur les relations des deux puissances. Voir l'indication des listes de ces correspondances *supra*, p. 59. *H.E.*, t. XVI, p. 336; *Catholicisme*, t. IV, p. 525 s.; *D.A.*, t. II, col. 234 s.; *D.T.C.*, t. IV, col. 2268; t. VI, col. 1921, 1959; t. VIII, col. 1062; Tables générales, col. 1127-1130; *Enc. italiana*, Chiesa e Stato; *H.-B.*, t. VI, p. 181-190; *R.S.T.P.*, t. XIV, 1925, p. 246; *L.T.K.*, t. IX, col. 752; *S.-D.*, t. VI, p. 499; G. ALBION, *Charles Iˢᵗ and the Court of Rome*, dans *Annuaire de l'Univers. de Louvain*, Confér. d'hist., série II, 3ᵒ, 1935; Q. ALDEA, *España, el Papado y el Imperio durante la Guerra de los Trentos años (1631-1643)*, dans *Misc. Comillas*, t. XXIX, 1958, p. 293-437; L. ANDRÉ, *Sources de l'histoire de France, XVIIᵉ siècle*, t. VI, p. 146, 169; A. ANSELMO, *Tribonianus belgicus*, Bruxelles, 1622; F. X. ARNOLD, *Die Staatslehre des Kardinal Bellarmin. Ein Beitrag z. Rechts u. Staatsphilosophie des konfessionnellen Zeitalters*, Munich, 1934; BAEKELANDT, *De verhouding tussen Kerk en Staat volgens Christianus Lupus*, dans *Augustiniana*, t. III, 1953, p. 74-90; A. BARBOSA, *Juris ecclesiastici universi libri tres*, Lugduna, 1634, 1645, 1718; C. BARCIA TRELLES, *Fr. Suarez (1548-1617). Les théologiens espagnols du XVIᵉ siècle et l'école moderne du droit international*, Acad. de droit international. Recueil des cours, t. XLIII, 1933, p. 389-553; E. BEAU DE LOMÉNIE, *L'Église et l'État*, Paris, 1957; J.-A. BIANCHI DI LUCCA, *De la potestà e della politica della Chiesa, ... contro le nuove opinione di Petro Giannone*, Rome, 1745; V. BRANTS, *La Faculté de droit de l'Université de Louvain*, 2ᵉ éd., s. a., p. 207; J. BRITZ, *Code de l'ancien droit belge; histoire de la jurisprudence et de la législation, suivie de l'exposé du droit civil des provinces belgiques*, Bruxelles, 1847; J. BROWN SCOTT, *The Spanish origin of international law*, t. I. *Francesco de Vitoria and his law of nations*, Oxford, 1933; E. P. CANAVAN, *Subordination of the State to the Church according to Suarez*, dans *Theol. Studies*, t. XII, 1951, p. 354-364; F. CAYRÉ, *Précis de Patrologie*, Paris-Tournai-Rome, 1930, t. II, Table p. 899; E. CHÉNON, *Les rapports de l'Église et de l'État du premier au XXᵉ siècle*, Conférences de 1904, Paris, 1905; G. CLARK, *War and society in the XVIIth century*, Londres,

entre les pouvoirs de l'évêque de Rome et ceux des autres évêques. Cette
carence de l'ecclésiologie laissait donc lieu à contestation et l'on verra
s'opposer, en France et ailleurs, théologiens pour et contre le romanisme,
tendances centrifuges et tendances centripètes.

D'autre part, en se fortifiant devant la menace d'émiettement provoqué
par le protestantisme, l'Église ou plutôt le Siège de Pierre soulève à nouveau

1958; A. Crevelucci, *Storia delle relazioni tra lo Stato e la Chiesa*, Bologne, 1886;
J. F. de Arteaga, *El derecho de Gentes en las obras de Fr. Domingo Bañez*; H. de Groot,
Briefwisseling van H. Grotius, La Haye, 1928; Fr. M. de Guevara, *La teoria de los beneficios
del Maestro de Vitoria y la Reforma agraria*, dans *Anuario de la Assoc. Fr. de Vitoria*,
t. V, 1932-1933, Madrid, 1934; Y. de la Brière, *La conception du droit international chez les
théologiens catholiques*, dans *Revue de Philosophie*, t. XXXVI, 1929, p. 365, 504;
J. de la Servière, *De Jacobo I Angliae rege cum cardinali R. Bellarmino S. J. super potestate
cum regia tum pontificia disputante (1607-1609)*, Paris, 1900; A. Demp, *Christliche Staatsphilosophie in Spanien*, Salzbourg, 1937; M. de Novoa, *Historia de Felipe IV*, éd. de la Fuensata
del Velle et Rayon José Sancho, Madrid, 1886; G. de Reynold, *La conception catholique
de l'État au temps de la Contre-Réforme et du Baroque*, dans *Barock in der Schweiz*, p. 743;
S. da Valzanzibio, *La ragion di Stato in S. Lorenzo da Brindisi*, dans *Studia Patavina*,
t. III, 1956, p. 421-467; A. Dordett, *Die Ordnung zwischen Kirche und Staat. Ein historisch-
systematischen Grundriss*, Innsbruck, 1958; M. Dubruel, *Gallicanisme*, dans *D.T.C.*, t. VI,
col. 1096-1137; A. Dufourcq, *Le Christianisme et la réorganisation absolutiste*, Paris, 1933;
S. Z. Ehler et J. B. Morrall, *Church and State through the Centuries. A collection of historic
documents with commentaries*, Londres, 1954; S. Z. Ehler, *Twenty centuries of Church and
State. A survey of their relations in past and present*, Westminster, 1957; H. J. Elias, *Kerk
en Staat in de zuidelijke Nederlanden onder de regeering der aarts-hertogen*, Anvers, 1931;
Id., *L'Église et l'État. Théories et controverses dans les Pays-Bas catholiques au début du
XVIIe siècle*, dans *R.B.P.H.*, t. V, 1926, p. 453-469, 905-932; H. E. Feine, *Kirchliche Rechts-
geschichte*, Weimar, 1954, t. I, Die Katholische Kirche, p. 486-512. Die Kirche und der
souveraine Staat; P. Feret, *La faculté de théologie de Paris*, Paris, 1904, t. III, p. 249—319;
N. Figgis, *From Gerson to Grotius*, Cambridge, 1907; E. Friedberg, *Die Grenzen zwischen
Staat und Kirche und die Garantie gegen deren Verletzung*, dans *Historisch-dogmatische
Studien*, Tubingen, 1872; L. Gallego, *Luis de Molina, internacionalista*; J. Gascon y Marin,
Vitoria y el derecho publico; Fh. Gefken, *Staat und Kirche in ihren Verhältnis geschichtlich
entwickelt*, Berlin, 1875; M. Goldast, *Monarchia S. Romani Imperii sive tractatus de
iurisdictione Imperiali sive Regia et Pontificia seu Sacerdotali*, Hanau, 1612-1614, reproduit
bon nombre d'écrits sur le sujet; Gosselin, *Pouvoir du pape au Moyen-Âge*, Louvain, 1845;
P. Gudelinus, *Opera omnia*, 1685; Id., *De jure foedorum commentarius in partes IV distributus:
Belgii et Franciae mores*, dans *Opera omnia*, 1685; P. Hinschius, *Das Kirchenrecht der
Katholiken und Protestanten in Deutschland*, Berlin, t. I, 1869, t. II, 1878, t. III, 1883;
M. Hume, *The court of Philip IV*, Londres, 1907; L. Huovinen, *Der Einfluss des theologischen
Denkens der Renaissance Zeit auf Machiavelli, Mandragolo, die Skolastiker und Savonarola*,
dans *Neue Philolog. Mitteilungen*, Helsinki, t. LVII, 1956, p. 1-13; P. Janet, *Histoire de
la science politique dans ses rapports avec la morale*, Paris, 1913, 2 vol; A. C. Jemolo, *Stato
e Chiesa negli scrittori politici italiani del seicento e del settecento*, Turin, 1914;
Id., *Gallicanisme* [en France] dans *Enc. ital.*; R. L. John, *Reich und Kirche im Spiegel
französischen Denkens. Das Rombild von Caesar bis Napoleon*, Vienne, 1953; L. Just,
Die Reichskirche, t. I. *Erzbistum Trier*, Leipzig, 1931 (richement documenté); Juste Lipse,
Politicorum sive civilis doctrinae libri sex, Leyde, 1650; H. Kipp, *Modern Problem des
Kriegsrecht in der Spätscholastik*, Paderborn, s. a.; J. Kleinhappl, *Der Staat bei Ludwig
Molina*, Insbruck, 1935; D. Lallemant, *La doctrine politique de saint Thomas*, dans *Rev. de
Philos.*, t. XXXIV, 1927, p. 353, 465; t. XXX, p. 71; F. Laurent, *L'Église et
l'État*, Bruxelles, 1858; réquisitoire passionné contre l'Église; utile par les citations;
J. B. lo Grasso, *Ecclesia et status. De mutuis officiis fastes selecti*, Rome, 1939 (p. 209-226);
W. K. Medlin, *Moscow and East Rome : a political study of the relations of Church and
State in Moscovite Russia*, Genève, 1952; Ch. Mercier, *Les théories politiques des calvinistes
des Pays-Bas à la fin du XVIe et au début du XVIIe siècle*, dans *R.H.E.*, t. XXIX, 1933,
p. 25-73; P. Mesnard, *L'essor de la philosophie politique au XVIe siècle*, Paris, 1936 (indispensable tant au point de vue des idées que des faits); C. Melzi, *Stato e Chiesa. Sguardo storico*,
dans *La Scuola cattolica*, 1953, p. 169-195; Mourret, *op. cit.*, t. V, p. 557; A. Card. Ottaviani,
Institutiones juris publici Eccles., Rome, 1936, 2 vol., 2e éd., p. 104-189, 254-269 (concerne

un problème séculaire. Car ses fidèles appartiennent aussi à diverses Cités terrestres.

ÉGLISE ET ÉTAT Or, à la même époque, l'État se transforme dans le même sens de regroupement de ses forces et d'absolutisme. En avance sur l'Allemagne et l'Italie divisées, l'Espagne a constitué une unité intercontinentale; les rois d'Angleterre et de Scandinavie sont chefs de leur Église; la France, après l'atroce crise des luttes religieuses, imposera à l'Europe la volonté de Louis XIV.

De plus, ces monarques omnipotents s'entourent de la garde prétorienne de leurs légistes. Par leur contact resserré avec les traditions du césarisme et avec le droit romain du *quod principi placuit...*, qu'ils ont canonisé en « droit divin », ils conçoivent et élaborent une science politique qui exalte les pouvoirs de l'État souverain. Armé, grâce au *ius cavendi*, contre toute violation de sa juridiction, cet État tend, d'autre part, à absorber, pour les

surtout la situation actuelle); Ch. F. Palm, *Politics and Religion in the XVIth century*, Boston, 1927; T. M. Parker, *Christianity and the State in the light of history*, Londres, 1955; A. Pasture, *La Restauration religieuse aux Pays-Bas catholiques sous les archiducs Albert et Isabelle (1596-1633) principalement d'après les archives de la nonciature et de la visite ad limina*, Louvain, 1925; R. Peterson, trad. de G. Botero, *The Greatness of Cities, 1606*, Londres, 1956; J. Pey, *De l'autorité des deux puissances*, Strasbourg, 1780; H. Planitz et Thea Buyken, *Bibliographie zur deutschen Rechtsgeschichte*, Francfort s./M., 1952, p. 163; H. Planitz, *Deutsche Rechtsgeschichte*, Graz, 1950, ch. II, Église et État; A. Poncelet, *Histoire, op. cit.*, t. I, p. 7; Ch. Poulet, *Histoire du Christianisme, op. cit.*, t. III, p. 1133; E. Poullet, *Histoire politique nationale. Origines, développements et transformations des institutions dans les anciens Pays-Bas*, Louvain, 1882-1892; P. Prodi, *San Carlo Borromeo e le trattative tra Gregorio XIII sulla giurisdizione ecclesiastica*, dans *Riv. d. storia d. Chiesa in Italia*, t. II, 1957, p. 195-240; B. Reynold, *Proponents of limited monarchy in sixteenth century France. F. Hotman and Jean Bodin*, dans *Columbia Univ. Studies in History*, n. 334; Roland-Gosselin, *La doctrine politique de saint Thomas*, Paris, 1928; J. B. Sägmuller, *Lehrbuch der katholischen Kirchenrechts*, Fribourg-en-Br., 1914; G. Saitta, *La scolastica del sec. XVI°; la politica dei gesuiti*, Turin, 1911; F. Scaduto, *Stato e Chiesa*, Florence, 1881-1882, 3 vol., Palerme, 1887; W. E. Schwartz, *Die Nuntiatur-Korrespondenz Kaspar Groppers nebst verwandten Aktenstücken (1573-1576)*, Paderborn, 1898; H. von Schubert, *Der Kampf des geistlichen und weltlichen Rechts*, dans *Sitzungsb. d. Heidelb. Akad. der Wissensch.*, Heidelberg, 1927, traite de l'époque moderne depuis la p. 44; *Stato e Chiesa*, Bari, 1957; L. Sturzo, *Church and State*, Londres, 1939; J. A. G. Tans, *Les idées politiques des jansénistes*, dans *Neophilologus*, t. XL, 1956, p. 1-18; M. Torres, *La sumission del soberano a la ley, en Vitoria, Vasquez de Menchaca y Suarez*, dans *Anuario de la Assoc. F. de Vitoria*, t. IV, 1933, p. 129-154; *Traité de l'obéissance des Chrétiens aux puissances temporelles*, Utrecht, 1735; W. Troeltsch, *Zur Publizistik über Kirche und Staat von Ausgang des 18. bis zum beginn des 19. Jahrhunderts*, Kiel, 1918; *L'Université de Louvain à travers cinq siècles*, Bruxelles, 1927, contient : V. Brants, *Notice sur quelques professeurs [de droit]*, p. 65-99; Z. B. van Espen, *Scripta omnia quatuor tomis comprehensa*, Louvain, 1753; F. Vigener, *Gallikanismus und episkopal-strömungen. Katholizismus zwischen Tridentinum und Vaticanum*, Berlin, 1913; A. Vinciguerra, *Contributo alla storia del pensiero politico della controriforma*, dans *Studi Urbaniti*, t. XXVIII, 1954, p. 279-321; P. J. et D. P. Waley, trad. de C. Botero, *The Reason of State*, Londres, 1956; J. H. Wessel, *Een schakering in de Rooms-Katholieke opvatting van het kerkelijk gezag in Nederland in de XVIe e. vóór Trente*, dans *Nederl. arch. v. kerkgesch.*, t. XXXIX; L. Willaert, *Les origines du jansénisme dans les Pays-Bas catholiques*, Bruxelles-Gembloux, 1948, p. 126-164; Id., *Le Placet royal aux Pays-Bas*, extr. de *R.B.P.H.*, t. XXXII, 1954, t. XXXIII, 1955; F. Willockx, *L'introduction des décrets du concile de Trente dans les Pays-Bas et dans la Principauté de Liège*, Louvain, 1929; H. Wolter, *Antonio Possevino (1533-1611). Theologie und Politik im Spannungsfeld zwischen Rom und Moskau*, dans *Scholastik*, t. XXXI, 1956, p. 321-350.

dominer, toutes les activités de la nation. Il y est aidé par les humanistes, férus des théories de la Cité antique [1].

Ce partenaire, que l'Église doit nécessairement rencontrer, ce n'est pas toujours le roi. Le régime restera monarchique; mais il est envahi graduellement par l'auxiliaire dont le roi ne peut se passer; ce n'est plus, comme jadis le maire du palais, puis la féodalité; c'est le légiste, le juriste, qui les a remplacés et qui s'apprête, comme magistrat ou comme fonctionnaire, à renouveler, dans la mesure du possible, leur usurpation. Le vrai maître deviendra — sauf exceptions partielles — non le roi, qui meurt malgré l'adage, mais cet ensemble d'institutions impersonnelles, immortel parce que ses membres ne meurent jamais tous ensemble, et qui s'appelle l'État moderne. Là dominent les « hommes d'écritoire », comme disaient les hommes d'épée, hommes de cette bourgeoisie qui monte et qui bientôt triomphera dans la société. L'Église devra compter et avec l'État-roi et avec l'État-administration, l'un et l'autre ayant sa doctrine.

Mais il importe ici d'éviter un anachronisme. A cette époque, il ne s'agit pas encore de laïcisation de l'État à notre sens du mot, quels que soient les progrès du « libertinage ». Car l'immense majorité de la société reste catholique : bon nombre de parlementaires français sont très fidèles à l'Église [2]. Ce n'est pas tellement à l'Église nationale que s'en prennent les détenteurs du pouvoir et les théoriciens du droit public. C'est à l'Église supranationale, au pouvoir « étranger » que représente le pontife romain.

Étant donnée l'union intime des deux puissances, entre l'État absolutiste et l'Église centralisée, le conflit était fatal; car territorialement leurs juridictions se superposaient.

Pour que les sujets d'un État lui fussent soumis absolument, il fallait qu'un rideau de fer les empêchât de subir du dehors une autorité qui leur apportât en même temps un appui moral — et peut-être matériel — contre une éventuelle tyrannie. Mais l'Église « catholique » n'était « au dehors » que dans la personne de son chef suprême; bien plus, ce chef exerçait une profonde influence à l'intérieur de l'État. D'autre part, l'État trouvait des moyens d'entraver les directives dogmatiques et disciplinaires du Saint-Siège, partie essentielle de la vie intime de l'Église. Il pouvait même, pour dominer totalement la nation, aller jusqu'à la séparer du centre catholique par le schisme. De soi, l'absolutisme d'État devait aboutir, logiquement et historiquement, au divorce d'avec l'Église, puis au « laïcisme » hostile. En attendant, entre l'État et Rome, c'est la guerre froide ou tiède.

INFLUENCES PERSONNELLES   Afin de mieux comprendre la vivacité de leurs querelles, il faut se souvenir que, dans la réalité phénoménale, il n'y a pas de théologie, comme il n'y a pas de droit

[1] P. MESNARD, *L'essor...*, op. cit., p. 17-172.
[2] V. MARTIN, *Le gallicanisme...*, op. cit., p. 271.

public. Il n'y a que des théologiens et des juristes. Tous ces hommes respirent l'atmosphère de leur milieu social. Ils ont leurs passions et leurs talents et plusieurs sont conscients de leur haut mérite [1]. De plus, ils appartiennent souvent à des organismes constitués : magistrats des parlements ou docteurs des Facultés. Ce qui attisera les controverses. Car, dans ce cas, l'orgueil de la capacité personnelle se double de celui du groupe. Enfin et surtout, ces hommes participent à l'esprit national.

INFLUENCES NATIONALES Au XVIe siècle, en effet, les nationalités s'affirment. Elles s'exaltent jusqu'à la passion dans les rivalités du temps de paix. Tandis qu'elles communiquent à l'État leur élan, elles se fortifient grâce à ses cadres et grâce aux guerres où il les lance.

Il est vrai que parfois — comme en France sous la Ligue — la religion prime le patriotisme, fanatisant les partis jusqu'à l'alliance avec l'étranger [2]. Mais c'est l'exception. Souvent le nationalisme s'allie à la religion devant la menace d'un ennemi commun : c'est le cas de l'Irlande contre l'Angleterre; de la Hongrie et de la Pologne contre le Turc; de l'Espagne contre « moriscos » et « marraños », en général de tout pays à religion d'État. Le patriotisme est alors humainement le meilleur soutien de la foi.

L'histoire d'une âme soulève peu de problèmes plus intéressants que celui de l'incidence du divin sur ses dispositions personnelles et sur son égocentrisme. Plus passionnant encore, parce que plus important, est, dans l'histoire religieuse d'un peuple, l'incidence du divin sur son tempérament national et sur son amour-propre collectif.

Le grand Appel qui, depuis le XVe siècle, réveillait la Chrétienté, la ramènerait-il à la pureté de ses origines? A comprendre la voix de Paul de Tarse, que, « dans ce renouvellement », il ne doit y avoir en elle « ni Juif ni Grec » (*Col.*, III, 11; *Gal.*, III, 28); que son Dieu ne doit être ni « le Dieu des Juifs », ni « le Dieu des Gentils » (*Rom.*, III, 29); rien que la *Katholikê* que célébrera Ignace d'Antioche?

En général, la « Chrétienté » du Moyen-Âge était « catholique », donc universelle et communautaire [3]. Mais, s'il est vrai que l'humanisme avait aidé la théologie à mieux comprendre ses origines et la nature humaine,

---

[1] V. MARTIN, *Les origines...*, *op. cit.*, t. I, p. 32 et n. 3 (Le Bras).

[2] Les huguenots conclurent avec Élisabeth d'Angleterre le traité de Hampton-Court (20 septembre 1582), qui lui cédait le Havre comme gage de la restitution de Calais. De leur côté, les catholiques, par le traité de Joinville (31 décembre 1584), abandonnaient à Philippe II la ville de Cambrai pour prix de l'aide qu'il accordait à la Ligue. (L. WILLAERT, *Religion et patriotisme*, Tournai, Paris, 1947, p. 19.) — Les ligueurs extrêmes allaient presque à se déclarer en faveur d'un roi catholique, fût-il espagnol ou allemand. « Nous n'affectons la nation, mais la religion. » (J. H. MARIÉJOL, dans E. LAVISSE, *Hist. de France*, Paris, 1904, t. VI, I, p. 382.) « Qui n'aimeroit donc mieux être Espagnol que Huguenot? », écrit l'avocat Louis Dorléans. (*Ibid.*, p. 253.)

[3] On se souviendra de l'attitude du clergé carolingien en faveur de l'idée impériale; de celle de l'Église impériale; des croisades, etc.

d'autre part, il avait aussi exalté tout ce qu'il y avait d'humain dans le paganisme, y compris l'orgueil, celui des individus et celui des collectivités, des « pays » en formation. Aux yeux de bien des gens du xvie siècle, le crucifix apparaissait trop souvent teinté de leurs couleurs nationales. On a vu ci-dessus (p. 335), la menace d'éclosion d'Églises d'État dans l'Église restée catholique, notamment en Espagne et en France.

C'est que les frontières politiques ont tendance à découper l'Église en fractions qui s'y superposent. Pour les grandes nations, la tentation est dangereuse, même sans répudier le nom de « catholiques » et les liens avec Rome, de se tailler dans la catholicité un statut ecclésial à part. Tentation que devait encore accentuer au xvie siècle la fierté des monarchies centralisées, orientées vers l'absolutisme, et celle des nationalismes qu'elles fouettaient dans les luttes pour la suprématie.

DEUX ANTI-ROMANISMES A y regarder de plus près, on voit les oppositions à la primauté romaine se grouper en deux ailes. Celle du clergé et des théologiens, qui s'occupent d'ecclésiologie proprement dite, de dogmatique ou d'intérêts cléricaux. Pour eux, le problème est de savoir à qui appartient dans l'Église l'autorité suprême, dogmatique et juridictionnelle. Parmi eux, se formera l'*anti-romanisme ecclésiastique*. On pourrait le subdiviser en « *clérical* » et en « *théologique* », celui-ci représentant la doctrine, celui-là les intérêts.

De son côté, l'État s'oppose aux interventions de Rome au temporel : prétentions à l'autorité judiciaire, économique, politique; au contraire, il veut étendre son pouvoir sur le spirituel. Et ainsi l'anti-romanisme se coule dans l'opposition plus générale entre l'État et l'Église, au point qu'il est souvent impossible de distinguer l'une de l'autre.

Comme l'attitude des rois diffère parfois de celle des parlementaires et des légistes, on distinguera dans cet *anti-romanisme politique*, le « *royal* et le « *parlementaire* » ou « *légiste* ». Le parlementaire appartient aux cours et aux tribunaux ou présidiaux; le légiste aux théoriciens du droit.

Ces deux ailes de l'opposition à Rome, théologique et politique, diverses par leur objet, sont fréquemment amenées, par l'identité de leur but, à conjuguer leur action. L'anti-romanisme politique renouvelle sous une forme moins guerrière, les luttes médiévales du Sacerdoce et de l'Empire. Et l'on compte, à l'époque moderne, des ecclésiastiques héritiers, « mutatis mutandis », des clercs impérialistes d'Henri IV. De ce chef, il est presque impossible d'exposer séparément l'histoire des deux clans adversaires de Rome.

L'histoire de l'Église doit nécessairement comprendre tant le déroulement des faits que l'étude des idées. Car c'est de la synergie du réel et de l'idéal, de leurs réactions réciproques que naît le comportement des hommes.

SECTION II. — LE GALLICANISME.

§ 1. — Contenu et portée du gallicanisme

UNE VARIANTE
DE L'ANTI-ROMANISME

On représente parfois le gallicanisme comme un mouvement né en France et qui se serait communiqué aux pays voisins. De même, on considérait souvent la Renaissance ou la Révolution de 1789 comme des

---

[1] BIBLIOGRAPHIE DE L'HISTOIRE DU GALLICANISME. — Voir la bibliographie sur les relations entre l'Église et l'État, p. 357, n. 1.

BIBLIOGRAPHIE. — Il faudra consulter l'indispensable bibliographie que fournit P. IMBART DE LA TOUR, *Les origines de la Réforme*, t. II, Paris, 1944, 2ᵉ éd., p. 589-592 (Théorie du gallicanisme, histoire du gallicanisme; le concile de Pise; le concordat de 1516); *Bibliographie annuelle de l'histoire de France du Vᵉ siècle à 1939, année 1955* (C. ALBERT), Paris, 1956; B. MAHIEU, *Les Archives de l'Église catholique en France*, dans *Archivum*, t. IV, 1954, p. 84-104. — On ne reprendra pas ici les excellentes bibliographies méthodiques de *D.T.C.*, t. IV, col. 1958; t. VI, col. 1096, 1595 (gallicanisme à partir de 1682); t. VIII, col. 473 s. (les deux chefs); t. IX, col. 1987 (de Marca); t. XIII, col. 2701 (Richer et le gallicanisme royal); t. XV, col. 1507 (concile de Trente). — *D.A.*, t. II, col. 194-273; t. III, col. 1402, 1436, 1446 (Richer et son *Libellus*); *K.L.*, t. IV, col. 813 (Régale); t. VIII, col. 642-648; *L.T.K.*, t. IV, p. 271 s. (historique); *H.E.*, t. XV, p. 161 s. (Louis XII c. Jules II); t. XIX, p. 148-164; L. ANDRÉ, *Les sources de l'histoire de France, XVIIᵉ siècle (1610-1715)*, t. VI, Paris, 1932, p. 169-180. — Notices critiques; H. X. ARQUILLIÈRE, *Qu'est-ce que le gallicanisme?* Paris, 1921; P. BÉLET, *Le gallicanisme réfuté par Bossuet à l'aide de textes puisés dans ses œuvres et mis en ordre*, Besançon, 1869; BELLARMIN, *op. cit.*, t. I, col. 713 (les deux chefs); P. BLET, *Lettres et mémoires du nonce Ranuccio Scotti 1639-1641)*, thèse compl. dactyl., Paris, 1958; ID., *Le clergé de France et la Monarchie. Étude sur les Assemblées générales du Clergé de 1615 à 1666* (thèse), Paris, 1958; ID., *Jésuites et libertés gallicanes en 1611*, dans *A.H.S.J.*, t. XXIV, 1955, p. 165-188; V. CARRIÈRE, *Les épreuves de l'Église de France au XVIᵉ siècle*, Paris, 1936; *Catholicisme*, t. IV, col. 1731-1739; A. CAUCHIE, *Le gallicanisme en Sorbonne, d'après la correspondance de Bargellini, nonce de France (1668-1671)*, dans *R.H.E.*, t. III, 1902, p. 972-985; t. IV, 1903, p. 36-54, 448-469; CAYRÉ, *Précis, op. cit.*, t. V, p. IX; L. CEIJSSENS, *L'ancienne université de Louvain et la Déclaration du clergé de France (1682)*, dans *R.H.E.*, t. XXXVI, 1940, p. 345-399; A. CHARLAS, *Tractatus de libertatibus Ecclesiae gallicanae*, Liège, 1684 (*B.J.B.*, nᵒ 4508); anonyme, 1689; 3ᵉ éd., Rome, 1720; ID., *Du Concile général pour la justification de ce qui est dit dans les traités des libertés gallicanes contre ce que l'auteur de la réponse aux positions ultérieures de M. Steyaert y oppose*, par M. C. S., doct. en théologie, Liège, 1688; V. A. J. DECHAMPS, *L'assemblée générale du clergé de France de 1625 et l'article 37 de ses avis aux évêques... sur l'infaillible magistère du chef de l'Église*, Malines, 1873; P. DE MARCA, *De concordantia sacerdotii et imperii seu de libertatibus Ecclesiae gallicanae*, Paris, 1641; Paris, 1663, 1669, 1704; Francfort, 1708; P. DE FAGET, *Vita... Petri de Marca...*, dans PETRI DE MARCA, *Dissertationes posthumae*, Paris, 1669, 120 p., en tête après *Elenchus Operum;* A. DE MEYER, *Les premières controverses jansénistes en France (1640-1649)*, Louvain, 1919, p. 61, 635 s., 399 s., 401 (Richer; les deux chefs); G. DESDEVISES DU DÉZERT, *L'Église et l'État en France (1598-1801)*, Paris, 1907, 2 vol.; Louis ELLIES DU PIN, *Histoire ecclésiastique du XVIIᵉ siècle*, Paris, 1714, 4 vol., Paris, 1728. Pour les ouvrages concernant les faits postérieurs à 1648, cf. ANDRÉ, *op. cit.*, nᵒˢ 4151, 4494, 5484, et *B.J.B.*, p. 1044 (table); P. DUPUY, *Traité des droits et libertés de l'Église gallicane*, Paris, 1639, 1651; 3 éd., 1731-1751 (continué par Brunet, J. L.), Paris, 4 vol. in-fol.; ce recueil contient un bon nombre des écrits publiés précédemment. M. DURAND DE MAILLANE, *Les libertés de l'Église gallicane... suivant l'ordre et la disposition des articles dressés par M. Pierre Pithou et sur les recueils de M. Pierre Dupuy*, Lyon, 1771, 3 vol. Même remarque que pour DUPUY; A. DUVAL, dans *R.S.P.T.*, t. XXXVIII, 1954, p. 539 (BOSSUET); S. D'IRSAY, *Histoire des Universités, op. cit.*, t. II, p. 53; J. ELLUL, *Histoire des institutions*, Paris, 1955-1956, t. II, p. 187-194, 362, 380 (bibliographie), 499-502; H. E. FEINE, *Kirchliche Rechtsgeschichte*, t. I, p. 693 (table : Gallikanismus); FERET, *La Faculté..., op. cit.*, t. I, p. 23, 360 s.; t. III, p. 249-292; t. IV, p. 1-24; F. GAQUÈRE, *Pierre de Marca (1594-1662). Sa vie, ses œuvres, son gallicanisme*, Paris, 1932; *H.-B.*, t. VI, p. 157-170, 182-190, 237 s. (bibliographie encore utile); G. HANOTAUX, *Recueil des instructions données aux ambassadeurs et ministres de France...*, Paris, 1888, t. I, p. VII-CXII. Théorie du gallicanisme

produits d'exportation italien ou français. Mais, dans ces divers cas, il s'agit d'éruptions diverses d'une même lave souterraine. L'anti-romanisme est un phénomène européen, des causes semblables produisant des effets semblables. Poussé jusqu'au schisme dans certains pays, ailleurs, après avoir frisé la rupture, il reste dans les limites de la fidélité catholique.

historique, de Charlemagne à Louis XIV) ; G. HANOTAUX et le duc DE LA FORCE, *Histoire du Cardinal de Richelieu*, t. VI, Paris, 1947. (C.-r. ORCIBAL, dans *R.H.É.F.*, t. XXXIII, 1948 p. 94-101) ; *H.B.*, t. VI, p. 183 (encore utile par sa bibliographie) ; P. JANET, *Histoire de la Science politique dans ses rapports avec la morale*, Paris, 1913, 2 vol. ; P. IMBART DE LA TOUR, *Les origines...*, *op. cit.*, t. II, col. 73-125 (xve siècle) ; P. JANSEN, *De Blaise Pascal à Henry Hammond : les Provinciales en Angleterre*, Paris, 1954 (relations entre gallicans et anglicans) ; H. JEDIN, *Relazioni...*, *op. cit.*, p. 72 (Pithou et Richer) ; R. LAPRAT, *Libertés gallicanes*, dans *Dict. de droit canon. français*, t. VI, col. 426 s. ; t. XXXIII, col. 513, Paris, 1955 ; A. LATREILLE, *Les nonces apostoliques de France et l'Église gallicane sous Innocent XI*, dans *R.H.É.F.*, t. XLI, 1955, p. 211-235 (concerne la période postérieure, 1671-1689) ; J. LECLER, *Qu'est-ce que les libertés de l'Église gallicane?*, dans *R.S.R.*, t. XXIII, 1933, p. 385-410, 542-568 ; t. XXIV, 1934, p. 47-85 ; B. MAHIEU, *Comment les Français du XVIIe siècle voyaient le Pape*, Paris, 1955 ; A. G. MARTIMORT, *Le gallicanisme de Bossuet* Paris, 1953 (C.-r. ARQUILLIÈRE, dans *R.H.É.F.*, t. XLI, 1955, p. 311-315 ; dans *R.S.P.T.*, t. XXXVIII, 1954, p. 539) ; V. MARTIN, *Les origines du gallicanisme*, Paris, 1939, 2 vol. (capital) ; *Le gallicanisme et la réforme catholique. Essai historique sur l'introduction en France des décrets du concile de Trente (1563-1615)*, Paris, 1919 (abondante bibliographie, p. XVII-XXVI) ; ID., *Le gallicanisme politique et le clergé de France*, Paris, 1929 ; ID., *Les négociations du nonce Silingardi relatives à la publication du concile de Trente en France. (Documents)*, Paris, 1929 ; ID., *L'adoption du gallicanisme politique par le clergé de France*, dans *Revue des Sc. rel.*, t. VI, 1926, p. 305-344, 453-498 ; M. MAUCLERC, *De monarchia divina ecclesiastica et seculari christiana...*, Paris, 1622, 2 vol. ; P. MESNARD, *La pensée religieuse de Jean Bodin*, dans *Revue du XVIe siècle*, t. XVI, 1929, p. 77-121 ; MOURRET, *L'Ancien Régime*, *op. cit.*, p. 259 ; E. NYS, *Les théories politiques et le droit international en France, jusqu'au XVIIIe siècle*, Paris, 1899, p. 46-62 ; J. ORCIBAL, *Les origines...*, *op. cit.*, t. III, table p. 225 (les deux chefs) ; ID., *Relazioni* (congrès de Rome 1955), *op. cit.*, t. IV, p. 131 s. ; *P.G.*, t. XIV, II, p. 840 s. ; PANNIER, *L'Église et l'État sous Henri IV*, Paris, 1911 ; Ch. PERRENS, *L'Église et l'État sous le règne de Henri IV*, Paris, 1872, 2 vol. ; P. PITHOU ; *Traitez des droits et libertez de l'Église gallicane*, s. l., 1639 ; Paris, 1731-1751, 4 vol. ; ID., *Les libertez de l'Église gallicane*, Paris, 1594 ; ID., *Commentaire sur le traité des libertés de l'Église gallicane*, Paris, 1652 ; M. D. POINSENET, *La France religieuse au XVII' siècle*, Casterman, 1952 ; Ch. POULET, *Histoire du Christianisme*, *op. cit.*, t. III, p. 809, 1141, 1152, 1154 (Richer) ; E. PRÉCLIN, *Les jansénistes du XVIIIe siècle et la constitution civile du clergé. Le développement du richérisme. La propagation dans le bas-clergé*, Paris, 1929 ; ID., *Edmond Richer*, dans *Rev. d'Hist. mod.*, 1930, p. 242-269 ; E. PUYOL, *Edmond Richer*, Paris, 1876, 2 vol. ; *R.S.P.T.*, t. XIX, 1930, p. 609 (Richer) ; R. RAPIN, *Mémoires*, éd. L. AUBINEAU, Lyon, Paris, s. a., t. I, p. 113 (les deux chefs) ; RHEINHARDT, *Henri IV ou la France sauvée*, Paris, 1943 ; P. RICHARD, *La Papauté et la Ligue française. Pierre d'Épinac, archevêque de Lyon*, Paris, 1909 ; [E. RICHER], *Apologia pro Joanne Gersonio pro suprema ecclesiae et concilii generalis auctoritate...*, dans *E.R.D.T.P.*, Leyde, 1676 ; ID., *De ecclesiastica et politica potestate liber unus*, Paris, 1611, 1612 ; ID., *De la puissance ecclésiastique et politique*, Paris, 1612 ; ID., *Libellus de ecclesiastica et politica potestate*, Paris, 1611, 1613, 1621, 1660 ; Cologne, 1683, 1701. — Voir ses différentes justifications dans *Catalogue général des livres imprimés de la Bibliothèque Nationale*, t. CLI, col. 477 s. ; F. ROCQUAIN, *La France et Rome pendant les guerres de religion*, Paris, 1924 ; L. ROMIER, *La crise gallicane de 1651*, dans *R.H.*, t. CVII, 1911, p. 225, t. CVIII, 1912, p. 1 ; ROSEROT DE MELIN, *Études sur les relations du Saint-Siège et de l'Église de France dans la seconde moitié du XVIe siècle*, dans *Mélanges d'archéol. et d'hist.*, t. XXXIX, 1921, p. 47-153 ; *S.-D.*, t. VI, p. 499-528 (500-508, résumé) ; SAINTE-BEUVE, *Port-Royal*, édit. cit., t. II, p. 311 (les deux chefs) ; M. STEYAERT, *Positiones de pontifice eiusque authoritate apologeticae pro fac. S. Theol. Lovaniensi contra objectatorem gallum*, Louvain, 1687 ; N. SYKES, *Archbishop Wake and the Gallican Church*, dans *Atti* du Congrès de Rome, 1955, p. 802-804 ; *William Wake, Archbishop of Canterbury, 1657-1737*, Cambridge, 1957, 2 vol. ; relations entre gallicans et anglicans ; D. THICKETT, *Bibliographie des œuvres d'Estienne Pasquier*, Genève, 1956 ; ouvrages concernant les jésuites, p. 112-141 ; réponses des jésuites, p. 143-152 ; Ph. TOREILLES, *Le mouvement théologique en France depuis ses origines jusqu'à nos jours (IXe au*

ANTI-ROMANISME EN FRANCE Mais le rôle capital de l'Église de France dans l'histoire de l'Église posttridentine, comme dans celle du nationalisme, les réactions doctrinales que ses audaces provoquèrent de la part du Magistère catholique et l'importance du gallicanisme dans les destinées du pays jusqu'à nos jours justifieront la place plus large qui lui est faite ici.

Les doctrines ressemblent aux plantes qui s'acclimatent partout plus ou moins, mais choisissent leur terrain privilégié d'expansion et de vigueur. La racine de l'anti-romanisme est la réaction épiscopalienne et nationaliste contre la prépotence centralisatrice du Souverain Pontife, et contre la thèse de son infaillibilité. Son expression à l'époque du Grand Schisme est la supériorité du concile. Or, elle ne fut enseignée par les Français Gerson et d'Ailly qu'après l'avoir été par l'Italien Marsile de Padoue, par l'Anglais Guillaume d'Occam, par les Allemands Conrad von Gelnhausen et Henri von Langenstein.

On remarquera d'ailleurs que les fameux « Quatre articles » de la *Déclaration* de 1682, sauf la mention des coutumes et règles de France, pouvaient être signés par tous les adversaires de l'absolutisme romain [1]. Cependant, parmi les nations restées catholiques, c'est en France que l'opposition à l'autorité de Rome, secondée par l'opposition huguenote, a provoqué les remous les plus persistants et les plus périlleux pour l'unité de l'Église [2].

XXᵉ siècle), Paris, 1907, p. 91 s.; *Traitez des droits et libertez de l'Église Gallicane*, s. l., 1731; TURMEL, *op. cit.*, p. 166, 201, 204, 267 (de Marca, Richer); Ch. URBAIN, *Dissertation de l'abbé Pirot sur le concile de Trente*, dans *R.H.É.F.*, t. III, 1912, p. 78, 178, 317, 432; N. VALOIS, *Le pape et le concile*, Paris, 1909, 2 vol.; A. VAN KLEEF, *Schuilnamen [...] aangenomen door schrijvers meest voorkomende in de geschiedenis der gallikaanse en hollandse Kerk*, s. l., 1955; G. WEILL, *Les théories sur le pouvoir royal en France pendant les guerres de religion*, Paris, 1891. — V. DE CAPRARIIS, *Propaganda e pensiero politico in Francia durante le guerre di Religione*, Naples, 1959, t. I.

[1] Voir *supra* les résistances à la papauté, p. 361 et *infra*, p. 407 s., les résistances dans d'autres pays. — Il est vrai que la théorie de la souveraineté des conciles finit par caractériser le seul gallicanisme français. Vers le milieu du XVIIᵉ siècle, Pascal pouvait remarquer en toute exactitude : « Il n'y a presque plus que la France où il soit permis de dire que le concile est au-dessus du pape » (*Pensées*, éd. Brunschvicg, p. 733, n° 871).

[2] Problèmes principaux discutés alors :

I. — Le pape, comme interprète suprême et souverain de la Révélation et de ses « développements », peut-il fixer le dogme, infailliblement, sans le « consensus Ecclesiae » exprimé par le concile général?

A. *Relations du clergé avec le pape.*

— *L'anti-romanisme théologique* répond : non, au moins de manière « irréformable » (Bossuet). Le pape est inférieur au concile et, sans lui, faillible; ce qui est l'épine dorsale de l'anti-romanisme.

— *L'anti-romanisme politique* répond : non, car le pouvoir royal est absolu, directement reçu de Dieu, intangible et totalement indépendant de l'autorité spirituelle du pape : il a le droit de *placet* (entérinement des constitutions pontificales ou conciliaires, par exemple les canons de Trente) et *d'appel comme d'abus* (au Conseil), ou *recursus ad principem*. Le pape peut-il fixer la *liturgie*, en excluant les liturgies locales?

— *L'anti-romanisme liturgique* a tenté une action autonome, qui fut réprimée. Cf. *Catholicisme*, t. IV, col. 1729 s.

L'ÉGLISE DE FRANCE
ET LA ROYAUTÉ   Il est vrai que de multiples raisons encourageaient l'Église de France à revendiquer des « libertés » particulières. Elle s'appelait l'« Église *de* France ». Elle avait son Magistère propre, la Faculté de Paris, « de laquelle, dit un chancelier, tout le royaume de France doit dépendre ès choses qui concernent la religion »[1]. Depuis 1567, ses « Assemblées du clergé » lui conféraient assez de personnalité et de cohésion pour lui permettre d'adresser au roi de respectueuses mais fermes remontrances. Elles prendront en 1682, au point de vue théologique, une position provocante, dangereuse parce qu'elle pouvait glisser jusqu'au schisme.

D'autre part, ce clergé avait au plus haut degré le sens national et dynastique. Il était profondément conscient des services rendus de longue date par la France à l'Église et au pape. Il professait pour les rois « très chrétiens » un respect sincère, une vive gratitude pour l'appui que l'Église avait trouvé chez ces défenseurs historiques[2] et, de par le sacre, une sorte de culte pour « l'Oingt

B. *Relations du clergé avec l'État.*

Les « *libertés gallicanes* » et autres comprennent-elles pour le clergé

— *l'indépendance spirituelle*, au point que l'État ne peut intervenir dans les questions de dogme, de liturgie, de discipline morale, ou l'enseignement de l'Église est-il soumis au contrôle de l'État, notamment au *placet*, en ce qui touche les décisions romaines?

— *l'indépendance judiciaire*, ou ses décisions sont-elles susceptibles d' « *appel comme d'abus* » ou de « *recursus ad principem* » devant les juridictions d'État?

— *le droit de réunion?*

II. — Le pape, comme chef et magistrat suprême de l'Église, peut-il :

1. *juger* tous les fidèles, même les rois, qu'il pourrait excommunier, même si, de ce chef, ils devaient être déposés?

— juger les fidèles de tout pays, contrairement à leurs « libertés », aux franchises de leurs tribunaux?

— exercer une coercition extérieure quelconque?

L'anti-romanisme théologique, d'accord avec le *politique*, répond : non; la « temporalité » du pouvoir royal est absolument indépendante. En cette matière, le *gallicanisme royal* ne fut pas toujours aussi intransigeant que le parlementaire (bulle *Unigenitus*).

2. Peut-il exercer son *pouvoir exécutif* discrétionnaire?

a. en *nommant aux fonctions ecclésiastiques*, même si des bénéfices temporels y sont attachés, parce qu'il est le maître de tous les biens d'Église?

b. en *prenant des décrets*, même opposés aux « canons » traditionnels, même par-dessus le pouvoir des évêques et des curés?

c. en accordant, à discrétion, aux ordres religieux des *exemptions* de la dépendance des évêques et des curés, qui revendiquent un pouvoir « de droit divin »?

d. en *recrutant les fonds* nécessaires au fonctionnement de l'administration apostolique (annates, etc.)?

Ici encore, les divers anti-romanismes répondent négativement.

Au contraire, affirment certains gallicans, « En cas de nécessité, tous les biens d'Église peuvent être à la disposition du roi, l'Église n'en étant que dépositaire, l'origine de ce patrimoine venant essentiellement des dons royaux ». (G. LEPOINTE, *Histoire des institutions et des faits sociaux (987-1875)*, Paris [1956], p. 563).

III. — Les « libertés gallicanes » et autres sont-elles des *droits antiques et imprescriptibles?*

— *L'anti-romanisme politique* répond : oui.

— *L'anti-romanisme ecclésiastique* se divise; les uns répondent : oui, les autres considèrent ces libertés comme des privilèges.

---

[1] FERET, *La Faculté...*, op. cit., t. III, p. 256.

[2] A Bourges (1438), le grand chancelier avait rappelé au clergé la sollicitude des rois lorsqu'il s'agissait de « labourer pour l'Église » (V. MARTIN, *Les origines...*, t. II, p. 299 s.). — Les instructions de Louis XI à ses envoyés leur recommandaient déjà de rappeler longuement au pape tout ce que l'Église devait à la France. Par une usurpation habituelle,

du Seigneur » ¹. Bossuet, l'aigle du gallicanisme, « celui qui » en a rédigé
la somme dans la *Defensio declarationis*, « est aussi celui qui » exalte le roi,
« à qui rien ne résiste », à qui « s'attache quelque chose de divin ». A force
de considérer le roi comme un « vice-Dieu » on finira même par se représenter
Dieu à l'instar du roi ².

D'autre part, au sortir des guerres de la Ligue, la nation épuisée n'attendait
la paix que d'une monarchie aux pouvoirs étendus et incontestés.

Enfin, de l'aveu même de Rome, « la prospérité de ce royaume [au début
du XVIIᵉ siècle] l'avait mené à une situation telle qu'il apparaissait que de lui
dépendait le bien ou le mal de la Chrétienté » ³. Plus montait au ciel politique
la gloire du Roi-Soleil, plus le clergé, comme toute la nation, s'enivrait de
leur commune importance ⁴.

GALLICANISME,　　　Entendons-nous cependant. Ce n'est pas à un
DOCTRINE ANCIENNE　chauvinisme assez puéril qu'il faut attribuer la théorie.
　　　　　　　　　　　Les gallicans prétendent bien ne pas se targuer de
« privilèges » que la France seule aurait conquis dans l'Église de Dieu, même
de longue date. Pour légitimer leurs « libertés », ils les donnent comme
l'authentique survivance du droit commun de l'Église, non seulement au
Moyen Âge, mais dès les origines. Pour eux, à l'encontre de l'Italie, plus
proche et moins indépendante, la France a résisté à l'envahissement des
pouvoirs nouveaux que Rome s'est attribués ⁵. Si la « minor applicans » de leur
syllogisme se vérifiait par l'histoire, loin de réclamer pour leur pays un
privilège particulier, les gallicans seraient simplement — comme les autres
anti-romains, — des archaïsants ⁶. Ils défendaient les « libertés » de la Gaule

il y insérait ceux qu'elle devait aux *Francs* : « Qui a dompté les Aquitains, les Normands
acharnés à détruire en Gaule la religion du Christ? La France. Qui a brisé les Saxons tant
de fois parjures à la foi du Christ? La France... », IMBART DE LA TOUR, *op. cit.*, t. II, p. 97,
où l'énumération continue; J. LECLER, *Qu'est-ce que les libertés de l'Église gallicane*, dans
R.S.R., t. XXIII, 1923, p. 550.

¹ Le titre de « roi très chrétien » avait été accordé à Louis XI par Paul II en 1469.
Ce caractère religieux du roi, qui « n'est pas pur lay » est suffisamment connu. Cf. M. BLOCH,
Les rois thaumaturges, Strasbourg, 1924; V. MARTIN, *Les origines*, *op. cit.*, t. I, p. 71-73;
H. VON SCHUBERT, *Der Kampf...*, *op. cit.*, p. 47. — Sur l'attitude du clergé à l'égard du roi,
LAVISSE, *Histoire de France*, t. VII, I, p. 400 s. Dans ce contexte on peut placer toute la querelle
du *Mars gallicus* (Cf. ANDRÉ, *Sources...*, *op. cit.*, Nᵒˢ 2799, 2815-2818; 8407, 8466).

² « Le Dieu du XVIIᵉ siècle fut une sorte de Louis XIV, image et suzerain de l'autre. »
(H. TAINE, *La Fontaine et ses fables*, Paris, 1861, p. 211.)

³ Instructions données à Mgr. Bolognetti en 1634, citées par A. LATREILLE, *Les nonces*,
op. cit., dans *R.H.É.F.*, t. XLI, 1955, p. 212. Le texte est au temps présent.

⁴ N'est-ce pas à cette exaltation nationaliste qu'il faut attribuer l'évolution du clergé français
entre 1614-1615 (États-généraux) et 1682? On le voit, en effet, au terme de cette période,
donner au gallicanisme politique un assentiment qu'il lui refusait au début (négation du
« pouvoir indirect » du pape sur les rois). V. MARTIN, *L'adoption du gallicanisme politique
par le clergé de France*, dans *R.Sc.R.*, t. VI, 1926, p. 305-344, 454-498.

⁵ La comparaison avec l'Italie vient chez Bénigne Milletot, dans LECLER, *Qu'est-ce...*,
op. cit., t. XXIII, p. 552.

⁶ A. G. MARTIMORT, cité dans *R.H.E.*, t. XLI, 1955, p. 312. A ce sujet, intéressantes
citations dans LECLER, *loc. cit.*, t. XXIV, p. 53 s.; *D.A.*, t. II, col. 196.

chrétienne [1]. Mieux encore : il leur arrivera d'invoquer comme précédents les prérogatives des druides ! Il faut signaler aussi, chez plusieurs tenants des libertés ecclésiastiques locales, le désir de faciliter la conversion des protestants en diminuant la prépotence romaine.

Somme toute, la querelle gallicane se rattache au problème fondamental du « développement du dogme et de la discipline » ecclésiologiques (ci-dessus, p. 313).

DÉFINITION   Insérer l'histoire du gallicanisme dans une *Histoire de l'Église* est une entreprise téméraire. Le sujet est vaste et confus; d'abord parce qu'il faudrait dire, dès le seuil, ce qu'on entend par gallicanisme. Comme les autres anti-romanismes, il commence par être, dans la cohue des événements, un mouvement où les sentiments dominent. Il le restera, même quand il se cuirassera peu à peu d'une doctrine; celle-ci s'élaborera savamment, grâce à des maîtres du droit et de la théologie. « Les doctrines elles-mêmes ne constituent qu'une des composantes du gallicanisme, dans lequel entre une part prépondérante d'irrationnel : l'opposition entre le tempérament des Français et des Italiens [...]. Beaucoup plus d'ailleurs que de théories et d'opinions, le gallicanisme est fait d'attitudes concrètes... » [2]. Et lorsque la doctrine aura perdu son empire, le mouvement survivra, plus ou moins, parce que, comme dit Macaulay, « les partis retiennent plus longtemps leurs inimitiés que leurs principes » [3].

Seulement cette doctrine s'exprime en formules célèbres et d'un effet magique, mais dont la signification varie, au point que certaines, telles les « libertés gallicanes », « l'Église gallicane » ne furent jamais définies clairement [4]. A preuve, les définitions multiples et divergentes qu'on en a données. Pithou comptait quatre-vingt-trois libertés! Sans s'attarder à « pointiller », on pourrait

---

[1] Milletot résume ainsi la thèse : « Quand on voulut faire passer les monts à ces nouveautés [romaines] et les introduire en France, à donc on opposa la liberté de l'Église universelle [...], alors on *commença de restreindre ce terme général de liberté de l'Église* aux droits et libertés de l'Église gallicane », cité par Lecler, *Qu'est-ce...*, *op. cit.*, t. XXIII, p. 552. — Voir aussi, p. 547-554 : Guy Coquille appelait ces « inventions et constitutions plus bursales que saintes ». (*Ibid.*). Le protestant Christophe Justel en 1610 et le jurisconsulte Jacques Leschassier en 1609 publièrent des recueils sur ces libertés anciennes. (*Ibid.*, p. 554; t. XXIV, p. 53, p. 67, opinion de de Marca, qui est plus nuancée). — Voir la discussion sur la thèse, *D.A.*, t. II, col. 199-214; Lecler, *loc. cit.*, t. XXIV, p. 54 s.; *Catholicisme*, t. IV, col. 1732. Pithou déclare que la France a toujours été gallicane, que le gallicanisme se confond avec le catholicisme (*D.A.*, t. II, col. 199). « Nos libertés sont quelque partie du droit commun de l'Église universelle. » La thèse conciliaire n'est pas proprement gallicane, ni historiquement, ni systématiquement. (Martin, *op. cit.*, t. II, p. 125).

[2] M. G. Martimort, cité dans *R.H.É.F.*, t. XLI, 1955, p. 312.

[3] *Vie de Pitt.*

[4] Sur le nombre des libertés et pourquoi on le considérait comme infini, J. Lecler, *Qu'est-ce...*, *op. cit.*, t. I, p. 566 s. L'Édit d'Union fixa un délai de trois mois pour préciser les libertés nationales à sauvegarder. (Martin, *Gallicanisme et la réforme*, *op. cit.*, p. 238.) — Le gallican Antoine Hotman écrit : « C'est une chose étrange que chacun parle des libertés de l'Église gallicane et toutefois peu de personnes savent ce que c'est et n'en peut-on citer ni l'origine ni le progrès. » (*Traité des droits ecclésiastiques, franchises et libertez de l'Église gallicane (1608)*, cité par Lecler, *loc. cit.*, p. 385, n. 1.) — Sur les Hotman, cf. *infra*, p. 381, n. 3.

dire que le gallicanisme « consiste dans l'accord du roi et du clergé pour gouverner l'Église de France en contrôlant et en réfrénant l'ingérence du Saint-Siège et en prétendant s'appuyer sur des droits anciennement acquis » [1]. M. Dubruel l'avait bien situé en l'appelant « un compromis pratique, puis théorique, entre l'égoïsme de notre patriotisme et l'universalisme de notre religion » [2].

LES ACTEURS   Ce qui complique encore cette histoire, c'est le nombre des acteurs du drame : d'une part, les rois, une reine-régente ultramontaine desservie par une magistrature anti-cléricale, des parlements et des Universités composés de membres de nuances différentes. D'autre part, la papauté, la curie romaine, le haut clergé, les chapitres, des docteurs d'opinions plus ou moins arrêtées ; sans compter les représentants de chacune des parties, ambassadeurs ou nonces. Ajoutez que les alliances temporaires entre acteurs se font et se défont : l'attitude du clergé vis-à-vis du pape varie ; l'épiscopat n'est pas toujours d'accord avec les chapitres ; il arrive au roi de s'accorder avec le pape contre parlements et Universités (1516). Le sens même du nom de ces acteurs n'est pas constant, on l'a vu ci-dessus.

HÉRITAGE MÉDIÉVAL CONSÉQUENCES DU CONCORDAT   Après tout, la meilleure manière de connaître le phénomène gallican sera d'étudier son évolution. Et, pour commencer, de se rappeler ce que l'Église de France du XVIe siècle avait, en cette matière, hérité du Moyen Âge.

On en trouvera un exposé aux volumes XIV et XV de cette *Histoire de l'Église*, notamment du trop célèbre concordat de 1516 entre Léon X et François Ier (vol. XV, p. 174-181). [3]

Ce plat de lentilles payait mal le fatal abandon fait au roi de la nomination des chefs de l'Église de France. Invasion désastreuse de l'État dans l'administration de l'Église. Le gallicanisme ecclésiastique légitime, une des libertés gallicanes de bon aloi, était sacrifié. « Aux désordres partiels que l'élection avait entraînés [...], la nomination directe par les rois [...] substitua

---

[1] MARTIN, *Les origines...*, *op. cit.*, t. I, p. 31 s. ; t. II, p. 325. — On a dit aussi que le *gallicanisme* a pour objet de défendre « la liberté de l'Église de France, appuyée sur le roi, à l'égard d'un exercice discrétionnaire, et même simplement plénier, du pouvoir pontifical, (CONGAR, *Catholicisme*, t. IV, col. 1733), mais avec la prétention de rester uni à Rome. (IMBART DE LA TOUR, *op. cit.*, t. II, p. 177 s.) C'est un mouvement et un système théologique, car il se compose et de doctrines et d'éléments sentimentaux (le nationalisme et autres)» fusionnés et codifiés graduellement en une idéologie. « Ce gallicanisme national est la source commune, mais non unique, de notre gallicanisme *ecclésiastique* comme de notre gallicanisme *politique.* » (*D.A.*, t. II, 197, M. DUBRUEL.) — P. DUPUY déclare que la théorie n'est pas fixée avant la moitié du XVIe siècle. (LECLER, *Qu'est-ce...*, *op. cit.*, t. XXIII, p. 406.)
— On trouvera encore d'autres définitions ou analyses du gallicanisme, dans *Catholicisme*, t. IV, col. 1731 (M. REULOS) ; IMBART DE LA TOUR, *op. cit.*, t. II, p. 77-83 (d'après Gerson et Almain) ; *D.A.*, t. II, col. 194, 197 s. (M. DUBRUEL) ; *D.T.C.*, t. VI, col. 1096-1113 (système de Tournely, etc. M. DUBRUEL) ; G. HANOTAUX, *Recueil*, *op. cit.*, t. I, p. CIV s.

[2] *D.A.*, t. II, col. 197.

[3] *D.D.C.*, t. III, col. 1383-1406.

un désordre universel, radical et incurable » [1]. Jusqu'à la Révolution, le concordat empoisonnera la vie de l'Église gallicane. Si parfois la royauté tint à nommer des prélats instruits et zélés, par contre que de conséquences lamentables de cette confusion des pouvoirs! Clercs ou religieux, indignes ou sans vocation, nommés par intrigue et faveur; sièges épiscopaux transformés en fiefs héréditaires de familles ambitieuses; abandon spirituel des diocèses et des couvents; abus d'immenses revenus destinés à la charité et consacrés à une vie de luxe scandaleux; et, en définitive, vie religieuse où l'élite ne lutte qu'avec un succès relatif contre la torpeur et l'indifférence. Il est bien vrai que, dans la pratique, les nominations par le roi avaient précédé le concordat, mais, par lui, elles étaient élevées au rang d'institution légale.

Curieux résultat de cette boîte de Pandore : le concordat semblait être le triomphe de deux absolutismes accordés. En fait, l'Église était sacrifiée à l'État. Mais, en retour, sa déchéance enlèverait graduellement à la monarchie française un de ses meilleurs soutiens [2].

En attendant, le concordat allait conditionner l'état de l'Église de France pendant les trois siècles suivants. On a dit les avantages, pour l'unité du pays et pour l'Église, de l'intime alliance du clergé et du roi, de « l'union si étroite de la conscience religieuse et de la conscience politique, que ne pourra briser la Réforme » [3]. Au point de vue qui nous occupe à présent, par l'omission de la théorie conciliaire, 1516 marquait une défaite du gallicanisme ecclésiastique et du gallicanisme parlementaire. Quant au gallicanisme royal, il se subordonnait les deux autres. Lui-même composait avec la papauté, dont la supériorité sur l'épiscopat était proclamée par l'« institution ».

APAISEMENT DES ESPRITS   De tout cela résultèrent des réactions qui ne se firent pas attendre. Il sembla d'abord que l'atmosphère s'était rassérénée. Dans la controverse, le ton est plus modéré. Si Jacques Almain réfute encore Cajétan (Thomas de Vio), s'il maintient la thèse conciliariste et l'indépendance absolue des souverains à l'égard de l'Église et du pape surtout, lui et ses collègues gallicans sont « loin des affirmations hautaines et tranchantes de Gerson » [4].

[1] MONTALEMBERT, *Les moines d'Occident*, Introduction, p. 165, cité par P. AT, *Histoire du droit canonique gallican*, Paris, s. a., p. 183.
[2] Parlant, il est vrai, de la reconnaissance d'Henri IV comme roi, G. Hanotaux déclare qu'elle « unit définitivement dans la prospérité, dans les revers et *jusque dans la mort*, la destinée de la monarchie légitime et celle de l'épiscopalisme gallican ». (*Recueil, op. cit.*, t. I, p. LXXXIV.) — Le triomphe de l'absolutisme royal sera celui du gallicanisme, *D.A.*, t. II, col. 255.
[3] IMBART DE LA TOUR, *op. cit.*, t. II, p. 487; G. HANOTAUX, *op. cit.*, t. I, p. LXII.
[4] IMBART DE LA TOUR, *op. cit.*, t. II, p. 169 s. Parmi les autres écrivains gallicans de la même campagne, il cite l'Italien Zaccaria Ferreri, abbé de Subazio (1511), les Français Nicole Bertrand, avocat au parlement de Toulouse, et Vincent Sigault, juge au comté de Brioude.
— Jacques ALMAIN (1480? à Sens — 1515), professeur à l'Université de Paris; enseigna la théologie au collège de Navarre (1508), où il commenta les *Sentences*; écrivit des ouvrages philosophiques, un traité de morale et des ouvrages de polémique en faveur de l'Église gallicane, notamment contre Cajétan, d'ordre de l'Université de Paris : *De auctoritate Ecclesiae et conciliorum*, 1512, qui fit autorité chez les gallicans. (*D.T.C.*, t. I, col. 895-897). A ne pas confondre avec Louis Aleman.

Imbart de la Tour a pu écrire qu'« au début du XVIᵉ siècle, il n'y a plus en France d'opposition véritable à Rome ». C'était l'écroulement du gallicanisme conciliaire. L'Université de Paris elle-même refusait de condamner le livre de Cajétan en faveur du pape. La dernière thèse gallicane est celle du franciscain Élie de Beauvais en 1599. En fait, la royauté profita aussitôt des avantages que lui conférait le nouveau statut : elle nomma aux prélatures des « personnages sûrs et agréables ». Et, si quelques rares oppositions s'élèvent, « par leur petit nombre et leur insuccès, elle ne montrent que mieux combien l'ancien respect de la liberté a disparu »[1].

Au reste, tandis que le pouvoir royal se fortifie de par les circonstances, il profite de l'efflorescence du droit, qui alors s'unifie, grâce à Budé, à Alciat, à Cujas, à Hotman, à Bodin, aux deux Pithou. En 1538, Ch. de Grassaille formule et développe dans ses *Regalia Franciae* les vingt principes ou *Droits* du pouvoir royal, où s'affirme l'indépendance absolue du souverain[2].

§ 2. — La réception du concile. Les jésuites. La conversion d'Henri IV.

LES SUJETS DE CONFLIT   Siècle de luttes ardentes autour de la notion d'Église, le XVIᵉ allait voir sévir à nouveau la bataille autour des libertés gallicanes. Elle sera provoquée par trois événements alors passionnants, qui retentiront bruyamment dans l'ecclésiologie française : la « réception » du concile de Trente, l'admission des jésuites et la conversion d'Henri IV.

RÉCEPTION   A la mort d'Henri II (1559) les idées ultra-
DU CONCILE DE TRENTE montaines avaient gagné du terrain[3]. La question du concile de Trente devait déclencher une lutte séculaire.

Amie et protagoniste des conciles généraux au XVᵉ siècle, la France avait nettement boudé celui de Trente. Elle le traitait comme un concile italien, un « concile du pape », une machine de guerre ultramontaine. Elle avait été humiliée dans les conflits de préséance et nous savons combien les gallicans considéraient comme « trahison » le « ralliement » du cardinal de Lorraine. Il avait contribué à sauver le concile de l'échec... et la France du schisme[4]. Cependant les Pères français, lors de l'enthousiaste séance de clôture,

---

[1] IMBART DE LA TOUR, t. II, p. 125, 171, 173-175, 478-487. Jugement sur le concordat.

[2] VON SCHUBERT, *Der Kampf...*, *op. cit.*, p. 45.
— Charles DE GRASSAILLE (1495 à Carcassonne — 1582), seigneur de Brousses, premier conseiller au présidial de Carcassonne. [MICHAUD] *Biogr. univers.*, t. XVII, p. 373 s., qui l'appelle *de Grassalio*. Il avait été précédé en 1514 par Jean FERRAULT et son *Tractatus* [...] *privilegia aliqua Franciae continens* (D.A., t. II, col. 252).

[3] G. HANOTAUX, *Recueil*, *op. cit.*, t. I, p. LXVII.

[4] On connaît le rôle d'opposition du clergé français. Cf. H. MARIÉJOL, dans LAVISSE, *Histoire de France*, t. VI, I, p. 81 s. — Même parmi les solutions purement dogmatiques, certaines provoquaient de l'humeur en France. Le concile s'était refusé à définir l'Immaculée Conception de Marie, thèse chère à la tradition française et à la Sorbonne.

avaient, comme les autres, crié leur « placet ». Ils avaient tous signé les décrets [1].

Restait à les appliquer. La France laisserait-elle pénétrer la bulle papale qui leur donnait force exécutoire? [2]. Ce cheval de Troie contenait une attaque contre les thèses principales du gallicanisme.

OPPOSITIONS PRINCIPALES Il heurtait, en effet, les deux colonnes du système, c'est-à-dire : que le pape est inférieur à l'Église réunie en concile; et que le roi de France n'a aucun supérieur sur terre. La première semble théologique, la seconde politique. Mais, dans la réalité française, toutes deux touchaient ensemble l'Église et l'État.

Au sujet de la question conciliaire, on avait évité à Trente une définition; mais les décrets rejetaient implicitement la thèse gallicane. Les recevoir signifiait une humiliante capitulation. Ce sera donc le principal motif de l'hostilité, tant du clergé, dans les débuts, que de l'État [3]. En ce qui concerne l'indépendance absolue du roi de France, l'opposition de l'État-administration resterait farouchement tenace. Les gallicans d'État construiront peu à peu un système doctrinal cohérent, leur futur évangile et la base de l'absolutisme laïc; car ils vont jusqu'à revendiquer l'autorité de l'État sur l'Église [4].

Quant à l'Église catholique gallicane, son attitude devant ces problèmes passionnants évoluera. On saisit ici sur le vif son ascension spirituelle d'alors. On la voit progressivement, jusque vers le milieu du XVIIe siècle, devenir plus catholique que gallicane.

Peut-être est-il difficile à beaucoup de nos contemporains de comprendre cette querelle, inimaginable sous notre régime de séparation des pouvoirs.

LE GALLICANISME POLITIQUE Mais l'Église de France ne croyait pas pouvoir se contenter de travailler dans le recueillement à sa propre Réformation par l'application des décrets de Trente. Dans les circonstances du temps, son élite, l'épiscopat, pensait devoir obtenir de l'État, son protecteur, de lui prêter main-forte pour contraindre à l'observation de la discipline restaurée les éléments récalcitrants de la masse. D'autant — et c'était, dans la pratique, le motif déterminant — que les clercs délinquants, condamnés par les tribunaux ecclésiastiques, pouvaient

---

[1] *H.C.*, t. IX, II, p. 992.

[2] Le concile unanime avait décidé de demander la confirmation de son œuvre par le pape. Elle fut accordée par la bulle *Benedictus Deus et Pater*, promulguée le 26 janvier 1564. (*H.C.*, t. IX, II, p. 903, 1000). — Les décrets *doctrinaux*, bien entendu, ne faisaient pas difficulté; il ne s'agissait que des mesures *disciplinaires* (réception en France). Cf. J. ELLUL, *Histoire des institutions*, Paris, 1955-1956, t. II, p. 499-502. V. aussi *supra*, concile de Trente, p. 44, n. [1].

[3] *D.A.*, t. II, col. 225; LECLER, *Qu'est-ce...*, *op. cit.*, t. XXIV, p. 56; J. B. DU MESNIL (1564) déclare qu'il « met le pape au pinacle », cité *ibid.*, t. XXIII, p. 544. — Hostilité principale, *ibid.*, t. XXIII, p. 558.

[4] Jean DU TILLET († 1570), greffier du parlement de Paris, publia plusieurs travaux historiques dans ses *Mémoires et avis sur les libertez de l'Église gallicane* (composé en 1551, publié en 1594); il exige que la juridiction ecclésiastique appartienne au roi. (*D.A.*, t. II, col. 195).

échapper au châtiment par « l'appel comme d'abus » devant les cours séculières, trop heureuses d'envahir le terrain de la juridiction ecclésiastique et, par leur indulgence, de s'assurer des partisans [1]. Jadis l'assemblée du clergé avait demandé à Charles VII de sanctionner les décisions du concile de Bâle et la *Pragmatique Sanction* en était née. Mais les jeux avaient changé. Il s'agissait maintenant d'un concile « papal ». Et « la thèse gallicane était [encore] si fortement représentée [aux États d'Orléans (1561)] que les trois ordres [...] demandèrent le retour à la *Pragmatique* [2].

L'OPPOSITION PARLEMENTAIRE Obtenir que l'État fermât les yeux sur la publication de décrets ecclésiastiques, passe encore. Mais la « réception » désirée de ces décrets comme lois de l'État supposait alors tant la signature royale que l'enregistrement par les parlements. Deux gallicanismes devaient accepter leur défaite. Celle du premier, dans certaines circonstances, n'était pas invraisemblable; par exemple, si le roi avait besoin du clergé ou du pape. Tandis que le gallicanisme parlementaire, heureux d'une revanche sur le Concordat de 1516, se hérissa irréductiblement. Persuader ces magistrats « vieillis sur les lys », rêvant de soumettre l'Église à l'État, de subir les volontés d'un concile, d'entériner des lois « étrangères », de reconnaître ainsi un pouvoir supérieur à la royauté française, de trahir les « libertés gallicanes », quelle gageure! Il ne faut pas oublier la conception ecclésiale des « politiques » : une Église nationale basée sur la doctrine conciliariste, où la juridiction laïque se substituerait à l'autorité du pouvoir spirituel [3].

Et pourtant, pendant cinquante ans, l'Église y travaillera. Dès son retour en France, conjointement avec le nonce, le cardinal de Lorraine demanda la publication du concile [4].

LES RÉACTIONS EN FRANCE Par contre, dès avant la clôture, l'ambassadeur du roi, Armand du Terrier, protestant contre les dernières décisions, avait déclaré qu'elles ne seraient pas reçues en France [5].

L'opinion publique était alertée. Un juriste de renom, Charles du Moulin, publie à Lyon (1564) un réquisitoire contre le concile : « *Conseil sur le faict*

---

[1] Il s'agit surtout de la résidence des prélats et de l'opposition des chapitres à l'autorité épiscopale de prélats indignes (voir plus loin, p. 378, n. [3]).
— L'*appel comme d'abus* était une « plainte portée devant une cour souveraine contre un juge ecclésiastique lorsqu'on l'accusait d'avoir excédé ses pouvoirs ou entrepris [...] contre la juridiction séculière ou en général contre les libertés de l'Église gallicane ». (M. MARION, *Dictionnaire des Institutions de la France aux XVIIe et XVIIIe siècles*, Paris, 1923, p. 21 s.)

[2] HANOTAUX, *op. cit.*, t. I, p. LXXII. — J.-B. DU MESNIL écrira : « Au lieu que les précédents conciles lioyent la puissance du pape, qui est par trop excessive, cestuy-ci lui remet toutes choses. » (MARTIN, *Gallicanisme et la réforme*, *op. cit.*, p. 52.)

[3] MARTIN, *loc. cit.*, *op. cit.*, p. 149, surtout 320-325.

[4] *Ibid.*, p. 127. Le cardinal « mit toute son ardeur au service de la nouvelle réforme qu'il regardait comme son œuvre ».

[5] *H.C.*, t. IX, II, p. 995.

du concile de Trente », qui devient l'arsenal des attaquants [1]. La même année, un autre juriste, Baptiste du Mesnil, avocat du roi, reprend dans son *Avertissement sur le faict du concile de Trente faict en 1564*, les mêmes critiques, appuyées davantage sur le droit national. Il va jusqu'à réprouver le décret contre la communion sous les deux espèces et l'un de ceux qui concernent le sacrement de l'ordre, « évidemment contraire au droit divin » [2].

Au début, le Clergé avait insisté assez mollement auprès du roi. Mais à partir des États de Blois (1576) et surtout lors de l'Assemblée de Melun (1579), ses instances s'accentuent. D'autant que ses opinions ecclésiologiques ont évolué rapidement. Impressionnée par l'attitude du concile, l'Église de France abandonne la thèse doctrinale du conciliarisme. Désormais, la suprématie du pape est admise comme seule orthodoxe. Le gallicanisme théologique se sépare des autres [3].

Par contraste, l'opposition prend corps chez les *politiques*. Opposition, non à la Réformation, car ils sont croyants, mais à la Réformation par Rome. Le parlement répond aux instances du clergé : « Qu'avez-vous besoin pour vous réformer de chercher des lois hors de France ? » Et, sur l'esprit du roi, il agit par la menace des préparatifs des huguenots, qui s'arment [4]. Mais Henri III demande au premier des États d'importants « dons gratuits »; le Clergé exige en compensation la « réception »; donnant donnant. Finalement il consent les subsides en retour d'une promesse. Apparemment cette première passe d'armes se termine par sa défaite. Mais il emporte, notamment de l'Assemblée de Melun, le précieux avantage d'une unité de volonté et d'action fortifiée par la lutte et, en outre, la formule d'une doctrine nouvelle (1580) [5].

NOUVELLES POLÉMIQUES   Un deuxième acte du drame sembla un moment promettre la « réception ». Deux événements graves, les *Ordonnances de Blois* et la bulle *In Coena Domini* avaient allumé d'intenses passions; de 1580-1583, les ultramontains et la diplomatie pontificale se trouvèrent engagés avec les gallicans dans des discussions véhémentes.

---

[1] Charles DU MOULIN, DU MOLIN (Molinaeus) (1500 à Paris — 1566), célèbre jurisconsulte; enseigna le droit à Orléans (1521); calviniste (1542); puis luthérien; fugitif en Allemagne, de retour à Paris (1557), il continua ses attaques contre l'Église et le pape; maître des requêtes de la reine de Navarre; publia des travaux juridiques de valeur. Outré de l'attitude des calvinistes à son égard, il revint au catholicisme. — Dans la première partie de son livre, il énumère des raisons de nullité du concile; dans la seconde, il attaque certains de ses décrets jusqu'à les taxer d'hérésie. Cf. MARTIN, *Gallicanisme*, op. cit., p. 70 s.; K.L., t. IX, col. 10; E. LAURENT, *L'Église et l'État*, t. I, p. 310-320 (analyse détaillée); G. LEPOINTE, *Histoire des institutions et des faits sociaux*, Paris, 1957, p. 385-387.

[2] MARTIN, op. cit., p. 51-53.

[3] MARTIN, op. cit., p. 158, 159. — Sur l'opposition des chapitres et du clergé inférieur, dont le concile réduit les privilèges, MARTIN, *ibid.*, p. 130-136. Leur objection principale était l'obligation d'obéir à des personnages souvent peu dignes qui obtenaient juridiction sur eux, p. 158; H.C., t. IX, II, p. 927.

[4] MARTIN, loc. cit., p. 155, 159 s.

[5] *Ibid.*, p. 148-165.

Finalement, l'habileté du nonce Castelli et la bonne volonté des négociateurs du roi aboutirent à faire annuler l'édit qui promulguait les *Ordonnances;* celles-ci, d'ailleurs, en pratique, gardèrent leur pleine vigueur [1]. Les mêmes heureuses circonstances allaient faciliter la « réception » du concile lorsque les lenteurs de la cour romaine et une lamentable querelle, qui attisa la fureur des politiques, remirent tout en question [2]. Le gallicanisme trouva un protagoniste aussi habile qu'obstinément hostile au pape en la personne de Jacques Faye, sieur d'Espiesses, un des avocats du roi. Son réquisitoire, que nous possédons, constitue une des synthèses les plus complètes et les plus enflammées du gallicanisme politique [3]. L'effet sur Henri III, harcelé d'ailleurs par la crainte des huguenots, fut un nouvel échec de la diplomatie pontificale.

AU TEMPS DE LA LIGUE   La résistance du parlement se cantonnait dans la légalité. Au temps de la Ligue, au total désarroi des « choses divines et humaines » se mêlera un nouveau conflit des ecclésiologies, qui contribuera puissamment à fixer les positions.

Le gallicanisme perdra momentanément du terrain ce que gagnera l'ultra-montanisme. Car le pape intervient par la diplomatie, par les subsides et même par ses mercenaires. Les partisans de la « réception » du concile en profiteront. Les extrémistes appellent l'aide de l'Espagne. La famille des Valois est méprisée; celle « de Lorraine », des Guise, se fait menaçante.

---

[1] A la suite des États de Blois, qui avaient tenté de ressusciter la Pragmatique Sanction, Henri III, en 1580, publia un édit en soixante-six articles ou *Ordonnances*, d'ailleurs tirés du concile de Trente, et qui réglementaient dans le moindre détail la discipline ecclésiastique : aucune allusion n'y était faite au concile. Grégoire XIII protesta énergiquement contre cette intrusion du pouvoir laïc en matière spirituelle et contre la prétention du roi de régenter les évêques. Il mit tout en œuvre pour faire retirer l'édit. — A la même époque (1580) un violent orage éclata au sujet de la bulle *In Coena Domini*. Cf. A. GALANTE, *Fontes juris canonici electi*, Innsbrück, 1906, p. 232, où l'on trouvera une bibliographie récente au sujet de la bulle; voir § 14 et 15, p. 235. Le nom *In Coena Domini*, que porte cette bulle, ne lui est pas propre; il désigne le recueil qui, depuis 1364 jusqu'à 1769, fut publié chaque année solennellement le Jeudi Saint et qui contenait les principales excommunications, notamment contre ceux qui empiétaient sur la juridiction ecclésiastique. Cf. A. VERMEERSCH et J. CREUSEN, *Epitome juris canonici*, Malines-Rome, 1923, t. III, n. 509; L. WILLAERT, *Le placet royal...*, *op. cit.*, p. 488, n. 5; E. GÖLLER, dans *L.T.K.*, t. I, col. 21. — Du côté des politiques, on présenta la bulle de 1580 comme un nouvel assaut de l'ambition papale et on fit croire à Henri III qu'elle était spécialement dirigée contre lui. Il s'ensuivit une vraie tempête; par arrêt du parlement, des mesures furent prises contre ceux qui avaient publié ouvertement la bulle. D'autre part, « la population parisienne » et la Sorbonne prenaient le parti de Rome. Après de laborieux efforts du nonce, l'arrêt fut retiré. Cf. MARTIN, *op. cit.*, p. 167-187; *D.A.*, t. II, col. 255.

[2] Des cordeliers en révolte contre une mesure de leur supérieur avaient été l'objet d'une sentence du pape; ils en appelèrent « comme d'abus » devant le parlement, qui cita le nonce et le cardinal de Bourbon! Malgré le très vif ressentiment que cette injure provoqua chez Grégoire XIII, il crut prudent de ne pas pousser l'affaire à bout. Cf. MARTIN, *op. cit.*, p. 188-196.

[3] On en trouvera une analyse dans MARTIN, *op. cit.*, p. 204-207. A la même époque, le calviniste DU PLESSIS-MORNAY attaque le concile, *ibid.*, p. 208.
— Jacques FAYE, sieur d'Espiesses (1542 à Paris — 1590); maître des requêtes du duc d'Anjou, qu'il accompagna en Pologne; avocat-général au parlement; royaliste fidèle; publia : *Avertissement sur la réception et la publication du concile de Trente (1583)*, [MICHAUD], *Biogr. Univ.*, t. XIII. — À ne pas confondre avec Charles FAYE (p. 385, n. [1]).

Le cardinal même l'opposition [1]. Or ces ambitions pouvaient être légitimées par le pape si la thèse triomphait de son pouvoir sur les rois. N'était-il pas, comme Pasteur suprême, juge de leur mérite ou de leur démérite, comme à l'époque de Pépin le Bref? La théorie papaliste se combinait avec la poussée démocratique qui se manifestait dans la polémique comme dans l'opinion.

DÉMOCRATIE ET ULTRAMONTANISME   En sorte que s'établit un régime qu'on a pu appeler « démocratico-papal ». Les *Mémoires de l'avocat Jean David* accusent « la race de Hugues Capet » d'avoir introduit en France « l'erreur damnable que les Français appelaient liberté de l'Église gallicane, laquelle n'est autre chose que le refuge des hérétiques ». On entend un bachelier en théologie, Jean Tanquerel, soulever en pleine Sorbonne la question médiévale de la déposition par le pape d'un roi qui favorise les hérétiques [2].

Et si le pape ne réussit pas?

Amorcée par les huguenots, adoptée du côté catholique, la thèse des monarchomaques fait son chemin. Manifestation démocratique chez les uns, conclusion politico-religieuse chez les autres, le tyrannicide est érigé en doctrine [3]. On sait les conséquences. Le 1er août 1589, Henri III, frappé par le jacobin Jacques Clément, mourait, victime du fanatisme.

Seule une infime minorité du clergé français tolérait ces extrémités criminelles. Mais son attitude à l'égard de Rome évoluait. De son opposition au concile de Trente il a passé « au désir ardent de s'y soumettre ». Il profite de toutes les occasions pour promouvoir sa réception. Il la fera inscrire parmi les « buts de guerre » de la Ligue. A la demande du nonce, les Guise promettent de la faire voter par les États-généraux, quoique sous réserve des libertés gallicanes. La Sorbonne elle-même est gagnée; elle accepte les décrets sans restrictions [4].

ÉCHEC AU PAPE   Il sembla même un moment que l'ultramontanisme triompherait. Aux États-généraux de 1593, de nombreux cahiers réclamaient la publication du concile. Les Assemblées du clergé continuaient à insister dans le même sens. Mais les adversaires veillaient aux remparts : un recueil, publié à l'occasion de la réunion des États et souvent réimprimé, groupait les articles de Trente les plus opposés aux libertés

---

[1] HANOTAUX, *op. cit.*, t. I, p. LXXII-LXXV.

[2] *Ibid.*, t. I, p. LXXI, LXXIX.

[3] Le tyrannicide, n'ayant guère de rapports avec l'ecclésiologie, sera traité au t. II avec la théologie morale.

[4] E. LAVISSE, *Histoire de France*, t. V, p. 266, 289; MARTIN, *Gallicanisme*, *op. cit.*, p. XIV, 214, 220, 224, 232-234, 246. — Comme le parlement oppose encore la théorie conciliaires le nonce Morosini répond pertinemment que de nombreux Français recourent aux dispenser du pape, reconnaissant sa suprématie. Lors des Édits de Blois de 1588, le même insiste pour la publication du concile, à laquelle les chanoines demandent des restrictions. Cf. MARTIN, *op. cit.*, p. 238, 241, 243.

gallicanes. Aux États, seule une minorité vota en faveur du concile [1]. Au reste, l'attention était ailleurs. On était entré dans une période décisive. Car la mort d'Henri III avait posé devant l'Église gallicane un problème crucial.

Dès la mort du duc d'Anjou, l'héritier présomptif (10 juin 1584), la question de succession opposait formellement deux thèses : en droit public national, Henri de Bourbon, roi de Navarre, parent le plus proche du *de cujus*, devait monter sur le trône; mais, en vertu de la tradition, hérétique et relaps, il était incapable de régner en France.

Pour empêcher son avènement, la Ligue se reforma. Plutôt un étranger catholique! Elle affirmait son caractère romain en promettant la réception du concile de Trente. Elle obtint aussitôt l'appui de l'impétueux Sixte-Quint, fidèle à sa politique espagnolisante. Il semble avoir oublié Pie V et l'échec de sa déposition d'Élisabeth d'Angleterre. Sa fameuse bulle « privatoire » du 9 septembre 1585, que Grégoire VII n'eût pas désavouée, décrétait : « Dans la plénitude de pouvoir que le Roi des Rois et le Seigneur des Seigneurs nous a conférée, de par l'autorité du Dieu tout-puissant [...], nous prononçons et déclarons Henri, jadis roi, et Henri de Condé [...] de plein droit dépossédés et incapables de succéder » à une souveraineté quelconque « et spécialement au royaume de France » [2].

On devine la tempête que cette intervention « étrangère » déchaîna chez les gallicans. Leur allié huguenot François Hotman attaqua violemment la bulle dans son *Papae Sixti V fulmen brutum* (1586) [3]. Le parlement prononça un réquisitoire à peine moins véhément.

---

[1] Assemblées du clergé de 1599, 1602, 1605, 1608, 1610. Cf. Martin, *Gallicanisme, op. cit.*, p. 333, 340. — Sur les États de 1593, *Ibid.*, p. 228-263; Mariéjol dans Lavisse, *op. cit.*, t. V, i, p. 369; Hanotaux, *Recueil, op. cit.*, t. I, p. lxxxvii; Lecler, *Qu'est ce ..., op. cit..* t. XXIII, p. 543. — En 1585, le gallican Pierre de l'Étoile menaçait Sixte V d'un concile, Cf. Lavisse, *op. cit.*, t. V, i, p. 251. — La *Satire Ménippée (1592)* « marque le triomphe du droit dynastique sur le droit théocratique, de l'idée de patrie sur l'idée d'Église ». (*Ibid.*, t. VI, i, p. 368.)

[2] La bulle « *Ab immensa aeterni Regis potentia* » fut publiée à Rome le 21 septembre. Cf. G. Hanotaux, *op. cit.*, t. I, p. lxxx s.; Mariéjol, *op. cit.*, t. VI, i, p. 251; *P.G.*, *op. cit.*, t. X, p. 208-210. Le pape lui-même regretta plus tard le ton de cet acte. — En 1591, le pape Grégoire XIV adresse au clergé de France deux *monitoires* contre Henri IV (Lecler, *op. cit.*, t. XXIII, p. 542).
Sur la lutte entre ultramontains et gallicans à cette occasion, notamment l'intervention de Bellarmin, Mesnard, *L'essor, op. cit.*, p. 380 s.; Lecler, *op. cit.*, t. XXIII, p. 542. Sur la bulle et la protestation du parlement, Lavisse, *loc. cit.*

[3] Il faisait valoir qu'à l'opposé d'autres nations, la France était toujours restée fidèle à Rome. Cf. Lecler, *op. cit.*, t. XXIII, p. 385, 545, 550, 562. — François Hotman (1524 à Paris — 1590) enseigna le droit romain, passa au protestantisme, mena une vie très agitée; enseigna le droit à Strasbourg, à Lausanne, à Zurich, à Valence, à Bourges; conseiller d'État, agent politique; publia la *Franco-Gallia sive Tractatus de regimine Galliae et de jure successionis* (Genève, 1573; nouv. éd. sous le titre de *Libellus statum veteris reipublicae Gallicae deinde a Francis occupatae describens*, Cologne, 1574) pour prouver le droit du peuple à élire un roi; ses œuvres parurent en 1599 à Genève; son *Papae Sixti V fulmen brutum in Henricum regum...* (1585, 1586, 1602, 1603) fut traduit en français, 1585. Cf. Lavisse, *H. de Fr., op. cit.*, t. V, i, p. 201; P. Mesnard, *L'Essor, op. cit.*, p. 326; [Michaud] *Biogr. Univ.*, t. XIII, p. 30-32; Lecler, *Qu'est-ce..., op. cit.*, t. XXIII, p. 545. — A ne pas confondre avec son frère Antoine, resté catholique; en 1591 avocat-général du parlement de Paris, ni avec Jean Hotman de Villiers, fils de François, (1610 ou 1611) chargé de négociations en Allemagne; écrivit contre Chopin, qui avait voulu défendre Rome contre Henri IV. Cf. [Michaud] *Biogr. Univ.*, t. XX, p. 32; Orcibal, *Origines, op. cit.*, t. III, p. 130.

*HENRI IV
ET LE GALLICANISME*

Mais, la Ligue vaincue, quelle serait l'attitude du roi de Navarre? Encore protestant, il avait déjà rallié nombre de catholiques. Sa conversion aurait tout arrangé. Il s'embarrassait peu de théologie et Dieu seul, avec lui, sait ce qu'il pensait alors de la messe. Il est notable qu'en se proclamant roi, le 4 août 1589, il avait déclaré, quant à sa propre foi, qu'il la remettait aux décisions d'un « bon, légitime et saint concile général ou national », qu'il ferait réunir le plus tôt possible. Aucune mention de Trente, ni du pape. Par contre, Mayenne, le chef de la Ligue, promettait à Sixte-Quint la réception du concile sans aucune restriction. L'Espagne agissait à Rome vigoureusement.

Le roi comprit très vite l'impossibilité d'un nouveau concile. Celui de Trente va se « trouver désormais intimement lié à toutes les négociations que le candidat au trône va lui-même entreprendre avec Rome » pour obtenir son absolution [1].

Quand il en vint là, le 10 mai 1595, il promit de publier le concile.

*LE PROBLÈME
DE L'ABSOLUTION*

Auparavant, les évêques de France avaient pris une détermination qui résolvait un redoutable dilemme. L'Église gallicane, en effet, semblait enfermée dans une alternative inéluctable; ou bien demander l'absolution du roi au pape, auteur de son excommunication et seul capable de la retirer; ou bien, laisser régner — ou même sacrer — un roi hérétique relaps. Cette deuxième solution jetait le royaume dans le schisme et peut-être dans l'hérésie. La première reniait le gallicanisme en reconnaissant au pape le fameux « pouvoir indirect » sur la couronne de France, puisque seul l'acte d'absolution permettait à Henri de la ceindre.

L'épiscopat français « passa au travers des mailles d'un filet si serré ». Considérant que le roi faisait la guerre, qu'il vivait donc en continuel danger de mort, il prit sur soi de l'absoudre solennellement à Saint-Denis le 25 juillet 1593. Le roi de Navarre devenait roi de France grâce à des Français! « Tel fut le biais gallican qui sauva le royaume du désordre et le roi de l'hérésie » [2].

Faut-il s'étonner du choc indigné produit à Rome? Il n'y a pas lieu ici de rappeler les tractations ardues et prolongées qui, en dépit de l'Espagne et des prélats hostiles, aboutirent à l'absolution par Clément VIII, le 17 septembre 1595. La « cédule des pénitences » imposées au royal converti portait qu'il publierait le concile de Trente, « exceptant cependant [...] les points, s'il y en a, qui vraiment ne pourraient être observés sans que la tranquillité du royaume en fût troublée ». Les procureurs du roi avaient solennellement renié l'absolution de Saint-Denis [3].

---

[1] G. HANOTAUX, *op. cit.*, t. I, p. XC; MARTIN, *loc. cit.*, p. 253 s., 272 s.

[2] G. HANOTAUX, *op. cit.*, t. I, p. LXXXIV, LXXXVIII; R. BELLARMIN, trad. G. A. MOORE, *Reply to the Principal Points of the Argument... for the Succession of Henry of Navarre to the Kingdom of France, by* FRANCISCO ROMULO *(pseud.),* Chevy Chase, 1950.

[3] MARTIN, p. 297, 312; J. H. MARIÉJOL, *loc. cit.*, p. 392; G. HANOTAUX, *loc. cit.*, p. XCIX. Clément VIII avait été « indigné que l'Église gallicane eût pris l'initiative de l'absolution au mépris de ses droits souverains ». Il tint à déclarer nulle la cérémonie de Saint-Denis (LAVISSE, *op. cit.*, p. 393, 397).

Le roi de France avait été à Canossa. Dans la personne de ses ambassadeurs, d'Ossat et du Perron, il avait courbé sa majesté, en signe de repentir expiatoire, sous les coups symboliques de la gaule du pape [1]. Par cette soumission humiliée, le gallicanisme royal, et aussi l'écclésiastique, avaient subi une lourde défaite.

Raison de plus pour le parlementaire indigné de se raidir obstinément [2].

Malgré des efforts loyaux, sinon soutenus, stimulés d'ailleurs par le Saint-Siège, la royauté d'Henri IV, qui n'était pas encore celle de Louis XIV, n'obtint jamais du parlement l'enregistrement de l'édit de la publication du concile [3]. Au contraire, la fin du règne et le début de la régence furent agités par des luttes violentes entre les deux conceptions ecclésiales, luttes d'influences et luttes de plumes, qui fournirent aux deux partis l'occasion de codifier leurs principes [4].

§ 3. — La guerre des livres. Pierre Pithou.

LUTTES D'INFLUENCES ET DE PLUMES. LES JÉSUITES

Le concile de Trente avait publié des décrets. Mais une règle n'a de force que si elle sert de directive à une vitalité. La vie renouvelée que manifestaient ces décrets s'accordait à la mentalité de l'époque, consciente du besoin d'action commune sous une autorité centrale.

Les jésuites avaient hérité du soldat Iñigo de Loyola cet attachement enthousiaste au chef, qu'il tenait lui-même de ses ancêtres. Ils comptaient en France, comme ailleurs, parmi les principaux défenseurs du Vicaire de Jésus-Christ et, par conséquent, parmi les adversaires-nés du gallicanisme, assurément les plus honnis. Leur arrivée dans le royaume avait soulevé les plus âpres oppositions, non seulement du parlement et de l'Université, mais de l'évêque de Paris Eustache du Bellay et de la Faculté de théologie [5].

Pas plus que les autres religieux, ils ne pouvaient espérer la bienveillance du haut-clergé [6]. Mais Henri IV les aimait. Plusieurs d'entre eux avaient

---

[1] L'abbé [d'Ossat] « et son collègue du Perron » s'inclinèrent dévotement, par procuration, sous la verge pontificale frappant leurs épaules à chaque verset du *Miserere* : « A entendre ce mot, écrit avec un sourire le sage abbé, vous diriez que nous en fûmes tout épaulés, tandis que nous ne sentions non plus que si une mouche nous eût passé par-dessus nos vêtements, ainsi vêtus comme nous étions ». Cf. G. Hanotaux, *loc. cit.*, p. xc ; Martin, *loc. cit.*, p. 284 ; Fouqueray, *Histoire*, *op. cit.*, t. II, p. 245 s., 250-255.

[2] Les parlements gallicans refusèrent d'admettre les bulles d'absolution. Ils ne reconnaissaient au pape que le droit d'absoudre Henri IV « en conscience » et non celui de juger « de la capacité » ou de l'incapacité du royaume (Lavisse, *op. cit.*, p. 379).

[3] Martin, *loc. cit.*, p. 273-285, 304-320 ; G. Hanotaux, *loc. cit.*, p. lxxxiii-xci.

[4] On trouvera le récit de ces instances dans Martin, *loc. cit.*, p. 297 s., 312 s.

[5] Fouqueray, *Histoire de la Compagnie de Jésus en France*, *op. cit.*, t. I, p. 196-205, 209, 212, 242 ; t. III, p. 162-172, 237-268, 295 ; t. IV, p. 105-139 ; t. V, p. 38, 477 (table) ; *D.T.C.*, t. VIII, col. 1060 ; d'Irsay, *Histoire des Univ.*, *op. cit.*, t. II, p. 53 ; Poulet, *op. cit.*, p. 1146.

[6] Mariéjol, dans Lavisse, *op. cit.*, t. VI, ii, p. 96, 381 ; G. Hanotaux, *Recueil*, *op. cit.*, t. I, p. lxxxv ; De Meyer, *Les premières...*, *op. cit.*, p. 62.

travaillé à son absolution à Rome [1]. Il prit chaleureusement leur parti, même contre le parlement, en dépit du gallicanisme royal [2].

Par contre, la haine de leurs adversaires leur fit une guerre acharnée. Elle se conjuguait avec l'opposition au concile de Trente. Car les deux questions apparaissaient comme étroitement liées, le nouvel institut étant considéré comme une milice romaine [3]. Guerre d'influences et guerre de plumes. Il suffit de rappeler les attaques de Charles du Moulin, d'Étienne Pasquier, de Jean Passerat, d'Antoine Arnauld, de Louis Dollé, de Pierre de la Martelière, de Louis Servin, sans compter les arrêts du parlement et la foule des libelles anonymes [4]. Tout ce tapage devait trouver

---

[1] MARIÉJOL, dans LAVISSE, op. cit., t. V, II, p. 95 s. Henri IV avait besoin du pape, mécontent de l'expulsion des jésuites.

[2] FOUQUERAY, op. cit., t. II, p. 440-468; sur l'attitude de la reine-régente, P. BLET, Jésuites et libertés gallicanes, dans A.H.S.J., t. XXIV, 1955, p. 165 s.; H. HAUSER, La prépondérance espagnole (1559-1660), Paris, 1933, p. 20-23.

[3] Ibid., p. 32.

[4] Sur ces luttes, voir ci-dessus p. 378, FOUQUERAY, Histoire... op. cit., t. I, l. II, ch. II, 8, ch. IV, 2-7, ch. V, 7, 9, 11, ch. VII, 7, l. III, ch. I, 3-5, 10; ch. II, ch. XI, 1-7, t. II, l. II, ch. V et VI, l. III, ch. I, II, III, IV, VI, VII; t. III, l. II, ch. I, II, III; t. IV, ch. II, V-VI; t. V, ch. VII, 477 (table : parlements, p. 478 Universités). — Charles DU MOULIN (ci-dessus p. 378 n [1]), dans sa consultation pour l'Université (1564), leur reproche de violer « les anciens canons » (FOU-QUERAY, op. cit., t. I, p. 372). — Étienne PASQUIER (1529 à Paris — 1615), « historien, critique littéraire, poète français et latin, polémiste, avocat, homme politique »; 60 années de travail; adversaire violent des jésuites, contre lesquels il prononce pour l'Université son célèbre réquisitoire; publia, entre autres, Recherches de la France (18 éd. de 1560 à 1665); Lettres (6 éd. de 1586 à 1619), Institutes de Justinien (1847, sic); le Catéchisme des Jésuites (3 éd. de 1602 à 1717; traduit en anglais, allemand, latin, néerlandais, italien). Cf. D. THICKETT, Bibliographie des œuvres d'Estienne Pasquier, Genève, 1956; FOUQUERAY, op. cit., t. I, p. 390-399; t. II, p. 610 s.; [MICHAUD] Biog. Univ., t. XXXII, p. 219-222; J. CALVET, Histoire de la Littérature française, t. II, p. 543, t. III, p. 487. — Pasquier voit dans l'action des jésuites celle du Saint-Siège au détriment de l'État; il les accusait de reconnaître au pape un pouvoir souverain, alors que lui le déclare inférieur aux conciles et obligé de respecter les libertés gallicanes. LAURENT, op. cit., t. I, p. 301 s., 333 (citations), renvoie à Recherches de la France, l. III, ch. 18-29. — Jean PASSERAT (1534 à Troyes — 1602); poète, professeur d'éloquence au collège de France; un des auteurs de la Satire Ménippée. Cf. FOUQUERAY, t. II, p. 376 s.; [MICHAUD] Biogr. Univ., t. XXXII, p. 226 s.

Antoine ARNAULD (1560 à Paris — 1619), procureur, avocat-général; conseiller d'État. Il eut 20 enfants, dont Robert A. d'Andilly, Henri, év. d'Angers, la Mère Angélique, la Mère Agnès et, le dernier, le célèbre janséniste le « grand Arnauld ». Son virulent réquisitoire de 1594 contre les jésuites et pour l'Université devant le parlement de Paris est alors en France, avec les Provinciales, le principal arsenal contre la Compagnie. Un de ses principaux griefs est sa doctrine ultramontaine, son attachement au pape; il publia aussi contre elle Le franc et véritable Discours. Cf. FOUQUERAY, op. cit., t. II, p. 360-366, 372; D.H.G.E., t. IV, col. 446 s.

L'avocat Louis DOLLÉ, plaidant après Arnauld, reproche aux jésuites de disposer de privilèges supérieurs à ceux de l'Église gallicane. Cf. FOUQUERAY, op. cit., t. II, p. 366.

Pierre DE LA MARTELIÈRE († 1631), avocat renommé; conseiller d'État; plaidant pour l'Université devant le parlement en 1611, accuse les jésuites de doctrines contraires au prince et à la hiérarchie, de placer le pape au-dessus des conciles et de lui soumettre les rois pour le temporel. Cf. [MICHAUD] Biog. Univ., t. XXVII, p. 92; ANDRÉ, Les sources..., op. cit., n° 4936.

Louis SERVIN († 1626), juriste de grand talent, publia Vindiciae secundum libertatem Ecclesiae gallicanae et defensio regii status, Tours, 1590, Genève, 1593; dans sa remontrance de 1610, attaqua la doctrine de Bellarmin sur le temporel des rois; avocat-général en 1611, il posa à la réouverture du collège de Clermont des conditions inacceptables : les jésuites s'engageraient à reconnaître quatre points : 1. que personne ne peut attenter à la personne des rois; 2. qu'en choses temporelles le roi de France ne reconnaît que Dieu comme supérieur; 3. qu'aucune puissance au monde n'a le droit de délier ses sujets de leur serment de fidélité; 4. qu'ils maintiendront les libertés gallicanes. Cf. FOUQUERAY, op. cit., t. III, p. 282 s., 313, 316. Ce sont encore les mêmes griefs d'ultramontanisme que répète le président Achille de Harlay en 1600 (Ibid., t. II, p. 674 s.).

ici un écho parce que, sans en être le seul motif, le gallicanisme l'a notablement nourri.

LA GUERRE DES LIVRES — Il ne forme d'ailleurs qu'un épisode de la fameuse *Guerre des Livres*, qui mit aux prises gallicans et ultramontains. Née de la lutte des passions, elle alimente l'histoire de l'ecclésiologie et aussi celle des idées politico-religieuses aux environs de 1600.

Du côté gallican, c'est toute une équipe qui se mobilise vers 1590 : Claude Fauchet, Antoine Hotman, Charles Faye, Guy Lasnier, Jacques Leschassier insistent, chacun pour soi, sur quelque principe particulier de la thèse générale [1]. Mais ce sont de véritables traités que construisent Guy Coquille et surtout Pierre Pithou, le législateur du gallicanisme politique; son autorité inspira la *Déclaration* de 1682 et se fit sentir en France jusqu'à la fin de l'Ancien Régime. *Les Libertés de l'Église gallicane* (1594, 1639, 1651, 1817, 1824), qu'il dédia à Henri IV, condensent en une Somme 83 propositions, rattachées à deux « maximes » fondamentales : « les papes ne peuvent rien commander [...] en ce qui concerne les choses temporelles ès pays [...] du Roy très chrétien », pas même aux clercs [...]. La seconde « ès choses spirituelles [...] en France [...] la puissance [du pape] est [...] bornée par les canons [...] des anciens conciles [...] receus en ce Royaume *Et in hoc maxime consistit libertas Ecclesiae gallicanae* ». Il base ces droits du roi sur le sacre, les services rendus à l'Église et le devoir de la protéger. Dans le développement de ces maximes, Pithou, faisant œuvre de juriste, se préoccupe surtout de nier les droits du pape en matière politique en France [2].

---

[1] Claude FAUCHET (1529 à Paris — 1601), Henri IV le nomma historiographe de France; il publia le *Traité des libertés de l'Église gallicane* (composé en 1591, paru en 1608) pour répondre aux bulles de Grégoire XIII contre Henri de Navarre; ses œuvres historiques ont été réunies en 2 volumes d'*Œuvres* (1610). Cf. [MICHAUD] *Biogr. Univ.*, t. XIII, p. 417 s.; *D.A.*, t. II, col. 255.
Charles FAYE, abbé de Saint-Priscien, conseiller au parlement; publia *Discours des raisons et moyens pour lesquels MM. du clergé ont déclaré nulles les bulles monitoriales de Grégoire XIV contre les ecclésiastiques demeurés en la fidélité du roi*, Tours, 1591, [MICHAUD] *Biogr. Univ.*, t. XIII, p. 460 s. A ne pas confondre avec Jacques FAYE d'Espiesses (*supra*, p. 379 n. [3]). — Antoine HOTMAN, *supra*, p. 381 n. [3]; Guy LASNIER DE l'EFFRETIER, *Traité des libertés de l'Église gallicane*, 1595 (inédit). LECLER, *Qu'est ce ..., op. cit.*, t. XXIII, p. 546. — Jacques LESCHASSIER (1560 à Paris — 1625), jurisconsulte civil et canonique, avocat, secrétaire du roi; publia *De l'ancienne et canonique liberté de l'Église gallicane*, 1606 (composé avant l'absolution de 1595). Cf. *D.A.*, t. II, col. 196; LECLER, *op. cit.*, t. XXIII, p. 561

[2] Guy COQUILLE, CONCHILIUS (1525 à Décize, Nivernais — 1603), sieur de Romenay; élève de Marian Socin (père) à Padoue; humaniste; avocat; magistrat; député aux États d'Orléans et de Blois. Il tient que le pouvoir suprême dans l'Église est aristocratique, épiscopal; le pape n'a qu'une préséance d'honneur; Coquille rejette le pouvoir de déposer les souverains, par exemple Henri IV; le roi a l'autorité sur les clercs, notamment en matière judiciaire et financière. *Discours des libertés de l'Église de France. Traité des libertés de l'Église de France.* LAURENT, *L'Église et l'État, op. cit.*, t. I, p. 321-327; [MICHAUD], *Biogr. Univ.*, t. IX, p. 167. s.; *Dict. de Droit Can.*, t. IV, 601-605; LECLER, *op. cit.*, t. XXIII, p. 545; LEPOINTE, *op. cit.*, p. 387.
Pierre PITHOU, (1539 à Troyes — 1596), historien et jurisconsulte érudit; élève de Cujas; avocat, magistrat; se convertit au catholicisme; composa un mémoire en faveur des *Ordonnances* de Blois; prit part à la *Satire Ménippée;* composa un mémoire pour persuader

Une question vient à l'esprit : que pensait du gallicanisme le célèbre fondateur de la science politique, Jean Bodin?

Les plus récentes conclusions de l'histoire présentent l'ancien carme comme fidèle catholique, en dépit d'une temporaire période protestante. Cependant son catholicisme ne conditionne pas sa théorie politique. « Il est théiste, achriste, mais d'Église ». Seulement s'il assigne à la justice, vertu religieuse « un rôle considérable dans l'édifice politique », sa notion d'Église se borne à l'action morale que la religion peut exercer dans l'État; il confie aux évêques le soin de la censure, au moins celle des mœurs; mais il recommande une large tolérance. Il ne pénètre donc pas en ecclésiologie jusqu'à la question gallicane [1]. Il est vrai qu'il avait de bonnes raisons de ne pas s'aventurer sur un terrain disputé qui, d'ailleurs n'était pas dans son dessein.

Sans intervenir directement dans le débat, son ouvrage capital, *Les six Livres de la République*, vint renforcer l'autorité de l'État. Avec une vaste érudition, J. Bodin prétendait fonder sur la raison et sur l'histoire sa théorie de la monarchie absolue, du *bon plaisir*, à laquelle il ne reconnaissait d'autres limites que la loi de Dieu. Première entrave à l'autorité de l'Église. La seconde était celle de la théorie des « climats ». En affirmant que les lois devaient être adaptées aux conditions particulières de chaque pays, il fournissait des armes aux tenants du « placet royal » [2].

Malgré les efforts des gallicans, l'ultramontanisme gagnait du terrain. Cause ou preuve de ce progrès, la propagande de la Compagnie de Jésus avait été favorisée par la multiplication de ses collèges et par le crédit de ses docteurs. Vers 1600, l'influence de Rome pénètre davantage, non seulement le clergé, mais l'opinion publique française.

La Sorbonne elle-même n'est pas favorable au gallicanisme. Sous la Ligue, elle avait décrété que l'Église et le peuple ont le droit de déposer les rois;

---

les évêques d'absoudre Henri de Navarre. *D.A.*, t. II, col. 195 s. Cf. LECLER, *Qu'est-ce ...*, *op. cit.*, t. XXIII, p. 546, 558; *P.G.*, *op. cit.*, t. XIV, II, p. 841; *H.-B.*, t. VI, p. 184; G. HANOTAUX, *op. cit.*, p. XCI, c s.; FERET, *op. cit.*, t. IV, p. 250; POULET, *op. cit.*, p. 1142; MARIÉJOL, dans LAVISSE, *op. cit.*, t. VI, II, p. 148; [MICHAUD] *Biogr. Univ.*, t. XXXIII, p. 1420-1424; MARTIN, *Origines, op. cit.*, t. I, p. 29, 32, 87-290, 356, t. II, p. 323-337. Voir p. 367, n. 1 et s.
  François PITHOU, frère de Pierre, (1543 à Troyes — 1621), humaniste et jurisconsulte. Ils publièrent ensemble des textes canoniques, tels que les *Décrétales...* Paris, 1687, où on relève un texte qui doit leur avoir brûlé les doigts : *Papa imperatorem deponere potest ex causis legitimis* (Innocent IV), t. II, p. 309.

[1] Jean BODIN (1530 à Angers — 1596), ancien carme, jurisconsulte, économiste, député aux États de Blois; procureur général; exerça une influence énorme; parmi ses nombreux ouvrages le plus célèbre est *Les six livres de la République*, Paris, 1577, 1583; Londres, 1756; traduit : *De Republica...*, Paris, 1586, Francfort, 1609, 1622; *Los seis libros de la Republica... emendatos catholicamente por Gaspar de Añastro Ysunza*, Turin, 1590. B. publia aussi un traité d'histoire et une *Démonomanie*, Paris, 1578, etc. Cf. *D.T.C.*, t. II, col. 918; *D.H.G.E.*, t. IX, col. 330 (bibliogr.); V. DE CAPRARIIS, *Propaganda e pensiero...*, *op. cit.*, passim; ELLUL, *op. cit.*, t. II, p. 280-286; JANET, *Histoire, op. cit.*, t. II, p. 114-127; P. MESNARD, *L'Essor..., op. cit.*, p. 473-548 (abondante bibliogr.); ID., *La pensée religieuse de J. Bodin*, *Rev. du XVIe siècle*, t. XV, 1929, p. 77-121; G. LEPOINTE, *Histoire des institutions et des faits sociaux*, Paris, 1957, p. 391, n. 1; J. LECLER, *Histoire de la Tolérance au siècle de la Réforme*, Paris, [1954], t. II, p. 91-95. Contre lui, A. POSSEVINO, *Judicium*, Cf. *Somm.*, t. VI, col. 1075.

[2] L. WILLAERT, *Le placet royal aux Pays-Bas*, Bruxelles, 1955, p. [94].

et, après le meurtre des Guises, que les Français étaient déliés de leur serment de fidélité. On a vu plus haut (p. 380) qu'en 1561, elle avait admis la thèse de Tanquerel, qui attribuait au pape le droit de déposition ; il est vrai, elle avait été contrainte par le parlement de la désavouer. Aventure analogue en 1607. Dans la formule de conversion des huguenots, elle leur imposait — contre la volonté d'Henri IV — l'obéissance au pape et la reconnaissance du concile de Trente [1]. Il sembla même un instant que le concile serait « reçu » ; mais le parlement triompha du roi.

Soudain une catastrophe ralluma les controverses en les aggravant.

§ 4. — Entre l'Église rénovée et l'État réorganisé : Richer et le richérisme ; le bras séculier.

LA DATE DE 1610   L'assassinat d'Henri IV pose une borne entre deux phases des relations politico-religieuses en France.

L'horreur du crime révèle au pays la nécessité d'en finir avec les méthodes de violence qui ont bouleversé le pays depuis cent ans. Dans la volonté d'ordre et de calme, l'État se reconstitue autour de la monarchie nécessaire, considérée désormais par beaucoup comme de « droit divin ». C'est l'heure du gallicanisme.

Mais, dans le couple Église-État, l'Église aussi retrouve une vitalité. Et ce qui augmente la difficulté c'est que, de cette vie nouvelle, Rome est plus qu'autrefois le cœur. Entre ces deux pouvoirs en ascension, le conflit est inévitable. D'ailleurs, aux yeux des gallicans, Ravaillac représente Rome et son pouvoir de déposer les souverains. Il ruine donc totalement les projets de réception du concile de Trente. Le conflit est aigu parce que, de côté et d'autre, les champions sont de première force.

LA GUERRE DE PLUMES   Dès avant 1610, la vague ultramontaine avait provoqué un ressac. A la Faculté de droit de Paris, Georges Critton, professeur au Collège Royal, ayant affirmé la supériorité du pape sur les conciles, le parlement ordonna de se conformer aux thèses de la Faculté de théologie (1607). Chez les dominicains, le 26 mai 1611, au cours d'une séance houleuse, on avait soutenu que le pape est l'autorité doctrinale suprême et infaillible. La Faculté fut contrainte de réagir en faisant convoquer le concile de Constance [2]. Ces escarmouches annonçaient une offensive plus sérieuse.

---

[1] *D.A.*, t. II, p. 226, 255. Deux docteurs de Paris avaient approuvé le livre de Jean Azor, S. J. Plusieurs étaient favorables à l'infaillibilité du pape ; Michel Mauclerc, dans son *De monarchia* va jusqu'à soutenir le droit des papes de déposer les rois (FERET, *op. cit.*, t. III, p. 259). Cela ne veut pas dire que le gallicanisme parlementaire eût désarmé. En 1609, Henri IV ayant signé la publication du concile de Trente, le parlement fit opposition.

[2] *H.B.*, t. VI, p. 159 s. ; MARIÉJOL, *op. cit.*, t. V, p. 294 ; FERET, *op. cit.*, t. III, p. 251 n. 1, 259 ; RICHER publia à ce sujet *Vindiciae doctrinae majorum scholae parisiensis... Accessit summa eorum quae acta sunt Parisiis in disputationibus... Dominicanorum die 26 maii 1611*, Cologne, 1683. — Le président Jacques de Thou, dans son discours du 18 septembre 1600, s'élève contre l'infiltration des idées ultramontaines (FERET, *op. cit.*, t. I, p. 23). — En 1600,

RICHER
ET LE RICHÉRISME
Le champion de l'ecclésiologie gallicane, Edmond Richer, déclare lui-même qu'il écrit pour protester contre l'invasion des théories romaines [1]. Dans le style de l'époque, son œuvre pourrait s'appeler « l'Anti-Bellarmin ».

Pithou et Coquille avaient représenté la doctrine gallicane d'avant 1600; après, c'est Richer et son système qui dominent. Les premiers traitaient surtout le gallicanisme politique. Richer, plus religieux que ses prédécesseurs, tout en les répétant, a codifié principalement le gallicanisme ecclésiastique [2].

Sa conception de l'Église s'oppose radicalement à celle de Bellarmin. Elle est le confluent de toutes les théories anti-romaines antérieures : on y reconnaît Marsile de Padoue, le conciliarisme, le presbytérianisme le parochisme (institution divine des curés). D'après lui, l'Église est démocratique dans ce sens que son Fondateur, qui est son vrai Chef, en a confié l'autorité à la collectivité des fidèles. Celle-ci, source unique de toute autorité, commet le pouvoir du *sacerdoce* (de l'« *ordo* ») indistinctement à tous les pasteurs, à l'*Ecclesia sacerdotalis* (parochisme). Celui de *juridiction* appartient souverainement aux évêques, chacun dans son diocèse.

Réunis en conciles — qui doivent être périodiques — ils sont, de par l'institution divine, l'autorité ecclésiale essentielle et suprême. Au pape, ils délèguent, sous leur contrôle, le gouvernement exécutif, « ministériel ». Son pouvoir n'est donc pas d'origine divine. De ce chef, le régime est aristocratique, ce qui — dit Richer contre Bellarmin — est le meilleur mode de gouvernement; ou plutôt Richer applique à l'Église la formule d'Aristote : *Status monarchicus, politia aristocratica*.

LA POLÉMIQUE
Il est impossible d'exprimer l'influence de ce petit traité de trente pages. Elle a dominé l'Église de France jusqu'à la Constitution civile du clergé et au-delà [3].

---

l'avocat Guillaume RANCHIN publie contre le concile « un volumineux réquisitoire de quatre cents pages : *Révision du concile de Trente*». Cf. MARTIN, *Gallicanisme, op. cit.*, p. 227, 251, 347-349, avec analyse.

[1] *Apologia*, lib. I, c. 3, § 8, cité par LAURENT, *op. cit.*, p. 341 n. 2.

[2] Edmond RICHER (1559 à Chesley près Chaours — 1631), ligueur repenti, devenu docteur de Sorbonne et syndic de la Faculté de théologie de Paris en 1608; il édita les œuvres de Gerson (1606) et une *Apologia* du même, à laquelle il ajouta un exposé de la doctrine conciliaire et des libertés gallicanes, prélude de son *De ecclesiastica et politica potestate libellus* (1611, 1613, 1621, etc.), qui provoqua sa déposition comme syndic en 1612. Il développa ses idées dans *Demonstratio libelli* [...] (1622) contre l'*Elenchus* de du Val et dans la *Defensio* (1701). Obligé de se rétracter, il vécut dans la retraite. — Sur sa biographie et son système : MARIÉJOL, *op. cit.*, t. VI, II, p. 149 s.; *D.A.*, t. II, col. 226, t. III, col. 1446; *D.T.C.*, t. VI, col. 1096, 1112, 1545 s., t. XIII, col. 2698-2702, où l'on trouvera la bibliographie y compris la liste de ses ouvrages posthumes; DE MEYER, *Les premières...*, *op. cit.*, p. 63-66; POULET, *op. cit.*, p. 1143; *H.-B.*, t. VI, p. 158; FERET, *op. cit.*, t. III, p. 389-394, t. IV, p. 1-24; ANDRÉ, *op. cit.*, p. 169; *Catholicisme*, t. IV, col. 1732; LAURENT, *op. cit.*, t. I, p. 337-343, analyse du richérisme; FOUQUERAY, *op. cit.*, t. III, p. 641 (table). Voir *supra*, p. 368.

[3] *D.T.C.*, t. VI, col. 1546; PRÉCLIN, (ci-dessus *ibid.*), capital pour l'histoire ultérieure du richérisme; il donne une analyse du richérisme, ses similitudes avec le protestantisme, son gallicanisme, ses rapports avec les deux jansénismes; *R.S.P.T.*, t. XIX, 1930, p 609 s.

Dès son apparition, le *Libellus*, œuvre polémique, provoqua une nouvelle guerre. Comme il arrivait habituellement dans les controverses théologiques, la guerre sévit sur deux terrains, guerre de plumes et guerre de décrets. Dans les débuts, la guerre de plumes met en présence d'un côté Richer, aidé par Simon Vigor, juriste de talent, qui donnait à ses théories une allure encore plus démocratique [1]. De l'autre, derrière le rempart édifié antérieurement par les maîtres catholiques italiens ou espagnols [2], d'authentiques Français.

Le principal est André du Val (ou Duval), dont les théories firent école. Mais, s'il combat le gallicanisme religieux, s'il réclame la publication du concile de Trente, il maintient les libertés gallicanes, espérant que le Saint-Siège dispensera la France d'observer *quae cum Gallorum moribus pugnare videntur* [3].

Autour de du Val se groupe toute une équipe : Pierre Pelletier, Théophraste Bouju, sieur de Beaulieu, Joachim Forgemont, docteur de Sorbonne, le docteur Claude Durand [4]. On ne s'étonnera pas d'y voir figurer des jésuites, le célèbre érudit Jacques Sirmond et Louis Richeome, provincial et assistant de France [5].

LE BRAS SÉCULIER Dans la controverse ecclésiologique, écrivains gallicans et ultramontains luttaient à armes égales. Au groupe de du Val et des jésuites répliquaient de nouveaux pamphlets [6].

---

[1] Simon Vigor (1556-1624), conseiller au Grand Conseil pendant 29 ans, publia, entre autres ouvrages gallicans, *Apologia de suprema Ecclesiae auctoritate adversus magist. Andream Duval*, Troyes, 1615; ouvrage qu'il développa en français contre Théophraste Bouju, dit Beaulieu. Cf. Feret, *op. cit.*, t. IV, p. 333; [Michaud] *Biogr. univ.*, t. XLIII. — A ne pas confondre avec son oncle Simon Vigor, archevêque de Narbonne.

[2] Voir ci-dessus, p. 340.

[3] Lecler, *op. cit.*, t. XXIII, p. 564 s. — André du Val (1564 à Pontoise — 1638), docteur et professeur de Sorbonne; après avoir vainement tenté de persuader Richer, son ancien ami, il publia contre sa théorie : *Elenchus pro Suprema romani pontificis in Ecclesiam authoritate*, Paris, 1612, et, contre Vigor, *Libelli de suprema Romani pontificis in Ecclesiam potestate Disputatio quadripartita*, Paris, 1614; il fit paraître aussi *In secundam partem Summae D. Thomae Commentarii*, Paris, 1636, une *Vie admirable de sœur Marie de l'Incarnation*, Paris, 1625, et des *Fleurs des Vies des Saints*, Rouen, 1646, etc. Cf. Feret, *op. cit.*, t. IV, p. 329-339 (analyse); *D.T.C.*, t. IV, col. 1967; *D.A.*, t. II, col. 198, t. III, col. 1439; Fouqueray, *op. cit.*, t. III, p. 639 (table); t. IV, p. 346 (table); *D.S.*, t. III, col. 1857-1862.

[4] Sur Cl. Durand, Pierre Pelletier : Feret, *op. cit.*, t. IV, p. 9; *D.T.C.*, t. XIII, col. 2700

[5] Sur Jacques Sirmond (1559 à Riom — 1651), cf. *supra*, p. 248 n. [1]; Fouqueray, *op. cit.*, t. III, p. 297; Feret, *op. cit.*, t. IV, p. 10; Somm., t. VI, col. 1815.
Louis Richeome (1544 à Digne — 1625) fut provincial et assistant de France; en réponse à Servin, publia, sous le nom de Louis de Beaumanoir, une *Plainte significative pour les Pères jésuites (1615);* son *Notes et advis*, contre Servin, fut supprimé (1616). Cf. Fouqueray, *op. cit.*, t. III, p. 641 (table), notamment p. 318 s.; Somm., t. VII, col. 1237. Il faut noter que, dans ses *Notes et advis*, il maintient que l'Église de France « fait bien de défendre ses vraies libertés et privilèges, tant spirituels pour la police ecclésiastique que ceux qui concernent le temporel pour le bien de la police temporelle du royaume ». Cité par Lecler, *Qu'est-ce ...*, *op. cit.*, t. XXIII, p. 564.

[6] « Une lettre insultante, soi-disant écrite par Lucifer à Boniface VIII, une nouvelle édition, très amplifiée, d'une vieille harangue d'Arnauld, malmenant le Saint-Père, le *Théâtre de l'Antéchrist*, de Nicolas Viguier, ministre protestant de Blois » (Martin, *op. cit.*, p. 359 s.) et le livre de Jacques Gillot, conseiller à la cour de Paris, *Actes du concile de Trente en l'an 1562 et 1563 ...*, s. l., 1607. Paris, *B.N., B.* 5432.

Mais de leur côté, les parlementaires maniaient « la raison du plus fort ». Quand l'Église censurait une doctrine, elle exerçait sa juridiction sur son propre terrain. L'État — c'est-à-dire le parlement malgré la reine — se défendit contre l'Église, non par les armes de l'esprit, mais par la coercition judiciaire.

Comme au siècle précédent entre huguenots et catholiques, c'est une guerre, mais non sanglante. Les politiques du parlement, qui mènent le combat contre Rome, s'obstinent à repousser le concile de Trente; ce n'est pas « laïcisme » ou opposition à la Réformation; ils accepteraient volontiers certains de ses décrets. Mais leur Église est celle de Pithou et de Richer.

Pour la défendre, c'est avec une sorte d'inquisition haineuse qu'ils profitent de toute occasion pour déchaîner leurs sévérités contre les théories romaines. Leur pourvoyeur est le même avocat-général Louis Servin, que nous avons entendu requérir contre les jésuites [1]. Et ce sont encore les jésuites principalement qui tombent sous ses coups. L'assassinat d'Henri IV, qui révèle des infiltrations ultramontaines, fournit prétexte à une hécatombe; non seulement de Jean Mariana, qui excusait le tyrannicide [2], mais de tous ceux, plus ou moins célèbres, qui admettaient un pouvoir temporel du pape sur les souverains, fût-il indirect : en 1600, le cardinal Bellarmin et son Traité de la puissance du souverain pontife [3]; en 1605, l'*Amphiteatrum honoris*

---

[1] *Supra*, p. 384 n. [4].

[2] Sur Mariana, *supra*, p. 245 n. [1]. Le *De Rege et Regis Institutione* avait été composé par Mariana à la demande du précepteur de l'infant d'Espagne, pour l'éducation du fils de Philippe II. Il parut à Tolède en 1599 avec l'approbation ecclésiastique et le privilège royal. Sur la tempête qu'il provoqua en France, FOUQUERAY, *op. cit.*, t. III, p. 264.

[3] Guillaume BARCLAY (1543 à Aberdeen — 1608), avait été attiré à Pont-à-Mousson par son oncle, le P. E. Hay, recteur de cette Université; il avait publié *De potestate papae*, Londres, 1607, Pont-à-Mousson, 1609 (Paris, *B.N.*, 8º E 575), qui parut en français sour le titre *Traité de la puissance du pape*, Pont-à-Mousson, 1607, 1611, et en anglais, grâce à Jean, fils de Guillaume, sous le titre *Of the authority of the pope*, Londres, 1611 (Londres, Brit. Mus. 3932 d et 1103 f 8). Le *De potestate papae* professait le droit divin des rois. Il fut mis à l'Index le 29 avril 1613. Bellarmin y répondit par son *Tractatus de potestate Summi Pontificis*..., Rome, 1610, Cologne, 1611 etc. Il y enseignait, non le pouvoir *direct* professé au Moyen-Âge, mais qu'en conséquence de son pouvoir spirituel, le pape, dans certains cas exceptionnels, peut, pour le bien des âmes, intervenir dans les questions temporelles *(pouvoir indirect)*. Jean Barclay défendit la mémoire de son père par *Joannis Barclaii Pietas*... Londres, 1612 (Paris, *B.N.*, E 1918; Londres, *B.M.* 849 K7); *D.H.G.E.*, t. VI, col. 751-754. SOMM., t. I, col. 1217-1221, avec la polémique qui suivit. — Le livre de Bellarmin provoqua en France une véritable fureur; il fut condamné par le parlement à être brûlé; la Sorbonne, qui s'abstint de censurer un cardinal, et plusieurs prélats en vue ne cachèrent pas cependant leur désapprobation; la querelle prit un caractère dramatique; le nonce Ubaldini menaça de rompre avec la France; finalement, il obtint de la reine-régente la suspension de l'arrêt. Cf. MARTIN, *Gallicanisme, op. cit.*, p. 353-358, 361; *R.S.P.T.*, t. XIX, 1930, p. 607; FOUQUERAY, *op. cit.*, t. III, p. 237-268, 316; *H.-B.*, t. VI, p. 164; FERET, *op. cit.*, t. III, p. 83; *Catholicisme*, t. IV, col. 1736; DE MEYER, *Les premières, op. cit.*, p. 64 s.; I. VON DÖLLINGER et Fr. H. REUSCH, *Geschichte der Moralstreitigkeiten in der römisch-katholischen Kirche*, Nördlingen, 1889, t. I, p. 538-541; J. MURRAY, *St. Robert Bellarmine on the Indirect Power*, dans *Theol. Stud.*, t. IX, 1948, p. 491-535; BELLARMIN, trad. G. A. MOORE, *The Power of the Pope in Temporal Affairs, against William Barclay*, Cologne, 1949; R. BELLARMIN, trad. G. A. MOORE, *Reply to Belloy, or Authority of the Pope in Politics*, Chevy Chase, 1950. — Sur la part de Bellarmin dans la controverse anglaise, voir *infra*, p. 391 n. [2].

de Scribani faillit être brûlé par le bourreau [1]; en 1613, Martin Becan (Becanus), qui était intervenu dans la controverse anglaise [2]; en 1614, Suarez, et le cas était grave, car le célèbre jésuite avait été chargé par Paul V de réfuter Jacques Ier. Dans sa *Defensio fidei*, il avait soutenu le pouvoir papal de déposition. Le réquisitoire de Servin fut particulièrement féroce [3].

Tous ces condamnés sont des jésuites et des étrangers. Un prélat français monta dans la même charette. En 1613, Henri de Sponde, futur évêque de

---

[1] Charles SCRIBANI (1561 à Bruxelles — 1629), jésuite, recteur et provincial pendant 22 ans; enseigna la rhétorique et la philosophie. Il publia en 1605 sous l'anagramme de son nom CLARUS BONARSCIUS, *Amphitheatrum honoris, in quo Calvinistarum in Societatem Jesu criminationes jugulatae*, [Anvers], où il assimilait Servin et autres parlementaires français aux ennemis de l'Église. Servin voulut le faire brûler par la main du bourreau; mais le P. Coton montra le volume au roi, qui envoya à l'auteur des lettres de « naturalité ». Cf. FOUQUERAY, *op. cit.*, t. III, p. 69-73, SOMM., t. VII, col. 982.

[2] Jacques Ier d'Angleterre exigeait de ses sujets un serment d'*allégeance*, qui déniait en toute circonstance au pape tout pouvoir quelconque sur le roi. Paul V le condamna. Jacques Ier publia, sous l'anonymat d'abord, son *An Apology for the Oath of Allegiance...* (1605), *Triplici nodo triplex cuneus. Sive Apologia pro Juramento fidelitatis*, Londres, 1608. Bellarmin y répondit, sous un pseudonyme, par *Responsio Matthei Torti [...] ad librum inscriptum Triplici nodo...*, Cologne, 1608. Jacques Ier, se découvrant, répliqua par *Apologia pro Juramento fidelitatis...*, Londres, 1609, tandis que son chapelain Lancelot Andrewes attaquait Bellarmin par *Tortura Torti sive ad Matthaei Torti librum responsio*, 1609, affirmant que les prétentions du pape sur les rois ne dataient que du XIe siècle, puis par *Responsio ad Apologiam cardinalis Bellarmini*, 1610. En 1612, Martin Becan écrivit contre Andrewes et contre le serment d'allégeance la *Controversia anglicana. De potestate Regis et Pontificis*, 1612, affirmant le pouvoir de déposer les rois. Vu certaines exagérations, le livre fut mis à l'*Index* par Rome « jusqu'à correction ». Une seconde édition fut attaquée par Louis SERVIN, mais la cour ajourna l'affaire. Cf. FOUQUERAY, *op. cit.*, t. III, p. 295, 301-305; FERET, *op. cit.*, t. III, p. 251, 256 s., 259; SOMM., t. I, col. 1211-1214 et toute la controverse; *D.N.B.*, t. I, p. 404, t. X, p. 608; MESNARD, *L'Essor, op. cit.*, p. 639-644.
Sur Andrewes, *Catal. Brit. Mus.*, 1010, c. 20. — Sur Becan, Becanus, *supra*, p. 212 n. [4].
Léonard LESSIUS, à la demande expresse du pape, avait écrit contre Jacques Ier une *Defensio potestatis Romani Pontificis*, qui fut imprimée à Louvain en 1611; mais, sur les instances des Pères français, pour éviter une tempête, le général de la Compagnie ordonna de retirer l'ouvrage. Le seul exemplaire connu périt à Louvain en 1914, mais le manuscrit est à la Bibl. Royale à Bruxelles, ms. n° 1754. Lessius publia en 1611 à Anvers le *De Antechristo*, pour répondre à Jacques Ier. Cf. PONCELET, *Histoire, op. cit.*, t. II, p. 320-322. — Voir aussi la note suivante (Suarez).

[3] Sur Suarez, voir *supra*, p. 194 n. [1]. Le titre du livre était *Defensio fidei catholicae [...] adversus Anglicanae sectae errores cum responsione ad Apologiam pro iuramento fidelitatis [...] Jacobi Angliae Regis*, Coïmbre, 1613. (SOMM., t. VII, col. 1672.) Jacques Ier l'avait fait brûler devant Saint-Paul de Londres. Il agit par la voie diplomatique en France, où l'affaire prit des proportions énormes. Dès que Louis Servin connut le livre (1614), il exigea qu'il fût « brûlé par le bourreau devant la porte des trois maisons des jésuites de Paris, [...] que quatre Pères comparussent devant le parlement pour anathématiser les idées de Suarez ». Dans le cas de refus, tous les jésuites seraient expulsés du royaume. (MARTIN, *op. cit.*, p. 358.) En fait, quatre jésuites des plus célèbres furent cités devant la cour pour y désavouer « de tels écrits » et voir brûler la *Defensio* « devant les degrés du grand palais ». — Le général de la Compagnie, Acquaviva, renouvela sa défense de traiter pareils sujets, qui n'avait pas été portée à la connaissance de la province où résidait Suarez. Mais de son côté, Paul V, indigné, couvrant les théories de son champion, exigea la cassation de l'arrêt du parlement et en obtint finalement la « suspension ». Pour protester, Servin publia son réquisitoire, sous le titre de *Remonstrance et plaincte des gens du Roy;* le P. Richeome répliqua par la *Plainte justificative de Louis de Beaumanoir pour les Pères jésuites*, Paris, 1615, puis par ses *Advis et Notes sur quelques plaidoyers de [...] Servin*, Agen, 1615, supprimés par voie de justice (1616). Cf. FOUQUERAY, *op. cit.*, t. III, p. 315-318; SOMM., t. VI, col. 1828 s.; Paris, *B.N.*, 8° Ld. 4 110.

Pamiers, avait publié un *Epitome* des *Annales* de Baronius. Louis Servin, y trouvant des passages ultramontains, requit contre lui [1].

§ 5. — L'Église de France « romanisée » se libère.
Les États-Généraux de 1614 et l'Assemblée de 1615.

TENDANCES ROMAINES Au xvie siècle, la France, fatiguée des guerres religieuses, avait inventé l'Édit de Nantes et la liberté de conscience. Au début du xviie, d'autres guerres allaient aboutir à une conception nouvelle des relations entre l'Église et l'État.

Tandis que s'échauffait la haine des politiques contre Rome et que leur doctrine se codifiait, bon nombre d'ecclésiastiques, inquiets du péril protestant, « se serraient autour du pape ». Le haut clergé, d'accord avec Rome, condamnait Richer. La Sorbonne agissait dans le même sens [2].

Bref, la grande majorité de l'Église de France « traversait une crise ultramontaine; elle n'avait jamais paru si romaine »; elle tenait plus que jamais à la Réformation, donc à la « réception » du concile de Trente. En fait déjà, le légat du pape, Alexandre de Médicis, d'accord avec les évêques, avait obtenu l'adhésion à bon nombre de décrets tridentins [3].

LES ÉTATS-GÉNÉRAUX Quand donc, le 27 octobre 1614, le jeune roi
DE 1614 [4] Louis XIII ouvrit solennellement les États-généraux dans l'hôtel de Bourbon, deux armées s'affrontaient, rangées en bataille : le Clergé, fort de la fidèle alliance de la Noblesse, en face du Tiers, présidé par Robert Miron, prévôt des marchands de Paris, « politique » décidé, comme bon nombre des membres de l'ordre; il y avait là, par exemple, Louis Servin, Edmond Richer et Jacques Gallot.

Dès l'ouverture, les défis furent lancés.

Sitôt réuni, le Clergé décida de prier le Roy « qu'il luy plaise d'ordonner que ledict sacré concile de Trente sera receu, publié et gardé par tout son

---

[1] A la suite d'une défense de la cour, la Faculté de Paris s'abstint de se prononcer sur le cas de de Sponde. (MARTIN, *op. cit.*, p. 358. FERET, *op. cit.*, t. III, p. 257, 261 s.) — Sur de Sponde, voir *supra*, p. 254.

[2] Le cardinal du Perron le fit condamner par les conciles provinciaux de Sens et d'Aix. La Sorbonne, de son côté, déposa Richer comme syndic et blâma son livre. MARTIN, *Gallicanisme, op. cit.*, p. 362 s.; Rome condamna l'*Histoire* de de Thou et le discours d'Arnauld contre la cour annula ces condamnations. Cf. *H.-B.*, t. VI, p. 161; MARIÉJOL, *op. cit.*, t. VI, II, p. 149 s.; FERET, *op. cit.*, t. III, p. 259 s.

[3] MARTIN, *op. cit.*, p. 293-295, 345 s.

[4] Sur les États de 1614 : MARIÉJOL, *op. cit.*, t. VI, II, p. 164-176; FOUQUERAY, *op. cit*; t. III, p. 340-355; MARTIN, *op. cit.*, p. 364-383; *D.A.*, t. II, col. 257 s.; P. AT, *Histoire du droit canon gallican*, Paris, s. a., p. 100-103 : « La remontrance de Duperron occupe septante-douze colonnes in 4° sans alinéas dans les *Mémoires du clergé*. » Le Clergé n'obtint jamais que le roi ratifiât la réception du concile, malgré ses instances en 1622 et en 1623, ni lors de l'Assemblée décennale de 1625. (MARTIN, *op. cit.*, p. 392). Au contraire, par actes de 1616 et 1623, Louis XIII récusa la réception de 1615 par le Clergé. Cf. J. ELLUL, *Histoire des institutions, op. cit.*, t. II, p. 502. — La solution de 1615 avait déjà été entrevue dix ans plus tôt par le nonce Maffeo Barberini, le futur Urbain VIII. (MARTIN, *op. cit.*, p. 384, 392.)

Royaume ». La réplique du Tiers ne tarda pas. Non seulement le concile était un triomphe du pape, mais sa réception aurait supprimé les « appels comme d'abus ». Dans une déclaration, préparée par Richer, l'ordre pria le roi « de faire arrester [...] pour *loy fondamentale du Royaume* [...] qu'il n'y a puissance en terre, quelle qu'elle soit, spirituelle ou temporelle, qui ait aucun droit sur son Royaume, pour en priver les personnes sacrées de nos Rois [...]. Que l'opinion contraire [...] est impie [...] contre l'establissement de l'Estat de France, qui ne dépend immédiatement que de Dieu ».

Le Tiers refusait la réception du concile et le premier ordre s'opposait à ce que le gallicanisme politique fût proclamé « loy fondamentale de l'État ». On était au point mort.

Le parlement, à la diligence de Louis Servin, tint à contribuer au succès de l'attaque en renouvelant, le 2 janvier 1615, tous ses arrêts contre les jésuites. Pour compléter l'union des gallicans, l'Université de Paris essaya, mais vainement, étant divisée, de joindre ses instances à celles du Tiers. Quand le Clergé, présidé par le cardinal du Perron, apprit l'article du Tiers et le décret du parlement, soutenu par les nobles, il obtint du roi leur suppression (13 janvier 1615). En outre, les deux premiers ordres votèrent un éloge de la Compagnie de Jésus.

Tandis qu'au dehors l'opinion publique fermentait, que les libelles foisonnaient pour et contre le concile, le Clergé travaillait à rallier les autres ordres. Heureux auprès de la Noblesse, il échoua devant l'opposition tenace du Tiers, malgré l'éloquente intervention du jeune évêque de Luçon, Jean-Armand du Plessis, futur cardinal Richelieu. Miron répliqua ironiquement que rien n'empêchait le Clergé de se réformer de son propre chef. Devant cette opposition, malgré les instances du nonce et l'intervention de la Sorbonne, Louis XIII et sa mère ne purent se résoudre à donner au Clergé autre chose que des promesses.

Il fallut donc chercher ailleurs une solution.

En 1614, l'Église, représentée par les deux premiers ordres; l'État représenté par le Tiers, s'étaient vainement pris au corps.

LE CLERGÉ « *REÇOIT* » *LE CONCILE* — C'est alors que surgit chez le Clergé une de ces idées décisives qui annoncent des horizons élargis. L'ecclésiologie de l'Église de France était à ce moment non seulement catholique, mais romaine. Le concile de Trente apparaissait comme le remède unique et indispensable à des maux invétérés. On avait cru jusque là que seule la réception comme loi du Royaume pouvait en assurer l'exécution.

Et si l'Église se séparait de l'État? Non totalement. Le concordat de 1516 était un contrat bi-latéral. Mais l'Église de France ne pouvait-elle se libérer et prendre d'autorité le pouvoir de déclarer comme sa loi les décrets de Trente? Par un acte solennel — mieux que par la timide réforme que raillait

Miron —, elle proclama son autonomie. Le 7 juillet 1615, trois cardinaux, quarante-sept archevêques et évêques, trente ecclésiastiques du second ordre, « représentant le clergé général de France assemblez [...] à Paris » déclarent « recevoir » légalement le concile de Trente et ordonnent aux conciles provinciaux de le recevoir.

Vainement le roi et le parlement tentèrent de réduire à néant la décision de l'Église de France. Son union et son influence à la cour parèrent les coups et l'Église gallicane rejoignit officiellement, dans le grand mouvement de Réformation, les nations fidèles au concile et à Rome [1].

RÉSISTANCE DU PARLEMENT. SANTARELLI — Le gallicanisme n'était pas vaincu pour autant. De même que les États-généraux de 1614 furent avant 1789 les derniers, la solennelle Assemblée du clergé de 1615 marque l'apogée de l'influence du Saint-Siège en France sous l'Ancien Régime. Le nationalisme allait peu à peu reconquérir du terrain et corroborer les tendances anti-romanistes dans l'Église française.

Quelque émotion qu'elles aient soulevé, il n'y aura pas lieu de s'arrêter longuement aux condamnations qui prolongèrent la lutte du parlement contre les théories romaines. Par exemple, l'affaire du livre du jésuite Antoine Santarelli prit les proportions d'une question d'État [2]. Son *Tractatus* fut brûlé par voie de justice; il en fut de même, et pour le même motif, du livre du dominicain François Malagola; puis ce fut la censure attentée de la thèse de Michel Mauclerc [3] en 1642; un autre dominicain fut

---

[1] Dans la pratique, les décrets tridentins avaient été promulgués par les conciles provinciaux de 1580-1584; mais leur application fut fréquemment entravée par les appels comme d'abus.

[2] Dans son *Tractatus de haeresi [...] et de potestate romani pontificis...* Rome, 1625, il maintenait le pouvoir indirect du pape. Il avait eu l'approbation du Maître du Sacré Palais, O. P. Dès que le livre fut connu à Paris en 1626, il fit scandale chez les régaliens. Des extraits furent soumis au parlement et dénoncés à Richelieu, qui s'irrita contre l'auteur et encouragea sa condamnation. Louis Servin prenait la parole pour requérir contre Santarelli au parlement devant Louis XIII, lorsqu'il tomba mort, foudroyé par l'apoplexie. Son successeur, Omer Talon, renchérit encore sur sa sévérité contre les jésuites. Le livre fut brûlé dans la cour du palais. Il fut sérieusement question de bannir du royaume tous les membres de la Compagnie. Finalement, le roi et le parlement se contentèrent de faire signer aux principaux d'entre eux et notamment aux provinciaux un désaveu de Santarelli.
Terminée devant le parlement, l'affaire rebondit en Sorbonne, où les richéristes dominaient. Le 4 avril 1626, le livre fut censuré comme « erroné et contraire à la parole de Dieu ». L'Université de Paris et bon nombre d'Universités de province approuvèrent la censure. Mais le roi et Richelieu, inquiets de ces troubles et de l'irritation d'Urbain VIII, contraignirent la Sorbonne, l'Université et le parlement à renoncer à toute intervention en cette affaire. Cf. *D.A.*, t. II, col. 258; FOUQUERAY, *op. cit.*, t. IV, p. 140-191 (documenté); DE MEYER, *op. cit.*, p. 65; *H.-B.*, t. VI, p. 168; *D.T.C.*, t. XIII, col. 2702; FERET, *op. cit.*, t. IV, p. 17 s.; SOMM., t. VII, col. 579-582. Sur le danger de schisme à cette occasion, ORCIBAL, *op. cit.*, t. III, p. 145; J. NÈVE, Les « *Mémoires* » de Paquot et la Censure, dans *R.B.P.H.*, t. XII, 1933, p. 652-656 (un passage concernant l'affaire Santarelli supprimé par la censure).

[3] Michel MAUCLERC, professeur de Sorbonne, publia *De Monarchia divina, ecclesiastica et saeculari christiana*, Paris, 1629, qui fut approuvé par huit docteurs de Paris; il y enseignait le pouvoir du pape sur les rois. En 1627, l'Université voulut faire censurer l'ouvrage en même temps que l'*Abrégé* de de Sponde (ci-dessus, p. 254, 392); mais la Faculté, docile à la défense du roi, refusa. Cf. FERET, *op. cit.*, t. III, 259 s., 262.
— Œuvre de MAUCLERC, Paris, *B.N.*, E., 251; Londres, *B.M.*, 495 K 9.

expulsé de la Faculté de théologie pour avoir publié un ouvrage affirmant le droit de déposition des rois par le pape [1].

L'intérêt de ces batailles s'efface devant celui de l'important conflit qui va suivre.

§ 6. — Les droits de l'épiscopat international.

RÉVEIL DES CONTROVERSES ANCIENNES — L'ecclésiologie gallicane élevait sur le pavois la dignité et l'autorité des évêques. Mais, naturellement, cette assertion n'était pas spécifiquement française. On l'a vu plus haut au sujet des théories conciliaires et du concile de Trente. Et voici qu'entre 1632 et 1642, un épisode retentissant — réveil des revendications gallicanes — va grouper, en même temps, autour des évêques de France la hiérarchie d'Angleterre et celle des Provinces-Unies. Épisode important à ce titre, mais aussi parce qu'il introduisait dans la querelle entre le clergé national et « ceux delà des monts », comme disait Jansénius [2], un nouveau combattant, le clergé régulier.

Ici encore, c'est à l'occasion de questions de faits que les deux partis cherchent des armes dans l'arsenal des théories. Les tenants de la hiérarchie épiscopale polémiquent, non plus contre le Saint-Siège directement, mais surtout contre ses troupes spéciales, les religieux exempts. On voit ainsi renaître, avec plus de virulence, les oppositions du XVe siècle. Leur histoire mériterait pleinement notre attention si elles s'étaient cantonnées dans la sphère sereine des idées. Car des deux côtés on pouvait penser défendre la forme authentique de l'ecclésiologie orthodoxe et donc d'une mission divine, soit papale, soit épiscopale et sacerdotale. Par malheur, le choc des opinions souleva l'épaisse poussière de passions trop humaines.

OPPOSITIONS DE GROUPES — Comme les « immunistes » au temps de la féodalité et de l'Église impériale, ceux qu'on appelera les « moines » relèvent directement du pouvoir central, dont, en retour, ils exaltent les prérogatives, au grand dépit des gallicans. Souvent ils se laissent griser par leur indépendance et par leurs succès; certains claironnent trop haut leurs privilèges [3]. Or, comme ils exercent leur ministère auprès de fidèles de par la délégation papale, le problème se pose de leur statut vis-à-vis de la juridiction et de la surveillance épiscopales. Y échappent-ils et dans quelle mesure? Les fidèles qui assistent dans leurs églises à la messe dominicale et y communient à Pâques observent-ils le précepte?

Par contre, trop soucieux de leurs pouvoirs, certains membres de la hiérarchie en exagéraient l'étendue sans y mettre les formes. A force d'exalter

[1] *H.-B.*, t. VI, p. 168 s.
[2] ORCIBAL, *Origines...*, *op. cit.*, t. II, p. 352 n.
[3] Sur toute cette affaire, voir *D.A.*, t. II, col. 228; *D.T.C.*, t. IV, col. 1969 s.; FOUQUERAY, *op. cit.*, t. V, p. 38-79; ORCIBAL, *op. cit.*, t. II, p. 334-375; DE MEYER, *op. cit.*, p. 69 s., 351 s.; L. WILLAERT, *Origines*, *op. cit.*, p. 352-365; tous documentés.

d'un côté l'épiscopat et le sacerdoce, de l'autre les vœux religieux, on en arriva à discuter passionnément lequel de ces deux états l'emportait en principe. Question oiseuse dans la pratique, puisque tout dépend, en définitive, de la grâce divine et, secondairement, de la réponse individuelle de l'homme. Or, on la débattit sans retenue ni modestie, ni charité, au grand ébaudissement des hérétiques et des incroyants de tous les temps.

LA QUESTION DES RÉGULIERS L'histoire pourrait expédier d'un mot ces algarades, à vrai dire scandaleuses, n'était le résidu doctrinal — fort maigre, il est vrai — qu'elle peut en retirer et leur influence sur le climat du jansénisme naissant. Dès la deuxième décade du siècle, des incidents avaient éclaté entre des évêques et des religieux. L'Assemblée du Clergé de 1625 vota une *Déclaration contre les exemptions et les privilèges des réguliers* [1]. Au mois d'avril 1632, André du Val et d'autres docteurs avaient dénoncé un retour offensif du gallicanisme et annoncé un schisme. De son côté, Jean-Pierre Camus, ancien évêque de Belley, ouvrit en 1631 une campagne de presse contre « les moines », tandis que des incidents surgissaient dans plusieurs diocèses au sujet de la juridiction des confesseurs. La majorité des évêques français ne témoignaient plus à l'égard des ordres religieux la même sympathie que jadis, tandis que le pape encourageait les siens. Ce premier conflit s'était apaisé lorsque d'Angleterre le feu d'une dispute plus grave gagna le continent.

POLÉMIQUES EN ANGLETERRE Le dernier évêque catholique de l'île était mort en 1585. Avec lui, la hiérarchie avait disparu. Bravant une persécution atroce, de nombreux prêtres, anglais et étrangers, continuaient héroïquement le ministère au péril de leur vie. Tant que vécut le cardinal Allen, son prestige assura leur direction. Après lui, dans une situation anormale, les missionnaires et notamment les jésuites avaient acquis une telle autonomie que le P. Persons, supérieur S. J., exerçait une réelle juridiction. Quand, en 1623, un vicaire-apostolique fut nommé, qui prétendit à tous les pouvoirs d'un Ordinaire, des difficultés éclatèrent [2].

PETRUS AURELIUS Une polémique s'ensuivit, à laquelle prirent part des jésuites et des bénédictins. Le vicaire-apostolique R. Smith avait alerté ses amis de France ; les écrits des jésuites Knott et Floyd

---

[1] ORCIBAL, *op. cit.*, t. II, p. 36. Comme exemple de ces incidents, FOUQUERAY, *op. cit.*, t. V, p. 44 s. Au sujet des désaccords entre les deux clergés, voir *supra*, p. 66, n [3], 73.

[2] Les réguliers, qui, depuis tant d'années, entendaient les confessions sans l'approbation d'un évêque, prétendaient ne pas la demander à l'archiprêtre ni au vicaire-apostolique. Le nonce à Bruxelles, investi du pouvoir d'organiser la hiérarchie, la confia à un archiprêtre, Georges Blackwell (1545?-1613). Par un bref *Ecclesia Romana* du 23 mars 1623, un vicaire-apostolique fut établi sous l'autorité de la Propagande. Ce fut d'abord W. Bishop, puis, après sa mort, 12 janvier 1622 (1623), le 4 février 1625, Richard Smith (1566-1655), promu évêque i. p. de Chalcédoine, protégé de Bérulle et de Richelieu. Cf. *D.N.B.*, t. II, p. 606-608 (Blackwell) ; t. XVIII, p. 510 s. (Smith).

furent censurés par la Sorbonne et par trente-cinq évêques réunis à Paris, l'archevêque y compris (1631) [1]. Floyd ayant censuré la censure, Saint-Cyran, aidé par de Barcos, son neveu, et par Jansénius, choisit ce moment pour publier, sous le nom de *Petrus Aurelius*, deux ouvrages d'une importance capitale, et par eux-mêmes et par leur retentissement [2] : *Vindiciae censurae facultatis Theologiae Parisiensis in Spongiam* (1632) et *Assertio epistolae episcoporum in Querimoniam* [3].

Autant que le caractère de leur auteur, ces écrits étaient complexes. Nous pouvons laisser de côté la partie qui concerne les jésuites. Répondant à leurs attaques violentes, elle les attaquait violemment. Retenons-en seulement un reproche qui reparaîtra dans l'*Augustinus* de Jansénius, celui « d'employer en théologie l'argument philosophique » plutôt que « les lumières de la foi » et d'y recourir à la critique textuelle [4].

[1] Matthieu KELLISON, recteur du collège anglais de Douai, publia, pour la défense de la hiérarchie anglaise, *Vindiciae Ecclesiae anglicanae...*, 1625, puis *A Theater of the Hierarchie and divers orders of the Church*, Douai, 1629 (Londres, *B.M.*, 4103 g. et 3935 aaa. 10). — Matthieu WILSON, ou « Édouard KNOTT » ou « Nicolas SMITH » (1580 à Pegworth ou à Catchburne — 1656), vice-provincial S. J., répliqua à Kellison sous le pseudonyme de Nic. SMITH, *A modest briefe Discussion of some points taught by M. Dr. Kellison...*, Rouen, 1630, traduit en latin *Modesta et brevis discussio...*, Anvers et Liège, 1631; Jean FLOYD (1572 à Cambridge — 1649), sous le nom de DANIEL A JESU (anagramme de Joannes Fluid), écrivit *An Apology of the Holy See...* Rouen, 1630, devenu *Apologia Sanctae Sedis Apostolicae...*, Saint-Omer, 1631, et Cologne, dédiée aux évêques de France. La censure des ouvrages anglais des deux jésuites parut sous les titres de *Censura Parisiensis episcopi [...]*, *in [...] duos libellos anglicanos...*, Paris, 1631 et *Censura [...] per S. facultatem Theologiae Parisiensis...*, Paris, 1631. Sous le pseudonyme de Herman LOEMELIUS, Floyd attaqua les censures par *Spongia qua diluuntur calumniae [...] impositae libro [...] Apologia [...]*, Saint-Omer et Bruxelles, 1631; il publia, en outre, *Ecclesiae anglicanae Querimonia apologetica de censura...* Saint-Omer, 1631. Le parlement de Rouen condamna au feu la *Spongia* (SOMM., t. IV, col. 1134 s.; t. III, col. 814-817). — François HALLIER, (1595 à Chartres — 1659), docteur de Sorbonne, futur évêque de Toul, puis de Cavaillon, défendit la Sorbonne par sa *Defensio Ecclesiasticae Hierarchiae seu Vindiciae censurae Facultatis Theologiae adversus Spongiam*, Paris, 1632 (Paris, *B.N.* D. 8031). — De son côté, Nicole LE MAISTRE publia *Instauratio antiqui Episcoporum principatus*, Paris, 1933 (Paris, *B.N.*, D. 3716).

[2] Martin DE BARCOS (1600 à Bayonne — 1678), neveu de l'abbé de Saint-Cyran, à qui il succéda dans la même fonction (1644); il continua la réforme de l'abbaye selon la discipline de saint Benoît; il avait suivi à Louvain les cours et des jésuites et de Jansénius; lié d'amitié avec Antoine Arnauld, il prit une grande part à la controverse janséniste. Cf. *D.T.C.*, t. II, col. 390 s. ;*D.H.G.E.*, t. V, col. 755-757; *K.L.*, t. I, col. 1994; ORCIBAL, *op. cit.*, t. III, p. 56-60, 148-152 (participation à *Petrus Aurelius*), 230 (table); *B.J.B.*, t. III, p. 1007 (table).

[3] Jean DUVERGIER DE HAURANNE, abbé de Saint-Cyran (1581 à Paris — 1643). Saint Augustin s'appelant Petrus Aurelius Augustinus, les deux amis Duvergier et Jansénius, ses disciples, « tronçonnèrent » le nom sacré, l'un prit Petrus Aurelius, l'autre Augustinus. Le *P.A.* était formé de la réunion de brochures séparées, publiées d'abord isolément, comme plus tard les *Provinciales*. C.A. SAINTE-BEUVE (éd. R. L. DOYON et C. MARCHESNÉ), t. I, p. 226, 239. *Vindiciae censurae Facultatis theologiae Parisiensis... seu Responsio [...] ad libellum [...] Spongia*, Paris 1632 et *Assertio epistolae episcoporum in querimoniam*. Dans la suite, pour répondre à Floyd (Loemelius), *Confutatio collectionis locorum quos Jesuitae compilarunt tamquam sibi contumeliosos*, s. l., 1623, Paris, 1642; *B.J.B.*, n. 2421.

Sur les œuvres de Petrus Aurelius : ORCIBAL, *op. cit.*, t. III, p. 147 s.

On reviendra longuement sur Saint-Cyran à propos du jansénisme. Le jésuite François PIN-THEREAU (1604-1664) écrivit, en partie contre Petrus Aurelius, *Les reliques de messire Jean du Verger de Hauranne...* Louvain, 1646, puis, sous le nom de CHRISTIANUS CATHOLICUS, *Theologia Petri Aurelii... eius errores contra fidem et bonos mores...*, Saint-Omer, 1647, qui fut condamné au feu. Courte analyse par DE MEYER, *op. cit.*, p. 350-352, 354 s.

[4] ORCIBAL, *op. cit.*, p. 349 s.

Sa théorie ecclésiologique est plus intéressante ; elle est traitée avec la vaste érudition de l'auteur. Après avoir témoigné de son respect pour le Saint-Siège, il exalte l'épiscopat, que « Dieu a institué comme la plénitude du pouvoir ecclésiastique », dont il occupe le sommet. Cependant, quoique en dessous de lui, les curés jouissent d'une autorité de droit divin ; « véritables prélats inférieurs », ils sont aux évêques ce que les ministres sont aux rois ; ils doivent donc être traités par eux comme fils et non comme serviteurs. Ainsi l'éminente dignité du prêtre, l'auteur la célèbre avec émotion, au-dessus des vœux religieux, qui ne sont, dit-il, que d'institution humaine. Sur ce point, on pouvait lui objecter qu'il prouvait trop. Car certaines de ses preuves montrent la dignité du prêtre comme tel, c'est-à-dire de la grande majorité des réguliers.

INFLUENCE DE SAINT-CYRAN On voit combien Saint-Cyran, disciple et ami de Bérulle, préludait à l'éloge du sacerdoce que ferait l'École française. Aussi son succès fut-il considérable. Si, en mars 1633, à l'intervention de Richelieu, l'Assemblée du Clergé blâma les « invectives » d'*Aurelius* contre les jésuites, elle approuva formellement sa doctrine. Ainsi firent l'Assemblée de 1635 et celles de 1641 et de 1645. Celle de 1646, au contraire, « condamna formellement l'*Aurelius* » [1].

Cependant les supérieurs des jésuites français désavouèrent solennellement les ouvrages de Knott et de Floyd (23 mars 1633). En sorte que l'Assemblée du Clergé, dans une circulaire à tous les prélats du royaume, prit ouvertement la défense de la Compagnie. Rome aussi intervint pour clôturer le débat ; par décret du 19 mars 1633, la Congrégation de l'Index supprime « tous les écrits qui regardent cette controverse directement ou indirectement » [2]. Mais le *Petrus Aurelius* avait semé aux quatre coins de la France, avec la haine des jésuites, les théories gallicanes.

RÉVEIL DU GALLICANISME Quel est le bilan de toute cette dépense de forces ? La doctrine ecclésiologique n'y trouve à glaner que bien peu de chose. Par contre, la dispute révèle chez le clergé

---

[1] *D.T.C.*, t. IV, col. 1970 ; FOUQUERAY, *op. cit.*, t. V, p. 59, 416. L'Assemblée du Clergé de 1641 décida que deux exemplaires de l'*Aurelius* « mis en in-folio en belles lettres » seraient envoyés, à ses frais, à chaque archevêque et évêque, et un autre exemplaire à chacun des M.M. les députés du second ordre ; que tous seraient proprement reliés en veau et qu'il en serait distribué « aux personnes de lettres, une cinquantaine d'exemplaires reliés ». Cf. P. BLET, *Le chancelier Séguier... et l'assemblée du Clergé de 1645*, dans *A.H.S.J.*, t. XXVI, 1957, p. 177-198.

[2] Des protestations s'élevèrent du côté français contre ce décret, que le P. FLOYD, sous le pseudonyme de LOEMELIUS, défendit par sa *Defensio Decreti S. Congregationis ad indicem...*, Cologne, 1634. Cf. SOMM., t. III, col. 817 ; FOUQUERAY, *op. cit.*, t. V, p. 63 s. ; *D.T.C.*, t. IV, col. 1967-1975.

Le jésuite Louis CELLOT (1598 à Paris — 1658), recteur et plus tard provincial, intervint, contre Saint-Cyran et Hallier, avec son *De hierarchia et hierarchis*, Rouen, 1641, qui souleva une grosse tempête à l'Assemblée du Clergé (1641) ; il introduisait les réguliers dans la hiérarchie des « dons » ou charismes ; mais, à l'intervention de Richelieu, l'auteur se sauva en publiant une *Déclaration* explicative ; à Rome cependant son œuvre fut mise à l'Index « donec corrigatur » (1641). En 1648, il publia pour sa défense *Horarum subcisivarum liber singularis*. À quoi Hallier répliqua sous le nom de ALIPIUS a SANCTA CRUCE, *Apologia Ludovici Cellotii [...] ad ipsummet Cellotium*, s. l., 1648 (Paris, *B.N.*, D. 21202). Cf. FOUQUERAY, *op. cit.*, t. V, p. 417-420, d'après *D.T.C.*, t. II, col. 2089 s. ; DE MEYER, *op. cit.*, p. 70 s.

français et dans la Sorbonne les progrès marqués d'une « réaction contre l'ultramontanisme qui prépare 1682 ». Au reste, cette réaction était nette. En 1641, le nonce Scotti signale diverses mesures de l'État comme attentatoires aux droits du Saint-Siège [1]. Faut-il, comme le fait le cardinal de la Rochefoucauld en 1632, parler d'une offensive richériste [2]? On doit constater, en tout cas, que les tendances gallicanes profitèrent alors, et surtout dans la suite, de l'atmosphère créée par l'*Aurelius* [3]. Son influence sur l'opinion publique fut considérable [4]. Il aida Saint-Cyran, bientôt débusqué de son anonymat, à devenir « l'Oracle » et l'un des pionniers du jansénisme français. On peut ajouter qu'il contribua, par avance, au triomphe des *Provinciales* [5].

POLÉMIQUES
AUX PROVINCES-UNIES

Il en fut de même, indirectement, des événements analogues, mais moins spectaculaires, qui agitèrent le catholicisme des Provinces-Unies. Les causes en sont semblables, ainsi que les acteurs. Ils méritent l'attention par cette similitude et par les liens qui unissaient entre eux ces divers anti-jésuitismes. Étant données les relations de la Compagnie de Jésus avec le Saint-Siège, la querelle néerlandaise devait aboutir hélas! à l'anti-romanisme et à la formation de l'Église séparée janséniste et vieille-catholique [6].

[1] DE MEYER, *op. cit.*, p. 67 s.

[2] Cité par FOUQUERAY, *op. cit.*, t. V, p. 39 s.

[3] En 1631, Urbain VIII avait déclaré valides toutes les confessions par des réguliers, FOUQUERAY, *op. cit.*, t. V, p. 58. En 1633, il blâma même les jésuites d'avoir soumis à la discrétion des Ordinaires les pouvoirs qu'ils tenaient de lui. (*Ibid.*, p. 47).

En 1635, il refusa de confirmer l'annulation du mariage de Gaston d'Orléans, qui avait été décrétée par l'Assemblée du Clergé français. (*Ibid.*, p. 67 s.)

[4] ORCIBAL, *op. cit.*, t. II, p. 361-375.

[5] Ne peut-on pas dire que les doctrines richéristes ont favorisé *via* Petrus Aurelius, en ce qu'elles ont d'épiscopaliste, même le premier jansénisme et notamment la résistance épiscopale aux bulles du pape? A ce sujet, M.M. GORCE, dans *R.S.P.T.*, t. XIX, 1930, p. 609.

[6] En remplacement de la hiérarchie disparue, Sasbout Vosmeer avait été nommé en 1582 vicaire-apostolique « de Hollande, Zélande et des régions qui ont fait défection de la foi catholique »; il reçut, le 3 juin 1592, pleins pouvoirs, même sur les religieux. Mais, la même année, le pape ayant, à la demande de prêtres néerlandais, envoyé des jésuites dans la « mission », des difficultés surgirent comme en Angleterre. Un concordat intervint, le 8 mars 1610, entre Vosmeer, consacré évêque en 1602 avec le titre d'archevêque de Philippes i. p., et le provincial des jésuites; mais de nouveaux heurts se produisirent, d'autant plus regrettables que les prêtres catholiques étaient traqués, surtout depuis 1622, par des mesures draconiennes du gouvernement.

Nouvelles difficultés lorsque, à la mort de Vosmeer (4 mai 1614), Philippe van Rooveen, Rovenius, lui succéda comme vicaire-apostolique (11 oct. 1614); il devait être promu évêque le 17 août 1620 avec le même titre d'archevêque de Philippes i. p. Comme avait fait son prédécesseur, il alla à Rome défendre ses droits (1622). Urbain VIII confia l'affaire aux évêques belges; elle aboutit le 15 octobre 1624 à un nouveau concordat, approuvé par une bulle papale du 5 mai 1626, et qui fut, le 16 avril 1627, étendu à tous les religieux des Provinces-Unies. Cf. W. L. S. KNUIF et J. DE JONG, *Philippus Rovenius en zijn bestuur der Hollandsche zending*, dans *Archiv. v. de geschied. van het Aartsbisdom v. Utrecht*, t. L, 1924, p. 1-402.

— Sasbout (son prénom, qui était le nom de famille de sa mère) VOSMEER (1548 à Delft — 1614), étudia à Louvain sous Bellarmin et Baïus; en 1603, il fut banni des Provinces-Unies.

— Philippe ROVENIUS, VAN ROOVEEN (1574 à Deventer — 1651) étudia à Louvain sous Jacques Jansonius, enseigna la théologie à Cologne. Cf. *N.N.B.W.*, t. IV, col. 1420-1426 (Vosmeer), col. 1172-1178 (Rovenius); L. J. ROGIER, *Geschiedenis van het katholicismus in Noord-Nederland in de 16e en 17e eeuw*, Amsterdam, 1946, t. II, p. 46-64, 114-155;

Appartenant surtout à l'histoire-bataille, peu féconde au point de vue doctrinal, on doit cependant lui faire une place ici.

L'archevêque Philippe Rovenius avait écrit en 1622-1623 pour la défense de ses prétentions, un *Tractatus de missionibus ad propagandam fidem*, dont la publication à Louvain en 1624 fut entravée à l'intervention des réguliers. Mais, comme il arrivait fréquemment en pareil cas, l'internationale pour la défense de la hiérarchie entra aussitôt en jeu à Louvain. Corneille Jansénius alerta Saint-Cyran à Paris, « qui chargea son neveu de Barcos » de donner de l'ouvrage une seconde édition ; elle fut dédiée à l'Assemblée du Clergé et parut en 1625, puis en 1626 et 1642. Saint-Cyran en fit une traduction française (1627), qu'il dédia à l'évêque de Pamiers, Henri de Sponde. C'était un renfort pour le gallicanisme [1]. Il ne sera pas utile de raconter la suite des tristes événements des Pays-Bas. Leur seul élément d'intérêt, les théories ecclésiologiques opposées qui les sous-tendent, nous sont assez connues, autant que les intérêts de groupes qui les avivaient.

Tout autre sera le dernier épisode de l'histoire du gallicanisme pendant la période que nous étudions. Il est dominé tout entier par la figure de Richelieu.

§ 7. — L'apogée du gallicanisme se prépare. Richelieu.

RICHELIEU ET SA VIA MEDIA — Quiconque connaît, même en gros, le caractère et la politique du grand ministre, comprendra son attitude à l'égard du gallicanisme. Elle louvoie, étant « pour » [2] somme toute, mais parfois « contre » pour la modérer, et jamais extrême. Homme d'État, de l'État absolu, homme d'Église, de l'Église romaine, quoique tout-puissant, il resta, en ceci, prudent et habile diplomate, ménager de la partie considérable de l'opinion restée fidèle à Rome. Il était aussi théologien et sut faire servir les doctrines à la réalisation de ses plans.

Quels furent ses plans au juste ? Ce n'est pas ici le lieu d'essayer une analyse quantitative de ses mobiles intimes : ambition personnelle et surtout exaltation de son pays. Il a travaillé sincèrement au relèvement du catholicisme en France, fût-ce à sa manière « foudroyante » et en dépit de sa politique à l'égard des protestants du dedans et du dehors. Mais quelle était sa notion de l'Église et de son unité ? Il a d'abord ambitionné le titre de « légat perpétuel du Saint-Siège », puis celui de « patriarche des Gaules ou d'Occident » ; il s'est brouillé avec Urbain VIII. Voulait-il seulement l'effrayer

PONCELET, *op. cit.*, t. II, p. 425-443 ; [PHIL. VAN DEVENTER], *Batavia Sacra*, Anvers, 1716, t. III, p. 238 s. ; *B.J.B.*, t. III, p. 1153.

[1] ORCIBAL, *op. cit.*, t. II, p. 335 s. — Sur de Sponde, Spondanus, *supra*, p. 254, 392.

[2] Voir son *Testament politique*, 1re partie, chap. 2, sect. 9 ; il a fait combattre par VÉRON Bellarmin et les thèses ultramontaines. Cf. ORCIBAL, *op. cit.*, t. III, p. 108-111, 121, 124, 129, 142 s. Nous le verrons plus loin encourager les doctrines anti-romanistes. — G. HANOTAUX et le duc DE LA FORCE, *Histoire du cardinal de Richelieu*, Paris, 1947, t. VI ; ELLUL, *Histoire des institutions, op. cit.*, t. II, p. 414.

par la menace de ce patriarcat? Aurait-il été jusqu'au schisme si la mort ne l'avait pas surpris [1]?

Toutes questions qui ne nous concernent en ce moment que par leur incidence sur les dispositions de l'Église gallicane. Or, à cause de lui, en partie, cette Église fut à nouveau agitée de violents remous [2].

LES DUPUY   En 1635, en vue de sa campagne pour le patriarcat, Richelieu lâche la bride aux publications anti-romaines. C'est d'abord le *Nonce du pape français*, qui invitait le roi à établir dans ses États un pouvoir spirituel indépendant du Saint-Siège. C'est surtout une nouvelle et redoutable machine de guerre, l'œuvre de Pierre et de Jacques Dupuy, *Traitez des droits et libertés de l'Église gallicane* (1639), « arsenal d'armes historiques et canoniques »; le *Traitez* attaquait même le clergé de France, « engageant le pouvoir à en supprimer toutes les immunités ».

La réaction fut immédiate. Le cardinal de La Rochefoucauld et les dix-huit évêques alors à Paris, dans une lettre circulaire, censurèrent fortement l' « œuvre diabolique » des Dupuy [3].

L'OPTATUS GALLUS   Plus tapageuse fut l'apparition d'un violent pamphlet anonyme, adressé à l'Assemblée du Clergé, en réponse aux Dupuy, mais, en fait, dirigé contre Richelieu, ou plutôt, car il feignait

---

[1] Le titre de *patriarche* confère certains honneurs et certains droits spéciaux vis-à-vis de tous les autres sièges épiscopaux, même primatiaux et métropolitains. Il était conféré par Rome. Cf. *D.T.C.*, t. V, col. 1704. Richelieu manœuvra pour se le faire conférer sans intervention du pape. — Déjà Guy Coquille (ci-dessus, p. 385, n. [2]) avait écrit « Que si l'évêque de Rome persiste dans ses prétentions, la France élira un patriarche et se gouvernera par des conciles nationaux, en abandonnant aux conciles universels la décision des questions de foi ». (*Discours des Libertés de l'Église de France*, t. I, p. 190 s., cité par LAURENT, *op. cit.*, t. I, p. 324 s.)
— Sur la *menace de schisme* au temps de Richelieu et la crainte qu'elle inspirait à Urbain VIII, ORCIBAL, *op. cit.*, p. 118, 128, 133, 138, 145. — En 1626, le nonce écrit « Nous voici à la veille d'un schisme ». Cf. *Ibid.*, p. 128; MARTIN, *Gallicanisme, op. cit.*, p. 357, 363; P. BLET, dans *A.H.S.J.*, t. XXIV, 1955, p. 165; FOUQUERAY, *op. cit.*, t. V, p. 39-41.
[2] Sur l'attitude de Richelieu à l'égard du gallicanisme, voir les biographies, les encyclopédies et les ouvrages généraux tels que MARIÉJOL, *op. cit.*, t. VI, p. 381-388; G. HANOTAUX, *Recueil, op. cit.*, t. VI, p. XCIII s.; FERET, *op. cit.*, t. IV, p. 25 s.; P. AT, *op. cit.*, p. 104 (États de 1614); FOUQUERAY, *op. cit.*, t. V, p. 412 s. Voir surtout ORCIBAL, *op. cit.*, t. III, p. 108-146, *Le patriarchat de Richelieu devant l'opinion*.
[3] ORCIBAL, *op. cit.*, p. 129-131.
— Pierre DUPUY (PUTEANUS) (1582 à Agen — 1651), parent du président F.-A. de Thou, dont il publia l'*Histoire* (1620, 1626); conseiller du roi; chargé de plusieurs travaux de recherche. Publia, outre de nombreux ouvrages d'histoire, le *Traitez des droits et des libertez de l'Église gallicane. Preuves des libertez de l'Église gallicane*, s. l., 1639, 2 vol.; Paris, 1651, 2 vol.; Paris, 1731-1751, 4 vol.; *Apologie pour la publication des preuves*, resté ms. P. T. Durand de Maillane commente ce *Traité*, 1771, 5 vol. (Paris, *B.N.*, 4º Ld10, 52).
— Jacques DUPUY (1586-1656), collaborateur et éditeur de Pierre, son frère; prieur de Saint-Sauveur; légua à la bibliothèque du roi 9000 volumes imprimés et 300 volumes d'anciens mss.; publia plusieurs ouvrages de références et de textes ainsi qu'un *Commentaire* sur le *Traité* de son frère, accompagné d'autres études sur le même sujet. Cf. [MICHAUD], *op. cit.*, t. XII, p. 56.
Voir les œuvres des deux Dupuy, *Catalogue des imprimés de la B.N.*, t. XLV, col. 413 s., 432-437. — Sur l'épisode des Dupuy et de l'*Optatus Gallus*, ORCIBAL, *loc. cit.*, avec analyse de Hersent; MARIÉJOL, *op. cit.*, t. VI, II, p. 382 s.; *D.A.*, t. II, 258; *H.-B.*, t. VI, p. 186-188

de le mettre hors de cause, contre le danger de schisme. L'*Optatus Gallus* énumérait les actes récents qui opposaient la France à Rome ; il attaquait le projet de patriarcat, qu'il traitait de révolte préparée par le démon pour se venger de sa défaite à La Rochelle. On devine au style déclamatoire de l'auteur, Claude Hersent, docteur de Sorbonne, prédicateur [1].

Richelieu qui, lui, ne parvint jamais à percer l'anonymat, ressentit l'attaque comme un outrage et un danger. Parmi les complaisants qu'il mobilisa pour la riposte, on n'est pas peu surpris de noter que le soulèvement de la vague gallicane entraînait un jésuite d'une certaine notoriété, Michel Rabardeau, qui avait déjà écrit contre le mariage de Gaston d'Orléans [2]. Mais la plus en vue des répliques à l'*Optatus Gallus*, celle qui rend le mieux la *via media* de Richelieu en matière de gallicanisme, c'est l'ouvrage de Pierre de Marca [3].

PIERRE DE MARCA Depuis Coquille, Pithou et Richer, nous n'avons plus rencontré de maîtres. Depuis eux, le système gallican gagne moins en profondeur qu'en diffusion. Et tous les auteurs, y compris les premiers, construisent des engins de bataille. De Marca se distingue par une double originalité : d'abord il cherche un terrain d'entente entre Rome et Paris ; puis, à la lisière de l'ecclésiologie, il excursionne sur le terrain de la doctrine générale du droit.

Au moment où il écrit, Richelieu veut affirmer la position gallicane pour effrayer Urbain VIII ; mais il ne désire pas rompre avec lui. De Marca, dans

(bibliogr.) ; *P.G.*, t. XIV, II, p. 842 ; LECLER, *Qu'est-ce...*, *op. cit.*, t. XXIV, p. 47 ; M. DE SAINJORE, [R. SIMON], *Bibl. crit.*, *op. cit.*, Paris, 1708, t. II, p. 350-371, analyse de l'*Optatus*.

[1] Voir note précédente. [Claude HERSENT], *Optati Galli de cavendo schismate ad [...] Ecclesiae Gallicanae Primates [...] liber paraeneticus*, Lyon, 1640.

[2] Michel RABARDEAU (1572 à Orléans? — 1648 ou 1649) publia *Optatus Gallus de cavendo schismate [...] benigna manu sectus*, Paris, 1641. Il y affirme que le consentement de Rome n'est pas requis pour l'érection d'un patriarcat. (FOUQUERAY, *op. cit.*, t. V, p. 67 s.) Rabardeau avoua qu'il avait agi par ordre. (*Ibid.*, t. V, p. 413.) Fouqueray déclare ne pas comprendre comment la Compagnie a autorisé cette publication. L'ouvrage fut condamné à Rome le 18 mars 1643. (SOMM., t. VI, p. 1358 s., qui indique des mss. au sujet de cet ouvrage.) ORCIBAL, *op. cit.*, t. III, p. 135, 142, indique d'autres réponses : le jésuite Étienne BAUNY affirmait la légitimité des taxations imposées par le roi à l'Église ; le savant oratorien Morin semble avoir déclaré légitime l'érection d'un patriarcat sans aveu de Rome. — Sur les relations de Richelieu avec la Compagnie de Jésus, *ibid.*, p. 362, n. 4 ; FOUQUERAY, *op. cit.*, t. V (table). Voir *infra*, p. 451, BLET.

[3] Pierre DE MARCA (1594 à Gan, Béarn — 1662), fit de fortes études à l'Université de Toulouse, président du parlement de Pau (1620), conseiller d'État (1632), maître des requêtes (1639) ; devenu veuf (1632), fut ordonné prêtre, sacré évêque du Couserans (ou Conserans, région de Gascogne) (1648), après qu'il eût atténué ses opinions exprimées dans son *Dissertationes de concordia sacerdotii et imperii seu de libertatibus Ecclesiae Gallicanae*, Paris, 1641, 2 vol. ; 1663, 1669, 1704, 1705 (publié par Baluze) etc. ; archevêque de Toulouse (1652-1654) combattit le jansénisme et rédigea le « formulaire » ; nommé archevêque de Paris, mourut avant d'être consacré. — C'est le chancelier Séguier qui l'avait désigné à Richelieu. Cf. ORCIBAL, *op. cit.*, t. III, p. 122, n. 6. Il publia un grand nombre d'ouvrages de théologie, d'histoire, de droit canonique, de géographie *(Limes hispanicus)*. Étienne Baluze publia une nouvelle édition de la *Concordia* (1664), qui ne tenait pas compte des rétractations de l'auteur. Cf. *D.T.C.*, t. IX, col. 1987-1999 ; *K.L.*, t. VIII, col. 642-648 ; ANDRÉ, *Les sources*, *op. cit.*, p. 172 s. ; *D.A.*, t. II, col. 196 ; ORCIBAL, *op. cit.*, t. III, p. 122, 124. Voir p. 368, n. — Sur Marca et l'ensemble de son œuvre, F. GAQUÈRE, *Pierre de Marca, (1594-1662). Sa vie, ses œuvres, son gallicanisme*, Paris, 1932.

son *De Concordia sacerdotii et imperii*, tente de ménager la concorde entre les deux puissances. Il le fait en juriste. D'après lui, les libertés gallicanes ne violent pas les droits du Saint-Siège. En faveur du pape, il reconnaît que, aux IVᵉ et Vᵉ siècles, « les Églises particulières et les conciles usaient à l'égard de l'évêque de Rome de la procédure même qu'en des cas analogues de la vie civile, les magistrats supérieurs employaient à l'égard de l'*empereur seul :* les uns et les autres adressaient à l'autorité suprême une *relatio* sur la cause qu'ils venaient de juger, ou une *consultatio* »[1]. Quant à la doctrine conciliaire, il déclare que, pour les juristes, elle n'est pas du tout la base des revendications gallicanes. « Il n'y a aucune raison, dit-il, de nous attacher à une doctrine qui irrite le Souverain Pontife [2]. » Toutefois il ne semble pas avoir reconnu l'infaillibilité *personnelle* pontificale.

Après ses concessions au pouvoir ecclésiastique, il maintient l'autorité souveraine des rois, protecteurs de l'Église, dont ils doivent faire observer les canons, notamment ceux de l'Église gallicane, auxquels le pape ne peut déroger. En cas de violation, les appels comme d'abus sont légitimes; les élections épiscopales sont sujettes à l'approbation du clergé et du peuple.

L'ARGUMENT JURIDIQUE   Car voici un élément assez nouveau dans les discussions ecclésiologiques françaises : c'est « la théorie ancienne des jurisconsultes romains et de certains auteurs espagnols et français sur la nature de la loi » : une loi n'est complète que par le consentement et l'acceptation du peuple [3]. Argument qui devait être largement exploité par les antagonistes de Rome, les jansénistes notamment [4]. Il contribua sans doute pour sa part à faire mettre l'ouvrage à l'Index, le 12 juin 1642.

La tentative de conciliation n'aboutit donc pas. Richelieu poursuivit son infructueuse campagne de « juste milieu ».

La fin de son « règne » coïncide, à peu d'années près, avec celle de notre période (1642, 1648). Il faudra nous rappeler son projet de patriarcat à propos d'une dernière polémique, instructive celle-ci pour l'ecclésiologie.

---

[1] *D.A.* (M. Dubruel), t. II, col. 203; voir aussi col. 196.

[2] Cité par Lecler, *Qu'est-ce...*, *op. cit.*, t. XXIV, p. 60.

[3] *D.T.C.*, *loc. cit.*, col. 1113; *D.A.*, t. II, col. 258. Nous la retrouverons chez Suarez. (P. Janet, *Histoire de la science politique*, Paris, 1913, t. II, p. 72 s.)

[4] Notamment en matière de *placet*. Cf. L. Willaert, *Le placet royal aux Pays-Bas*, dans *R.B.P.H.*, t. XXXIII, 1955, p. 33 s. — D. Covarruvias (1512-1577) avait écrit : « *Certum est legem nullam vim obtinere si ab initio rejecta fuerit a subditis, nam maxime praesumendum est eam legem, quae a Republica non accipitur, ei non convenire* ». De son côté, l'évêque de Gand, A. Triest (1576 à Beveren-Waas — 1657) : *Estque iterum apud theologos pariter et jurisconsultos recepta ea maxima nullam legem sive ecclesiasticam sive saecularem, nisi usu recepta est, ullo in modo obligare*, cités ibid., n. 2.
Un contemporain italien de Triest, Ricciulli, archevêque de Cosenza, dans son *Tractatus de personis quae in statu reprobo versantur*, Naples, 1641, p. 32, distingue en cela le civil de l'ecclésiastique. Il est vrai, dit-il, que les lois des princes n'obligent que si elles sont admises par les peuples; mais il n'en va pas de même des lois pontificales. Le motif de la différence est que le *prince reçoit son pouvoir du peuple; le pape tient le sien de Dieu même*. Cité par A. C. Jemolo, *Stato e Chiesa*, Turin, 1914, p. 66. Voir aussi p. 71, n. [2].

§ 8. — La Querelle des deux chefs qui n'en font qu'un.

SAINT PIERRE
ET SAINT PAUL

En 1643, une circonstance fortuite attira soudain tapageusement l'attention du public sur une théorie qui sommeillait dans les livres théologiques depuis le début du siècle.

Dans la discussion de la primauté de saint Pierre, il s'imposait de traiter de l'autorité de saint Paul et de son attitude à l'égard du chef des apôtres (par exemple *Galat.*, II, 11). Bellarmin l'exposa au long à sa manière, réfutant les objections [1]. Elle fut reprise par Marc-Antoine de Dominis. Contestant l'origine divine de la papauté, il avait affirmé que tous les apôtres jouissaient d'un égal pouvoir, sauf que saint Paul occupait la première place dans la fondation et le gouvernement de l'Église [2].

Condamnée dans le monde catholique, sa théorie avait fait long feu. Or, dans la préface qu'il mit au célèbre ouvrage de son ami Antoine Arnauld, *De la fréquente communion* (1643), Barcos (*supra*, p. 397, 400) avait glissé, après la mention des « deux chefs de l'Église », l'incise « *qui n'en font qu'un* ». Trois petits mots, en soi assez ambigus. Mais ce fut le caillou qui se détache du flanc de la montagne. Tout d'abord, ils passèrent inaperçus. Pour provoquer l'avalanche, il fallut qu'ils fussent « détectés » par C. F. d'Abras de Raconis, qui donna l'alarme dans son *Examen et jugement du livre de la fréquente communion* (1644) [3]. Aussitôt se déclencha à nouveau une mêlée

---

[1] *De comparatione Petri cum Paulo* est le titre de son chap. XXVII du livre I du *De Romano Pontifice* (*Tertia Controversia*, éd. de 1596, col. 713-717). Il s'efforce de réfuter, par l'Écriture et par la Tradition, les arguments qui tendent à mettre saint Paul sur le même pied que saint Pierre.

[2] Sa théorie fut condamnée par les docteurs de Paris et surtout par ceux de Cologne. DE MEYER, *Les premières...*, *op. cit.*, p. 400 s.
— Marc-Antoine DE DOMINIS (1566 dans l'île d'Arbe, Dalmatie — 1624), d'abord jésuite, évêque de Segnia (Zengg), Dalmatie, archevêque de Spalato et primat de Dalmatie et de Croatie; entra en conflit avec ses suffragants et avec le Saint-Siège lors de l'affaire de Venise; démissionna en 1616 et commença ses attaques contre la papauté; passa en Angleterre et à l'anglicanisme (1618) et devint doyen de Windsor (1619). Publia contre la papauté plusieurs ouvrages, dont les principaux sont *De republica christiana (1617)* et, sans l'aveu de l'auteur, l'*Historia del Concilio Tridentino* de Sarpi, dont il avait emporté le manuscrit (ci-dessus, p. 254, n. [1]). A la suite de l'avènement de Grégoire XV, son parent, il abjura l'anglicanisme à Anvers (1622) et se rendit à Rome, où il publia sa rétractation, *Sui reditus ex Anglia consilium (1623)*. Mais, après la mort de Grégoire XV, ayant publié de nouvelles thèses hérétiques, il fut emprisonné par l'Inquisition et mourut en 1624. Cf. *L.T.K.*, t. III, col. 398; *P.G.*, t. XII, p. 216 s., t. XIII, p. 83, 615; *K.L.*, t. III, col. 1949 s.; *D.T.C.*, t. IV, col. 1668-1675; t. VII, col. 1104; RAPIN, *Mémoires*, *op. cit.*, p. 115; DE MEYER, *Les premières...* ,*op. cit.*, p. 64, 400; SOMM., t. III, col. 813 s. (Floyd); *Annuaire de l'Univ. cath. de Louvain*, 1908, p. 291; JEMOLO, *Stato e Chiesa*, *op. cit.*, p. 170 s.

[3] Sur l'affaire des *deux chefs*, voir un excellent aperçu documenté dans DE MEYER, *Les premières...*, *op. cit.*, p. 399-412, 432, 437-443. Elle est mentionnée naturellement dans toutes les notices sur les différents acteurs et dans les ouvrages indiqués précédemment sur le gallicanisme.
Voir TURMEL, *op. cit.*, p. 217, 404; *D.T.C.*, t. VIII, col. 466, 473; SAINTE-BEUVE, *op. cit.*, t. II, p. 311; ORCIBAL, *op. cit.*, t. III, p. 145, n. 3; promulgation par l'évêque de Gand de la condamnation de *De l'autorité*. (Archives de l'évêché de Gand, *Acta episcop.*, 1647.)
— Charles-François d'ABRA DE RACONIS (1580? à Raconis, dioc. de Chartres — 1646), enseigna la philosophie au Plessis et au collège de Navarre; polémiqua avec les calvinistes; évêque de Lavaur (1639). (ORCIBAL, *op. cit.*, t. III, p. 225, table); auteur de : *Examen*

d'attaques et de ripostes; mêlée d'autant plus vive que Barcos était secondé par tout le clan janséniste.

LE DANGER DE SCHISME? D'un côté, on présenta l'incise comme ruinant la constitution monarchique de l'Église, renouvelant les « hérésies » de M. A. de Dominis, de Richer et de Rabardeau, inventée pour faciliter à Richelieu l'accès du patriarcat et faire de lui un anti-pape, successeur de saint Paul.

Barcos tenta, sous l'anonymat, de justifier sa théorie en montrant que, précisément parce que les deux évêques de Rome, chefs de l'Église universelle, agissaient comme une seule puissance, ils avaient légué à leur unique successeur, le pape, un pouvoir de droit divin, d'autant plus fort qu'il hérite d'un double patrimoine (*Traité de l'autorité...*, 1645).

MARTIN DE BARCOS A ses adversaires, le théologal Isaac Habert et le feuillant Pierre de Saint-Joseph [1], dont les attaques menaçaient d'émouvoir Rome, Barcos opposa une nouvelle défense, encore toujours anonyme, mais qu'il traduisit cette fois en latin : *La grandeur de l'"Église...* et *De suprema romanae Ecclesiae amplitudine...* (1645). Elle insistait sur le respect de la primauté. Comme précédemment, l'auteur invoquait surtout la tradition des Pères et des docteurs.

En dépit de ces adoucissements, sa théorie ne convainquit pas les censeurs romains. Elle mit même en danger le livre d'Arnauld. Une chaude lutte diplomatique s'engagea entre adversaires et partisans. Finalement les consulteurs du Saint-Office conclurent que saint Pierre seul avait été chef suprême de l'Église romaine et de l'Église universelle. Ils craignaient, en outre, que Barcos n'eût travaillé en faveur du patriarcat en France. Le 25 janvier 1647, un décret du Saint-Office condamnait la théorie des

---

et jugement du livre de la Fréquente Communion, Paris, 1644 (*B.J.B.*, nº 2275; Paris, *B.N.*, D. 4488); De Meyer, *op. cit.*, p. 316, n. 2, bibliographie à ce sujet. — A ne pas confondre avec Ange d'Abra de Raconis, O. Cap. (1646); *B.J.B.*, nº 2398.

Voici le déroulement de la polémique :

1644. d'Abra, *Examen* (ci-dessus), dans *B.J.B.*, nº 2275; Id., *Continuation des examens...*, dans *B.J.B.*, suppl. nº 2273 A.

1645. P. Yves, *Le souverain pontife...*, dans *B.J.B.*, nº 2371; Pierre de Saint-Joseph, *L'advocat de saint Pierre*, dans *B.J.B.*, nº 2358; d'Abra, *Brève anatomie...*, dans *B.J.B.*, nº 2337; Id., *La Primauté et souveraineté singulière de saint Pierre*, dans *B.J.B.*, nº 2338 (suppl.), Paris; *B.N.*, D. nº 4505; I. Habert, *De cathedra sui primatu...*, dans *B.J.B.*, nº 2353; de Barcos, *Grandeur de l'Église romaine...*, dans *B.J.B.*, nº 2352; Id., *Epistola ad Innocentium X*.

1646. de Barcos, *Éclaircissement de quelques objections...*, dans *B.J.B.*, nº 2382; [Cl. Morel], *Remarques sur le livre intitulé : La Grandeur de l'Église romaine et sur l'épître adressée au pape sur le même sujet*, in-4º, dans *B.J.B.*, nº 282 et 2e suppl.

[1] Isaac Habert (? 1600 en Berry — 1668), en 1626 docteur de Sorbonne; prit part à l'opposition contre les réguliers; fut chanoine théologal et abbé de Sainte-Marie-des-Alluz en Poitou; combattit vivement l'*Augustinus* dans trois sermons célèbres (1642, 1643); polémiqua avec A. Arnauld; devint évêque de Vabres (1645); outre ses ouvrages contre le jansénisme, il publia des œuvres littéraires et théologiques. Cf. *D.T.C.*, t. VI, col. 2011 s.

— Pierre de Saint-Joseph, Pierre Comagère (1594 à Auch — 1662), feuillant; théologien; professeur pendant une trentaine d'années; dès l'apparition du jansénisme, le combattit dans de nombreux ouvrages. Cf. *D.T.C.*, t. XII, col. 2041-2048.

« deux chefs qui n'en font qu'un ». Mais cette fois encore, la condamnation romaine se brisa contre l'opposition du parlement. Par arrêt du 15 mai, il annula et proscrivit le décret du 25 janvier [1]. Légalement gallicans et jansénistes l'emportaient.

Ainsi s'annonçait le triomphe du gallicanisme dans la période suivante.

Conclusion : L'apogée du gallicanisme.

Si l'on se rappelle l'attitude de l'Église de France depuis le concile de Trente, on constate, à partir des États de Blois, une transformation. Le renouveau spirituel, encouragé par le concile, commence à porter ses fruits de désintéressement. Le particularisme national issu de la Renaissance cède devant le réveil de l'idée catholique. Plus soucieux de l'unité de l'Église que de son gallicanisme, le clergé s'oriente vers la conception ultramontaine. Vers 1614, la majorité de ses membres sont en parfaite communauté de doctrine avec le pape, dont ils admettent la supériorité sur le concile et le droit de déposer les rois.

Mais cette attitude, qui se prolonge jusque vers le milieu du siècle, ne résiste ni à la rénovation gallicane que suscite la suprématie française, ni aux revanches régalistes. « Le gallicanisme s'asseoit sur le trône avec Louis XIV. » Tandis que « le long pontificat d'Urbain VIII marquait une trêve dans les rapports des deux pouvoirs » [2], ses successeurs verraient se dresser à nouveau le spectre du schisme. Car le clergé réalise progressivement que souvent protection signifie servitude [3]. Dès le milieu du siècle, non seulement il admettra en partie le gallicanisme politique, mais il fera du gallicanisme théologique un système positif cohérent et obligatoire, quoique temporaire [4]. En attendant qu'en France au XVIIIe siècle, le presbytérianisme du bas-clergé, se prévalant lui aussi d'un « droit divin », recommence à l'égard des évêques ce que l'épiscopalisme avait entrepris contre l'autorité pontificale.

Dans l'avenue où nous avons rencontré Pithou, Richer, Saint-Cyran et Richelieu, nous pouvons, au moment de nous arrêter, apercevoir tout proches, Mazarin et Louis XIV, les résistances jansénistes, puis Bossuet et l'Assemblée de 1682, enfin, tout au bout, la Constituante de 1791 et la Constitution civile du clergé.

---

[1] De Meyer, op. cit., p. 437-443.

[2] G. Hanotaux, op. cit., t. I, p. xxiii s.

[3] Lecler, Qu'est-ce..., op. cit., t. XXIV, p. 72 s., 75 s., 77 s.

[4] V. Martin, L'adoption du gallicanisme politique par le clergé de France, dans R. Sc. rel., t. VI, 1926, p. 305-344, 453-498. — Les idées ultramontaines gardent cependant des défenseurs. C'est ainsi que le carme Bonaventure de Sainte-Anne (B. Hérédia, né 1607 à Oudon — 1667), sous le nom de Jacques de Vernant, dans ses livres Défense de l'autorité de N. S. P. le Pape, Metz, 1658, reprit les théories de Bellarmin sur le pape et les conciles. Il fut d'ailleurs condamné par la Faculté de théologie et provoqua une vive controverse. Cf. D.T.C., t. XV, col. 2699; B.J.B., nº 3004; Préclin, Les jansénistes, op. cit., p. 4 s. Au reste la Faculté, de 1640 à 1682, continue à poursuivre les thèses ultramontaines. (Feret, op. cit., t. III, p. 263-276, 280-292); dès 1663, elle avait confirmé six articles identiques, pour le fond, aux « quatre » de 1682. Ibid., p. 276 s.

Plus au loin encore, à l'horizon dégagé des divers gallicanismes, en intime union avec Rome et la catholicité, une Église de France libérée, dans ce beau reverdi que nous admirons.

SECTION III.
L'ANTI-ROMANISME EN ESPAGNE ET AU PORTUGAL. [1]

LES HABSBOURGS — Au XVIIe siècle, le gallicanisme a largement profité de la suprématie politique française. De même, au XVIe siècle, c'est la prépondérance des Habsbourgs qui met en péril l'unité de l'Église.

[1] BIBLIOGRAPHIE DE L'ANTI-ROMANISME EN ESPAGNE ET AU PORTUGAL. — Voir *supra*, p. 186, n. [1], la *Bibliogr. hispanica.*

Voir aussi la bibliographie de Suarez (*supra*, p. 194) et de de Vitoria (*supra*, p. 236). *H.E.*, t. XVII, p. 423-442 (bibliographie).

Il serait inutile de mentionner ici toutes les nombreuses histoires d'Espagne à cette époque et celles des rois Philippe; on peut rappeler pour mémoire celles de L. BERTRAND; Ch. BRATLI; GOSSART; L. E. HALKIN; LONCHAY, CUVELIER, LEFEVRE; MIGNET; bibliographies dans GAMS, ci-dessous; MARAVALL, *ibid.*; Q. ALDEA, *España, el papado y el imperio durante la guerra de los treinta años*, I. *Instructiones à los Embajadores de España en Roma (1631-1643)*, dans *Miscell. Comillas*, t. XXIX, 1958, p. 291-437; A. ASTRAIN, *Historia de la Compañia de Jesús en la Asistencia de España*, Madrid, 1916, t. V, p. 717, table (voir Felipe III, Felipe IV, relations avec les jésuites); A. BALLESTEROS Y BERETTA, *Historia de España*, t. IV, I, p. 214, 216, 237 et *passim*; M. BATAILLON, *Érasme et l'Espagne*, Paris, 1937; R. BIGADOR, *La «Iglesia Propria» en España. Estudio histor. canonico*, Rome, 1922; M. BORDONAN, *Los archivos eclesiasticos españoles*, dans *Archivum*, t. IV, 1954, p. 71-88. (indication sommaire des principaux dépôts); G. BOTERO, trad. par G. A. MOORE, *Practical Politics, transl. from the Italian... with the Essays on Neutrality and Reputation.* [*Religion and the Virtues of the Christian Prince, against Machiavelli (abr.)* by P. RIBADENEYRA, *trl. from the Spanish*], Chevy Chase, 1949; M. BOYD, *Cardinal Quiroga, inquisitor-general of Spain*, Dubuque, 1954; *Bulletin thomiste*, t. V, 1937-1939, p. 800 (bibliographie critique : plusieurs ouvrages sur Vitoria); J. CALMETTE, *Histoire d'Espagne*, Paris, s. a.; Th. CAMPANELLA, *De monarchia hispanica*, Amsterdam, 1653; F. P. CANAVAN, *Subordination of the State to the Church according to Suarez*, dans *Theol. St.*, t. XII, 1951, p. 354-364; V. CARRO, *Fr. P. de Soto y las controversias politico-theologicas en el siglo XVI*, Salamanque; *D.T.C.*, t. V, col. 590, 599; L. DE ECHEVERRIA, *Controversias jurisdiccionales entre Gregorio XIII y Felipe II*, dans *Rev. Esp. de Der. canon.*, t. II, 1956, p. 373-377; J. DE FERRERA, trad. par M. D'HERMILLY, *Histoire générale de l'Espagne*, Paris, t. IX et X (XVIe siècle), 1751; J. DE FERRERA, continué par J. S. SEMLER, *Algemeine Historie von Spanien*, Halle, 1760, t. X et XI; XI continué par Ph. E. BERTRAM et J. S. SEMLER, Halle, 1762; XII continué par Ph. E. BERTRAM, Halle, 1769. Préface utile à la bibliographie ancienne; V. DE LA FUENTE, *Historia eclesiastica de España*, Madrid, 1873-1875 (voir plus loin LAFUENTE); F. DE LOS RIOS, *Religion y Estado en la España del siglo XVI*, Mexico, 1957; J. DE MARIANA, *Historia general de España*, Lyon, 1719, 11 vol. (rien sur la vie intime de l'Église), cf. SOMM., t. V, col. 547-567; ID., *De rege et regis institutione*, Tolède, 1599; ID., *Historia de España*, Madrid, 1719; A. DEMPF, *Christliche Staatsphilosophie in Spanien*, Salzbourg, 1937 (huit leçons sur la philosophie politique de Vitoria; signale l'importance de Mariana et de Ribadeneira contre Machiavel); M. DE NOVOA, *Historia de Felipe IV*, éd. de la FUENSANTA del VALLE et RAYON JOSÉ SANCHO, Madrid, 1878-1886, 4 vol. (utile pour le cadre général. Sur sa valeur, A. VAN DER ESSEN, *Le cardinal-infant (1699-1634)*, Bruxelles, 1944, p. XV); J. DESCOLA, *Histoire de l'Espagne chrétienne*, Paris, 1954; G. DESDEVISES DU DÉZERT, *L'Espagne de l'ancien régime*, t. I, p. 38-120 (ne concerne que le XVIIIe siècle); S. Z. EHLER, *Twenty centuries of Church and State...*, Westminster, 1957; *Enc. catt.*, t. XI, col. 1042 s. P. B. GAMS, *Die Kirchengeschichte von Spanien*, Graz, 1956, 3 vol. en 5 t. (Reproduction photomécanique inchangée de l'ouvrage de 1872-1879, Ratisbonne); G. J. GEERS et J. BROUWER, *De Renaissance in Spanie*, Zutphen, 1932; *Guia de la Iglesia española*, Madrid, 1954; *H.-B.*, t. VI, p. 191 s. (bibliogr.); H. HAUSER, *La prépondérance espagnole*, dans *Peuples et civilisations*, t. IX, Paris, 1933; J. D. HUGHEY, *Religious freedom in Spain. Its ebb and*

La part de l'Espagne dans l'évolution de l'ecclésiologie demande donc aussi de nous une attention spéciale. Géographiquement, la chrétienté des deux mondes est en grande majorité habsbourgeoise. Philippe II n'a pas reçu tout le patrimoine de Charles V; il ne règne que sur l'Espagne (et le Portugal depuis 1580), les Pays-Bas, une grande partie de l'Italie et des Amériques. Mais il se considère comme le chef de l'« Augustissima casa de Austria », double monarchie qui n'a qu'une seule politique extérieure [1].

LE NATIONALISME   Il règne sur un pays dont l'orgueil, l'*alteza*, a été aiguil-
ESPAGNOL   lonné à l'extrême et non sans motif; la *reconquista*, les *descubrimientos* et les conquêtes en Amérique et au Portugal, l'épuration du sang, la *limpia sangre*, par l'expulsion des Juifs et des Maures, l'opulente magnificence des cathédrales, les splendeurs de la littérature et des arts, les richesses qui affluent des colonies; par dessus tout l'orthodoxie et la fidélité au Saint-Siège, « España, siendo la nación

---

flow, Londres, 1955; M. HUME, *The court of Philip IV*, Londres, 1907, p. 379, 403, 421; trad. par J. CONDAMIN et P. BONNET, *La cour de Philippe IV et la décadence de l'Espagne (1621-1665)*, Paris, 1912; P. JANET, *Histoire de la Science politique dans ses rapports avec la morale*, Paris, 1913, 2 vol.; t. II, p. 54-76, 89-94, 131-143; *L.T.K.*, t. IX, p. 705, 711; R. LABROUSSE, *Essai sur la philosophie politique de l'ancienne Espagne*, Paris, 1938 (C.-r. important dans *Bull. thom.* (M. C.), t. V, 1938, p. 801-803); M. LAFUENTE, continué par J. VALERA, *Historia general de España*, Barcelone, 1887-1890, 25 vol.; voir ci-dessus, DE LA FUENTE; R. S. LAMADRID, *Luis de Molina. De Bello, II*ᵃ*-II*ᵃᵉ*, q. 40*, dans *Arch. teol. Granad.*, t. II, 1939, p. 155-233; J. LECLER, *L'argument des deux glaives (Luc XXII, 38). Critique et déclin (XVI*ᵉ*-XVII*ᵉ* siècles)*, dans *R.S.R.*, t. XXI, 1931, p. 299-339; t. XXII, 1932, p. 151-177, 280-303; B. LLORCA, *La union de la Iglesia y el Estado*, dans *Salmanticensis*, t. I, 1954, p. 386-406; ID., *Erasmo y España*, dans *Salmant.*, t. I, 1954, p. 183-197; E. L. LLORENS, *Concepción del Estado y el P. Juan de Mariana*, dans *Gesammte Aufsätze zur Kulturgeschichte Spaniens* [H. FINKE], Münster, 1940, p. 381-412; MAC SWINEY DE MASHANAGLASS, *Le Portugal et le Saint-Siège*, Paris, 1898-1904, 3 vol. (cadeaux envoyés aux rois par le pape en reconnaissance de services rendus); J. A. MARAVALL, trad. par L. CAZES et P. MESNARD, *La philosophie politique espagnole au XVII*ᵉ* siècle*, Paris, 1955 (Bibliogr. ouvrages politiques, p. 19-23); F. R. MARÍN, *Guia... de los archivos, bibliotecas y museos... de España*, Madrid, 1916; A. MOREL-FATIO, *L'Espagne au XVI*ᵉ* et au XVII*ᵉ* siècles*, dans *Documents...*, Heilbronn, Paris, Madrid, 1878 : contient, p. 151-256, utilisation des sommes levées sur le clergé; *P.G.*, t. VIII, p. 279-331; t. XVII, p. 541-555; *P.H.*, t. XVII, p. 306-366, 541-555; L. PERENA VICENTE, *La Universidad de Salamanca forja del pensiamento politico español en el siglo XVI*, Salamanque, 1954; L. PFANDL, trad. M. E. LEPOINTE, *Philippe II, 1527-1598*, Paris (1942); Rapport anonyme adressé le 18 octobre 1632 au cardinal-infant don Ferdinand sur la politique en matière de religion. *B.A.R.*, Cartul. et mss., n° 464, p. 29 s.; F. PIETRI, *L'Espagne du siècle d'Or*, Paris, 1959; P. RIBADENEYRA, trad. par G. A. MOORE, [*Giov.* BOTERO : *Practical Politics, ...with the Essays on Neutrality and Reputation*] *Religion and the Virtues of the Christian Prince, against Machiavelli*, Chevy Chase, 1949; D. SAAVEDRA FAJARDO, *Idea de un Principe politico christiano*, Madrid, 1640; SALGADO, *De supplicatione ad Sanctissimum de bullis et litteris apostolicis nequam et importune impetratis*, cité par J. SEMPERE, *Historia*, p. 328, n. 2; J. SEMPERE, *Historia del derecho español*, 3ᵉ éd., Madrid, 1846; J. SIMON DIAZ, *Bibliografia de la literatura hispánica*, t. IV, p. 801 (table, voir Teologia); t. V, p. 775 (table, *id.*); F. SUAREZ, trad. par G. A. MOORE, *Suarez on Politics. Excerpta from his Laws, Defense of the Faith, Tracts on the Faith, on Charity*, Chevy Chase, 1950; R. TREVOR DAVIES, *The Golden Century of Spain, 1501-1621*, New-York, 1954; A. VAN DER ESSEN, *Le rôle du cardinal-infant dans la politique espagnole du XVII*ᵉ* siècle*, dans *Revista de la Univers. de Madrid*, t. III, 1954, p. 357-383; M. VAN DURME, *El cardenal Granvela (1517-1586). Imperio y revolución bajo Carlos V y Felipe II. Edición revisada y amplada por el autor*, Barcelone, 1957.

[1] J. CALMETTE, *Histoire d'Espagne*, p. 208.

mas sumisa a la Santa Sede » [1]. Un « siglo de oro », qui se prolonge jusqu'au milieu du XVIIe siècle [2].

Le haut-clergé, comblé de richesses et de puissance dans l'État, se compose presque toujours d'hommes de valeur, mais pas toujours assez désintéressés pour secouer ces chaînes d'or.

LE ROI CATHOLIQUE — Dans ce pays essentiellement catholique, qui, par religion et par instinct de conservation, se défend contre toute hérésie, le roi n'est pas un chef profane. Il a hérité du titre de « roi catholique », que le pape espagnol Alexandre VI avait accordé à Ferdinand et Isabelle (1494) pour les égaler au « roi très chrétien ». Il a hérité aussi d'autres concessions plus substantielles, cette *Bula de la Cruzada*, qui lui permet de puiser dans les trésors de l'Église d'Espagne sous prétexte de croisade [3]. Puis le *Patronato real*, qui livre à sa nomination toute l'opulence de nombreux bénéfices ecclésiastiques. Et que dire de l'effrayante puissance qu'il a usurpée dans l'Église par l'Inquisition espagnole? Autorisée par Sixte IV en 1478, elle était rapidement devenue un service d'État assez fort pour condamner un Carranza, archevêque de Tolède, primat d'Espagne [4]!

Philippe II est appelé par Pie V « la main droite de l'Église », « le seul monarque qui protège l'Église ». Il est le « campione insuperabile della sua Chiesa ». Les théologiens espagnols le traitent couramment du nom médiéval de « vicarius Dei » [5]. Mais, humblement soumis au vicaire de Celui dont le Royaume n'est pas de ce monde, le roi d'Espagne se trouve fréquemment, surtout comme souverain italien, vis-à-vis du souverain de l'État pontifical en état de conflit et même de guerre, comme au temps de Charles V et de Philippe II.

LE CLERGÉ EN TUTELLE — On sait combien, au concile de Trente, l'épiscopat espagnol, conjuguant ses revendications au « droit divin » avec les prétentions nationalistes, s'opposait aux tendances pontificales. On en vit un autre exemple passablement choquant lorsque les évêques, en 1566, refusèrent, malgré l'ordre du pape, de publier sans l'aveu du Conseil royal la bulle *In Coena Domini* [6].

Il n'y avait pas jusqu'à la nonciature même qui, manquant son objet, ne fît entrave au pouvoir papal, au moins temporairement. Dans le but de filtrer les appels à Rome, Charles V obtint de Clément VII une convention (1528), par laquelle la nonciature permanente devenait elle aussi

---

[1] *Ibid.*, p. 183; J. SEMPERE, *Historia del derecho español*, Madrid, 1846, p. 441.

[2] « Les historiens se hâtent trop, après la mort de Philippe III (1621), de parler de la décadence inévitable de l'Espagne. » (HAUSER, *La Prépondérance, op. cit.*, p. 280).

[3] A. MOREL-FATIO, *L'Espagne, op. cit.*, p. 198; J. GOÑI GAZTAMBIDE, *Historia de la Bula de la Cruzada en España*, Vitoria, 1958.

[4] *Supra*, p. 241.

[5] J. CALMETTE, *Hist. d'Espagne, op. cit.*, p. 181; Ch. BRATLY, *Philippe II, roi d'Espagne*, Paris, 1912, p. 14; MARAVALL, *La philosophie, op. cit.*, p. 162.

[6] *P.G.*, t. VIII, p. 305; *P.H.*, t. XIII, p. 334-336. *Supra*, p. 379, n. [1].

un organe de l'État. L'auditeur et l' « abbréviateur » — Espagnols de naissance et nommés par le roi — obtenaient des pouvoirs étendus en matière
de collation de bénéfices pontificaux et d'appel des juridictions épiscopales.
Le nonce jouissait des prérogatives de légat *a latere* [1].

LES LETRADOS ET L'HISPANISME Mais ce n'est pas chez le roi — ici non plus — que le pouvoir papal rencontre l'opposition la plus forte. Elle vient surtout des légistes régaliens. Sous Pie IV, on entend le président du Conseil royal Figueroa affirmer en pleine session que, pour les Espagnols, il n'y avait pas de pape [2]. Au sommet de l'administration siège le Conseil de Castille, tandis que l'Audience royale joue le même
rôle que le parlement français. Les Cortès aussi interviennent parfois dans
les affaires ecclésiastiques [3].

Il faut donc s'attendre à ce que, parallèlement au gallicanisme, un
« hispanisme » se dresse en face de l'autorité pontificale. L'histoire ne parle
guère, après le concile de Trente, d'un hispanisme théologique. Le clergé
d'Espagne n'est pas aussi uni ni organisé que celui de France. Il respire
une atmosphère d'orthodoxie intransigeante. Pour lui l'infaillibilité pontificale sera généralement indiscutée.

Par contre, l'hispanisme politique est plus violent et plus précocement
victorieux que le gallicanisme. Il ira jusqu'à la guerre ouverte et la menace
de schisme, comme Louis XIV. Mais avec, en perspective, des conséquences
plus redoutables. Voit-on sur la mappemonde la place minuscule qu'eût
encore occupée l'Église catholique, déjà amputée de l'Angleterre, de l'Allemagne et de la Scandinavie, si elle avait perdu les possessions du roi
d'Espagne dans l'un et l'autre monde ?

LE CHAMP DE BATAILLE Les luttes entre les deux pouvoirs en Espagne importent donc souverainement à l'histoire de l'Église, à sa vie intime comme à son existence ; car l'action doctrinale et
disciplinaire du Saint-Siège dépendait de ses relations avec l'État. Comme
en France et ailleurs, les sujets de conflit étaient le *placet*, les « *retenciones*

---

[1] Gams, *Die Kirchengeschichte...*, *op. cit.*, p. 162.

[2] *P.G.*, t. VIII, p. 279 ; *P.H.*, t. XVII, p. 306.

[3] Un exemple typique est la véritable bataille autour du *titre de saint Jacques comme
patron de l'Espagne*. En 1626, les Cortès de Castille proclamèrent patronne du royaume
sainte Thérèse d'Avila, canonisée le 12 mars 1622. Le pape Urbain VIII confirma cette
décision, mais sans préjudice du patronat de saint Jacques. *François Quevedo* publia en 1628
une défense de saint Jacques, dont le patronat, affirmait-il, était *de droit divin*, au-dessus
de toute décision humaine. Une polémique s'ensuivit entre lui et Fr. Morovelli de Puebla.
« Toute l'Espagne prit feu ». A Cordoue, l'évêque dominicain, « jacobin » enthousiaste, eut
comme successeur le plus décidé des « thérésiens » (1624), qui voulut introduire une fête de
sainte Thérèse avec octave. Son chapitre s'y opposa et par un « recurzo de fuerza » en appela
au roi, invoquant en outre l' « exequatur » ou placet, soumettant donc l'ecclésiastique au civil.
Rome alors décida que le patronat de sainte Thérèse ne vaudrait que pour les diocèses où
le clergé et le peuple le demanderaient. Sous Philippe IV, Charles II et Philippe V, la cour
et les Cortès s'employèrent à faire reconnaître aussi comme patrons saint Michel, saint Joseph,
à Naples saint Janvier et, sous Charles III, « l'Immaculée Conception ». Cf. Gams, *Kirchengeschichte...*, *op. cit.*, t. III, II, p. 268-274.

de bulas » ou « *exsequatur* »; puis, les recours aux tribunaux civils ou
« *recursos de fuerza* » devant le Conseil royal, qui se pratiquaient depuis 1348;
enfin la collation des bénéfices ecclésiastiques, dont la provision était en partie
revendiquée par Rome. Il faut ajouter que l'État espagnol envahit ouvertement le domaine spirituel. Il décerne, par exemple, des brevets d'orthodoxie, intervient dans les problèmes de la grâce, dans le discernement des
fausses reliques et la censure d'écrits mystiques, dans la scandaleuse affaire
de l'interdit de Lisbonne [1].

Rappelons sommairement les événements.

Comme en France aussi, l'anti-romanisme éclate pendant le grand Schisme.
En 1399, c'est le refus d'obédience à Benoît XIII. La junte d'Alcalá publie
des constitutions pour le gouvernement de l'Église d'Espagne *sede vacante*.
Le roi Henri III lance une Pragmatique Sanction contre les provisions apostoliques de bénéfices [2]. Il ne sera pas nécessaire de mentionner la lutte ouverte
entre Paul III et Charles V, quoique celui-ci eût été proclamé « roi catholique »
par Léon X. [3]

LA « RÉCEPTION »
DU CONCILE DE TRENTE

Faut-il davantage rappeler l'attitude anti-romaine
des souverains et de l'Église d'Espagne à l'égard
du concile de Trente et les thèses épiscopaliennes
qui faillirent saborder l'assemblée? Quant à la « réception » des décrets conciliaires, elle eut lieu sollennellement le 12 juillet 1564, mais sous réserve
des droits du roi et du pays. En dépit de l'opposition papale, un commissaire
royal assista aux conciles provinciaux qui, pour obéir à celui de Trente,
furent réunis dans la plupart des diocèses. Un nouveau conflit éclata de
ce chef entre le roi et le Saint-Siège, où l'on voit le cardinal-archevêque
de Tolède, Gaspar Quiroga, du côté du roi. Le résultat fut une impasse;
en sorte que les conciles provinciaux de 1582 clôturèrent la série et qu'on
put appeler « Philippe II le fossoyeur des conciles d'Espagne » [4].

PHILIPPE II.
L'ÉTAT DOMINE

Il avait commencé son règne par une guerre contre le pape
Paul IV (1555-1569); mais, s'il triompha du souverain
temporel, il se soumit au chef de l'Église. Avec les papes
suivants, les relations ne sont guère meilleures. Il est vrai que le roi tolère
la bulle de réforme des carmélites en 1578. Mais il maintient inflexiblement
toutes les « libertés espagnoles ». Les protestations de Pie V et les efforts
de l'excellent nonce Castagna n'y changeront rien. Le *regium exequatur*
(placet) est strictement appliqué. Lorsque, en 1593, les Cortès de Madrid
publient la *Recopilación* ou Recueil des lois, la LXXIe confirme formellement

---

[1] MESNARD, *op. cit.*, p. 644, note 1, citant de SCORRAILLE et GIROT.

[2] SEMPERE, *Historia...*, *op. cit.*, p. 322-326; *P.H.*, *op. cit.*, t. XVII, p. 308, 346; *H.-B.*
t. VI, p. 191.

[3] SEMPERE, *op. cit.*, p. 331-349.

[4] *H.E.*, t. XVII, p. 87-95; GAMS, *op. cit.*, t. III, II, p. 186-191, où l'on trouvera une liste
chronologique des conciles et des synodes.

les *recursos de fuerza* (appels comme d'abus) [1]. Quand Pie V, en 1567 expédie une bulle contre les *corridas* de taureaux, les évêques « dans leur dépendance au gouvernement » n'osèrent pas la publier. Ils avaient été encore plus loin : lorsque le pape, en 1566, avait lancé la fameuse bulle *In Coena Domini*, ils avaient — on l'a vu plus haut — refusé de la publier sans l'aveu du Conseil royal. Au reste, en Espagne comme ailleurs, à Naples notamment, cette affaire provoqua de vives oppositions [2].

PHILIPPE III
ET PHILIPPE IV

Philippe II était à lui-même son ministre; il n'avait que des secrétaires.

Au temps de Philippe III et de Philippe IV, la situation est renversée; l'autorité change de corps. Le roi règne encore, mais celui qui gouverne est le Favori ou le Familier, *Valido o Privado*, celui dont Quevedo disait que « toute l'Espagne est en feu pour éclairer un seul individu » [3]. Quant aux relations avec l'Église, dictées par la même administration, elles ne se modifient guère qu'en mal.

J. J. Chifflet a beau appeler Philippe IV « Le défenseur catholique, universel, perpétuel et invaincu de l'Église, Épouse du Christ » [4], le roi est souvent plus espagnol que catholique. Toutes les entraves à l'action papale et ecclésiastique subsistent. On a même pu dire : « Ce gouvernement voulait compenser par d'apparentes victoires sur le terrain ecclésiologique les défaites qu'il subissait sur tous les autres [5]. » Il lui arriva de seconder la résistance de l'épiscopat aux décisions de Rome (1623); une junte réunie à Madrid alla jusqu'à examiner s'il était licite de déposer Urbain VIII et de réunir un concile. En 1639, éclate un conflit violent. Philippe IV fait fermer la nonciature et retenir les bulles que voulait publier le nonce Fachinetti; finalement, en 1640, on signa la *concordia Fachinetti*, qui réglait par un compromis les rapports de la nonciature avec l'État. Mais, à la même époque,

---

[1] GAMS, *op. cit.*, t. III, II, p. 188-192; PFANDL, *Philippe II, op. cit.*, p. 285; SEMPERE, *op. cit.*, p. 446 s.; *P.H.*, *op. cit.*, t. XVII, p. 307, 356; LAFUENTE, *op. cit.*, t. IX, p. 286.

[2] Voir ci-dessus, p. 409, n. [1]. — Adrien VI, qui connaissait bien l'administration espagnole, avait introduit dans la bulle des anathèmes contre les « *recursos de fuerza* et les *retenciones de bula*. Cf. SEMPERE, *op. cit.*, p. 443, citant LOPEZ; *P.G.*, p. 333 s., 336 s., 340 347-349. Les nonces s'efforçaient d'éviter une rupture entre le pape et le roi en imputant les oppositions à l'administration (*Ibid.*, p. 364). — Les combats de taureaux avaient été interdits par la bulle *De salute gregis* du 15 novembre 1567.

[3] MARAVALL, *La philosophie...*, *op. cit.*, p. 242 s., où l'on trouvera l'idée que se font du *Valido* les publicistes du temps. Il faudrait tenir compte de l'influence que prit sur Philippe IV son dernier conseil politique, l'abbesse d'Agreda, la mystique Marie de Jésus; leur correspondance — 634 lettres — permet d'apprécier ses directives. Cf. WILLAERT, *Origines..., op. cit.*, p. 87, 90 s., 92. — Sur la politique à l'égard de la religion, un intéressant rapport du 18 octobre 1632 au cardinal-infant don Ferdinand dans *B.A.R.*, Cart. et mss., n° 464, p. 29 s.

[4] Dédicace des *Vindiciae hispanicae*, Anvers, 1645 : *Philippo IV [...], antiqui orbis archiregi, novi imperatori, ubique catholico, perpetuo atque invicto Sponsae Christi Ecclesiae defensori...*

[5] « Die Niederlagen, welche diese Regierung auf allen andern Gebieten erlitt, wollte er durch scheinbare Siege auf dem Kirchlichen Gebiete aufwägen ». GAMS, *op. cit.*, t. III, II, p. 277. — Ce serait ici une ingratitude de ne pas signaler les faveurs dont Philippe IV et Olivarès comblèrent la Compagnie de Jésus. Cf. ASTRAIN, *Historia, op. cit.*, t. V, p. 139 s., 198-215, 253, 438, 442, 532, 680, 691.

le Portugal menace de convoquer un concile national qui nommerait un patriarche [1].

LA DOCTRINE DE L'ÉTAT Des événements passons aux doctrines. Du côté de l'État, la science politique ne manquait pas de représentants. La plupart d'entre eux cependant ne sont pas de purs théoriciens, des *Katederpolitiken*. Hommes d'action et non écrivains académiques, plusieurs ont écrit — et non en latin — pour éduquer le lecteur, qui est parfois un prince-héritier [2]. C'est ainsi que l'un des principaux d'entre eux, D. Saavedra Fajardo dédie son *Idea principis christiano-politici* (Bruxelles, 1649) au roi d'Espagne (en 1640). Il lui fait observer que son œuvre est ornée de cent symboles gravés, afin que par cet artifice de mémoire Sa Sérénité y apprenne mieux l'art de gouverner [3].

L'ouvrage de F. Salgado de Somoza, le *Tractatus de regia protectione* prend une attitude plus belliqueuse à l'égard du pape [4]. Quant à Quevedo, ses œuvres tiennent trop du pamphlet pour compter comme traités systématiques [5]. Nous pouvons encore trouver les théories politiques dans les correspondances diplomatiques et administratives [6].

Si l'on cherche à résumer les thèses de ces auteurs, on relève deux influences certaines, quoique opposées, celle de Machiavel et celle de Bodin; mais toutes deux tombées sur une terre foncièrement catholique. Bodin fut traduit par Gaspar de Anastro. Sa définition de l'État gagna droit de cité [7].

Pour eux, le pouvoir du roi, « vicaire de Dieu » au temporel, est absolu à l'intérieur de ses États. Mais il est limité par la religion et par la loi naturelle. Quevedo rappelle le châtiment de David prévaricateur. Castillo de Bobadilla donne à la soumission à la religion une valeur juridique. C'est l'opinion unanime qu' « un juge ne doit pas appliquer un ordre royal qui irait contre la conscience ou contre la foi et l'état de l'Église » [8].

---

[1] A. Ballesteros y Beretta, *Historia de España*, t. IV, ii, p. 237 s.; Gams, *op. cit.*, p. 282; *P.G.*, t. XIII, ii, p. 727-733.

[2] Cette littérature au XVIIe siècle est caractérisée par Maravall, *op. cit.*, p. 30-36. Exception faite pour « Tovar y Valderrama, professeur à l'Université d'Alcalá, le Père André Mendo [...], le Père Marquez », ces auteurs ne sont pas des professeurs universitaires.

[3] Jacques (Diego, Didacus) Saavedra Fajardo (1584-1648), « le Tacite espagnol », ambassadeur du roi d'Espagne près du Saint-Siège, en Italie, en Suisse et en Allemagne; fut député au congrès de Münster.

[4] F. Salgado de Somoza (?-1644), Le *Tractatus de regia protectione vi oppressorum appellantium a causis et iudicibus ecclesiasticis*, Lyon, 1626, 1627, 1647, rappelle les mesures de « protection » sous Charles-Quint. Il fut mis à l'Index le 17 juin 1627. Cf. Sempere, *Historia, op. cit.*, p. 432-441; Just, *Reichskirche, op. cit.*, p. 83 et n. 2 cite encore Gabriel Pereira de Castro, *Tractatus de manu regia*, Lisbonne, 1622-1625.

[5] Sa *Politica de Dios (1617-1635)*, qui eut trente éditions en 10 ans, est surtout une critique acerbe de Philippe III, de Philippe IV et d'Olivarès, mais ne contient pas une théorie cohérente. Cf. R. Bouvier, *Quevedo*, Paris, s. a., p. 146 s.

[6] On en trouvera indiquées par *H.E.*, t. XVII, p. 423, n. 1.

[7] Maravall, *op. cit.*, p. 87, 90-92.

[8] Id., p. 161-166. Castello de Bobadilla publia *Politica para corregidores y señores de vasallos...*, Madrid, 1597, Barcelone, 1624, cité par Maravall, *op. cit.*, p. 19.

SAAVEDRA Quelle sera donc la position du roi à l'égard du pape? Dans son 94e Symbole (p. 665) Saavedra recommande au souverain de respecter les « immunités, privilèges et droits du Siège apostolique ». En retour, il doit protéger ses propres prérogatives; car « si [le pouvoir ecclésiastique] avance d'un pied, il considère bientôt être en possession et peu à peu s'avance plus loin ». En somme, « conviene [...] que estos dos poderes sean siempre acordados ». Si le pape tient en main *les deux glaives*, le spirituel et le séculier, il doit confier le séculier aux empereurs et aux rois comme protecteurs et défenseurs de l'Église. Au contraire, si la tiare se change en casque, le pape sera combattu comme souverain temporel [1].

LES THÉOLOGIENS On a vu plus haut (p. 186) les théologiens espagnols à la pointe du mouvement scientifique. Il serait étonnant qu'ils n'aient pas abordé l'ecclésiologie. Et, puisque c'était toucher aux relations avec l'État, plusieurs et non des moindres se firent juristes. Déjà au temps des discussions conciliaires, l'illustre dominicain Jean de Torquemada se distingua parmi les partisans de la suprématie papale. Voici, par contre, la colonne de la théologie au XVIe siècle, un autre dominicain, François de Vitoria, qui, au concile de Trente, exalte le droit divin des évêques. Mais ce n'est là qu'un élément de son œuvre, qui a pris une place de tête dans l'histoire du droit. Nous y reviendrons quand il s'agira de droit international. Quand il étudie la notion de souveraineté, en fidèle thomiste, il la rattache à la nature humaine elle-même, donc à Dieu; l'État n'a d'ailleurs d'autre but que la satisfaction des aspirations naturelles et ne doit donc pas s'ingérer dans la direction religieuse des sujets. Quant à l'autorité ecclésiastique, Vitoria rejette le pouvoir « direct » sur l'État; position courageuse, car cette théorie avait alors encore une large audience. Il enseigne donc le pouvoir « indirect » [2].

Pierre de Soto, autre dominicain espagnol célèbre, prit une part importante aux discussions ecclésiologiques, notamment au concile de Trente. Il considérait comme de droit divin, non seulement l'épiscopat, mais la résidence des évêques, remède unique et indispensable, croyait-il, aux abus de l'absentéisme dans la hiérarchie. Ce qui ne l'empêchait en rien de professer le pouvoir suprême du pape sur l'épiscopat et sur le concile [3].

---

[1] *Etsi enim duplicem manu sua portet gladium, spiritualem nimirum et saecularem, hic tamen, per ipsos imperatores et reges, tamquam protectores defensoresque Ecclesiae executioni mandari debet.* Il répète la distinction que les auteurs font souvent entre le pape et la curie. Parlant du soin du bon accord entre les deux pouvoirs, il ajoute : « *sed perturbant curam istam interdum aulici romani, quorum unicum siudium est discordiarum spargere semina* [...]. *Si Tiara mutatur in galeam, non agnoscit illam ultra reverentia, immo ferire audet, non secus ac si foret temporalis.* (SAAVEDRA, *op. cit.*, p. 662, 666).

[2] *D.T.C.*, t. XV, col. 3129-3143; MESNARD, *L'Essor, op. cit.*, p. 454-459.

[3] *D.T.C.*, t. XIV, II, col. 2442.

Un canoniste dont l'influence s'étendit au loin est Jacques (Diego) Covarrubias y Leyva. Sa théorie favorable à l'*exequatur real*, le placet, a été souvent invoquée par les auteurs régaliens [1].

LES THÉOLOGIENS JÉSUITES.   Vient ensuite une série d'auteurs jésuites, *SUAREZ* presque tous célèbres : Pierre de Ribadeneyra, Jean de Mariana, Louis Molina, Gabriel Vasquez, que Grotius appelait « *decus illud Hispaniae* » et surtout Suarez. C'est chez Ribadeneyra qu'on trouve « le plus net exposé du problème » de l'origine de l'État [2]. Mariana [3], qui considère la république supérieure à la monarchie, se fait « l'apôtre de la résistance à l'arbitraire monarchique »; mais il confie cette résistance aux évêques, « éphores » de la cité. Aussi P. Janet, qui appelle le *De Rege* « un des ouvrages les plus intéressants du siècle », le considère-t-il comme « un mélange de l'esprit sacerdotal et de l'esprit démocratique ». Son chapitre X s'intitule *De religione nihil Princeps statuat.* Nous reviendrons sur sa théorie du tyrannicide à propos de la morale.

Vasquez [4] propose sa doctrine personnelle de la loi naturelle, qui, d'après lui, a son fondement dans la *nature* raisonnable elle-même, en tant que telle. Molina [5] soutient magistralement « la thèse de l'origine divine du pouvoir, élément nécessaire de l'ordre naturel voulu par Dieu ». La société humaine ne se satisfait pas des seules associations conjugale, familiale et domestique; elle a besoin de la société politique, seule « parfaite et suffisante ». Il « réfute la thèse contraire par l'absurde ».

Le multiple génie de Suarez éclaire les divers aspects du problème politico-religieux. Il le fait dans le *Tractatus de Legibus* et dans la *Defensio fidei*,

---

[1] J. COVARRUBIAS Y LEYVA (1512-1577), « le Bartolo espagnol », *supra*, p. 403, n. 1; étudia à Salamanque sous Martin de Azpilcueta; professeur de droit canonique à Salamanque, puis à Oviedo; évêque de Ciudad Rodrigo (1559); théologien de Philippe II au concile de Trente; évêque de Ségovie (1564); président du Conseil de Castille. Ses *Opera omnia* ont été publiées à Francfort, 2 vol., et à Lyon (1584, 1606; *P.B.N.*, F 1576-1578; Rés. F. 608-609); à Anvers, 1615, 1638, 1762. Cf. J. F. VON SCHULTE, *Die Geschichte der Quellen und Literatur des canonischen Rechts...*, Stuttgart, 1875-1880, t. III, p. 721; MESNARD, *op. cit.*, p. 578, n. 2; DE LA FUENTE, *op. cit.*, t. V, p. 356.

[2] MARAVALL, *op. cit.*, p. 122.
Pierre de RIBADENEYRA (1526-1611), jésuite, professeur de rhétorique à Palerme, fut provincial et assistant. *Tratado de la Religion y Virtudes que debe tener el Principe cristiano* [...] *contro lo que N. de Maquiavelo y los politicos de este tiempo enseñan*, Madrid, 1595, Anvers, 1697, etc. Cf. *D.T.C.*, t. XIII, col. 2657 s.; SOMM., t. VI, col. 1735.

[3] Jean DE MARIANA (*supra*, p. 245), écrivit le *De Rege et Regis institutione* pour le futur Philippe III. Cf. MESNARD, *op. cit.*, p. 549-566; JANET, *op. cit.*, t. II, p. 88-94; P. M. GONZALEZ DE LA CALLE, *Ideas politico-sociales del P. J. de Mariana*, dans *Revista de Archivos*, t. XXIX, 1913, XXXII, 1914; G. GIROT, *Mariana historien*, Bordeaux, 1904.

[4] Gabriel VASQUEZ (1549-1604) (*supra*, p. 194, n. 2). Cf. *D.T.C.*, t. XV, col. 2610, citant *In I^{a}-II^{ae}*; JANET, *op. cit.*, t. II, p. 56.

[5] Louis MOLINA (1536 à Cueva, Nouv. Castille — 1600), jésuite. Il sera question de lui plus longuement à propos de la grâce. Son *De justitia et jure* fut plusieurs fois réédité, notamment à Venise en 7 vol. in-fol. (1614). Cf. MARAVALL, *op. cit.*, p. 114, 122, etc., voir p. 331 (il y a erreur à la table p. 331, où son nom n'est pas mentionné; sauf le numéro 21, ceux qui sont indiqués à « Molina Laura » le concernent).

avec le flambeau du thomisme et de la tradition médiévale d'*universitas*. Partant de la notion de *corpus politicum mysticum*, il soutient que la société civile est *une;* en tant qu'une, elle doit être soumise à une autorité; en tant qu'être, elle doit tendre à la perfection. Cette autorité réside originellement dans le peuple, dans le « consensus communitatis ». Par un acte de volonté libre — implicite ou explicite, — est-ce un contrat? — le peuple choisit sa forme de gouvernement et en désigne les titulaires. Mais une fois désigné, le souverain est suprême « vice-Dieu ». Cependant, sa puissance législative est subordonnée au consentement du peuple, origine de tout pouvoir [1].

Quant à l'Église, elle n'est pas *de ce* monde, mais *dans* ce monde. Comparée à l'État, dont les autorités choisies par le peuple sont de droit humain, l'Église, fondée par le Fils de Dieu, est de droit divin positif. Elle a un but supérieur à celui de l'État; elle est une au milieu de multiples États; elle est antérieure à tous. Impossible donc de confondre « les deux juridictions sur une même tête ». Après avoir expliqué l'origine de l'anglicanisme, Suarez s'applique à le réfuter. « Dans le troupeau du Père commun, César n'est plus qu'un fidèle. » L'Église dispose à son égard du « pouvoir indirect » [2]. Voir ci-dessus (p. 391) la tempête que son ouvrage déchaîna en France.

Ainsi donc, pour la plupart de ces auteurs jésuites, d'accord avec Vitoria et la tradition thomiste, l'origine de l'État est l'inclination naturelle de l'homme à former une société. Il est donc de droit naturel divin. Le roi qui reçoit du peuple son autorité, la reçoit souveraine. Les théologiens ne craignent pas de l'exalter au-dessus de toute puissance politique, puisqu'ils lui donnent comme limite l'obligation de servir et comme but la justice. Or, comme l'Église est l'interprète de la justice, le pouvoir civil se maintiendra « en relation de dépendance occasionnelle vis-à-vis d'elle » [3].

SECTION III. — L'ANTI-ROMANISME
HORS DE FRANCE ET D'ESPAGNE.

On a pu constater combien, dans les possessions du roi « très chrétien » et du roi « catholique », la tendance à l'autonomie fut profonde et vivace. Les mêmes raisons devaient inévitablement susciter ailleurs de semblables résistances à la centralisation romaine. Il faudrait ici les relever toutes.

---

[1] JANET, *op. cit.*, t. II, p. 69-73.

[2] François SUAREZ (1548 à Grenade — 1617), jésuite (*supra*, p. 194, n. 1). Voir la tempête que sa *Defensio Fidei* provoqua en France (*supra*, p. 391, n. 3). Cf. *D.T.C.*, t. XIV, 2706-2723; MESNARD, *L'essor...*, *op. cit.*, p. 617-652; JANET, *op. cit.*, t. II, p. 55-76; MARAVALL, *op. cit.*, p. 332 (table). — M. LABROUSSE (ci-dessus p. 408) conclut que Suarez et l'école espagnole du droit naturel « en portant dans la philosophie politique l'autonomie de la raison et d'un ordre naturel » s'opposant à une philosophie théocratique, préparaient le rationalisme de la philosophie des lumières. Discuté par M. C[HENU]. dans *Bull. thom.*, t. V, 1937-1939, p. 801-803. F. P. CANARVAN, *Subordination of the State to the Church according to Suarez*, dans *Theol. Stud.*, 1951, p. 354-364; V. MEEUSEN, *Suarez et ses idées ultramontaines*, dans *Annuaire de l'Univ. de Louvain*, t. LXX, 1906, p. 426-428.

[3] MARAVALL, *op. cit.*, p. 114, 119, 124, 127.

Mais le détail de ces luttes est partout presque uniforme, parce que les acteurs sont les mêmes : des papes dont l'autorité spirituelle est souvent compromise par leur pouvoir temporel, des souverains catholiques auxquels leur prétention au titre de protecteur de l'Église fournit un prétexte à usurpation; des « libertés nationales » âprement défendues par les légistes et les députés.

En outre, ce récit n'apporterait guère de lumières nouvelles à l'étude du grand problème ecclésiologique. Car la conjoncture doctrinale ne présente nulle part autant qu'en France et en Espagne des travaux de valeur. On se contentera donc ici d'aperçus rapides.

§ 1. — L'Italie.

VUE GÉNÉRALE On peut imaginer les luttes ardentes que l'Italie aurait connues si, patrie du Saint-Siège, elle l'eût été en même temps d'un État national centralisé, absolu et puissant. Mais elle n'était alors qu'une « expression géographique ». Et cependant, l'histoire de l'ecclésiologie y trouve matière [1]; car, malgré tout, le pape y règne et il y est combattu. Non comme chef visible de l'Église. Il est vrai que les canonistes ont soin de fixer à son pouvoir de pontife les limites qui s'imposent, celles notamment du droit naturel et du droit divin. Mais, au XVIIe siècle, hors des possessions espagnoles, les prétentions régalistes n'éclatent que rarement. Et, sur le terrain religieux, l'épiscopalisme ou le presbytérianisme ne trouvent guère de défenseurs, en dépit de l'influence anglaise, sous Jacques Ier par exemple [2].

Quant à l'infaillibilité doctrinale du pape, elle est généralement admise par les théologiens, même lors du conflit vénitien.

Sur le terrain des relations du pape avec les États, les souverainetés italiennes comme les autres se dressent contre les théories romaines. Leurs défenseurs ne manquent pas. Ce ne sont plus, comme autrefois le cardinal Zabarella (1360-1417), des théoriciens de la souveraineté populaire [3].

THÉORIES OPPOSÉES Au XVIe siècle, l'adversaire principal du romanisme en Italie est l'État absolu et son prophète Machiavel. L'influence de l'illustre Florentin, de sa méthode sinon de sa doctrine, survit dans toute la péninsule, chez Guichardin, Paruta et Botero [4]. La monarchie moderne trouve ses protagonistes non seulement parmi ses

---

[1] A. C. JEMOLO, *Stato e Chiesa negli scrittori italiani del seicento e del settecento (Biblioteca di Scienze moderne)*, Milan, Turin, Rome, 1914. Étude tellement riche que la grande partie de ce qui suit ici lui est empruntée.

[2] ID., p. 16, 18, 21, 127 s., 145 s., 155 s.

[3] Cf. *supra*, p. 333; *K.L.*, t. XII, col. 1845-1850. Sur le conflit des doctrines au Moyen-Âge, M. PACAUT, *La Théocratie...*, Paris, 1957, p. 137-222. Sur les bornes mises par les canonistes à la *plenitudo potestatis* pontificale, L. BUISSON, *Potestas und Caritas. Die päpstliche Gewalt im Spätmittelalter*, Cologne, 1958.

[4] P. JANET, *Hist. de la science politique dans ses rapports avec la morale*, Paris, 1913, t. I, p. 541-571.

légistes, mais même chez un servite, Fulgence Bresciano [1], pour qui le prince tient son pouvoir suprême de l'institution divine, tant fonctionnelle que personnelle. Comme ailleurs, les régaliens fondent l'autorité du roi sur cette institution divine, mais aussi sur son caractère sacré — il est l'oint du Seigneur — et sur la protection qu'il doit au peuple. D'après eux, celle-ci doit s'exercer en particulier contre l'autorité doctrinale du Saint-Siège et ses mesures répressives.

A mesure que l'État se laïcise, son divorce d'avec l'Église s'accentue et le XVIIᵉ siècle finissant voit réapparaître les théories du pape, chef « ministériel » et donc discutable.

L'ITALIE SOUS CONTRÔLE ESPAGNOL — Pour explorer les divers États italiens, partons d'Espagne, que nous venons d'étudier. Faisant voile de Barcelone à Gênes, nous trouvons parmi les Italiens le duché de Milan, le royaume de Naples et de Sicile. Nous y sommes encore sous le roi Catholique. Guère de nouveauté donc, sauf les conséquences de l'éloignement de Madrid, où les interventions personnelles pouvaient arrondir les angles. Au loin, les autorités locales se montrent plus raides.

Duché de Milan. — A Milan, par exemple, la Réformation tridentine, courageusement menée par le saint cardinal Borromée, rencontre de la part des gouverneurs du duché, du sénat urbain et même des chanoines, une opposition violente. Les lettres pour et contre le réformateur livreraient sans aucun doute d'intéressantes théories politico-religieuses [2].

Le royaume de Naples. — Dans le royaume de Naples et en Sicile, le conflit ressemble davantage au gallicanisme. L'État espagnol, héritier des souverains normands, en appela aux antiques privilèges de la *Monarchia sicula* pour prétendre gouverner l'Église et contrôler les directives papales, au grand dam de la Réformation. De vives polémiques s'ensuivirent donc, auxquelles prirent part le cardinal Baronius, les auteurs régaliens Jérôme de Cevallo (1624), François Salgado de Somoza (1628) et Jean Solorzano de Pereyra (1642) [3].

---

[1] JEMOLO, p. 43 s., 55 s., où il le compare à Beziàn, à Arroy et à Goldast; p. 101, 182, 221, n. 3, 242, n. 1, 269, 333-343.

[2] *P.G*, t. VIII, p. 292-298; t. IX, p. 69-75; *P.H.*, t. XVII, p. 319-327, t. XIX, p. 78-84.

[3] Des constitutions pontificales des XIᵉ et XIIᵉ siècles avaient récompensé les rois normands en leur concédant les pouvoirs de légats du Saint-Siège. Le *iudex monarchiae siculae* prétendait même absoudre des censures papales, interdire l'appel à Rome et contrôler l'action des évêques. Baronius écrivit le *De Monarchia Siciliae*, Paris, 1609, qui fut interdit dans toutes les possessions espagnoles, en même temps que le premier volume des *Annales*, parce que l'auteur y contestait l'authenticité de la bulle d'Urbain II, sur laquelle se basaient les prétentions régaliennes. Les écrits régaliens furent mis à l'Index. Il faut attendre 1871 pour que l'autorité, dans les anciennes Deux-Siciles, renonce à toute trace de la *Monarchia sicula*. Cf. *K.L.*, t. VIII, col. 1768 s.; *P.G.*, t. VIII, p. 302, 324 s., t. IX, p. 255, t. XII, p. 8 s., t. XIII, II, p. 710-721; *P.H.*, t. XVII, p. 314, 317, 328, 331-333, 338, 349, 357; *H.-B.*, t. VI, p. 193. Voir dans A. C. JEMOLO, *op. cit.*, p. 37 n. 2, l'ouvrage de Lelio ZECCHIO (± 1537 à Bedizzola, Brescia — 1602; *E.I.*, t. XXXV, p. 910); p. 43, Fulgenzio BRESCIANO; p. 44, A. MARLIANI; p. 45, P. A. CANONIERI; *C.E.*, t. X, col. 451 s.; F. J. SENTIS, *Die Monarchia sicula. Eine historisch-canonistische Untersuchung*, Fribourg-en-Br., 1869 (bibliogr.).

VENISE Des conflits analogues éclatèrent dans les duchés de Savoie, de Toscane, de Parme, de Mantoue [1]. Mais le plus important, soit à cause des événements soit des doctrines, opposa au Saint-Siège la République de Venise.

Anticléricalisme des gouvernants. — Chez les gouvernants de la Sérénissime, opulente et orgueilleuse République, il ne s'agissait pas seulement d'anti-romanisme. Bon nombre d'entre eux étaients libres-penseurs et radicalement anticléricaux; leur conflit avec le pape Paul V résulta de tout un train de lois dirigées contre l'Église et entravant sa Réformation [2]. Il éclata en 1605 à l'occasion de l'arrestation par l'État de deux ecclésiastiques. Le pape les réclama. Comme ses sommations restaient sans effet, il excommunia le sénat et jeta l'interdit sur toutes les terres de la République. Elle répliqua en fulminant la peine de mort contre les ecclésiastiques qui publieraient la condamnation. La guerre qui s'allumait apparaissait d'autant plus alarmante que les Vénitiens semblaient vouloir grossir le bloc protestant. L'intervention d'Henri IV amena un compromis après bien des atermoiements. Mais la République persista longtemps dans sa politique.

L'affaire Sarpi. — Or, comme d'habitude, la guerre de faits s'accompagnait de sa justification : une guerre d'idées et de plumes, qui enflamma toute l'Europe. Il a déjà été question ici de l'*Histoire du concile de Trente* de fra Paolo Sarpi (*supra*, p. 254). Mais elle ne fut qu'une des armes du condottiere qui joua du côté vénitien le rôle principal.

Religieux servite dévoyé, il avait, comme « théologien-consulteur », mis au service de la République sa haine de la cour romaine, son talent d'écrivain, sa vaste érudition et ses idées politiques, que P. Janet qualifie de « scélérates ». Les arguments qu'il avança dans sa polémique contre Rome ne sont que la conséquence de la théorie odieuse, qu'il développa dans *le Prince* (1615), d'un tyrannique absolutisme d'État. Quant à son ecclésiologie proprement dite, une étude récente montre que, pour être jugée loyalement, elle devrait être étudiée de plus près [3]. Honoré comme un héros national, il maintint son attitude anti-romaine en dépit de l'apaisement du conflit [4].

---

[1] A Florence, il y aurait lieu de citer GUICHARDIN (pseudon. : BERNARDO DEL NERO) si ses théories politiques et son empirisme n'avaient pas rejeté le raisonnement « à la philosophique ».

[2] Il s'agissait surtout de l'immunité judiciaire des clercs, des relations avec Rome, des fondations religieuses, de la nomination aux prélatures, etc. — P. PIRRI, *L'interdetto di Venezia del 1606 e i Gesuiti (Bibl. Instituti hist. S. J.*, vol. XIV), Rome, 1859.

[3] JEMOLO, *op. cit.*; *P.G.*, t. XII, p. 82-154; POULET, *op. cit.*, p. 1137-1140; L. SALVATORELLI, *Le idee religiose di Fra Paolo Sarpi*, Rome, 1953; cf. C.-r. suggestif dans *R.S.P.T.*, t. XXXVIII, 1954, p. 538 s.; d'autres documents par A. Luzio en 1927; B. ULIANICH, *Considerazioni e documenti per una ecclesiologia di Paolo Sarpi*, dans *Festgabe LORTZ*, t. II, p. 363-444, éd. E. ISERLOH et P. MANNS, Baden-Baden, 1958 (suppression de la papauté et des institutions qui la soutiennent ainsi que des « superstitions » du catholicisme).

[4] Il exerça dans son pays et à l'étranger une profonde influence. Il attribue à l'État une autorité que ne limite pas même la morale; celle de l'Église doit se borner strictement au spirituel pur.
Voir les références citées *supra*, notamment *D.T.C.*, t. XIV, col. 1115-1121, où l'on trouvera les ouvrages de la controverse avec Bellarmin. Ajouter : JANET, *op. cit.*, t. I, p. 74 s., 564-571;

Par contre, son compatriote le célèbre Jean Botero prend nettement position contre Machiavel. [1].

Rebondissement sous Urbain VIII. — Au reste, le désaccord entre Rome et Venise allait éclater de nouveau sous Urbain VIII (1627) [2].

Du côté romain, les plus grands noms prirent part à la controverse : saint Bellarmin, Baronius, Suarez. D'ailleurs, on pense bien que l'Italie ne manquait pas de défenseurs du Saint-Siège. Voici un dominicain, Thomas Campanella, qui, dans sa *Monarchia Messiae*, prône une monarchie espagnole universelle au service de la papauté [3]. Le pouvoir international du pape sur les rois et même son droit d'arbitrer leurs conflits et de les déposer est encore défendu par Jean-Marie Belletti et par le jésuite Jean-Étienne Menochio. Sans aller aussi loin, Ludovic Rodolphe de Sabloneta rejette les prétentions des souverains aux *iura circa sacra* [4].

Au point de vue du droit public, les théories sur l'origine du pouvoir entraînent de curieuses conséquences. Pour les auteurs papalistes, le souverain temporel tient son autorité du peuple, le pape la tient de Dieu ; ils en concluent que les lois civiles doivent être ratifiées par le peuple, tandis que les décrets pontificaux, de par l'investiture divine, sont par eux-mêmes exécutoires [5].

Au total, une Italie où, malgré leur catholicisme foncier, les esprits sont aussi divisés que la péninsule est morcelée.

E.I., t. XXX, p. 877-879 qui analyse sa théorie. Ses lettres furent publiées par F. L. POLIDORI en 1863 (JEMOLO, *op. cit.*, p. 19, n. 2).
— *Le Prince* est le titre de la traduction française par l'abbé de MARSY (Berlin, 1751) de l'ouvrage : *Opinione del P. Paolo servito como debbe governarsi la Reppubl. veneziana per havere il perpetuo dominio* (écrit en 1615, paru à Venise en 1681). Cf. JANET, *op. cit.*, t. I, p. 564, n. 1.
— L'adhésion que Paul PARUTA (1540 à Venise — 1598) professe pour la constitution vénitienne lui vaut d'être mentionné ici. Ses œuvres principales sont *Della perfezione della vita politica* (1579) et ses *Opere politiche* (1852). Cf. JANET, *op. cit.*, t. I, p. 547-553; *E.I.*, t. XXVI, p. 426 s.
— B. CECHETTI, *La republica di Venezia e la corte di Roma nei rapporti della religione* (*Index*, 6 déc. 1875).

[1] JEAN BOTERO ou BENISIUS (1540 à Beno ou à Bene Vagienna (Cuneo) en 1533 *(Enc. ital.)* - 1617), humaniste et écrivain politique, jésuite jusqu'en 1581, puis secrétaire de saint Charles Borromée; écrivit *Della ragioni di Stato*, Milan, 1583 et 1587, 10 livres (contre Machiavel); *Delle cause della grandezza e magnificenza della Città*, Venise, 1589, traduit en quatre langues; les *Relazioni universali* (cosmographie), 1595, 17 éditions, traduit dans presque toutes les langues européennes; du fait des *Relazioni*, il est considéré comme le fondateur de la Science statistique. Cf. *Enc. ital.*, t. VII, p. 566 sv.; *L.T.K.*, t. II, col. 492 sv.

[2] *P.G.*, t. XIII, II, p. 713-719.

[3] Th. CAMPANELLA (1568 à Stilo, Calabre — 1639), auteur d'œuvres philosophiques; publia la *Città del Sole* (la cité idéale). Cf. *E.I.*, t. VIII, p. 567-570 (étude de ses œuvres et bibliogr.).

[4] Jean-Marie BELLETTI, Vercellese, dans sa *Disquisitio clericalis* (Ravenne, 1618) déclare : *Imperator hodie recognoscit Imperium ab Ecclesia; ab Ecclesia coronatur, ungitur et confirmatur*, cité par JEMOLO, *op. cit.*, p. 68.
— Jean-Étienne MENOCHIO (1576 à Padoue — 1655), exégète et moraliste, « assistant » d'Italie. *K.L.*, t. VIII, col. 1260; JEMOLO, *op. cit.*, p. 69, n. 1.
— Sur les *iura circa sacra*, JEMOLO, *op. cit.*, p. 97.

[5] JEMOLO, *op. cit.*, p. 40-42 et n., 66.

§ 2. — Les Pays-Bas.

Espagnols encore, les Pays-Bas méridionaux. Il est vrai que les Provinces-Unies du Nord restèrent en droit international sous la couronne d'Espagne jusqu'en 1648; mais, en fait, elles vivaient indépendantes et se séparaient de plus en plus de l'Église. Il n'y aura donc pas lieu d'étudier ici leur ecclésiologie. Il a été question plus haut du clergé catholique (*supra*, p. 399). Tandis que le sort de la future Belgique se présente avec de curieux caractères[1].

SOUVERAINS CATHOLIQUES L'Espagne y domine. Par le souverain, d'abord. Le roi, sauf dans sa conduite privée, s'y montre nettement catholique et, en théorie, défenseur de l'orthodoxie et de la papauté. De 1598 à 1621, le pays appartient de droit aux archiducs Albert et Isabelle; mais, en fait, ils ne peuvent gouverner sans le roi. Ils rivalisent avec lui de fidélité au catholicisme, au point que Pirenne a pu qualifier leur État de « strictement confessionnel ». Mais, comme en Espagne, les souverains nomment aux hautes fonctions cléricales et interviennent royalement dans les affaires ecclésiastiques.

En face du gouvernement, la nation.

Phénomène surprenant : largement conquise au XVIe siècle par le luthéranisme d'abord, puis par le calvinisme, sous les archiducs elle retourne rapidement à la foi romaine, avec une telle unanimité que le protestantisme disparaît presque entièrement. Elle se rallie donc à la papauté, grâce à l'exemple de la cour de Bruxelles, à l'action de la nonciature, à la prédication et l'enseignement des ordres religieux, les capucins et les jésuites. Le clergé, tant régulier que diocésain, exerce un pouvoir croissant.

Ce n'est donc pas dans la masse que la centralisation papale rencontra des oppositions. Ces questions ne se débattent que dans les hautes régions du savoir et de la politique. De la théologie aussi naturellement.

JURISTES *« ULTRAMONTAINS »* Parmi les jurisconsultes de marque, plusieurs s'affirment comme nettement « ultramontains ». A la Faculté de droit de Louvain, par exemple, Pierre Goudelin enseigne les prérogatives suprêmes de la papauté sur les conciles et son *pouvoir indirect* sur le temporel; il va même jusqu'à reconnaître, en certains cas, le droit de déposer les princes[2]. A. Perez, également professeur louvaniste, va jusqu'à dire : *Principum autem est ea quae a summo sacerdote decreta [...] exequi, defendere, custodire*[3] Son collègue

---

[1] Sur tout ce qui concerne ici les Pays-Bas on trouvera de la documentation dans WILLAERT, *Les origines...*, *op. cit.*, p. 85-154, qui ne sera pas citée ici en détail.

[2] P. GOUDELIN (1550 à Ath — 1619), *Opera omnia*, Louvain, 1685; V. BRANTS, dans *L'université de Louvain pendant cinq siècles*, Bruxelles, 1927, p. 5-77; pour ce qui concerne l'ecclésiologie, p. 75 s.
   — Sur l'école juridique de Louvain, WILLAERT, *op. cit.*, p. 108 s.

[3] *B.B.R.*, ms. n° 14556. Cependant il proclame que Dieu seul est juge des rois. Cf. H. ELIAS dans *R.B.P.H.*, t. V, 1926, p. 929; Antoine PEREZ (1583 à Alfaro — 1672); à ne pas confondre avec le favori de Philippe II.

D. Van Tulden interdit au souverain toute intervention en matière ecclésiastique [1]. Au duché de Luxembourg [2], l'agent du pouvoir central, le président du conseil provincial Jean Benninck rencontre l'opposition d'un canoniste de valeur, l'évêque auxiliaire de Trèves, Pierre Binsfeld. Ancien étudiant du Collège germanique à Rome, il représente les théories ultramontaines et il reconnaît au pape le pouvoir indirect sur l'État [3]. Chrétien Loup prendra une attitude semblable [4]. Zypaeus, autre ecclésiastique, prend aussi parti pour l'autorité pontificale ; il lui attribue l'arbitrage des conflits internationaux pour tout ce qui touche leur incidence morale [5].

Cependant la plupart de ces auteurs, comme de Vernulz (Vernuleius), Scribani, Lessius, ne mettent au pouvoir des souverains d'autres limites que les droits de l'Église [6].

ALLIANCE DES OPPOSITIONS En face des défenseurs de la papauté s'organisa une singulière coalition. Ce fut à l'occasion de la promulgation des décrets romains contre Jansénius. Parmi le clergé — même le haut clergé, — régnait un groupe qui favorisait les « libertés » nationales. Il s'allia naturellement au clan des juristes régaliens antiromains, maîtres de l'administration civile dans les conseils et les tribunaux, hostiles à toute intervention de la papauté dans l'ordre judiciaire et politique. Il s'ensuivit la formation d'un « parti national » politico-religieux et d'ardents conflits, qui aboutirent à la condamnation par Rome de l'archevêque de Malines et de l'évêque de Gand. Ces oppositions à la papauté n'intéressaient pas uniquement l'ecclésiologie ; elles contribuèrent pour leur part à laïciser l'État. Mais cette histoire appartient à celle du jansénisme. Il vaudra mieux l'y intégrer et donc la réserver au tome II de ce volume.

§ 3. — Dans l'Empire.

ABSENCE D'UNE ÉGLISE NATIONALE Pas plus en Allemagne qu'en Italie et aux Pays-Bas, nous ne trouvons, comme en France et en Espagne, une Église nationale capable d'une doctrine contraire à l'ecclésiologie romaine.

---

[1] Elias, *op. cit.*, p. 917.

[2] Les contestations entre l'Église et l'État au Luxembourg sont exposées avec une solide et abondante érudition par L. Just, *Das Bistum Trier*, dans M. Spahn, *Die Reichskirche*, Leipzig, 1931, p. 51-145.

[3] Pierre Binsfeld (±1540, à Binsfeld, — 1598) év. titulaire d'Azotus, auxiliaire de Trèves. Poursuivit la sorcellerie ; plusieurs ouvrages de droit canon. — Sur lui, *K.L.*, t. II, col. 846-848 ; L. Just, *op. cit.*, p. 81 s.

[4] Baekelandt, *De verhouding tussen Kerk en Staat volgens Christianus Lupus*, dans *Augustiniana*, t. III, 1953, p. 74-90.

[5] François van der Zype, Zypaeus (1578 à Malines — 1650), vicaire-général d'Anvers ; auteur de *Ius pontificium novum* (1620) et de *Iudex, magistratus, Senatus* (1633) ; L. Willaert, *Le placet royal aux Pays-Bas*, Bruxelles, 1955, p. 23 ; *B.N.*, t. XXVII, col. 475-480.

[6] Elias, *op. cit.*, p. 919.
A l'influence de juristes et de canonistes belges, il faut ajouter celle d'étrangers, par exemple celle de Covarruvias (*supra*, p. 415, édité plusieurs fois à Anvers par C. Brederode et J. Uffelius, qui le complètent) et celle de Salgado, *Tractatus de regia potestate*. (Just, *op. cit.*, p. 82 s.).
— François Salgado de Samoza († 1644). (Cf. *E.U.I.E.A.*, t. LIII, p. 218.)

Les possessions habsbourgeoises héréditaires elles-mêmes — *die Erbländer*, — où la Contre-réforme ne commença de triompher qu'à partir de 1600, ne connaissaient pas une « Église germanique » à l'instar de la gallicane.

Et quant au reste « des Allemagnes », l'échiquier des principautés restées catholiques présentait encore moins la puissante unité qui eût pu susciter un anti-romanisme redoutable. Les princes ecclésiastiques encore fidèles étaient trop ambitieux pour se grouper.

LA RECONQUÊTE ROMAINE   Dans les diocèses habsbourgeois et dans ceux des principautés, la Restauration catholique luttait contre des difficultés apparemment insurmontables; son seul salut devait lui venir de Rome; c'est Rome qui s'inquiétait de constituer des séminaires pour lui fournir un nouveau clergé; Rome qui lui envoyait les religieux pour reconquérir le sud de l'Allemagne [1].

Or ces maîtres, étrangers pour la plupart, enseignent la suprématie papale [2]. Ils importent la doctrine de Melchior Cano. Si le plus important d'entre eux, saint Pierre Canisius, n'enseigne pas dans son catéchisme l'infaillibilité pontificale, pas plus d'ailleurs que ne le fait le *Catéchisme romain*, c'est pour ne pas heurter les protestants; mais il est le héraut de l'autorité suprême du Pontife romain. Ses confrères lui font écho : Grégoire de Valence, devenu célèbre professeur allemand, enseigne l'infaillibilité personnelle. Et l'on peut mesurer la diffusion de ces doctrines si on se rappelle que les jésuites la professent dans leurs nombreux collèges et Universités.

Au reste, voici un juriste de Marbourg, Helfrich Hunnius, pour qui « l'épiscopat universel du pape et son infaillibilité appartiennent aux arguments irréfragables et irréfutables » qui ont déterminé sa conversion au catholicisme [3].

En 1566, grâce à l'habileté du légat Commendone, les représentants des prélats et des seigneurs catholiques « reçurent » les décrets doctrinaux de Trente, réservant cependant leur adhésion à quelques décisions disciplinaires [4].

---

[1] Il ne s'agit plus ici des multiples manifestations anti-romaines qui ont précédé l'éclosion de la Réforme. Cf. par exemple *P.G.*, t. I, p. 709 s. et les *Cent griefs de la nation allemande*. Ni même des oppositions que provoqua la « réforme des princes » au concile de Trente. — Sur la situation à l'époque posttridentine, EDER, *Die Kirche...*, op. cit., p. 298-304; *supra*, p. 15.

[2] Sur tout ce qui suit, cf. F. VIGENER, *Gallikanismus und episkopalistische Strömungen im deutschen Katholizismus zwischen Tridentinum und Vaticanum*, dans *Hist. Zeitschr.*, t. CXI, 3e sér., t. XV, 1913, p. 495-581, mais la période posttridentine s'arrête à la p. 521.
Des ouvrages principaux sont M. GOLDAST, *Monarchia S. Romani imperii sive Tractatus de jurisdictione imperiali seu regia et pontificia sacerdotali*, 4 vol., Hanau, 1611-1619; ID., *Politica imperialia sive discursus politici, acta publica et tractatus generales de imperatoris, regis Romanorum, pontificis romani, etc. iuribus...*, Francfort, 1614 (collection de traités); H. RAAB, *Die Concordata Nationis Germaniae in der Kanonistischen Diskussion des 17. bis 19. Jahrh. Ein Beitrag zur Geschichte der Episkopalistischen Theorie in Deutschland*, Wiesbaden, 1956.

[3] VIGENER, *op. cit.*, p. 511; Helferich Ulrich HUNNIUS justifia sa conversion (1630) dans ses *Indissolubilia et invicta documenta XII* (Heidelberg, 1631); il mourut en 1636. Cf. *K.L.*, t. VI, col. 429 s.

[4] *P.G.*, t. VIII, p. 466 s.

L'ANTI-ROMANISME   Il y avait pourtant un anti-romanisme allemand, mais
ALLEMAND   il n'apparaissait que dans la pratique des faits.
Les princes-évêques — les Rhénans en particulier —
s'arrogeaient avec désinvolture des pouvoirs que revendiquait Rome, celui
des dispenses notamment. Mais, pour en discerner des manifestations dans
l'ecclésiologie des théologiens allemands, pour que cet anti-romanisme
apprenne à s'exprimer en une doctrine, il faut attendre qu'au XVIIIe siècle
les théories gallicanes passent la frontière dans le cortège vainqueur de la
culture française [1].

Somme toute, il semble qu'on puisse conclure.

En dépit des oppositions qu'elle rencontra au sein même de l'Église,
la suprématie du Pontife romain s'affirma dans la mesure même où triompha
la Restauration catholique. Sauf de rares exceptions, le Renouveau aboutit
à une réalisation toujours plus complète de la parole du Fondateur: « Tu es
Pierre et sur cette pierre je bâtirai mon Église [2]. »

---

[1] VIGENER, *op. cit.*, p. 513.

[2] Il a été question, *supra*, p. 396, des controverses anti-romanistes en *Angleterre*.
— En *Pologne*, où l'effort catholique est absorbé par la lutte contre le protestantisme
et les tentatives d'union avec les Orientaux, il faut signaler cependant en faveur des théories
romaines l'activité du célèbre cardinal Hosius (*supra*, p. 216), la propagande des jésuites et
les ouvrages du chanoine Stanislas Orchechowski. Cf.. O. HALECKI, *From Florence to Brest (1439-
1596)*, Rome, 1958, p. 145 s.; MESNARD, *L'Essor...*, *op. cit.*, p. 408, 411-413 (supériorité du
primat de Pologne sur le roi).

CHAPITRE V

L'ECCLÉSIOLOGIE (4e question)
L'ÉGLISE ET L'ÉTAT

§ 1. — Les théories sur les relations avec l'État [1].

En passant du Moyen Age aux Temps modernes, l'Église a dû repenser sa structure interne. Mais une autre transformation profonde atteignait ses rapports avec la société civile.

[1] BIBLIOGRAPHIE. — *Travaux.* — Voir *supra*, p. 335, les bibliographies sur l'autorité pontificale, sur l'anti-romanisme. *Catholicisme*, t. IV, col. 525 s.; *D.A.*, t. II, col. 234 s.; *D.D.C.*, t. VI, col. 263-283; *D.T.C.*, t. IV, col. 2218, t. VIII, col. 1062, Tables générales, col. 1127-1130; *H.-B.*, t. VI, p. 160, 164, 171, 181-196; *L.T.K.*, t. IX, col. 752; H.-X. ARQUILLIÈRE, voir la bibliogr. de l'ecclésiologie, p. 315 et celle de l'autorité pontificale, p. 335; M. BAEKELANDT, *De verhouding tussen Kerk en Staat volgens Chr. Lupus*, dans *Sylloge*, t. XXV, fasc. V, 1953; E. BEAU DE LOMÉNIE, *L'Église et l'État*, Paris, 1957; E. P. CANAVAN, *Subordination of the State to the Church according to Suarez*, dans *Theol. Studies*, t. XII, 1951, p. 354-364; A. CARRERIUS, *De potestate rom. pontif. adversus impios politicos*, Padoue, 1599; CAYRÉ, *op. cit.*, t. II, table, p. 899; E. CHÉNON, *Les rapports de l'Église et de l'État du premier au XXe siècles (Conférences de 1904)*, Paris, 1905; J. CHEVALIER, *Les grandes œuvres politiques de Machiavel à nos jours*, Paris 1952; ID., « *Testament politique* » *ou les* « *Maximes d'État* » *de M. le cardinal de Richelieu*, dans *Rev. int. pol. et const.*, janv.-juin, 1951; A. CRIVELUCCI, *Storia delle relazioni tra lo Stato e la Chiesa*, Bologne, 1886; G. DE REYNOLD, *La conception catholique de l'État au temps de la Contre-Réforme et du Baroque*, dans *Barock in der Schweiz*, p. 7-43; A. DORDETT, *Kirche und Staat*, Innsbruck, 1957; A. DUFOURCQ, *Le Christianisme et la réorganisation absolutiste*, Paris, 1933; S. Z. EHLER et J. B. MORRALL, *Church and State through the Centuries. A collection of historic documents with commentaries*, Londres, 1954; ELIAS, *Kerk en Staat*, *op. cit.*; H. E. FEINE, *Kirchliche Rechtsgeschichte*, t. I. *Die Katholische Kirche*, p. 487; H. M. FÉRET, *Bibliogr. critique* dans *Bull. thomiste*, t. IV, 1934-1936, p. 836 s.; J. N. FIGGIS, *From Gerson to Grotius*, Cambridge, 1907; P. HOFMEISTER, *Der Bischofseid gegenüber dem Staate*, dans *Münchener Theol. Zeitschr.*, t. VI, 1955, p. 195-214; L. HUOVINEN, *Der Einfluss des theologischen Denkens der Renaissancezeit auf Machiavelli, Mandragola, die Skolastiker und Savonarola*, dans *Neue Philolog. Mitteilungen*, Helsinki, t. LVII, 1956, p. 1-13; A. C. JEMOLO, *Stato e Chiesa negli Scrittori italiani dei seicenti e dei settecenti*, Turin, 1914, p. 306-308; R. L. JOHN, *Reich und Kirche im Spiegel französischen Denkens. Das Rombild von Caesar bis Napoleon*, Vienne, 1953; JOMBART, dans *N.R.T.*, t. LIX, 1932, p. 34 (Suarez); F. LAURENT, *L'Église et l'État*, 1858; J. LECLER, *L'idée de séparation entre l'Église et l'État. Esquisse historique*, dans *Études*, t. CCV, 1930, p. 664-695 (depuis le début jusqu'à nos jours); J.-B. LO GRASSO, *Ecclesia et Status. De mutuis officiis fasti selecti*, Rome, 1939, p. 209 à 226 (Pie V, Suarez, Bellarmin. Déposition du prince en France. Gallicanisme); U. MARIANI, *Chiesa e Stato nei theologi agostiniani del secolo XIV*, Rome, 1957; C. MELZI, *Stato e Chiesa. Sguardo storico*, dans *La Scuola cattolica*, 1933, p. 169-195; F. J. MOULART, *L'Église et l'État ou les deux puissances*, Louvain, Paris, 1887, 3e éd.; MOURRET, *op. cit.*, t. V, p. 557; Ch. F. PALM, *Politics and Religion in the XVIth century*, Boston, 1957; J. M. PARKER, *Christianity and the State in the light of History*, Londres 1955; R. PETERSON trad. de G. BOTERO, *The Greatness of Cities*, 1606, publ. à Londres, 1956 *(Rare Masterpieces of Philosophy)*; H. PLANITZ, *Deutsche Rechtsgeschichte*, Graz, 1950, chap. II; RICHELIEU, *Le testament politique* publié par L. ANDRÉ, Paris, 1947; K. RIEKER, *Staat und Kirche nach lutherischen, reformieter, moderner Anschauung*, dans *Histor. Vierteljahrschr.*, t. I, 1898, p. 370 s.; G. SAITTA, *La scolastica del sec. XVIe. La politica dei gesuiti*, Turin, 1911; F. SCADUTO, *Stato e Chiesa*, Florence, 1881-1882; 2 vol., Palerme, 1887; SILVESTRO DA VALZANZIBIO, *La ragion di Stato in S. Lorenzo da Brindisi*, dans *Studia Patavina*, t. III, 1956, p. 421-467 (à suivre); L. STURZO, *Church and State*, Londres, 1939; J. A. G. TANS, *Les idées politiques des jansénistes*, dans *Neophilologus*, t. XL, 1956, p. 1-18; J. TOUCHARD, L. BODIN, P. JEANNIN, G. LAVAU et J. SIRINELLI,

UN MONDE NOUVEAU Elle avait autrefois prétendu à des droits de tutelle sur des États encore mineurs. Prétentions qui avaient provoqué des conflits de la part de ses enfants moins dociles. Que deviendraient leurs relations alors que ces États, conscients d'avoir atteint leur majorité, affirmeraient non seulement leur indépendance, mais leur supériorité sur celle qui se considérait comme leur tutrice?

D'un côté comme de l'autre, les prises de position supposaient une doctrine. Celle de l'Église appartenait à la conception qu'elle se faisait de sa propre nature, à son ecclésiologie.

Déjà, dans les pages précédentes, il a été question de certains aspects du problème. On a pu y lire les opinions de plusieurs théologiens, notamment de saint Bellarmin et de Suarez. Mais ce qui fait honneur à la pensée catholique posttridentine, c'est qu'elle s'est appliquée à construire une synthèse de la théorie de l'Église au sujet de l'État et de ses relations avec lui. Synthèse tellement solide et complète qu'elle s'est, dans ses grandes lignes, perpétuée jusqu'à nos jours.

Dans l'impossibilité de la détailler ici, il faudra se contenter d'une vue sommaire des thèses adoptées.

Ces thèses étaient déterminées en quelque façon par l'héritage médiéval et ses prétentions théocratiques; et ce ne serait pas un des moindres attraits de cette étude de constater comment l'évolution des idées subit les impératifs des événements. Quand Pie V excommunie Élisabeth d'Angleterre et que Innocent X déclare nulles les clauses des traités de Westphalie, on constate qu'ils ne trouvent pas chez la plupart des théoriciens une justification doctrinale (pour Pie V, *supra*, p. 48)[1]. Car le monde a changé. L'État qu'étudie la théologie posttridentine est celui qui se construit au XVIᵉ siècle.

CONSTITUTION DE L'ÉTAT Naturellement la première question qui se pose à son sujet est celle de l'origine du pouvoir. Question primordiale, puisqu'elle conditionnera la question pratique de l'étendue de ce pouvoir. Or ici la tradition scolastique, celle de saint Thomas et de ses disciples, tel Cajétan, est interprétée par Suarez et par saint Bellarmin dans un sens démocratique : le pouvoir, et non seulement la désignation du titulaire, procède du peuple. Saint Pierre Damien (1006 à Ravenne — 1072) avait écrit :

> *Potestas est a populo*
> *Desuper data a Deo*[2].

Histoire des idées politiques, t. I, *Des origines au XVIIIᵉ siècle*, Paris, 1959; A. Vinciguerra, *Contributo alla storia del pensiero politico della controriforma*, dans *Studi Urbaniti*, t. XXVIII, 1954, p. 279-321; P. J. et D. P. Waley, trad. de G. Botero, *The Reason of State (Rare Masterpieces of Philosophy and Science)*, Londres, 1956; Willaert, *Placet royal, op. cit.*, *passim*; *Suarez contre l'absolutisme d'État*, dans *Docum. cathol.*, t. XVI, 1926, p. 581, 592.

[1] E. Lewis, *Medieval political Ideas*, Londres, 1954; Janet, t. I, p. 365.

[2] Ch. Journet, *L'Église du Verbe incarné*, Paris, 1941, t. I, p. 513-515; E. Guerrero, *Precisiones del pensiamento de Suarez sobre el primer sujeto del poder y sobre la legitima forma de su transmission al Jefe del Estado*, dans *R.F.*, t. CXXXVIII, 1948, p. 443-477; Jombart, dans *N.R.T.*, t. LIX, 1932, p. 34; Mesnard, *op. cit.*, p. 617, 644 s., 663; Moulart, *op. cit.*, p. 81-90.

A l'autre pôle, la théorie qui allait s'appeler « du droit divin ». Elle se fortifiait de la puissante influence que continuait d'exercer Machiavel [1]. On a déjà vu plus haut (p. 391) la controverse qui mit aux prises saint Bellarmin et Jacques Ier, le théologien du pouvoir royal conféré directement par Dieu.

Faut-il ajouter que l'auteur du *Basilicon dôron* ne fut pas seul à exalter l'autorité du *corporalis Deus* [2] et que, du côté de l'Église, cet absolutisme fut d'autant plus ardemment combattu qu'il impliquait la domination de l'État sur l'Église?

CONFLIT DES DEUX POUVOIRS — Ainsi se rallumait à nouveau la question séculaire de leurs relations mutuelles. Le conflit de ces deux « totalitarismes » était d'autant plus inévitable et insoluble que les gens de l'époque, en grande majorité, voulaient le maintien de l'union entre les deux puissances. Du côté protestant, Luther la voulait pour maintenir la Chrétienté, la *Christenheit* [3]. Elle sous-tend en Allemagne la théorie du *Cuius regio illius religio*, également professée par les catholiques et par les protestants.

D'un côté comme de l'autre de la barricade, elle repose sur le fait que le souverain et ses sujets, en tant que membres d'une Église, ont des devoirs envers elle, et surtout celui de la protection. Mais du côté protestant — sauf en France, grâce à l'hostilité du pouvoir — l'Église paie de sa liberté cette protection. Aucune des trois formes principales du protestantisme ne parvint à se maintenir en dehors de l'État.

On chercha, cela va sans dire, à fixer une doctrine de ces relations entre les Églises protestantes et le pouvoir civil. Des esprits sérieux devaient se demander quelle était la base religieuse ou simplement rationnelle du principe « territorialiste », qui dominait dans toute l'Europe. Comment les rapports entre l'âme et Dieu pouvaient-ils être commandés par le caprice d'un souverain qui pouvait être incroyant ou par le tracé de limites convenues entre diplomates? Qu'en disait la « *Sola Scriptura* »? N'était-ce pas retourner à la confusion antique, en dépit de la séparation établie par le Christ : « Rendez à César ce qui est à César et à Dieu ce qui est à Dieu » (*Matth.*, XXII, 21)?

GENÈSE ET FORMULATION DE LA THÉORIE TERRITORIALE — Il n'est pas difficile de voir comment naquit la théorie. Luther, en 1525, demande à l'électeur de Saxe de protéger ses sujets contre ce qu'il appelle l'erreur. Il ajoute : « En un lieu il ne doit y avoir qu'une seule espèce de prédication. » La religion d'État se justifie

---

[1] JANET, *op. cit.*, t. I, p. 491-541; Ch. BENOIST, *L'esprit de Machiavel*, dans *Rev. des Deux M.*, t. XCVI, 1926, p. 375 s., 380. ID., *Le machiavélisme*, 3 vol., Paris, 1907-1936; A. CHÉREL, *La pensée de Machiavel en France*, Paris, 1935.

[2] POULET, *op. cit.*, p. 1144-1146; SCHUBERT, *op. cit.*, p. 46 s., 65, n. 2; JEMOLO, *op. cit.*, p. 1-62; P. VIOLLET, *Histoire du droit français*, t. I, roi « par la grâce de Dieu »; *Rev. Thom.*, t. IV, 1931-1936, p. 838, à propos de F.-X. ARNOLD.

[3] A. HIRSCH, *Luther et le Corpus christianorum*, dans *Rev. d'Hist. mod. et cont.*, t. IV, 1957, p. 111.

donc par la protection de l'ordre public [1], comme autrefois l'autorité royale par la *tuitio pacis*. De leur côté, les princes catholiques revendiquaient le même droit de protection sur leur Église : *ubi unus dominus ibi una sit religio*. Michel de l'Hôpital d'ailleurs ne parlait pas autrement.

Du côté protestant, on entend Jean Brenz proclamer : « Le prince a le pouvoir politique de juger et de décider de la doctrine religieuse [2]. » Mais voici le canoniste Joachim Stephani qui trouve la base du système : les princes, grâce à la Réforme, sont devenus les évêques de leurs sujets. Ils héritent donc des droits épiscopaux (1612) [3].

Dans la suite, les doctrines de la Réforme allèrent gonfler le vaste courant de résurgence du droit antique, qu'illustrèrent Jean Bodin, Hugo Grotius et plus tard les canonistes du « despotisme éclairé ». Luther invoquait l'incompatibilité de deux religions sur un même territoire. Des théoriciens protestants, en invoquant l'incompatibilité de deux pouvoirs dans une nation, contribuèrent à justifier l'absolutisme d'État.

L'ÉTAT JUGE DE LA RELIGION   Il s'agit d'abord d'un disciple de Zwingle, Wolfgang Musculus [4]. Plus célèbre est le médecin-théologien suisse, Thomas Liebler, dit *Eurastos*, *Éraste*. Il refuse toute juridiction aux ministres calvinistes et ne reconnaît que celle des autorités civiles chrétiennes. Son traité posthume sur l'excommunication : *Explicatio...* (1589), ne va pas jusqu'à établir la souveraineté absolue de l'État sur l'Église, système qui, en Angleterre surtout, fut, de son nom, appelé « érastianisme » [5].

Un autre canoniste luthérien, Théodore Reinkingk, avait, dès 1619, écrit sans hésiter que le *ius reformandi* est un attribut normal de la souveraineté

---

[1] LECLER, *op. cit.*, p. 122-131, d'où est tiré ce présent exposé.

[2] « *Princeps publicam habet de doctrina religionis potestatem iudicandi et decidendi* », cité par LECLER, p. 122 ; Jean BRENZ (1499 à Weil — 1570) ; Cf. *K.L.*, t. II, col. 1234-1242.

[3] LECLER, *op. cit.*, p. 124 ; même thèse chez un autre canoniste, Matthias Stephani : *Ad principes [... les « immédiats »] omnium ecclesiasticorum actuum cognitiones devolutae sunt; et quidem in primis iura episcopalia ex quasi fiduciari contractu sive deposito concredita et commissa...*, *Ibid.*, p. 125.

[4] *Ipsa gubernationis ratio et natura ferre nequit ut duo sint in eodem populo potestates authenticae [...] nisi per subordinationem; perinde atque duobus in uno corpore non potest locus esse capitibus*, dans ses *Loci communes*, Bâle, 1599, p. 631, cité par LECLER, *op. cit.*, p. 126. Wolfgang MUSCULUS (Mäusslin, 1497, à Dieuze, Lorraine — 1563), cf. *K.L.*, t. VIII, col. 2029-2031.

[5] Thomas LIEBER, LÜBER ou LIEBLER grécisa son nom en EURASTOS (1524 à Baden ou à Auggen près de Muhleim, Bade, Aargau — 1583), médecin : professa à Heidelberg, puis à Bâle; zwinglien, il prit une part active aux discussions théologiques (1560, 1564), combattit la sorcellerie, à laquelle il croyait. *Catholicisme*, t. IV, col. 375 s. (bibliographie) ; *K.L.*, t. IV, col. 744 ; *E.B.*, t. VIII, p. 679 s. ; *Real-Encyklopädie für protest. Theologie und Kirche*, t. IV, p. 291 s. *Summa est, Magistratum in Christiana republica unicum esse cui a Deo commissa sit gubernatio externa rerum omnium quae vel ad civilem vel ad piam et christianam vitam pertinent. Intelligi hoc debet de ea Republica dictum, in qua magistratus et subditi eamdem profitentur religionem, eamque veram. In hac duas distinctas iurisdictiones minime debere esse* (cité par LECLER, *op. cit.*, p. 126) ; cf. E. G. LÉONARD, *Relazioni* du Congrès de Rome, 1955, t. IV, p. 87.

temporelle [1]. C'est précisément à lui « que [plus tard] se réfère un autre canoniste, Benoît Carpzov, pour introduire la maxime *cuius regio, illius religio* » [2].

Ainsi, parti du libre essor de l'esprit religieux, la Réforme allemande aboutissait, en droit comme en fait, à soumettre au contrôle du pouvoir profane la forme de l'Église et, sauf le refuge inviolable de la conscience, la règle même de la foi [3].

LA DOCTRINE ECCLÉSIASTIQUE — Du côté catholique, le principe territorial n'était pas inconnu, même en dehors de l'empire. Il inspira le gallicanisme et les autres formes d'anti-romanisme, germes de désagrégation. Si donc l'Église conserva jusqu'à la fin de l'Ancien régime une certaine liberté, c'est avant tout, comme au temps de Grégoire VII, grâce à la conception ecclésiale centrée sur la primauté de Pierre.

Le concile de Trente, il est vrai, dans sa 25e session (chapitre 20), imposait aux souverains le devoir de protéger les immunités de l'Église; mais il ne définit pas les relations mutuelles des deux pouvoirs. Cette tâche fut l'œuvre des théologiens.

D'après eux, l'Église avait droit à la protection de l'État. Il lui devait de veiller à l'exécution de ses décrets en matière de proscription de l'hérésie et des livres mis à l'Index. Il devait reconnaître les privilèges dont les gens d'Église jouissaient de longue date, privilèges judiciaires et fiscaux, droit d'asile [4]. En retour, l'Église se chargeait presque seule de l'enseignement public et des secours charitables aux indigents, aux enfants, aux malades et aux vieillards.

Or, non seulement elle réclamait pour elle l'indépendance et le droit à l'aide de l'État, mais elle prétendait à une certaine juridiction sur la cité. C'est le champ de bataille où les deux pouvoirs se heurtèrent fréquemment

---

[1] Théodore Dietrich REINKINGK (1590 à Windau, Courlande — 1664). *Cum non solum regionis sed religionis cura ad dominos territoriales pertineat* [...], *reformatio religionis sequela superioritatis indubita censetur;* cité par LECLER, *op. cit.*, p. 128. Cf. *Allgem. Deutsche Biographie*, t. XXVIII, p. 90-93.

[2] Jean-Benoît CARPZOV (1639 à Leipzig — 1699). Après avoir cité Reinkingk, il conclut : *profluit hinc axioma illud trahatitium* [...] *quod cuius sit regio, eiusdem etiam sit religio* (*Jurisprudentia ecclesiastica et consistorialis*, Hanovre, 1652, cité par LECLER, *op. cit.*, p. 128 s.); cf. LECLERC, *Les origines et le sens de la Formule : Cujus regio, ejus religio*, dans *R.S.R.*, t. XXXVIII, 1951, p. 119 s.; CONGAR, *Vraie... réforme, op. cit.*, p. 520 s.

[3] Il est vrai que le même principe, invoqué par les princes catholiques, régissait leurs territoires. On étudiera plus loin quelle fut l'attitude de l'Église vis-à-vis de ces souverains. Pufendorf observera que la célèbre maxime ne cadre pas avec la doctrine des catholiques qui refusent au prince le *ius circa sacra*. (LECLER, *op. cit.*, p. 130).

[4] PONCELET, *op. cit.*, t. I, p. 7 et n. 1; [P. DE RAM], *Synodicon belgicum*, Louvain, 1858, t. I, p. 323, 325, 330.
— Sur le *droit d'asile*, LAURENT, *L'Église...*, *op. cit.*, t. I, p. 201; DUHR, *op. cit.*, t. II, I, p. 553.
— La bulle *In Coena Domini* de Léon X (*supra*, p. 379, n. 1), soustrayant les clercs à la juridiction laïque, condamnait les appels comme d'abus et le placet.
— Les immunités fiscales et judiciaires ainsi que le droit d'asile sont affirmés, entre autres, par Lessius, Malderus, Goudelin, de Vernulz et Perez. Cf. ELIAS, *Église et État*, *op. cit.*, p. 921 s.; Emmanuel Sa, S. J., va jusqu'à déclarer qu'un clerc n'est pas sujet du prince (cf. LAURENT, *l'Église... op. cit.*, p. 193).

au cours de leur histoire. Dans l'ordre des faits, à l'époque moderne, l'Église perd constamment du terrain. La bataille se termine par la séparation.

Au point de vue des idées, les théologiens d'après le concile de Trente se divisèrent. Ils s'accordaient, il est vrai, pour étendre l'autorité de l'Église sur l'État, non seulement aux matières spirituelles, mais même au civil [1]. Quand on dit « l'Église », il faut penser « la papauté » [2].

POUVOIR DIRECT OU INDIRECT Ceux qui restaient fidèles à la tradition papaliste médiévale tenaient que le pape, titulaire des deux glaives, pouvait, par juridiction habituelle, reprendre le glaive temporel à un roi hérétique ou indigne. C'est la théorie qu'on appela « du pouvoir direct » [3].

Mais, parallèlement à cette école, une autre avait pris position, qui, en théorie du moins, modérait la puissance temporelle papale. C'est la doctrine dite « du pouvoir indirect ».

D'après les auteurs de cette école, le pape, en vertu de sa mission spirituelle, peut, si elle est menacée, si le salut des âmes est compromis, intervenir pour les défendre, jusqu'à disposer des couronnes. L'illustre théologien de l'école de Salamanque, François de Vitoria, rejetant autant l'impérialisme que la théocratie, peut être regardé comme l'initiateur à l'époque moderne de cette doctrine moyenne [4].

Bellarmin s'en fit le héraut [5]. Ce qui lui valut d'être condamné, d'un côté pour avoir trop attribué au pape et de l'autre pour lui avoir accordé trop peu. On a pu voir ci-dessus (p. 390) quelles avanies il subit en France.

---

[1] *D.D.C.*, t. VI, col. 263-283. Au Moyen-Age ce pouvoir constituait un frein à l'absolutisme royal. (A FLICHE, *Grégoire VII*, p. 165 s.); voir la curieuse théorie de Mariana, qui accorde aux évêques un rôle temporel d'« éphores » (MESNARD, *op. cit.*, p. 556, 559 s.).

[2] On a vu cependant (*supra*, p. 424, n. 2) un auteur accorder au *primat de Pologne* le droit, de déposer le roi.

[3] Voir des exemples ci-après. Voir une énumération avec citations tirées de GIESELER *Kirchengeschichte* dans LAURENT, *op. cit.*, 2e partie, p. 176 s.; le MAZZOLINI DE PRIERO qu'il cite est Sylvestre PRIERAS (1456 à Priero — 1523). Cf. *K.L.*, t. X, col. 394; ELIAS, *op. cit.*, p. 916, opinion de Perez; Ch. JOURNET, *La juridiction de l'Église dans la cité*, Paris; MOULART, *op. cit.*, p. 193-196.
— A Louvain, Sinnich enseigne le pouvoir direct. Cf. BAEKELANDT, *op. cit.*, p. 80; FERET, *La Faculté...*, *op. cit.*, t. I, p. 383 s. SANTARELLI (*De haeresi...*, Rome, 1625) déclare que le pape est le Seigneur des seigneurs; les chefs d'État sont ses délégués, voir *supra*, p. 394, la tempête qu'il provoqua en France et FERET, *op. cit.*, t. III, p. 109.
— Quant au pouvoir temporel des papes, *D.T.C.*, t. XII, col. 2685, 2752, 2772; *D.A.*, t. IV, col. 106; TURMEL, *Hist. de la th. pos.*, *op. cit.*, p. 413-430.

[4] MESNARD, *L'essor...*, *op. cit.*, p. 466 s. Cf. *supra*, p. 414.

[5] *Disp. de Controversiis, Tertia,* lib. V, cap. IV, *Papam non habere ullam temporalem iurisdic tionem directe;* cap. VI, *Papam habere temp. potest. indirecte;* édit. Ingolstad, 1596, col. 1078- 1083; col. 1089-1091. Cf. *S.-D.*, p. 494; *H.-B.*, t. VI, p. 158, 164; MOULART, *op. cit.*, p. 196, 197 s., 200; MARTIN, *Le gallicanisme*, *op. cit.*, p. 345 s.; JANET, *op. cit.*, t. II, p. 76 s., 314; LAURENT, *op. cit.*, 2e partie, p. 178-185; LAVISSE, *Hist. de France*, t. VI, II, p. 148; ELIAS, *op. cit.*, p. 461; FERET, *La faculté...*, *op. cit.*, t. III, p. 83; *A.H.S.J.*, t. VII, 1938, p. 330.
— Suarez, on l'a vu, *supra*, p. 391, pour avoir tenu la même doctrine que Bellarmin, subit en France une condamnation semblable. Cf. MESNARD, *op. cit.*, p. 646-652, 660; FÉRET, *op. cit.*, p. 94.

D'autre part, Sixte V, qui revendiquait le pouvoir *direct* sur le monde entier, mit à l'Index Vitoria et Bellarmin [1].

Le système se distingue par les traits que voici : de manière ordinaire et habituelle, le pape n'a aucune autorité sur le temporel; mais les deux pouvoirs sont unis comme le corps est uni à l'âme et l'âme doit veiller au bien du corps; dans le cas d'une déviation de la part du souverain, le cas d'hérésie par exemple, le pape peut, de *manière exceptionnelle*, intervenir d'autorité; car l'Église, « société parfaite », doit pouvoir disposer des moyens nécessaires à son but, supérieur à celui de l'État.

Au prestige de saint Bellarmin s'ajouta celui de Suarez. Sa doctrine rallia un grand nombre de théologiens [2], au point qu'elle reste classique dans l'Église, jusqu'au jour où la séparation des pouvoirs, en l'évinçant de la vie pratique, la confina dans le domaine de la théologie et de l'histoire [3].

§ 2. — L'Église et les relations internationales [4].

Le xvie siècle voyait se heurter les monarchies nouvellement centralisées. L'unité de la République chrétienne se désagrégeait, en attendant de sombrer aux traités de Westphalie (1648). En l'absence de tout arbitrage et de tout

[1] *D.T.C.*, t. II, col. 564; on se rappellera que Sixte-Quint excommunia et déposa Henri de Navarre.

[2] Boucher, prédicateur de la Ligue, utilise la thèse et les arguments de Bellarmin. *De la simulée conversion de Henri IV*, cité par Laurent, *op. cit.*, p. 187 et n.
— Aux Pays-Bas, le pouvoir indirect est enseigné par Malderus (Elias, *L'Église...*, *op. cit.*, p. 907, 916) et à Louvain par Goudelin, Vellensis (A. Delvaux), Zypeaus, Stapleton (*D.N.B.*, t. XVIII, p. 990). Baekelandt, *op. cit.*, p. 79 s. En Allemagne, M. Becanus.

[3] En attendant, le recours aux *concordats*, pratiqué de longue date, trouva son théoricien en Suarez. Cf. F. Alvarez, *La teoria concordataria en Francisco Suàrez*, Univ. de Salamànca. Dissert., Léon, 1954.

[4] Bibliographie. — Voir plus loin, au nom des divers théologiens. — On évite ici de recopier les bibliographies citées par les auteurs suivants : *D.T.C.*, t. XIV, col. 2726-2728; 2762 (Suarez); H. Beuve-Méry, *La théorie des pouvoirs publics d'après François de Vitoria et ses rapports avec le droit contemporain*, Paris, 1928; A. Bouilla y San Martin, *El escolasticismo tomisto y el derecho internacional*, Madrid, 1918; V. D. Carro, *El maestro Fr. Pedro de Soto, O. P. ...y las controvérsias politico-theologicas en el siglo XVI* (Biblioteca de Teologos españ., vol. XV), Salamanque, 1953; L. Carreras y Artan, *Doctrinas de F. Suarez acerca del Derecho de Gentes y sus relaciones con el Derecho Natural*, Gerona, 1921; P. Coulet, *L'Église et le problème international*, 1923; J. W. Garner, *Des limitations à la souveraineté nationale dans les relations extérieures*, dans Rev. de Dr. intern. et de Législ. comp., t. LII, 1925, p. 36-59; C. Giacon, *La seconda scolastica. I problemi giuridico-politici* (Suarez, Bellarmin, Mariana), Milan; G. Goyau, *L'influence du christianisme sur le développement du droit international*, dans Recueil des cours de l'Académie de droit intern. de La Haye, t. I, 1925; P. Hadrosser, Introduction de W. Schaetzel, *Franciscus de Vitoria. De Indis ...et de Jure belli*, Tubingue, 1952, p. xv-xxx; E. Nys, *Le droit de la guerre et les précurseurs de Grotius*, Bruxelles, 1882; Id., *Les origines du droit international*, Bruxelles, 1894; Id., *Les théories politiques et le droit international*, Bruxelles, 2e éd., 1899; N. Politis, *Le problème des limitations de la souveraineté*, dans Académie de droit intern., Paris, 1926; Th. Ruyssen, *Les sources doctrinales de l'internationalisme*, T. I. *Des origines à la paix de Westphalie*, Paris, 1954; A. Valensin, *Les lois naturelles de la vie internationale*, dans Docum. cathol., t. XVI, 1926, p. 583-605; *Vitoria et Suarez, contribution des théologiens au droit international moderne*, (œuvre collective S. J. Dir. Y. de la Brière. Association internationale Vitoria-Suarez, Paris, 1939. On y a groupé, par ordre de sujets, les textes originaux de ces auteurs avec un commentaire en français; indispensable.

droit international [1], il ne restait aux États absolutistes, en cas de conflit, que la force.

LE DROIT DE GUERRE A l'horreur croissante des guerres devenues nationales, n'y avait-il aucun remède? Et d'abord, la guerre pouvait-elle se justifier? Questions aussi anciennes que la guerre elle-même [2]. L'illustre fondateur du droit international, Hugo Grotius, énumère ceux de ses prédécesseurs qui ont préparé le sujet [3].

Parmi les théologiens des XVIᵉ et XVIIᵉ siècles, on retrouve sous sa plume les noms des grands théologiens, Vitoria, son disciple Dominique de Soto, Mariana, saint Bellarmin, Suarez [4].

Développant les notions de guerre « juste » et « injuste », que leurs prédécesseurs avaient étudiées, ils scrutent les conditions de légitimité des conflits armés, habituellement en se référant aux exemples récents; c'est ainsi que Vitoria traite successivement de la légitimité et des droits de la guerre, puis de la réglementation de la paix. Suarez étudie la guerre pour motif d'humanité [5].

Cependant, malgré les moralistes, la guerre et ses excès restaient un mal sans cesse renouvelé.

Les irénistes alors cherchèrent un moyen de l'éviter. Comme le droit interne des nations appuyé sur l'autorité du prince avait triomphé — plus ou

---

[1] *D.T.C.*, t. I, col. 1934 s.

[2] BIBLIOGRAPHIE. — *D.T.C.*, t. V, col. 1899-1962 (T. ORTOLAN). Article remarquable, quoique trop marqué par les sentiments d'après-guerre; abondante bibliographie, col. 1959; on y trouvera cités les ouvrages de Vitoria, de Suarez, de Bellarmin, des Salmanticenses, de Grotius et ceux des époques suivantes; *on ne les reproduira pas ici*; *E.U.I.E.A.*, t. XXVIII, p. 41, droit de la g.; p. 54, bibliogr.; F. ARIAS DE VALDERAS, *De belli iustitia et iniusticia*, 1533; M. D. CHENU, *L'évolution de la théologie de la guerre*, dans *Lumière et Vie*, t. XXXVIII, 1958; (Augustin, Thomas d'AQUIN, Vitoria); E. NYS, *Le droit international*, Bruxelles, Paris, 1904, t. I, p. 212-229 (suivent les auteurs postérieurs à 1648, p. 263); ID., *Le droit de la guerre et les précurseurs de Grotius*, Bruxelles, 1882; ID., *Les publicistes espagnols du XVIᵉ siècle...*, Bruxelles, Leipzig, 1890, p. 23; A. VALENSIN, *Les lois naturelles de la vie intern.*, dans la *Docum. cath.*, t. XVI, 1926, p. 602; L. PEREÑA VICENTE, *Francisco Suarez. Guerra. Intervención. Paz internacional*, Madrid, 1956; J. B. SCOTT, *Genèse du Droit de la guerre et de la paix* [de Grotius], dans *Rev. de droit intern. et de législ. comp.*, t. LII, 1925, p. 481-527; Y. DE LA BRIÈRE, *Des droits de la juste victoire selon la tradition catholique*, dans *Rev. g. de droit intern.*, 1925, p. 366, analysé dans *Rev. de Dr. int. et de législ. comp.*, t. LIII, 1926, p. 423 s.; ID., *Le droit de juste guerre*, Paris, 1938; MESNARD, *op. cit.*, p. 657 (Suarez); A. VANDERPOL, *La guerre devant le christianisme*, Paris, [1911] p. 167-222 (théologiens des trois derniers siècles); contient, p. 223-274, le traité *De iure belli* de Fr. de Vitoria en trad. franç.; ID., *La doctrine cathol. du droit de guerre*, Paris, 1919.

— Sur la théorie d'*Érasme*, MESNARD, *op. cit.*, p. 102-118; p. 117, intéressante énumération des moyens de prévenir la guerre.

— Sur la guerre chez *Luther*, *ibid.*, p. 217-229.

[3] NYS (*op. cit.*, p. 213-233) énumère ces précurseurs qui ont traité du droit de la guerre depuis saint Thomas d'Aquin (p. 216). On y trouvera les références aux noms qui sont cités ici dans le texte.

[4] Vitoria traite surtout de la guerre de conquête au Nouveau Monde; il en sera question plus loin. Il faut citer aussi J. A. Covarruvias y Leyva (*supra*, p. 415, n. 1) et les théologiens moins célèbres (NYS, p. 223-230), Guillaume Mathiae, Balthasar de Ayala, Jean de Carthagène.

[5] VITORIA et SUAREZ, *op. cit.*, p. 81-146 (voir table, p. 275); pour Suarez, p. 205-207.

moins — de la force brutale, ne trouverait-on pas un droit international qui, appuyé sur une police internationale, réglerait les désaccords entre États [1] ?

Il s'ensuivit une opposition entre deux tendances idéologiques. Car, dans la société internationale comme dans la nation, certains esprits tendent à l'autarcie, d'autres, de nature plus liante, recherchent les rapports mutuels [2].

Au XVIe siècle, les nationalités en formation s'éprennent d'indépendance totale et aboutissent à la guerre, ruinant toutes les tentatives successives de groupement universel [3]. Malgré tout, les théologiens et les juristes travaillent. Ce sont, avant tous, le dominicain François de Vitoria et le jésuite Suarez, initiateurs du droit international. [4]

Il est difficile de séparer ces deux théologiens. Plus l'histoire les étudie, plus elle reconnait leur part dans la création d'une science nouvelle. Vitoria est le pionnier, « reconnu comme le père avoué du droit international » [5]; mais son œuvre apparaît « plutôt comme une anticipation hardie que comme un exposé doctrinal » [6]. La construction de la doctrine fut continuée par Suarez. Leur œuvre commune elle-même s'inspire, à travers saint Thomas, de la lointaine tradition. Autant que Vitoria, qui avait été influencé par l'humanisme, Suarez part d'une idée fondamentale : l'unité du genre humain [7]. Comme moyen juridique d'organiser cette communauté, doit se constituer un droit international, *ius gentium*. Il a deux sources : le droit naturel, *ius naturale*, et le consentement unanime du genre humain. Déjà les théologiens catholiques étaient armés pour résoudre le problème de la diminution de souveraineté des princes, puisqu'ils leur refusaient un pouvoir absolu.

[1] A l'époque moderne, « this movement was a demand for the establishment and enforcement of a body of international law on a secure basis; a demand for the *extension of the fundamental western conception of national law*, conceived in the common interest, *from the sphere of the state to the sphere of inter-state relationship* ». Ramsay MUIR, *Nationalism and internationalism*, Londres, 1917, p. 34.

[2] Les exemples abondent; on connaît, sous Louis le Débonnaire, l'opposition entre les partisans (ecclésiastiques) de l'unité impériale et les forces centrifuges nationalistes.

[3] Sur les querelles idéologiques au sujet de la politique extérieure de Richelieu (alliance protestante) cf. J. M. JOVER, *Historia de una polemica y semblanza de una generación, (1635)*, Madrid, 1942. — Sur les effets du nationalisme, VALENSIN, *op. cit.*, p. 583.

[4] Il vaudrait la peine de relever dans l'œuvre de Bartholomé de Las Casas (cf. *infra*, p. 442, n. 4), au sujet des conquêtes espagnoles, ses assertions que Vitoria reprit à son compte. Cf. L. HANKE trad. par F. DURIF, *Colonisation et conscience chrétienne au XVIe siècle*, Paris 1957, p. 165, 227.

[5] M. C., dans *Bull. thom.*, t. IV, 1934-1936, p. 837 s.

[6] MESNARD, *op. cit.*, p. 454 s., 463-473, 673; Fr. DE VITORIA (*supra*, p. 236), *Relectiones XII theologicae*, Lyon, 1557.
Sur *Vitoria et Suarez*, supra Bibliographie, p. 432; *E.U.I.E.A.*, t. LXIX, p. 630-638; *Rev. de Phil.*, t. XXXVI, 1929, p. 381-385; V. BRANTS, dans *Rev. génér.*, juin 1912 (Bruxelles).
— Vitoria eut comme disciple et continuateur Melchior Cano. Cf. L. PEREÑA VICENTE, *Melchior Cano, discipulo de Francisco de Vitoria en derecho internacional*, dans *Ciencia tomista*, t. LXXXII p. 463-478.
— Sur les opinions de Goudelin et de Zypaeus, Cf. V. BRANTS *Cinq siècles... op. cit.* p. 66, 73 s., 82.

[7] *Vitoria et Suarez, op. cit.*, p. 21; NYS, *op. cit.*, p. 54; MESNARD, p. 463, 652 s.

Ce droit naturel, reconnu de toute antiquité, est la loi primitive, non écrite, comprenant les principes fondamentaux de la morale. Il avait été de longue date étudié et enseigné, notamment par saint Thomas d'Aquin, qui s'y est attaché particulièrement.

Quant au *ius gentium*, il est traité par Vitoria surtout en vue des problèmes coloniaux; Suarez s'applique à le définir et en étudie les sources. Pour eux, son élément positif se compose des coutumes conformes au bien commun et admises, sinon par toutes les nations, au moins par un grand nombre de celles qui l'emportent par leur degré de civilisation. Élément variable et valable seulement par l'accord des nations, pour le bien général et selon les impératifs du droit naturel. On voit que ces théologiens avaient pressenti la création de nos organismes internationaux. Ils avaient d'ailleurs insisté sur l'existence d'une communauté internationale, sur l'égalité de traitement entre les États et sur le règlement pacifique des conflits internationaux [1].

Le droit de la guerre touchait à celui de la colonisation, qui souleva d'ardentes polémiques.

§ 3. — L'Église et les problèmes coloniaux [2]

Relations internationales et guerre n'étaient pas pour la théologie des sujets inconnus. Mais les découvertes maritimes des Espagnols et des Portugais

---

[1] La définition du droit des gens par Vitoria : *Quod naturalis ratio inter omnes gentes constituit.* Cf. *Vitoria et Suarez*, p. 31-38 (Vitoria); p. 148-188 (Suarez); NYS, *op. cit.*, p. 52, 241; MESNARD, *op. cit.*, p. 617, 652, 672.
— F. VASQUEZ MENCHACA appelle le droit naturel *ius primaevum* et le droit des gens *ius secundarium.* (NYS, *op. cit.*, p. 53).
— Sur le droit naturel transmis par le Moyen Âge : NYS, *Droit intern., op. cit.*, t. I, p. 49-52.
— Il est intéressant de comparer l'opinion d'un protestant : R. HOOKER, *Ecclesiastical policy*, 1952, t. I, p. 10. Sur l'autorité du droit des gens : la « force et l'autorité du droit des gens résident dans ce fait qu'aucun État particulier ne peut légitimement y porter atteinte par ses lois propres, pas plus qu'un individu ne peut porter atteinte, par sa volonté propre, à la loi de l'État dans lequel il vit... » Cité par J. W. GARNER, *Des limitations à la souveraineté nationale dans les relations extérieures*, dans *Rev. de Droit intern. et de législ. comp.*, LIIe année, 1925, p. 49 n. 4.

[2] BIBLIOGRAPHIE. — *Références générales.* — Voir la bibliographie sur les relations internationales, p. 432. Il sera nécessaire de recourir : 1. A la bibliographie de *H.E.*, t. XIX, I, p. 91-93 et aux notes des pages suivantes; 2. à la *très complète* bibliographie dans L. HANKE, trad. par F. DURIF *(infra)*, p. 285-307; 3. à l'*indispensable* liste chronologique de documents et de travaux modernes dans L. HANKE et M. GIMENEZ FERNANDEZ, *Bartolomé de las Casas* (cf. *infra*), p. 1-265; chaque numéro (notamment plusieurs livres énumérés *infra*) est accompagné d'une note historique et critique, ainsi que de l'*indication du dépôt où se trouve le document ou le livre*; Voir *H.E.*, t. XVII, p. 462 s. 467 (Las Casas et Sepúlveda); *D.T.C.*, t. XIV, col. 2721; *E.C.*, t. IV, p. 6-14, Colonizzazione (bibliogr.), t. IV, p. 4-6, Diritto coloniale, Schiavittù, t. XI, col. 55-58 (bibliogr.); *E.I.*, t. X, p. 824-828, p. 826 (bibliogr.); *E.U.I.E.A.*, t. XIV, p. 289, surtout et 324-330; *K.E.*, t. XV, col. 497-499 (bibliogr.); *Bull. Thom.*, t. VIII, 1947-1953, p. 1302-1310, t. XXXVI, 1952, p. 536.
Sources : *Colección de documentos ineditos relativos al descubrimiento, conquista y colonizacion de las posesiones españolas en América y Oceania*, Madrid, 1864-1884; J. DE ACOSTA, (1539 à Medina del Campo — 1600), *De procuranda indiorum salute*, Madrid, 1952, cf. *E.U.I.E.A.*, t. II, p. 404 et SOMM., qui indiquent ses nombreux ouvrages sur les colonies; JEAN DE SOLORZANO PEREYRA (1575 à Madrid — 1653 ou 1654), *De Indiarum iure disputatione*, 1629-1639, *E.U.I.E.A.*, p. 198; F. DE VITORIA, *De Indis*, dans A. VAN DER POL, *infra*; ID., *De Indis recenter inventis et de Iure belli Hispanorum in Barbaros*, édit. W. SCHAETZEL, Tubingue, 1952; M. ETCHEVERRY, *Sur deux lettres de*

B. de las Casas, dans *Bull. hispan.*, t. XLIII, p. 162-171; M. Gimenez Fernandez, *El plan Cisneros-Las Casas para la reformacion de las Indias*, Séville, 1953, p. 421-697, avec fac-similés de documents importants; J. Ginès de Sepulveda, *Democrates secundo o de las Justas Causas de la Guerra contra los Indios*. Edicion Critica bilingue, ...por A. Losada, Madrid, 1951; C.-r., dans *R.S.P.T.*, t. XXXVI, 1952, p. 536; L. Hanke et M. Gimenez Fernandez, *Bartolomé de las Casas, 1474-1566*, Santiago du Chili, 1954; F.-X. Hernaés, *Coleccion de Bulas, Breves y Otros Documentos Relativos à la Iglesià de America y Filipinas*, Bruxelles, 1879; Œuvres de Las Casas. Cf. Streit, *infra*, Tables des Auteurs des t. I et II; J. A. Llorente, *Colección de la Obras del ...Obispo de Chiapa ...con ...notas criticas*, 1822; Id., *Œuvres de don B. de las Casas*, Paris, 1822-1827; Milares Carlo et L. Hanke, édit. *Cuerpo de documentos del siglo XVI sobre los derechos de España en los Indos y las Pilipinas*, Mexico, 1943; E. Nys, édit., *Vitoria. De Indis et de iure belli relectiones. The classics of international law*, Washington, 1917 (avec traduction anglaise); F. Seraphicus de Freitas, *De justo imperio Lusitanorum asiatico*, Valladolid, 1625, cap. 6, De potestate S. Pontificis in rebus temporalibus; cap. 7, Utrum Lusitani in Indos ius dominationis habeant titulo donationis Pontificiae, p. 74-79 (dans Streit, *infra*, t. I, p. 179); J. Tejada y Ramiro, *Colección de canones y de todos los Concilios de la Iglesia de España y de America*, Madrid, 1859 s.; A. Van der Pol, *Le traité « de Indis » de F. Vitoria*, dans *Bull. de la ligue des cathol. français pour la paix*, n. 13, 1910, p. 3 (Droit du premier occupant. — Droit de conquête); *Vitoria et Suarez. Contribution des théologiens au droit international moderne* (œuvre collective sous la dir. d'Y. de la Brière, Paris, 1939.

Travaux — Voir *supra* les encyclopédies; *Encicl. filosofica*, Venise-Rome, 1957, t. IV, col. 1644-1647; *P.G.*, t. III, p. 517-520; R. Altamira, *El primer proyecto de Recopilación de Indias por D. Juan de Solorzano Pereyra*, dans *Bull. hispan.*, t. XLII, 1940, p. 97-123; I. Aubry, *La colonisation et les colonisateurs*, Paris, 1903; C. Barcia Trelles, *Francisco de Victoria et le Droit moderne international*, Paris, 1928; J. Baumel, *Leçons de Fr. de Vitoria sur les problèmes de la colonie et de la guerre*, Paris, 1936; M. Brion, *Bartholomé de las Casas*, Paris, 1927; V. D. Carro, *La Teologia y los Teologos-Juristas españoles ante la conquista de America*, Salamanque, 1951, 2ª éd. C.-r. dans *R.S.P.T.*, t. XXXVI, 1952, p. 536; *Colonisation et conscience chrétienne*, dans *Recherches et débats*, n. 6, Paris, 1953; œuvre collective, contient entre autres M. Brion, *Bartholomé de Las Casas*, p. 35-49 (biographie), Y. M. J. Congar, *L'Église devant les faits de race*, p. 51-63, *La politique coloniale des papes*, p. 127-156; P. de Leturia, *Relaciones entra la Santa Sede e Hispano-america, 1493-1835*, t. I, *Epoca del real patronato*, 1493-1810; éd. par A. de Egaña, *Anal. Gregor.*, Rome, 1959, t. CI-CII, (C.-r. *A.H.S.J.*, XXVIII, 1959, p. 250-254 : M. Batllori); J. T. Delos, *L'expansion coloniale dans la doctrine de Vitoria et les principes du droit public moderne* (à la suite de *Vitoria et Suarez*, *supra*, p. 250-272); M. Brion, *Las Casas-Ginès de Sepúlveda*, dans *Colonisation et conscience chrétienne*, cf. *supra*; Id., *Bartholomé de las Casas, Père des Indiens*, dans *le Roseau d'or*, n. 20; R. P. Ducatillon, *Théologie de la colonisation*, dans *Revue de l'Action populaire*, 1955, p. 769-785; F. Durif, trad. de L. Hanke, cf. *infra*; M. J. Espinoza, *Gouveia : Jesuit Lawgiver in Brazil*, dans *Mid-America*, t. XXIV, 1942, p. 27-60; X.-A. Flores, *Un théologien face au pouvoir. François de Vitoria et la conquête des Indes*, dans *Esprit*, xxixe année, mars 1958, p. 385-407 (rappelle s. Thomas et Cajétan, puis analyse Vitoria au regard de la conjoncture coloniale actuelle); J. Folliet, *Le droit de colonisation*, Paris, 1930; P. B. Gams, *Die Kirchengeschichte von Spanien*, Graz, 1956; t. III, 2, p. 95, 106 (bibliogr.); J. Gayo Aragon, *Ideas juridico-teologicas de los religiosos de Filipinas en el siglo XVI sobre la conquista de las Islas*, Manila, 1950; M. Gimenez, *El plan Cisneros-Las Casas para la Reformación de las Indias*, B. de las Casas, vol. I, Séville, 1953; A. Girault, *Principes de colonisation*, 1927; L. Hanke, *B. de las Casas, An interpretation of his life and writings*, La Haye, 1951; remarquable c.-r., des œuvres de H., dans *R.B.P.H.*, t. XXX, 1952, p. 975-979 (Ch. Verlinden); les nombreux ouvrages de ce savant professeur de l'Université du Texas à Austin, indispensables pour l'histoire de las Casas, notamment *Colonisation*, *infra*, sont indiqués dans l'*Indice analytico* de : Id., et M. Gimenez Fernandez, *Bartolomé de las Casas, 1474-1566* (Bibliogr. et matériaux), Santiago du Chili, 1954; L. Hanke, *Bartolomé de las Casas. Pensador politico, historiador, antropologo*. Version española de Antonio Fernandez Travieso, La Havane, 1949; Id., traduit par F. Durif, *Colonisation et conscience chrétienne au XVIe siècle* (l'original est indiqué *infra* : *The Spanish Struggle*), Paris, 1957; désigné dans ces notes-ci par le sigle H.-D.; Id., *Paul III and the American Indians*, dans *Harvard theol. Rev.*, t. XXX, 1937, p. 65-102, fac-similé du bref *Non indecens videtur* du 19 juin 1538; Id., *The Spanish Struggle for Justice in the Conquest of North America*, Philadelphie, 1949; Id., *Id.*, traduction espagnole : *La Lucha par justicia en la conquista de America*, Buenos-Aires, 1949; Th. Hanley, *Catholic Political Thought in Colonial Maryland Governement 1632-1649* dans *Hist. Bull.*, St. Louis, t. XXXII, p. 27-34; R. M. Iannarone, *Il pensiero colonial di Francisco de Vitoria*, dans *Studia Patavina*, t. II, 1955, p. 396-431; L. Lopetegui, *El P. J. de Acosta y las misiones*, Madrid, Consejo

lui posaient des questions nouvelles [1] : organisation de l'apostolat et de la charité (dont il sera question au tome II de ce volume); problèmes humanitaires, juridiques et religieux, dont la solution doctrinale intéressait l'État comme l'Église.

PROBLÈMES NOUVEAUX Au monde ancien la première Révélation du Sauveur avait promis « la paix aux hommes de bonne volonté »; que serait la seconde Épiphanie, adressée à cette seconde et majeure partie de l'univers, à ces populations sorties de la nuit? Hélas! le « rêve

Superior de Invest. scientif., 1942; A. LOSADA, *Juan Ginès de Sepúlveda a travès de su « Epistolario » y nuevos documentos*, Madrid, 1949. C.-r. dans *R.S.P.T.*, t. XXXV, 1951, p. 354; ID., éd. de JUAN GINÈS DE SEPÚLVEDA, *supra*, Cf. HANKE-GIMENEZ, table p. 3; J. HOFFNER, *Christentum und Menschenwürde*, Trèves, 1947; J. MARGRAF, *Kirche und Sklaverei seit der Entdeckung Amerika's*, Tubingue, 1865, p. 23-121, action en Amérique. Las Casas, etc. ... Cf. STREIT, *infra*, t. I, p. 653 s.; P. MESNARD, *op. cit.*, p. 466; L. MOLINA, *De iustitia et iure*, *op. cit.*; T. MOTOLINIA, *History of the Indians of New Spain*, Berkeley, 1950; K. B. MURDOCK, *Literature and Theology in colonial New England*, Cambridge, 1949; NYS, *Droit international*, *op. cit.*, p. 123; ID., *Les publicistes espagnols au XVIᵉ siècle et le droit des Indiens*, Bruxelles, Leipzig, La Haye, Paris, 1890; sur *Vitoria*, p. 31 s.; R. OCTAVIO, *Les sauvages américains devant le droit*, dans *Recueil des cours de l'Acad. de droit internat.*, t. I, 1930, p. 181; J. L. PHELAN, *The Hispanization of the Philippines. Spanish Aims and Phillip. responses, 1565-1700*, Madison, 1959. C.-r. dans *R.H.E.*, t. LIV, 1959, p. 965; *La politique coloniale des papes*, dans *Colonisation et conscience chrétienne*, cf. *supra*, p. 127-156; M. J. QUINTANA, *Vidas de Españoles celebres*, Paris, 1845 (B. de las Casas); V. RAMIREZ DE VILLA-URRUTIA, *Francesco de Vitoria, Precursor de Grocio*, dans *Rivista de España*, juin 1881, cité par NYS, *Publicistes*, *op. cit.*, p. 31 n. 1; G. RAYNAL, *Histoire politique et philosophique des établissements et du commerce des Européens aux Indes*, Genève, 1780; A. C. F. REIS, *The Franciscans at the opening of the Amazon region*, dans *Americas*, vol. XI, 1954, p. 173-193; A. REY et G. R. HAMMOND, *Don Juan de Oñate, Colonizer of New-Mexico*, 1595-1628, New Mexico, 1953; D. RINCHON, *La traite et l'esclavage des Congolais par les Européens*, Wetteren, 1929 (abondante bibliogr. p. 243-280); R. SEDILLOT, *Histoire des colonisations*, Paris, 1958; F.-B. STECK, *Some Recent Trends and Findings in the History of the Spanish Colonial Empire in America*, dans *Cath. Hist. Rev.*, t. XXVIII, 1942, p. 13-42; E. STAEDLER, *Die « Donatio Alexandrina » und die « Divisio mundi » von 1493*, *Arch. für Kathol. Kirchenrecht*, t. CXVII, 1937, p. 363-402; R. STREIT, *Bibliotheca missionum*, Munster en Westph., t. I, 1916, t. II, 1924; *Tables aux mots : Indianer, Consejo de Indias, Kolonialrecht, Niger, Sklaven, Sklaverei*; ID., continué par J. ROMMERSKIRCHEN et J. DINDINGER, *Bibliografia missionaria*, Isola del Liri, 1935 s.; TUMMERS, *Vraagstuk der Koloniale verhoudingen*, dans *Studien*, t. CXIII, 1930; VAN der KROEF, J. M., *Francisco de Vitoria and the nature of colonial Policy*, dans *Cath. Hist. Rev.*, t. XXXV, 1949, p. 129-162; L. WECKMANN, *Las Bulas Alejandrinas de 1493 y la teoria politica del Papado medieval. Estudio de la supremacia papal sobre istas, 1091-1493* (Introd. de E. H. KANTOROWICZ. Univ. auton. de Mexico. Public. d. Inst. d. Hist., Iᵃ ser., nº 11, Mexico, 1949). C.-r. *R.B.P.H.*, t. XXIX, 1951, p. 588-596; S. ZAVALA, *New Viewpoints on the Spanish colonisation in Americas*, Philadelphie, 1943

— Sur *F. de Vitoria* : Bibliographie précieuse dans P. HADROSSER, introduction de W. SCHAETZEL, *Franciscus de Vitoria. De Indis... et de Jure belli*, Tubingue, 1952, p. XXVII-XXX; *R.S.P.T.*, t. XXXVI, 1952, p. 630.

— Sur l'esclavage : *D. A.*, t. I, col. 1457-1522 (surtout 1512); *D.T.C.*, t. V, col. 486-520 (abond. bibliogr. col. 519 s.); *E. C.*, t. XI, col. 55-58 (bibliogr.).

— Sur *Alexandre VI : P. G.*, t. III, p. 517-520; *P. H.*, t. VI, p. 149-152.

[1] Le sigle H.-D., désignera ici l'ouvrage de HANKE, trad. par DURIF *(supra)*. Les entreprises coloniales des autres pays, ou bien n'appartiennent pas au cadre de ce volume, ou bien ne soulevèrent pas les mêmes véhémentes discussions. Nous nous bornerons ici à l'occupation espagnole, qui provoqua les théories les plus typiques.

— Sur la conduite des Portugais au Brésil, *H.E.*, t. XVII, p. 468; *D.T.C.*, t. V, col. 492-494 s. (les jésuites); la puissante influence du P. Vieyra S. J. et de ses collègues contre l'esclavage *(D.T.C.*, t. V, col. 505) se place après le siècle posttridentin ainsi que les célèbres réductions du Paraguay.

héroïque » des « gerfauts » lâchés sur les « îles » se révéla odieusement « brutal ».
Très tôt, la croix plantée par Colomb sur la plage de San-Salvador avait fait
place à la rude épée des *conquistadores*, à celles de Cortèz et de Pizarre.
Et, dès les Antilles, administrateurs et colons avaient déshonoré le nom
d'Espagnol et celui de chrétien. Des abus criants, souvent criminels, étaient
attestés par de nombreux observateurs [1].

Concussion et rapacité de nombreux fonctionnaires; malversations des
« colons »; désordres de conduite; brutalité et sévices à l'égard des indigènes;
par-dessus tout, l'esclavage massif résultant des *encomiendas*. Cette institution, conçue dans le but d'évangéliser, permit à des exploiteurs sans scrupule
de s'asservir et de harasser jusqu'à l'épuisement d'innombrables « Indiens » [2].

LA QUESTION MORALE Notre étude ne portera pas sur ces événements;
ET JURIDIQUE elle ne cherchera pas à les préciser, à découvrir
la part de vérité qu'il faut dégager des réquisitoires
publiés contre les envahisseurs, leur responsabilité exacte dans le dépeu-
plement des Antilles et dans la disparition des civilisations du Mexique et
du Pérou [3]. Ce que nous considérons comme objet de notre étude, c'est
la solution de l'Église aux problèmes suscités par la détresse tragique des
populations tyrannisées.

L'Église devait réagir. Par sa charité d'abord. Elle n'y manqua point,
comme on le verra dans la suite. Mais elle avait aussi à éclairer les consciences
qui l'interpellaient. Les souverains, en effet, sensibles aux cris d'alarme qui
montaient vers eux — il faut leur rendre cette justice — consultèrent les
théologiens [4].

La réponse vint très tôt. Elle se poursuivit au-delà du concile de Trente.
Pour la synthétiser, il faut donc remonter aux origines.

---

[1] *H.E.*, t. XVII, p. 462, 467; M. Gimenez Fernandez, *El plan, op. cit.*, p. 26, 35, 108.
« Su harén de jovenes Indias »; sommes énormes accumulées par certains; nombre énorme
d'esclaves qu'ils se font attribuer et dont ils trafiquent. Sur les excès des colons, *H.-D.*, p. 130
(citations).

[2] Par délégation de pouvoir, des Espagnols, « encomenderos », recevaient du gouvernement
en « commende » — et souvent sub-déléguaient à des remplaçants — une étendue déterminée
de territoire et ses habitants *(encomienda* ou *repartimiento)*; la mission qui leur était imposée
de les faire évangéliser passa souvent au second plan, cédant la place à une servitude mal
déguisée. Le système fut organisé par patente du 22 juillet 1497, puis par les lois de la *Recopilación de Indias* (loi I, titre VIII, liv. VI); celle de 1538 insiste sur les devoirs d'humanité
à l'égard des Indiens; celle de 1593 fulmine des peines sévères contre les malversations.
Cf. *E.U.I.E.A.*, t. XIX, p. 1189, qui considère le côté légal plutôt que les événements; *D.T.C.*,
t. V, col. 490; *H.E.*, t. XIX, p. 107 s. Au point de vue social, *l'encomienda* créait, parmi les
Espagnols, une classe de privilégiés qui fait songer à la féodalité (*H.-D.*, p. 8, 158 et *passim*.)
— Le même auteur, malgré ses sagaces recherches, déclare que, faute de documents, il est
impossible de porter un jugement objectif sur ce système, p. 121; sur l'évolution du système
jusqu'en 1542, p. 126.

[3] On a fait observer notamment qu'il nous est impossible d'évaluer les ravages certains
des fréquentes maladies contagieuses parmi ces populations. — Sur les progrès de la dépopu-
lation, voir les chiffres de Las Casas cités par P. B. Gams, *op. cit.*, p. 107 s.

[4] *D.T.C.*, t. V, col. 490, 492, 497. De Ferdinand le Catholique à Philippe II, la couronne
provoqua de nombreuses réunions de théologiens, de juristes et de fonctionnaires, afin de
s'éclairer sur les problèmes coloniaux.

Il va sans dire que rien ne justifiait les procédés cruels des « occupants »; ils auraient été condamnables à l'égard d'animaux. Abstraction faite de cet aspect indiscutable, quels droits fallait-il reconnaître aux populations conquises? Avait-on seulement celui de les conquérir?

DEUX ÉCOLES Par malheur, la solution fut double [1]. Pour se l'expliquer et pour comprendre les avocats de l'occupation espagnole, il ne suffit pas de se rappeler qu'ils défendaient des compatriotes, que quelques-uns y trouvaient leur profit. Il faut tenir compte des données que fournissaient à des théologiens en chambre les lointains *descubridores*. Elles ressemblaient à celles qui s'imposeraient à nos juristes, s'ils étaient chargés — *sit venia hypothesi* — d'un code rétrospectif pour les pithécanthropes.

Ce qui devait embrouiller ces débats, c'est — comme il arrive souvent — qu'on ne prit pas la peine d'en préciser l'objet. Sous l'appellation vague d' « Indiens » on entassait sans distinction des peuples aussi divers de caractère et de culture que Caraïbes, Guaranis, Aztèques ou Incas.

Certaine école représentait les populations « barbares » comme inférieures à l'*homo sapiens,* se nourrissant comme des bêtes et même de chair humaine [2], vivant sans aucun vêtement, communiquant entre elles par des sons inintelligibles, sans police et sans organisation, bref des « animaux parlants », qu'il ne fallait pas traiter comme des hommes. C'est la thèse de la *bestialidad.*

LA THÈSE ESCLAVAGISTE. Partant de là, on invoquait divers titres de droit.
RÉACTIONS Le droit conféré par Aristote de les tenir pour destinés à l'esclavage de par la nature même. Le droit de tutelle sur ces « mineurs » semblables à des enfants incapables de se conduire. La supériorité de la race blanche — seule « humaine » — sur ces anthropoïdes inférieurs. Il faut y ajouter les droits invoqués par ceux-mêmes qui ne ravalaient pas au plus bas niveau les races locales : le droit de conquête, encore admis alors, le droit du premier « découvreur » chrétien, le droit résultant d'une « *donation* » *papale.* Les plus humains se basaient sur la mission évangélique et civilisatrice des chrétiens; encore fallait-il alors considérer les indigènes comme capables de recevoir le baptême.

A la rigueur, on pourrait comprendre pareilles conclusions chez des juristes-théologiens de la métropole, incapables de vérifier les données de base. Ils ne savaient rien de ce que nos archéologues découvrent encore, avec une stupeur admirative, les merveilleuses civilisations des Aztèques et des Incas. Il fallut qu'un Espagnol indépendant écrivît que « les temples Mayas du Yutacan ne méritaient pas une moindre admiration que les

---

[1] GIMENEZ, *El plan, op. cit.,* p. 42, 124, 182, 251.

[2] *Ibid.,* p. 182 « Les Espagnols surpassent les barbares comme ...l'homme est au-dessus du singe ». (SEPÚLVEDA, cité par NYS, *op. cit.,* p. 25). Le dominicain D. de Betanzos avait avant 1538 déclaré que les Indiens étaient des animaux; il se rétracta dans la suite. (HANKE, *Paul III, op. cit.,* p. 96-102). Cf. *H.-D.,* p. XXII, XXVIII.

pyramides d'Égypte »[1]. C'est un mystère d'iniquité que les mêmes thèses aient été professées par des membres de l'Église en contact avec les autochtones. Il est vrai qu'ils respiraient une atmosphère empoisonnée par l'intérêt des gouvernants et des particuliers, propriétaires de mines ou planteurs de canne à sucre.

Contre la thèse païenne de la masse, l'élite dans l'Église avait tôt réagi. Dès le xve siècle, la papauté et des évêques espagnols s'élevèrent contre l'esclavage[2]; en 1501, le roi Ferdinand, alerté par les plaintes des missionnaires dominicains, convoquait une commission d'enquête; mais elle ne mit aucun terme aux malversations[3].

C'est à l'illustre cardinal-gouverneur François Ximenès de Cisneros et à Bartholomé de las Casas qu'est due la première formule du droit des Indiens. Ximenès nous est bien connu[4]. Las Casas est, dans l'histoire de la théologie coloniale, le géant des origines.

MONTESINOS ET LAS CASAS — Le dernier dimanche de l'Avent 1511 à Hispañola (Haïti), un intrépide dominicain, le Fr. Antonio Montesinos, prêche une de ses catilinaires contre les *encomiendas*[5]. Dans son auditoire espagnol révolté, un *encomendero*, fils de découvreur, reçoit et emporte la semence d'une résolution magnanime. Le jour de Pentecôte 1514, elle a mûri. Il libère ses esclaves et décide de vouer sa vie à la défense de ses frères indiens. Il s'appelle Bartholomé de las Casas. Né à Séville en 1474, il a quarante ans. Il en vivra 92. Il est prêtre. En 1522, il devient dominicain. Les jours qui lui restent, il les consacre jusqu'au dernier, nouveau Pierre l'Ermite, à une croisade passionnée. Pendant treize ans, il parcourt en tous sens les colonies, dont il apprend les mœurs. Il traverse quatorze fois l'Océan pour aller agiter l'opinion publique, se défendre lui-même, plaider la cause des Indiens devant le Conseil des Indes et devant les souverains mêmes[6]. Avocat véhément, serait-il étonnant qu'il

---

[1] HANKE-GIMENEZ, *op. cit.*, p. XVIII; sur la prétendue infériorité de race des Mexicains, *D.T.C.*, t. VI, co . 1924. — Sur les *Incas* et leur civilisation, L. BAUDIN, *La vie quotidienne au temps des derniers Incas*, Paris, [1955] et les ouvrages du même auteur cités p. 12, ainsi que ceux cités dans les notes. — Sur les *Aztèques* et leur civilisation, J. SOUSTELLE, *La vie quotidienne des Aztèques à la veille de la conquête espagnole*, Paris, [1933]. Voir les nombreux ouvrages cités dans les notes et dans la bibliographie p. 313 s.

[2] *D.T.C.*, t. V, col. 496.

[3] NYS, *op. cit.*, p. 17 s.; HANKE-GIMENEZ, *loc. cit.* — Sur la junta de Valladolid en 1512, STREIT, *op. cit.*, t. I, p. 37, 42.

[4] Voir *supra* p. 186, 232, 246, 263.

[5] Antonio de Montesinos (mort martyr en 1545), ancien étudiant de San Esteban à Salamanque, était arrivé aux Iles en 1510; sa prédication provoqua de tumultueuses protestations, qui l'obligèrent à aller se justifier en Espagne; il revint au Nouveau Monde en 1526 et partit en 1528 pour le Vénézuela, où il mourut. Cf. *E.U.I.E.A.*, t. XXXVI, p. 606; H.-D., p. 3-6. On aura pu lire dans *H.E.*, t. XVII, p. 467 le nom de deux autres défenseurs des Indiens, l'archevêque franciscain Jean de Zumárraga et l'évêque de Tlaxcala, Julien Garcés. Cf. dans H.-D., p. 21-23, Matias de Paz, O. P.; p. 25, le juriste Juan López de Palacios Rubios; p. 27, John Major; p. 247, Salazar, O. P., disciple de Vitoria; J. de Acosta, S. J., p. 256.

[6] Sur sa conversion, cf. H.-D., p. 11, 143; sa vie, 243 et *passim*. Il descendait d'une famille française du nom de CASAUS, GAMS, *op. cit.*, p. 112 s.; FOLLIET, *op. cit.*, p. 183; DRION, *op. cit.*, *initio*; VERLINDEN, dans *R.B.P.H.*, t. XXX, 1952, p. 975; GIMENEZ-FERNANDEZ, *El plan*,

ait noirci à l'excès la partie adverse? On a pu lui reprocher d'avoir avili son pays et son Église devant l'étranger. Et non sans raison, car les adversaires de l'une et de l'autre exploitèrent à fond ses réquisitoires [1]. On peut contester la véracité des détails de sa très retentissante et encore fort utile *Brevissima relación*. D'autre part, il est glorifié comme le champion de l'égalité des races. De ce chef, plusieurs villes lui ont élevé une statue. « Figura apasionadamente debatida! »

Son nom défie le temps, bouée ancrée dans l'histoire, mais, jusqu'à nos jours, ballotée entre l'excès d'honneur et l'indignité.

Ce qui nous retiendra ici, c'est sa doctrine. Résumons cependant les événements où péniblement elle se fit jour.

Dès 1512, sur les instances de Montesinos et d'autres, le roi Ferdinand réunit à Burgos une *junta*, où le dominicain plaida la cause des Indiens contre le franciscain Alphonse de Espinaz. Il obtint la publication des fameuses « *Leyes de Burgos* », qui hélas! ne supprimèrent pas les abus [2].

LE CARDINAL XIMENÈS DE CISNEROS Puis, sur ce terrain comme ailleurs, apparut l'un des grands initiateurs de la Réformation catholique, le cardinal Francisco Ximenès de Cisneros, depuis 1516 gouverneur de Castille. « Son austère hostilité à la corruption et aux

op. cit., p. 48-54; Nys, *Les publicistes, op. cit.*, p. 18; P. Hadrosser, dans W. Schaetzel, *op. cit.*, p. xi-xxx; toutes les encyclopédies. — Il fut évêque de Chiapa en 1544.

— Il ne sera pas question ici de discuter sa responsabilité dans l'établissement de la traite des noirs. Si, dans sa jeunesse en 1511, il a accepté comme compromis et suggéré de remplacer par des noirs importés les Indiens, trop chétifs, il condamna plus tard la traite sans réserve. Cf. H.-D., p. 191; Nys, *op. cit.*, p. 20; Verlinden, *op. cit.*, p. 978; *D.T.C.*, t. V, col. 492 s. — La coutume d'importer des noirs existait depuis 1503. — Sur l'*asiento, D.T.C., ibid.*

La question de l'esclavage sur les côtes occidentales d'Afrique se posait de manière différente. Parmi ces populations, l'esclavage, seule main-d'œuvre de ces pays, était pratiqué depuis l'Antiquité. Il procurait une sorte de salut aux prisonniers de guerre et aux coupables de certains crimes de droit public, qui, sans cela, eussent été mangés. D'autres, hélas! avaient été victimes de razzias; car la traite se pratiquait sur une large échelle. Le roi catholique du Congo Alfonso Mwemba-Nzinga († 1543) parle du départ de 4000 à 5000 esclaves par an du port de Mpinda vers l'île de S. Tomé et les territoires portugais. Il avait dû, vers 1514, procéder à l'expulsion de clercs qui se livraient à ce commerce. Par malheur, le traitement du clergé, assuré par la couronne portugaise, fut en définitive payé en main-d'œuvre servile. En sorte que ce clergé fut généralement accusé de s'occuper du commerce d'esclaves, en dépit de réactions vives de la part des autorités ecclésiastiques. S. Ignace de Loyola, par exemple, chassa de la Compagnie un Père qui avait ramené des esclaves pour les vendre au profit de sa famille! Mais l'Afrique noire n'eut pas, hélas! de Las Casas. Cf. J. Cuvelier et L. Jadin, *L'Ancien Congo d'après les archives romaines (1518-1640)*, Mém. de l'Acad. roy. des sciences colon., t. XXXVI, Bruxelles, 1954, p. 85-92.

[1] Il s'agit surtout de la *Brevissima relación de la destruycion de las Indias...*, Séville, 1552, « el trabajo de las Casas más ampliamente conocido y debatido ». On trouvera dans Hanke-Gimenez, *op. cit.*, p. 149 sv. n. 368, une étude sur cette œuvre et l'indication des éditions (4 ou 5 espagn.) et traductions connues : 16 au moins en néerlandais, 8 en anglais, 11 en français (encore en 1822), 5 en allemand, 3 en italien et en latin, une en portugais en 1944; Cf. Verlinden, *op. cit.*, p. 977.

— Las Casas alla jusqu'à déclarer que, les conquêtes espagnoles manquant de tout droit, la nation était tenue à restitution, par exemple des trésors pris dans les tombeaux péruviens. Cf. Folliet, *op. cit.*, p. 26, 46, 48 s.; Verlinden, *op. cit.*, p. 976; Hanke-Gimenez, n. 454.

— Ch. Verlinden a justement noté ce problème curieux : à l'encontre des poursuites contre Montesinos, Las Casas n'a jamais été inquiété par la cour (*R.B.P.H., op. cit.*, p. 977).

— Sur l'opposition des jugements à son sujet, H.-D., p. 278-281.

[2] Nys, *op. cit.*, p. 19; Hanke-Gimenez, *op. cit.*, p. 2 n. 4, avec bibliogr.; H.-D., p. 14-16.

concussions » avait attiré son attention sur les abus du régime colombien.
Dès les débuts, il prit nettement position pour le droit des Indiens à la liberté
personnelle. L'accord se fit donc rapidement entre le cardinal franciscain
et l'apôtre dominicain. Las Casas lui remit en 1516 une série de mémoires
contre « le système criminel qui avait fait des Indes un champ de culture
pour attentats aux commandements de Dieu, depuis le cinquième jusqu'au
dernier » [1]. De cet accord résulta le « *Plan de Reformación* » de Cisneros
(1516).

LE « PLAN
DE REFORMACIÓN »
Dès ce moment, les deux écoles extrêmes s'affrontent,
celle des esclavagistes, pour qui les aborigènes sont
« malas bestias o perros cochinos », tous voués à l'escla-
vage, et celle des idéalistes qui les considèrent comme les égaux des blancs.
Sur les principes de ces derniers furent basées les *Instructions* données
par le cardinal-gouverneur aux hiéronymites chargés de la réforme des
Indes : *Le but de la colonisation n'est pas* l'intérêt des colonisateurs mais
le bien des colonisés. Tous les droits revendiqués par las Casas leur sont
reconnus [2]. Par malheur, cette première tentative, fondamentale dans l'histoire
des idées, échoua dans la réalité, engloutie dans la disgrâce du cardinal [3].

Les grandes batailles de Las Casas — depuis 1516 « procurador de los
Indios » — se livrèrent contre ses adversaires en présence de Charles-Quint.
La première, à Barcelone en 1519, lui oppose Barthélémy Frias de Albornoz,
professeur de droit à Mexico, et Jean de Quevedo, évêque du Darien, qui
déclara les Indiens « nés pour la servitude ». Las Casas leur répliqua que
« notre religion est celle de l'égalité ». Mais la discussion ne produisit aucune
réforme dans les lointaines colonies.

LAS CASAS
ET SEPULVEDA
Par contre, en 1542, Charles-Quint promulgua les *Leyes
Nuevas*, qui « révoquaient ou limitaient les *encomiendas*
accordées précédemment », concession attribuée à l'influence
de Las Casas [4]. Mais, dès 1545, ces lois étaient abolies par suite de l'opposition
des colons. Plus spectaculaire et plus fécond, semble-t-il, fut le célèbre
duel entre le défenseur des Indiens et Jean Ginès de Sepúlveda [5], humaniste,

---

[1] GIMENEZ, *op. cit.*, p. 108 et les p. suiv. pour ce qui suit.

[2] *Ibid.*, p. 183. — A l'initiative de Las Casas, Juan Hurtado et treize autres docteurs de
Salamanque déclarèrent hérétique et digne du feu quiconque affirmait que les Indiens étaient
incapables de recevoir la foi chrétienne. Cf. HANKE, *Paul III*, *op. cit.*, p. 68.

[3] Sur l'opposition générale soulevée contre Cisneros et sur l'échec de son plan, GIMENEZ-
FERNANDEZ, *El Plan*, *op. cit.*, p. 249 s. — Las Casas n'eut pas plus de succès dans sa double
tentative de colonie pacifique en 1521 au Vénézuela et en 1537 à Tezulutlan. Cf. HANKE,
cité par Ch. VERLINDEN dans *R.B.P.H.*, t. XXX, 1952, p. 496; FOLLIET, *op. cit.*, p. 19; H.-D.,
p. 67-75, 96, 109.

[4] HANKE-GIMENEZ, p. 78, n. 193. Sur la junta de 1543 et les ordonnances, FOLLIET, *op. cit.*,
p. 20; H.-D., p. 136, 154 (abolition).

[5] Jean Ginès de Sepúlveda (1490 à Pozo Blanco, près de Cordoue — 1571) avait étudié
à Alcalà et à Bologne sous le célèbre Pierre Pomponat; il fut au service des cardinaux Cajétan
et Quiñones; il écrivit plusieurs œuvres historiques; surnommé le « Tite-Live espagnol »;
auteur de « la meilleure version latine de la *Politique* d'Aristote ». Ses *Opera* furent publiées

philosophe imbu d'Aristote, historiographe de Charles-Quint, son chapelain et son favori. Cet adversaire redoutable, dans son *Democrates alter*, soutenait que « ceux dont l'esprit n'est pas développé... sont, de par la nature, esclaves des autres. Qu'on peut recourir à la force pour civiliser les barbares » [1]. Déjà Melchior Cano et Antoine Ramirez, évêque de Ségovie, l'avaient attaqué, le premier en 1546, le second en 1549. Las Casas entra en lice avec son *Apologia* [2] ; il y mit une telle vigueur que Charles-Quint, ému, en vue d'éclairer le Conseil des Indes, réunit à Valladolid en 1550 une junte de théologiens et de juristes. Elle entendit en sa présence les deux adversaires.

Au cours de la discussion, présidée par Dominique de Soto, O. P., Sepúlveda maintint que les Indiens, inférieurs à la nature humaine, étaient des esclaves-nés, que leur faire la guerre était légitime, puisqu'ils pratiquaient des sacrifices humains. Il en vint à reprocher à Las Casas d'avoir nié le droit du pape d'accorder au roi d'Espagne le pouvoir de conquérir et de s'assujettir les Indiens. Ce fut l'occasion pour le dominicain d'affirmer que « l'Église est sans titre pour commander la guerre (contre ces peuples), parce que n'ayant pas été baptisés, ils sont indépendants de l'autorité ecclésiastique ».

Quel qu'ait été l'effet immédiat de cette rencontre, il semble indubitable qu'elle ait influencé l'amélioration lente qui s'opéra dans le traitement des indigènes. Peu à peu, la situation s'humanisa ; les abus des *encomiendas* furent freinés au XVIIe siècle [3].

Cependant Las Casas qui, en 1547, avait renoncé à son siège de Chiapa, se fixa en Espagne, continua pendant dix-neuf ans sa campagne par un « furioso programma de publicaciones » imprimées à partir de 1552 [4]. Il ne déposa la plume que pour mourir.

VITORIA   Entre-temps, les principes posés s'organisaient en doctrine. Tandis que guerroyait Las Casas, à l'université de Salamanque l'oracle de la théologie de l'époque, le dominicain François de Vitoria (1480-1546) composait les immortels traités qui le sacrent « créateur du droit

à Madrid en 4 vol. en 1780. Cf. *E.U.I.E.A.*, t. LV, p. 411 ; MESNARD, *op. cit.*, p. 464, 466 s. ; NYS, *op. cit.*, p. 23-25 ; *R.S.P.T.*, t. XXXV, 1951, p. 554, note sur le *Democrates*.
    Le texte de sa discussion avec de Las Casas fut imprimé à Séville en 1552 ; il eut 8 traductions françaises, 3 allemandes, 3 italiennes, 3 anglaises et latines. Cf. HANKE-GIMENEZ, *op. cit.*, p. 146, n. 366 ; FOLLIET, *op. cit.*, p. 35. Sur le duel las Casas-Sepúlveda, H.-D., p. 165-199, qui analyse la discussion ; la « donation d'Alexandre VI » y occupe une place capitale.

  [1] NYS, *op. cit.*, p. 25 ; *R.S.P.T.*, *ibid.*
  [2] HANKE-GIMENEZ, n. 327.
  [3] Sepúlveda ne fut pas autorisé à publier ses œuvres, tandis que Las Casas obtint cette autorisation. Cf. *D.T.C.*, t. V, col. 491, 498 ; NYS, *op. cit.*, p. 17.
  [4] Sur ses publications d'alors, H.-D., p. 100 ; FOLLIET, *op. cit.*, p. 21 s. Voir dans HANKE-GIMENEZ, p. 139-145, n. 364, une note importante ; la liste de ses œuvres, *ibid.*, p. 145 s., n. 365 s., notamment ses *Treynta proposiciones muy juridicas*, Séville, 1552 ; il avait publié comme évêque de Chiapa, ses *Avisos y reglas para los confesores* (H.-D., n. 367), prescrivant de refuser l'absolution aux propriétaires obstinés d'esclaves ; on l'accusa d'avoir nié la juridiction des rois d'Espagne sur le Nouveau Monde et condamné toute l'œuvre coloniale espagnole ; en fait, il déclara que l'autorité des chefs locaux était légitime et que Charles V n'avait pas le droit de les destituer. Pour se défendre, il écrivit ses *Treynta proposiciones*, énumérées par FOLLIET, *op. cit.*, p. 26-36, HANKE-GIMENEZ, n. 365.

international moderne » (*supra*, p. 433). Écarté d'abord par Charles-Quint, il fut consulté par lui en 1539 au sujet des colonies et, cette même année, dicta à ses étudiants sa *Relectio prior de Indis recenter inventis* et sa *Relectio posterior de Indis, sive de iure belli Hispanorum in barbaros;* elles furent publiées à Lyon en 1557, l'année qui suivit la mort de l'auteur. On les a justement appelées la *Magna charta* des Indiens.

On n'a pas assez remarqué le confluent des deux sources de notre théologie coloniale. Sans doute, elle naquit des circonstances et de la charité compréhensive d'hommes de grand cœur. Mais si ses premiers champions, Cisneros, Montésinos, Las Casas, Vitoria aboutirent à une solution commune, c'est que tous s'inspiraient d'une même tradition. Cette solution descendait en ligne directe du Message évangélique et paulinien de fraternité humaine, en passant par saint Augustin, par saint Thomas d'Aquin et les scolastiques [1].

Vitoria, exposant « le problème moral et juridique de la domination coloniale », en viendra à élargir le problème à la dimension du monde. Fidèle à la méthode médiévale, il pose une série de questions, répond à chacune d'elles, puis réfute les objections que susciterait sa *propositio*. Partant du souci de la dignité humaine, il examine les titres *(tituli)* invoqués pour justifier la conquête des colonies, sept titres « non idonei nec legitimi » et sept « vel octo iusti et legitimi ».

TITRES ILLÉGITIMES D'OCCUPATION Pour lui, aucun droit ne résulte de la supériorité raciale alléguée des nations chrétiennes sur les « infidèles », ni de l'intérêt de la religion, ni du refus de la recevoir, ni de la découverte « le seul argument évoqué au début », ni du *ius occupandi*, ni d'une prétendue souveraineté universelle de l'empereur et du pape [2]. Et c'est d'ici qu'il s'élève d'un coup d'aile aux sommets du droit. Il s'agit pour lui de concilier la souveraineté nationale et sa thèse favorite sur la communauté internationale. Il pose en principe que les souverains des nations américaines possédaient avant la conquête — et conservent après — sur leur territoire un *dominium* intangible, car de droit naturel; leurs prérogatives juridiques résultent directement de la sociabilité humaine; leur « barbarie » et leurs péchés ne les infirment en rien [3].

[1] Influence de saint Augustin et de saint Thomas sur les doctrines coloniales : *D.T.C.*, t. V, col. 504-506; *Rev. Thom.*, t. IV, 1931-1936, p. 837. Il est intéressant de noter dans SCHAETZEL, p. 172-175, le nombre de références à S. Thomas chez Vitoria.

[2] *Vitoria et Suarez, op. cit.*, p. 50-72; *Docum. cathol., op. cit.*, p. 602; *E.I.*, t. XX, p. 517 s. (bibliogr.); *E.U.I.E.A.*, t. XXIX, p. 909-913 (bibliogr.); NYS, *Publicistes, op. cit.*, p. 196. Sur la théorie de Vitoria, *ibid.*, p. 33.

— Saint Thomas avait déjà enseigné que l'« infidélité » ne supprimait pas les droits naturels, tel celui de propriété.

— Quant au prétendu droit du pape de disposer des territoires, il ne reposait que sur la fausse Donation de Constantin; en tout cas, proclame Las Casas, il ne peut s'étendre aux possessions de non-chrétiens. Cf. *Ibid.*, p. 30.

[3] On remarquera sa théorie antique du pouvoir autarcique de l'État; il n'admet aucune autorité supranationale en dehors du droit naturel. Cf. MESNARD, *op. cit.*, p. 464-466.

On qualifie l'empereur de « dominus mundi » dit-il, mais « haec opinio est sine aliquo fundamento »; et, même s'il l'était, il ne pourrait déposséder les princes des colonies, sur lesquels il n'aurait qu'un « dominium per iurisdictionem » et non « per proprietatem » [1].

Hostile à l'impérialisme, Vitoria n'est pas plus favorable à la théocratie pontificale. Le pape n'a aucun pouvoir [« direct »] civil ou temporel sur le monde; même s'il l'avait, il ne pourrait le déléguer à des souverains; mais il possède le pouvoir [« indirect »] temporel qui est nécessaire « ad administrationem rerum spiritualium »; ce pouvoir est partagé par les évêques [2]. Le pape n'a donc aucune autorité sur les barbares américains et, s'ils refusaient de l'accepter, on ne pourrait leur faire la guerre de ce chef.

TITRES LÉGITIMES D'OCCUPATION — Passant aux titres légitimes d'occupation, le théologien-juriste part du droit de « la société naturelle et de la communication » entre tous les hommes, qui, selon lui, forment une communauté homogène, « en certain sens, une seule République ». Cette communauté comprend, aussi bien que la Chrétienté, les Juifs, les infidèles, les gens de toute race. Il en conclut que les Espagnols ont le droit de pénétrer chez les Indiens, s'ils ne leur font aucun tort, comme ils pénètrent en France. Ils peuvent y habiter, y commercer, extraire du sol ou des rivières les richesses qui sont *nullius* (pierres et métaux précieux) et y répandre la foi chrétienne. Si donc les indigènes violaient ces droits, les Espagnols pourraient se défendre contre cette injustice par la persuasion d'abord et, au besoin, par la force et la conquête [3].

Ils pourraient de la même manière défendre les droits violés des Indiens devenus chrétiens. Si une partie considérable des Indiens convertis désiraient remplacer leur prince par un chrétien, le pape pourrait le leur accorder. En outre, les Espagnols ont droit de prendre la défense des victimes de sacrifices humains, ou appuyer un parti engagé dans une juste guerre. Quant au droit de tutelle sur des populations déclarées mineures, Vitoria le considère comme discutable. Il va sans dire qu'il admet la légitimité de l'occupation si les indigènes y consentent.

Puisqu'il reconnaît la possibilité de la guerre, il est amené, dans la *Relectio posterior*, on l'a vu ci-dessus (p. 432), à étudier les conditions de la guerre juste, les règles de la conduite des hostilités, les conditions de la paix. Il prépare notre droit contemporain en touchant la responsabilité de l'État et le règlement des conflits internationaux.

THÉORIE ET RÉALITÉS — Si l'on admet que Vitoria ne pouvait ignorer les protestations de ses confrères missionnaires contre les atrocités, on aura noté au passage le son étrange que devait rendre son exposé. Il sonne comme un sanglant reproche aux occupants et parfois comme une

---

[1] *Relectio I*, sect. II, propos. 2, édit. SCHAETZEL, *op. cit.*, p. 50; *L.T.K.*, t. X, col. 656-658 (bibliogr.).
[2] *Relectio I*, sect. II, propos. 3-7, édit. SCHAETZEL, *op. cit.*, p. 60-68.
[3] *Relectio I*, sect. III, propos. 1 s., édit. SCHAETZEL, *op. cit.*, p. 92 s.

amère ironie [1]. Car, à plusieurs reprises, il pose comme conditions d'une occupation légitime : « pourvu que tout se passe sans faire aucun tort aux barbares », « en agissant toujours et en tout plus à l'avantage des barbares qu'à leur profit personnel [des Espagnols] ».

Sa théorie aura vraisemblablement, vu l'universel crédit de son auteur et le nombre de ses élèves disséminés dans les deux mondes, influencé les événements. Il est impossible de déterminer dans quelle mesure. Quoiqu'il en soit, elle reste dans l'ordre idéal la pierre angulaire du droit colonial chrétien.

SUAREZ ET LES COLONIES   C'est sur les fondations posées par lui que bâtirent ses successeurs. On ne peut séparer de lui Suarez. Mais le grand docteur (1548-1617) écrit un demi-siècle plus tard. Il n'a plus « le relatif aspect d'actualité » des leçons de Vitoria. Les conditions de la colonisation espagnole se sont améliorées. Il est « plus didactique et plus impersonnel », donc plus abstrait. Il peut planer au-dessus des contingences et systématiser davantage les solutions antérieures. Quant au problème de la souveraineté, il le résout à la lumière du droit des gens et du droit naturel. Comme Vitoria, il « dénie toute supériorité de droit aux nations chrétiennes en tant que telles », il restreint le droit de tutelle sur les peuples en retard; il rejette absolument la prétendue autorité de l'empereur ou du pape sur les infidèles. Quant aux titres puisés dans la religion, on peut, dit-il à la suite de Vitoria, se servir de la force pour protéger le droit des indigènes qui désirent se convertir ou qui le sont, car il s'agit de la défense d'innocents. Mais, quoiqu'en disent certains canonistes, il nie qu'on puisse user de la force pour imposer la religion ou pour venger l'honneur de Dieu sur les violateurs de sa loi. Car, il s'ensuivrait que, de ce chef, les princes chrétiens seraient autorisés à se faire mutuellement la guerre [2].

Vitoria avait bâti une doctrine, Suarez l'a parachevée. On a pu dire qu'« ils n'ont laissé à Hugo Grotius que la gloire d'avoir intégré dans sa construction logique et systématique l'apparat d'idées travaillé par ses prédécesseurs [3] ».

MOLINA   Après eux, la théorie est « clichée ». C'est ainsi que Grégoire de Valentia répète que les indigènes ne peuvent être conquis en tant que tels [4], que Bellarmin intègre ces

---

[1] « *Potius de proprio iure remittatur quam aliud, quod licet, invadendo et semper omnia dirigendo magis ad commodum barbarorum quam ad proprium quaestum* [...] : *sed timeo ne ultra res progressa sit quam ius fasque permiserit* », *Relectio* I, sect. III, 4º conclusio, Édit. SCHAETZEL, p. 106; *Vitoria et Suarez*, p. 64 : — « *Omnia licent quae non sunt* [...] *in iniuriam aut detrimentum aliorum. Sed (ut supponimus) talis peregrinatio Hispanorum est sine iniuria aut damno barbarorum. Ergo est licita* », *Relectio* I, sect. III, initio, Édit. SCHAETZEL, p. 92; *Ibid.*, p. 45 : — « *Hispani primo debent ratione et suasionibus* [...] *ostendere* [...] *se non venire ad nocendum illis, sed pacifice velle hospitari et peregrinari sine aliquo incommodo illorum* », *ibid.*, sect. III, propos. 5, p. 98.

[2] Voir la bibliographie sur Suarez, *supra*, p. 194, 432. *Vitoria et Suarez*, *op. cit.*, p. 147-208.

[3] SCHAETZEL, *op. cit.*, p. XXVII.

[4] *D.T.C.*, t. V, col. 488.

conclusions dans sa synthèse. Chez Molina cependant on trouve sur un seul point une intéressante opinion personnelle. Vitoria basait sur la « sociabilité naturelle » le droit des Espagnols de pénétrer sur les terres étrangères. Molina lui oppose le concept de l'autarcie auquel a droit tout peuple ou toute société une fois politiquement constitués. Vitoria se plaçait au point de vue transcendental; Molina restreint la sociabilité aux limites fixées par l'histoire [1]

Voilà donc les conclusions de théologiens au sujet des questions coloniales. Mais ils ne sont pas l'Église. Ils ne l'engagent pas formellement. On se demande naturellement quelle fut l'attitude des dépositaires officiels de la doctrine, des évêques, des conciles et des papes.

LES DÉCISIONS DE L'ÉGLISE On a vu ci-dessus que, parmi les évêques, les deux écoles avaient trouvé des partisans. Las Casas lui-même a été évêque; évêques aussi ces autres défenseurs des Indiens, Julian Garcès et Antoine Ramirez. Les conciles d'Amérique intervinrent à plusieurs reprises en faveur des droits des indigènes; celui de Lima en 1582 affirme leur *ius connubii*; il interdit aux prêtres d'accompagner comme aumôniers les expéditions de conquête; les VIIe et VIIIe synodes de Lima (1592 et 1594) proclament la perfectibilité des Indiens en ordonnant de les instruire par des leçons quotidiennes et de les admettre à la communion [2]. Quant au concile de Trente, on sait qu'il a dû se limiter aux questions de discipline et de dogme soulevées par l'état de l'Église et par le protestantisme [3].

Lorsqu'on recherche quelle fut l'attitude de la papauté, on constate une condamnation répétée des abus de la conquête et l'approbation nette des principes formulés par les avocats des indigènes.

La célèbre « donation » d'Alexandre VI devait naturellement intervenir dans les discussions. Vitoria insiste sur le fait que cet arbitrage entre Espagnols et Portugais n'avait d'autre portée que l'évangélisation des peuples [4]. Lors de la campagne des missionnaires humanitaires, la papauté fut alertée. Les tenants des deux écoles envoyèrent des délégués. En 1532, un dominicain rentre d'Amérique pour défendre les Indiens : c'est Bernard de Minaya. Reçu par Paul III, il lui soumet une série de mémoires justificatifs, celui notamment de l'évêque de Tlaxcala, Julien Garcès, O. P. D'autres confrères avant lui avaient préparé sa mission; il aura des successeurs de son ordre.

---

[1] CARRO, *op. cit.*, analysé dans *A.H.S.J.*, t. XXII, 1953, p. 639-641. Sur l'opinion de *Molina* et de *Lessius* au sujet de l'esclavage, *D.T.C.*, t. V, col. 588.

[2] *D.T.C.*, t. V, col. 500.

[3] On se souviendra des obstacles que l'administration espagnole mettait aux relations entre les évêques d'Amérique et le concile. *Supra*, p. 45. Absence de l'Amérique.

[4] Sur l'intervention d'Eugène IV (1431-1447), qui interdit l'esclavage aux Canaries, cf. *La politique coloniale, op. cit.*, p. 127-156. Sur la « donation » d'Alexandre VI et les arbitrages pontificaux antérieurs : *D.T.C.*, t. I, col. 727, 1081 s.; t. V, col. 486 s. (interprétation de *Bellarmin*, de *Grégoire de Valentia*, de *Pie V*); *D.H.G.E.*, t. II, col. 224; *D.A.*, t. I, col. 84; FOLLIET, *op. cit.*, p. 26, 31-35, 73; NYS, *op. cit.*, p. 12, 14, 27; *P.H.*; t. VI, p. 149 s., citant Bellarmin; *P.G.*, t. III, p.517-520; *R.B.P.H.*, t. XVIII, 1951, p. 588; STREIT, *op. cit.*

Suffisamment éclairé, le pape publie une suite de constitutions qui fixent la doctrine et prescrivent la pratique [1]. Déjà Pie II le 7 octobre 1462 avait déclaré l'esclavage *magnum scelus*. Le bref *Pastorale officium* de Paul III (29 mai 1537) condamnait l'esclavage et les spoliations, fulminant l'excommunication contre les transgresseurs [2]; la bulle *Altitudo divini consilii* du 1er juin 1537 décide que les Indiens sont susceptibles de baptême. Le 9 juin suivant paraît la bulle *Sublimis Deus*, puis la bulle *Veritas ipsa* contre l'esclavage. Dans la première, Paul III flétrit ces « ministres du démon qui, poussés par [...] leur avarice et leurs injustes passions, osent affirmer que les Indiens, orientaux et occidentaux [...] doivent être traités et assujettis au service des Européens comme des animaux » [3].

PAUL III ET LE PATRONATO   Mais à ce moment éclate un drame qui mérite notre attention. Il s'agit des relations entre l'Église et l'État. Bernard de Minaya avait envoyé aux Indes des copies des bulles pontificales sans les soumettre au *placet* du Conseil des Indes. Charles-Quint intervient et le fait punir sévèrement [4]. Les bulles prévoyaient des peines ecclésiastiques. Elles intéressaient donc le *patronato* royal [5]. Si le pape a profité des circonstances pour affirmer son autorité aux colonies par l'expédition des bulles, l'État espagnol profite des circonstances pour affirmer la sienne. Or, à ce moment, Paul III a besoin de l'empereur pour la croisade contre les Turcs et aussi en faveur des Farnèse. Le roi-empereur obtient de lui qu'il se rétracte et, en effet, le 19 juin 1538, un bref révoque certaines des mesures précédentes. Mais Hanke fait finement remarquer que ce bref de révocation est diplomatiquement rédigé. Il ne porte que sur les « lettres en forme de bref ». Le pape ne dément donc pas les bulles. Or elles affirmaient l'égalité spirituelle de tous les hommes et le droit des Indiens au baptême [6]. Au reste, sur le fond Charles-Quint est d'accord; dans ses *Lois nouvelles* de 1542, il affirme que les Indiens sont des hommes libres et doivent être traités comme tels; et, en 1546, il autorise tous les clercs à envoyer des informations au sujet des sévices qui seraient commis à l'égard des Indiens.

[1] HANKE, *Paul III, op. cit.*, p. 71-85.

[2] Le pape ordonne à l'archevêque de Tolède de protéger les Indiens; que tous les esclaves soient libres. Cf. *B.T.*, t. XIV, p. 712 s.; le *texte* et celui de *Sublimis Deus* sont dans BRION, *op. cit.*, p. 54.

[3] NYS, *op. cit.*, p. 22, qui cite une bonne partie du *texte;* de même H.-D., p. 101.

[4] D'ordre de Charles-Quint, il fut disgrâcié et condamné à deux ans de prison par le général de son ordre (HANKE, *op. cit.*, p. 86).

[5] Il s'agit des prérogatives auxquelles prétendait la couronne d'Espagne en matière ecclésiastique. Il en sera question dans le second tome de ce volume.

[6] Le bref du 19 juin déclare que Charles-Quint fait remarquer à Paul III que des « *in forma brevis litteras extortas fuisse per quas Indiarum* [...] *insularum prosper et felix status ac regimen interturb* [antur] *majestatique suae et suis subditis valde praeiudicatur* [...] *litteras praedictas* [...] *cassamus...* (HANKE, *op. cit.*, p. 87). — *It would seem that the history of the whole controversy concerning Paul III and the American Indians becomes the story of the successful vindication of Charles V of his ecclesiastical privileges in the new world.* (*Ibid.*, p. 96).

PIE V
ET LES COLONIES
Le grand pape réformateur Pie V, dans une lettre au roi Sébastien, applique des principes qui marquent un net progrès : il faut s'efforcer de provoquer des conversions en profondeur; les missionnaires doivent apprendre la langue du pays; la création d'un clergé indigène est recommandée; les procédés doivent être conformes à la douceur évangélique; la donation faite aux rois n'avait pour but que l'évangélisation. Dans une instruction de 1568, le même pape s'élève contre le travail forcé et les injustes salaires.

On pourrait allonger cette énumération des enseignements promulgués par le Saint-Siège, notamment contre l'esclavage [1].

CONCLUSION
A présent nous pouvons conclure.
Si l'histoire raconte un jour l'unification de l'humanité, elle devra signaler notre période comme l'étape la plus décisive depuis que le Fils de l'homme a proclamé tous ses frères enfants du même Père. Elle dira que les efforts magnifiques de l'Église posttridentine pour civiliser le Nouveau Monde ont été inspirés par l'amour, que les armées pacifiques de l'Évangile n'ont jamais versé d'autre sang que celui de leurs nombreux martyrs. Mais il lui faudra dire aussi que cette victoire du Levain fut en grande partie l'œuvre des éclaireurs du Message, de cette minorité héroïque de théoriciens intrépides qui, bravant une opinion publique aveuglée et sa vindicte de ses intérêts égoïstes, a fourni aux missionnaires la base doctrinale de leur élan. Ils proclamèrent, au nom du Christ, quatre siècles avant la Charte des Nations-Unies, l'égalité des hommes de toute race, la dignité de toute personne humaine et sa vocation à une vie supérieure.

CONCLUSION GÉNÉRALE

Au lendemain du concile de Trente et devant le désordre des temps, il était naturel à l'Église de fixer avant tout sa pensée et son étude sur sa propre nature. L'ecclésiologie devait être le premier sujet de son examen de conscience [2]. Elle l'a scruté; elle a repensé ses organes vitaux, elle s'est confrontée avec le Message du Seigneur; elle s'est appliquée à résoudre les problèmes que posaient les relations avec la société civile et avec le monde nouveau.

Après quoi elle serait libre d'aborder l'étude plus intime de sa vie surnaturelle, de ses rapports avec Dieu.

[1] *D.T.C.*, t. V, col. 486-520; GAMS, *op. cit.*, t. III, p. 562 (table); *E.C.*, t. XI, col. 57 s.

[2] Il est remarquable que, vers cette même époque, les Églises séparées s'appliquent à fixer leur organisation. Cf. M. REULOS, *L'organisation des Églises réformées françaises et le Synode de 1559*, dans *Bull. de la Soc. d'Hist. du protest. français*, 1959, p. 9-24.

ADDENDA BIBLIOGRAPHIQUES
suivant l'ordre du texte.

p. 15 *Bibliographie de la Restauration catholique.*

A. ADAM, *Sur le problème religieux dans la première moitié du XVII⁰ siècle*, Londres, 1959; J. ALBERIGO, *I vescovi italiani al concilio di Trento (1945-1567)*, Florence, 1959 (Dépassant largement le titre, l'auteur présente un tableau général de *la Réformation catholique* (C.-r. dans *A.H.S.J.*, t. XXIX, 1960, p. 157-160, M. BATTLORI); CANDIDO DE DALMASES, *Les idées de Saint Ignace sur la réforme catholique*, dans *Christus*, t. XVIII, p. 237-256; *B.J.B.*, nᵒˢ 12921, 12926, 13043, 13114, 13185, 13194, 13222, 13225, 13232, 13234, 13240, 13261, 13259, 13296, 13301, 13362, 13371, 13432, 13443, 13503; B. LLORCA, *Verdadera reforma catolica en el siglo XVI*, dans *Salmant.*, t. V, 1958, p. 479-498; J. MATL, *Reformation und Gegenreformation als Kulturfaktoren bei den Slaven*, dans *Festschrift K. Eder*, Innsbrück, 1959, p. 110-117; P. PASCHINI, *Cinquecento romano e riforma cattolica*, Rome, 1958; L. PRUNEL, *La renaissance catholique en France*, Paris, 1928; W. H. VAN DE POL, *Il cristianesimo della riforma*, Rome, 1958.

p. 37 *Bullaires. B.J.B.* nᵒ 907s.

Adrien VI. R. POST et P. POLMAN, dans le *Catalogue* de l'exposition Adrien VI à Utrecht puis à Louvain, 1959.

p. 44 *Concile de Trente et Conciles. B.J.B.*, nᵒˢ 533 s., 624, 895a, 991a, 1016.

R. STUPPERICH, *Die Reformatoren und das Tridentinum*, dans *Archiv für Reformation Geschichte*, t. XLII, 1956, p. 20-63.

p. 54 *Curie romaine.*

M. GARCIA MIRALES, *XVIᵃ Semana Española de Teologia, 17-22 sept. 1956. Problemas de Actualidad sobre la Sucesion apostolica. Otros Estudios*, Madrid, 1957, p. 249-274. (Les théories de Juan de Torquemada sur le cardinalat d'institution divine, en rapport avec l'épiscopat et la succession apostol.); *B.J.B.*, nᵒ 941 (liste des fonctionnaires de Curie).

p. 56 *Index des livres.*

B.J.B. nᵒˢ 92, 389, 406a, 470, 486, 496, 499s., 501, 620, 691, 742, 751.

p. 59 *Nonciatures.*

B.J.B., nᵒˢ 730, 919, 931, 975, 976, 13065, 13067, 13329, 13468, 13589.

p. 71 *Épiscopat et Conciles.*

B.J.B., nᵒˢ 624, 944, 971, 982a, 1021; J. LECUYER, *Les étapes de l'enseignement thomiste sur l'épiscopat*, dans *Rev. thom.*, t. IX, 1954-1956, p. 881-882; G. PFEILSCHIFTER, *Acta Reformationis Catholicae Ecclesiam Germaniae concernentia saeculi XVI⁰. Die Reformverhandlungen des Deutschen Episkopats von 1520 bis 1570*, dans *Corpus Catholicorum.* t. I. 1520-1532, Ratisbonne, 1959. H. JEDIN, *Das Konziliäre Reformprogramm Friedrich Nauseas*, dans *Hist. Jahrbuch*, t. LXXVII, 1958, p. 229-253; PAUELS HUBERT, *Gottes Leuchten auf einem Menschenantlitz. Das Leben und die Theologie des hl. Franz von Sales*, Cologne, 1957; J. M. SANCHEZ GOMEZ, *Petro Gonzales de Mendoza, obispo de Salamanca, en el Concilio de Trento. Su posición en la celebre cuestión de la residencia episcopal*, dans *Salmanticens.*, t. VI, 1959, p. 107-130.

p. 85 *Séminaires.* FERET, *La faculté de théologie de Paris, op. cit.*, Époque moderne, t. V, p. 308-311.

p. 73 *Père de la Chaize.*

G. GUITTON, *Le Père de la Chaize, confesseur de Louis XIV*, Paris, 1959, 2 vol.

p. 97 *Th. Campeggio.*

H. JEDIN, *Tomaso Campeggio (1483-1549). Tridentinische Reform und kuriale Tradition*, Munster, 1958.

p. 112 *Cisterciens.*

R. DE GANCK, *De studies in de zuidelijk Nederlanden tussen 1550 en 1796*, dans *Citeaux*, t. XI, 1960, p. 63s.; E. MILKERS, *De studie van de studies in de Orde van Citeaux*, dans *Citeaux*, *loc. cit.*; E. WILLEMS, édit., *Esquisse historique de l'ordre de Cîteaux d'après Greg. Müller*, 2e part., 1493-1958, Verviers, 1958.

p. 122 *Capucins.*

R. FISCHER, *Die Gründung der schweizer Kapuzinerprovinz, 1581-1589. Ein Beitrag zur Geschichte der katholischen Reform*, Fribourg, 1955.

p. 131 *Jésuites.*

J. ANDRIESSEN, *De Jesuïten en het samenhorigheitsbesef der Nederlanden, 1585-1648*, Anvers, 1957; H. BOEHMER, *Die Jesuiten*, édit. par K. F. KOEHLER, Stuttgart, [1957]; L. LUKACS-L. POLGAR, *Documenta romana historiae Societatis Jesu in regnis olim corona hungarica unitis.* t. I *(1550-1570)*, Rome, 1959.

p. 158 *Louise de Marillac, sainte. Sainte Louise de Marillac*, textes choisis et présentés par J. P. FOUCHER, Namur, 1960.

p. 166 n. 3. Antoine SANDERUS (1586 à Anvers — 1664). Cf. *B.N.*, t. XXI, col. 318-367.

p. 181 *Universités.* On consultera avec profit le tout récent travail bien documenté de S. STELLING-MICHAUD, *Histoire des Universités au moyen âge et à la renaissance au cours des vingt-cinq dernières années*, dans *Rapports du XIe Congrès internat. des Sc. hist. à Stockholm*, 1960, t. I, p. 97-143 (notamment p. 99 s., 106 s., 108, 129-143 bibliographies).

p. 189 *Universités et jésuites.* RAMON ROBRES, *El Patriarca Ribera, la Universidad de Valencia y los Jesuitas (1563-1673)*, dans *Hispania*, t. LXIX, 1957 (conflit entre l'Univ. et le collège S.J.).

p. 194 *Suarez.* Actes et ouvrages contre Suarez : SOMM.-BLIARD, t. XI, col. 1919-1925; N. ÖRY, *Suarez in Rom*, dans *Zeitschr. f. Kathol. Theol.*, t. LXXXI, 1959, p. 133-162 (enseignement au collège romain, 1580-1585, période particul. féconde, nombre de questions, netteté déterminante, pour la suite de son œuvre, des prises de position doctrinales); *Presencia y Sugestión del Filosofo Francisco Suarez*, Buenos-Aires, 1959.

p. 200 *Université de Louvain.* F. CLAEYS-BOÚÚAERT, *Contribution à l'histoire économique de l'Ancienne Université de Louvain*, Louvain, 1959 (revendication du monopole de l'enseign. sup. et S. J.).

p. 206 n. 2. B. SCHNEIDER, *Die Denkschrift des Paul Hoffaeus, S. J. De unione animorum in Societate*, dans *A.H.S.J.*, t. XXIX, 1960, p. 85-98.

p. 228 *Érasme.* M.O.G. (Olphe-Gaillard), *Érasme et Ignace de Loyola*, dans *R.A.M.*, t. XXXV, 1959, p. 337-352.

p. 234 C. DE BRUIJN, *De statenvertaling en hare voorgangers*, Leyde, 1937.

p. 244 *Possevino.* M. SCADUTO, *Le missioni di A. Possevino in Piemonte. Propaganda calvinista e restaurazione cattolica (1560-1563)*, dans *A.H.S.J.*, t XXVIII, 1959, p. 51-191.

p. 251 *D. Petau.* P. DI ROSA, *Denis Petau e la cronologia*, dans *A.H.S.J.*, t. XXIX, 1960, p. 1-54. (Étude critique de l'œuvre de Petau et de sa méthode dans le cadre des travaux chronologiques de son temps).

p. 254 *P. Sarpi.* P. F. LE COURAYER, (trad. de P. SARPI), *Histoire du concile de Trente écrite en italien par Fra Paolo Sarpi, de l'Ordre des Servites, et traduite de nouveau en Français avec des Notes critiques*, Amsterdam, 1736.

p. 263 *Imprimeries.* Imprimerie S. J. à Saint-Omer; cf. *R.H.E.*, t. LIV, 1959, p. 332.

p. 274 *Théologiens carmes.* B. SIBERTA, *Thomisme à l'école carmélitaine*, dans *Mélanges Mandonnet*, Paris, 1930, t. I, p. 441-448.

p. 281 *P. Faber.* W. V. BANGERT, *To the Other Towns : A life of Blessed Peter Faber*, Westminster, Maryland, 1959.

p. 292 et **297** *Écriture et Tradition.* A. ARANA, *« Escritura y tradición »* en el Concilio de Trento, dans *Lumen*, t. VII, 1958, p. 336-344; H. BACHT, H. FRIES, R. GEISELMANN, *Die Mündliche Tradition. Beiträge zum Begriff der Tradition* (SCHMAUS), Munich, 1957 (historique depuis Vincent de Lérins au XIXe s.), dans *Rev. de l'Univ. d'Ottawa*, t. XXVIII, 1958, p. 185; J. BEUMER, *Die Frage nach Schrift und Tradition bei Robert Bellarmin*, dans *Scholastik*, t. XXXIV, 1959, p. 1-22; Y. M. J. CONGAR, *Sainte Écriture et Sainte Église*, dans *R.S.P.T.*, t. XLIV, 1960, p. 81; J. R. GEISELMAN, *Das Konzil von Trient über das Verhältnis der H. Schrift und der nichtgeschrieben Traditionen*, dans *Beitr. z. Begriff der Tradition*, *op. cit.*, p. 123-206; H. HOLSTEIN, *La Tradition d'après le Concile de Trente*, dans *R.S.R.*, t. XLVII, 1959, p. 367-390; J. LODRIOOR, *Écriture et Tradition* (sur GEISELMAN), dans *E.T.L.*, t. XXXV, 1959, p. 423; E. ORTIGUES, *Écriture et traditions apostoliques au concile de Trente*, dans *R.S.R.*, t. XXXVI, 1949, p. 271-299; M. RÉVEILLAUD, *L'autorité de la Tradition chez Calvin*, dans *Rev. Réf.*, t. XXXIV, 1958, p. 25-44; J. SALAVERRI, *La tradición valorada como fuente de la Revelación en el Concilio de Trento*, dans *Estud. ecles.*, t. XX, 1946, p. 33-61.

p. 312 *Vincent de Lérins, saint.* A. D'ALÈS, *La fortune du « Commonitorium »*, dans *R.S.R.*, t. XXXVI, 1936, p. 334-356; J. MADOZ, *El Commonitorio de San Vincente de Lerins. Traducción castellana con commentario y precedida de una introducción*, Madrid, 1935; A. MITTERER, *Die Entwicklungslehre Augustin im Vergleich mit dem Weltbild des Hl. Thomas*, Vienne, 1956; *S.V.D.L*, *Commonitorium*, trad. et présenté par M. MESLIN, Namur, 1960.

p. 315 *Ecclésiologie.* ST. JAKI, *Les tendances nouvelles de l'Ecclésiologie*, Rome, 1957; R. L. NOLASCO, *Doctrina de Suarez sobre la exclusión de la Iglesia par la excomunicación*, dans *Ciencia y Fe*, t. CXI, 1957, p. 29-39; P. NORDHUES, *Der Kirchenbegriff des Louis de Thomassin in seinen dogmatischen Zusammenhänge ᵖ und in seiner lebenmässigen Bedeutung*, Leipzig, 1958.

p. 350 *Infaillibilité papale.* P. MASSI, *Magistero infallibile del Papa nella teologia di Giovanni da Torquemada*, Turin, 1957.

p. 356 n. 1. *Nolus, Nicolas Kabasilas*, à ne pas confondre avec son neveu Nicolas : M. LOT-BRGODINE, *Un maître de la spiritualité byzantine au XIVe siècle*, Nicolas Kabasilas, Paris, 1958, c. r. dans *E.T.L.*, t. XXXVI, 1960, p. 118; E.U.I.A.E., t. X, col. 97.

p. 367 *Gallicanisme.* P. BLET, *Le chancelier Séguier, protecteur des jésuites, et l'assemblée du clergé de 1645*, dans *A.H.S.J.*, t. XXVI, 1957, p. 177-198; FUNCK-BRENTANO, *La cour de Louis XIV*, Paris [1937], p. 207-213; J. P. MASSAUT, *Autour de Richelieu et de Mazarin. Le carme Léon de Saint-Jean et la grande politique*, dans *Rev. d'Hist. mod. et contemp.*, p. 11-45 (réforme de Touraine); B. REYNOLD, *Proponents of limited monarchy in sixteenth century France. F. Hotman and Jean Bodin*, dans *Columbia Univ. Studies in History*, n. 334.

p. 395 *Conflits entre jésuites et clergé anglais.*

Th. GRAVES LAW, *A historical Sketch of the Conflicts between Jesuits and Seculars in the Reign of Queen Elisabeth*, Londres, 1889; J. GRISAR, *Die ersten Anklagen in Rom gegen das Institut Maria Wards* (1622), Rome, 1959, p. 6-8.

p. 402 P. BLET, *Jésuites gallicans au XVIIe siècle? A propos de l'ouvrage du P. Guitton sur le P. de la Chaize*, dans *A.H.S.J.*, t. XXIX, 1960, p. 55-84 (Étude solidement documentée, qui complète et corrige notre exposé; sans rien céder au sujet de la suprématie du pape sur le concile, bon nombre de jésuites français n'étaient pas opposés au gallicanisme politique).

p. 407 *Anti-romanisme espagnol.*

P. PRODI, *San Carlo Borromeo e le trattative tra Gregorio XIII e Filippo II sulla giurisdizione eclesiastica*, dans *Riv. stor. Chiesa in Italia*, mai-août, 1957; L. SANCHEZ AGESTA, *Los origenes de la teoria del Estado en el pensamiento español del siglo XVI*, dans *Rev. estud. pol.*, mars-avril, 1958; P. VOLTES, *Iglesia y estado en el epilogo de la dominación española en Flandes.* dans *Hispania sacra*, janv.-juin, 1957.

p. 427 *Territorialité de la religion.*

G. JOHANNESSON, *Die Kirchenreformation in den nordischen Ländern*, dans *Rapports du XIe Congrès d'histoire à Stockholm*, 1960, t. IV, p. 72-83.

p. 429 *Église et État.*

P. BONENFANT, *Précieux inventaire du manuscrit 18227 de la Bibliothèque royale de Belgique*, contient l'indication de nombreuses pièces concernant les relations entre les deux pouvoirs, surtout en Belgique et en France, dans *R.b.P.H.*, t. VIII, 1929, p. 1139-1149; *B.J.B.* nᵒˢ 12928-12931, 12942, 12944, 13002, 13021, 13024-13028, 13064, 13119, 13155, 13171, 13571, 13605; G. CAPPELANI, *Formule bellarminiane e tendenze ammodernate nella recente dottrina canonista sull'Ecclesiae potestas in temporalibus*, dans *Diritto Ecclesiast.*, t. LXIX, 1958, p. 383-415; A. FOLGADO, *Los tratados De legibus y De iustitia et iure en los autores españoles del siglo XVI y primera mitad del XVII*, dans *Ciudad de Dios*, t. CLXXII, 1959, p. 457-484; M. HECKEL, *Église et État dans la doctrine des juristes évangéliques de la première moitié du XVIIᵉ siècle*, dans *Zeitschr. d. Savigny Stiftung f. Rechtsgesch. Kanon. Abteilung*, t. XLIII, 1957, p. 202-308; M. R. MOLINERO, *El Concepto de ley en fray Alfonso de Castro*, dans *Veridad y Vidad*, t. XVII, 1959, p. 31-74.

p. 434 *Les problèmes coloniaux.*

CH. M. de WITTE, *Les bulles pontificales et l'expansion portugaise au XVIᵉ siècle*, dans *R.H.E.*, t. LIII, 1958; L. HANKE, *The Struggle for Justice in the Spanish conquest of America;* trad. *La Lucha por la justicia en la conquista de America*, Buenos-Aires, 1949 (ouvrages pro-indiens de MATIAZ de PAZ et de PALACIOS RUBROS); J. HÖFFNER, *La etica colonial española del siglo de oro. Cristianismo y dignidad humana*, Madrid, 1957; S. A. JANTO, *Three Friars, a Queen and a Cardinal and New Spain*, dans *Francisc. Studies*, t. XVIII, 1958, p. 355-384 (Zumarraga, év. de Mexico); C. MELZI, *L'expansione territoriale nel pensiero dei moralisti dei secoli XVI e XVII*, Milan, 1956.

INDEX

TABLE DES MATIÈRES

Tome premier

PRÉLIMINAIRES

PREMIÈRE PARTIE

LA VIE DANS L'ÉGLISE INSTITUTIONNELLE

LIVRE PREMIER. — La Papauté et la Curie romaine.

DEUXIÈME PARTIE

LA VIE INTÉRIEURE DE L'ÉGLISE

SA PENSÉE ET SA VITALITÉ RELIGIEUSE

**LIVRE PREMIER. — La théologie. Centres d'études.
Orientations nouvelles.**

Imprimé en Belgique par DESCLÉE & Cie, ÉDITEURS, S. A., Tournai — 6.377

Le Tome II comprendra :

Le Tome II comprendra :

ACHEVÉ D'IMPRIMER
LE 25 OCTOBRE 1960
PAR
DESCLÉE & CIE., S. A., ÉDITEURS
TOURNAI
(BELGIQUE).